완벽한 자율학습서

완자는 친절하고 자세한 설명, 효율적인 맞춤형 학습법으로
학생들에게 학습의 자신감을 향상시켜 미소 짓게 합니다.

ω는 완자(WJ)와 미소(ʊ)가 만든 완자의 새로운 얼굴입니다.

세상이 변해도
배움의 즐거움은
변함없도록

시대는 빠르게 변해도
배움의 즐거움은
변함없어야 하기에

어제의 비상은
남다른 교재부터
결이 다른 콘텐츠
전에 없던 교육 플랫폼까지

변함없는 혁신으로
교육 문화 환경의 새로운 전형을
실현해왔습니다.

비상은 오늘, 다시 한번
새로운 교육 문화 환경을 실현하기 위한
또 하나의 혁신을 시작합니다.

오늘의 내가 어제의 나를 초월하고
오늘의 교육이 어제의 교육을 초월하여
배움의 즐거움을 지속하는 혁신,

바로, 메타인지 기반 완전 학습을.

상상을 실현하는 교육 문화 기업 비상

메타인지 기반 완전 학습
초월을 뜻하는 meta와 생각을 뜻하는 인지가 결합한 메타인지는
자신이 알고 모르는 것을 스스로 구분하고 학습계획을 세우도록 하는
궁극의 학습 능력입니다. 비상의 메타인지 기반 완전 학습 시스템은
잠들어 있는 메타인지를 깨워 공부를 100% 내 것으로 만들도록 합니다.

자율학습시
비상구
완자로 53

통 합 사 회

Structure

01 | 핵심 내용 파악하기

이 단원에서 꼭 알아야 하는 핵심 개념을 확인하고, 친절하게 설명된 내용 정리로 통합사회 교과 내용을 이해할 수 있습니다.

이 단원에서 학습해야 할 핵심 개념을 한눈에 파악할 수 있습니다

교과서에서 다루는 내용을 명확하게 정리하고, 어려운 개념이나 용어, 사례 등에는 친절한 설명을 덧붙였습니다.

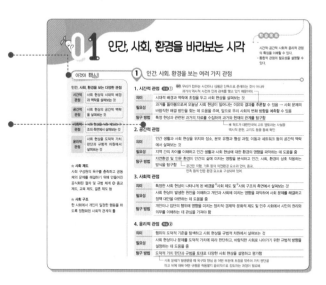

03 | 다양한 유형의 내신 문제 풀기

학교 시험에 자주 출제되는 유형의 문제들을 단계별로 풀어보면서 실력을 향상시킬 수 있습니다. 또한 시험에서 비중이 높아진 서술형 문제도 자신있게 대비할 수 있습니다.

04 | 수능 문제로 1등급 정복하기

사고력과 변별력을 요구하는 수능 유형의 문제를 풀면서 실력을 향상시키고 난이도 있는 시험 문제에도 자신감을 얻을 수 있습니다.

한눈에 보이는 정리 비법, 간단한 문제로 확인하는 개념, 함께 알아 두어야 할 자료 등을 선생님이 강의하듯 꼼꼼하게 정리하였습니다.

학교 시험은 물론 수능에도 출제될 가능성이 높은 중요 자료를 질문과 답변 형식으로 철저하게 분석하였습니다.

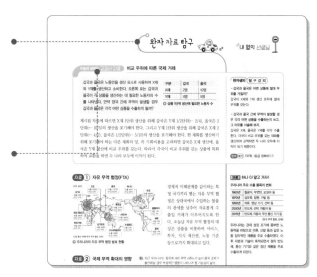

05 | 통합형 문제로 마무리하기

대단원의 핵심 내용을 한눈에 정리하고, 통합형 문제까지 풀어보면서 대단원 학습을 최종 점검할 수 있습니다.

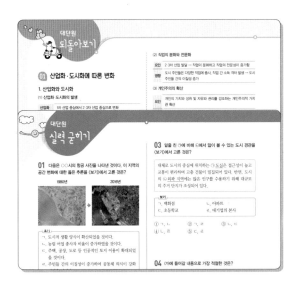

06 | 주제별 논술형 문제

교과 내용에서 강조하는 논술 주제들을 별도 구성하고, 논술 포인트, 자료 분석 등을 통해 입체적인 논술 답안을 제공하였습니다.

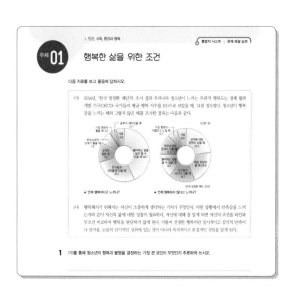

Contents

완자와 내 교과서 비교하기

I

인간, 사회, 환경과
행복

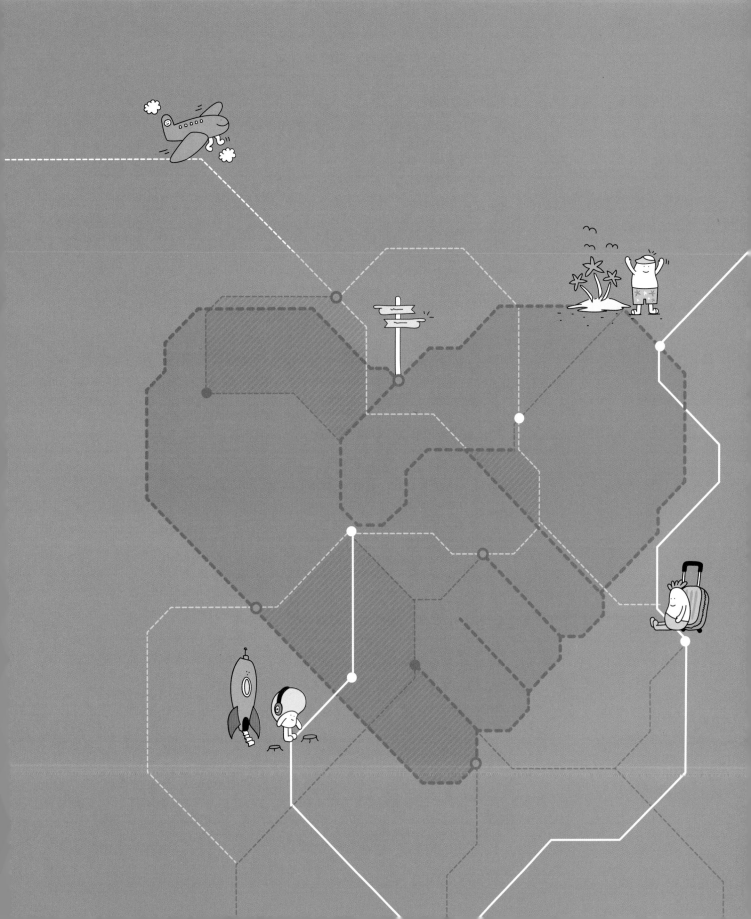

01 인간, 사회, 환경을 바라보는 시각

1 인간, 사회, 환경을 보는 여러 가지 관점

이것이 핵심!

인간, 사회, 환경을 보는 다양한 관점

시간적 관점	사회 현상의 시대적 배경과 맥락을 살펴보는 것
공간적 관점	사회 현상의 공간적 맥락을 살펴보는 것
사회적 관점	사회 현상을 사회 제도와 구조의 측면에서 살펴보는 것
윤리적 관점	사회 현상을 도덕적 가치 판단과 규범적 차원에서 살펴보는 것

★ **사회 제도**
사회 구성원의 욕구를 충족하고 공동체의 문제를 해결하기 위해 만들어진 공식화된 절차 및 규범 체계 예 종교 제도, 교육 제도, 결혼 제도 등

★ **사회 구조**
한 사회에서 개인이 일정한 행동을 하도록 정형화된 사회적 관계의 틀

1. 시간적 관점 [자료①]

Qui? 우리가 접하는 사건이나 상황은 단독으로 존재하는 것이 아니라 과거의 역사적 사건과 인과 관계를 맺고 있기 때문이야.

의미	시대적 배경과 맥락에 초점을 두고 사회 현상을 살펴보는 것
필요성	과거를 돌아봄으로써 오늘날 사회 현상이 일어나는 이유와 결과를 추론할 수 있음 → 사회 문제의 바람직한 해결 방안을 찾는 데 도움을 주며, 앞으로 우리 사회의 변화 방향을 예측할 수 있음
탐구 방법	특정 현상과 관련된 과거의 자료를 수집하여 과거와 현재의 관계를 탐구함

예 독도가 대한민국의 고유 영토라는 사실을 역사적 문헌, 고지도 등을 통해 확인

2. 공간적 관점

의미	인간 생활과 사회 현상을 위치와 장소, 분포 유형과 형성 과정, 이동과 네트워크 등의 공간적 맥락에서 살펴보는 것
필요성	지역 간의 차이를 이해하고 인간 생활과 사회 현상에 대한 환경의 영향을 파악하는 데 도움을 줌
탐구 방법	자연환경 및 인문 환경이 인간의 삶에 미치는 영향을 분석하고 인간, 사회, 환경이 상호 작용하는 방식을 탐구함

공간은 지형, 기후 등의 자연환경 요소와 언어, 종교, 민족 등의 인문 환경 요소로 구성되어 있어.

3. 사회적 관점

의미	특정한 사회 현상이 나타나게 된 배경을 ★사회 제도 및 ★사회 구조의 측면에서 살펴보는 것
필요성	사회 현상이 발생한 원인을 이해하고 개인과 사회에 미치는 영향을 파악하여 사회 문제를 해결하고 정책 대안을 마련하는 데 도움을 줌
탐구 방법	개인이나 집단의 행위에 영향을 미치는 정치적·경제적·문화적 제도 및 민주 사회에서 시민의 권리와 의무를 이해하는 데 관심을 가져야 함

4. 윤리적 관점 [자료②]

의미	행위의 도덕적 기준을 탐색하고 사회 현상을 규범적 차원에서 살펴보는 것
필요성	사회 현상이나 문제를 도덕적 가치에 따라 판단하고, 바람직한 사회로 나아가기 위한 규범적 방향을 설정하는 데 도움을 줌
탐구 방법	도덕적 가치 판단과 규범을 토대로 다양한 사회 현상을 설명하고 평가함

사회 문제가 발생했을 때 욕구와 양심 중 어떤 부분에 초점을 맞추어 가치 판단을 하고 이에 대해 어떤 규범을 적용할지 윤리적으로 검토하는 과정이 필요해.

2 통합적 관점을 통한 사회 문제 탐구

이것이 핵심!

통합적 관점의 필요성

개별적 관점의 한계
사회 현상에 담긴 복잡하고 다면적인 의미를 파악하기 어려움

↓

통합적 관점
· 사회 현상의 종합적 이해 · 사회 문제의 근본적 해결책 모색 가능 · 인간과 사회에 대한 통찰력 함양

1. 개별적 관점을 통한 사회 현상 이해의 한계

사회 현상은 다양한 요인이 복잡하게 얽혀 있고, 사실과 가치의 문제가 섞여서 나타나.

(1) **현대 사회의 특징**: 사회 현상의 복잡성, 급속한 기술 발전, 학문의 세분화

(2) **개별적 관점의 한계**: 한 가지 관점으로만 살펴보아서는 사회 현상에 담긴 복잡하고 다면적인 의미를 파악하기 어려움

2. 통합적 관점 [교과서 자료]

세상을 통합적 관점으로 본다는 것은 인간, 사회, 지구 공동체 및 환경을 개별 학문의 경계를 넘어 종합적으로 이해한다는 거야.

의미	사회 현상을 시간적·공간적·사회적·윤리적 관점을 고려하여 통합적으로 살펴보는 것
필요성	· 다양한 관점을 통합적으로 고려하면 복잡한 사회 현상을 정확하게 이해할 수 있음 · 사회 문제의 속성을 깊이 있게 이해함으로써 근본적이고 다각적인 해결 방안 모색이 가능함 · 인간과 사회에 대한 통찰력을 함양하고 인류의 삶의 방향을 개선할 수 있음

완자 자료 탐구 내 옆의 선생님

자료 ① 시간적 관점에서 바라본 '엘 클라시코'

'엘 클라시코'는 에스파냐 축구 리그의 최대 라이벌인 '레알 마드리드'와 'FC 바르셀로나'의 맞대결을 일컫는 말로, 세계에서 가장 인기 있는 축구 경기 중 하나이다. 특히, 양 팀 관중들의 격렬한 응원 때문에 '축구 전쟁'이라 불릴 정도로 열기가 대단하다.

바르셀로나가 속한 카탈루냐 지방은 15세기 에스파냐에 통합되었다. 20세기 초 독재자 프랑코가 이 지역을 탄압하면서 카탈루냐 주민들의 독립 요구가 커졌고, 당시 프랑코의 근거지였던 마드리드에 대한 반감이 오늘날까지 남아 축구 경기에 표출되고 있다.

자료 ② 윤리적 관점에서 바라본 아동 노동 문제

우리가 먹는 초콜릿에는 서아프리카 아이들의 피와 땀이 묻어 있다. 이곳의 카카오 농장주들은 저렴하게 카카오를 생산하기 위해 법을 어기고 아동을 고용하고 있으며, 이 과정에서 아동을 납치하거나 사고파는 일도 벌어진다. – 「뉴시스」, 2014. 2. 13.

아동 노동 문제는 지역의 특수한 문제로만 볼 수 없다. 아동 노동은 인간 존엄성과 관련된 문제이므로 누구든 인간다운 삶을 누릴 수 있도록 해야 한다는 도덕적 기준에서 평가되어야 한다.

정리 | 비법을 알려줄게!

시간적 관점으로 접근하기

탐구 방법	과거를 통해 현재 나타난 현상이나 문제의 이해 및 해결 방법 탐색
유용한 질문	• 시간 속에서 인간과 사회는 어떻게 변화해 왔는가? • 현재의 문제를 해결하는 데 참고할 만한 과거의 사례가 있는가? • 우리가 사는 세계는 앞으로 어떻게 변할 것인가?

자료 | 하나 더 알고 가자!

개별적 관점의 한계

코끼리는 뱀같이 생겼어. / 아니야, 부채 모양이야. / 아니야, 기둥처럼 생겼어.

어떤 사물이나 현상의 한 부분만 살펴보고 전체를 이해하려고 하면 복잡하고 다면적인 의미를 제대로 파악하기 어렵다.

수능이 보이는 교과서 자료 | 기후 변화, 통합적 관점으로 살펴보기

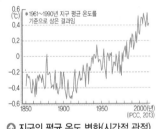

↑ 지구의 평균 온도 변화(시간적 관점)

↑ 기후 변화에 따른 지역 변화(공간적 관점)

온실가스를 배출하는 나라는 몇몇 선진국과 개발 도상국이지만 기후 변화의 피해는 전 세계가 입고 있어.

시간적 관점	기후 변화는 언제부터 나타났으며, 원인은 무엇일까?

산업 혁명 이후 인구 증가, 화석 연료 사용 증가로 온실가스 배출량이 급격히 늘어 지구 평균 기온이 상승함

공간적 관점	기후 변화가 환경과 인간 생활에 어떤 영향을 미쳤을까?

이상 기상 현상이 나타나며, 빙하 감소에 따른 해수면 상승으로 해안 저지대가 침수되어 기후 난민이 발생함

기후 변화

사회적 관점	국제 사회는 기후 변화를 막기 위해 어떤 노력을 할까?

기후 변화 협약(1992), 교토 의정서(1997), 파리 기후 협약(2015) 등 온실가스 감축을 위한 구속력 있는 합의가 이루어짐

윤리적 관점	기후 변화에 대한 책임은 누구에게 있을까?

인간의 이기심으로 인한 환경 파괴에 대한 성찰, 선진국과 개발 도상국 간 책임의 형평성 문제에 대한 논의가 필요함

다양한 관점을 통합적으로 고려하여 기후 변화의 원인과 영향을 파악하면 현상을 정확히 이해할 수 있고, 이를 바탕으로 근본적인 해결책을 찾아낼 수 있다.

완자샘의 탐구 강의

• 기후 변화 현상을 시간적·공간적·사회적·윤리적 관점에서 서술해 보자.
시간적 관점에서 기후 변화는 산업 혁명 이후 나타났다고 볼 수 있다. 공간적 관점에서 기후 변화는 전 지구적 차원의 문제이다. 사회적 관점에서는 기후 변화 문제를 국제 사회 및 국가적 차원에서 제도를 만들어 해결해야 한다고 대안을 제시할 수 있다. 윤리적 관점에서는 지구 온난화로 환경이 파괴되고 기후가 변화한 것이 인간의 이기심 때문이라는 가치 판단을 내릴 수 있다.

함께 보기 15쪽, 1등급 정복하기 1

STEP 1 핵심 개념 확인하기

STEP 2 내신 만점 공략하기

1 다음 설명이 맞으면 ○표, 틀리면 ✕표를 하시오.

(1) 시간적 관점의 탐구로는 앞으로 우리 사회의 변화 방향을 짐작하기 어렵다. ( )

(2) 한 사회에서 개인이 일정한 행동을 하도록 정형화된 사회적 관계의 틀을 사회 구조라고 한다. ( )

(3) 공간은 지형, 기후 등의 자연환경 요소와, 언어, 종교, 민족 등의 인문 환경 요소로 구성되어 있다. ( )

2 다음 질문에 해당하는 관점을 〈보기〉에서 골라 기호를 쓰시오.

┌─ 보기 ┐
ㄱ. 시간적 관점   ㄴ. 공간적 관점
ㄷ. 사회적 관점   ㄹ. 윤리적 관점
└────────┘

(1) 법과 제도는 우리에게 어떤 영향을 미치는가? ( )

(2) 지구의 평균 기온은 앞으로 어떻게 변할 것인가? ( )

(3) 환경에 따라 사람들의 생활 모습은 어떻게 다른가?
( )

(4) 일상생활에서 도덕적 행위를 판단하는 기준은 무엇인가?
( )

3 사회 현상을 바라보는 관점과 탐구 방법을 옳게 연결하시오.

(1) 시간적 관점 •
• ㉠ 특정 현상과 관련된 과거의 자료 수집

(2) 공간적 관점 •
• ㉡ 사회 제도 및 시민의 권리와 의무 이해

(3) 사회적 관점 •
• ㉢ 인간, 사회, 환경이 상호 작용하는 방식을 탐구

(4) 윤리적 관점 •
• ㉣ 도덕적 가치 판단과 규범을 토대로 사회 현상을 평가

4 다음에서 설명하는 관점을 쓰시오.

┌──────────────────────┐
사회 현상을 시대적 배경과 맥락, 위치와 장소 및 네트워크 등의 공간적 맥락, 사회 구조 및 제도의 영향력, 규범적 방향성과 가치 등을 고려하여 통합적으로 살펴보는 것을 의미한다.
└──────────────────────┘

[01~02] 다음 글을 읽고 물음에 답하시오.

┌──────────────────────┐
'엘 클라시코'는 에스파냐 축구 리그의 최대 라이벌인 '레알 마드리드'와 'FC 바르셀로나'의 맞대결을 일컫는 말이다. 두 팀간의 경기는 '축구 전쟁'이라 불릴 만큼 격렬한데, 이러한 현상을 이해하기 위해서는 '엘 클라시코'를 (㉠)에서 바라볼 필요가 있다. 바르셀로나가 속한 카탈루냐 지방은 15세기 에스파냐에 통합되었지만 자치권을 유지하고 있었다. 하지만 20세기 초 독재자 프랑코가 이 지역을 탄압하면서 카탈루냐 주민들의 독립 요구가 커졌고, 당시 프랑코의 근거지였던 마드리드에 대한 반감이 오늘날까지 남아 축구 경기에 표출되고 있다.
└──────────────────────┘

01 ㉠에 들어갈 관점으로 가장 적절한 것은?

① 시간적 관점   ② 공간적 관점   ③ 사회적 관점
④ 윤리적 관점   ⑤ 통합적 관점

02 ㉠의 필요성으로 옳은 것을 〈보기〉에서 고른 것은?

┌─ 보기 ┐
ㄱ. 과거의 사건과 인과 관계를 추론하기 위해
ㄴ. 앞으로의 사회 변화 방향을 예측하기 위해
ㄷ. 공간 변화가 환경에 미친 영향을 파악하기 위해
ㄹ. 사회 현상에 대한 도덕적 가치 판단을 하기 위해
└────────┘

① ㄱ, ㄴ   ② ㄱ, ㄷ   ③ ㄴ, ㄷ
④ ㄴ, ㄹ   ⑤ ㄷ, ㄹ

03 사회 현상을 바라보는 관점에 따라 고려해야 할 요소를 옳게 연결한 것을 〈보기〉에서 고른 것은?

┌─ 보기 ┐
ㄱ. 시간적 관점 – 시대적 배경과 맥락
ㄴ. 공간적 관점 – 규범적 방향성과 가치
ㄷ. 사회적 관점 – 사회 구조 및 제도의 영향력
ㄹ. 윤리적 관점 – 장소와 분포 유형 및 네트워크
└────────┘

① ㄱ, ㄴ   ② ㄱ, ㄷ   ③ ㄴ, ㄷ
④ ㄴ, ㄹ   ⑤ ㄷ, ㄹ

04 다음 글의 제목으로 가장 적절한 것은?

> 네덜란드는 비가 자주 내려 진창길이 많고 해수면보다 낮은 땅과 갯벌이 많아서 사람들은 질퍽한 땅에 발이 빠지는 것을 막기 위해 나무로 만든 전통 신발을 신어 왔다. 반면, 눈이 많이 내리는 스위스는 겨울철에 등산할 때 신는 아이젠과 유사한 신발을 신어 왔다. 목동들은 눈이 쌓여 경사진 곳이나 얼음으로 덮인 길에서 미끄러지지 않고 걷기 위해 이러한 신발을 고안하였다.

① 인문 환경 요소에 따른 공간의 특징
② 사람과 물자의 이동에 따른 공간의 확대
③ 세계화에 따른 공간 간의 상호 작용 증가
④ 문화 차이에 대한 공간적 관점에서의 이해
⑤ 공간적 관점에 따른 사회 문제의 해결 방안

05 다음은 수업 시간의 한 장면이다. 해당 주제에 대하여 사회적 관점으로 접근한 학생을 〈보기〉에서 고른 것은?

보기

갑: 기후 변화는 산업 혁명 이후에 나타났다고 볼 수 있습니다.
을: 환경이 파괴되고 기후가 변화한 것은 인간의 이기심 때문입니다.
병: 온실가스 배출을 줄이도록 하는 국제적 합의를 추진해야 합니다.
정: 국제 사회 및 국가적 차원에서 제도를 만들어 기후 변화 문제를 해결할 수 있습니다.

① 갑, 을   ② 갑, 병   ③ 을, 병
④ 을, 정   ⑤ 병, 정

06 (가)~(다)와 같은 질문을 통해 교통 혼잡의 원인을 바라보는 관점을 옳게 연결한 것은?

(가) 예전에도 이렇게 교통 혼잡이 심했을까?
(나) 교통 혼잡이 특히 도심에서 심한 까닭은 무엇일까?
(다) 운전자의 교통질서 의식 수준이 낮은 것은 아닐까?

	(가)	(나)	(다)
①	공간적 관점	시간적 관점	윤리적 관점
②	공간적 관점	윤리적 관점	시간적 관점
③	시간적 관점	공간적 관점	윤리적 관점
④	시간적 관점	윤리적 관점	공간적 관점
⑤	윤리적 관점	시간적 관점	공간적 관점

07 지도는 커피의 생산국과 수입국 분포를 나타낸 것이다. 이를 보고 나눈 대화 중 탐구 관점이 나머지와 다른 한 명은?

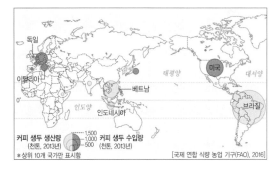

① 갑: 커피를 수입하는 국가는 대부분 소득 수준이 높아.
② 을: 커피는 주로 저위도 지역의 개발 도상국에서 생산되고 있어.
③ 병: 커피는 주로 적도 부근에서 생산되는 대표적인 열대 작물이야.
④ 정: 커피를 생산하는 과정에서 많은 아이들이 노동 착취를 당하고 있어.
⑤ 무: 커피는 생산에서 수입까지 여러 유통 단계를 거치기 때문에 이 과정에서 많은 지역이 연계를 맺고 있어.

08 밑줄 친 ⊙과 같은 관점이 필요한 이유로 적절한 것을 〈보기〉에서 고른 것은?

> 우리가 먹는 초콜릿에는 서아프리카 아이들의 피와 땀이 묻어 있다. 이곳의 카카오 농장주들은 저렴하게 카카오를 생산하기 위해 법을 어기고 싼값에 아동을 고용하고 있으며, 이 과정에서 아동을 납치하거나 사고파는 일도 벌어지고 있다. 이러한 아동 노동 문제는 인간 존엄성과 관련된 문제이고, 따라서 ⊙누구든 인간다운 삶을 누릴 수 있도록 해야 한다는 도덕적 기준에서 평가되어야 한다.

보기

> ㄱ. 개인의 삶의 방향성을 정하는 데 중요한 역할을 하기 때문이다.
> ㄴ. 인간 생활에 대한 환경의 영향을 파악하는 데 도움을 주기 때문이다.
> ㄷ. 사회가 나아가야 할 규범적 방향을 모색하는 데 도움을 주기 때문이다.
> ㄹ. 과거를 통해 현재를 이해하고 바람직한 해결 방안을 찾는 데 도움을 주기 때문이다.

① ㄱ, ㄴ   ② ㄱ, ㄷ   ③ ㄴ, ㄷ
④ ㄴ, ㄹ   ⑤ ㄷ, ㄹ

09 (가)에 들어갈 내용으로 가장 적절한 것은?

> 옛날 어떤 왕이 눈이 안 보이는 사람들에게 코끼리를 만져 보게 한 뒤 코끼리가 어떻게 생겼느냐고 물었다. 코끼리의 코를 만진 사람은 '구부러진 막대'와 같다고 하였고, 다리를 만진 사람은 '나무'와 같다고 했으며, 꼬리를 만진 사람은 '밧줄'과 같다고 하였다. 사회 현상도 어느 한 부분만을 분석하여 전체를 이해하려고 하면 제대로 파악하기 어렵다. 그렇기 때문에 _____(가)_____

① 한 분야의 전문가에게 맡겨 문제를 해결해야 한다.
② 인간, 사회 및 환경을 개별적 관점으로 바라보아야 한다.
③ 도덕적 가치 판단을 중심으로 사회 현상을 평가해야 한다.
④ 다양한 관점을 통합적으로 고려하여 해결책을 찾아야 한다.
⑤ 사회 현상을 사회 구조 및 사회 제도의 측면에서 해석해야 한다.

서술형 문제

● 정답친해 03쪽

01 다음 글에서 사회 현상을 바라보는 관점을 쓰고, 이러한 관점이 필요한 이유를 서술하시오.

> • 정보 사회에서 학생들은 휴대 전화를 이용하여 더욱 빠르고 원활하게 의사소통을 하기 위해 은어를 사용한다.
> • 청소년이 입시 위주의 교육 제도 속에서 해방감을 느끼고, 또래 집단과의 소속감을 형성하기 위한 방법으로 은어를 사용한다.

（길잡이） 청소년의 은어 사용을 사회 제도와 사회 구조를 중심으로 이해하고 있다.

02 다음 글을 읽고 물음에 답하시오.

> • 교사: 한옥을 이해하려면 어떻게 바라보아야 할까요?
> • 갑: (⊙) 관점에서 한옥의 역사를 살펴보아야 합니다.
> • 을: (ⓒ) 관점에서 우리나라의 기후가 한옥의 구조에 미친 영향을 살펴보아야 합니다.

(1) ⊙, ⓒ에 들어갈 말을 쓰시오.

(2) ⊙, ⓒ 관점을 탐구하는 방법에 대해 서술하시오.

（길잡이） 갑은 '역사', 을은 '기후'를 살펴본다는 점에 주목한다.

03 밑줄 친 ⊙과 같은 탐구 방법이 필요한 이유를 <u>두 가지</u>만 서술하시오.

> 생물학·화학 같은 자연 과학, 논리학·윤리학 같은 인문학, 정치학·사회학 같은 사회 과학 분야는 모두 아리스토텔레스를 할아버지로 모신다. 그가 보인 광범위한 관심은 아마도 '당시, 그곳'의 문제를 풀고자 하는 노력에서 나온 것일 것이다. 그가 그랬듯이 우리에게는 '지금, 이곳'에서 필요한 질문을 골라내고 그 답을 찾으려는 노력이 중요하다. 이 과정에서 필요하다면 ⊙여러 관점에서 문제를 살피는 것은 당연한 일이다.

（길잡이） 인간, 사회, 환경을 통합적으로 바라보는 것이 왜 중요한지 생각해 본다.

STEP 3 1등급 정복하기

1 다음 사회 문제에 대한 탐구 관점과 그에 대한 질문이 옳게 연결된 것만을 〈보기〉에서 있는 대로 고른 것은?

> 우리나라의 화장률은 1955년에는 5.5%에 불과했으나 2000년대 이후 급증하여 2014년에는 거의 80%에 이르렀다. 오늘날 화장장은 주민 복리와 편의를 위해 없어서는 안 될 중요한 공공시설이다. 그러나 시민들이 이를 자기 지역에 설치하는 것을 꺼리면서 지역 갈등이 일어나고 있다.

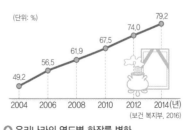

↑ 우리나라의 연도별 화장률 변화

〈보기〉
ㄱ. 공간적 관점 – 화장장 건설에 적합한 입지 조건은 무엇인가?
ㄴ. 윤리적 관점 – 화장장은 지역의 공간을 어떻게 변화시킬 것인가?
ㄷ. 시간적 관점 – 화장장 건설로 인한 갈등이 과거보다 증가한 이유는 무엇일까?
ㄹ. 사회적 관점 – 화장장 건설에 따른 문제를 해결하기 위해 어떤 제도가 필요한가?

① ㄱ, ㄴ   ② ㄱ, ㄷ   ③ ㄴ, ㄹ
④ ㄱ, ㄷ, ㄹ   ⑤ ㄴ, ㄷ, ㄹ

▶ 사회 현상을 바라보는 관점

환자샘의 시험 꿀팁

사회 현상을 바라보는 다양한 관점에 대한 문제가 출제될 가능성이 높다. 시간적, 공간적, 사회적, 윤리적 관점의 특징과 각각 제기할 수 있는 질문 등을 정리해야 한다.

〈평가원 응용〉

2 그림은 쓰레기 매립지 조성을 둘러싼 문제에 대해 토론하고 있는 모습이다. 이러한 탐구 경향에 대한 옳은 설명을 〈보기〉에서 고른 것은?

〈보기〉
ㄱ. 하나의 관점에서 다양한 주제를 탐구한다.
ㄴ. 현대 사회 현상의 복잡성과 다양성이 원인이다.
ㄷ. 통합적인 관점으로 근본적인 해결책을 찾을 수 있다.
ㄹ. 어떤 관점으로 사회 현상을 탐구할 것인지를 먼저 결정해야 한다.

① ㄱ, ㄴ   ② ㄱ, ㄷ   ③ ㄴ, ㄷ
④ ㄴ, ㄹ   ⑤ ㄷ, ㄹ

▶ 통합적 관점에서의 사회 문제 탐구

행복의 의미와 기준 ~
행복한 삶을 실현하기 위한 조건

이것이 핵심!

시대와 지역에 따른 행복의 기준

시대	• 과거: 생존이 행복의 기준 • 오늘날: 주관적 만족감 중시 → 행복의 기준이 복잡하고 다양해짐
지역	정치적·경제적·환경적 여건에 따라 요구되는 행복의 기준이 다양함

★ **행복에 대한 사상가들의 견해**
• 아리스토텔레스: 행복은 최고의 선이며 삶의 궁극적인 목적
• 석가모니: 태어나고 죽고 늙고 병드는 인간의 생로병사를 벗어나 해탈의 경지에 이르는 상태
• 정약용: 세속의 부귀영화를 의미하는 열복과 마음의 평화를 의미하는 청복을 누리는 것

★ **인(仁)**
남을 사랑하고 어질게 행동하는 일을 뜻하는 말로, 공자가 주장한 유교의 도덕 또는 정치 이념이다. 공자는 윤리적인 모든 덕의 기초로 이것을 확산시켜 실천하면 이상적인 상태에 도달할 수 있다고 하였다.

★ **불성(佛性)**
부처의 성품을 의미하는 말로, 불교에서는 모든 인간에게 불성이 있다고 여긴다.

★ **의무론**
도덕 법칙을 따르는 것을 의무로 보는 윤리 학설

★ **공리주의**
쾌락을 가져다주는 행위를 옳은 행위로, 고통을 가져다주는 행위를 그릇된 행위로 여기는 윤리 학설

① 행복의 의미와 기준

1. 행복의 의미

(1) *행복: 삶에서 충분한 만족감이나 기쁨을 느끼는 상태

(2) **행복을 누리기 위해 충족되어야 할 조건** 자료① 꿀! 인간이 행복하기 위해서는 물질적 조건과 정신적 만족감이 모두 필요하므로, 이 두 가지가 조화를 이루는 것이 중요해.

물질적 조건	의식주나 경제력, 사회적 지위 등
정신적 만족감	• 감정적 충족감: 가족과의 사랑, 친구와의 우정 등 • 자아실현을 통한 성취감: 목표를 세우고 이를 위해 노력하여 얻을 수 있는 만족감

2. 행복의 기준 교과서 자료

(1) **시대에 따른 행복의 기준**

선사 시대	사나운 짐승이나 자연재해를 피하고, 생존을 위해 먹을 것을 얻는 것 → '우연한 기회에 운 좋게 나에게 주어진 것'이라는 행운과 같은 의미로 사용
고대	• 그리스 시대: 철학이라는 지적 활동을 통해 지혜와 덕을 얻는 것 • 헬레니즘 시대: 철학적인 성찰을 통해 마음의 평안을 얻는 것
중세 시대	신앙을 통해 신의 은총을 받고 구원을 받는 것
산업화·민주화 시기	물질적 풍요로움을 확보하고, 개인의 기본권을 보장받는 것
오늘날	개인주의가 확산되고 자아실현의 욕구가 커짐 → 개인의 주관적 만족감이 중시되어 행복의 기준이 복잡하고 다양해짐

Q₩? 전쟁과 사회적 혼란이 끊이지 않는 시대였기 때문이야.

산업화와 민주화를 거치면서 사람들은 행복을 인간의 노력으로 성취할 수 있는 것으로 인식하게 되었어.

(2) **지역 여건에 따른 행복의 기준**

정치적 여건	• 민족, 종교, 정치적 갈등을 겪는 지역: 평화와 정치적 안정을 중시함 • 민주주의가 실현되지 않은 지역: 정치적 자유를 중시함
경제적 여건	• 경제적으로 빈곤한 지역: 기본적인 의식주 충족과 질병 없는 삶을 중시함 • 경제적으로 안정된 지역: 소득 불평등의 해결, 여가와 문화생활 향유 등 삶의 질을 중시함
환경적 여건	• 자연환경: 주어진 환경에 만족하거나 결핍된 요소를 충족하는 것이 행복의 기준이 됨 • 인문 환경: 지배적인 종교, 문화, 산업 등에 따라 행복의 기준이 다름

물이 부족한 지역은 깨끗한 물을 얻는 것, 일조량이 부족한 지역은 햇볕을 쬘 수 있는 것이 행복의 기준이 되기도 해.

3. 동서양의 행복론

(1) **동양의 행복론** 자료② 꿀! 동양 사상에서는 몸과 마음을 바르게 하는 수양을 통해 인간 본성을 실현하는 것을 이상적인 삶으로 강조해.

유교	하늘로부터 부여받은 도덕적 본성을 보존하고 함양하면서 다른 사람과 더불어 살아가며 *인(仁)을 실현하는 것
불교	청정한 *불성(佛性)을 바탕으로 '나'라는 의식을 벗어버리기 위한 수행과 고통받는 중생을 구제하는 실천을 통해 해탈의 경지에 이르는 것
도교	타고난 그대로의 본성에 따라 인위적인 것이 더해지지 않은 자연 그대로의 모습으로 살아가는 것 → 무위자연(無爲自然)의 삶

불교에서 추구하는 괴로움에서 벗어난 이상적인 경지

(2) **서양의 행복론**

감정에 따라 일어나는, 억누르기 어려운 생각

헬레니즘 시대	• 에피쿠로스학파: 육체에 고통이 없고 마음에 불안이 없는 평온한 삶 • 스토아학파: 정념에 방해받지 않는 초연한 태도로 자연의 질서에 따라 사는 것
근대	• 칸트(*의무론 사상가): 자신의 복지와 처지에 관해 만족하는 것을 행복이라고 여기며, 인간으로서 마땅히 지켜야 할 도덕 법칙을 실천하는 사람이 행복을 누릴 자격이 있다고 봄 • 벤담, 밀(*공리주의 사상가): 쾌락을 행복이라고 여기며, 최대 다수에게 최대 행복을 가져다주는 행위를 할 것을 강조함

완자 자료 탐구

내 옆의 선생님

자료 ① 행복을 측정하는 다양한 방법

행복 관련 지수	시작 연도	주요 항목
인간 개발 지수	1990	1인당 국민 소득, 평균 수명, 교육 수준 등
세계 행복 지수	2005	1인당 국내 총생산, 기대 수명, 사회적 지원, 관용 의식, 자신의 인생을 결정할 자유 등
더 나은 삶 지수	2011	주거, 소득, 고용, 교육, 환경, 기대 수명, 시민 참여, 일과 삶의 균형, 삶의 만족도 등 —물질 부문
국민 삶의 질 지표	2011	주거, 소득·소비·자산, 고용·임금, 사회 복지, 건강, 교육, 문화·여가, 가족·공동체, 시민 참여, 안전, 환경, 주관적 웰빙 등 —비물질 부문

최근의 행복 관련 지수들은 소득, 교육, 수명 등의 객관적 기준 뿐만 아니라 삶의 만족도나 일상생활에서 느끼는 행복감 등 주관적 만족감까지 고려하여 행복을 측정하고 있다.

수능이 보이는 교과서 자료 **시대와 지역에 따라 다른 행복의 기준**

↑ 시대에 따른 행복의 기준

↑ 지역 여건에 따른 행복의 기준

선사 시대에는 먹을 것을 구해 생존을 유지하는 것이 행복이었지만, 오늘날에는 건강, 일과 취미, 인간관계 등 개인이 느끼는 주관적 만족감이 중시되면서 행복의 기준이 복잡하고 다양해졌다. 또한, 가난한 지역에서는 일정 수준의 물질적 안정을 갖추는 것이, 차별이나 구속이 있는 사회에서는 자유를 누리는 것이 행복의 기준이 될 수 있다.

자료 ② 정약용의 행복론

나는 행복을 두 가지로 정의한다. 하나는 외직에 나가서는 대장군의 깃발을 앞세우고 관인을 허리에 두르고, 내직에 들어와서는 비단옷에 수레를 타고 사방을 다스릴 계책을 듣는 것으로 '열복(熱福)'이다. 또 하나는 깊은 산속에서 삼베옷에 짚신을 신고, 맑은 샘물에 발을 씻고, 소나무에 기대어 시를 읊는 것으로 '청복(淸福)'이다. – 정약용, 「병조 판서 오대익의 생일을 축하하는 글」 중에서

열복은 세속에서 말하는 성공과 출세를 뜻한다. 그러나 마음의 평화를 의미하는 청복은 하늘이 몹시 아껴 잘 주려 하지 않는 행복으로, 정약용은 청복이야말로 진정한 행복이라고 보았다.

자료 하나 더 알고 가자!

우리나라 청소년의 주관적 행복도

가정 형편이 어렵다고 느낄 때 6.2
기타 6.0
성적에 대한 압박이 심할 때 23.3
부모님과의 관계가 나쁠 때 12.3
(단위: %)
좋아하는 일을 할 수 없을 때 14.7
친구들과 사이가 나쁠 때 16.7
학습 부담이 너무 클 때 20.8

(한국 방정환 재단, 「어린이·청소년 행복 지수」, 2015)

언제 행복하지 않다고 느끼나?

우리나라 청소년들의 경제적 여건이나 환경은 과거에 비해 좋아졌지만, 성적이나 학습 부담으로 인해 마음으로 느끼는 행복감은 크지 않다는 것을 알 수 있다.

완자쌤의 탐구 강의

· 시대에 따라 행복의 기준이 다른 이유를 써 보자.
각 시대의 지배적인 가치나 사상, 역사적 사건이나 자연환경 등이 행복의 기준에 영향을 미치기 때문이다.

· 지역적 여건이 행복의 기준에 영향을 미친 사례를 자연환경과 인문 환경적 측면에서 한 가지씩 써 보자.
마실 물이 부족한 사막 지역에서는 깨끗한 물을 얻는 것이 행복의 기준이 될 수 있으며, 민족 갈등이나 종교 갈등이 심한 지역에서는 평화와 정치적 안정이 행복의 기준이 될 수 있다.

함께 보기 24쪽, 1등급 정복하기 2

문제로 확인할까?

행복에 대한 설명으로 옳은 것은?
① 행복의 기준은 모든 지역에서 같다.
② 동서양은 행복의 기준이 전혀 다르다.
③ 행복의 기준은 점점 단순해지고 있다.
④ 예전에는 행복에 관심을 가지지 않았다.
⑤ 오늘날 행복 기준은 복잡하고 다양해졌다.

⑤

4. 삶의 목적으로서의 행복 추구 ┌ 꼭! 일시적이고 감각적인 즐거움이 아니라, 비교적 오랜 기간에 걸쳐 삶 전체를 통해 느끼는 지속적이고 정신적인 즐거움이어야 해.

(1) **물질적·정신적 가치의 조화**: 물질적 욕망을 인정하면서도 이를 절제하고 정신적 가치를 함께 추구해야 함

(2) **의미 있는 목표의 설정과 추구**: 자신이 소중하다고 생각하는 목표를 세우고 이를 달성하고자 노력하는 자아 실현의 과정에서 행복에 더 가까워질 수 있음

(3) **개인적·사회적 측면의 고려**: 개인이 내면적으로 느끼는 주관적 만족감과 함께 한 사회의 구성원으로서 누리는 다양한 측면의 사회적 여건도 중시해야 함

행복한 삶을 위해 필요한 조건

질 높은 정주 환경	• 쾌적하고 인간다운 삶 유지 • 깨끗한 자연환경, 안전하고 풍요로운 사회적 환경
경제적 안정	• 인간의 기본적 생계 유지 및 필요를 충족 • 고용 안정과 복지 확충
민주주의 실현	• 시민의 기본적 자유와 권리 보장 • 민주적 정치 제도, 적극적인 정치 참여
도덕적 실천	• 공동체 구성원 모두의 행복 추구 • 도덕적 성찰, 역지사지의 태도, 사회적 약자 배려

★ **정주 환경**
인간이 일정한 공간에 자리 잡고 살아갈 수 있는 주거지와 다양한 주변 생활 환경

★ **맹자가 말하는 경제적 안정**
맹자는 '일반 백성은 고정적인 생업[恒産]이 없으면 흔들림 없는 도덕적인 마음[恒心]도 없어집니다.'라고 하여 경제적 안정을 강조하였다.

② 행복한 삶을 실현하기 위한 조건

1. 질 높은 정주 환경 자료③

(1) **질 높은*정주 환경의 필요성**: 인간이 생존의 위협을 받지 않고 쾌적하고 인간다운 삶을 유지하기 위해 필요함

(2) **질 높은 정주 환경의 요건**

자연환경	깨끗한 물·대기·토양, 녹지 공간 등
인문 환경	안락한 주거 환경, 안전하고 풍요로운 사회적 환경(치안 서비스, 보건 및 위생 서비스, 교육·문화 서비스), 발달된 교통·통신 시설 등

2. 경제적 안정 ┌ Q&? 경제적 안정이 보장되면 질 높은 교육과 건강 관리가 가능해지므로 안락한 생활을 누릴 수 있어.

(1) ***경제적 안정의 필요성**: 기본적 생계를 유지하고 자신의 필요를 충족하기 위해, 삶의 여유를 바탕으로 자아실현의 기회를 갖기 위해 필요함

(2) **경제적 안정의 요건**

고용 안정	일자리 창출, 최저 임금 보장 등을 통한 일정 수준 이상의 소득 보장
복지 강화	질병, 사고, 실직 등 갑작스러운 상황으로 인한 어려움에 대비할 수 있는 복지 제도 마련 예 실업 급여, 사회 보험 등

3. 민주주의의 실현 자료④　독재 국가나 권위주의적 정치 체제에서는 국민의 인권이 존중되지 않아 삶에 대한 만족이나 행복감을 느끼기 어려워.

(1) **민주주의 실현의 필요성**: 사회 구성원이 자신의 자유와 권리를 최대한 보장받으면서 행복한 삶을 꾸려 나가기 위해 필요함

(2) **민주주의 실현의 요건**　정치적 의사를 자유롭게 표출하고, 자신이 속한 공동체의 문제를 주체적으로 해결해 나가는 경험을 통해 만족감을 얻을 수 있어.

민주적 제도	의회 제도, 복수 정당 제도, 권력 분립 제도 등
시민의 정치 참여	선거, 정당이나 이익 집단 활동, 시민 단체 활동 등을 통해 적극적인 정치 참여 문화 형성

4. 도덕적 실천 자료⑤ ┌ 도덕적으로 바람직한 규범과 가치에 대해 고민하고 이를 생활에서 실천하는 것

(1) **도덕적 실천의 필요성**: 개인 뿐 아니라 공동체 구성원 모두의 행복을 실현하기 위해 필요함

(2) **도덕적 실천의 요건**　자신의 이익과 욕망 충족을 위해 타인과 공동체에 해를 입히는 행위를 하고 있지 않은지 성찰할 필요가 있어.

도덕적 성찰	자신의 행동과 삶을 도덕적 측면에서 반성하고 살펴서 바로잡는 것
역지사지의 태도	자신과 이웃에 대해 이해하고, 타인의 입장에서 상황을 바라볼 줄 아는 마음가짐
사회적 약자 배려	사회적 약자의 고통 공감, 기부나 사회봉사 활동 참여

자료 ③ 『택리지』에 나타난 정주 환경의 요건

사람이 살 터를 정할 때 첫째는 지리(地理)가 좋아야 하고, 둘째는 생리(生利)가 좋아야 하며, 셋째는 인심(人心)이 좋아야 하고, 넷째는 산수(山水)가 좋아야 한다. 이 중 하나라도 모자라면 좋은 땅이라 할 수 없다. 지리가 뛰어나도 생리가 부족하면 오래 살 수 없고, 생리가 좋아도 지리가 나쁘면 그 또한 오래 살 수 없다. 지리와 생리가 모두 좋아도 인심이 나쁘면 반드시 후회할 일이 생기고, 가까운 곳에 즐길 만한 산수가 없으면 마음을 풍요롭게 가꿀 수 없다.　– 이중환, 『택리지』

조선 후기의 실학자 이중환이 전국을 답사하고 쓴 『택리지』에는 '가거지(可居地)', 즉 사람이 살 만한 곳의 조건이 서술되어 있다. 주거를 선정하는 기준으로 풍수적으로 길지인지를 보는 '지리', 경제 활동의 여건이 유리한지를 보는 '생리', 자연 경관이 아름다운지를 보는 '산수', 그리고 지역의 인심과 풍속이 좋은지를 보는 '인심'을 들고 있다.

자료 ④ 덴마크로부터 배우는 행복의 조건

┌ 민주주의 지수 순위가 높은 국가들이 대체로 행복 지수도 높은 편이야.

구분	민주주의 지수 순위	행복 지수 순위
노르웨이	1위	4위
아이슬란드	2위	3위
스웨덴	3위	10위
뉴질랜드	4위	8위
덴마크	5위	1위
스위스	6위	2위
캐나다	7위	6위
핀란드	8위	5위

*세계 민주주의 지수는 167개국 간, 세계 행복 지수는 157개국 간 비교임.
(이코노미스트/국제 연합, 2016)

자유 스스로 선택하니 즐겁다.
학생들은 고등학교 진학 전에 1년간 '인생 학교'에 다니면서 자신의 인생을 스스로 점검하고 결정한다. 이들은 성적에 얽매이지 않고 자신이 좋아하는 진로를 탐색하여 선택한다.

안정 사회가 나를 보호해 준다.
사회 복지 제도를 잘 갖추고 있다. 병원 진료비가 평생 무료이며, 교육비도 대학까지 무료이다. 실직해도 정부에서 2년간 예전 월급 수준을 보조해 주고, 구직 활동을 도와준다.

신뢰 세금이 아깝지 않다.
정부와 시민 사이에 형성된 신뢰를 바탕으로 고(高)세율 정책을 펴고 있다. 덴마크의 고소득자는 청렴한 정부 운영에 관한 믿음을 바탕으로 월급의 50% 이상을 세금으로 낸다.

평등 남이 부럽지 않다.
어떤 직업을 택하든 자신이 좋아서 선택한 것이기 때문에 직업에 따라 사람을 차별하지 않고 자신의 직업에 자긍심을 가지고 일한다. 또한 직종 간 임금 격차도 크지 않다.

행복한 삶의 구체적인 조건은 다양하지만, 질 높은 정주 환경과 경제적 안정, 민주주의의 실현, 도덕적 실천이 대표적이라고 할 수 있다. 북유럽에 위치한 덴마크는 경제적으로 안정되고 민주주의가 정착하여 행복 지수가 높다.┐ ⓐＷＨＹ? 시민의 정치적 의사가 잘 반영될수록 각자가 원하는 삶의 방식을 자유롭게 추구할 수 있기 때문이야.

자료 ⑤ 도덕적 실천과 행복한 삶

2003년 미시간 대학 연구팀은 423쌍의 장수 부부들의 공통점을 발견했다. 이들이 정기적으로 몸이 불편하거나 가족이 없는 사람들을 방문하여 돕고 있다는 것이다. 사람은 남을 돕고 난 후에는 심리적 포만감인 헬퍼스 하이(Helper's High)를 느끼는데, 이때 즐거움을 느끼게 하는 엔도르핀의 분비는 정상치의 3배 이상 상승하고, 타액 속의 바이러스와 싸우는 면역 항체의 수치는 높아진다. 이는 결국 인간이 더불어 살 때 행복한 도덕적·사회적 존재라는 사실을 보여 준다.

행복한 삶을 실현하기 위해서는 바람직한 삶에 대한 도덕적 성찰을 바탕으로 개인적 차원에서 행하는 도덕적 실천이 중요하다. 남을 돕는 사람은 자신을 '타인에게 필요한 사람'이라고 인식하게 되는데, 이것이 자신의 자존감과 행복감을 높여 준다.

정리 비법을 알려줄게!

질 높은 정주 환경

주거 환경	쾌적하고 살기 좋은 주거 생활 보장
교육과 의료	일정한 교육과 의료 혜택 제공, 학교와 병원 설립 및 확충
교통·문화·복지	편리한 삶을 위한 교통·통신 시설, 문화·예술·체육 시설 확충
생태 환경	인간과 자연이 조화를 이루는 환경 조성

자료 하나 더 알고 가자!

우리나라의 월 평균 가구 소득 수준별 삶에 대한 만족도(2014)

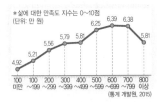

*삶에 대한 만족도 지수는 0~10점
(단위: 만 원)

4.92 / 5.21 / 5.56 / 5.79 / 5.81 / 6.25 / 6.39 / 6.38 / 5.81

100 미만 / 100~199 / 200~299 / 300~399 / 400~499 / 500~599 / 600~699 / 700~799 / 800 이상
(통계 개발원, 2015)

물질적 조건은 인간이 행복할 수 있는 기본적 토대이다. 경제 성장으로 국민 소득이 향상되면 의식주와 같은 인간의 기본적 욕구뿐만 아니라 교육 및 의료 혜택, 문화생활 등 사회·문화적 욕구까지 충족할 수 있어 삶의 질이 높아진다. 그러나 국민 소득이 어느 정도 이상이 되면 사람들이 느끼는 행복감은 소득에 비례하여 증가하지는 않는다. ┌ 이스털린의 역설이라고 불러.

자료 하나 더 알고 가자!

달라이 라마의 행복론

행복은 다른 사람을 배려하고 다른 사람의 행복을 진정으로 바랄 때 생긴다. 돈, 권력, 사회적 지위로 우정과 애정을 만들 수 있지만 돈과 권력이 사라지면 이 또한 사라진다. 상대방에 대한 순수한 배려, 행복을 위한 마음이 진정한 행복을 가져다 준다.

달라이 라마는 남을 위해 배려하는 선한 마음을 품고 도덕적 실천을 행할 때 진정한 행복을 이룰 수 있다고 보았다.

STEP 1 핵심 개념 확인하기

1 행복의 조건에 해당하는 내용을 〈보기〉에서 골라 기호를 쓰시오.

┌ 보기 ┐
ㄱ. 의식주　　　　　ㄴ. 경제력
ㄷ. 친구와의 우정　　ㄹ. 가족과의 사랑
ㅁ. 사회적인 지위　　ㅂ. 자아실현의 추구

(1) 물질적 조건 (　　　　　)

(2) 정신적 만족감 (　　　　　)

2 다음 설명이 맞으면 ○표, 틀리면 ×표를 하시오.

(1) 선사 시대에는 생존을 위하여 먹을 것을 얻는 것이 인간에게 행복으로 여겨졌다.　　　　　(　　　)

(2) 중세 시대에 행복은 '우연한 기회에 운 좋게 나에게 주어진 것'이라는 행운과 같은 의미로 사용되었다.　　(　　　)

(3) 산업화와 민주화를 거치면서 사람들은 행복을 인간의 노력으로 성취할 수 있는 것이라고 인식하게 되었다. (　　　)

3 지역에 따른 행복의 기준을 옳게 연결하시오.

(1) 경제적으로 빈곤한 지역　•　　•　㉠ 정치적 자유

(2) 경제적으로 안정된 지역　•　　•　㉡ 여가와 문화 생활

(3) 민주주의가 실현되지 않은 지역　•　　•　㉢ 일정 수준의 물질적 안정

4 행복해지기 위해서는 자신의 행동과 삶을 도덕적 측면에서 반성하고 살펴서 바로잡는 도덕적 (　　　　　)이 필요하다.

5 표는 행복한 삶을 위해 필요한 조건을 정리한 것이다. ㉠~㉢에 들어갈 말을 각각 쓰시오.

질 높은 (㉠　　　)	깨끗한 자연환경, 안전하고 풍요로운 사회적 환경, 발달된 교통·통신 시설
경제적 안정	고용 안정, 실업 급여·사회 보험 등 (㉡　　　) 제도 강화
(㉢　　　) 실현	민주적 정치 제도 마련, 적극적인 정치 참여
도덕적 실천	도덕적 성찰, 타인의 입장을 생각하는 (㉣　　　)의 태도, 사회적 약자 배려

STEP 2 내신 만점 공략하기

01 다음에서 공통으로 설명하는 개념으로 옳은 것은?

• 불교: 해탈의 경지에 이르는 것
• 도교: 자연 그대로의 모습으로 살아가는 것
• 유교: 다른 사람과 더불어 살아가며 인(仁)을 실현하는 것

① 도덕　　　② 정치　　　③ 행복
④ 행운　　　⑤ 환경

02 ㉠에 들어갈 내용으로 가장 적절한 것은?

선사 시대	행복은 행운과 거의 같은 의미로 사용되었다.
중세 시대	행복은 신앙을 통해 절대자에게 귀의하는 것이었다.
오늘날	행복은 ＿＿＿＿＿㉠＿＿＿＿＿

① 과거보다 기준이 훨씬 복잡하고 다양해졌다.
② 경제력 등의 물질적 조건이 가장 중시되고 있다.
③ 사람들이 삶의 중요한 수단으로서 추구하고 있다.
④ 구체적인 기준이 장소와 상관없이 동일하게 나타난다.
⑤ 인간의 노력만으로는 성취하기 어려운 것으로 인식되고 있다.

03 ☆중요 다음은 행복에 대해 발표한 내용이다. 옳지 않은 진술을 한 학생은?

• 갑: 동서양을 막론하고 예로부터 인간은 행복을 추구하며 살아왔다고 할 수 있어요.
• 을: 지역의 자연환경이나 인문 환경은 행복의 기준에 큰 영향을 미치지 않는 것 같아요.
• 병: 행복의 구체적인 기준은 시대적 상황이나 지역적 여건에 따라 다르게 나타나는 것 같아요.
• 정: 현재 세계 여러 국가들을 살펴볼 때 정치적 안정과 경제 성장은 행복의 기본 요건이 되는 것 같아요.
• 무: 자신이 추구하는 가치와 자신의 삶에 대한 성찰은 진정으로 행복한 삶을 살아가는 데 도움을 줄 수 있어요.

① 갑　　② 을　　③ 병　　④ 정　　⑤ 무

04 다음은 노래 가사의 일부이다. 이를 통해 알 수 있는 내용으로 가장 적절한 것은?

> 언제부턴가 세상은 점점 빨리 변해만 가네.
> 우리가 찾는 소중함들은 항상 변하지 않아.
> 가까운 곳에서 우릴 기다릴 뿐.
> 전망 좋은 직장과 가족 안에서의 안정과
> 은행 계좌의 잔고 액수가 모든 가치의 척도인가.
> 돈, 큰 집, 빠른 차, 명성, 사회적 지위,
> 그런 것들에 과연 우리의 행복이 있을까?
>
> – 신해철, 「나에게 쓰는 편지」 중 일부

① 행복은 경제력에 의해 좌우된다.
② 행복의 기준은 모든 사람이 동일하다.
③ 행복하기 위해서는 주관적인 만족감이 중요하다.
④ 행복은 우리 삶의 목적을 달성하기 위한 수단이다.
⑤ 행복은 하나의 사건을 통해 느껴지는 일시적 즐거움이다.

05 다음 자료를 분석한 내용으로 가장 적절한 것은?

행복 관련 지수	주요 항목
인간 개발 지수(1990)	1인당 국민 소득, 평균 수명, 교육 수준 등
세계 행복 지수(2005)	1인당 국내 총생산, 기대 수명, 사회적 지원, 관용 의식, 자신의 인생을 결정할 자유 등
더 나은 삶 지수(2011)	주거, 소득, 고용, 교육, 환경, 기대 수명, 시민 참여, 일과 삶의 균형, 삶의 만족도 등
국민 삶의 질 지표(2011)	주거, 소득·소비·자산, 고용·임금, 사회 복지, 건강, 교육, 문화·여가, 가족·공동체, 시민 참여, 안전, 환경, 주관적 웰빙 등

① 진정한 행복은 개인별로 한 가지 기준만 충족한다면 실현될 수 있다.
② 최근의 행복 관련 지수는 객관적 기준만을 고려하여 행복을 측정하고 있다.
③ 주거, 소득, 고용과 같은 주관적 기준을 행복의 중요한 기준으로 꼽고 있다.
④ 객관적인 기준이 잘 충족된다면 주관적 만족감은 행복에 큰 영향을 주지 않는다.
⑤ 삶의 질을 높이기 위해 경제적·사회적·환경적 측면에서 다양한 노력이 필요하다.

06 다음 사례를 통해 알 수 있는 행복한 삶의 실현 조건으로 적절한 것을 〈보기〉에서 고른 것은?

> 내가 사는 곳은 비가 오면 강물이 넘치고 집이 물에 잠긴다. 바닥에는 냄새나는 녹색 물이 고여 있어 지나다닐 곳이 없다. 네 살짜리 아이는 기관지염과 말라리아에 걸렸고, 이제는 티푸스까지 걸렸다. 의사는 아이에게 끓인 물을 먹이고 물이 고여 있는 곳에 가지 못하게 하라고 말했다. 잘 보살피지 않으면 아이를 잃게 될 것이라고 했다.
>
> – 마이크 데이비스, 「슬럼, 지구를 뒤덮다」

> **보기**
> ㄱ. 쾌적한 주거 환경
> ㄴ. 도덕적 실천과 성찰하는 삶
> ㄷ. 안전하고 풍요로운 사회적 환경
> ㄹ. 시민의 정치적 자유와 권리 보장

① ㄱ, ㄴ   ② ㄱ, ㄷ   ③ ㄴ, ㄷ
④ ㄴ, ㄹ   ⑤ ㄷ, ㄹ

07 밑줄 친 ㉠~㉢에 대한 설명으로 옳지 <u>않은</u> 것은?

> 사람이 살 터를 정할 때 첫째는 지리(풍수 지리적 명당)가 좋아야 하고, 둘째는 ㉠생리(그 땅에서 생산되는 이익, 풍부한 산물)가 좋아야 하며, 셋째는 ㉡인심(넉넉하고 좋은 이웃 간의 정)이 좋아야 하고, 넷째는 ㉢산수(빼어난 경치)가 좋아야 한다. 이 중 하나라도 모자라면 좋은 땅이라 할 수 없다.
>
> – 이중환, 「택리지」

① ㉠은 행복한 삶을 위한 경제적 조건에 해당한다.
② ㉡은 도덕적 실천을 통한 공동체의 행복을 실현하기 위해 필요하다.
③ ㉢은 질 높은 정주 환경 조성을 위한 공간적 조건에 해당한다.
④ ㉠, ㉢은 자연환경에 영향을 많이 받는 조건들이다.
⑤ ㉡, ㉢은 인간에 의해 만들어지는 사회적 환경에 해당한다.

08 그래프는 한국인의 연령별 행복도를 나타낸 것이다. 이에 대한 분석 및 추론으로 옳은 것은?

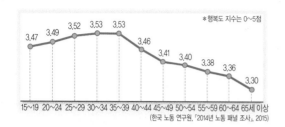

*행복도 지수는 0~5점

3.47 3.49 3.52 3.53 3.53 3.46 3.41 3.40 3.38 3.36 3.30

15~19 20~24 25~29 30~34 35~39 40~44 45~49 50~54 55~59 60~64 65세 이상

(한국 노동 연구원, 「2014년 노동 패널 조사」, 2015)

① 행복도는 연령대별로 큰 차이가 없이 일정하다.
② 중년층이 노년층보다 더 행복하다고 느끼고 있다.
③ 연령이 높아질수록 행복도는 지속적으로 증가한다.
④ 청소년들은 미래에 대한 희망으로 가장 높은 행복감을 느낄 것이다.
⑤ 노년층은 열심히 일한 대가로 주어진 여유로 인해 가장 높은 행복감을 느낄 것이다.

09 ⭐중요 표에 대한 분석 및 추론으로 적절하지 <u>않은</u> 것은?

구분	세계 민주주의 지수 순위	세계 행복 지수 순위
노르웨이	1위	4위
아이슬란드	2위	3위
스웨덴	3위	10위
뉴질랜드	4위	8위
덴마크	5위	1위
스위스	6위	2위
캐나다	7위	6위
핀란드	8위	5위

* 세계 민주주의 지수는 167개국 간, 세계 행복 지수는 157개국 간 비교임

(이코노미스트/국제 연합, 2016)

① 민주주의의 발전은 시민의 행복과 높은 관련성을 나타내고 있다.
② 민주주의 지수 순위가 높은 나라들은 대부분 유럽 대륙에 위치해 있다.
③ 민주주의 지수 순위가 높은 나라들이 대체로 행복 지수도 높은 순위를 보인다.
④ 민주적 제도만 잘 갖추면 시민이 정치에 관심을 갖지 않아도 행복하게 살아갈 수 있다.
⑤ 행복한 삶을 실현하기 위해서는 시민의 참여가 활성화되는 민주주의의 발전이 필요하다.

10 행복한 삶을 위한 조건으로 밑줄친 ㉠이 필요한 이유를 〈보기〉에서 고른 것은?

> 독재 국가나 권위주의적인 정치가 이루어지는 국가에서는 정치 과정이 민주적으로 운영되지 않아 국민이 기본적 인권을 누리기 어렵다. 이러한 국가에서 사람들이 자신의 삶에 만족하고 행복감을 느끼기는 힘들다. 사회의 모든 구성원이 자신의 자유와 권리를 최대한 보장받으면서 행복한 삶을 꾸려 나가려면 ㉠시민의 참여가 활성화되는 민주주의의 실현이 필요하다.

보기

ㄱ. 국가의 정책과 활동에 시민의 의사가 반영되면 정치적 갈등이 사라지기 때문이다.
ㄴ. 시민이 정치적 의사를 자유롭게 표출하는 과정에서 행복감을 느낄 수 있기 때문이다.
ㄷ. 시민들이 정책 결정 과정에 직접 참여하면 모든 정책이 신속하게 시행되기 때문이다.
ㄹ. 자신이 속한 공동체의 문제를 주체적으로 해결해 나가는 경험을 통해 만족감을 얻을 수 있기 때문이다.

① ㄱ, ㄴ 　② ㄱ, ㄷ 　③ ㄴ, ㄷ
④ ㄴ, ㄹ 　⑤ ㄷ, ㄹ

11 다음은 어떤 학생이 작성한 형성 평가 답안지이다. 이 학생이 받을 점수로 옳은 것은?

형성 평가

다음 설명이 맞으면 ○표, 틀리면 ✕표를 하시오.

문항	답안
(1) 선사 시대에 행복은 행운과 같은 의미로 사용되었다.	✕
(2) 선진국에서는 삶의 질 향상이 행복의 기준이다.	○
(3) 행복은 물질적 조건만 충족되면 얻을 수 있다.	○
(4) 산업화와 도시화를 통해 자연을 이용하고 개발하여 삶의 질을 높이기 위한 정주 환경을 만들었다.	○
(5) 행복한 삶을 실현하기 위한 조건으로 민주주의 발전이 필요하다.	○

(문항당 2점)

① 2점 　② 4점 　③ 6점 　④ 8점 　⑤ 10점

12 다음 글의 주제로 가장 적절한 것은?

어떤 인류학자가 아프리카 한 부족의 아이들에게 게임을 하자고 제안하였다. 그는 근처 나무에 아이들이 좋아하는 음식을 매달아 놓고 먼저 도착한 사람이 그것을 먹을 수 있다고 말하고 시작을 외쳤다. 그런데 아이들은 각자 뛰어가지 않고 모두 손을 잡고 가서 그것을 함께 먹었다. 인류학자는 아이들에게 "한 명이 먼저 가면 다 차지할 수 있는데 왜 함께 뛰어갔지?"하고 물었다. 그러자 아이들은 "다른 사람이 모두 슬픈데 어떻게 한 명만 행복해질 수 있나요?"라고 대답하였다.

① 물질적 조건을 충분하게 갖추는 것이 인간이 행복할 수 있는 기본적 토대이다.
② 행복한 삶을 누리기 위해서는 자연과 인간이 공존하는 생태 환경을 만들어야 한다.
③ 모두가 행복해지기 위해서는 바람직한 도덕적 가치에 대해 고민하고 이를 실천해야 한다.
④ 시민들이 자신의 권리와 의무에 대해 이해하고 적극적으로 정치에 참여해야만 행복할 수 있다.
⑤ 사회 구성원들이 경쟁을 통해 각자의 이익을 최대화하는 것이 사회 전체의 이익에도 도움이 된다.

13 (가)에 들어갈 신문 기사의 제목으로 가장 적절한 것은?

(가)

2003년 미시간 대학 연구팀은 423쌍의 장수 부부들의 공통점을 발견했다. 이들이 정기적으로 몸이 불편하거나 가족이 없는 사람들을 방문하여 돕고 있다는 것이다. 사람은 남을 돕고 난 후에는 심리적 포만감인 헬퍼스 하이(Helper's High)를 느끼는데, 이때 즐거움을 느끼게 하는 엔도르핀의 분비는 정상치의 3배 이상 상승하고, 면역 항체의 수치가 높아진다.

① 더불어 살 때 행복한 인간
② 경제적 안정이 행복의 지름길
③ 소외된 사람들에게 필요한 복지 정책
④ 부유한 사람들의 사회 기부 활동 확산
⑤ 수명을 연장시키는 적극적인 신체 활동

서술형 문제

01 다음 글에서 강조하는 행복의 조건에 대해 서술하시오.

오스트리아의 수도 빈은 과거에 열악한 주거 환경 때문에 도시 전체에 폐결핵이 만연한 적이 있었다. 제1차 세계 대전 이후 오스트리아 정부는 이를 해결하기 위해 주거 환경과 교육 여건을 개선하고 노인 복지 서비스 등 삶의 질을 높이는 다양한 정책을 실시하였다.

길잡이 행복을 위해 필요한 조건들 중 질 높은 정주 환경을 중심으로 서술한다.

02 행복한 삶을 실현하기 위한 조건으로 밑줄 친 ㉠이 필요한 이유를 세 가지만 서술하시오.

전국 남녀 1,000명을 대상으로 "행복을 위한 조건으로 무엇이 가장 중요합니까?"라는 질문에 대한 응답을 받은 결과, 응답자의 40.2 %가 ㉠ 경제적 여유를 행복의 가장 중요한 조건으로 꼽았다. 뒤이어 건강(21.3 %), 긍정적인 마음가짐(16.2 %), 화목한 가정(15.9 %), 충분한 여가(3.8 %) 등이 행복을 위한 중요한 조건으로 꼽혔다.

길잡이 삶의 질을 유지하기 위해 경제적 안정이 필요함을 중심으로 서술한다.

03 표는 우리나라의 민주주의 지수를 나타낸 것이다. 이를 보고 물음에 답하시오.

지표	민주주의 지수
선거 과정의 투명성 및 다원주의 존중	8.75
정부의 기능	7.86
정치 참여	7.22
시민의 자유	8.53
평균 지수	7.97

(이코노미스트, 2016)

(1) 우리나라의 민주주의 발전을 위해 가장 시급하게 보완해야 할 지표를 찾아 쓰시오.

(2) (1)의 지표가 행복한 삶을 실현하는 데 어떠한 영향을 주는지 서술하시오.

길잡이 시민의 참여가 활성화된 민주주의를 중심으로 서술한다.

02. 행복의 의미와 기준 ~ 03. 행복한 삶을 실현하기 위한 조건 **023**

1 다음 글을 통해 알 수 있는 행복의 기준에 대한 옳은 설명을 〈보기〉에서 고른 것은?

> 행복의 의미와 기준

> 나무통을 집 삼아 평생을 간소하게 생활했던 고대 그리스의 철학자 디오게네스. 어느 날, 콩깍지를 삶아 먹으려는 그의 앞에 왕궁에 들어가 호의호식하며 지내던 동료 철학자 아리스티포스가 찾아왔다.
> • 아리스티포스: 디오게네스, 자네는 왜 이렇게 사나? 왕한테 가서 고개를 숙이면 콩깍지를 삶아 먹지 않아도 될 텐데.
> • 디오게네스: 쯧쯧, 콩깍지를 삶아 먹는 것만 배우면 그렇게 굽실거리며 살지 않아도 된다네.

보기
ㄱ. 행복의 기준은 사람마다 다르다.
ㄴ. 남을 위한 봉사가 최고의 행복을 가져다 준다.
ㄷ. 상황을 인식하는 관점에 따라 행복감은 달라진다.
ㄹ. 동시대를 살아가는 사람들은 모두 행복의 기준이 같다.

① ㄱ, ㄴ   ② ㄱ, ㄷ   ③ ㄴ, ㄷ
④ ㄴ, ㄹ   ⑤ ㄷ, ㄹ

지리 ➕ 윤리

2 (가), (나)에 대한 분석 및 추론으로 적절하지 <u>않은</u> 것은?

> 지역에 따른 행복의 기준

환자샘의 시험 꿀팁

지역의 자연환경이나 경제적·사회적·정치적 여건에 따라 요구되는 행복의 기준이 어떻게 다른지 정리해야 한다.

> (가) 벼는 물이 어느 정도 고여 있는 논에서 자라기 때문에 물을 대는 일이 중요하다. 따라서 벼농사가 주로 이루어지는 지역의 사람들은 함께 모여 살면서 물길을 만들고 이를 공유하며 살아간다.
> (나) 밀은 맨땅에서 자라기 때문에 관개 시설을 만들 필요가 없다. 따라서 밀 농사가 주로 이루어지는 지역의 사람들은 서로 협력해야 할 작업이 없고, 모여 살지 않아도 농사를 지을 수 있다.

① (가) 지역에는 집단을 중요시하는 정서가 생길 것이다.
② (나) 지역에는 개인주의적인 생활 방식이 자리잡을 것이다.
③ (가) 지역 사람들은 (나) 지역 사람들보다 조화로운 공동체 생활을 하는 것을 행복이라고 느낄 것이나.
④ (가) 지역 사람들은 (나) 지역 사람들보다 자신의 능력을 최대한 발휘하는 것을 행복이라고 느낄 것이다.
⑤ (가), (나) 지역의 자연환경이 이 지역 사람들의 행복의 기준에 영향을 미쳤을 것이다.

환자 사전

• 관개 시설
농사를 짓는 데에 필요한 물을 논밭에 대고 빼는 시설

교육청 응용

3 밑줄 친 ㉠에 해당하는 옳은 설명만을 〈보기〉에서 있는 대로 고른 것은?

> 인간다운 삶이란 기본적인 의식주의 해결뿐만 아니라 사회·문화적 측면, 환경적 측면, 정치적 측면 등을 통해 인간의 존엄성을 보호받는 것이다. 이를 위해 국가는 다양한 ㉠제도적 차원의 방안을 마련해야 하며, 시민들도 적극적인 의식 변화를 위해 노력해야 한다.

보기
ㄱ. 저소득층을 위한 의료 급여 제도를 실시한다.
ㄴ. 지속 가능한 발전을 위해 환경 영향 평가를 실시한다.
ㄷ. 근로 시간과 여가 시간의 균형을 위해 적정 근로 시간을 정한다.
ㄹ. 나눔을 실천하는 기부 문화 확산을 위해 지속적인 캠페인을 실시한다.

① ㄱ, ㄴ　　　　　② ㄴ, ㄷ　　　　　③ ㄷ, ㄹ
④ ㄱ, ㄴ, ㄷ　　　⑤ ㄴ, ㄷ, ㄹ

▶ 행복의 조건

완자 사전
• **환경 영향 평가**
대규모 개발 사업 계획을 수립하는 경우 환경에 미치는 영향을 미리 조사·예측·평가하여 해로운 환경 영향을 피하거나 줄일 수 있는 방안을 마련하기 위한 제도

4 다음 자료는 덴마크의 사회 제도를 나타낸 것이다. (가)~(라)에 대한 분석으로 가장 적절한 것은?

(가)
자유 스스로 선택하니 즐겁다.
학생들은 고등학교 진학 전에 1년간 '인생 학교'에 다니면서 자신의 인생을 스스로 점검하고 결정한다. 이들은 성적에 얽매이지 않고 자신이 좋아하는 진로를 탐색하여 선택한다.

(나)
안정 사회가 나를 보호해 준다.
사회 복지 제도를 잘 갖추고 있다. 병원 진료비가 평생 무료이며, 교육비도 대학까지 무료이다. 실직해도 정부에서 2년간 예전 월급 수준을 보조해 주고, 구직 활동을 도와준다.

(다)
신뢰 세금이 아깝지 않다.
정부와 시민 사이에 형성된 신뢰를 바탕으로 고(高)세율 정책을 펴고 있다. 덴마크의 고소득자들은 청렴한 정부 운영에 관한 믿음을 바탕으로 월급의 50% 이상을 세금으로 낸다.

(라)
평등 남이 부럽지 않다.
어떤 직업을 택하든 자신이 좋아서 선택한 것이기 때문에 직업에 따라 사람을 차별하지 않고 자신의 직업에 자긍심을 가지고 일한다. 또한 직종 간 임금 격차도 크지 않다.

① (가)와 (다)는 경제적 안정을 통해 행복 추구를 보장하고 있다.
② (가)를 실현하기 위해서는 (나)와 같은 복지 제도를 축소시켜야 한다.
③ (나)의 정책들을 뒷받침하기 위해서는 (다)의 역할이 중요하다.
④ (나)와 (라)는 행복을 위한 조건으로 적극적인 정치 참여를 강조하고 있다.
⑤ (다)는 권위주의 정부에서 강력한 정책으로 추진하면 더욱 효과가 높다.

▶ 행복의 조건

완자샘의 시험 꿀팁
행복을 위해 필요한 다양한 조건에 대한 문제가 출제될 가능성이 높다. 질 높은 정주 환경, 경제적 안정, 민주주의 발전, 도덕적 실천의 구체적인 내용을 구분할 수 있어야 한다.

01 인간, 사회, 환경을 바라보는 시각

1. 인간, 사회, 환경을 바라보는 여러 가지 관점

(1) 시간적 관점

의미	사회 현상의 시대적 배경과 맥락을 살펴보는 것
필요성	과거를 돌아봄으로써 오늘날 사회 현상이 일어나는 이유와 결과를 추론할 수 있음

(2) 공간적 관점

의미	사회 현상의 공간적 맥락을 살펴보는 것
필요성	지역 간의 차이를 이해하고 인간 생활과 사회 현상에 대한 (❶)의 영향을 파악하는 데 도움을 줌

(3) 사회적 관점

의미	사회 현상을 (❷) 및 구조의 측면에서 살펴보는 것
필요성	사회 현상의 원인을 이해하고 개인과 사회에 미치는 영향을 파악함 → 사회 문제 해결 및 정책 대안 마련에 도움을 줌

(4) 윤리적 관점

의미	사회 현상을 도덕적 가치 판단과 규범적 차원에서 살펴보는 것
필요성	사회 현상을 도덕적 가치에 따라 판단하고, 바람직한 사회로 나아가기 위한 규범적 방향을 설정하는 데 도움을 줌

2. 통합적 관점을 통한 사회 문제 탐구

통합적 관점의 의미	사회 현상을 시간적·공간적·사회적·윤리적 관점을 고려하여 통합적으로 살펴보는 것
통합적 관점의 필요성	• 복잡한 사회 현상을 정확하게 이해할 수 있음 • 사회 문제의 근본적이고 다각적인 해결 방안 모색이 가능함 • 인간과 사회에 대한 통찰력 함양, 삶의 방향 개선

02 행복의 의미와 기준

1. 행복의 의미

(1) **행복:** 삶에서 충분한 만족감이나 기쁨을 느끼는 상태
(2) **행복의 조건:** 의식주, 경제력, 사회적 지위 등의 물질적 조건과 사랑, 우정, 자아실현 등 정신적 만족감의 조화

2. 행복의 기준

(1) 시대에 따른 행복의 기준

선사 시대	자연재해를 피하고 생존을 위해 식량을 얻는 것
고대	철학을 통해 지혜와 마음의 평안을 얻는 것
중세 시대	신앙을 통해 신의 은총과 구원을 받는 것
산업화·민주화 시기	물질적 풍요를 확보하고, 기본권을 보장받는 것
오늘날	개인의 주관적 (❸)이 중시되어 행복의 기준이 복잡하고 다양해짐

(2) 지역 여건에 따른 행복의 기준

정치적 여건	• 정치적 갈등을 겪는 지역: 평화와 정치적 안정을 중시 • 민주주의가 실현되지 않은 지역: 정치적 자유를 중시
경제적 여건	• 경제적으로 빈곤한 지역: 의식주 충족, 질병 없는 삶 중시 • 경제적으로 안정된 지역: 여가와 문화생활 등 삶의 질 중시
환경적 여건	• 자연환경: 결핍된 요소를 충족하는 것이 행복의 기준이 됨 • 인문 환경: 종교, 문화 등에 따라 행복의 기준이 다름

03 행복한 삶을 실현하기 위한 조건

1. 질 높은 정주 환경

필요성	인간이 생존의 위협을 받지 않고 삶을 유지하기 위해
요건	깨끗한 자연환경, 안전하고 풍요로운 사회적 환경

2. 경제적 안정

필요성	기본적 생계를 유지하고 자신의 필요를 충족하기 위해, 삶의 여유를 바탕으로 자아실현의 기회를 갖기 위해
요건	• 고용 안정: 일자리 창출, 최저 임금 보장 등 • 복지 강화: 실업 급여, 사회 보험 등 다양한 복지 제도 마련

3. 민주주의의 실현

필요성	시민이 자유와 권리를 보장받으면서 행복한 삶을 누리기 위해
요건	• 민주적 제도: 의회 제도, 복수 정당 제도, 권력 분립 제도 • 시민의 (❹): 선거나 시민 단체 활동 등

4. 도덕적 실천

필요성	공동체 구성원 모두의 행복을 실현하기 위해
요건	도덕적 (❺), 역지사지의 태도, 사회적 약자 배려

● **정답 •** ❶ 환경 ❷ 제도 및 사회 구조 ❸ 만족감 ❹ 정치 참여 ❺ 성찰

01 다음은 독도가 우리 영토임을 주장하는 책의 일부이다. 이 글에 나타난 탐구 관점으로 가장 적절한 것은?

> 일본은 독도가 자국의 영토라는 왜곡된 주장을 계속해서 펼치고 있다. 하지만 독도가 대한민국의 고유 영토라는 사실은 『삼국사기』(1145), 『팔도총도』(1531) 등 다수의 옛 문헌과 지도에서 확인되고 있다. 과거 일본 정부도 독도가 한국의 영토라는 사실을 인정하였다. 1877년 일본의 최고 행정 기관인 태정관은 "독도는 일본과 관계없다는 사실을 명심하라."라고 분명히 지시하였다.
>
> – 동북아 역사 재단, 『우리 땅 독도를 만나다』

① 시간적 관점　　　　② 공간적 관점
③ 사회적 관점　　　　④ 윤리적 관점
⑤ 통합적 관점

02 다음은 세계 아동 노동 실태에 대하여 모둠별로 탐구 과제를 선정한 것이다. (가)에 들어갈 수 있는 내용으로 옳은 것을 〈보기〉에서 고른 것은?

모둠	탐구 관점	탐구 과제
1모둠	시간적 관점	아동 노동에 대한 인식은 어떻게 바뀌어 왔을까?
2모둠	공간적 관점	세계 어느 곳에서 아동 노동이 이루어지고 있을까?
3모둠	사회적 관점	(가)
4모둠	윤리적 관점	아동에 대한 인권 침해 여부의 판단 기준은 무엇일까?

〈보기〉
ㄱ. 아동 노동은 언제부터 시작되었을까?
ㄴ. 아이들의 인권을 보호하는 법과 제도가 없는 것일까?
ㄷ. 아이들이 노동에 투입될 만큼 해당 국가의 경제 상황이 좋지 않은가?
ㄹ. 생계를 위해 학교를 포기하고 어린 나이에 노동을 시작하는 것이 옳은가?

① ㄱ, ㄴ　　② ㄱ, ㄷ　　③ ㄴ, ㄷ
④ ㄴ, ㄹ　　⑤ ㄷ, ㄹ

03 다음 글을 읽고 공간적 관점에서 던질 수 있는 질문으로 가장 적절한 것은?

> 남태평양에 있는 키리바시, 투발루 등의 섬나라는 기후 변화에 따른 해수면 상승으로 국토가 바닷물에 잠길 위기에 처해 있다. 국제 사회는 기후 변화에 따른 피해를 막기 위해 파리 기후 협약(2015)과 같은 다양한 협약을 맺었지만, 남태평양 섬나라의 정상들은 선진국들의 더욱 적극적인 대처를 요구하고 있다.

① 기후 변화는 언제부터 시작되었을까?
② 기후 변화가 지역에 어떤 영향을 미쳤을까?
③ 선진국들은 남태평양 섬나라의 피해를 책임져야 할까?
④ 국제 사회는 기후 변화를 막기 위해 어떤 노력을 하고 있을까?
⑤ 온실가스 배출을 효과적으로 규제할 수 있는 제도는 무엇일까?

04 다음은 의사와 환자의 상담 내용이다. 밑줄 친 ㉠~㉣에 대한 설명으로 옳지 <u>않은</u> 것은?

> • 의사: ㉠불면증은 언제부터 시작되었나요?
> • 환자: 일 년 쯤 된 것 같습니다.
> • 의사: ㉡집 주변에 소음을 유발하는 시설이 있나요?
> • 환자: 아니요. 집 주변은 조용한 편이에요.
> • 의사: ㉢취업 준비로 스트레스를 받고 있나요?
> • 환자: 네. 취업하기가 너무 힘들어요.
> • 의사: ㉣대기업 취업을 고집하기보다 적성에 맞는 직장을 선택하는 것이 더 보람되지 않을까요?
> • 환자: 그런가요?

① ㉠은 원인을 찾기 위해 과거의 자료를 수집하려는 것이다.
② ㉡은 도덕적 가치에 따라 현상을 평가하기 위한 질문이다.
③ ㉢의 취업 스트레스는 사회 구조적 측면에서 원인을 찾아볼 수 있다.
④ ㉣은 윤리적 관점에서 삶의 방향을 설정하는 것에 대해 조언하고 있다.
⑤ ㉠~㉣을 함께 고려하면 다양한 측면에서 현상을 종합적으로 이해할 수 있다.

05 다음은 우리나라의 고령화 현상에 대한 학생들의 발표 내용이다. 이에 대한 설명으로 옳은 것은?

- 갑: 농촌 지역이 도시 지역보다 고령 인구 비율이 높아.
- 을: 출산율 저하 및 평균 수명 증가로 인해 빠른 속도로 고령화가 진행되고 있어.
- 병: 고령화 사회가 되면서 노인 부양을 위한 사회 복지 부담도 함께 늘어나고 있어.
- 정: 노인 부양은 가족만의 책임이 아니라 사회가 함께 노력해야 한다는 생각이 확대되고 있어.
- 무: 고령화 현상은 복잡한 사회 문제이기 때문에 한 가지 관점만으로 바라봐서는 해결이 어려워.

① 갑은 윤리적 관점에서 문제를 바라보고 있다.
② 을은 도시와 농촌의 공간적 차이를 이해하고 있다.
③ 병은 사람들의 가치관을 함께 고려하고 있다.
④ 정은 시간적 관점으로 문제를 파악하고 있다.
⑤ 무는 통합적 관점에서 문제를 바라보려고 한다.

06 그림은 부탄에서 개발한 국민 행복 지수 측정 지표를 나타낸 것이다. 이를 분석한 내용으로 옳지 <u>않은</u> 것은?

(부탄 국민 총행복 위원회(GNHC), 2008)

① 개발과 환경 보전의 조화를 추구하고 있다.
② 공동체의 정치적 안정과 발전을 중요시하고 있다.
③ 국민 소득의 증기가 가장 **중요한** 행복의 기준이다.
④ 사회 구성원의 건강도 중요한 행복의 기준이 된다.
⑤ 포괄적이며 균형적인 행복을 실현하기 위해 노력하고 있다.

07 (가), (나)에 대한 설명으로 적절하지 <u>않은</u> 것은?

(가) 중국에서는 조화로운 인간관계가 중요했기 때문에 중국인에게 행복이란 '화목한 인간관계를 맺고 평범하게 사는 것'이었다.
(나) 고대 그리스인은 개인의 자율성에 대한 신념을 지니고 있었기 때문에 그리스인이 정의하는 행복이란 '아무런 제약이 없는 상태에서 자신의 능력을 최대한 발휘하여 탁월성을 추구하는 것'이었다.

① (가) – 중국인은 주변 환경을 자신에 맞추어 바꾸는 일을 중시하였다.
② (가) – 중국의 도자기나 화폭에는 가족의 일상이나 농촌의 한가로운 정경이 자주 등장한다.
③ (나) – 그리스인은 자신이 원하는 대로 자유롭게 행동할 수 있다는 확신이 있었다.
④ (나) – 그리스의 꽃병이나 술잔에는 전투나 육상 경기처럼 개인들이 경쟁하는 모습이 그려져 있다.
⑤ (가), (나) – 행복의 구체적인 기준은 시대와 장소에 따라 다르게 나타난다.

08 표는 세계 여러 국가의 영아 사망률, 기대 수명, 1인당 국내 총생산을 나타낸 것이다. 이에 대한 분석 및 추론으로 옳은 것은?

구분	대한민국	방글라데시	중국	미국	콩고
영아 사망률(%)	2.9	33.1	11.6	6.0	50.6
기대 수명(세)	81.9	71.6	75.8	79.1	62.3
1인당 국내 총생산(달러)	27,214	1,212	7,925	55,837	1,851

① 콩고의 영아 사망자 수는 중국보다 많다.
② 1인당 국내 총생산이 많을수록 기대 수명은 낮다.
③ 영아 사망률은 1인당 국내 총생산과 상관없이 일정하다.
④ 1인당 국내 총생산이 낮을수록 삶의 기본 조건이 잘 갖추어져 있을 것이다.
⑤ 미국은 경제 수준이 높지만 소득의 양극화가 심해 국민들이 행복하지 않을 것이다.

09 다음 글의 제목으로 가장 적절한 것은?

> 일반 백성은 고정적인 생업[항산(恒産)]이 없으면 흔들림 없는 도덕적인 마음[항심(恒心)]도 없어집니다. 그러므로 지혜로운 왕은 백성들의 생업을 제정해 주되 반드시 위로는 부모를 섬기기에 충분하게 하고 아래로는 자녀를 먹여 살릴 만하게 하여, 풍년에는 언제나 배부르고 흉년에도 죽음을 면하게 합니다.
> — 맹자, 『맹자』

① 시민 참여의 활성화
② 안락한 보금자리 마련
③ 경제적 안정의 중요성
④ 타인에 대한 관용적 태도
⑤ 민주적인 정치 제도의 필요성

10 (가)~(다)에 대한 설명으로 옳은 것은?

행복의 조건	내용
경제적 안정	(가)
(나)	선거를 통한 의사 표현, 시민 단체 활동
질 높은 정주 환경	(다)

① (가)에는 '깨끗한 자연환경'이 들어갈 수 있다.
② (나)는 '민주주의의 실현'이 적합하다.
③ (나)는 도덕적 실천과 성찰을 바탕으로 한다.
④ (다)에는 '복지 제도 강화'가 들어갈 수 있다.
⑤ (가), (다)의 구체적 내용은 시대와 장소에 관계없이 동일하다.

11 다음 글에서 강조하는 진정한 행복의 구체적인 실천 방법으로 적절하지 <u>않은</u> 것은?

> 행복은 다른 사람을 배려하고 다른 사람의 행복을 진정으로 바랄 때 생긴다. 돈, 권력, 사회적 지위로 우정과 애정을 만들 수 있지만 돈과 권력이 사라지면 이 또한 사라진다. 상대방에 대한 순수한 배려, 행복을 위한 마음이 진정한 행복을 가져다준다.

① 이웃에 대해 이해하기
② 역지사지의 마음가짐 가지기
③ 고정 관념으로 상황을 판단하기
④ 기부나 사회봉사 등을 실천하기
⑤ 사회적 약자의 고통에 공감하기

12 다음 글에서 얻을 수 있는 교훈으로 가장 적절한 것은?

> A국은 1960년대까지만 해도 아시아 국가 중에서 민주주의 제도가 비교적 잘 갖추어지고, 경제 수준도 높은 국가였다. 그러나 독재 정권하에서 정경 유착, 부정부패가 심해지면서 경제도 점차 어려워졌다. A국의 1인당 국민 총소득은 2015년 기준 우리나라의 10분의 1 수준이다. 또한 월평균 수입이 23달러 미만인 극빈층이 전체 인구의 35% 가량을 차지하며, 고질적인 빈부 격차와 높은 범죄율 등의 문제로 고통받고 있다.

① 국민이 행복하기 위해 가장 필요한 것은 경제적 성장이다.
② 민주주의 실현을 위해서는 사회 복지 제도를 마련해야 한다.
③ 민주적 제도만 갖추어지면 사회 구성원들이 행복한 삶을 살 수 있다.
④ 권력 남용이나 부정부패는 전 세계의 모든 국가에서 나타나는 현상이다.
⑤ 행복한 삶을 위해서는 시민 참여가 활성화되는 민주주의 발전이 필요하다.

13 밑줄 친 ㉠을 실현하기 위한 방법으로 적절한 것을 〈보기〉에서 고른 것은?

> 현대인들은 타인에 대해 알 수 있는 기회가 많지 않아 타인에게 무관심한 경향이 있다. 그러나 인간은 홀로 살 수 있는 존재가 아니다. 우리는 자신과 타인의 행복을 함께 추구하여 ㉠공동체의 행복을 실현하기 위해 노력할 필요가 있다.

보기

ㄱ. 도덕적 행동을 실천해야 한다.
ㄴ. 정치권력에 무조건 따르고 협력해야 한다.
ㄷ. 자신의 경제적 이익을 우선적으로 추구해야 한다.
ㄹ. 보편적 가치에 따라 행동하는 습관을 실러야 한다.

① ㄱ, ㄴ
② ㄱ, ㄹ
③ ㄴ, ㄷ
④ ㄴ, ㄹ
⑤ ㄷ, ㄹ

자연환경과 인간

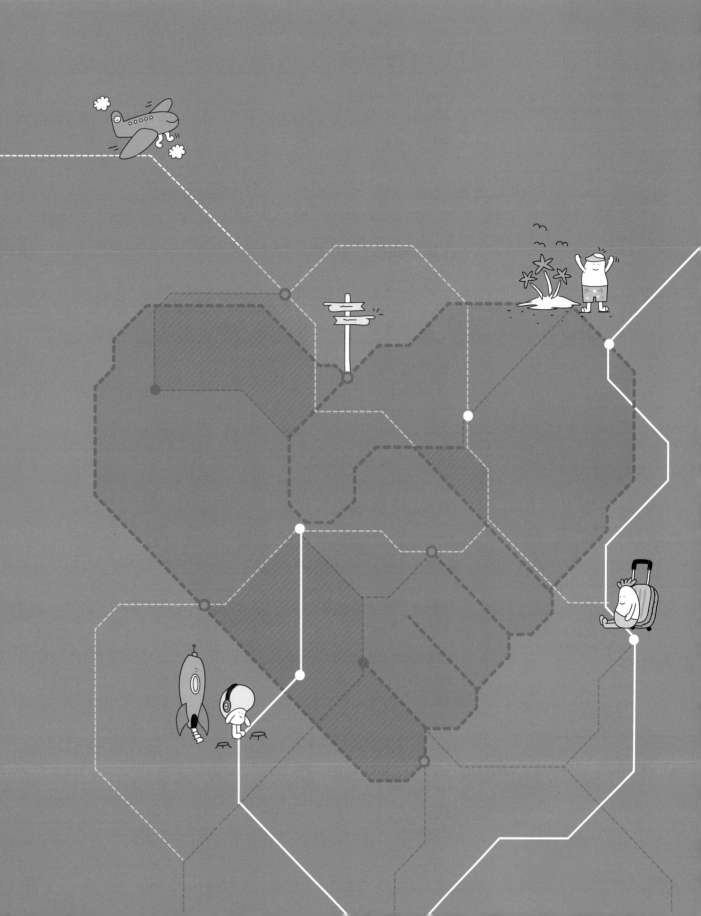

01 자연환경과 인간 생활

학습목표
- 자연환경이 인간 생활에 미치는 영향에 대해 분석할 수 있다.
- 안전하고 쾌적한 환경 속에서 살아갈 시민의 권리를 파악할 수 있다.

이것이 핵심!

다양한 자연환경과 인간 생활

다양한 자연환경
기후, 지형, 식생, 토양 등의 자연 조건이 인간 생활에 영향

↓

다양한 인간 생활
지역마다 의복, 음식, 가옥 등이 다르게 나타남

★ 토대
어떤 사물이나 사업의 밑바탕이 되는 기초와 밑천

① 자연환경과 인간

1. 자연환경과 인간 생활
(1) **인간 생활의 ★토대 마련**: 인간은 살아가는 데 필요한 음식, 집, 에너지, 자원 등을 자연으로부터 얻으며 생활함
(2) **인간의 생활 양식 형성**: 인간은 자연환경에 적응하면서 고유한 생활 양식을 형성함
　　└ 사회나 집단이 공통적으로 갖고 있는 생활에 대한 인식이나 생활하는 방식을 의미해.

2. 인간 생활에 영향을 주는 자연환경
(1) **자연환경에 따라 달라지는 인간 생활**: 기후, 지형, 식생, 토양 등 자연환경 특성에 따라 지역의 의복, 음식, 주거 문화가 다르게 나타남
(2) **자연환경이 인간 생활에 미치는 영향**: 각 지역의 자연환경은 인간의 거주 환경, 생활 양식, 산업 발달에 많은 영향을 줌
　　└ 오늘날에 비해 과학 기술이 발달하지 않았던 전통 사회에서는 자연환경의 영향을 크게 받았어.

이것이 핵심!

기후에 따른 생활 양식의 차이

열대 기후	얇고 가벼운 의복, 향신료를 사용하고 기름에 볶거나 튀긴 음식, 개방적 구조의 고상 가옥, 벼농사·커피 농업·이동식 경작 발달
건조 기후	온몸을 감싸는 헐렁한 의복, 흙벽돌집과 이동식 천막, 관개 농업·목축업 발달
한대 기후	두껍고 무거운 의복, 육류 위주의 음식, 폐쇄적 구조의 가옥, 순록 유목

★ 고상 가옥
바닥을 지면에서 띄워 지은 가옥

★ 관개 농업
농작물이 자라기 좋은 조건을 만들기 위해 경작지에 물을 대어서 하는 농업

★ 유목
일정한 거처를 정하지 않고 가축을 몰고 물과 목초지를 찾아다니는 목축 방식

② 기후와 인간 생활

1. 세계의 기후 〔자료①〕
　└ 기후는 일정한 장소에서 오랫동안 반복되는 대기의 평균적인 상태를 의미해.
(1) **기후의 특징**: 위도, 수륙 분포, 해발 고도 등 여러 기후 요인에 따라 기온, 강수량, 바람 등의 기후 요소가 달라짐
　　└ 바다와 육지의 분포 상태를 말해.
(2) **세계의 기후 구분**: 기온과 강수 특성에 따라 열대·건조·온대·냉대·한대 기후로 구분함

2. 기온에 따른 생활 양식의 차이
(1) **열대 기후 지역과 한대 기후 지역의 생활 양식**

구분	열대 기후 지역	한대 기후 지역
의복	얇고 가벼운 옷차림	두껍고 무거운 옷차림
음식	기름에 볶거나 튀긴 음식 발달, 향신료 사용	열량이 높은 육류 위주의 음식, 저장 음식 발달
전통 가옥	더위를 극복하기 위한 개방적 가옥 구조	추위를 막기 위한 폐쇄적 가옥 구조
농업	벼농사, 커피 재배, 이동식 경작	작물 재배가 어려움, 순록 유목

(2) **온대 기후 지역의 생활 양식**: 더위와 추위를 모두 극복하고, 계절 변화에 적응할 수 있는 생활 양식이 나타남
　　└ 얌, 카사바 등의 식량 작물을 재배해.

3. 강수량에 따른 생활 양식의 차이 〔자료②〕
　　　　　　　　　　　　　　Q깨? 지면에서 올라오는 열기와 습기를 피하기 위해서야.
(1) **열대 기후 지역**: 비가 많이 내려 습함 → 지붕의 경사를 급하게 만든 ★고상 가옥 발달
(2) **건조 기후 지역**: 비가 거의 내리지 않아 건조함 → 지붕이 평평한 가옥 발달, ★관개 농업을 통해 밀이나 대추야자 재배
　　　　　　　　　　　　　Q깨? 강한 햇볕과 모래바람을 막기 위해서야.

사막	온몸을 감싸는 헐렁한 옷차림, 흙벽돌집에 거주
건조 초원	★유목을 하며 이동식 천막에 거주

(3) **온대 기후 지역**

지중해 연안	고온 건조한 여름 → 올리브 및 포도 농업 발달, 뜨거운 햇볕을 막기 위한 가옥
온대 계절풍 지역	고온 다습한 여름 → 벼농사 발달, 쌀을 이용한 음식 문화 〔교과서 자료〕

지중해성 기후는 여름에 비가 적게 내려 고온 건조한 반면, 겨울에 비가 자주 내려 온난 다습해.

완자 자료 탐구

내 옆의 선생님

자료 ① 세계의 기후

꼭! 지구는 둥글기 때문에 위도에 따라 일사량의 차이가 발생해. 일사량이 집중하는 저위도 지역은 기온이 높게 나타나지만, 일사량이 분산되는 고위도 지역은 기온이 낮게 나타나.

⬆ 세계의 기후 지역

세계의 기후는 기온과 강수 특성에 따라 다양하게 구분한다. 일반적으로 저위도에서 고위도로 가면서 열대·건조·온대·냉대·한대 기후가 나타나는데, 기후 특성에 따라 세계 여러 지역의 인간 생활 양식이 다르게 나타난다.

정리 비법을 알려줄게!

다양한 기후 특성

열대 기후	연중 기온이 높고, 강수량이 많음
건조 기후	강수량이 적고, 기온의 일교차가 큼
온대 기후	계절 변화가 뚜렷하고, 기온이 온화함
냉대 기후	기온의 연교차가 매우 크고, 겨울이 길고 추움
한대 기후	겨울이 매우 길고 추우며, 강수량이 적음

자료 ② 기후에 따른 전통 가옥의 차이

VS 열대 지역: 지붕의 경사가 급하고 창문이 크다.
사막 지역: 지붕이 평평하고 창문이 작다.

⬆ 열대 지역의 고상 가옥

⬆ 사막 지역의 흙벽돌집

⬆ 건조 초원의 이동식 천막
몽골에서는 '게르'라고 해.

기온이 높고 강수량이 많은 열대 지역에서는 바람이 잘 통하는 개방적 구조의 가옥이 나타나며, 빗물이 잘 흘러내리도록 지붕의 경사를 급하게 만든다. 사막 지역에서는 한낮의 열기를 막기 위해 창문이 작고 벽이 두꺼운 흙벽돌집을 짓는다. 유목이 발달한 건조 초원 지대에서는 나무로 된 뼈대에 동물의 털로 짠 천이나 가죽을 덮어 이동식 천막을 만든다.
대체로 중앙아시아 및 서남아시아, 북부 아프리카의 스텝 지역에 해당돼.

자료 하나 더 알고 가자!

지중해 연안의 가옥

지중해 연안의 가옥은 여름철 뜨거운 햇볕을 막기 위해 창문이 작으며, 대체로 벽이 두껍고 흰색으로 칠해져 있다. 또한 골목마다 그늘을 만들기 위해 가옥들이 다닥다닥 붙어 있으며, 강수량이 적어 지붕이 평평하다.

수능이 보이는 교과서 자료 ─ 벼농사 지역의 기후 특성과 인간 생활

(가) 벼 재배 지역

▨ 쌀의 재배지(1점당 10만 톤) (신상 고등 지도, 2015)

(나) 주요 쌀 생산 국가

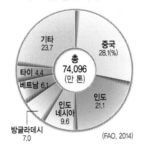

총 74,096 (만 톤)
중국 28.1(%)
인도 21.1
인도네시아 9.6
방글라데시 7.0
베트남 6.1
타이 4.4
기타 23.7
(FAO, 2014)

벼농사는 기온이 높고 강수량이 많은 열대 기후 지역과 온대 계절풍 기후 지역에서 주로 이루어진다. 쌀은 다른 작물에 비해 단위 면적당 생산량이 많아 벼농사가 발달한 지역에는 인구가 밀집하고 있다. 이 지역에서는 쌀을 이용한 음식 문화가 발달하였는데, 베트남의 쌀국수, 인도네시아의 나시고렝, 일본의 초밥 등이 대표적이다.
밥에 해산물이나 고기를 넣고 각종 채소와 향신료 소스를 넣고 볶는 요리야.

완자샘의 탐구 강의

• (가)를 보고 벼농사가 이루어지는 지역의 기후 특성을 써 보자.
기온이 높거나 온화하며, 계절풍의 영향으로 여름철 강수량이 많다.

• (나) 국가들의 인구 특성을 서술해 보자.
대부분 동아시아, 동남 및 남부 아시아 국가들로, 인구수가 많고 인구 밀도가 높은 편이다. 특히, 벼농사에 유리한 대하천 유역의 평야 지역에 인구가 밀집하고 있다.

함께 보기 42쪽, 1등급 정복하기 3

지형에 따른 생활 양식의 차이

산지	밭농사, 임산물, 지하자원 개발, 가축 사육, 고산 도시, 관광 산업 발달
평야	다양한 형태의 농업 발달, 교통이 편리한 지역에 도시 발달
해안	농업, 어업, 양식업, 항구와 산업 단지 발달

★ **고산 도시**
해발 고도가 높은 산지 지역에 발달한 도시를 말한다. 특히 적도 부근의 고산 지대는 연중 온화한 고산 기후가 나타나므로 고온 다습한 저지대에 비해 인간 생활에 유리하다.
예 에콰도르의 키토, 볼리비아의 라파스 등이 대표적이야.

3 지형과 인간 생활

1. 지형이 인간 생활에 미치는 영향

— 높은 산지와 넓은 사막은 교통의 장애가 되어 지역 간 교류를 어렵게 만들었어.

(1) **다양한 지형**: 산지, 평야, 하천, 해안, 사막, 화산, 빙하 지형 발달 → 각 지형적 특성에 따라 인간의 생활 양식이 달라짐 — 오래 전부터 지역 간 교통로로 이용되었어.

(2) **지형을 활용한 인간 생활**: 과학 기술의 발달로 지형을 활용한 산업 활동 확대, 독특한 지형 경관이 나타나는 지역은 세계적인 관광지로 성장 자료③

2. 지형에 따른 생활 양식의 차이

— 고산 지역에 잘 적응하는 야마, 알파카 등이 있어.

구분	특성	주민 생활
산지 지역	해발 고도가 높고 경사가 급하여 인간 거주에 불리함	밭농사, 임산물 채취, 지하자원 개발, 가축 사육, 고산 도시, 관광 산업 발달
평야 지역	지형이 평탄하여 경지 개간, 교통로 건설에 유리함 → 인간의 주요 삶의 터전	다양한 형태의 농업 발달, 교통이 편리한 지역에 도시 발달
해안 지역	육지와 바다가 만나는 지역은 교역에 유리함	농업 및 어업·양식업, 항구 도시 발달, 산업 단지 조성, 관광 산업 발달

꼭! 고대 문명은 대하천 주변의 충적 평야 지역에서 발달하였어.

안전하고 쾌적한 환경에서 살아가기 위한 노력

국가	재해 예방 노력, 신속한 복구 체계와 지원 대책을 위한 정책 마련
개인	안전 교육 및 대응 훈련 참여, 국민 스스로의 안전에 대한 권리 인식

★ **지진 해일**
지진이나 화산 활동에 의해 해저에서 지각 변동이 발생할 경우, 갑자기 파도가 크게 일어서 해안을 덮치는 현상

★ **풍수해 보험**
자연재해로 재산 피해를 입었을 경우 피해 복구 비용을 보상받을 수 있는 보험으로, 보험료의 일부를 국가와 지방 자치 단체에서 보조해 준다.

★ **스마트 재난 관리 시스템**
기상 정보, 교통 정보, 119 신고 내용 등 기관이나 부서별로 관리되는 영상 정보, 통계 정보 등 각종 재난 정보를 통합하고 연계한 재난 정보 통합 시스템

4 시민의 안전할 권리

1. 인간 생활을 위협하는 자연재해

꼭! 자연재해는 인간의 힘으로 막거나 정확하게 예측하기 어려워. 그래서 철저한 예방 조치와 신속한 복구를 통해 그 피해를 최소화하는 것이 중요해.

(1) **자연재해의 의미와 유형**

의미	기후, 지형 등의 자연환경 요소들이 인간의 안전한 생활을 위협하면서 피해를 주는 현상
유형	• 기상 현상에 의한 자연재해: 가뭄, 홍수, 폭설, 태풍 등 • 지각 변동에 의한 자연재해: 화산 활동, 지진, 지진 해일 등

꼭! 대부분 알프스·히말라야 조산대와 환태평양 조산대에서 발생해.

(2) **자연재해에 따른 피해**: 인명 피해와 재산 손해 발생, 생산·생활 공간과 사회 기반 시설 파괴 → 자연재해가 발생할 경우 지역 경제에 악영향

(3) **자연재해에 대한 대응** 자료④

① 재해 발생 전: 평상시 예보 활동과 대피 훈련 시행, 방어 시설물 구축
② 재해 발생 시: 신속한 복구를 위한 대응 체계 마련, 피해 지역에 대한 지원 대책 마련

2. 안전하고 쾌적한 환경에서 살아갈 시민의 권리

— 시민의 생존권과 인간의 존엄성을 보장하기 위한 기본권이야.

(1) **헌법에 보장된 기본권**: 헌법 제34조와 제35조에 안전권과 환경권 보장

(2) **헌법 정신에 따른 법률 제정**: 「재난 및 안전관리기본법」, 「자연재해대책법」, 「국민 안전 교육 진흥 기본법」 등 자료⑤

(3) **안전하고 쾌적한 환경에서 살아가기 위한 노력**

국가적 차원	• 개인의 안전과 행복을 위해 노력할 책임과 적극적인 역할 수행 • 재해 예방을 비롯하여 복구와 지원에 대한 정책 수립 예 특별 재난 지역 지정, 풍수해 보험 지원 • 스마트 재난 관리 시스템 구축 — 시민들은 자연재해에 대한 정보를 신속하게 전달받을 수 있어.
개인적 차원	• 재해·재난 대비 안전 교육 및 대응 훈련에 적극 참여 • 국민 스스로의 안전에 대한 권리 인식 → 국가나 지방 자치 단체에 안전 조치 요청 • 공동체의 빠른 회복을 위해 함께 노력하는 성숙한 시민 의식

완자 자료 탐구

내 옆의 선생님

자료 ③ 지형을 활용한 인간 활동 ── 오늘날에는 스프링클러를 설치하여 지하수를 퍼 올려 대규모 관개 농업이 이루어지고 있어.

⬆ 사막에 조성된 원형 경작지

⬆ 화산 지대의 온천과 지열 발전

⬆ 카르스트 지형의 관광지

과학 기술의 발달로 인간이 거주할 수 있고, 산업 활동이 가능한 지역이 점차 확대되고 있다. 관개 시설의 확충으로 사막에서도 농업이 가능해졌으며, 화산 지대에서의 지열 발전과 같이 지형의 특성을 이용한 에너지 생산이 이루어진다. 화산·빙하·카르스트 지형 등 수려한 자연 경관이 나타나는 지역은 세계적인 관광지가 되기도 한다.

└─ 예) 산지 – 수력 발전, 해안 – 조력 발전, 사막 – 태양광 발전, 화산 – 지열 발전

석회암이 용식되는 과정에서 ─┘
나타나는 지형이야.

자료 ④ 지진에 대한 대응

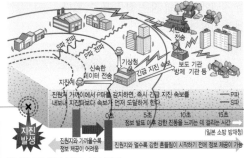
⬆ 일본의 긴급 지진 속보 체계

일본은 많은 지진을 겪으며 재난 관련 법률을 제정하고 재난 관리 체계를 개선하였다. 지진 발생이 예측될 경우, 10초 안에 비상경보를 방송국과 통신사에 자동으로 전파하는 긴급 지진 속보 시스템을 마련하였다. 또한 국민들에게 재난 대응 방재 교육과 실습 훈련을 받도록 하고 있다.

지진이 일어나는 원인인 에너지가 발생한 지점을 진원, 진원에서 수직으로 연결된 지표면을 진앙이라고 해. 진앙은 진원에서 가장 가까운 지표이기 때문에 가장 큰 피해가 발생해.

자료 ⑤ 재난 및 안전관리기본법

> **제1조(목적)**
> 이 법은 각종 재난으로부터 국토를 보존하고 국민의 생명·신체 및 재산을 보호하기 위하여 국가와 지방 자치 단체의 재난 및 안전 관리 체제를 확립하고, 재난의 예방·대비·대응·복구와 안전 문화 활동, 그 밖에 재난 및 안전 관리에 필요한 사항을 규정함을 목적으로 한다.
>
> **제66조(재난 지역에 대한 국고 보조 등의 지원)**
> ① 국가는 재난의 원활한 복구를 위하여 필요하면 대통령령으로 정하는 바에 따라 그 비용의 전부 또는 일부를 국고에서 부담하거나 지방 자치 단체, 그 밖의 재난 관리 책임자에게 보조할 수 있다.

└─ 복구 계획이 확정되면 피해 주민들은 국세 납부를 유예하고 지방세와 전기료를 감면받을 수 있으며, 각종 시설물 수리 지원도 받을 수 있어.

모든 국민은 안전하고 쾌적한 환경에서 살아갈 권리를 지니고 있으며, 이에 우리나라는 국민의 생명과 재산의 보호를 법으로 보장하고 있다. 또한 자연재해 대피 요령을 알려 피해를 예방하고 있으며, 자연재해로 인한 인명 및 재산상의 피해를 지원·보상하기 위해 특별 재난 지역을 지정하고 재난 지원금을 지급하고 있다.

자료 하나 더 알고 가자!

해수의 담수화

서남아시아에서는 물 부족 문제를 해결하기 위해 바닷물에서 염분 등을 제거하여 담수로 만드는 해수 담수화 시설을 건설하고 있다. 보통 바닷물을 가열하여 발생하는 수증기를 냉각하여 담수를 얻는다.

자료 하나 더 알고 가자!

내진 설계

보통 건물	내진 설계 건물
횡압력에 건물이 심하게 흔들림	횡압력에 내진 기둥이 버텨냄

지진은 지구 내부의 힘이 지표면에 전달되어 땅이 갈라지거나 흔들리는 현상이다. 지진이 발생할 경우 건물이 붕괴할 위험이 커지므로, 피해를 줄이기 위해서는 지진에 견딜 수 있도록 건축물의 기초를 설계해야 한다.

정리 비법을 알려줄게!

헌법에 보장된 안전권과 환경권

제34조 ⑥	국가는 재해를 예방하고 그 위험으로부터 국민을 보호하기 위하여 노력하여야 한다.
제35조 ①	모든 국민은 건강하고 쾌적한 환경에서 생활할 권리를 가지며, 국가와 국민은 환경 보전을 위하여 노력하여야 한다.

STEP 2 내신 만점 공략하기

1 빈칸에 공통으로 들어갈 용어를 쓰시오.

> (   )은 인간이 살아가는 데 필요한 토대를 마련해 준다는 점에서 그 의의가 매우 크다. 지역마다 기후, 지형, 식생, 토양 등의 (   )과 이에 따라 발달하는 산업이 다르기 때문에 사람들이 생활하는 모습도 다르게 나타난다.

2 다음 지역에서 나타나는 주민 생활 모습을 〈보기〉에서 골라 기호를 쓰시오.

> **보기**
> ㄱ. 순록 유목　　　　　　　ㄴ. 이동식 경작
> ㄷ. 폐쇄적 가옥 구조　　　　ㄹ. 향신료를 사용한 음식

(1) 열대 기후 지역　　　　　　　　　（　　　）

(2) 한대 기후 지역　　　　　　　　　（　　　）

3 연중 강수량이 많은 지역에서는 전통적으로 가옥 지붕의 경사를 (급하게, 완만하게) 만들었다.

4 ㉠, ㉡에 들어갈 지형을 각각 쓰시오.

> 오늘날에는 지형의 특성을 이용한 전력 생산이 이루어지기도 한다. 산지 지형에서는 수력 발전, (㉠　　　) 지형에서는 지열 발전, (㉡　　　) 지형에서는 조력 발전이 이루어진다.

5 다음 설명에 해당하는 자연재해를 쓰시오.

(1) 지구 내부의 힘이 지표면에 전달되어 땅이 갈라지거나 흔들리는 현상이다.　　　　　　　　（　　　）

(2) 해저에서 지각 변동이 발생할 경우, 갑자기 파도가 크게 일어서 해안을 덮치는 현상이다.　　　（　　　）

6 다음 설명이 맞으면 ○표, 틀리면 ×표를 하시오.

(1) 우리나라는 국민의 생명과 재산의 보호를 법으로 보장하고 있다.　　　　　　　　　　　　（　　　）

(2) 안전하고 쾌적한 환경에서 살아가기 위해서는 국가적 차원의 노력보다 개인적 차원의 노력이 더 중요하다.
　　　　　　　　　　　　　　　　　（　　　）

[01~02] 지도는 세계의 기후 지역을 나타낸 것이다. 이를 보고 물음에 답하시오.

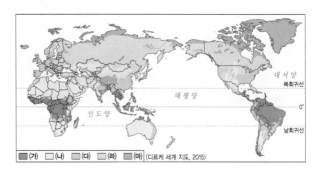

■ (가) □ (나) ■ (다) □ (라) ■ (마) (디르케 세계 지도, 2015)

01 (가) 지역의 주민 생활 모습을 〈보기〉에서 고른 것은?

> **보기**
> ㄱ. 전통 가옥의 지붕을 평평하게 만들었다.
> ㄴ. 기름에 튀기거나 볶는 요리가 발달하였다.
> ㄷ. 바닥을 지면에서 띄워 지은 집을 볼 수 있다.
> ㄹ. 추위에 대비하여 두껍고 무거운 옷을 입는다.

① ㄱ, ㄴ　　　② ㄱ, ㄷ　　　③ ㄴ, ㄷ
④ ㄴ, ㄹ　　　⑤ ㄷ, ㄹ

02 A, B는 세계 여행 중 촬영한 사진이다. 이와 같은 경관이 나타나는 지역을 지도의 (가)~(마)에서 골라 옳게 연결한 것은?

A

B

	A	B		A	B		A	B
①	(가)	(라)	②	(나)	(마)	③	(다)	(나)
④	(라)	(가)	⑤	(마)	(다)			

03 다음은 전통 의상을 입은 세계 여러 지역 주민들의 모습이다. (가)~(다) 지역에 대한 설명으로 옳지 <u>않은</u> 것은?

(가)  (나)  (다)

① (가)는 향신료를 사용한 조리법이 발달하였다.
② (나)는 물이 부족하여 관개 농업이 이루어진다.
③ (다)는 열량이 높은 육류 위주의 음식을 많이 먹는다.
④ (가)는 (다)보다 저위도에 위치한 지역이다.
⑤ (나)는 (가)보다 강수량이 많은 기후 특성이 나타난다.

04 다음 자료의 (가)에 들어갈 내용으로 옳은 것은?

수행 평가 보고서

• 주제: 자연환경의 영향을 받은 전통 가옥
• 전통 가옥 경관   • 가옥 발달 요인

   (가)

① 지붕의 경사가 급한 것은 강수량과 관련이 있다.
② 추위를 막기 위해 폐쇄적 가옥 구조가 나타난다.
③ 겨울철 얼어 있던 땅이 녹으면서 지면이 불안정해진다.
④ 기온과 습도가 낮아 바닥이 지면으로부터 띄워져 있다.
⑤ 가축을 기르며 이동하는 생활에 적응하기 위한 가옥 구조가 나타난다.

05 지도의 (가) 작물에 대한 옳은 설명을 〈보기〉에서 고른 것은?

(가)의 재배지(1점당 10만 톤) (신상 고등 지도, 2015)

〈보기〉
ㄱ. 고온 다습한 기후 환경에서 잘 자란다.
ㄴ. 한대 기후가 나타나는 국가에서 많이 생산한다.
ㄷ. 계절풍의 영향을 받는 아시아에서 많이 재배된다.
ㄹ. 단위 면적당 생산량이 적어 인구 부양력이 매우 낮은 편이다.

① ㄱ, ㄴ   ② ㄱ, ㄷ   ③ ㄴ, ㄷ
④ ㄴ, ㄹ   ⑤ ㄷ, ㄹ

06 밑줄 친 부분에 대해 가장 적절하게 답변한 학생은?

그리스의 대표적 휴양지인 산토리니섬은 에게해와 맞닿은 절벽에 가옥들이 있어 경관이 매력적이다. 지중해 연안의 가옥은 대체로 흰색으로 칠해져
↑ 산토리니섬의 가옥
있고, 집들이 다닥다닥 붙어 있다. 또한 벽의 두께가 두껍고 창문이 작으며 지붕이 평평하다. <u>이 지역의 가옥은 왜 이러한 특징을 띠고 있을까?</u>

① 갑: 이동식 경작에 유리하기 때문이야.
② 을: 일 년 내내 비가 많이 내리기 때문이야.
③ 병: 지진 피해를 최소화할 수 있기 때문이야.
④ 정: 여름철 고온 건조한 기후가 나타나기 때문이야.
⑤ 무: 겨울이 매우 길고 추운 날씨가 지속되기 때문이야.

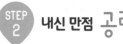

07 사진에 나타난 지역에서 볼 수 있는 주민들의 생활 모습으로 옳은 것은?

① 순록을 유목하면서 식량과 가죽을 얻는다.

② 이동식 경작을 통해 카사바, 얌 등을 재배한다.

③ 주변에서 구하기 쉬운 통나무로 가옥을 짓는다.

④ 바람이 잘 통하도록 가옥의 창문을 크게 만든다.

⑤ 강한 햇볕과 모래바람을 막기 위해 온몸을 감싸는 옷을 입는다.

08 다음 글에 나타난 자연환경과 인간 생활에 대한 설명으로 가장 적절한 것은?

> 고온 건조한 기후가 나타나는 사막에서는 물 부족 문제를 해결하기 위해 바닷물에서 염분 등을 제거하여 담수로 만드는 시설을 건설하고 있다. 이를 해수 담수화 시설이라고 하는데, 보통 바닷물을 가열하여 발생하는 수증기를 냉각하여 담수를 얻는다. 서남아시아의 국가들은 대부분 물을 담수화하여 생활용수나 공업용수 등으로 사용하고 있다.

① 인간은 자연환경에 순응하며 살아간다.

② 자연환경은 인간 생활의 토대를 마련한다.

③ 인간은 자연환경의 제약을 극복하기도 한다.

④ 자연환경 조건은 인간의 거주 환경에 거의 영향을 주지 않는다.

⑤ 자연환경 조건이 비슷한 지역은 주민 생활도 비슷하게 나타난다.

09 지도의 (가) 지역에서 나타나는 자연환경 특성으로 옳은 것은?

① 카르스트 지형이 발달해 있다.

② 대하천 주변으로 평야가 펼쳐져 있다.

③ 대규모 사막이 있고 건조 기후가 나타난다.

④ 해발 고도가 높은 험준한 산맥이 분포한다.

⑤ 모래 해안, 갯벌 등의 해안 지형이 형성되어 있다.

10 다음은 독특한 지형 경관을 활용한 세계의 관광지에 대한 설명이다. (가)~(다)에 해당하는 지형을 옳게 연결한 것은?

> (가) 아이슬란드에서는 간헐천, 노천 온천 등을 이용한 관광 산업이 발달하였다.
> (나) 튀르키예의 '파묵칼레'는 석회암의 용식 작용으로 형성되었으며, 경관이 아름다워 세계적인 관광지로 유명해졌다.
> (다) 노르웨이의 대표적인 관광지 '송네 피오르'는 두꺼운 빙하로 덮여 있던 골짜기에, 해수면이 상승하여 바닷물이 내륙 깊숙이 들어오면서 형성되었다.

	(가)	(나)	(다)
①	해안 지형	빙하 지형	카르스트 지형
②	해안 지형	카르스트 지형	빙하 지형
③	화산 지형	빙하 지형	해안 지형
④	화산 지형	카르스트 지형	빙하 지형
⑤	카르스트 지형	화산 지형	해안 지형

11 다음은 지형과 인간 생활에 대한 내용이다. 밑줄 친 ㉠~㉤ 중 옳지 <u>않은</u> 것은?

오늘날에는 ㉠<u>과학 기술의 발달로 인간이 거주할 수 있고 산업 활동이 가능한 지역이 점점 확대되고 있다.</u> ㉡<u>지하자원이 풍부하게 매장된 산지 지역에서는 광업이 발달하고,</u> ㉢<u>수운이 편리한 하천 주변이나 해안 지역은 항구로 이용되거나 각종 공업이 발달한다.</u> ㉣<u>관개 시설의 확충으로 사막에서도 농업이 가능해졌으며, 빙하 주변 지역에서는 석유, 천연가스 등 에너지 자원이 개발되고 있다.</u> 또한 ㉤<u>산지에서의 수력 발전, 화산 지대에서의 태양광 발전, 해안에서의 조력 발전처럼 지형의 특성을 이용한 에너지 생산이 이루어지기도 한다.</u>

① ㉠   ② ㉡   ③ ㉢   ④ ㉣   ⑤ ㉤

★중요

12 다음 글의 밑줄 친 현상에 대한 옳은 설명을 〈보기〉에서 고른 것은?

<u>기후, 지형 등의 자연환경 요소들이 인간의 안전한 생활을 위협하면서 인간과 인간 활동에 피해를 주는 현상</u>이다. 최근에는 세계 곳곳에서 기후 변화로 이상 기후 현상이 빈번하게 발생하면서 피해 규모가 점차 증가하고 있다.

〔보기〕
ㄱ. 언제, 어떻게 발생할지 정확히 예측할 수 있다.
ㄴ. 오늘날의 과학 기술 수준으로 완전히 극복할 수 있다.
ㄷ. 평상시 예보 활동과 대피 훈련을 통해 피해를 줄일 수 있다.
ㄹ. 기상 현상에 의한 것과 지각 변동에 의한 것으로 구분할 수 있다.

① ㄱ, ㄴ   ② ㄱ, ㄷ   ③ ㄴ, ㄷ
④ ㄴ, ㄹ   ⑤ ㄷ, ㄹ

13 다음은 뉴스의 진행 대본 중 일부이다. (가)에 들어갈 보도 내용으로 가장 적절한 것은?

◇◇ 뉴스 # 3. 태풍으로 인한 피해
• 앵커: 제18호 태풍 '차바'가 우리나라 남해안에 상륙하여 제주도와 부산, 울산, 경상남도 해안 지역에 큰 피해를 입혔습니다. 자세한 피해 상황을 박□□ 기자가 알아보았습니다.
• 기자: _____(가)_____

① 용암이 분출하여 농경지를 덮쳤습니다.
② 시간당 최고 200㎜ 이상의 폭우가 쏟아졌습니다.
③ 땅이 갈라지고 흔들리면서 대부분의 건물이 무너졌습니다.
④ 보름째 고온 현상이 지속되어 많은 농작물들이 말라죽었습니다.
⑤ 화산재가 하늘을 뒤덮어 전 지역으로의 항공기 운항이 중단되었습니다.

14 사진에 나타난 자연재해의 피해를 줄이기 위한 방안으로 적절하지 <u>않은</u> 것은?

① 내진 설계를 의무화한다.
② 하천 주변에 제방 시설을 확충한다.
③ 여진에 대비하여 재난 방송을 청취한다.
④ 평상시에 예보 활동과 대피 훈련을 시행한다.
⑤ 산사태, 건물 붕괴 등으로 인한 피해에 대비한다.

15 다음 법률에 대한 설명으로 옳지 <u>않은</u> 것은?

> • 제1조(목적) 이 법은 각종 재난으로부터 국토를 보존하고 국민의 생명·신체 및 재산을 보호하기 위하여 국가와 지방 자치 단체의 재난 및 안전 관리 체제를 확립하고, 재난의 예방·대비·대응·복구와 안전 문화 활동, 그 밖에 재난 및 안전 관리에 필요한 사항을 규정함을 목적으로 한다.
>
> • 제66조(재난 지역에 대한 국고 보조 등의 지원) ① 국가는 재난의 원활한 복구를 위하여 필요하면 대통령령으로 정하는 바에 따라 그 비용의 전부 또는 일부를 국고에서 부담하거나 지방 자치 단체, 그 밖의 재난 관리 책임자에게 보조할 수 있다.

① 재난 상황에서 시민의 의무를 규정하고 있다.
② 국민의 생명과 재산의 보호를 법으로 보장한다.
③ 헌법 제34조와 제35조를 바탕으로 한 법률이다.
④ 자연재해로부터의 피해 보상에 대한 내용을 포함한다.
⑤ 안전한 환경에서 살아갈 시민의 권리를 보장하기 위해 만들어졌다.

16 그림은 어느 국가의 자연재해 속보 체계를 나타낸 것이다. 이에 대한 옳은 설명을 〈보기〉에서 고른 것은?

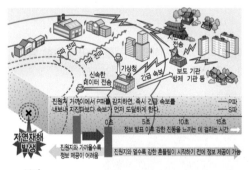

보기

ㄱ. 태풍에 대비한 속보 체계이다.
ㄴ. 스마트 재난 관리 시스템에 해당한다.
ㄷ. 자연재해에 대한 피해 보상과 복구 지원에 관한 내용이다.
ㄹ. 시민들이 자연재해에 대한 정보를 신속하게 전달받을 수 있도록 한다.

① ㄱ, ㄴ　　② ㄱ, ㄷ　　③ ㄴ, ㄷ
④ ㄴ, ㄹ　　⑤ ㄷ, ㄹ

서술형 문제

● 정답친해 12쪽

01 다음과 같은 음식 문화가 나타난 원인을 지역의 자연환경과 관련지어 서술하시오.

우리나라의 인도네시아 음식점에서도 볼 수 있는 '나시고렝'은 인도네시아의 볶음밥으로, '나시'는 밥을 뜻하며 '고렝'은 기름에 볶거나 튀긴다는 뜻이다. '나시고렝'은 밥에 해산물이나 고기를 넣고 각종 채소와 함께 향신료 소스로 양념하여 볶아 낸다.

길잡이 음식 재료와 조리법을 기후적 측면에서 서술한다.

02 다음 자료를 보고 물음에 답하시오.

(가)　　　　　　　　(나)

↑ 베란다에 유리가 없는 아파트　↑ 대피 안내 표지판

(1) (가), (나)는 각각 어떤 자연재해를 대비하기 위한 시설인지 쓰시오.

(2) (가), (나)와 같은 시설이 (1)로 인한 피해를 어떻게 줄일 수 있는지 서술하시오.

길잡이 자연재해 발생 시 피해를 구체적으로 서술한다.

STEP 3 1등급 정복하기

1 (가), (나) 지역의 상대적 특징을 그림의 ㄱ~ㄹ에서 골라 옳게 연결한 것은?

(가)

(나)

(가) (나)

	(가)	(나)
①	ㄱ	ㄴ
②	ㄱ	ㄹ
③	ㄴ	ㄷ
④	ㄷ	ㄴ
⑤	ㄹ	ㄱ

얇다 ↑
의복의 두께
두껍다 ↓

적다 ← 연 적설량 → 많다

ㄱ ㄴ
ㄷ ㄹ

2 다음 여행기에 나타난 지역에 대한 옳은 설명을 〈보기〉에서 고른 것은?

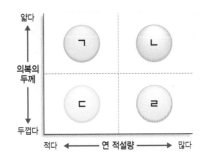

드넓은 초원을 한참 달려 숙소에 도착했다. 우리가 묵을 숙소는 몽골의 전통 가옥인 '게르'였다. 이곳에 머물면서 양젖으로 끓인 차를 마시고 양고기와 채소를 불에 달궈진 돌과 함께 넣어 찐 전통 음식을 먹으며 유목민의 생활을 만끽할 수 있었다. 어제는 태어나서 처음으로 말을 타 보았다. 말을 타고 드넓은 들판을 내달리니 마치 다른 세상에 와 있는 것 같았다.

보기

ㄱ. 침엽수림을 활용한 통나무집을 많이 짓는다.
ㄴ. 연 강수량이 적고 기온의 일교차가 큰 편이다.
ㄷ. 주민들은 이동 생활에 적합한 전통 가옥에 거주한다.
ㄹ. 벼농사가 활발하여 쌀을 이용한 음식 문화가 발달하였다.

① ㄱ, ㄴ   ② ㄱ, ㄷ   ③ ㄴ, ㄷ
④ ㄴ, ㄹ   ⑤ ㄷ, ㄹ

> **기후와 주민 생활**

|한자 사전|

• **적설량**
땅 위에 쌓여 있는 눈의 양

> **건조 초원 지역의 주민 생활**

|한자 사전|

• **게르**
나무로 된 뼈대에 동물의 털로 짠 천이나 가죽을 덮어서 만든 이동식 천막

• **기온의 일교차**
일 최고 기온과 일 최저 기온의 차이를 말한다. 기온의 일교차는 맑게 갠 날이 비 오는 날이나 흐린 날보다 큰 편이다.

평가원 응용

3 다음은 지도에 표시된 두 국가의 대표적인 음식을 소개한 것이다. (가) 작물의 국가별 생산 비중을 나타낸 그래프로 옳은 것은?

▶ **자연환경과 음식 문화**

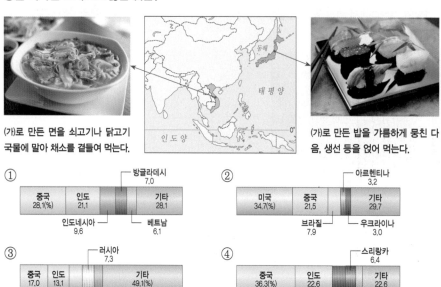

(가)로 만든 면을 쇠고기나 닭고기 국물에 말아 채소를 곁들여 먹는다.

(가)로 만든 밥을 갸름하게 뭉친 다음, 생선 등을 얹어 먹는다.

① 중국 28,1(%) | 인도 21,1 | 인도네시아 9,6 | 베트남 6,1 | 방글라데시 7,0 | 기타 28,1

② 미국 34,7(%) | 중국 21,5 | 브라질 7,9 | 우크라이나 3,0 | 아르헨티나 3,2 | 기타 29,7

③ 중국 17,0 | 인도 13,1 | 미국 8,1 | 프랑스 5,4 | 러시아 7,3 | 기타 49,1(%)

④ 중국 36,3(%) | 인도 22,6 | 케냐 8,1 | 베트남 4,0 | 스리랑카 6,4 | 기타 22,6

⑤ 브라질 33,2(%) | 베트남 16,4 | 인도네시아 7,8 | 인도 3,6 | 콜롬비아 7,3 | 기타 31,7

4 다음은 자연환경이 고대 문명의 발상에 미친 영향에 대한 내용이다. (가)에 들어갈 내용으로 가장 적절한 것은?

▶ **지형과 고대 문명의 발상**

> 세계 4대 문명은 나일강, 인더스강, 황허강, 티그리스강과 유프라테스강 등 대하천 유역에서 형성되었다는 공통점이 있다. 산업 혁명 이전까지만 해도 농업은 사람들의 가장 중요한 경제 활동이었다. 고대의 대하천 주변은 [＿＿＿＿ (가) ＿＿＿＿] 다른 지역보다 문명이 발달할 수 있는 여건이 마련되었다.

① 소금, 어패류 등과 같은 식량 자원을 얻을 수 있었기 때문에

② 갯벌을 사척하여 농경지와 수거지 등으로 이용할 수 있었기 때문에

③ 제방을 쌓은 다음 낙차를 이용하여 수력 발전을 할 수 있었기 때문에

④ 하천의 범람으로 만들어진 비옥한 땅이 있어 농업에 유리하였기 때문에

⑤ 석유와 천연가스 등 에너지 자원이 개발되면서 많은 사람들이 모여들었기 때문에

지리 ➕ 역사

5 다음 교사의 질문에 가장 적절한 답변을 한 학생은?

『조선왕조실록』, 「현종실록」 권 14와 「숙종실록」 권 36은 1702년 6월 함경도에서 발생한 현상에 대해 다음과 같이 묘사하고 있다. "천지가 갑자기 어둠에 갇히고", "재가 섞인 비가 들판에 고루 내리고", "횟가루가 날리며 마치 눈처럼 떨어진다."

이 자료는 어떤 자연재해와 관련된 수백 년 전의 기록입니다. 이 자연재해로 인한 피해에 대해 발표해 볼까요?

① 갑: 물이 부족해져 농작물이 말라 죽는 피해가 발생합니다.
② 을: 한꺼번에 많은 양의 눈이 내려 교통 혼란을 초래합니다.
③ 병: 강한 바람과 많은 강수를 동반하여 풍수해를 유발합니다.
④ 정: 극지방의 빙하가 녹아 해수면이 상승하면서 저지대가 침수됩니다.
⑤ 무: 용암과 함께 화산재 등이 분출하면서 항공기 운항에 지장을 줍니다.

6 다음 자료를 통해 파악할 수 있는 옳은 내용을 〈보기〉에서 고른 것은?

2012년 10월 초대형 허리케인 '샌디'가 미국 동북부를 강타하면서 뉴욕과 뉴저지의 대부분 지역에서 전기 공급이 중단되었다. 이 지역 주민들은 난방과 운전을 위해 기름이 필요하였지만 주유소가 문을 닫으면서 혼란이 발생하였다. 이때 뉴저지 고등학교 학생 등이 커뮤니티 매핑 기법을 이용해 실시간 온라인 주유소 지도를 만들었다. 재난 지역 주유소들의 영업 및 정전 여부, 기름 잔존 여부 등의 정보를 수집하여 이를 하나의 지도에 표시해 미국 전역에 제공하였다. 실시간으로 제공된 이 온라인 지도를 많은 시민들이 이용하면서 상황이 안정적으로 변하였다.

┌─ **보기** ─
ㄱ. 시민들은 자연재해에 대한 정보를 빠르게 전달받았다.
ㄴ. 뉴저지주 정부는 자연재해로 인한 피해를 즉각적으로 복구하였다.
ㄷ. 자연재해 피해를 줄이기 위해 시민들의 적극적인 참여가 이루어졌다.
ㄹ. 안전하고 쾌적한 환경에서 살아갈 시민의 권리를 위해 법률이 제정되었다.

① ㄱ, ㄴ   ② ㄱ, ㄷ   ③ ㄴ, ㄷ
④ ㄴ, ㄹ   ⑤ ㄷ, ㄹ

자연재해에 따른 피해

| 완자 사전 |

• **풍수해**
강한 바람이 불면서 쏟아지는 큰비와 홍수로 인한 피해

자연재해에 대한 대응

완자샘의 시험 꿀팁

세계 각국의 자연재해에 대한 정부와 시민 사회의 대응 사례가 제시된다.

| 완자 사전 |

• **커뮤니티 매핑**
스마트폰이나 컴퓨터를 이용하여 시민들이 직접 지도에 표시하면서 지역 현안이나 불편 사항을 해결해 나가는 '시민 참여형 지도 제작 기술'을 말한다.

02~03 인간과 자연의 관계 ~ 환경 문제의 해결을 위한 노력

학 습 목 표
• 자연을 바라보는 인간의 다양한 관점을 설명할 수 있다.
• 환경 문제 해결을 위한 노력과 실천 방안을 모색할 수 있다.

📌 이것이 핵심!

자연을 바라보는 관점

인간 중심주의 자연관	인간의 이익에 따라 자연의 가치를 평가함 → 이분법적 관점, 자연의 도구적 가치 강조
생태 중심주의 자연관	자연 전체의 균형과 안정을 먼저 고려함 → 전일론적 관점, 자연의 내재적 가치 강조

★ 환경 파시즘
생태계 전체의 선을 위해 개체의 선을 희생할 수 있다고 보는 극단적 생태 중심주의의 입장을 비판하는 용어

① 자연을 바라보는 다양한 관점

1. 인간 중심주의 자연관 [교과서 자료]

(1) **의미**: 인간을 가장 가치 있는 존재로 여기고, 인간의 이익이나 필요에 따라 자연의 가치를 평가하는 관점
└ 인간만이 이성을 지닌 존재라고 생각했어.

(2) **특징**

① **이분법적 관점**: 인간과 자연을 분리하여 바라봄 → 인간은 자연과 구별되는 우월한 존재라고 인식함 ┐ 왜? 자연은 정신 혹은 영혼이 없는 단순한 물질에 불과하다고 보았기 때문이야.

② **자연의 도구적 가치 강조**: 자연은 인간의 풍요로운 삶을 위한 수단으로서 가치를 지님

(3) **장점**: 과학 기술의 발전과 경제 성장을 이루어 인간의 삶을 풍요롭게 함

(4) **문제점**: 인간 중심주의를 지나치게 강조한 결과 심각한 환경 문제를 초래함

2. 생태 중심주의 자연관 [자료①]

(1) **의미**: 인간의 이익보다 인간을 포함한 자연 전체의 균형과 안정을 먼저 고려하는 관점

(2) **특징**

① **전일론적 관점**: 인간을 포함한 자연 전체를 하나로 바라봄 → 모든 생명체는 자연의 일부이며, 인간도 자연을 구성하는 일부라고 인식함 ┐ 왜? 자연을 인간, 동물물, 환경 등 다양한 구성원이 유기적으로 연결된 생태계로 보았기 때문이야.

② **자연의 내재적 가치 강조**: 자연은 그 자체로 본래의 가치를 지님

(3) **장점**: 인간이 생태계를 보전해야 할 의무가 있다는 점을 일깨움으로써 환경 문제 해결의 실마리를 제공함 └ 생태계 전체를 도덕적 고려의 대상으로 인식하고 있어.

(4) **문제점**: 생태 중심주의를 지나치게 강조할 경우 모든 인간 활동을 허용할 수 없으므로 비현실적이라는 비판을 받음 → ★환경 파시즘으로 이어질 우려가 있음

📌 이것이 핵심!

인간과 자연의 공존을 위한 노력

개인적 차원	환경친화적 가치 추구, 생태 공동체 의식 정립
사회적 차원	인간과 자연이 조화를 이루는 개발, 생태계 복원 활동 진행

★ 슬로 시티(slow city)
공해 없는 자연 속에서 전통문화와 자연을 잘 보호하면서 느림의 삶을 추구하는 국제 운동

★ 자연 휴식년제
생태계를 복원하기 위해 훼손의 우려가 있는 지역을 지정하여 일정 기간 동안 사람들의 출입을 통제하는 제도

② 인간과 자연의 공존

1. 인간과 자연의 바람직한 관계
꼭! 인간은 생존과 복지를 위해 자연을 이용하는 주체인 동시에, 자연의 영향 속에서 살아가는 생태계의 한 구성원이기도 해.

(1) **인간과 자연의 유기적 관계**: 인간은 생태계를 구성하는 자연의 일부로서 다른 생명체와 밀접한 관계를 맺으며 살아가고 있음 → 인간과 자연은 공존해야 하는 관계

(2) **인간과 자연의 관계를 성찰하는 동양의 자연관** ┐ 하늘과 인간이 하나로 일치하는 경지를 의미해.

① **유교**: 만물이 본래적 가치를 지닌다고 보며, 천인합일(天人合一)의 경지를 지향

② **불교**: 연기(緣起)를 깨닫고 모든 생명을 소중히 여기며 자비를 베풀 것을 강조 └ 만물은 서로 연결되어 상호 의존하고 있음을 의미함.

③ **도교**: 무위자연(無爲自然)을 추구하며 자연의 한 부분인 인간과 자연의 조화를 강조 └ 사람의 힘이 더해지지 않은 그대로의 자연을 의미해.

2. 인간과 자연의 공존을 위한 노력 [자료②]

개인적 차원	• 생태계의 한 구성원으로서 환경친화적 가치 추구 • 미래 세대와 생태계 전체를 도덕적으로 고려하는 생태 공동체 의식 정립
사회적 차원	• 인간과 자연이 조화를 이루는 개발: 생태 도시와 ★슬로 시티 지정, 생태 통로 건설 • 생태계 복원 활동: ★자연 휴식년제 도입, 갯벌 및 하천 생태계 복원 사업

└ 인간과 자연이 조화를 이루며 공생하는 도시를 말해.

완자 자료 탐구 　　내 옆의 선생님

수능이 보이는 교과서 자료 **인간 중심주의 자연관을 주장한 사상가**

> 자연이 인간에게 이롭도록 지식을 활용해야 한다. 방황하고 있는 자연을 사냥해서 노예로 만들어 인간의 이익에 봉사하도록 해야 한다.
> ◀ 베이컨

> 우리는 자연의 주인이자 소유자가 될 수 있다. 인간은 정신을 소유한 존엄한 존재 이지만, 자연은 의식이 없는 물질이다.
> ▶ 데카르트

> 식물은 동물의 생존을 위해서, 동물은 인간의 생존을 위해서 존재한다. …… 자연 은 일정한 목적이나 의도를 위한 것이라는 우리의 믿음이 타당하다면, 그것은 다 름 아닌 인간을 위한 것임에 틀림없다.
> ◀ 아리스토텔레스

인간 중심주의 자연관은 인간이 자연을 이용할 권리를 지니며, 자연에 대한 행위의 옳고 그름은 자연이 인간의 필요와 이익에 얼마나 도움이 되는가에 달려 있다고 본 다. 인간 중심주의는 근대 이후 서양에서 지배적인 자연관으로 자리매김하였다.

완자샘의 탐구 강의

· 인간과 자연을 분리하여 바라보는 관점을 무엇이라고 하는지 써 보자.
이분법적 관점

· 인간 중심주의 자연관의 긍정적 측 면과 부정적 측면에 대해 서술해 보자.
자연을 개발함으로써 과학 기술 발전과 경제 성장을 이루어 인간의 삶을 풍요 롭게 하였지만, 자연을 함부로 훼손한 결과 심각한 환경 문제를 초래하였다.

함께 보기 48쪽, 내신 만점 공략하기 01

자료 ①　레오폴드의 대지 윤리　└ 대지 윤리에서 인간의 지위는 지배자가 아닌, 생명 공동체의 단순한 구성원이야.

> "바람직한 대지 이용을 오직 경제적 문제로만 생각하 지 마라. 낱낱의 물음을 경제적으로 무엇이 유리한가 하는 관점뿐만 아니라 윤리적, 심미적으로 무엇이 옳 은가의 관점에서도 검토하라. 생명 공동체의 통합성 과 안정성 그리고 아름다움의 보전에 이바지한다면, 그것은 옳다. 그렇지 않다면 그르다."
> – 레오폴드, 『모래 군의 열두 달』

생태 중심주의 사상가인 레오폴드는 공동체의 범위를 식물, 동물, 토양, 물을 포함하는 대지 전체로 확대시 키는 대지 윤리를 주장한다. 대지 윤 리는 대지를 지배와 이용의 대상으 로 간주하는 인간 중심주의와 달리 공동체로 존중할 것을 강조한다.
└ 모든 것은 존재의 이유가 있고, 생태계는 수많은 존재가 균형을 맞추며 살아가는 공간이라고 보았어.

자료 ②　인간과 자연의 공존을 위한 노력

⬆ 복개 하천(좌)에서 생태 하천(우)으로의 복원　　⬆ 생태 도시(독일 프라이부르크)

인간은 산업화 이후 자연을 무분별하게 이용하고 개발한 결과, 심각한 환경 위기를 초래 하였다. 오늘날에는 인간 중심주의 자연관과 생태 중심주의 자연관 각각의 장점을 조화롭 게 추구하면서 인간과 자연의 공존을 강조하고 있다.

자료 하나 더 알고 가자!

미국의 국립 공원 정책

> 미국에서는 자연을 있는 그대로 보전하 는 데 초점을 맞추고 있다. 그래서 국립 공원에서 산불이 나도 자연 현상에 의해 일어난 불일 경우 웬만해서는 인간이 나 서서 끄지 않는다. 인간이 개입할 일이 아니라고 판단하기 때문이다.

생태 중심주의적 관점은 인간의 개입이 자칫 자연의 균형을 깨뜨릴 수 있다고 보 고, 인간이 자연의 질서에 함부로 개입하 지 않는 데 초점을 맞춘다.

정리 비법을 알려줄게!

자연을 바라보는 관점의 변화

산업화 이전
자연과 인간을 서로 의존하는 관계로 인식 하고 자연에 순응하는 삶 중시

↓

산업화 이후
인간 중심의 사고를 바탕으로 자연을 이용 과 지배의 대상으로 인식

↓

오늘날
환경친화적인 삶을 강조하며, 환경 보호와 경제 성장을 동시에 추구

지구 온난화의 원인과 영향

원인	화석 연료의 사용 증가, 무분별한 삼림 파괴 등 → 온실가스 증가
영향	빙하 면적 감소, 해수면 상승으로 저지대 침수, 동식물 서식 환경 변화, 기상 이변 발생

★ **자정 능력**
자연환경이 어느 정도의 오염 물질을 스스로 정화하는 능력

★ **염화 플루오린화 탄소(CFCs)**
염소와 불소를 포함한 유기 화합물을 총칭하는 것으로, 프레온 가스로 알려져 있다. 냉장고나 에어컨의 냉매, 발포제, 분사제 등으로 많이 사용된다.

꼭! 사막 주변 지역의 식생이 파괴되어 사막으로 변화하는 현상으로, 특히 아프리카 사하라 사막 남쪽의 사헬 지대에서 심각해.

3 오늘날의 다양한 환경 문제

1. 환경 문제의 발생과 특징

(1) **환경 문제의 발생**: 산업 발달, 인구 증가, 자원 소비 증가 → 오염 물질 배출, 생태계 파괴, 자연의 *자정 능력 상실

(2) **환경 문제의 특징**: 발생 지역을 넘어 인접한 국가와 전 지구적 차원의 문제로 확산됨, 정상 상태로 회복하기까지 오랜 시간이 걸리고 많은 비용이 발생함

2. 다양한 환경 문제

남극 상공에서 오존층 파괴가 심각해.

환경 문제	원인	영향
지구 온난화 자료 ③	석탄이나 석유 등의 화석 연료 사용 증가, 삼림 파괴 증가 → 온실가스 배출량 및 대기 중 온실가스 농도 증가 ─ 이산화 탄소, 메탄 등이 있어.	극지방과 고산 지대의 빙하 감소, 해수면 상승에 따른 저지대 침수, 동식물 서식 환경 변화, 기상 이변 발생
오존층 파괴	오존층 파괴 물질인 *염화 플루오린화 탄소(CFCs)의 사용 증가	지상에 도달하는 자외선 증가로 피부 및 눈 질환 증가, 농작물 수확량 감소
산성비	화력 발전소와 공장의 매연, 자동차의 배기가스 등이 빗물과 결합하여 내림	삼림 파괴, 농작물 피해, 하천 및 호수와 토양의 산성화, 건축물과 조각상 부식
사막화	극심한 가뭄 지속, 과도한 방목과 농경지 개간	사막 지역 확대, 농경지 감소로 식량 부족, 물 부족 문제 발생, 황사 심화
열대림 파괴	농경지, 목초지 조성을 위한 무분별한 벌목	동식물 서식지 파괴로 생물종 다양성 감소, 지구 온난화 가속화

중국 내륙과 몽골의 사막에서 작은 모래나 먼지가 우리나라로 날아 오는 현상이야.

환경 문제 해결을 위한 주체별 노력

정부	국제 사회와의 협력, 환경 보전을 위한 법률 제정, 정책 수립 및 제도 마련
기업	오염 물질 방지 시설 정비, 친환경 기술 개발 및 제품 생산, 신·재생 에너지 사용 확대
시민 단체	환경 문제의 쟁점화, 정부 정책 비판, 기업 활동 감시, 환경 보호 캠페인
개인	녹색 소비 실천, 에너지 절약, 재사용과 재활용 생활화

★ **환경 영향 평가**
대규모 개발 사업이 환경에 어떤 영향을 미치는지 사전 조사하고 평가하는 제도

★ **신·재생 에너지**
기존의 화석 연료를 변환하여 이용하거나 태양광, 수력, 풍력, 지열, 해양 에너지 등의 재생 가능한 에너지

4 환경 문제 해결을 위한 노력

1. 정부의 노력

(1) **국제 사회와의 협력**: 전 지구적 차원의 환경 문제 해결을 위해 국제 환경 협약 체결 예 지구 온난화 방지를 위한 기후 변화 협약 체결 자료 ④

(2) **법률 제정**: 「환경정책기본법」, 「자연환경보전법」 제정 ─ 리우 환경 협약, 교토 의정서, 파리 기후 협약 등이 있어.

(3) **정책 수립과 제도 마련**: 저탄소 녹색 성장 정책, *환경 영향 평가, 탄소 성적 표지제, 에너지 소비 효율 등급 표시제, 빈 병 보증금 제도, 쓰레기 종량제 등의 시행 ─ 제품의 생산, 수송, 사용, 폐기 등의 모든 과정에서 발생하는 온실가스의 배출량을 이산화 탄소의 배출량으로 환산하여 라벨 형태로 제품에 부착하는 제도야.

2. 기업과 시민 단체의 노력

(1) **기업의 노력**: 환경 오염 물질 방지 시설 정비, 친환경 기술 개발 및 제품 생산, *신·재생 에너지 사용 확대 ─ 기업 윤리와 사회적 책임 의식을 준수해야 해.

(2) **시민 단체의 노력**: 환경 문제의 사회적 쟁점화, 정부의 환경 정책 및 제도 비판, 기업의 활동 감시, 환경 보호 캠페인 전개

3. 개인의 노력 ─ 꼭! 개인의 노력 없이 법과 제도만으로 환경 문제를 해결하는 데는 한계가 있어.

(1) **개인 역할의 중요성**: 많은 환경 문제가 일상생활에서 발생함 → 개인의 행동과 선택이 환경에 미치는 영향이 큼

(2) **일상생활에서의 실천 노력**: 환경 윤리 의식 제고, 녹색 소비 실천 → 자원 및 에너지 절약, 재사용과 재활용 생활화 자료 ⑤ ─ 제품을 구매하고 사용한 후 버릴 때까지의 전 과정에 걸쳐 친환경적인 행동을 하는 것을 말해.

자료 ③ 지구 온난화의 원인과 영향

⬆ 녹아내리는 빙하

⬆ 국토가 침수되는 투발루

⬆ 아마존의 열대림 파괴

전 지구적 환경 문제 중에서 지구 온난화는 우리에게 가장 광범위하고 심각한 위협이 되고 있다. 지구 온난화는 화석 연료의 사용 증가, 열대림 파괴 등 인위적 요인으로 더욱 심화하고 있다. 이에 따라 빙하가 녹으면서 해수면이 상승하여 해안 저지대가 침수되고 있다.

└ 열대 기후 지역에 분포하는 식물 군락으로, 지구상에서 가장 많은 생물종이 분포해.

자료 ④ 국제 환경 협약

런던 협약 1972년, 폐기물 투기에 의한 해양 오염 방지

사막화 방지 협약 1994년, 심각한 가뭄 및 사막화의 영향을 받는 국가들의 사막화 방지

파리 기후 협약 2015년, 기후 변화에 대응하기 위한 전 지구적 차원의 신기후 체제 출범

바젤 협약 1989년, 유해 폐기물의 국가 간 이동 및 처리 통제

국제 연합 인간 환경 회의 1972년, 인간 환경 선언을 발표하고, 환경 문제의 국제적 논의를 시작

비엔나 협약 1985년, 오존층 파괴 물질의 규제

람사르 협약 1971년, 물새 서식지로서 국제적으로 중요한 습지 보호

교토 의정서 1997년, 기후 변화 협약에 따른 온실가스 감축 목표치 규정

워싱턴 협약 1973년, 멸종 위기에 처한 야생 동식물의 국제 거래 규제

몬트리올 의정서 1987년, 오존층 파괴 물질의 생산 및 사용을 단계적으로 감축

기후 변화 협약 1992년, 지구 온난화를 방지하기 위하여 온실가스 감축에 대해 합의

생물 다양성 협약 1992년, 지속 가능한 생태계 유지

국제 연합 환경 개발 회의 1992년, 환경적으로 건전하고 지속 가능한 발전을 위하여 '의제 21' 채택

(환경부, 2016)

전 지구적으로 발생하고 있는 환경 문제는 개별 국가의 노력만으로는 해결하기 어려워 국제 사회의 공조와 협력이 필요하다. 이러한 이유로 많은 국가가 환경 문제 해결 노력에 적극적으로 동참하고 있으며, 국제 협약을 체결·이행하고 있다.

자료 ⑤ 환경 문제 해결을 위한 개인의 노력

다큐멘터리 영화 「노 임팩트 맨」은 우리에게 환경을 지키는 유쾌한 실천 방안을 제시한다. 주인공 콜린은 일 년 동안 가족과 함께 지구 환경에 나쁜 영향을 최대한 주지 않는 생활에 도전한다. 콜린 가족의 첫 시도는 쓰레기를 만들지 않는 것이었다. 실제로 우리가 쓰는 제품의 80%는 한 번만 쓰고 버리도록 만들어졌으며, 쓰레기의 40%가 포장이라고 한다. 그래서 콜린은 시장에 갈 때 항상 유리병과 재활용 천 조각, 장바구니를 들고 다닌다. 콜린 가족은 자전거를 타거나 도보로 다니기, 내가 사는 지역에서 생산한 식료품 사 먹기, 집에서 사용하는 에너지 줄이기, 물을 아끼고 오염하지 않기, 환경 단체 활동을 통해 사회에 도움 주기 등을 차례대로 실천한다.

우리는 제품을 구매할 때 제품이 환경에 미치는 영향을 고려하여 녹색 소비를 하고, 구매한 제품을 아껴 쓰며 자원과 에너지를 절약해야 한다. 이러한 실천에는 인간과 자연의 관계를 바르게 인식하고 바람직한 관계를 맺고자 하는 환경 윤리 의식이 전제되어야 한다.

자료 하나 더 알고 가자!

산성비로 인한 피해

산성비는 숲의 나무와 농경지의 작물을 말라죽게 하고, 하천과 호수를 오염시키며, 건축물과 조각상을 부식시킨다.

자료 하나 더 알고 가자!

파리 기후 협약

장기 목표	가스 배출
지구 평균 온도 상승 폭을 산업화 이전과 비교하여 1.5℃까지 제한	빠른 시일 내로 온실가스 배출 감축, 5년마다 감축 이행 점검

책임 분담	피해 지원
선진국이 더 많은 책임을 지고 개발 도상국을 지원	기후 변화로 인한 피해에 취약한 국가를 도움

파리 기후 협약은 국제 연합(UN) 기후 변화 협약 195개 당사국 모두가 참여하여 2020년을 시작으로 2050년까지 지구촌 온실가스 배출량을 '0'으로 만들겠다는 것을 목표로 한다.

문제로 확인할까?

환경 문제 해결을 위한 개인적 차원의 노력으로 적절하지 <u>않은</u> 것은?

① 물을 받아놓고 세수한다.
② 환경 성적 표지제를 시행한다.
③ 녹색 소비의 실천을 생활화한다.
④ 재활용 쓰레기는 분리 배출한다.
⑤ 사용하지 않는 전자 제품의 연결꽂이를 뽑아 둔다.

② 🔖

1 (　　　　) 자연관은 인간의 이익이나 필요에 따라 자연의 가치를 평가한다.

2 빈칸에 들어갈 용어를 쓰시오.

> 생태 중심주의 자연관은 인간을 포함한 자연 전체를 하나로 보는 (　　　　) 관점을 취한다. 이에 따르면 자연은 인간, 동식물, 환경 등과 같은 다양한 구성원이 유기적으로 엮여 있는 생태계이다. 따라서 인간은 자연과 독립적으로 존재할 수 없다.

3 다음은 동양의 자연관에 대한 설명이다. 이에 해당하는 종교를 〈보기〉에서 골라 기호를 쓰시오.

> **보기**
> ㄱ. 도교　　　　ㄴ. 불교　　　　ㄷ. 유교

(1) 연기(緣起)를 깨닫고 모든 생명을 소중히 여김　(　　　)

(2) 무위자연(無爲自然)을 추구하여 인간은 자연과의 조화를 이루어야 함　(　　　)

(3) 만물이 본래적 가치를 지닌다고 보며, 천인합일(天人合一)의 경지를 지향함　(　　　)

4 ㉠, ㉡에 들어갈 환경 문제를 각각 쓰시오.

> • (㉠　　　): 온실가스 배출량이 늘어나면서 지구의 평균 기온이 점점 상승하는 현상
> • (㉡　　　): 공장의 매연, 자동차 배기가스 등 대기 오염 물질이 빗물과 결합해 내리는 현상

5 다음은 환경 문제 해결을 위한 노력이다. 빈칸에 들어갈 내용을 쓰시오.

(1) (　　　　)는 정부의 환경 정책이나 기업의 활동을 감시하고 비판하는 역할을 한다.

(2) 개인은 제품을 구매할 때 제품이 환경에 미치는 영향을 고려하여 (　　　　)를 실천해야 한다.

(3) 정부는 대규모 개발 사업이 환경에 어떤 영향을 미치는지 예측하기 위해 (　　　　)를 실시한다.

01 다음은 어느 사상가의 주장이다. 이 사상가의 자연관에 대한 설명으로 옳은 것은?

> "우리는 자연의 주인이자 소유자가 될 수 있다. 인간은 정신을 소유한 존엄한 존재이지만, 자연은 의식이 없는 물질이다."

① 인간을 포함한 자연 전체를 하나로 바라본다.
② 인간을 자연으로부터 독립된 존재로 인식한다.
③ 인간 중심주의의 문제점을 비판하며 등장하였다.
④ 인간의 이익보다 자연의 균형과 안정을 먼저 고려한다.
⑤ 동식물을 포함한 자연의 모든 구성 요소는 그 자체로 가치 있다고 생각한다.

02 다음 글에 나타난 인간과 자연의 관계에 대한 옳은 설명을 〈보기〉에서 고른 것은?

> 우리는 대지의 일부분이며, 대지는 우리의 일부분이다. 들꽃은 우리의 누이이고, 순록과 말과 독수리는 우리의 형제이다. 강의 물결과 초원에 핀 꽃들의 수액, 조랑말의 땀과 인간의 땀은 모두 하나이다. 모두가 같은 부족, 우리의 부족이다. …… 세상의 모든 것은 하나로 연결되어 있다. 대지에게 일어나는 일은 대지의 아들들에게도 일어난다. 사람이 삶의 거미줄을 짜 나아가는 것이 아니다. 사람역시 한 올의 거미줄에 불과하다. 따라서 그가 거미줄에 가하는 행동은 반드시 그 자신에게 되돌아오게 마련이다.

> **보기**
> ㄱ. 자연을 인간의 삶을 위한 도구로 생각한다.
> ㄴ. 자연 그 자체가 지닌 내재적 가치를 중요시한다.
> ㄷ. 인간과 자연을 분리하여 이분법적 관점에서 바라본다.
> ㄹ. 인간과 자연은 끊임없이 영향을 주고받는 관계임을 강조한다.

① ㄱ, ㄴ　　　② ㄱ, ㄷ　　　③ ㄴ, ㄷ
④ ㄴ, ㄹ　　　⑤ ㄷ, ㄹ

03 다음 결과를 초래한 자연관과 관련된 사례로 적절하지 <u>않은</u> 것은?

2000년	2014년

중앙아시아에 위치한 아랄해는 1960년대까지만 해도 세계에서 네 번째로 큰 호수였다. 하지만 호수로 유입되는 강물을 밀 농사와 목화 재배를 위한 농업용수로 사용하면서 호수가 말라 가기 시작하였고, 지금은 원래 호수에서 90% 이상의 물이 사라지고 거의 사막으로 변하였다.

① 공업 단지를 조성하기 위해 갯벌을 매립하였다.
② 홍수를 예방하기 위해 하천 직선화 공사를 하였다.
③ 야생 동물들의 이동을 위해 생태 통로를 건설하였다.
④ 농경지 확보를 위해 산비탈에 계단식 논을 조성하였다.
⑤ 전염병을 옮기는 모기를 없애기 위해 살충제를 대량 살포하였다.

04 다음은 인간과 자연의 관계에 대한 대화이다. 갑, 을의 입장에 대한 설명으로 옳은 것은?

• 갑: 자연은 인간에게 커다란 경제적 풍요를 가져다주는 수단이라는 측면에서 가치가 있다고 생각해.
• 을: 모든 생명체는 자연의 일부라고 생각해. 인간도 자연으로부터 독립된 존재가 아니라, 자연을 구성하는 일부분이야.

① 갑은 생태 중심주의 자연관을 가지고 있다.
② 을은 인간이 자연 전체에 도덕적 의무를 지닌다고 본다.
③ 갑은 을에 비해 인간이 자연의 질서에 함부로 개입하지 않는 것에 초점을 맞춘다.
④ 을은 갑에 비해 인간의 삶을 풍요롭게 하기 위한 경제 성장을 우선적으로 생각한다.
⑤ 갑, 을의 입장은 모두 산업화·도시화 과정에서 발생한 환경 문제의 요인으로 지적받기도 한다.

[05~06] 다음은 자연을 바라보는 다양한 관점을 나타낸 것이다. (가)~(다)를 읽고, 물음에 답하시오.

(가) 자연이 인간에게 이롭도록 지식을 활용해야 한다. 방황하고 있는 자연을 사냥해서 노예로 만들어 인간의 이익에 봉사하도록 해야 한다.
(나) 만물은 독립적으로 존재할 수 없으며 서로 연결되어 상호 의존하고 있다. 이러한 연기(緣起)를 깨닫고 모든 생명을 소중히 여기며 자비를 베풀어야 한다.
(다) 바람직한 대지 이용을 오직 경제적 문제로만 생각하지 마라. 낱낱의 물음을 경제적으로 무엇이 유리한가 하는 관점뿐만 아니라 윤리적, 심미적으로 무엇이 옳은가의 관점에서도 검토하라.

05 (가)~(다)에 대한 설명으로 옳은 것은?

① (가)는 환경친화적 성격을 가지고 있다.
② (나)는 서양의 근대적 자연관에서 출발한다.
③ (다)는 오직 인간만이 이성을 지닌 존재라는 점을 강조한다.
④ (가), (나)는 인간 중심주의 자연관, (다)는 생태 중심주의 자연관이 잘 나타난다.
⑤ (나), (다)는 인간은 자연 속에서 존재하며 자연과 조화를 이루어야 한다고 본다.

06 (나)의 관점이 현대 사회에 주는 시사점으로 적절한 것을 〈보기〉에서 고른 것은?

보기
ㄱ. 인간과 자연은 유기적 관계를 맺으며 살아가고 있음을 인식해야 한다.
ㄴ. 생태계 전체를 도덕적으로 고려하는 생태 공동체 의식을 정립해야 한다.
ㄷ. 자연과 인간의 공존보다는 효율성과 경제성을 중시하는 사회적 인식이 확대되어야 한다.
ㄹ. 인간의 삶을 더 행복하게 만들기 위해서는 자연을 개발과 극복의 대상으로 바라보고 이용해야 한다.

① ㄱ, ㄴ   ② ㄱ, ㄷ   ③ ㄴ, ㄷ
④ ㄴ, ㄹ   ⑤ ㄷ, ㄹ

07 다음 신문 기사를 읽고 찬반 토론을 진행할 예정이다. (가), (나)에 들어갈 옳은 내용을 〈보기〉에서 고른 것은?

> 환경부가 강원도의 ○○산 케이블카 설치 사업에 대해 조건부 승인을 하였다. 환경부는 강원도가 제출한 사업의 원안에 정상부 등산로 통제와 멸종 위기 종 보호 대책 수립 등의 조건을 붙였다. ○○산 인근 주민들은 케이블카 사업을 추진해 왔으나, ○○산이 멸종 위기 동물의 서식지이므로 환경을 훼손할 우려가 있다는 환경 단체의 반대로 무산되었다. 결국 사업은 승인되었지만 여러 조건이 붙은 데다가 여전히 환경 단체 등의 반대도 만만치 않아 운행이 가능할지는 여전히 불투명하다.
>
> – 「한국경제」, 2015. 9. 14.

모둠 의견	케이블카 설치를 찬성함	케이블카 설치를 반대함
토론 내용	(가)	(나)

[보기]
ㄱ. (가) – 자연은 있는 그 자체로 의미가 있다.
ㄴ. (가) – 관광객이 늘어나 지역 경제가 활성화된다.
ㄷ. (나) – ○○산의 생태계가 훼손될 우려가 커진다.
ㄹ. (나) – 자연은 사람들에게 행복을 줄 때 가치가 있다.

① ㄱ, ㄴ ② ㄱ, ㄹ ③ ㄴ, ㄷ
④ ㄴ, ㄹ ⑤ ㄷ, ㄹ

08 사진은 환경 문제로 인한 피해 모습을 나타낸 것이다. 이와 같은 환경 문제에 대한 설명으로 옳은 것은?

⬆ 부식된 조각상 ⬆ 파괴된 숲

① 해수면 상승에 따라 저지대가 침수한다.
② 과도한 방목과 농성시 개간에 따라 나타난다.
③ 오존층이 파괴되어 피부 및 눈 질환이 증가한다.
④ 산성이 강한 대기 오염 물질이 비와 섞여 내린다.
⑤ 대기 중 온실가스가 증가하면서 기상 이변이 발생한다.

09 다음 자료에서 공통으로 나타나는 환경 문제에 대해 옳게 말한 사람은?

극지방의 빙상이 녹으면서 해양 환경 및 지구 생태계가 변화하고 있다. 남태평양의 섬나라인 투발루는 해수면 상승으로 국토가 침수되고 있다.

① 갑: 자연의 자정 능력으로 해결될 수 있는 문제야.
② 을: 이를 해결하기 위해 람사르 협약이 체결되었어.
③ 병: 염화 플루오린화 탄소 배출량이 증가하면서 나타나는 현상이야.
④ 정: 이러한 환경 문제가 지속되면 극지방의 자외선 지수가 높아질 거야.
⑤ 무: 지구의 평균 기온이 상승하면서 동식물의 서식 환경이 변화하고 있어.

10 지도는 주요 국제 환경 협약을 나타낸 것이다. A∼E에 대한 설명으로 옳지 않은 것은?

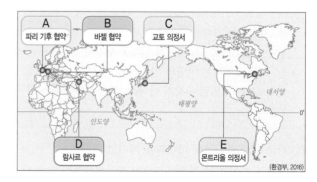

① A – 가뭄이 심각한 국가들의 사막화 방지
② B – 유해 폐기물의 국가 간 이동 및 처리 통제
③ C – 기후 변화 협약에 따른 온실가스 감축 목표치 규정
④ D – 물새 서식지로서 국제적으로 중요한 습지 보호
⑤ E – 오존층 파괴 물질인 프레온 가스의 생산 및 사용을 단계적으로 감축

11 밑줄 친 환경 단체의 역할로 가장 적절한 것은?

그린피스의 영국 사무소는 참치 제조업체에 대해 해양 생태계를 파괴하는 조업 방식의 사용 여부와 어업 과정에서의 불법 여부, 선원들의 인권 유린 등을 조사하여 참치 캔의 지속 가능성 순위를 발표하였다. 일부 참치 원양어선의 조업 방식은 바다에 부유물을 띄워놓고 참치를 유인한 후 거대한 그물을 쳐서 잡는 것인데, 이러한 방법으로 태평양 참다랑어 등 7개 주요 참치 어종의 37.5%가 남획되었다. 문제는 이 과정에서 멸종 위기에 처한 상어, 바다거북 등이 함께 걸려 올라온다는 것이다. 그린피스는 수산업 관련 규정의 준수 및 이행과 더불어 수산물의 조업·가공·유통 과정에서 환경 파괴가 일어나지 않도록 각국 정부에 요구하였다.

① 기술 혁신을 통해 환경친화적 제품을 생산한다.
② 자연을 개발할 경우 환경 영향 평가를 실시한다.
③ 국가 간 환경 문제 해결을 위해 국제 협약을 체결한다.
④ 정부의 환경 정책을 비판하고 기업의 활동을 감시한다.
⑤ 지구 온난화 방지를 위해 신·재생 에너지 관련 기술을 개발한다.

12 다음과 같은 제도를 시행하여 얻을 수 있는 효과로 가장 적절한 것은?

'탄소 성적 표지제'는 제품의 생산, 수송, 사용, 폐기 등의 모든 과정에서 발생하는 온실가스의 배출량을 이산화 탄소의 배출량으로 환산하여 라벨 형태로 제품에 부착하는 제도이다. 정부는 모든 제품의 탄소 배출량 정보를 공개하여 소비자들이 상품을 구입할 때 도움을 주고 있다.

↑ 탄소 배출량　　↑ 저탄소 제품　　↑ 탄소 중립 제품

① 오존층 파괴 완화　　② 음식물 쓰레기 감소
③ 화석 연료 사용 증가　　④ 지구 온난화 문제 방지
⑤ 빈 병 보증금 제도 활성화

01 다음 자료는 (가), (나) 지역의 환경 문제를 나타낸 것이다. 이를 보고 물음에 답하시오.

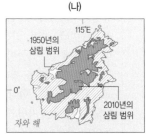

(가) 14°05′E, 1963년의 호수 범위, 13°04′N, 2007년의 호수 범위

(나) 115°E, 1950년의 삼림 범위, 0°, 자와 해, 2010년의 삼림 범위

차드호 주변 지역에서는 장기간 가뭄과 과도한 경작으로 초목이 사라지고 토양이 황폐해지는 환경 문제가 진행되고 있다.

보르네오섬에서는 농경지 확대와 과도한 벌목으로 울창했던 삼림 면적이 급격히 감소하는 환경 문제가 진행되고 있다.

(1) (가), (나) 지역에서 나타나는 환경 문제를 각각 쓰시오.

(2) (1)로 인한 영향을 각각 서술하시오.

(길잡이) 환경 문제가 발생함에 따라 어떤 피해를 입는지 구체적으로 서술한다.

02 (가)에 들어갈 내용을 세 가지 이상 서술하시오.

모둠 활동 보고서

• 주제: 환경 문제 해결을 위한 노력 사례 조사하기
• 방법: 정부, 기업, 시민 단체, 개인적 차원으로 나누어 모둠별로 조사한다.
• 결과

정부	• 국제 사회와의 협력을 강화한다. • 환경 보전을 위한 정책 수립 및 제도를 마련한다.
기업	• 오염 물질 방지 시설을 정비한다. • 친환경 기술 개발 및 제품 생산을 위해 노력한다.
시민 단체	• 정부 정책을 비판하고 기업 활동을 감시한다. • 환경 문제를 쟁점화하고 환경 캠페인을 전개한다.
개인	(가)

(길잡이) 환경 문제 해결을 위해 우리가 일상생활에서 실천할 수 있는 노력에 대해 서술한다.

1 다음은 동양의 자연관에 대한 내용이다. 밑줄 친 ㉠~㉣에 대한 옳은 설명을 〈보기〉에서 고른 것은?

▶ 동양의 자연관

> 동양의 자연관은 ㉠환경친화적인 성격을 가지고 있다. 유교에서는 만물이 본래적 가치를 지닌다고 보며, 인간과 자연이 조화를 이루는 천인합일(天人合一)의 경지를 지향하였다. 불교에서는 만물이 독립적으로 존재할 수 없으며, 서로 연결되어 상호 의존하고 있다는 ㉡연기(緣起)를 깨닫고 모든 생명을 소중히 여기며 자비를 베풀 것을 강조하였다. 도교에서는 사람의 힘이 더해지지 않은 자연 그대로의 질서를 따르는 ㉢무위자연(無爲自然)을 추구하며 자연의 한 부분인 인간이 자연과 조화를 이루어야 한다고 보았다. 이처럼 동양의 자연관은 ㉣인간이 자연과 분리되어 존재하는 것이 아니라, 자연 속에서 더불어 존재한다고 보고, 자연과의 조화를 강조하였다.

보기

ㄱ. ㉠은 생태 중심주의 자연관의 성격에 해당한다.
ㄴ. ㉡은 자연을 정신 혹은 영혼이 없는 단순한 물질로 본다.
ㄷ. ㉢은 인간의 의지나 욕구와 상관없이 존재하는 자연의 가치를 강조한다.
ㄹ. ㉣과 같은 인식을 지나치게 강조할 경우 심각한 환경 문제가 나타날 우려가 있다.

① ㄱ, ㄴ　　　　② ㄱ, ㄷ　　　　③ ㄴ, ㄷ
④ ㄴ, ㄹ　　　　⑤ ㄷ, ㄹ

윤리 ➕ 사회

2 교사의 질문에 옳게 답변한 학생만을 있는 대로 고른 것은?

▶ 인간과 자연의 바람직한 관계

환자샘의 시험 꿀팁

자연을 바라보는 다양한 관점 중 인간 중심주의와 생태 중심주의의 특징을 비교하는 문제가 출제된다.

① 갑, 을　　　　② 갑, 정　　　　③ 을, 병
④ 갑, 병, 정　　　⑤ 을, 병, 정

평가원 응용

3 다음과 같은 환경 문제가 지속될 경우 나타날 수 있는 현상을 〈보기〉에서 고른 것은?

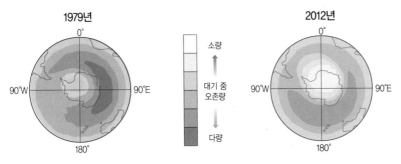

1979년   2012년

소량
↑
대기 중
오존량
↓
다량

보기
ㄱ. 농작물 수확량이 감소할 것이다.
ㄴ. 대기 중 이산화 탄소 농도가 증가할 것이다.
ㄷ. 극지방과 고산 지대의 만년설이 감소할 것이다.
ㄹ. 자외선에 의한 피부암 및 백내장 환자가 늘어날 것이다.

① ㄱ, ㄴ   ② ㄱ, ㄹ   ③ ㄴ, ㄷ
④ ㄴ, ㄹ   ⑤ ㄷ, ㄹ

> 전 지구적 차원의 환경 문제
>
> **│ 환자 사전 │**
>
> • 오존
> 산소 원자 3개로 구성된 푸른빛의 기체로, 특유의 냄새가 난다. 지표면의 오존은 인체에 해로운 광화학 스모그를 형성하는 반면, 성층권의 오존층은 인체에 유해한 자외선을 막아준다.

4 다음은 환경 문제의 해결 노력을 다룬 다큐멘터리 영화에 대한 소개이다. 이 영화에서 볼 수 있는 장면으로 적절하지 않은 것은?

「노 임팩트 맨」

주인공 콜린은 일 년 동안 가족과 함께 지구 환경에 나쁜 영향을 최대한 주지 않는 생활에 도전한다. 콜린 가족의 첫 시도는 쓰레기를 만들지 않는 것이었다. 실제로 우리가 쓰는 제품의 80%는 한 번만 쓰고 버리도록 만들어졌으며, 쓰레기의 40%가 포장이라고 한다. 그래서 콜린은 시장에 갈 때 항상 유리병과 재활용 천 조각, 장바구니를 들고 다닌다.

NO IMPACT MAN
THE DOCUMENTARY

ORIGINAL MOTION PICTURE SOUNDTRACK
BOBBY JOHNSTON

① 환경 단체의 자연 보호 캠페인에 참여하는 장면
② 사용하지 않는 물건을 다른 사람에게 기증하는 장면
③ 일회용 용기에 담아 파는 피자를 구입하지 않는 장면
④ 가능하면 먼 지역에서 이동해 온 농산물을 구입하는 장면
⑤ 온실가스를 배출하는 교통수단 대신 자전거를 타고 이동하는 장면

> 환경 문제 해결을 위한 개인적 차원의 노력
>
> **환자샘의 시험 꿀팁**
>
> 일상생활에서 실천 가능한 녹색 생활 수칙을 파악하도록 한다.

01 자연환경과 인간 생활

1. 자연환경과 인간

(1) **인간 생활의 토대 마련**: 인간은 살아가는 데 필요한 것들을 자연환경으로부터 얻으며 생활함

(2) **자연환경이 인간 생활에 주는 영향**: 자연환경 특성에 따라 지역의 의복, 음식, 주거 문화가 다르게 나타남

2. 기후와 인간 생활

(1) **세계의 기후 구분**: 기온 및 강수 특성에 따라 열대·건조·온대·냉대·한대 기후로 구분함

(2) **기온에 따른 생활 양식의 차이**

구분	열대 기후 지역	(❶) 지역
의복	얇고 가벼운 옷차림	두껍고 무거운 옷차림
음식	기름에 볶거나 튀긴 음식 발달, (❷) 사용	열량이 높은 육류나 생선 위주의 음식, 저장 음식 발달
전통 가옥	더위를 극복하기 위한 개방적 가옥 구조	추위를 막기 위한 폐쇄적 가옥 구조
농업	벼농사, 커피 재배, 이동식 경작	작물 재배가 어려움, 순록 유목

(3) **강수량에 따른 생활 양식의 차이**

열대 기후 지역	비가 많이 내려 습함 → 지붕의 경사를 급하게 만든 고상 가옥 발달
건조 기후 지역	• 비가 적게 내려 건조함 → 지붕이 평평한 가옥 발달, 밀이나 대추야자를 재배하는 관개 농업 발달 • 사막: 온몸을 감싸는 헐렁한 옷차림, 흙벽돌집에 거주 • 건조 초원: 유목 생활을 하며 이동식 천막에 거주
온대 기후 지역	• 여름이 고온 건조한 지중해 연안 → 올리브 및 포도 농업 발달, 뜨거운 햇볕을 막기 위한 가옥 발달 • 여름이 고온 다습한 온대 계절풍 지역 → (❸) 발달, 쌀을 이용한 음식 문화 발달

3. 지형과 인간 생활

(1) **다양한 지형**: 산지, 평야, 하천, 해안, 사막, 화산, 빙하 지형 → 인간 생활에 많은 영향을 줌

(2) **지형을 활용한 인간 생활**: 과학 기술의 발달로 지형을 활용한 산업 활동 확대, 독특한 지형 경관이 나타나는 지역은 세계적인 관광지로 성장

(3) **지형에 따른 주민 생활의 차이**

구분	특성	주민 생활
산지	해발 고도가 높고 경사가 급하여 인간 거주에 불리함	밭농사, 임산물, 가축 사육, 고산 도시, 관광 산업 발달
평야	경지 개간, 교통로 건설에 유리하여 인간 거주에 유리함	다양한 형태의 농업, 교통이 편리한 지역에 도시 발달
해안	육지와 바다가 만나는 지역은 인간 거주에 유리함	농업 및 어업·양식업, 항구 도시 발달, 산업 단지 조성
독특한 지형	화산·빙하·카르스트 지형 등은 독특한 경관이 나타남	세계적인 (❹)로 성장한 지역이 많음

4. 인간 생활을 위협하는 자연재해

(1) **자연재해**: 기후, 지형 등의 자연환경 요소들이 인간의 안전한 생활을 위협하면서 피해를 주는 현상

(2) **자연재해의 유형**

기상 현상에 의한 자연재해	가뭄, 홍수, 폭설, 태풍 등
(❺)에 의한 자연재해	화산 활동, 지진, 지진 해일 등

(3) **자연재해에 따른 피해**: 인명 피해와 재산 손해, 생산·생활 공간과 사회 기반 시설 파괴 → 지역 경제에 악영향

(4) **자연재해에 대한 대응**

재해 발생 전	평상시 예보 활동과 대피 훈련 시행, 방어 시설물 구축
재해 발생 시	신속한 복구를 위한 대응 체계 마련, 피해 지역의 지원 대책 마련

5. 안전하고 쾌적한 환경에서 살아갈 시민의 권리

(1) **헌법에 보장된 기본권**: 헌법 제34조와 제35조에 안전권과 환경권 보장

(2) **헌법 정신에 따른 법률 제정**: 「재난 및 안전관리기본법」, 「자연재해대책법」, 「국민 안전 교육 진흥 기본법」 등

(3) **안전하고 쾌적한 환경에서 살아가기 위한 노력**

국가적 차원	• 개인의 안전과 행복을 위해 노력할 책임과 역할 수행 • 재해 예방을 비롯하여 복구와 지원에 대한 정책 수립 예 특별 재난 지역 지정, 풍수해 보험 지원 • 스마트 재난 관리 시스템 구축
개인적 차원	• 재해·재난 대비 안전 교육 및 대응 훈련에 적극 참여 • 국민 스스로의 안전에 대한 권리 인식 → 국가나 지방 자치 단체에 안전 조치 요청 • 공동체의 빠른 회복을 위해 함께 노력하는 성숙한 시민 의식

02 인간과 자연의 관계

1. 자연을 바라보는 관점

구분	(❻) 자연관	생태 중심주의 자연관
의미	인간의 이익이나 필요에 따라 자연의 가치를 평가하는 관점	인간의 이익보다 인간을 포함한 자연 전체의 균형과 안정을 먼저 고려하는 관점
특징	• 이분법적 관점: 인간과 자연을 분리하여 바라봄 → 인간은 자연과 구별되는 우월한 존재라고 인식 • 자연의 도구적 가치 강조: 자연은 인간의 풍요로운 삶을 위한 수단으로서 가치를 지님	• 전일론적 관점: 인간을 포함한 자연 전체를 하나로 바라봄 → 인간도 자연을 구성하는 일부라고 인식 • 자연의 (❼) 가치 강조: 자연은 그 자체로 본래의 가치를 지님
장점	과학 기술의 발전과 경제 성장을 이루어 인간의 삶을 풍요롭게 함	인간이 생태계 보전 의무가 있다는 점을 일깨움 → 환경 문제 해결의 실마리를 제공함
문제점	인간 중심주의를 지나치게 강조한 결과 심각한 환경 문제를 초래함	생태 중심주의를 지나치게 강조할 경우 모든 인간 활동을 허용할 수 없으므로 비현실적임

2. 인간과 자연의 공존

(1) **인간과 자연의 바람직한 관계**: 인간은 생태계를 구성하는 자연의 일부로서 다른 생명체와 밀접한 관계를 맺으며 살아감 → 인간과 자연은 (❽   )해야 하는 유기적 관계

(2) **인간과 자연의 관계를 성찰하는 동양의 자연관**

유교	만물이 본래적 가치를 지닌다고 보며, 천인합일(天人合一)의 경지를 지향
불교	연기(緣起)를 깨닫고 모든 생명을 소중히 여기며 자비를 베풀 것을 강조
도교	무위자연(無爲自然)을 추구하며 자연의 한 부분인 인간과 자연의 조화 강조

(3) **인간과 자연의 공존을 위한 노력**

개인적 차원	• 생태계의 한 구성원으로서 환경친화적 가치 추구 • 미래 세대와 생태계 전체를 도덕적으로 고려하는 생태 공동체 의식 정립
사회적 차원	• 인간과 자연이 조화를 이루는 개발: 생태 도시와 슬로 시티 지정, 생태 통로 건설 • 생태계 복원 활동: 자연 휴식년제 도입, 갯벌 및 하천 생태계 복원 사업

03 환경 문제의 해결을 위한 노력

1. 오늘날의 다양한 환경 문제

(1) **환경 문제의 발생**: 산업 발달, 인구 증가, 자원 소비 증가 → 오염 물질 배출, 생태계 파괴, 자연의 (❾   ) 능력 상실

(2) **환경 문제의 특징**: 발생 지역을 넘어 인접한 국가와 전 지구적 차원의 문제로 확산됨, 정상 상태로 회복하기까지 오랜 시간이 걸리고 많은 비용이 발생함

(3) **다양한 환경 문제**

구분	원인	영향
지구 온난화	석탄이나 석유 등의 화석 연료 사용 증가, 삼림 파괴 증가 → 대기 중 온실가스 증가	극지방과 고산 지대의 빙하 감소, 해수면 상승에 따른 저지대 침수, 동식물 서식 환경 변화, 기상 이변 발생
오존층 파괴	오존층 파괴 물질인 염화 플루오린화 탄소(CFCs)의 사용 증가	지상에 도달하는 자외선 증가로 피부 및 눈 질환 증가, 농작물 수확량 감소
산성비	화력 발전소와 공장의 매연, 자동차의 배기가스 등이 빗물과 결합	삼림 파괴, 농작물 피해, 하천 및 호수와 토양의 산성화, 건축물과 조각상 부식
사막화	극심한 가뭄 지속, 과도한 방목과 농경지 개간	사막 지역 확대, 농경지 감소로 식량 부족, 물 부족 문제 발생
열대림 파괴	농경지, 목초지 조성을 위한 무분별한 벌목	동식물 서식지 파괴로 생물종 다양성 감소, 지구 온난화 가속화

2. 환경 문제 해결을 위한 노력

국제 사회	전 지구적 차원의 환경 문제 해결을 위해 국제 환경 협약 체결 ⓔ 지구 온난화 방지를 위한 기후 변화 협약
정부	• 법률 제정: 「환경정책기본법」, 「자연환경보전법」 제정 • 정책 수립과 제도 마련: 저탄소 녹색 성장 정책, 환경 영향 평가, 탄소 성적 표지제, 에너지 소비 효율 등급 표시제, 빈 병 (❿) 제도, 쓰레기 종량제 등의 시행
기업	환경 오염 물질 방지 시설 정비, 친환경 기술 개발 및 제품 생산, 신·재생 에너지 사용 확대
시민 단체	환경 문제의 사회적 쟁점화, 정부의 환경 정책 및 제도 비판, 기업의 활동 감시, 환경 보호 캠페인 전개
개인	• 개인 역할의 중요성: 많은 환경 문제가 일상생활에서 발생함 → 개인의 행동과 선택이 환경에 미치는 영향이 큼 • 일상생활에서의 실천 노력: 환경 윤리 의식 제고, 녹색 소비 실천 → 자원 및 에너지 절약, 재사용과 재활용 생활화

01 다음은 어느 지역에 살면서 기록한 수필의 일부이다. 이 지역의 특징을 옳게 말한 학생은?

> 그 남자는 허리에서부터 무릎까지 오는 붉은색 짧은 천 하나만을 두르고 있었다. 그 대신 몸에는 많은 치장을 하고 있었다. 그의 이마에서는 여러 색의 진주를 꿰어 만든 장신구가 밝게 반짝거렸다.

① 갑: 계절 변화가 뚜렷하게 나타나.
② 을: 연 강수량이 적고 기온의 일교차가 큰 편이야.
③ 병: 난방 시설이 잘 갖춰진 폐쇄적 구조의 집이 많아.
④ 정: 풍부한 침엽수림을 이용하여 임업이 발달하였어.
⑤ 무: 얌이나 카사바 등을 재배하는 이동식 경작이 이루어져.

02 다음은 어느 다큐멘터리의 촬영 계획이다. (가)~(마)에 들어갈 내용으로 가장 적절한 것은?

한대 기후 지역의 주민 생활
• 기획 의도: 기온이 매우 낮은 환경에 적응하며 살아가는 주민들의 모습을 촬영한다.
• 촬영 지역: (가)
• 의복 특성: (나)
• 음식 문화: (다)
• 전통 가옥: (라)
• 주요 산업: (마)

① (가) – 적도 주변에 위치한 국가를 선정한다.
② (나) – 가벼운 옷차림을 한 사람을 상대로 인터뷰한다.
③ (다) – 육류나 생선 위주의 음식 문화가 발달한 요인을 조사한다.
④ (라) – '게르'라고 하는 이동식 천막 안에 들어가 하루 동안 머무른다.
⑤ (마) – 외래 하천 주변에서 소규모 형태로 밀, 목화 등을 재배하는 장면을 촬영한다.

03 지도에 표시된 지역의 주민 생활에 대한 옳은 설명을 〈보기〉에서 고른 것은?

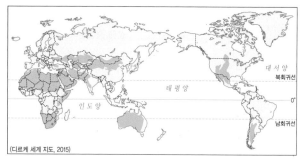

(디르케 세계 지도, 2015)

보기
ㄱ. 쌀을 이용한 음식 문화가 발달하였다.
ㄴ. 오아시스 농업과 같은 관개 농업이 이루어진다.
ㄷ. 전통적으로 순록을 유목하며 이동 생활을 한다.
ㄹ. 사막의 모래바람을 막기 위해 온몸을 감싸는 헐렁한 옷을 입는다.

① ㄱ, ㄴ 　　② ㄱ, ㄷ 　　③ ㄴ, ㄷ
④ ㄴ, ㄹ 　　⑤ ㄷ, ㄹ

04 (가)에 들어갈 내용으로 옳지 않은 것은?

수행 평가 보고서
• 주제: 자연환경의 영향을 받은 지중해 연안의 가옥 특성
• 방법: 인터넷 검색 및 문헌 조사
• 수집 자료

• 조사 결과: (가)

① 집들이 다닥다닥 붙어 있다.
② 지붕이 평평하게 되어 있다.
③ 바닥이 지면에서 띄워져 있다.
④ 벽이 두껍고 창문이 작게 나 있다.
⑤ 외벽이 주로 흰색으로 칠해져 있다.

05 다음은 지역별 주민 생활을 나타낸 것이다. (가)~(다)의 지형적 특성이 나타나는 지역을 골라 옳게 연결한 것은?

> (가) 해발 고도가 낮고 지표면이 평평하여 농경에 유리하고, 인간 생활에 적합하다.
> (나) 육지와 바다를 모두 이용할 수 있어 대규모 항구와 산업 단지를 조성하기도 한다.
> (다) 해발 고도가 높고 경사가 급해 인간 생활에 불리하여 도시를 형성하거나 산업 시설이 들어서기에 어렵다.

	(가)	(나)	(다)		(가)	(나)	(다)
①	산지	평야	해안	②	산지	해안	평야
③	평야	산지	해안	④	평야	해안	산지
⑤	해안	평야	산지				

06 다음은 어느 관광지에 대한 소개이다. (가), (나)에 들어갈 내용을 〈보기〉에서 골라 옳게 연결한 것은?

위치	베트남 북부 해안	노르웨이 서부 해안
지형 명칭	탑 카르스트	피오르
경관	(이미지)	(이미지)
형성 과정	(가)	(나)

> **보기**
> ㄱ. 지각 판이 서로 충돌하여 형성되었다.
> ㄴ. 석회암이 용식 작용을 받아 형성되었다.
> ㄷ. 밀물과 썰물에 의해 점토가 퇴적되어 형성되었다.
> ㄹ. 빙하의 침식으로 만들어진 골짜기가 해수면 상승으로 침수되어 형성되었다.

	(가)	(나)		(가)	(나)		(가)	(나)
①	ㄱ	ㄷ	②	ㄴ	ㄹ	③	ㄷ	ㄱ
④	ㄷ	ㄹ	⑤	ㄹ	ㄴ			

07 그림은 산을 주제로 한 작품이다. 이 작품의 배경이 되는 지역의 특성을 추론한 내용으로 가장 적절한 것은?

↑ 일본의 후지산을 그린 판화

① 지각 판의 경계 부근에 위치할 것이다.
② 매년 태풍으로 인한 피해가 크게 나타날 것이다.
③ 석유와 천연가스 등 많은 에너지 자원이 생산될 것이다.
④ 연중 온화한 기후가 나타나 고산 도시가 발달할 것이다.
⑤ 해수 담수화 시설이 건설되어 물 자원을 확보하기 쉬워졌을 것이다.

08 다음은 학생이 수업 중 필기한 내용이다. A에 해당하는 자연재해로 인한 피해 모습을 〈보기〉에서 고른 것은?

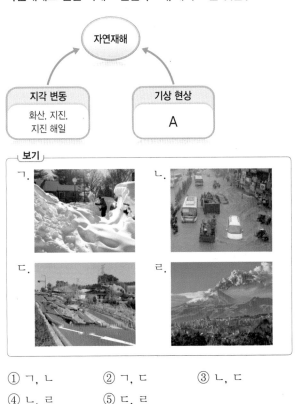

① ㄱ, ㄴ   ② ㄱ, ㄷ   ③ ㄴ, ㄷ
④ ㄴ, ㄹ   ⑤ ㄷ, ㄹ

05 다음은 지역별 주민 생활을 나타낸 것이다. (가)~(다)의 지형적 특성이 나타나는 지역을 골라 옳게 연결한 것은?

> (가) 해발 고도가 낮고 지표면이 평평하여 농경에 유리하고, 인간 생활에 적합하다.
> (나) 육지와 바다를 모두 이용할 수 있어 대규모 항구와 산업 단지를 조성하기도 한다.
> (다) 해발 고도가 높고 경사가 급해 인간 생활에 불리하여 도시를 형성하거나 산업 시설이 들어서기에 어렵다.

	(가)	(나)	(다)		(가)	(나)	(다)
①	산지	평야	해안	②	산지	해안	평야
③	평야	산지	해안	④	평야	해안	산지
⑤	해안	평야	산지				

06 다음은 어느 관광지에 대한 소개이다. (가), (나)에 들어갈 내용을 〈보기〉에서 골라 옳게 연결한 것은?

위치	베트남 북부 해안	노르웨이 서부 해안
지형 명칭	탑 카르스트	피오르
경관	(이미지)	(이미지)
형성 과정	(가)	(나)

> **보기**
> ㄱ. 지각 판이 서로 충돌하여 형성되었다.
> ㄴ. 석회암이 용식 작용을 받아 형성되었다.
> ㄷ. 밀물과 썰물에 의해 점토가 퇴적되어 형성되었다.
> ㄹ. 빙하의 침식으로 만들어진 골짜기가 해수면 상승으로 침수되어 형성되었다.

	(가)	(나)		(가)	(나)		(가)	(나)
①	ㄱ	ㄷ	②	ㄴ	ㄹ	③	ㄷ	ㄱ
④	ㄷ	ㄹ	⑤	ㄹ	ㄴ			

07 그림은 산을 주제로 한 작품이다. 이 작품의 배경이 되는 지역의 특성을 추론한 내용으로 가장 적절한 것은?

↑ 일본의 후지산을 그린 판화

① 지각 판의 경계 부근에 위치할 것이다.
② 매년 태풍으로 인한 피해가 크게 나타날 것이다.
③ 석유와 천연가스 등 많은 에너지 자원이 생산될 것이다.
④ 연중 온화한 기후가 나타나 고산 도시가 발달할 것이다.
⑤ 해수 담수화 시설이 건설되어 물 자원을 확보하기 쉬워졌을 것이다.

08 다음은 학생이 수업 중 필기한 내용이다. A에 해당하는 자연재해로 인한 피해 모습을 〈보기〉에서 고른 것은?

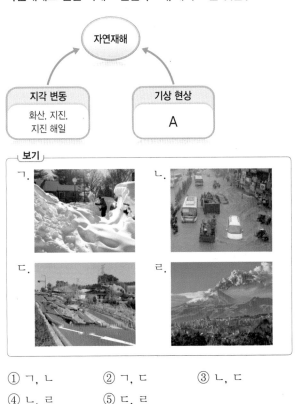

① ㄱ, ㄴ   ② ㄱ, ㄷ   ③ ㄴ, ㄷ
④ ㄴ, ㄹ   ⑤ ㄷ, ㄹ

09 그림은 어떤 자연재해에 대비하기 위한 건축 설계를 나타낸 것이다. 이 자연재해의 영향으로 옳은 것은?

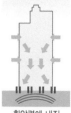

횡압력에 내진
기둥이 버텨냄

① 강한 바람이 불어 나무가 뿌리째 뽑힌다.
② 한꺼번에 많은 비가 내려 산사태가 일어난다.
③ 오랫동안 비가 내리지 않아 농작물이 말라죽는다.
④ 짧은 시간 동안 많은 눈이 내려 시설물이 붕괴한다.
⑤ 지구 내부의 힘이 지표에 전달되어 땅이 흔들리고 갈라진다.

10 다음 내용을 통해 파악할 수 있는 국가의 역할로 적절하지 <u>않은</u> 것은?

지진이 활발한 칠레는 1960년대까지 큰 지진이 일어날 때마다 막대한 인명 및 재산 피해를 보았다. 그러나 이제 칠레는 초기 경보에서 구호에 이르는 방재 체계가 효과적으로 작동하면서 피해를 줄이고, 세계적인 모범 방재 국가로 인정받고 있다. 칠레 정부는 세계 지진 관측 사상 최고 기록인 진도 9.5의 지진이 발생한 이후 내진 설계 기준법을 제정하고, 통신 시스템 및 급수 설비 등 재난 대비 기반 시설을 지속해서 보강하였다. 또한 재난 발생 시 민간의 통신 수요가 폭증하는 상황에 대비해 실시간 재난 경보 상황 및 지시 사항을 끊김 없이 전파할 수 있는 통신망을 확충하였다.

① 자연재해로부터 국민의 생명과 재산을 보호해야 한다.
② 자연재해 예방에 대한 정책을 수립하고 시행해야 한다.
③ 자연재해는 자연 현상의 일부이므로 개입을 자제해야 한다.
④ 자연재해에 대한 정보를 국민들에게 신속히 전달해야 한다.
⑤ 안전하고 쾌적한 환경에서 살아갈 시민의 권리를 보장해야 한다.

11 다음 사례에 나타난 관점과 자연에 대한 입장이 부합하는 것만을 〈보기〉에서 있는 대로 고른 것은?

미국에서는 국립 공원 내 자연을 있는 그대로 보전하는 데 초점을 맞추고 있다. 그래서 국립 공원에서 산불이 나도 자연 현상에 의해 일어난 불일 경우 웬만해서는 인간이 나서서 끄지 않는다. 인간이 개입할 일이 아니라고 판단하기 때문이다.

〈보기〉
ㄱ. 도구적 자연관   ㄴ. 전일론적 관점
ㄷ. 도교의 무위자연   ㄹ. 레오폴드의 대지 윤리

① ㄱ, ㄷ   ② ㄱ, ㄹ   ③ ㄴ, ㄹ
④ ㄱ, ㄴ, ㄷ   ⑤ ㄴ, ㄷ, ㄹ

12 밑줄 친 ㉠, ㉡의 자연관에 대한 옳은 설명을 〈보기〉에서 고른 것은?

제나라의 전 씨가 저택 뜰에서 어떤 사람의 송별회를 열었다. 손님이 천 명이나 모여 들었는데, 그중에 물고기와 기러기를 선물로 가져온 사람이 있었다. ㉠전 씨는 고마워하면서 말했다. "아, 하늘의 은총은 참으로 깊도다. 인간을 위해 오곡을 만들고, 물고기와 새를 길러 인간에게 쓰이게 해 주시는구나." 둘러선 손님들이 입을 모아 전 씨의 말에 동의하였다. 그때 ㉡포 씨의 열두 살짜리 아들이 나서며 말했다. "저의 의견은 다릅니다. 천지 만물은 모두 우리와 같은 동료입니다. 동료 사이에 귀천의 차별은 없습니다. 인간이 제 멋대로 먹을 수 있는 것을 잡아먹을 따름이지, 하늘이 인간에게 먹기 위해 그것들을 만든 것은 아닙니다."

〈보기〉
ㄱ. ㉠은 생태 중심주의 자연관을 가지고 있다.
ㄴ. ㉡은 인간과 자연의 유기적 관계를 강조하고 있다.
ㄷ. ㉠은 ㉡보다 자연의 내재적 가치를 중요시하고 있다.
ㄹ. ㉡은 ㉠과 달리 자연 그 자체를 도덕적 고려의 대상으로 보고 있다.

① ㄱ, ㄴ   ② ㄱ, ㄷ   ③ ㄴ, ㄷ
④ ㄴ, ㄹ   ⑤ ㄷ, ㄹ

13 밑줄 친 도시에 대한 발표 내용이 가장 적절한 학생은?

> 브라질의 쿠리치바는 자동차 도로 면적을 줄여 보행자 통로로 바꾸고, 시민들이 대중교통을 편리하게 이용하도록 버스 전용 차선을 만들고 교통 체계를 정비하였다. 또한 녹색 교환 제도를 시행하고, 공원을 조성하기 위해 노력하였다. 현재 쿠리치바의 쓰레기 재활용률은 70%, 대중교통 이용률은 80%, 1인당 녹지율은 54㎡에 달한다.

① 갑: 인간의 필요와 욕구에 초점을 맞추고 있어.
② 을: 자연에 대한 인간의 활동을 전혀 허용하지 않고 있어.
③ 병: 인간과 자연이 조화를 이루는 개발이 이루어지고 있어.
④ 정: 전통문화와 자연을 잘 보호하면서 느림의 삶을 추구하고 있어.
⑤ 무: 생태계 복원이 필요한 지역을 지정하여 일정 기간 동안 사람들의 출입을 통제하고 있어.

14 (가)~(마)에 들어갈 내용으로 옳지 <u>않은</u> 것은?

구분	원인	영향	대책
지구 온난화	화석 연료 사용 증가, 삼림 파괴	극지방과 고산 지대의 빙하 감소	(가)
산성비	(나)	건축물과 조각상 부식	대기 오염 정화 장치 설치
오존층 파괴	염화 플루오린화 탄소 사용 증가	(다)	대체 냉매제 개발
열대림 파괴	무분별한 벌목	동식물 서식지 변화, 생물종 감소	(라)
사막화	극심한 가뭄, 과도한 방목과 농경지 개간	(마)	사막화 지역에 녹지 조성

① (가) – 기후 변화 협약 체결
② (나) – 화력 발전소와 공장 매연 증가
③ (다) – 자외선 증가로 피부 및 눈 질환 증가
④ (라) – 농경지 및 목초지 조성
⑤ (마) – 토양의 황폐화, 사막 지역 확대

15 (가)에 들어갈 환경 문제에 해당하는 것은?

> • 이탈리아 작곡가이자 피아니스트인 루도비코 에이나우디 씨는 자신이 만든 '북극을 위한 비가(悲歌)'라는 곡을 빙산이 떠다니는 북극해의 한가운데서 연주하였다. 그는 ___(가)___ 을/를 많은 사람들에게 알리기 위해 연주회를 북극에서 열었다고 하였다.
> • 유엔 기후 변화 협약 당사국 총회(COP21)에서 신기후체제 협상 타결을 통해 ___(가)___ 에 보다 효과적으로 대응할 수 있는 기반이 마련되었다. 파리 기후 협약은 2020년 만료 예정인 교토 의정서를 대체하는 것으로, 선진국뿐만 아니라 개발 도상국도 온실가스 감축 의무가 부여된다.

① 사막화   ② 산성비
③ 열대림 파괴   ④ 오존층 파괴
⑤ 지구 온난화

16 다음은 어느 학생의 형성 평가지이다. 이 학생이 얻을 점수로 옳은 것은?

> **형성 평가**
>
> • 환경 문제 해결을 위한 주체별 노력에 대한 설명이 맞으면 ○표, 틀리면 ✕표를 하시오.
>
> | 문항 | 답안 |
> |------|------|
> | (1) 국제 사회는 유해 폐기물의 국가 간 이동 및 처리 통제를 위해 바젤 협약을 체결하였다. | ○ |
> | (2) 정부는 화석 연료에 대한 의존도를 낮추기 위해 저탄소 녹색 성장 정책을 수립하였다. | ✕ |
> | (3) ○○ 회사는 정부의 환경 정책을 비판하고, 시민 단체의 환경 보호 활동을 감시하였다. | ✕ |
> | (4) ◇◇ 환경 단체는 사람들이 환경에 관심을 가질 수 있도록 환경 보호 캠페인을 펼쳤다. | ○ |
> | (5) 고등학생인 □□이는 등교할 때 부모님의 자가용을 타기보다는 걷거나 자전거를 이용하였다. | ○ |
>
> (문항당 2점)

① 2점   ② 4점   ③ 6점   ④ 8점   ⑤ 10점

생활 공간과 사회

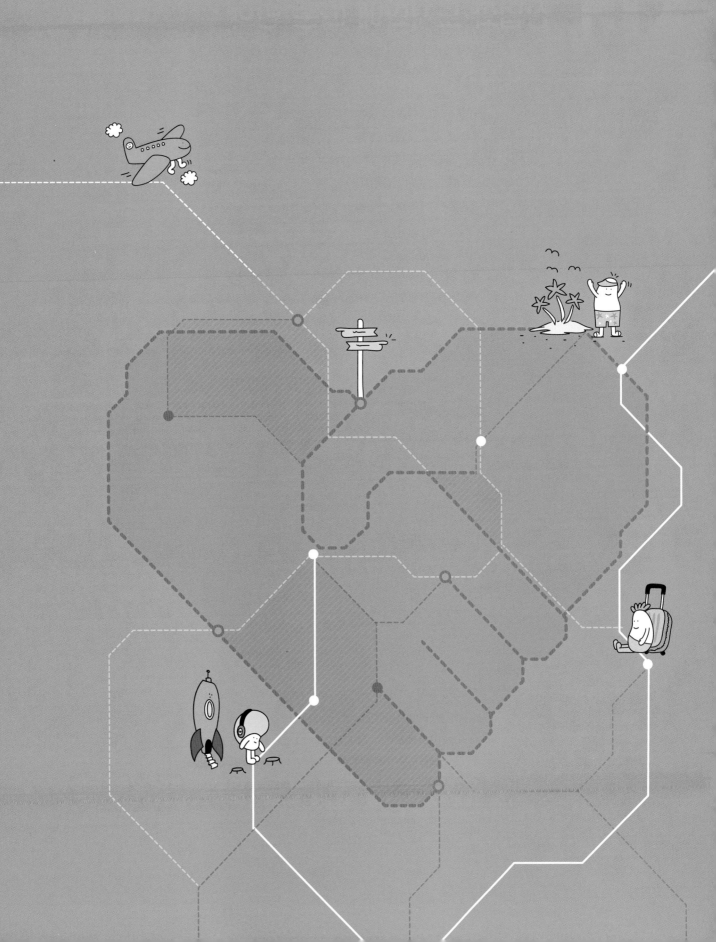

01 산업화·도시화에 따른 변화

이것이 핵심!

산업화·도시화의 발생

산업화	농림 어업 중심의 사회에서 공업 및 서비스업 중심의 사회로 변화함
도시화	전체 인구 중 도시에 거주하는 인구의 비율이 높아지고 도시적 생활 양식이 확대됨

★ **도시화율**
전체 인구 중에서 도시에 거주하는 인구가 차지하는 비율

① 산업화와 도시화

1. 산업화·도시화의 발생

(1) **산업화**: 산업 혁명 이후 기계화 및 분업화가 나타남 → 농림 어업 중심의 사회에서 공업 및 서비스업 중심의 사회로 변화함 ─ 영국에서 시작된 산업 혁명은 수공업 위주의 생산 방식을 공장제 기계 공업 중심으로 변화시켰어. 이에 따라 제품의 대량 생산과 대량 소비가 확대되었어.

(2) **도시화**: 산업화의 영향으로 촌락의 인구가 일자리를 찾아 도시로 이동함 → 도시에 거주하는 인구가 많아지고 도시적 생활 양식이 확대됨 ─ 꿀! 이촌 향도 현상이라고 해.

2. 산업화·도시화의 전개 **VS** 선진국: 산업화·도시화 수준이 높음
개발 도상국: 산업화·도시화 속도가 빠름

(1) **세계의 산업화·도시화**: 전 세계적으로 산업화·도시화 확산 → 산업화가 진행된 선진국은 도시화율이 높음, 산업화가 진행되고 있는 개발 도상국은 도시화 속도가 빠름

(2) **우리나라의 산업화·도시화**: 1960년대 이후 경제 개발 계획을 추진하면서 산업화·도시화가 빠르게 진행 → 인구의 대부분이 도시에 거주하고, 2·3차 산업에 종사함 **자료①**

이것이 핵심!

산업화·도시화와 생활 공간의 변화

거주 공간의 변화
• 도시에 인구와 기능 집중 → 도시 내부의 지역 분화
• 교외화, 도시권 확대 → 대도시권 형성, 근교 촌락의 도시화

생태 환경의 변화
인공적 토지 이용 확대 → 포장 면적 증가, 녹지 공간 감소

★ **분화**
단순하거나 같은 성질을 지닌 것에서 복잡하거나 다른 성질을 지닌 것으로 변하는 것

★ **교외화**
대도시의 인구나 기능, 시설 등이 도시 주변 지역으로 확산되는 현상

★ **열섬 현상**
도시 지역의 기온이 주변보다 높게 나타나는 현상

② 산업화·도시화에 따른 생활 공간의 변화

1. 거주 공간의 변화

(1) **도시 내부의 지역 분화** **교과서 자료**

① **집약적 토지 이용**: 도시에 많은 인구와 기능 집중 → 제한된 공간을 효율적으로 이용하기 위해 고층 빌딩과 공동 주택 증가 ─ 같은 면적의 토지를 보다 효율적으로 이용한다는 것이지.

② **기능별 지역 분화**: 도시의 규모가 커지면서 도시 내부는 상업 및 업무·공업·주거 기능 등에 따라 지역이 분화됨 ─ 규모가 작은 도시의 경우 여러 기능이 혼재되어 있어.

(2) **대도시권의 형성**

① **교외화 현상**: 도시의 영향력이 커지면서 대도시와 주변 지역이 기능적으로 밀접한 관계를 형성함

② **대도시권의 확대**: 교통의 발달에 따라 대도시권의 범위가 점차 확대되고 있음 → 주거지와 직장의 거리가 멀어짐 ─ **왜?** 업무 기능을 하는 직장은 대체로 도심에 많으며, 주거 기능을 하는 집은 주로 외곽 지역에 분포하기 때문이야.

③ **근교 촌락의 변화**: 대도시에 인접한 농업 지역이 주거 지역 또는 공업 지역으로 변화함 → 도시적 경관이 확대됨 ─ 채소, 과일, 화초 등을 재배하는 원예 농업이 발달하였으며, 비닐하우스와 온실 등에서 시설 재배가 많이 이루어져.

2. 생태 환경의 변화 **자료②**

(1) **산업화·도시화로 인한 생태 환경의 변화**

산업화·도시화 이전	산업화·도시화 이후
• 대부분의 사람들은 농림 어업에 유리한 촌락에 거주	• 주택, 공장, 도로 등 인공적인 토지 이용 확대
• 농경지와 산림 등 자연 상태의 도시 유지 → 녹지 공간의 비중이 높음	• 콘크리트 건물과 아스팔트 도로 등 포장 면적 증가 → 녹지 공간의 비중이 감소함

(2) **생태 환경의 변화로 발생한 문제**: 환경 오염, 도시 홍수, 열섬 현상, 생물종 다양성 감소 등 각종 환경 문제 발생 → 도시 내 생활 환경 악화 ─ **왜?** 녹지 면적의 감소로 동식물의 서식지가 줄어들었기 때문이야.

완자 자료 탐구

 내 옆의 선생님

자료 ① 우리나라의 산업화·도시화

꼭! 우리나라는 인구의 90% 이상이 도시에 거주하고 있어 도시화의 종착 단계에 들어섰다고 볼 수 있어.

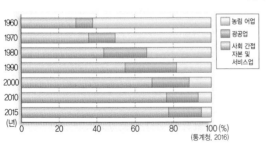

범례:
- 농림 어업
- 광공업
- 사회 간접 자본 및 서비스업

1960 / 1970 / 1980 / 1990 / 2000 / 2010 / 2015 (년)
0 20 40 60 80 100 (%)
(통계청, 2016)

↑ 우리나라의 산업 구조 변화

우리나라는 1960년대 이후 경제 개발 정책이 추진되면서 산업화가 빠르게 진행되었다. 산업화 이전에는 1차 산업 중심의 사회였으나, 산업화 이후에는 2·3차 산업 중심의 사회로 변화하였다. 급속한 산업화의 영향으로 도시화 역시 빠르게 이루어졌으며, 2000년대 이후 우리나라의 도시화율은 90%를 넘어섰다.

── 산업 구조가 고도화되었어.

도시화율(%)
100
80 88.3 90.9 91.8
81.9
68.7
50.1
39.1
1960 1970 1980 1990 2000 2010 2015(년)
(국토 교통부, 2016)

↑ 우리나라의 도시화율 변화

자료 하나 더 알고 가자!

도시화 과정

도시화율(%)
100
80 종착 단계
60 가속화 단계
40
20 초기 단계
시간

도시화의 초기 단계는 대부분의 사람들이 촌락에 거주하지만, 산업화가 진행되면서 도시의 인구 비중이 급증하는 가속화 단계로 접어든다. 인구의 대부분이 도시에 거주하게 되면 도시화율의 증가 속도가 느려지는 종착 단계가 된다.

수능이 보이는 **교과서 자료**

도시 내부의 지역 분화

↑ 도심(서울 중구)

↑ 외곽 지역(서울 노원구)

↑ 근교 촌락 지역(경기 김포시)

도시의 규모가 커지면서 도시 내부는 기능별로 상업·업무 지역, 주거 지역, 공업 지역 등으로 분화한다. 도심은 접근성이 높아 교통이 편리하고 고층 건물이 밀집되어 있다. 따라서 도심에는 행정·금융 기관, 백화점, 대기업 본사 등이 들어서 상업 및 업무 기능이 발달한다. 외곽 지역은 도심에 비해 접근성과 지가가 낮으므로 많은 인구를 수용할 수 있는 대규모 주거 단지 또는 넓은 부지를 필요로 하는 공업 단지가 조성되어 있다. 한편, 교통의 발달로 대도시권이 확대되면 근교 촌락 지역에서도 대규모 아파트 단지나 산업 단지가 조성되는 등 도시적 경관이 나타난다.

── 대형 마트와 학교가 많아.

완자샘의 탐구 강의

· 도심과 외곽 지역의 공간 특성을 비교해 보자.

도심	· 접근성이 높아 교통이 편리하므로 지가가 높음 · 상업 및 업무 기능 발달
외곽 지역	· 접근성이 낮으므로 지가도 낮음 · 주거 및 공업 기능 발달

· 대도시권의 확대에 따라 근교 촌락에서 나타나는 변화 모습을 써 보자.
교통 발달, 주택 단지 또는 산업 단지 조성, 인구 증가, 지가 상승 등

함께 보기 70쪽, 1등급 정복하기 2

자료 ② 산업화·도시화로 인한 생태 환경의 변화

	1980년	2015년	
임야	66,128km²	➡ 64,003km²	감소
논밭	22,099km²	➡ 19,108km²	감소
대지	1,721km²	➡ 2,983km²	증가
도로	1,399km²	➡ 3,144km²	증가

(국토 교통부, 2016) ↑ 우리나라 토지 이용의 변화

산업화·도시화가 진행되면 대지 또는 도로와 같은 인공 상태의 포장 면적이 증가하는 반면, 임야 또는 논밭과 같은 자연 상태의 녹지 면적은 감소한다. 이처럼 시가지 면적이 확대되면 빗물이 토양에 잘 흡수되지 못하므로 도시에서 홍수가 발생할 위험이 커진다.

── 빗물이 토양에 흡수되지 않는 면적을 불투수 면적이라고 하는데, 도시는 촌락에 비해 불투수 면적률이 높아.

문제로 확인할까?

산업화·도시화에 따른 생활 공간의 변화로 옳지 않은 것은?
① 교외화 현상이 나타난다.
② 불투수 면적이 감소한다.
③ 집약적 토지 이용이 증가한다.
④ 주거지와 직장의 거리가 멀어진다.
⑤ 근교 촌락에 도시적 경관이 확대된다.

② 답

01 산업화·도시화에 따른 변화

이것이 핵심!

산업화·도시화와 생활 양식의 변화

도시성 확산	편리한 교통 및 상업 시설과 여가·문화 시설 이용, 사회적 유대감 약화
직업 분화·전문화	직업의 다양성 확대, 직업 간 소득 격차 발생 → 주민들 간의 이질성 증가
개인주의 확산	핵가족과 1인 가구의 보편화, 개인 간 경쟁 심화

★ 도시성
도시에 거주하는 사람들이 가지는 특징적인 사고 및 행동 양식

★ 개인주의
공동체보다는 개인을 중요시하며, 개인의 신념이나 생활 방식을 우선시하는 가치관

③ 산업화·도시화에 따른 생활 양식의 변화

1. *도시성의 확산 꿀! 도시의 공간적 범위가 확장되고, 도시와 촌락의 교류가 많아지면서 도시성은 점차 보편적인 생활 양식이 되고 있어.

(1) **요인**: 효율성과 합리성을 추구하는 도시 문화, 자율성과 다양성을 존중하는 분위기 형성, 익명성을 띤 2차적 인간관계 확대 ─ 특정한 목적의식을 가지고 모인 수단적이고 간접적인 인간관계를 의미해.

(2) **영향**: 생활에 편리한 교통·상업 시설과 여가·문화 시설 이용, 사회적 유대감 약화 → 도시 주변이나 근교 촌락으로 도시성 확산 ─ 영화관, 공연장, 스포츠 경기장 등 ─ 편의점, 대형 마트, 백화점, 복합 쇼핑몰 등

2. 직업의 분화와 전문화

(1) **요인**: 2·3차 산업 중심으로의 변화 → 직업이 분화하고 직업의 전문성이 증가함

(2) **영향**: 도시 주민들은 다양한 직업에 종사, 직업 간 소득 격차 발생 → 도시 주민들 간의 이질성 증가 ─ 최근 정보화의 영향으로 창의적 능력을 발휘하는 직업에 대한 요구가 증가하고 있어.

3. *개인주의의 확산 자료③

(1) **요인**: 개인의 가치와 성취 및 자유와 권리를 강조하는 개인주의적 가치관 확산

(2) **영향**: 핵가족과 1인 가구의 보편화, 개인 간의 경쟁 심화 ─ 가족 또는 지역 단위에서 함께 해결해야 하는 일의 범위가 축소되고 있어. **VS** 촌락 주민들은 도시 주민들에 비해 이웃 간 유대 관계가 높은 편이야.

이것이 핵심!

산업화·도시화에 따른 문제

환경 문제	환경 오염, 도시 홍수 위험, 열섬 현상 심화
주택 문제	주택 부족, 집값 상승, 불량 주택 지역 형성
교통 문제	교통 혼잡, 도로 및 주차 공간 부족, 교통사고 및 소음 증가
사회 문제	인간 소외 현상, 공동체 의식 약화 및 이기주의, 계층 및 지역 간 갈등, 노동 문제

★ 인간 소외 현상
인간의 풍요로운 생활을 위해 만든 물질이 오히려 인간을 지배하는 현상

★ 도시 재개발 사업
노후화되고 불량해진 주택이나 시설물을 개량하여 주거 환경을 개선하고, 교통 시설과 교통 체계 등을 정비하는 사업

④ 산업화·도시화에 따른 문제와 해결 방안

1. 산업화·도시화에 따른 문제

환경 문제 자료④	• 환경 오염 발생: 각종 오염 물질 배출로 인해 수질 오염, 토양 오염, 대기 오염 발생 • 도시 홍수 위험 증가: 포장 면적의 증가로 토양의 빗물 흡수 능력 저하 • 열섬 현상 심화: 냉난방 시설과 자동차 등에서 인공 열 발생 → 도시 내부의 기온 상승
주택 문제	주택 부족, 집값 상승, 불량 주택 지역 형성 ─ 왜? 도시에 인구가 밀집하면서 주택 수요가 증가했기 때문이야.
교통 문제	교통 혼잡 발생, 도로 및 주차 공간 부족, 교통사고 및 소음 증가
사회 문제	• 인간 소외 현상: 인간을 기계의 부속품처럼 여김 → 노동에서 얻는 만족감과 성취감 약화 • 공동체 의식 약화 및 이기주의 증가: 자신의 이익만을 중시하고 타인에 대해서는 무관심해짐 → 물질적 가치와 경쟁을 강조하면서 점차 속도 지향적 가치를 추구하게 됨 • 사회적 갈등 심화: 계층 간 빈부 격차 및 지역 간 공간 불평등 확대, 노동 문제 발생

─ 산업 폐수와 생활 하수 증가 ─ 산업 폐기물과 생활 쓰레기 증가
─ 공장 매연과 자동차 배기가스 배출 증가
─ 실업 문제, 노사 갈등 등
─ 인구와 각종 기능이 도시에 집중하여 촌락은 경제·사회적으로 활동이 위축되고 있어.

2. 산업화·도시화에 따른 문제의 해결 방안

(1) 사회적 차원의 해결 방안 자료⑤

환경 문제	환경친화적 도시 계획 수립, 녹지 공간 확대, 생태 하천 조성, 도시 농업 장려
주택 문제	대도시 주변에 신도시 건설, 불량 주택 지역에 *도시 재개발 사업 추진
교통 문제	혼잡 통행료 부과, 공영 주차장 확대, 대중교통 수단 확충, 공영 자전거 제도 시행
사회 문제	소외 계층을 위한 사회 복지 제도 확충, 지역 공동체 회복 전략, 국토 균형 발전 추구, 최저 임금제와 비정규직 보호법 마련 ─ 최소한의 인간다운 삶을 영위할 수 있도록 사회 안전망을 구축해야 돼.

(2) 개인적 차원의 해결 방안

① 환경 보호를 위한 행동 실천: 쓰레기 분리수거, 자원 절약, 대중교통 이용 등을 통해 환경 친화적 삶 추구

② 공동체 의식 함양: 사회 전체의 균형 발전을 위해 인간의 존엄성을 중시하고 타인과 더불어 살아가려는 의식 필요, 배려와 협력의 자세 확립 ─ 자신의 자유와 권리를 누리되 이기주의적 태도는 지양해야 해.

064 III. 생활 공간과 사회

자료 3 산업화·도시화와 개인주의의 확산

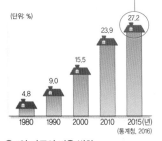

(단위: %)

꼭! 우리나라의 1인 가구 비율은 빠르게 증가하였고, 2015년에는 가장 많은 비중을 차지하는 가구 형태가 되었어.

1980: 4.8
1990: 9.0
2000: 15.5
2010: 23.9
2015(년): 27.2
(통계청, 2016)

↑ 1인 가구의 비율 변화

최근 1인 가구의 증가와 개인주의적 성향의 확산이 맞물려 혼자 밥을 먹거나 여가 생활을 즐기는 등 혼자 활동하는 성향이 강한 사람들이 많아지고 있다. 이제 이들은 자신의 행복이나 자기 계발 등을 위해 혼자만의 시간을 즐기려는 사람으로 인식되고 있다. 이러한 추세를 반영하듯 최근에는 1인 전용 식당이 생겨나고, 사람들은 혼자 먹기 좋은 분위기의 맛집 정보를 공유하기도 한다.

'나홀로족'이라고 부르기도 해.

도시에는 직업, 출신 지역, 가치관 등이 다양한 사람들이 함께 거주하기 때문에 주민들 간 이질적인 특성이 나타난다. 특히 도시는 직장과 거주 공간이 분리되어 있어 이웃과의 접촉이 적기 때문에 강한 익명성이 나타난다. 이러한 도시의 특성에 따라 개인의 가치와 자율성을 중시하는 개인주의가 확산되고, 1인 가구 비중이 점차 증가하고 있다.

자료 4 도시의 열섬 현상

20(일)
18
16
14
12
10
8

전국 평균 (8.14일)
서울 (13일)
대구 (20일)
부산 (19일)
광주 (16.6일)
(기상청, 2016)

↑ 주요 도시의 평균 열대야 일수

도시의 열섬 현상은 산업화·도시화에 따른 대표적인 환경 문제이다. 도시 내부는 냉난방 시설과 자동차 등에서 인공 열이 많이 발생할 뿐만 아니라, 콘크리트 구조물이나 아스팔트 도로가 흙으로 된 땅보다 더 많은 열을 흡수한다. 또한 밀집된 아파트 단지가 바람길을 차단하여 열을 빠져나가지 못하게 한다.

자료 5 산업화·도시화에 따른 문제의 해결 방안

△△시는 대표적 달동네인 ○○ 마을을 주거 환경 관리 사업 대상지로 선정하였고, 마을의 주민들은 개선 사업을 통해 방치됐던 도축장과 폐가, 폐기물 적치장을 공동 텃밭으로 만들었다. △△시에서는 폐회로 텔레비전(CCTV)과 보안등 설치, 산책로 조성, 마을 지도 제작 등을 통해 안전성을 높이고, 각종 공동체 프로그램과 맞춤형 집수리 지원 사업도 진행하였다. ― 도시 재개발 사업

대학생 여러 명이 아파트에 함께 사는 '모두의 아파트'라는 공동 주거 프로젝트가 추진되고 있다. 이는 높은 임대료 때문에 살 곳을 찾기 어려운 청년들의 주거 문제를 해결하는 동시에, 공동생활을 통해 파편화된 인간관계를 공동체 문화로 변모시키기 위한 것이다. '모두의 아파트'는 입주자 모두가 배려와 협력의 자세를 가지고 더불어 살아가는 공간이다. ― 지역 공동체 회복 전략

여러 지방 자치 단체에서는 낙후된 지역의 생활 환경을 개선하고 마을 공동체를 형성하기 위해 도시 재개발 사업을 시행하고 있으며, 도시에서의 공동체적 삶을 회복하기 위해 공동 주거 프로젝트와 같은 노력을 하기도 한다.

자료 하나 더 알고 가자!

늘어나는 편의점

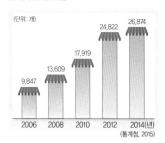

(단위: 개)

2006: 9,847
2008: 13,609
2010: 17,919
2012: 24,822
2014(년): 26,874
(통계청, 2015)

1인 가구의 증가와 더불어 편의점의 점포 수도 증가하고 있다. 편의점은 다양한 생활용품과 안전 의약품을 갖추고, 택배 서비스와 간단한 식사까지 제공하여 이용하는 사람이 빠르게 늘어나고 있다.

문제 로 확인할까?

산업화·도시화로 인해 발생하는 환경 문제로 적절하지 않은 것은?

① 녹지 공간이 감소한다.
② 도심의 기온이 낮아진다.
③ 생물종 다양성이 줄어든다.
④ 도시 내 홍수 위험이 커진다.
⑤ 오염 물질 배출량이 늘어난다.

② 답

자료 하나 더 알고 가자!

도시 농업

주택이나 학교, 회사 등의 내·외부, 옥상, 발코니 등을 활용하여 농산물을 생산하는 도시 농업은 도시 경관을 개선하고 시민들의 건강을 증진하며, 가족·이웃 간에 소통의 장을 마련한다는 점에서 긍정적인 효과가 있다. 또한 도시 내 녹지 공간을 늘려 공기를 정화하고 열섬 현상을 완화하며, 빗물의 흡수와 순환을 촉진한다.

STEP 1 핵심 개념 확인하기

1 다음 설명에 해당하는 현상을 쓰시오.

(1) 1차 산업 중심의 사회에서 2·3차 산업 중심의 사회로 변화하는 현상이다. (   )

(2) 전체 인구 중 도시에 거주하는 인구의 비율이 높아지고 도시적 생활 양식이 확대되는 현상이다. (   )

2 ㉠, ㉡에 들어갈 도시 내부의 지역을 각각 쓰시오.

> (㉠   )에는 행정·금융 기관, 백화점, 대기업 본사 등이 들어서 상업 및 업무 기능이 발달한다. (㉡   )에는 대규모 주거 단지 또는 공업 단지가 조성되어 있다.

3 다음 괄호 안의 내용 중 알맞은 말에 ○표를 하시오.

(1) 대도시권의 범위는 교통 발달에 따라 점차 (축소, 확대)되고 있다.

(2) 도시의 포장 면적이 증가하면 빗물이 토양에 잘 흡수되지 못하므로 홍수 발생 위험도가 (커진다, 작아진다).

4 빈칸에 들어갈 용어를 쓰시오.

> (   )은 도시에 거주하는 사람들이 가지는 특징적인 사고 및 행동 양식으로, 효율성과 합리성을 추구하며 익명성을 띠고 주로 2차적 인간관계를 맺는 도시인의 특성을 의미한다.

5 다음 설명이 맞으면 ○표, 틀리면 ✕표를 하시오.

(1) 도시가 확장하면서 사회는 전반적으로 개인보다 공동체를 강조하는 경향이 커졌다. (   )

(2) 산업 구조가 고도화되면서 도시에 거주하는 사람들은 다양한 직업에 종사하게 되었다. (   )

6 산업화·도시화로 인한 문제와 해결 방안을 옳게 연결하시오.

(1) 불량 주택 증가 •   • ㉠ 생태 하천 복원

(2) 교통 혼잡 발생 •   • ㉡ 공동체 의식 함양

(3) 열섬 현상 심화 •   • ㉢ 공영 자전거 제도

(4) 인간 소외 현상 •   • ㉣ 도시 재개발 사업

STEP 2 내신 만점 공략하기

01 다음 소설에서 밑줄 친 내용이 상징하는 변화로 가장 적절한 것은?

> 지금 괭이부리말이 있는 자리는 원래 땅보다 갯벌이 더 많은 바닷가였다. 그 바닷가에 '고양이섬'이라는 작은 섬이 있었다. 호랑이까지 살 만큼 숲이 우거진 곳이었던 고양이섬은 바다가 메워지면서 흔적도 없어졌고, 오랜 세월이 지나면서 <u>그곳은 소나무 숲 대신 공장 굴뚝과 판잣집들만 빼곡히 들어찬 공장 지대가 되었다.</u> 그리고 고양이섬 때문에 생긴 '괭이부리말'이라는 이름만 남게 되었다. 　– 김중미, 『괭이부리말 아이들』

① 교외화 　② 기계화 　③ 산업화
④ 정보화 　⑤ 지역 분화

02 그래프는 우리나라의 산업별 종사자 비중 변화를 나타낸 것이다. 이에 대한 설명으로 옳지 않은 것은?

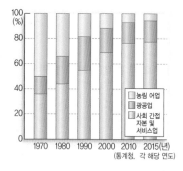

(통계청, 각 해당 연도)

① 우리나라는 산업 구조의 고도화가 이루어졌다.

② 우리나라는 3차 산업 중심의 사회로 변화하였다.

③ 1970년 이후 농림 어업 종사자 비중은 계속해서 감소하였다.

④ 사회 간접 자본 및 서비스업 종사자 비중은 계속해서 증가하였다.

⑤ 광공업 종사자 비중은 1970년에 가장 낮았고, 2015년에 가장 높았다.

03 다음은 어느 지역의 과거와 현재 모습을 나타낸 것이다. 이 지역에 대한 옳은 추론을 〈보기〉에서 고른 것은?

과거

현재

┌─ 보기 ┐
ㄱ. 인구 밀도가 증가했을 것이다.
ㄴ. 녹지 면적의 비중이 늘어났을 것이다.
ㄷ. 도시적 생활 양식이 확대되었을 것이다.
ㄹ. 1차 산업에 종사하는 사람이 많아졌을 것이다.
└──────┘

① ㄱ, ㄴ　　　② ㄱ, ㄷ　　　③ ㄴ, ㄷ
④ ㄴ, ㄹ　　　⑤ ㄷ, ㄹ

04 다음은 학생이 수업 시간에 학습한 내용을 정리한 것이다. 밑줄 친 ㉠~㉤ 중 옳지 <u>않은</u> 것은?

┌──────────────────────────────────┐
│ **산업화·도시화에 따른 거주 공간의 변화**
│
│ 1. 도시 내부의 변화
│ ⑴ 집약적 토지 이용: 제한된 공간을 효율적으로 이용하
│ 기 위해 ㉠고층 건물과 공동 주택이 증가함
│ ⑵ 기능별 지역 분화: 도시의 규모가 커지면서 ㉡도시 내
│ 부는 상업 지역, 공업 지역, 주거 지역 등으로 분화됨
│ 2. 도시권의 변화
│ ⑴ 교외화: 도시의 영향력이 커지면서 ㉢도시와 주변 지
│ 역은 분리되어 독립적인 관계로 변화함
│ ⑵ 대도시권의 확대: ㉣교통의 발달에 따라 대도시권의
│ 범위가 점차 확대되고 있음
│ ⑶ 근교 촌락의 변화: ㉤대도시와 인접한 농업 지역에 대
│ 규모 주거 단지가 조성됨
└──────────────────────────────────┘

① ㉠　　② ㉡　　③ ㉢　　④ ㉣　　⑤ ㉤

05 다음은 도시의 내부 지역에 대한 설명이다. (가), (나)에 대한 설명으로 옳은 것은?

┌──────────────────────────────────┐
│ • 도시의 ___(가)___ 은 접근성이 높고 교통이 편리하며
│ 고층 건물이 밀집되어 있다. 행정·금융 기관, 백화점,
│ 대기업의 본사 등이 모여 있다.
│ • 도시의 ___(나)___ 에는 많은 인구를 수용하기 위해 대
│ 규모의 주거 단지가 조성되어 있다. 단독 주택보다는 주
│ 로 아파트가 밀집해 있고, 대형 마트와 학교가 많다.
└──────────────────────────────────┘

① (가)는 상업·업무 기능이 발달한다.
② (나)는 대체로 도시의 중심에 위치한다.
③ (가)는 (나)보다 지가가 저렴한 편이다.
④ (나)는 (가)보다 집약적 토지 이용이 나타난다.
⑤ (가), (나)에는 모두 대규모 공업 단지가 들어서 있다.

06 다음 자료를 보고 1980년과 비교한 2015년의 상대적 특성을 그림의 A~E에서 고른 것은?

	1980년	2015년	
임야	66,128km²	➡ 64,003km²	감소
논밭	22,099km²	➡ 19,108km²	감소
대지	1,721km²	➡ 2,983km²	증가
도로	1,399km²	➡ 3,144km²	증가

(국토 교통부, 2016)

⬆ 우리나라 토지 이용의 변화

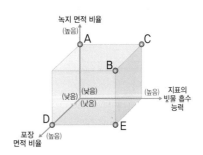

① A　　② B　　③ C　　④ D　　⑤ E

07 다음 자료를 통해 추론할 수 있는 내용을 〈보기〉에서 고른 것은?

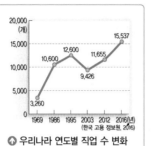

산업화 과정에서 분업화가 나타나면서 일의 종류가 다양해졌다. 2003년 세분화되어 있던 직업명을 통합하면서 직업 수가 감소했던 시기를 제외하면, 우리나라의 직업 수는 꾸준히 증가하였다.

↑ 우리나라 연도별 직업 수 변화

보기

ㄱ. 농업보다 서비스업에 관련된 직업이 많아졌을 것이다.
ㄴ. 같은 지역에 거주하는 주민들 간의 이질성이 커졌을 것이다.
ㄷ. 직업의 전문성이 낮아지면서 개인 간 경쟁이 줄어들었을 것이다.
ㄹ. 도시보다 촌락에 거주하는 사람들의 직업 종류가 다양해졌을 것이다.

① ㄱ, ㄴ   ② ㄱ, ㄷ   ③ ㄴ, ㄷ
④ ㄴ, ㄹ   ⑤ ㄷ, ㄹ

08 다음 대화를 통해 공통적으로 파악할 수 있는 현대 사회의 특성으로 가장 적절한 것은?

저는 학교 근처에서 혼자 살고 있는 대학생이에요. 학교에 친구들이 많지만 다들 바빠서 시간 맞추기가 힘들어요. 그래서 이렇게 혼자 제 일정에 맞춰서 제가 먹고 싶은 걸 먹는 게 편해요.

저는 매일 바쁜 업무를 하는 직장인이에요. 주말이 되면 아무에게도 방해받지 않을 자유를 찾아 혼자 여행을 떠나는데, 자신의 내면에 귀 기울일 수 있는 시간을 가질 수 있어서 좋아요.

① 가족의 형태가 핵가족화되었다.
② 도시에서 공동체적 삶이 회복된다.
③ 대량 생산과 대량 소비가 이루어진다.
④ 개인의 가치를 중요시하는 가치관이 나타난다.
⑤ 대도시에서 근교 촌락으로 도시성이 확산된다.

09 그래프와 같은 변화에 따라 나타날 현상에 대한 추론으로 가장 적절한 것은?

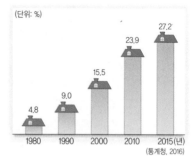

↑ 1인 가구의 비율 변화

① 가족 노동력의 중요성이 커질 것이다.
② 지역 간 경제적 격차가 줄어들 것이다.
③ 사회적 유대감과 공동체 의식이 약화될 것이다.
④ 도시에서 촌락으로 이동하는 사람들이 증가할 것이다.
⑤ 개인의 권리보다 사회 구성원으로서 의무가 더 강조될 것이다.

10 밑줄 친 질문에 대해 옳지 <u>않은</u> 답변을 한 사람은?

여름철에는 밤에도 너무 더워서 잠을 설치는 경우가 종종 있다. 일 최저 기온이 25℃ 이상 유지되는 열대야 현상 때문이다. 기상청에 따르면 열대야 일수가 점점 늘어나고 있다고 한다. 최근 열대야 일수를 살펴보면 도시의 증가 폭이 촌락보다 크다. <u>이렇게 도시에서 열대야가 길게 지속되는 이유는 무엇일까?</u>

① 갑: 냉난방 시설에서 나오는 인공 열 때문이야.
② 을: 자동차에서 배출하는 배기가스의 영향을 받기 때문이야.
③ 병: 도시의 하천과 공원에 쌓인 열이 조금씩 방출되기 때문이야.
④ 정: 열 흡수율이 높은 아스팔트 도로와 콘크리트 건물이 많기 때문이야.
⑤ 무: 아파트 단지가 바람길을 차단하여 열이 빠져나가지 못하기 때문이야.

11 밑줄 친 ㉠~㉤에 해당하는 도시 문제를 해결하기 위한 방안으로 적절하지 <u>않은</u> 것은?

도시에 많은 인구와 기능이 집중하면서 각종 도시 문제가 발생하였다. 주택 부족, 집값 상승 등의 ㉠주택 문제와 교통 혼잡, 주차난, 교통사고 증가 등의 ㉡교통 문제 등이 대표적이다. 산업화로 생산 과정의 자동화가 이루어졌지만, 이로 인해 ㉢인간 소외 현상이 나타나기도 하였다. 산업화로 경제가 발전하여 사회가 풍요로워졌지만 ㉣계층 간 빈부 격차 문제, ㉤지역 간 공간 불평등 문제, 노동 문제 등은 더욱 심화되고 있다.

① ㉠ – 대도시 주변에 신도시를 건설한다.
② ㉡ – 버스, 지하철 등 대중교통 수단을 확충한다.
③ ㉢ – 인간의 존엄성을 중시하고 타인을 존중한다.
④ ㉣ – 소외 계층을 위한 사회 복지 제도를 시행한다.
⑤ ㉤ – 최저 임금제와 비정규직 보호법 등의 제도를 마련한다.

12 밑줄 친 부분에 해당하는 프로그램을 통해 얻을 수 있는 효과로 가장 적절한 것은?

안녕하세요? 저는 △동 ○호에 살고 있는 ◇◇입니다. 우리 아파트에서는 '공동체 활성화 프로그램'을 운영하고 있습니다. 이 프로그램은 주민 공동의 문제를 해결하고, 아파트 주민 간의 소통과 화합을 도모하기 위한 활동입니다. 제가 참여한 봉사 활동은 에너지 절약 및 관리비 절감을 위해 매월 마지막 주 토요일에 실시하는 소등 운동을 알리는 것입니다. 청소년 봉사단원들은 아파트 전 세대 주민들에게 나누어 줄 초를 만들고 에너지 절약 캠페인을 벌였습니다. 매달 실시하는 소등 운동 덕분에 아파트의 전기 요금이 줄어들고 있다고 하니 정말 기분이 좋았습니다. 그동안 옆집에 누가 사는지도 몰랐는데, 앞으로 이웃 간에 서로 인사하고 지내면 좋겠습니다.

① 도시의 생태 환경을 복원할 수 있다.
② 개인주의적 가치관을 확산시킬 수 있다.
③ 도시 재개발 사업을 통해 주택 문제를 해결할 수 있다.
④ 열섬 현상을 완화하고 도시 홍수 위험을 줄일 수 있다.
⑤ 인간적인 유대감을 바탕으로 지역 공동체를 회복할 수 있다.

서술형 문제

● 정답친해 21쪽

01 다음은 근교 촌락의 변화에 대한 내용이다. 밑줄 친 부분에 들어갈 내용을 <u>세 가지 이상</u> 서술하시오.

경기도 남양주, 파주 등 서울 근교의 촌락 지역은 과거 농업이 중심을 이루던 지역이었다. 그러나 최근에는 교통이 발달하고 도시가 성장함에 따라 _____
_____

↑ 서울 근교의 촌락

(길잡이) 인구, 산업, 토지 이용, 주민들의 직업 등 다양한 측면에서 서술한다.

02 다음 자료를 보고 물음에 답하시오.

최근 1인 가구의 증가와 ___(가)___ 가치관의 확산이 맞물려 혼자 밥을 먹거나 여가 생활을 즐기는 등 혼자 활동하는 성향이 강한 사람들이 많아지고 있다. 이제 이들은 자신의 행복이나 자기 계발 등을 위해 혼자만의 시간을 즐기려는 사람으로 인식되고 있다. 이러한 추세를 반영하듯 최근에는 1인 전용 식당이 생겨나고, 사람들은 혼자 먹기 좋은 분위기의 맛집 정보를 공유하기도 한다.

(1) (가)에 들어갈 내용을 쓰시오.

(2) 위와 같은 사회 현상이 나타나게 된 원인과 이로 인해 나타날 문제점을 서술하시오.

(길잡이) 산업화·도시화에 따른 생활 양식의 변화 측면에서 서술한다.

1 그래프는 우리나라의 도시화율 변화를 나타낸 것이다. 이에 대한 옳은 분석만을 〈보기〉에서 있는 대로 고른 것은?

> 우리나라의 도시화

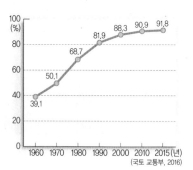

100 (%)
80
60
40
20
0
1960 1970 1980 1990 2000 2010 2015 (년)
39.1 50.1 68.7 81.9 88.3 90.9 91.8
(국토 교통부, 2016)

보기

ㄱ. 전체 인구 대비 도시 거주 인구 비율이 계속해서 증가했다.
ㄴ. 2015년은 1960년에 비해 서비스업 종사자 비율이 높아졌다.
ㄷ. 도시화율의 증가 폭은 1980년~1990년보다 2000년~2010년에 크다.
ㄹ. 1970년 이후에는 촌락에 거주하는 인구가 도시에 거주하는 인구보다 많다.

① ㄱ, ㄴ   ② ㄴ, ㄷ   ③ ㄷ, ㄹ
④ ㄱ, ㄴ, ㄷ   ⑤ ㄱ, ㄴ, ㄹ

2 다음은 서울의 도시 내부 모습을 나타낸 것이다. (가) 지역과 비교한 (나) 지역의 상대적 특성을 그림의 A~E에서 고른 것은?

> 도시 내부의 모습

> **완자쌤의 시험 꿀팁**
> 도시화가 진행되면서 나타난 도시 내부 지역 분화의 특징과 거주 공간의 변화에 대한 문제가 출제된다.

(가)   (나)

0 5 km

단위 면적당 지가
(높음) A   C
        B
(낮음) (적음)   (많음) 초등학교의
      (좁음)   평균 학급 수
D
(넓음)   E
주거 지역의
면적

① A   ② B   ③ C   ④ D   ⑤ E

평가원 응용

3 다음 대화를 통해 (가) 지역의 변화를 그래프의 A∼E에서 고른 것은?

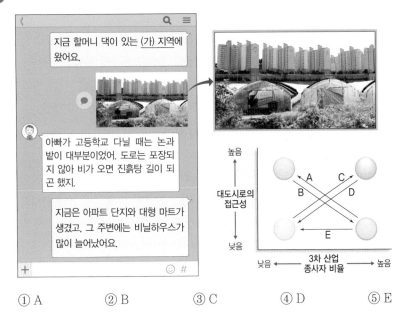

지금 할머니 댁이 있는 (가) 지역에 왔어요.

아빠가 고등학교 다닐 때는 논과 밭이 대부분이었어. 도로는 포장되지 않아 비가 오면 진흙탕 길이 되곤 했지.

지금은 아파트 단지와 대형 마트가 생겼고, 그 주변에는 비닐하우스가 많이 늘어났어요.

① A   ② B   ③ C   ④ D   ⑤ E

> **근교 촌락의 변화**
>
> **완자샘의 시험 꿀팁**
>
> 대도시권의 확대로 근교 촌락의 산업 구조와 교통 조건에 어떤 변화가 나타날지 예상해 본다.

지리 ➕ 사회

4 다음은 어느 대중가요의 노랫말 중 일부이다. 이를 통해 예상할 수 있는 도시 주민들의 생활 모습으로 적절하지 <u>않은</u> 것은?

아침에는 우유 한 잔,
점심에는 패스트푸드
쫓기는 사람처럼 시곗바늘 보면서
거리를 가득 메운 자동차 경적 소리
어깨를 늘어뜨린 학생들
This is the city life

모두가 똑같은 얼굴을 하고
손을 내밀어 악수하지만,
가슴 속에는 모두 다른 마음
각자 걸어가고 있는 거야
아무런 말없이 어디로 가는가
함께 있지만 외로운 사람들

– 넥스트, 「도시인」

① 타인의 삶에는 무관심한 사람들의 모습
② 도시와 촌락 간 공간 불평등이 나타나는 모습
③ 익명성을 바탕으로 한 표면적 인간관계의 모습
④ 교통 혼잡과 소음 등의 교통 문제가 심각한 모습
⑤ 생산성 및 효율성을 강조하는 속도 지향적 사회의 모습

> **산업화·도시화에 따른 생활 양식의 변화**
>
> **완자 사전**
>
> • 익명성
> 어떤 행위를 한 사람이 누구인지 드러나지 않는 특성

교통·통신의 발달과 정보화 ~ 지역의 공간 변화

① 교통·통신의 발달에 따른 변화

이것이 핵심!

교통·통신의 발달에 따른 변화

생활 공간의 변화	생활권의 확대, 경제 활동의 범위 확대, 여가 공간의 확대, 생태 환경의 변화
생활 양식의 변화	풍요롭고 편리한 일상생활, 문화 교류의 확대

★ **전자 상거래**
인터넷 등 전자적 수단을 이용하여 상품이나 서비스를 사고파는 행위

★ **무점포 상점**
일정한 공간 없이 생산자와 소비자가 직접 거래하는 상점

1. 교통·통신의 발달

(1) **교통의 발달**: 기차, 자동차, 지하철, 고속 철도, 항공기 등의 교통수단 발달

(2) **통신의 발달**: 텔레비전, 인터넷, 휴대 전화, 인공위성 등의 통신 수단 발달

2. 교통·통신의 발달에 따른 생활 공간의 변화 꼭! 교통이 발달하면 시간적·공간적 제약이 줄어들면서 이동이 편리해져 생활 공간의 범위가 확대돼.

(1) **생활권의 확대**: 이동에 소요되는 시간이 감소하면서 사람들의 이동 가능 거리 증가 → 원거리 통근·통학 증가, 대도시권 형성

(2) **경제 활동 범위의 확대**: 대형 선박과 항공기를 이용한 대량의 화물 수송 가능, *전자 상거래의 발달과 *무점포 상점의 증가로 상권 확대, 통신망을 활용한 국제 금융 거래 활성화

(3) **여가 공간의 확대**: 고속 철도, 항공기 등을 이용한 장거리 이동이 가능해지면서 국내 및 해외 여행 관광객 증가 → 관광 산업 발달 자료①

(4) **생태 환경의 변화**: 교통·통신 시설을 구축하는 과정에서 생태계 파괴 문제가 발생하지만, 교통·통신 수단을 이용하여 생태 환경 보호에 도움을 주기도 함 └ 생태계 연속성 단절, 산림 훼손 등

전 세계적으로 원료, 상품, 자본, 노동력의 이동이 자유로워졌어.

└ 헬리콥터를 이용한 산불 진압, 위치 정보 기술을 이용한 멸종 위기 동물 보호 등

3. 교통·통신의 발달에 따른 생활 양식의 변화

(1) **풍요롭고 편리한 일상생활**: 언제 어디서나 필요한 물건을 쉽게 구입할 수 있음, 다양한 정보를 빠르게 주고받을 수 있음 Qн? 인터넷, 스마트폰 등을 이용한 전자 상거래가 보편화되었기 때문이야.

(2) **문화 교류의 확대**: 다른 지역 및 국가의 문화 체험 기회 증가 → 문화 전파로 새로운 문화 형성, 전 세계적으로 보편적인 문화 등장 └ 한 사회의 문화가 다른 사회와의 접촉으로 변화하는 현상을 의미해.

② 교통·통신의 발달에 따른 문제와 해결 방안

이것이 핵심!

교통·통신의 발달에 따른 문제

지역 격차	교통·통신 조건이 발달한 지역과 불리한 지역 간의 격차 발생
생태 환경 파괴	환경 오염 심화, 생태계 연속성 단절, 야생 동물 서식지 파괴, 외래 생물종에 의한 생태계 교란

★ **빨대 효과**
빨대로 음료를 빨아들이듯이 대도시가 주변 중소 도시의 인구와 각종 기능을 흡수하는 현상

★ **선박 평형수**
선박의 무게 중심을 유지하기 위해 선박 내부에 저장하는 바닷물

1. 지역 격차 발생 교과서 자료 꼭! 교통의 발달로 성장하는 지역이 있는 반면, 쇠퇴하는 지역도 있음을 파악해야 해.

문제점	• 교통·통신이 발달한 지역은 접근성이 향상되고 교류가 활발해져 지역 경제가 활성화됨 → *빨대 효과가 나타나 지역 발전에 불균형이 발생하기도 함 • 교통·통신이 불리한 지역은 인구 및 기능이 유출되면서 지역 경제가 쇠퇴하기도 함
해결 방안	• 교통·통신 기반 시설 구축 → 도로·철도 등 교통로 신설, 역·터미널·공항·항만 등 교통 시설 건설, 대중교통 수단 확충 • 지역 경쟁력 강화, 지역 경제 활성화 방안 마련 → 지방 중추 도시권 육성 사업, 지역 특성을 활용한 지역 축제 개최 등

2. 생태 환경 파괴 자료② 유조선 충돌 사고에 따른 원유 유출로 해양 생태계 피해 사례가 증가하고 있어.

문제점	• 교통수단에서 발생하는 각종 오염 물질 증가 → 대기 오염, 토양 오염, 해양 오염 발생 • 교통로 건설에 따른 녹지 면적 감소 → 생태계의 연속성 난절, 야생 동물 서식지 파괴 • 교통수단을 통해 유입된 외래 생물종에 의한 생태계 교란
해결 방안	• 오염 물질 배출량 검사 강화, 배기가스 저감 장치 기술 개발 • 생태 통로 건설, 야생 동물 주의 표지판 설치 • *선박 평형수 처리 장치의 설치 의무화 → 외래 생물종 유입 차단

└ 이 물을 통해 각종 외래 생물종이 유입될 수 있어.

완자 자료 탐구

내 옆의 선생님

자료 1 교통의 발달과 관광 산업

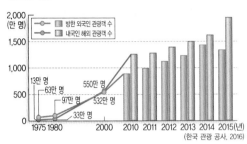

⬆ 방한 외국인 관광객과 내국인 해외 관광객 수 변화
우리나라의 출입국 절차가 과거에 비해 간소화
된 점도 관광객 증가에 영향을 주었어.

경제 발달에 따라 소득 수준이 향상되고 항공 교통이 대중화되면서, 해외로 나가는 우리나라 관광객과 우리나라를 찾는 외국인 관광객은 지속적으로 증가하였다. 이를 통해 각 지역 및 국가의 문화를 체험할 기회가 많아졌고, 관광 산업도 빠르게 성장하고 있다.

수능이 보이는 교과서 자료   고속 철도의 개통과 지역 변화

2015년 호남 고속 철도의 개통 이후 수도권에서 광주·전남 지역을 찾는 인구가 늘어났다. 여수와 목포를 찾는 관광객이 증가하고 있으며, 수도권에서 호남권의 각 대학으로 입학하는 신입생도 늘었다는 반응이다. 이에 따라 호남권에서 고속 철도의 교통 분담률은 3배 이상 급증한 반면, 버스와 항공기의 교통 분담률은 크게 낮아졌다. 또한 고속 철도가 정차하는 광주 송정역 주변은 상점의 매출이 이전보다 대폭 증가하는 등 경제가 활성화되고 있다. 그러나 고속 철도가 정차하지 않게 된 광주역 주변의 상점들은 잇따라 폐업하고 있어 상권 활성화 대책 마련이 필요하다. _{왜?} 고속 철도의 대체 교통수단으로서 경쟁력이 떨어졌기 때문이야. – 「국민일보」, 2016. 3. 31.

교통이 발달하여 접근성이 향상된 지역은 경제 활동이 활성화되지만, 상대적으로 교통 발달의 혜택에서 소외된 지역은 성장 잠재력이 약화되거나 경제 활동이 위축되기도 한다. 특히, 고속 철도와 같은 편리한 교통수단이 새롭게 등장할 경우, 기존 교통수단의 비중은 감소하게 된다.

자료 하나 더 알고 가자!

교통의 발달과 통근·통학권의 변화

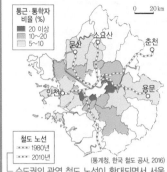

⬆ 수도권의 광역 철도 노선이 확대되면서 서울과 인접한 경기·인천에서 서울로의 통근·통학하는 사람들이 증가하고 있어.

완자쌤의 탐구 강의

• 호남 고속 철도의 개통으로 호남권에서 나타날 변화를 서술해 보자.
수도권으로의 접근성이 향상되어 지역 간 인적·물자 교류가 활발해진다.

• 교통의 발달이 오히려 지역 격차를 심화시키는 원인을 말해 보자.
교통 조건이 좋은 대도시가 오히려 주변 중소 도시의 인구와 기능을 흡수하면서 지역 격차가 커지기도 한다.

함께 보기 80쪽, 1등급 정복하기 2

자료 2 교통의 발달이 생태 환경에 주는 영향

⬆ 원유 유출로 인한 해양 오염

⬆ 도로 건설로 파괴된 생태계

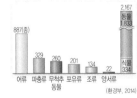

⬆ 국내 외래 생물종 유입 현황

교통의 발달은 우리 생활에 편리함을 주지만, 생태 환경에 부정적인 영향을 미치기도 한다. 교통수단에서 배출되는 각종 오염 물질은 대기·토양·해양 오염 등의 환경 문제를 일으킨다. 또한 도로와 철도 건설의 증가로 산림이 훼손되고 녹지 공간이 감소하고 있다. 이로 인해 생태계의 연속성이 단절되어 야생 동식물의 서식지가 줄어들고 있다. 그리고 교통수단에 의해 외래 동식물이 유입되어 기존의 생태 환경이 악화되거나 파괴되기도 한다.
└ 교통수단에 의해 질병이 유입되거나 확산하는 문제가 생기기도 해.

자료 하나 더 알고 가자!

생태 통로

교통로 건설 시 야생 동물의 서식지가 파괴되는 것을 막고, 동물들이 자유롭게 이동할 수 있도록 도로나 터널 위에 생태 통로를 건설하는 경우가 늘고 있다. 최근에는 지정된 방향으로 동물의 통행을 유도하는 울타리도 설치하고 있다.

정보화에 따른 영향

변화 모습	공간적 제약 감소, 공간 정보 기술 발달, 정치 참여 기회 확대, 일상생활에서의 편의성 증가, 업무 효율성 증대 등
문제점	인터넷 중독, 사생활 침해, 사이버 범죄, 정보 격차 심화 등

★ 정보화
정보 통신 기술을 활용하여 지식과 정보를 통해 부가 가치를 창출하는 것

★ 전자 민주주의
인터넷을 통해 시민이 직접 정치 과정에 참여함으로써 이루어지는 민주주의

★ 정보 윤리
정보 사회의 구성원으로서 지켜야 할 올바른 가치관과 행동 양식으로, 자신과 타인에 대한 '존중', 자신의 행동에 대한 '책임', 타인의 권리를 침해하지 않고 정보의 진실성과 공정성을 추구하는 '정의', 타인에 대한 '해악 금지'를 기본 원칙으로 한다.

> 가상 공간에서 익명성을 이용한 다양한 범죄를 의미해.

3 정보화에 따른 변화와 문제점

1. *정보화에 따른 생활 공간의 변화
> 정보화는 공업화가 일정한 수준에 도달했거나 공업화가 완료된 사회에서 일어나기 때문에 정보 사회를 '탈공업 사회'라고도 해.

(1) **가상 공간의 등장**: 인터넷을 통한 업무 및 소비 활동 → 일상생활에서 공간적 제약 감소

(2) **공간 정보 기술의 활용**: 지리 정보 시스템(GIS), 위성 위치 확인 시스템(GPS) → 공공 부문과 일상생활에서 다양하게 활용
> 교통, 토지, 해양, 재난·재해 등의 분야에서 활용되고 있어.

2. 정보화에 따른 생활 양식의 변화 [자료 3]

정치·행정 분야	• 가상 공간을 통한 정치 참여 기회 확대 → *전자 민주주의 실현 ── 전자 투표, 청원이나 서명, 시민 운동에도 참여할 수 있어. • 인터넷을 이용한 민원 신청 및 행정 서류 발급
경제 분야	• 업무 활동의 효율성 증가 → 원격 근무, 화상 회의 등 • 온라인 금융 거래 및 전자 상거래 활성화 → 인터넷 뱅킹, 온라인 쇼핑, 홈 쇼핑 등
사회·문화 분야	• 언제 어디서나 쌍방향 의사소통 가능 → 원격 교육, 원격 진료 서비스 확대 • 다양한 정보 공유 및 교환 가능 → 문화의 확산 가속화, 수평적 인간관계로의 변화

> 전자 칠판이나 디지털 교과서 등을 활용한 수업이 이루어져.

3. 정보화에 따른 문제와 해결 방안 [자료 4]

구분	문제점	해결 방안
인터넷 중독	지나친 인터넷 사용에 따른 대면적 인간관계의 약화, 일상생활에 지장 초래	인터넷 중독 예방 및 치료 프로그램 마련, 인터넷 사용 시간 미리 정하기
사생활 침해	개인 정보 유출, 폐회로 텔레비전(CCTV)이나 휴대 전화 위치 추적 등을 통한 감시와 통제	개인 정보 관리 강화, 보안 프로그램 개발, 관련 법률 마련 및 강화
사이버 범죄	사이버 폭력, 해킹, 프로그램 불법 복제, 전자 상거래 사기, 유해 사이트 운영 등	사이버 범죄 예방 교육 시행, 개인 정보 보호 수칙 준수, *정보 윤리 실천
정보 격차	정보 기기의 이용과 정보에 대한 접근에 있어 지역 간, 계층 간, 연령 간 격차 발생	정보 소외 계층을 위한 사회 복지 제도 → 정보 기기 및 소프트웨어 지원, 정보화 교육 실시

> 개인 정보 보호법, 정보 통신 보호법 등이 있어.

> 정보의 소유와 접근 정도에 따라 소득이나 부의 불평등을 초래할 수 있어.

지역 조사 과정

> 조사 주제 및 방법 선정
> ↓
> 지역 정보 수집
> ↓
> 지역 정보 정리 및 분석
> ↓
> 보고서 작성 및 발표

★ 실내 조사와 야외 조사

실내 조사	문헌 자료 및 인터넷 검색을 통한 정보 수집
야외 조사	실내 조사만으로 불충분하거나 현지에서 직접 정보를 수집해야 할 경우 시행 → 주민 면담, 설문 조사, 사진 촬영 등

4 지역의 공간 변화와 지역 조사

1. 지역의 공간 변화 [자료 5]

(1) **지역의 특성**: 지역은 산업화와 도시화, 교통·통신의 발달, 정보화의 영향으로 끊임없이 변화함

(2) **공간 변화의 요인**: 토지 이용, 산업 구조, 인구, 생태 환경, 인간관계 및 주민의 가치관 등 다양한 요인을 통해 지역의 공간 변화를 파악할 수 있음

2. 지역 조사
> 꼭! 지역의 특성과 변화를 파악하기 위해 지역 정보를 수집, 분석, 종합하는 활동이야.

(1) **필요성**: 지역의 공간 변화 파악 → 지역 문제의 원인 분석 및 문제 해결 방안 모색

(2) **지역 조사 과정**
> 실내 조사 단계에서는 야외 조사를 위한 사전 준비 과정도 함께 이루어져.

① 조사 주제 및 방법 선정: 조사 목적에 맞는 조사 주제와 방법을 정하고 조사 계획을 수립함

② 지역 정보 수집: *실내 조사와 *야외 조사를 통해 지역 정보를 수집함

③ 지역 정보 정리 및 분석: 수집한 지역 정보를 정리·분석하여 그래프나 통계 지도로 나타냄 → 지역의 변화 모습과 문제점을 파악함

④ 보고서 작성 및 발표: 도출한 결과를 토대로 보고서를 작성하고 발표함

완자 자료 탐구

 내 옆의 선생님

자료 ③ 정보화에 따른 소비 특성의 변화

꿀! 온라인 및 이동 통신 쇼핑의 증가는 상품의 유통 단계를 보다 단순하게 하였고, 상업 활동에 있어 입지의 중요성을 낮게 만들었어.

↑ 온라인 및 이동 통신 쇼핑 거래액 변화

정보화의 영향으로 사람들의 생활 공간이 가상 공간까지 확장됨에 따라 전자 상거래가 활성화되었다. 사람들은 온라인 및 이동 통신 쇼핑을 통해 언제 어디서나 물건을 구매할 수 있게 되어 일상생활에서 시·공간적 제약이 감소하고 있다. 이러한 소비 특성이 보편화되면서 택배 산업도 성장하였으며, 교통이 편리한 곳에 유통 제품을 포장·보관·분류하는 물류 센터도 늘어나고 있다.

정리 | 비법을 알려줄게!

일상생활에서 활용되는 공간 정보 기술

지리 정보 시스템 (GIS)	공간 정보 자료를 수치화하여 컴퓨터에 입력·저장하고, 이를 사용자의 요구에 따라 분석·가공하여 각종 분야에 활용한다. 예 상점 및 주거지의 최적 입지 선정
위성 위치 확인 시스템 (GPS)	인공위성이 정해진 지구 궤도를 돌며 내보내는 신호를 수신하여 사람과 사물의 위치를 파악한다. 예 자동차 내비게이션, 버스 도착 안내 정보

자료 ④ 정보화로 인해 나타난 사회 문제

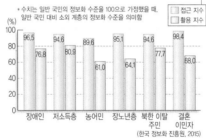

모든 계층에서 접근 지수의 격차보다 활용 지수의 격차가 크게 나타났어.

↑ 사이버 범죄의 발생 현황

↑ 소외 계층의 정보화 수준

사이버 범죄는 유형이 점차 다양해지고 있으며, 피해액 또한 증가하고 있다. 사이버 범죄를 막기 위해서는 정보 보안 관련 기구 및 전문 인력을 강화하고, 정보 윤리 교육을 통해 올바른 정보 문화를 확립하는 등의 노력이 필요하다. 정보 격차는 새로운 정보 기술에 접근할 수 있는 능력을 보유한 사람과 그렇지 못한 사람 사이에 발생하는 경제적·사회적 격차를 말한다. 소외 계층은 일반 국민에 비해 접근 지수와 활용 지수가 낮게 나타나고 있다.

문제 로 확인할까?

개인 정보 보호 수칙으로 옳지 않은 것은?
① 개인 정보 침해 신고를 적극적으로 활용한다.
② 개인 정보 처리 방침 및 이용 약관을 꼼꼼히 살핀다.
③ 누리 소통망(SNS)에 개인 정보를 최대한 공개한다.
④ 명의 도용 확인 서비스를 이용하여 가입 정보를 확인한다.
⑤ 비밀번호는 문자와 숫자로 10자리 이상으로 만들고 주기적으로 변경한다.

자료 ⑤ 지역의 공간 변화

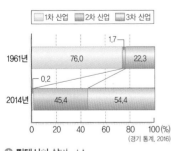
↑ 평택시의 산업 구조

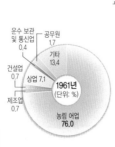
↑ 평택 시민의 직업 구성

평택 시민들의 직업 구성이 과거에 비해 복잡해졌어.

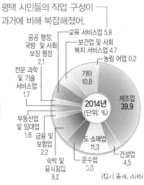

평택시는 서해안 개발의 거점 도시로 육성되면서 공업이 발달하기 시작하였다. 국제 무역항이 건설되고 각종 공업 단지가 조성되면서 2·3차 산업 중심의 산업 구조로 변화하였다. 오늘날 평택시는 각종 제조업의 발달로 인구가 지속적으로 증가하고 있다.

자료 하나 더 알고 가자!

빌바오시의 변화

에스파냐의 빌바오시는 항구 도시로 제철 공업과 조선 공업이 발달하였다. 그러나 1980년대부터 공업이 쇠퇴하면서 일자리를 잃은 사람들이 도시를 떠났다. 이후 빌바오시는 생태 공원과 문화 시설을 만들기 시작하면서 관광객이 증가하였고 새로운 일자리가 늘어났다. 이처럼 빌바오시는 공업 도시에서 문화 도시로 바뀌면서 다시 성장하게 되었다.

1 다음 설명이 맞으면 ○표, 틀리면 ×표를 하시오.

(1) 교통의 발달로 예전에는 멀어서 가기 힘들었던 지역도 쉽게 갈 수 있게 되면서 관광 산업이 발달하였다. ( )

(2) 교통·통신의 발달로 지역 간 교류가 활발해지면서 지역 격차 문제가 해결되었다. ( )

(3) 정보 통신 기술의 발달로 다양한 정보를 쉽고 빠르게 주고받을 수 있게 되었다. ( )

(4) 지역의 공간적 특성은 대체로 고정되어 있어 거의 변화하지 않는다. ( )

2 교통로를 건설할 때 야생 동물의 서식지를 보호하고, 동물들이 자유롭게 이동할 수 있도록 ( )를 만들기도 한다.

3 빈칸에 들어갈 용어를 쓰시오.

정보화는 우리의 경제생활에도 큰 변화를 가져왔다. 특히 인터넷의 발달로 ( )가 활성화되어 온라인 및 이동 통신 쇼핑을 통해 물건을 쉽게 구매할 수 있게 되었다.

4 다음 설명에 해당하는 공간 정보 기술을 쓰시오.

(1) 인공위성이 정해진 지구 궤도를 돌며 보내는 신호를 수신하여 사람과 사물의 위치를 파악한다. ( )

(2) 공간 정보 자료를 수치화하여 컴퓨터에 입력·저장하고, 이를 사용자의 요구에 따라 분석·가공하여 각종 분야에 활용한다. ( )

5 정보화에 따른 문제와 그 해결 방안을 옳게 연결하시오.

(1) 정보 격차 • • ㉠ 개인 정보 관리 강화

(2) 사생활 침해 • • ㉡ 인터넷 사용 시간 정하기

(3) 인터넷 중독 • • ㉢ 소외 계층을 위한 제도 시행

6 지역 조사 과정을 〈보기〉에서 찾아 순서대로 나열하시오.

보기
ㄱ. 지역 정보 수집 ㄴ. 보고서 작성 및 발표
ㄷ. 조사 주제 및 방법 선정 ㄹ. 지역 정보 정리 및 분석

STEP 2 내신 만점 공략하기

01 다음 내용을 통해 파악할 수 있는 오늘날의 변화 모습으로 옳지 않은 것은?

교통수단이 발달하기 이전에 사람들은 주로 도보나 우마차를 이용하여 이동할 수밖에 없었다. 그러나 산업 혁명 이후 증기 기관이 발명되면서 기차가 등장하였고, 자동차와 고속 열차, 항공기와 같은 교통수단이 발달하면서 사람들은 먼 거리를 빠르게 이동할 수 있게 되었다. 오늘날에는 개인이 교통수단을 소유할 수 있을 뿐만 아니라, 지하철과 같은 대중교통을 편리하게 이용할 수 있다.

① 국가 간 물적 교류가 확대되었다.
② 일상생활 공간의 범위가 넓어졌다.
③ 다른 지역과의 접근성이 향상되었다.
④ 이동에 소요되는 시간이 증가하였다.
⑤ 국내 및 해외여행 관광객이 늘어났다.

02 지도는 수도권 광역 철도 노선과 통근·통학권 변화를 나타낸 것이다. 이에 대한 옳은 설명을 〈보기〉에서 고른 것은?

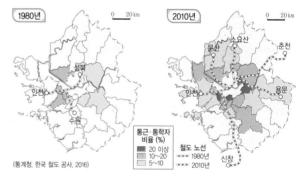

(통계청, 한국 철도 공사, 2016)

보기
ㄱ. 대도시권의 범위가 축소되었다.
ㄴ. 경기도에서 서울로의 접근성이 향상되었다.
ㄷ. 철도 교통이 발달하고 도로 교통이 쇠퇴하였다.
ㄹ. 경기도에서 서울로 통근·통학하는 사람들의 평균 이동 거리가 늘어났다.

① ㄱ, ㄴ ② ㄱ, ㄷ ③ ㄴ, ㄷ
④ ㄴ, ㄹ ⑤ ㄷ, ㄹ

03 다음과 같은 변화로 인해 나타날 현상에 대한 추론으로 가장 적절한 것은?

> 부산과 거제를 연결하는 거가 대교가 건설된 이후 부산을 찾는 거제 주민의 수가 증가하였다. 부산에서 거제까지의 통행 거리가 단축되고, 이동 소요 시간도 줄어드는 등 교통이 편리해졌기 때문이다. 초기에는 거제 주민들이 부산의 백화점을 이용하면서 거제시의 상권이 축소될 우려가 있었지만, 오히려 거제시에 관광객이 늘어나 지역 경제에 도움이 되고 있다.

① 거제의 접근성이 낮아질 것이다.
② 거제의 관광 산업이 쇠퇴할 것이다.
③ 부산의 지역 경제가 침체될 것이다.
④ 부산에서 거제로 가는 여객선이 증편될 것이다.
⑤ 거제에서 부산으로 통근하는 직장인이 늘어날 것이다.

☆중요

04 (가), (나) 시기를 고려하여 그래프의 A, B에 들어갈 지표를 옳게 연결한 것은?

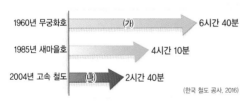

1960년 무궁화호 (가) 6시간 40분
1985년 새마을호 4시간 10분
2004년 고속 철도 (나) 2시간 40분
(한국 철도 공사, 2016)

↑ 철도를 이용한 서울 부산 간 이동 시간 변화

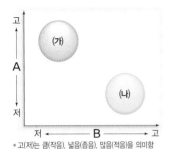

* 고(저)는 큼(작음), 넓음(좁음), 많음(적음)을 의미함

	A	B
①	시·공간적 제약	여가 공간의 범위
②	생태계의 연속성	시·공간적 제약
③	고속 철도 이용객	시·공간적 제약
④	여가 공간의 범위	고속 철도 이용객
⑤	여가 공간의 범위	생태계의 연속성

05 (가), (나)에 나타난 문제를 해결하기 위한 방안을 〈보기〉에서 골라 옳게 연결한 것은?

> (가) 매년 고속 국도에서 자동차에 치여 목숨을 잃는 야생 동물의 교통사고가 약 2천여 건에 달한다고 한다.
> (나) 선박에 의해 외래 동식물이 국내로 유입되어 기존 생태계가 교란되는 문제가 발생하고 있다.

보기
ㄱ. 생태 통로 건설
ㄴ. 선박 평형수 처리 장치 설치
ㄷ. 자동차 배기가스 저감 장치 장착
ㄹ. 해양 오염 물질 배출량 검사 강화

	(가)	(나)		(가)	(나)		(가)	(나)
①	ㄱ	ㄴ	②	ㄴ	ㄹ	③	ㄷ	ㄱ
④	ㄷ	ㄹ	⑤	ㄹ	ㄴ			

06 다음 신문 기사를 통해 파악할 수 있는 내용을 〈보기〉에서 고른 것은?

> 2015년 호남 고속 철도의 개통 이후 수도권에서 광주·전남 지역을 찾는 인구가 늘어났다. 여수와 목포를 찾는 관광객이 증가하고 있으며, 수도권에서 호남권의 각 대학으로 입학하는 신입생도 늘어났다. 이에 따라 호남권에서 고속 철도의 교통 분담률은 3배 이상 급증한 반면, 버스와 항공기의 교통 분담률은 크게 낮아졌다.
> – 「국민일보」, 2016. 3. 31.

보기
ㄱ. 교통 발달에 따라 대도시권이 형성되었다.
ㄴ. 교통 발달에 따라 지역 간 교류가 활발해졌다.
ㄷ. 교통 발달에 따라 특정 교통수단이 쇠퇴하였다.
ㄹ. 교통 발달에 따라 기존의 생태 환경이 악화되었다.

① ㄱ, ㄴ   ② ㄱ, ㄷ   ③ ㄴ, ㄷ
④ ㄴ, ㄹ   ⑤ ㄷ, ㄹ

07 그래프와 같은 현상이 지속될 경우 나타날 사회의 변화 모습으로 옳지 <u>않은</u> 것은?

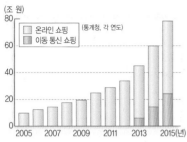
↟ 온라인 및 이동 통신 쇼핑 거래액 변화

① 상품의 유통 단계가 복잡해진다.
② 상품 구입을 위한 이동 거리가 짧아진다.
③ 전자 상거래를 통한 소비 활동이 늘어난다.
④ 상점이 위치하는 장소의 중요성이 작아진다.
⑤ 상품을 포장·보관·분류하는 물류 센터가 증가한다.

08 다음은 공간 정보 기술에 대한 설명이다. 이를 이용한 사례를 〈보기〉에서 고른 것은?

버스 정류장에 설치된 전광판을 보면 버스가 몇 분 후에 도착하는지, 어느 정거장에 위치해 있는지를 알 수 있다. 이는 인공위성이 정해진 지구 궤도를 돌며 보내는 신호를 수신하여 사람과 사물의 위치를 파악하는 공간 정보 기술이다. 우리가 살고 있는 공간은 평면이 아닌 3차원이기 때문에 세 위성의 위치와 수신기 사이의 거리를 계산하여 위치를 파악한다. 하지만 위성에서 보내는 전파의 도달 시간에 오차가 발생하기 때문에 4개 이상의 위성에서 전파를 수신해야 정확한 위치를 알 수 있게 된다.

〈보기〉
ㄱ. 바닷물의 수온을 실시간으로 파악한다.
ㄴ. 쓰레기 매립장의 최적 입지를 선정한다.
ㄷ. 자동차 도착지까지의 최단 경로를 알려준다.
ㄹ. 스마트폰의 지도 프로그램을 실행하여 자신의 위치를 파악한다.

① ㄱ, ㄴ   ② ㄱ, ㄷ   ③ ㄴ, ㄷ
④ ㄴ, ㄹ   ⑤ ㄷ, ㄹ

09 밑줄 친 ㉠과 비교한 ㉡의 특징으로 옳지 <u>않은</u> 것은?

A 씨는 최근에 직장 동료나 친구들과의 직접 만남을 줄이는 대신, 온라인 커뮤니티와 누리 소통망(SNS) 활동을 활발하게 하고 있다. ㉠ 현실 공간과 다른 특성 때문에 ㉡ 가상 공간에서 인간관계를 맺는 것이 훨씬 편하다고 느꼈기 때문이다. 그러나 A 씨는 이러한 인간관계에 종종 회의감을 느끼기도 한다.

① 일상생활에서 시·공간적 제약이 적다.
② 대면 접촉을 통한 인간관계가 증가한다.
③ 지식과 정보의 공유가 빠르게 이루어진다.
④ 자신의 행동에 대한 책임감을 약하게 느낀다.
⑤ 익명성이 보장되어 자신의 신분을 숨길 수 있다.

10 밑줄 친 내용에 찬성하는 입장을 가진 학생을 〈보기〉에서 고른 것은?

'잊힐 권리'는 인터넷 사이트나 누리 소통망(SNS)에 올라 있는 자신과 관련된 각종 정보의 삭제를 요구할 권리를 뜻한다. 2014년 5월 에스파냐의 한 변호사가 신문에 실린 자신과 관련된 기사 링크를 삭제해 달라고 요청한 소송에서 유럽 사법 재판소가 해당 기사의 링크를 없애라며 잊힐 권리를 인정하는 판결을 내렸다. 이후 전 세계적으로 잊힐 권리 도입을 위한 논의가 활발해졌고, 국내에서도 이를 법제화해야 한다는 여론이 형성되었다. 이미 한국 인터넷 진흥원의 설문에서도 인터넷 이용자의 63.7%가 '잊힐 권리가 필요하다.'라고 응답한 것으로 조사되었다.
– 「조선일보」, 2016. 9. 28.

〈보기〉
갑: 개인 정보에 대한 자기 결정권을 존중해야 합니다.
을: 흉악범이 과거 행적을 지우는 등 신분 세탁에 이용하는 것을 막아야 합니다.
병: 공익과 관련한 게시물을 삭제할 경우 국민의 알 권리를 침해할 소지가 있습니다.
정: 개인 정보 유출과 사생활 침해로부터 인권을 보호할 수 있는 최소한의 상지를 만들어야 합니다.

① 갑, 을   ② 갑, 정   ③ 을, 병
④ 을, 정   ⑤ 병, 정

11 다음은 지역의 공간 변화를 조사하기 위한 계획이다. 각 조사 항목에 따른 조사 방법에 대해 옳게 답변한 학생은?

〈지역 조사 계획〉

• 조사 주제: 지역의 공간 변화가 초래한 양상과 문제점을 파악한다.
• 조사 지역: △△시 □□구 ○○동과 그 주변을 흐르는 ☆☆천 일대

학생	조사 항목	조사 방법
갑	인구 변화	
을	생태 환경의 변화	
병	산업 구조의 변화	
정	토지 이용과 경관 변화	
무	주민들의 인간관계 및 가치관 변화	

① 갑: ☆☆천 현장에서 사진을 촬영했어요.
② 을: ○○동 초등학생을 대상으로 면담을 실시했어요.
③ 병: □□구 누리집에서 직업별 종사자 수를 조사했어요.
④ 정: △△시청을 방문하여 교육 통계 연보를 받아왔어요.
⑤ 무: 국토 지리 정보원에서 항공 사진과 위성 영상을 수집했어요.

12 그래프는 □□시 주민들의 직업 변화를 나타낸 것이다. 이를 통해 지역의 공간 변화를 옳게 추론한 것은?

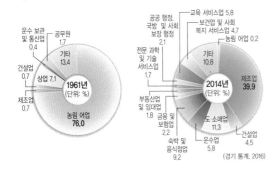

① 전출 인구가 증가하였을 것이다.
② 녹지 면적의 비율이 높아졌을 것이다.
③ 1960년 이전부터 도시화가 진행되었을 것이다.
④ 지역 내 총생산에서 1차 산업의 비중이 커졌을 것이다.
⑤ 3차 산업에 종사하는 사람이 가장 많이 늘어났을 것이다.

서술형 문제

● 정답친해 25쪽

01 신문 기사를 읽고 ㉠에 따라 ㉡에서 나타날 생활 공간의 변화와 생활 양식의 변화를 각각 서술하시오.

전라남도는 1996년부터 주민이 살고 있는 섬 273개를 교량으로 잇는 ㉠연륙·연도교 사업을 펼치고 있다. 2020년까지 103개의 연륙·연도교를 건설하는데, 연륙·연도교의 교량 길이만 118.9km이다. 이 사업이 끝나면 ㉡전라남도의 섬 지역은 대부분 육지와 연결된다. ─ 「세계일보」, 2013. 7. 6.

(길잡이) 새로운 교통로나 교통 시설이 건설된 지역에서 나타날 변화에 대해 서술한다.

02 다음 자료를 보고 물음에 답하시오.

1949년 영국의 조지 오웰이 쓴 소설 『1984』에는 독재자 '빅브라더'가 등장한다. '빅브라더'는 정보 기술을 지배 도구로 이용하여 국민을 감시하고 통제한다. 오늘날 폐회로 텔레비전(CCTV)은 범죄를 예방하지만, ____(가)____ 와 같은 문제가 나타나기도 한다.

(1) (가)에 들어갈 문제점을 쓰시오.

(2) (가)와 같은 문제를 해결하기 위한 방안을 사회적 차원과 개인적 차원에서 각각 한 가지씩 서술하시오.

(길잡이) 정보화에 따른 개인 정보 유출, 감시와 통제 강화 등의 문제를 어떻게 해결할 것인지 서술한다.

1 지도에 제시된 계획이 실행되었을 경우 나타날 변화에 대한 옳은 추론을 〈보기〉에서 고른 것은?

▶ 교통 발달에 따른 공간 변화

제3차 국가 철도망 구축 계획

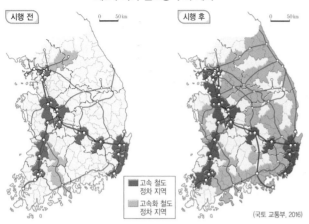

시행 전   0 50 km   시행 후   0 50 km

■ 고속 철도 정차 지역
□ 고속화 철도 정차 지역

(국토 교통부, 2016)

보기
ㄱ. 대도시의 통근·통학권이 좁아질 것이다.
ㄴ. 지역 간 평균 이동 시간이 늘어날 것이다.
ㄷ. 철도 교통의 여객 수송 분담률이 증가할 것이다.
ㄹ. 다른 지역에서 동해안 지역으로의 접근성이 향상될 것이다.

① ㄱ, ㄴ   ② ㄱ, ㄷ   ③ ㄴ, ㄷ
④ ㄴ, ㄹ   ⑤ ㄷ, ㄹ

2 다음 글을 통해 파악할 수 있는 내용으로 가장 적절한 것은?

▶ 교통 발달에 따른 문제점

완자샘의 시험 꿀팁
고속 철도의 개통이 서울과 부산에 각각 어떤 영향을 주었는지 긍정적 측면과 부정적 측면에서 파악해 본다.

> 부산역은 고속 철도의 개통에 힘입어 부산 여행의 관문으로 확실히 자리매김하였다. 내국인은 물론이고 일본이나 중국 관광객이 고속 철도를 이용해 서울에서 부산으로 오고 있다. 그러나 의료·문화계에서는 고속 철도의 개통으로 '서울 집중'이 심화하고 있다는 우려의 목소리가 나오고 있다. 이전에는 주민들이 지역의 대학 병원에서 치료를 받았지만, 이제는 서울의 대형 병원으로 옮겨 가는 경우가 많아졌다. 또한 서울에서 열리는 전시회나 공연을 당일치기로 다녀오는 사람들이 늘어났다.

① 철도 교통의 발달로 항공 교통이 쇠퇴하였다.
② 교통의 발달은 지역 간 문화 교류를 활성화한다.
③ 소득이 증가하면서 관광 산업이 빠르게 성장하고 있다.
④ 접근성이 향상된 대도시는 중소 도시의 기능을 흡수하기도 한다.
⑤ 새로운 교통수단을 이용하여 생태 환경 보호에 도움을 주는 경우가 늘어났다.

3 다음은 정보화에 따른 변화에 대한 학생들의 대화이다. 밑줄 친 ⑦~②에 대한 옳은 설명을 〈보기〉에서 고른 것은?

> 정보화에 따른 변화
>
> **│ 한자 사전 │**
> • 누리 소통망(SNS)
> 온라인을 통한 가상 공간에서 인간 관계를 구축·유지하며, 정보를 주고받기 위해 제공되는 서비스

│보기│

ㄱ. ⑦이 활성화되면 택배 산업이 쇠퇴할 가능성이 커진다.
ㄴ. ⓛ을 통해 가상 공간에서 개인의 정치적 의견을 표현할 수 있다.
ㄷ. ⓒ은 시간과 장소에 얽매이지 않고 유연한 형태의 업무가 가능해진다.
ㄹ. ②은 계층 간 정보 기술의 활용 및 정보 기기에 대한 접근도에 차이가 크기 때문에 나타난 현상이다.

① ㄱ, ㄴ ② ㄱ, ㄷ ③ ㄴ, ㄷ
④ ㄴ, ㄹ ⑤ ㄷ, ㄹ

지리 ➕ 사회

4 그래프는 소외 계층의 정보화 수준을 나타낸 것이다. 이에 대한 분석으로 옳지 <u>않은</u> 것은?

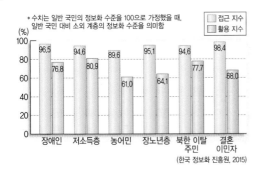

*수치는 일반 국민의 정보화 수준을 100으로 가정했을 때, 일반 국민 대비 소외 계층의 정보화 수준을 의미함
☐ 접근 지수 ☐ 활용 지수

(%)
100
80
60
40
20
0

장애인 96.5 / 76.8
저소득층 94.6 / 80.9
농어민 89.6 / 61.0
장노년층 95.1 / 64.1
북한 이탈 주민 94.6 / 77.7
결혼 이민자 98.4 / 68.0

(한국 정보화 진흥원, 2015)

> 정보화에 따른 문제점
>
> **│ 한자 사전 │**
> • 접근 지수
> 컴퓨터·인터넷 접근에 대한 용이성을 나타낸다.
>
> • 활용 지수
> 컴퓨터·인터넷 사용 시간과 정보 활용 수준을 나타낸다.

① 정보화 수준이 가장 낮은 계층은 농어민이다.
② 모든 소외 계층의 접근 지수는 활용 지수보다 높다.
③ 저소득층은 일반 국민 대비 활용 지수 격차가 가장 작다.
④ 결혼 이민자는 일반 국민 대비 접근 지수 격차가 가장 작다.
⑤ 북한 이탈 주민은 접근 지수와 활용 지수 모두 장애인보다 높다.

01 산업화·도시화에 따른 변화

1. 산업화와 도시화

(1) 산업화·도시화의 발생

산업화	1차 산업 중심에서 2·3차 산업 중심으로 변화
도시화	도시화율 증가, 도시적 생활 양식 확대

(2) 산업화·도시화의 전개

세계	• 선진국: 산업화가 이미 진행됨, 도시화율이 높음 • 개발 도상국: 산업화가 진행되고 있음, 도시화 속도가 빠름
우리나라	1960년대 이후 산업화·도시화가 빠르게 진행됨 → 오늘날 인구의 대부분이 도시에 거주하고, 2·3차 산업에 종사함

2. 산업화·도시화에 따른 생활 공간의 변화

(1) 거주 공간의 변화

도시 내부의 지역 분화	• 도시에 많은 인구와 기능이 집중하여 (❶) 토지 이용이 나타남 • 도시의 규모가 커지면서 도시 내부는 여러 기능에 따라 지역이 분화됨
대도시권의 형성	• 교외화: 도시의 영향력이 커지면서 대도시와 주변 지역이 기능적으로 밀접한 관계를 형성함 • 교통의 발달에 따라 대도시권의 범위가 점차 확대됨 → 직장과 주거지의 거리가 멀어짐 • 근교 촌락이 주거 지역 또는 공업 지역으로 변화함 → 도시적 경관이 확대됨

(2) 생태 환경의 변화

산업화·도시화 이전	산업화·도시화 이후
농경지와 산림 등 자연 상태의 토지 유지 → 녹지 공간의 비중 높음	주택, 공장, 도로 등 인공적인 토지 이용 확대 → 녹지 공간의 비중 감소

3. 산업화·도시화에 따른 생활 양식의 변화

(1) (❷   )의 확산

요인	효율성과 합리성을 추구하는 도시 문화, 자율성과 다양성을 존중하는 분위기 형성, 익명성을 띤 2차적 인간관계 확대
영향	생활에 편리한 교통·상업·여가·문화 시설 이용, 사회적 유대감 약화 → 도시 주변이나 근교 촌락으로 확산

(2) 직업의 분화와 전문화

요인	2·3차 산업 발달 → 직업이 분화하고 직업의 전문성이 증가함
영향	도시 주민들은 다양한 직업에 종사, 직업 간 소득 격차 발생 → 도시 주민들 간의 이질성 증가

(3) 개인주의의 확산

요인	개인의 가치와 성취 및 자유와 권리를 강조하는 개인주의적 가치관 확산
영향	핵가족과 (❸) 가구의 보편화, 개인 간의 경쟁 심화

4. 산업화·도시화에 따른 문제와 해결 방안

구분	문제점	해결 방안
환경 문제	환경 오염 발생, 도시 홍수 위험 증가, 열섬 현상 심화	환경친화적 도시 계획 수립, 녹지 공간 확대, 생태 하천 조성, 도시 농업 장려
주택 문제	주택 부족, 집값 상승, 불량 주택 지역 형성	(❹) 건설, 도시 재개발 사업 추진
교통 문제	교통 혼잡 발생, 도로 및 주차 공간 부족, 교통사고 및 소음 증가	혼잡 통행료 부과, 공영 주차장 확대, 대중교통 수단 확충, 공영 자전거 제도 시행
사회 문제	인간 소외 현상, 공동체 의식 약화 및 이기주의, 사회적 갈등(계층 간 빈부 격차, 지역 간 공간 불평등, 노동 문제) 심화	소외 계층을 위한 사회 복지 제도 확충, 지역 공동체 회복 전략, 국토 균형 발전 추구, 최저 임금제와 비정규직 보호법 마련

02 교통·통신의 발달과 정보화

1. 교통·통신의 발달에 따른 변화

(1) 교통·통신의 발달에 따른 생활 공간의 변화

생활권의 확대	이동 소요 시간 감소, 이동 가능 거리 증가 → 원거리 통근·통학 증가, 대도시권 형성
경제 활동 범위의 확대	대형 선박과 항공기를 이용한 대량의 화물 수송 가능, 전자 상거래의 발달과 무점포 상점의 증가로 상권 확대, 통신망을 활용한 국제 금융 거래 활성화
여가 공간의 확대	고속 철도, 항공기 등을 이용한 장거리 이동이 가능해지면서 국내 및 해외여행 관광객 증가 → (❺) 발달
생태 환경의 변화	교통·통신 시설을 구축하는 과정에서 생태계 파괴 문제가 발생하지만, 교통·통신 수단을 이용하여 생태 환경 보호에 도움을 주기도 함

(2) 교통·통신의 발달에 따른 생활 양식의 변화

풍요롭고 편리한 일상생활	언제 어디서나 필요한 물건을 쉽게 구입할 수 있음, 다양한 정보를 빠르게 주고받을 수 있음
문화 교류의 확대	다른 지역 및 국가의 문화 체험 기회 증가 → 새로운 문화 형성, 전 세계적으로 보편적인 문화 등장

2. 교통·통신의 발달에 따른 문제와 해결 방안

(1) (❻   ) 발생

문제점	• 교통·통신이 발달한 지역은 접근성이 향상되고 교류가 활발해져 지역 경제가 활성화됨 • 교통·통신이 불리한 지역은 인구 및 기능이 유출되면서 지역 경제가 쇠퇴하기도 함
해결 방안	• 교통·통신 기반 시설 구축 → 도로·철도 등 교통로 신설, 역·터미널·공항·항만 등 교통 시설 건설, 대중교통 수단 확충 • 지역 경쟁력 강화, 지역 경제 활성화 방안 마련 → 지방 중추 도시권 육성 사업, 지역 특성을 활용한 지역 축제 개최 등

(2) 생태 환경 파괴

문제점	• 교통수단에서 발생하는 각종 오염 물질 증가 • 교통로 건설에 따른 녹지 면적 감소 • 교통수단을 통해 유입된 외래 생물종에 의한 생태계 교란
해결 방안	• 오염 물질 배출량 검사 강화, 배기가스 저감 장치 기술 개발 • 야생 동물의 이동을 위한 (❼) 건설 • 선박 평형수 처리 장치의 설치 의무화

3. 정보화에 따른 변화

(1) 정보화에 따른 생활 공간의 변화

가상 공간의 등장	인터넷을 통한 업무 및 소비 활동 → 일상생활에서 공간적 제약 감소
공간 정보 기술의 활용	지리 정보 시스템(GIS), 위성 위치 확인 시스템(GPS) → 공공 부문과 일상생활에서 다양하게 활용

(2) 정보화에 따른 생활 양식의 변화

정치·행정 분야	• 가상 공간을 통한 정치 참여 확대 → (❽) 실현 • 인터넷을 이용한 민원 신청, 행정 서류 발급
경제 분야	• 업무 활동의 효율성 증가 → 원격 근무, 화상 회의 등 • 온라인 금융 거래 및 전자 상거래 활성화 → 인터넷 뱅킹, 온라인 쇼핑, 홈 쇼핑 등
사회·문화 분야	• 언제 어디서나 쌍방향 의사소통 가능 → 원격 교육, 원격 진료 서비스 확대 • 다양한 정보 공유 → 문화의 확산, 수평적 인간관계

4. 정보화에 따른 문제와 해결 방안

구분	문제점	해결 방안
인터넷 중독	지나친 인터넷 사용에 따른 대면적 인간관계의 약화, 일상생활에 지장 초래	인터넷 중독 예방 및 치료 프로그램 마련, 인터넷 사용 시간 미리 정하기
사생활 침해	개인 정보 유출, 폐회로 텔레비전(CCTV)이나 휴대 전화 위치 추적 등을 통한 감시와 통제	개인 정보 관리 강화, 보안 프로그램 개발, 관련 법률 마련 및 강화
사이버 범죄	사이버 폭력, 해킹, 프로그램 불법 복제, 전자 상거래 사기, 유해 사이트 운영 등	사이버 범죄 예방 교육 시행, 개인 정보 보호 수칙 준수, 정보 윤리 실천
(❾)	정보 기기의 이용과 정보에 대한 접근에 있어 지역 간, 계층 간, 연령 간 격차 발생	정보 소외 계층을 위한 사회 복지 제도 → 정보 기기 및 소프트웨어 지원, 정보화 교육 실시

03 지역의 공간 변화

1. 지역의 공간 변화

지역의 특성	지역은 산업화와 도시화, 교통·통신의 발달, 정보화의 영향으로 끊임없이 변화함
공간 변화의 요인	토지 이용, 산업 구조, 인구, 생태 환경, 인간관계 및 주민의 가치관 등 다양한 요인을 통해 지역의 공간 변화를 파악할 수 있음

2. 지역 조사

(1) **필요성**: 지역의 공간 변화 파악 → 지역 문제의 원인 분석 및 문제 해결 방안 모색

(2) 지역 조사 과정

조사 주제 및 방법 선정	조사 목적에 맞는 조사 주제와 방법을 정하고 조사 계획을 수립함
지역 정보 수집	(❿)와 야외 조사를 통해 필요한 지역 정보를 수집함
지역 정보 정리 및 분석	수집한 지역 정보를 정리·분석하여 그래프나 통계 지도로 나타냄 지역의 변화 모습과 문제점을 파악함
보고서 작성 및 발표	도출한 결과를 토대로 보고서를 작성하고 발표함

01 다음은 ○○시의 항공 사진을 나타낸 것이다. 이 지역의 공간 변화에 대한 옳은 추론을 〈보기〉에서 고른 것은?

1980년

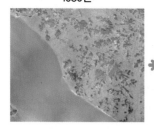

2016년

〈보기〉
ㄱ. 도시적 생활 양식이 확산되었을 것이다.
ㄴ. 농림 어업 종사자 비율이 증가하였을 것이다.
ㄷ. 주택, 공장, 도로 등 인공적인 토지 이용이 확대되었을 것이다.
ㄹ. 주민들 간의 이질성이 증가하여 공동체 의식이 강화되었을 것이다.

① ㄱ, ㄴ　　② ㄱ, ㄷ　　③ ㄴ, ㄷ
④ ㄴ, ㄹ　　⑤ ㄷ, ㄹ

02 산업화·도시화에 따른 거주 공간의 변화에 관한 학습 내용으로 옳은 것에 모두 ○표를 한 학생은?

학습 내용	갑	을	병	정	무
1. 도시에 많은 인구와 기능이 집중하면서 집약적 토지 이용이 나타난다.	○		○	○	○
2. 도시의 규모가 커지면서 도시 내부는 기능에 따라 지역이 분화한다.	○	○		○	
3. 도시의 영향력이 커지면서 도시와 주변 지역이 기능적으로 밀접한 관계를 형성한다.	○	○	○		○
4. 교통의 발달로 도시권의 범위가 점차 확대되고 수거지와 식상의 거리는 가까워신나.				○	○
5. 대도시와 인접한 촌락 지역에는 도시적 경관이 나타나기 시작한다.	○	○	○		

① 갑　② 을　③ 병　④ 정　⑤ 무

03 밑줄 친 ㉠에 비해 ㉡에서 많이 볼 수 있는 도시 경관을 〈보기〉에서 고른 것은?

대체로 도시의 중심에 위치하는 ㉠도심은 접근성이 높고 교통이 편리하며 고층 건물이 밀집되어 있다. 반면, 도시의 ㉡외곽 지역에는 많은 인구를 수용하기 위해 대규모의 주거 단지가 조성되어 있다.

〈보기〉
ㄱ. 백화점　　　　ㄴ. 아파트
ㄷ. 초등학교　　　ㄹ. 대기업의 본사

① ㄱ, ㄴ　　② ㄱ, ㄹ　　③ ㄴ, ㄷ
④ ㄴ, ㄹ　　⑤ ㄷ, ㄹ

04 (가)에 들어갈 내용으로 가장 적절한 것은?

수행 평가 보고서

• 주제: 산업화·도시화에 따른 생활 양식의 변화

• 수집 자료

(단위: %)

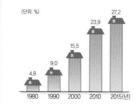

⬆ 1인 가구 비율의 증가

(단위: 개)

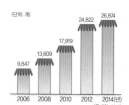

⬆ 편의점 점포 수의 증가

(통계청, 2015)

최근 도시의 1인 가구 비율이 증가하고 있으며, 이와 더불어 편의점의 점포 수도 증가하고 있다. 편의점은 다양한 생활용품과 안전 의약품을 갖추고, 택배 서비스와 간단한 식사까지 제공하여 이용하는 사람이 빠르게 늘어나고 있다.

• 조사 결과: ____(가)____

① 대량 생산 및 대량 소비가 가능해졌다.
② 직업이 분화되면서 다양한 직업이 나타났다.
③ 생활 수준이 향상되면서 여가 활동이 늘어났다.
④ 기계화·자동화로 근로자의 노동 시간이 줄어들었다.
⑤ 효율성과 합리성을 추구하는 도시 문화가 확산되었다.

05 (가), (나)의 밑줄 친 공간이 공통으로 상징하는 현대 사회의 특징으로 가장 적절한 것은?

(가)

"우리는 이 <u>아파트</u>에 거의 3년 동안 살아왔지만, 당신 같은 사람을 본 적이 없소." …… "당신이 나를 한 번도 본 적이 없다고 해서, 그래 이 집주인을 당신 멋대로 도둑놈이나 강도로 취급한다는 말입니까."

(나)

주말 아침, <u>아파트</u>에 사다리차가 들어왔다. 우리 동의 누군가가 이사를 가는 것 같다. 그러나 누가 살았는지, 또 누가 새로 이사를 오는지 나는 알 수가 없다. 다만 소란스럽지 않고 조용한 이웃이면 좋겠다.

① 1인 가구의 증가
② 산업 구조의 고도화
③ 타인에 대한 무관심
④ 지역 간 공간 불평등
⑤ 속도 지향적 가치 확산

06 그래프와 같은 현상이 지속될 경우 나타날 문제점과 그 해결 방안을 옳게 연결한 것은?

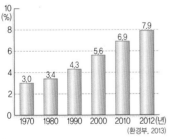

↑ 불투수 면적의 변화

	문제점	해결 방안
①	도시 홍수	신도시 건설
②	도시 홍수	생태 하천 조성
③	열섬 현상	혼잡 통행료 감면
④	열섬 현상	도시 재개발 사업 추진
⑤	생태계 교란	환경 친화적 도시 계획 수립

07 밑줄 친 부분에 들어갈 내용으로 가장 적절한 것은?

대학생 여러 명이 함께 사는 공동 주거 프로젝트가 추진되고 있다. 이는 높은 임대료 때문에 살 곳을 찾기 어려운 청년들의 주거 문제를 해결하는 동시에, 공동생활을 통해 _____ 이 프로젝트로 만들어진 공동 주택은 입주자 모두가 배려와 협력의 자세를 가지고 더불어 살아가는 공간이다.

① 개인주의적 가치관을 확립할 수 있다.
② 환경친화적 도시 계획을 수립할 수 있다.
③ 주택 문제와 교통 문제를 해결할 수 있다.
④ 익명성을 띤 2차적 인간관계를 확대할 수 있다.
⑤ 타인과 더불어 살아가려는 의식을 회복할 수 있다.

08 다음은 어느 학생의 형성 평가지이다. 이 학생이 얻을 점수로 옳은 것은?

형성 평가

여러 가지 도시 문제와 해결 방안에 대한 설명이 맞으면 ○표, 틀리면 ×표를 하시오.

문항	답안
(1) 주택 문제를 해결하기 위해서 공영 자전거 제도를 실시한다.	×
(2) 열섬 현상을 완화하기 위해서 도시 농업을 장려하는 정책을 펼친다.	○
(3) 낙후된 지역의 생활 환경을 개선하기 위해서 도시 재개발 사업을 시행한다.	○
(4) 계층 간 빈부 격차를 줄이기 위해서 소외 계층을 위한 사회 복지 제도를 확충한다.	×
(5) 대도시 집중 문제를 해결하기 위해서 대도시의 기능을 분산시키고 지방 도시를 육성한다.	○

(문항당 2점)

① 2점   ② 4점   ③ 6점   ④ 8점   ⑤ 10점

09 지도는 고속 철도망 구축에 따른 주요 거점 간 이동 시간 변화를 나타낸 것이다. 이로 인해 나타날 현상으로 옳은 것은?

① 철도를 이용하는 승객이 감소할 것이다.
② 부산과 강릉의 지역 간 교류가 줄어들 것이다.
③ 서울에서 강릉을 찾는 관광객이 증가할 것이다.
④ 광주에서 부산으로 가는 항공기가 증편될 것이다.
⑤ 서울을 중심으로 대도시권의 범위가 축소될 것이다.

10 다음은 교통 발달에 따른 지역 변화의 사례들이다. 이를 통해 공통적으로 파악할 수 있는 내용으로 옳은 것은?

> • 과거 부여는 강경과 함께 금강 수운의 중심으로 자리하여 번화가를 이루면서 지역 경제의 중심지 역할을 하였다. 그러나 도로와 철도 등 육상 교통의 발달로 교통 체계가 변화하면서 지역의 중심 기능이 천안, 대전 등지로 이전하였다.
> • 경춘 국도는 한때 서울과 춘천을 잇는 유일한 도로였다. 춘천으로 가는 관광객들의 차량이 몰리면서 국도 주변의 지역 경제가 활성화되었다. 그러나 서울·춘천 간 고속 국도의 개통 이후 경춘 국도의 통행량이 급감하면서 지역 경제가 침체되었다.

① 교통의 발달로 국토 이용의 효율성이 증가하였다.
② 교통수단의 증가로 생태 환경에 변화가 나타났다.
③ 새로운 교통수단이 생기면서 관광 산업이 발달하였다.
④ 새로운 교통로가 등장하면서 기존 교통로 주변 지역이 쇠퇴하였다.
⑤ 대도시의 교통이 발달하면서 중소 도시의 인구와 기능을 흡수하였다.

11 그래프와 같은 변화가 나타나게 된 요인을 〈보기〉에서 고른 것은?

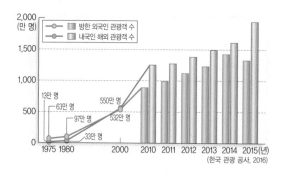

보기
ㄱ. 소득 수준의 향상   ㄴ. 출입국 심사의 강화
ㄷ. 항공 교통의 대중화   ㄹ. 공간 정보 기술의 발달

① ㄱ, ㄴ   ② ㄱ, ㄷ   ③ ㄴ, ㄷ
④ ㄴ, ㄹ   ⑤ ㄷ, ㄹ

12 다음 내용을 통해 파악할 수 있는 정보화에 따른 변화 모습으로 가장 적절한 것은?

> □□시에서는 만성 질환으로 인해 장기 입원이나 통원 치료가 필요하여 학교에 다닐 수 없는 건강 장애 학생들을 위해 사이버 학교를 운영하고 있다. 건강 장애 학생들이 학업을 유지할 수 있도록 교육 기회를 제공하고, 학습 받을 권리를 보장하기 위해서이다. 학생들은 개인용 컴퓨터를 이용해 교사와 얼굴을 보면서 일대일 화상 강의를 들을 수 있다. 교사는 학생의 학습 상태를 점검하여 교육 자료를 제공하고, 학생별 건강 상태와 교육적 요구를 고려하여 수준별 수업을 제공한다.

① 다른 지역과 활발한 문화 교류를 할 수 있다.
② 멀어서 가기 힘들었던 지역도 쉽게 갈 수 있다.
③ 짧은 시간에 많은 정보를 분석·처리할 수 있다.
④ 개인 정보 유출로 사생활 침해 문제가 발생할 수 있다.
⑤ 가상 공간에서 다른 사람과 언제 어디서나 쌍방향으로 의사소통할 수 있다.

13 (가)~(마)에 들어갈 내용으로 적절하지 <u>않은</u> 것은?

정보화로 인한 생활 양식의 변화

- 정치적 측면: (가)
- 행정적 측면: (나)
- 경제적 측면: (다)
- 사회적 측면: (라)
- 문화적 측면: (마)

---

① (가) – 가상 공간을 통한 정치 참여 기회 증가
② (나) – 인터넷을 이용한 민원 신청 보편화
③ (다) – 전자 상거래 활성화로 온라인 및 이동 통신 쇼핑 관련 산업 성장
④ (라) – 비대면 접촉에 의한 인간관계 형성
⑤ (마) – 보편 문화의 형성으로 문화의 다양성 감소

---

14 다음 글에서 강조하는 정보 사회의 문제점을 〈보기〉에서 고른 것은?

> 정보 사회에서 각종 정보와 창작물이 빠르게 퍼져 나가면서 정보의 사적 소유권(저작권)을 둘러싼 다툼이 발생하고 있다. 저작권은 창조에 대한 정당한 대가일까, 아니면 정보의 공유와 발전을 가로막는 방해물일까?

┌─ 보기 ─
ㄱ. 정보의 소유와 통제를 둘러싼 갈등이 심화된다.
ㄴ. 정보의 독점으로 새로운 사회 불평등이 확대된다.
ㄷ. 대면 접촉이 감소하여 인간 소외 현상이 나타난다.
ㄹ. 인터넷 사용을 스스로 조절하지 못하여 일상생활에 큰 지장을 받는 경우가 많아진다.
└─

① ㄱ, ㄴ ② ㄱ, ㄷ ③ ㄴ, ㄷ
④ ㄴ, ㄹ ⑤ ㄷ, ㄹ

---

15 (가), (나)에 해당하는 용어를 옳게 연결한 것은?

> (가) 인공위성이 정해진 지구 궤도를 돌며 보내는 신호를 수신하여 사람과 사물의 위치를 파악하는 공간 정보 기술이다.
> (나) 사회적, 경제적, 지역적, 신체적 여건으로 인해 정보 통신 기기 또는 서비스에 접근하거나 이용할 수 있는 기회에 차이가 생기는 것이다.

	(가)	(나)
①	누리 소통망(SNS)	사이버 폭력
②	지리 정보 시스템(GIS)	정보 격차
③	지리 정보 시스템(GIS)	인터넷 중독
④	위성 위치 확인 시스템(GPS)	정보 격차
⑤	위성 위치 확인 시스템(GPS)	사이버 폭력

---

16 다음은 지역 조사 과정을 나타낸 것이다. A에 들어갈 과정을 〈보기〉에서 골라 순서대로 나열한 것은?

> 자신이 살고 있는 지역을 대상으로 조사 주제와 조사 방법을 정한다.

> A

> 지역의 변화 모습과 문제점을 파악하고, 이를 토대로 보고서를 작성하여 발표한다.

┌─ 보기 ─
ㄱ. 문헌 자료 및 인터넷 검색을 통해 지역 정보를 수집한다.
ㄴ. 현지에서 면담, 설문, 사진 촬영 등을 통해 지역 정보를 수집한다.
ㄷ. 수집한 지역 정보를 정리·분석하여 그래프나 통계 지도로 나타낸다.
└─

① ㄱ → ㄴ → ㄷ   ② ㄱ → ㄷ → ㄴ
③ ㄴ → ㄱ → ㄷ   ④ ㄴ → ㄷ → ㄱ
⑤ ㄷ → ㄴ → ㄱ

인권 보장과 헌법

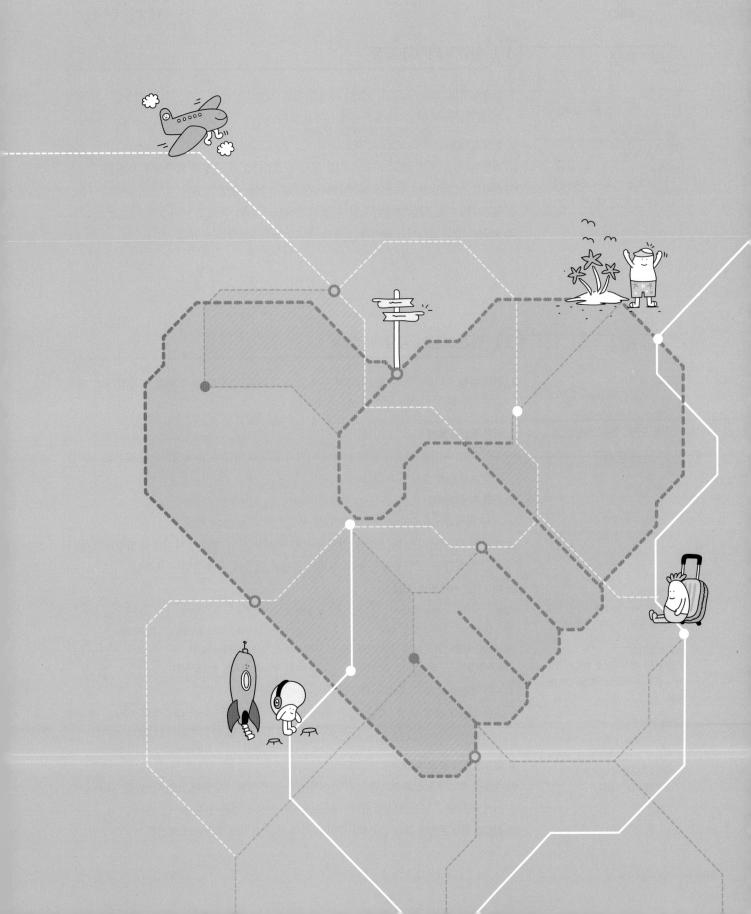

01 인권의 의미와 변화 양상

학습목표
• 인권의 의미와 인권 보장의 역사를 설명할 수 있다
• 다양한 영역으로 확장되고 있는 인권의 사례를 제시할 수 있다.

이것이 핵심!

인권의 특징

보편성	인종·성별 등에 관계없이 누구나 가짐
천부성	태어나면서부터 당연히 갖게 됨
불가침성	다른 사람이 침해할 수 없음
항구성	일정 기간에만 한정되지 않고 영구히 보장됨

1 인권의 의미와 특징

1. 인권의 의미: 모든 인간이 절대적 가치를 지닌 존재로서 오직 인간이라는 이유만으로 자신의 존엄성을 보호받으며 행복하게 살아갈 권리

└─ 인간의 존엄성은 인권을 통해 구체화되며,

2. 인권의 특징 인권 보장을 통해 실현될 수 있어.

(1) **보편성**: 인종·성별·종교·사회적 신분 등에 관계없이 인류 구성원 모두가 가지는 권리

(2) **천부성**: 인간이라면 누구나 태어나면서부터 갖게 되는 당연한 권리

(3) **불가침성**: 다른 사람에게 양도할 수 없고 누구도 침해할 수 없는 권리

(4) **항구성**: 일정 기간에만 한정되는 것이 아니라 영구히 보장되는 권리

이것이 핵심!

인권 보장의 역사

근대 시민 혁명
• 시민의 자유와 권리 보장 요구
• 자유권, 평등권, 참정권 확립

↓

20세기 초반
• 독일 바이마르 헌법 제정
• 사회권의 등장

↓

20세기 중반 이후
• 국제 연합(UN)의 세계 인권 선언 채택
• 연대권의 확립

★ 계몽사상
인간의 합리적 이성에 따라 인간 생활의 진보를 이룰 수 있다고 보는 사상

★ 사회 계약설
사회나 국가가 자유롭고 평등한 개인들의 합의나 계약으로 발생하였다는 학설

★ 저항권
국민의 기본권을 침해하는 국가 권력의 불법적 행사에 대하여 그 복종을 거부하거나 실력 행사를 통하여 저항할 수 있는 국민의 권리

2 인권 보장의 역사 교과서 자료

1. 근대 이전: 엄격한 신분 제도하에서 왕과 소수의 귀족, 성직자 등이 권력을 독점하고, 대부분의 평민들은 부당한 대우와 차별을 받았음

2. 시민 혁명의 발생

(1) **시민 혁명**: 봉건적 신분제에 의한 차별과 절대 군주의 억압에 맞서 시민들이 자유와 권리를 보장받기 위해 일으킨 혁명

(2) **시민 혁명의 배경**

① 사상적 배경: ★계몽사상, ★사회 계약설, 천부 인권 사상 등의 확산

② 역사적 배경: 상공업의 발달 과정에서 부를 축적한 시민 계급이 사회에서 영향력을 행사하기 시작함 → 불평등한 신분제 사회의 차별과 억압에 대한 반발이 표출됨

(3) **대표적인 시민 혁명** 자료①

구분	관련 문서	의의
영국 명예혁명	권리 장전(1689)	국왕의 권력 행사에 의회의 동의를 받도록 규정함
미국 독립 혁명	미국 독립 선언(1776)	천부 인권, ★저항권 등을 규정함
프랑스 혁명	프랑스 인권 선언(1789)	자유권, 재산권, 평등권 등을 규정함

(4) **시민 혁명의 결과**: 자유권과 평등권 중시, 참정권 확립

(5) **시민 혁명의 한계**: 직업, 재산, 성별 등에 따라 선거권이 제한되어 대다수의 사람은 정치에 참여할 권리인 참정권을 행사하지 못함

└─ 꼭! 권리의 주체는 시민(일정 이상의 재산을 가진 성인 남자)에 한정되어 있었어.

3. 참정권 확대 운동 자료②

(1) **참정권 확대 운동의 배경**: 시민 혁명 이후에도 참정권을 제한받던 노동자, 여성, 흑인 등이 참정권 확대 운동을 전개함 예 차티스트 운동, 여성 참정권 운동 등

(2) **참정권 확대 운동의 결과**: 20세기 들어서 거의 모든 사람의 참정권이 보장됨

완자 자료 탐구

내 옆의 선생님

수능이 보이는 교과서 자료 **인권 보장의 역사**

1세대 인권 목록	2세대 인권 목록	3세대 인권 목록
• 신체의 자유	• 근로의 권리	• 자결권
• 사상, 양심, 종교의 자유	• 교육을 받을 권리	• 발전의 권리
• 집회 및 결사, 표현의 자유	• 사회 보장을 받을 권리	• 평화의 권리
• 자유로운 선거를 통해 정부에	• 인간다운 생활을 할 권리	• 재난으로부터 구제받을 권리
참여할 수 있는 권리	• 쾌적한 환경에서 생활할 권리	• 지속 가능한 환경에 대한 권리

인권은 역사적으로 확장된 순서에 따라 1~3세대 인권으로 나누어 볼 수 있다. 시민 혁명 이후 확립된 1세대 인권은 개인의 자유를 보호하기 위해 국가의 개입을 경계하는 자유권 중심의 인권이다. 산업 혁명 이후 등장한 2세대 인권은 사회적 약자의 인간다운 삶을 보장하기 위한 사회권 중심의 인권이다. 두 차례의 세계 대전 이후 등장한 3세대 인권은 인종 차별, 국가 간 빈부 격차 등으로 인권을 누리지 못하는 집단의 인권 보호에 주목하여 전 지구적 차원의 연대와 단결을 강조하는 연대권 중심의 인권이다.

완자샘의 탐구 강의

• 각 세대별 인권의 특징을 정리해 보자.

1세대	개인의 자유를 위해 국가의 개입을 경계하는 시민·정치적 권리
2세대	인간다운 삶을 보장받기 위해 국가의 개입을 요구하는 경제·사회·문화적 권리
3세대	집단의 인권 보호를 위해 협력을 강조하는 연대·단결의 권리

함께 보기 99쪽, 1등급 정복하기 3

자료 1 프랑스 인권 선언 – 인간과 시민의 권리 선언(1789)

- **제1조** 인간은 자유롭게, 그리고 평등한 권리를 가지고 태어난다. —천부 인권, 자유권, 평등권
- **제2조** 모든 정치적 결사의 목적은 그 무엇도 침해할 수 없는 인간의 자연권을 보전하는 데 있다. 그 권리는 자유, 재산, 안전 및 압제에 대한 저항이다. —저항권
- **제3조** 모든 주권의 원천은 본래 국민에게 있다. 어떤 개인이나 단체라 하더라도 국민에게서 나오지 않은 권위를 행사할 수 없다. —국민 주권의 원리
- **제6조** 법은 일반 의지의 표현이다. 모든 시민은 직접 또는 대표를 통해서 법 제정에 참여할 수 있는 권리를 갖는다. —참정권

프랑스 혁명 과정에서 채택된 「프랑스 인권 선언」을 통해 당시 사람들이 국가 권력에서 벗어나 자유롭게 생활할 수 있는 자유권과 부당하게 차별을 받지 않을 평등권을 중시한 것을 알 수 있다.

자료 하나 더 알고 가자!

미국 독립 선언(1776)

모든 사람은 평등하게 태어났고, 창조주는 몇 개의 양도할 수 없는 권리를 부여하였으며, 그 권리 중에는 생명과 자유와 행복의 추구가 있다. 이 권리를 확보하기 위하여 인류는 정부를 조직하였으며, 정부의 정당한 권력은 국민의 동의로부터 유래한다. 어떠한 형태의 정부라도 이러한 목적을 파괴할 때에는 자신의 안전과 행복을 가장 잘 이룩할 수 있는 새로운 정부를 조직하는 것이 국민의 권리이다.

미국은 영국과의 독립 전쟁에서 승리한 후 국민 주권의 원리, 저항권 등이 담긴 독립 선언문을 발표하였다.

자료 2 참정권 확대 운동

↑ 차티스트 운동(1838~1848)

시민 혁명 이후에도 참정권을 보장받지 못했던 영국의 노동자들은 1838년 보통 선거, 비밀 투표 등을 요구하는 차티스트 운동을 전개하였다. 또한 1910년대 영국에서는 여성들이 남성과 동등한 참정권 보장을 요구하는 참정권 확대 운동을 전개하였다. 이러한 노력의 결과 20세기에 이르러 참정권은 보편적 인권으로 자리잡게 되었다.

문제로 확인할까?

영국에서 노동자들이 전개한 참정권 확대 운동으로 옳은 것은?
① 명예혁명
② 산업 혁명
③ 차티스트 운동
④ 여성 참정권 운동
⑤ 데이비슨 경마장 사건

③ 답

★ **연대권**
연대권은 집단 간의 연대를 말하므로 집단권이라고도 한다. 자결권, 발전의 권리, 평화의 권리, 지속 가능한 환경에 대한 권리 등이 연대권에 속한다.

4. 사회권의 등장 자료③

(1) **사회권**: 사람들이 최소한의 인간다운 삶을 누릴 수 있도록 하는 권리

(2) **등장 배경**: 산업 혁명 이후 근로자를 비롯한 사회적 약자는 열악한 근로 조건, 빈부 격차 등으로 최소한의 인간다운 생활조차 유지하기 어려워짐 → 국민의 인간다운 생활의 보장을 국가에 요구할 수 있는 권리인 사회권이 강조됨

(3) **관련 문서**: 독일 바이마르 헌법(1919)에 사회권이 최초로 명시됨

5. *연대권의 등장

(1) **연대권**: 개인이 아닌 민족이나 집단 차원에서 누릴 수 있는 권리

(2) **등장 배경**: 인종 차별, 아동 학대 등으로 인권을 제대로 누리지 못하는 개인과 집단의 인권을 보장하기 위한 인류 공동의 노력이 필요하다는 공감대가 형성됨

(3) **관련 문서**: 세계 인권 선언(1948) → 인권 보장의 국제적 기준을 제시함, 지구촌 구성원 모두의 인권 보장을 위해 함께 노력하는 연대권의 개념이 확립됨 자료④

이것이 **핵심!**

다양한 영역으로 확장되는 인권

주거권	쾌적하고 안정적인 주거 환경에서 인간다운 주거 생활을 할 권리
환경권	건강하고 쾌적한 생활에 필요한 모든 조건이 충족된 양호한 환경을 누리는 권리
안전권	각종 위험으로부터 안전을 보호받을 권리
문화권	공동체의 문화생활에 자유롭게 참여할 권리
잊힐 권리	인터넷에서 유통되는 개인 정보를 당사자가 수정 또는 삭제해 달라고 요청할 권리

★ **문화 소외 계층**
문화생활을 누리기 힘든 계층으로서 농어촌 주민, 노인 등이 이에 해당한다.

③ **다양한 영역으로 확장되는 인권**

1. 인권 확장의 배경: 오늘날 인권 의식이 높아지고 사회가 변화하면서 다양한 영역으로 인권이 확장되고, 인권으로 보장하는 권리의 범위가 넓어지며 그 내용도 구체화됨
┗ 특히 도시 환경의 변화에 따른 사회 문제를 해결하기 위한 주거권, 환경권, 안전권 같은 인권이 강조되고 있어.

2. 현대 사회에서 확장된 인권

(1) **주거권** 자료⑤

의미	쾌적하고 안정적인 주거 환경에서 인간다운 주거 생활을 할 권리
관련 정책	「주거 기본법」을 통해 국민의 주거 환경 정비, 최저 주거 기준 설정 등으로 주거 약자를 보호함

(2) **환경권** ┌ 꼭! 한번 침해되면 회복이 어렵고, 현재 세대뿐만 아니라 미래 세대에까지 영향을 미치기 때문에 환경권의 중요성은 더욱 강조되고 있어.

의미	건강하고 쾌적한 생활에 필요한 모든 조건이 충족된 양호한 환경을 누리는 권리
관련 정책	「환경 정책 기본법」을 통해 국가와 지방 자치 단체, 기업, 국민 개개인의 환경 보전 의무를 법으로 규정함 → 국민의 권리로 보장함과 동시에 의무로 규정함

(3) **안전권**

의미	각종 위험으로부터 안전을 보호받을 권리
관련 정책	「재난 및 안전 관리 기본법」을 통해 국가 및 지방 자치 단체의 재난 안전 관리 정책을 제시함, 「산업 안전 보건법」을 통해 기업의 산업 재해 예방 노력을 유도함

(4) **문화권**

의미	공동체의 문화생활에 자유롭게 참여할 권리
등장 배경	여가 시간의 증대, 지역 문화의 소외 극복에 대한 욕구가 증가함
관련 정책	「문화 예술 진흥법」을 통해 *문화 소외 계층의 문화 예술 복지 정책을 시행함

(5) **잊힐 권리** ┌ vs 잊힐 권리를 남용할 경우 자신에게 유리한 정보만 남겨 다른 사람의 '알 권리'를 침해할 소지가 있어.

의미	인터넷에서 유통되는 개인 정보를 당사자가 수정 또는 삭제해 달라고 요청할 권리
등장 배경	정보 사회의 발달, 개인 정보를 비롯한 민감한 정보들이 다른 사람에게 공개되지 않도록 자기 정보에 대한 결정권을 가져야 한다는 생각이 확산됨

자료 ③ 사회권의 등장

↑ 산업 혁명 당시 빈부 격차를 표현한 그림

↑ 바이마르 헌법(1919)

- 제151조 ① 경제생활의 질서는 모든 사람에게 인간다운 생활을 보장할 것을 목적으로 하는 정의의 원칙에 기초하여야 한다.
- 제163조 ② 모든 국민에게는 노동할 기회가 주어진다. 적절한 일자리를 얻지 못한 국민은 필요한 생계비를 지원받을 수 있다.

산업 혁명이 진행되면서 자본주의가 급격히 발전하였지만 열악한 노동 조건과 낮은 임금, 실업 등의 문제가 발생하여 노동자들의 생존을 위협하기도 하였다. 이러한 상황에서 시민이 자유와 권리를 실질적으로 누리려면 국가가 사회적 약자를 보호해야 한다는 생각이 널리 확산되었다. 이에 따라 1919년 독일 바이마르 헌법에 사회권이 처음으로 명시되었고, 이후 사회권을 규정한 헌법이 세계 각국에서 제정되었다.

문제 로 확인할까?

다음 헌법 조항에 나타난 기본권으로 적절한 것은?

> 제151조 ① 경제생활의 질서는 모든 사람에게 인간다운 생활을 보장할 것을 목적으로 하는 정의의 원칙에 기초하여야 한다.

① 자유권
② 평등권
③ 참정권
④ 사회권
⑤ 연대권

⑦ ④

자료 ④ 세계 인권 선언(1948)

- 제1조 모든 사람은 태어날 때부터 자유롭고, 존엄하며, 평등하다. 모든 사람은 이성과 양심을 가지고 있으므로 서로에게 형제애의 정신으로 대해야 한다.
- 제22조 모든 사람에게는 사회의 일원으로서 사회 보장을 요구할 권리가 있으며, 자신의 존엄성과 자신의 인격의 자유로운 발전에 필수 불가결한 경제·사회·문화적 권리를 실현할 자격이 있다.
- 제28조 모든 사람에게는 이 선언에서 규정된 권리와 자유가 완전히 실현될 수 있는 사회적이고 국제적인 질서를 요구할 권리가 있다.

두 차례의 세계 대전 이후 국제 연합(UN)은 세계 평화와 인권 보호를 위하여 인권의 보편적 기준을 담은 「세계 인권 선언」을 채택하였다. 이 문서는 인권의 보편성, 천부성, 항구성, 불가침성을 확인하고 국가의 인권 보장 책무를 선언하였다.

정리 비법을 알려줄게!

세계 인권 선언(1948)

배경	두 차례의 세계 대전 당시 전쟁, 학살 등 심각한 인권 침해 발생
의의	국가를 초월하여 국제적 차원에서 인권의 개념을 정립하고 인권 문제를 해결하고자 함

자료 ⑤ 주거 기본법

- 제14조(주거 환경의 정비 등) ① 국가 및 지방 자치 단체는 주거 환경을 정비하고 노후 주택을 개량하여 주민의 삶의 질이 개선될 수 있도록 지원하여야 한다.
- 제17조(최저 주거 기준의 설정) ① 국토 교통부 장관은 국민이 쾌적하고 살기 좋은 생활을 하기 위하여 필요한 최소한의 주거 수준에 관한 지표로서 최저 주거 기준을 설정·공고하여야 한다.

주거 기본법은 주거 복지 등 주거 정책의 수립·추진 등에 관한 사항을 정하고 주거 환경 정비, 최저 주거 기준 설정 등을 통해 주거권을 보장함으로써 국민의 주거 안정과 주거 수준의 향상에 이바지한다. └─ 인간다운 생활을 하기 위한 최소한의 주거 수준으로서 면적, 통풍, 방의 개수 등을 내용으로 해.

자료 하나 더 알고 가자!

헌법에 나타난 안전권과 환경권

안전권	제34조 ⑥ 국가는 재해를 예방하고 그 위험으로부터 국민을 보호하기 위하여 노력하여야 한다.
환경권	제35조 ① 모든 국민은 건강하고 쾌적한 환경에서 생활할 권리를 가지며, 국가와 국민은 환경 보전을 위하여 노력하여야 한다.

STEP 1 핵심 개념 확인하기

1 인권의 특성에 대한 설명을 옳게 연결하시오.

(1) 보편성 •　　　　• ㉠ 누구나 누릴 수 있음

(2) 항구성 •　　　　• ㉡ 남으로부터 침해당하지 않음

(3) 천부성 •　　　　• ㉢ 일시적이 아니라 영구히 누림

(4) 불가침성 •　　　　• ㉣ 태어나면서부터 당연히 가짐

2 다음 설명이 맞으면 ○표, 틀리면 ×표를 하시오.

(1) 인권은 사회적 약자만이 가지는 것이다. (　　)

(2) 사회권을 최초로 명시한 문서는 독일 바이마르 헌법이다. (　　)

(3) 시민 혁명을 통해 모든 사람은 참정권을 행사할 수 있게 되었다. (　　)

(4) 연대권은 도시의 주택 부족, 집값 상승, 주거 환경 악화 등에 따라 등장한 인권이다. (　　)

3 다음 설명에 해당하는 인권을 〈보기〉에서 골라 기호를 쓰시오.

보기
ㄱ. 참정권　　　ㄴ. 연대권　　　ㄷ. 안전권

(1) 노동자, 여성 등의 끊임없는 투쟁으로 20세기에 들어와서야 모든 사람이 보장받게 되었다. (　　)

(2) 자신의 인권만이 아니라 지구촌 구성원 모두의 인권 보장을 위해 함께 노력할 것을 강조한다. (　　)

(3) 국가의 재해 예방 의무, 기업의 산업 재해 예방 노력, 개인의 안전 의식 생활화 등을 통해 보장된다. (　　)

4 오늘날 현대 사회에서 강조되기 시작한 인권을 〈보기〉에서 골라 기호를 쓰시오.

보기
ㄱ. 안전권　　　ㄴ. 자유권　　　ㄷ. 주거권
ㄹ. 참정권　　　ㅁ. 평등권　　　ㅂ. 환경권

5 인터넷에서 유통되는 개인 정보를 당사자가 수정 또는 삭제해 달라고 요청할 수 있는 권리는 (　　　　　)이다.

STEP 2 내신 만점 공략하기

01 ㉠에 대한 옳은 설명을 〈보기〉에서 고른 것은?

인간은 누구나 자유롭고 평등하며 인간답게 살 권리가 있다. 즉, 모든 인간은 인간이라면 누구나 가지는 기본적 권리인 (　㉠　)을/를 가진다.

보기
ㄱ. 모든 사람이 동등하게 누리는 권리이다.
ㄴ. 한정된 기간 동안 누릴 수 있는 권리이다.
ㄷ. 법으로 보장되기 이전에 누리는 권리이다.
ㄹ. 필요에 따라 타인에게 양도할 수 있는 권리이다.

① ㄱ, ㄴ　　　② ㄱ, ㄷ　　　③ ㄴ, ㄷ
④ ㄴ, ㄹ　　　⑤ ㄷ, ㄹ

02 (가), (나)에 해당하는 인권의 특징을 옳게 연결한 것은?

(가) 태어나면서부터 갖게 되는 당연한 권리이다.
(나) 국가 권력뿐만 아니라 누구도 결코 침해할 수 없는 권리이다.

	(가)	(나)		(가)	(나)
①	보편성	천부성	②	보편성	불가침성
③	항구성	보편성	④	천부성	항구성
⑤	천부성	불가침성			

03 ☆중요 표는 인권 보장의 역사를 나타낸 것이다. (가)~(라) 시기에 대한 설명으로 옳은 것은?

	(가)		(나)		(다)		(라)	
▲		▲		▲		▲		
시민 혁명		차티스트 운동		산업 혁명		제2차 세계 대전		

① (가) 시기에는 참정권이 보편적 인권으로 자리 잡았다.

② (나) 시기에는 사회적 약자를 보호하기 위한 국가의 적극적인 역할이 강조되었다.

③ (다) 시기에 국가로부터의 자유가 처음 확립되었다.

④ (라) 시기에는 전 지구적 차원에서 연대권이 중시되었다.

⑤ (가) 시기에는 자유권이, (나) 시기에는 사회권이 강조되었다.

04 ㉠에 대한 옳은 설명을 〈보기〉에서 고른 것은?

> 근대 이전의 사회에서는 왕과 귀족 같은 일부 특권층이 권력을 독점하였고, 이들을 제외한 대다수 시민들은 엄격한 신분 제도하에서 부당한 대우와 차별을 받았다. 근대로 접어들어 시민들은 절대 군주에 대항하여 자유와 권리를 보장받기 위해 (㉠)을/를 일으켰다. 그 결과 시민의 권리를 명시한 선언이 발표되었다.

보기

> ㄱ. 자유권과 평등권이 보장되는 계기가 되었다.
> ㄴ. 모든 사람이 정치에 참여할 수 있는 계기가 되었다.
> ㄷ. 계몽사상, 사회 계약설 등의 영향을 받아 발생하였다.
> ㄹ. 국가가 사회적 약자의 인간다운 생활을 보장하는 계기가 되었다.

① ㄱ, ㄴ 　② ㄱ, ㄷ 　③ ㄴ, ㄷ
④ ㄴ, ㄹ 　⑤ ㄷ, ㄹ

05 다음은 수행 평가 보고서의 목차를 정리한 것이다. ㉠~㉢에 해당하는 내용으로 적절하지 <u>않은</u> 것은?

> **수행 평가 보고서**
>
> • 주제: 시민 혁명의 발생
> 1. 시민 혁명의 의미와 배경
> (1) 시민 혁명의 의미
> (2) 시민 혁명의 배경 ·················· ㉠
> 2. 시민 혁명의 전개 및 결과
> (1) 시민 혁명의 전개 ·················· ㉡
> (2) 시민 혁명의 결과 ·················· ㉢
> (3) 시민 혁명의 한계 ·················· ㉣

① ㉠ – 계몽사상, 천부 인권 사상 등이 시민들 사이에 확산되었다.
② ㉡ – 바이마르 헌법을 근거 자료로 제시할 수 있다.
③ ㉡ – 영국의 명예혁명, 미국의 독립 혁명 등이 일어났다.
④ ㉢ – 자유권과 평등권이 보장되기 시작했다.
⑤ ㉣ – 직업, 재산, 성별 등에 따라 선거권이 제한되었다.

06 다음 내용을 토대로 당시의 상황을 옳게 추론한 것은?

> 1838~1848년 영국의 노동자들은 무기명 투표의 실시, 의원의 재산 자격 제도 폐지, 남성의 보통 선거권을 요구하는 사회 운동을 일으켰다.

① 보통 선거의 원칙이 지켜지고 있었다.
② 일부 시민만이 선거권을 행사할 수 있었다.
③ 신분제 사회에 대한 반발이 커져가고 있었다.
④ 누구나 선거에 출마할 자격을 가지고 있었다.
⑤ 국가가 적극적으로 나서서 사회 구성원의 기본적인 생존을 보장하였다.

07 다음과 같은 배경에서 등장한 인권과 그 인권이 최초로 명시된 문서를 옳게 연결한 것은?

> 18세기 산업 혁명 이후 사회적 약자들은 열악한 노동환경, 빈부 격차 등으로 최소한의 인간다운 생활조차 유지하기 어려워졌다. 이에 따라 국가가 나서서 사회적 약자의 인간다운 생활을 보장해야 한다는 요구가 커졌다.

① 자유권 – 세계 인권 선언
② 사회권 – 프랑스 인권 선언
③ 사회권 – 독일 바이마르 헌법
④ 참정권 – 프랑스 인권 선언
⑤ 참정권 – 독일 바이마르 헌법

08 다음 세계 인권 선언에 대한 설명으로 옳지 <u>않은</u> 것은?

> • **제1조** 모든 사람은 태어날 때부터 자유롭고, 존엄하며, 평등하다.
> • **제28조** 모든 사람에게는 이 선언에서 규정된 권리와 자유가 완전히 실현될 수 있는 사회적이고 국제적인 질서를 요구할 권리가 있다.

① 국제 연합(UN)에서 채택하였다.
② 자유권과 평등권을 최초로 규정하였다.
③ 자결권, 연대권 같은 3세대 인권을 명시하였다.
④ 인권 보장을 위한 국제적인 기준을 제시하였다.
⑤ 인권 문제 해결을 위한 인류 공동의 노력을 강조하였다.

09 표는 인권의 확장 과정에서 세대별로 강조된 권리를 정리한 것이다. (가)~(다)에 대한 설명으로 적절하지 <u>않은</u> 것은?

(가)	시민·정치적 권리
(나)	경제·사회·문화적 권리
(다)	연대·단결의 권리

① (가)는 시민 혁명을 통해 보장되기 시작했다.
② (나)는 국가로부터의 자유에 해당한다.
③ (다)는 민족이나 집단 차원에서 누리는 권리이다.
④ (나)는 (가)에 비해 국가의 개입을 어느 정도 필요로 한다.
⑤ (다)는 (나)에 비해 전 지구적 차원의 협력을 강조한다.

10 밑줄 친 ㉠~㉢에 대한 옳은 설명을 〈보기〉에서 고른 것은?

> ㉠ 근대 입헌주의 헌법은 시민 혁명 이후 절대 권력으로부터 개인의 자유와 권리를 보장하기 위해 등장하였다. 이어 등장한 ㉡ 현대 복지 국가 헌법은 ㉢ 자본주의 발달 과정에서 나타난 문제점을 해결하기 위해 등장하였다.

보기
ㄱ. ㉠을 통해 2세대 인권이 보장되기 시작하였다.
ㄴ. ㉡은 프랑스 인권 선언의 영향을 받아 제정되었다.
ㄷ. ㉢의 예로 빈부 격차, 열악한 노동 환경 등을 들 수 있다.
ㄹ. ㉡은 ㉠에 비해 국가의 적극적인 역할을 강조한다.

① ㄱ, ㄴ   ② ㄱ, ㄷ   ③ ㄴ, ㄷ
④ ㄴ, ㄹ   ⑤ ㄷ, ㄹ

11 (가), (나) 사례에서 침해받은 인권을 옳게 연결한 것은?

> (가) 최근 인공조명 탓에 밤에도 대낮처럼 밝아 휴식과 수면을 방해하는 '빛 공해'에 대한 민원이 크게 늘고 있다.
> (나) 타이완의 청년들은 집 한 채를 여러 개의 방으로 쪼갠 타오팡에서 산다. 도쿄에는 방 하나를 몇 칸으로 쪼개 벽장처럼 만든 탈법 셰어하우스가 있다.

	(가)	(나)		(가)	(나)
①	주거권	안전권	②	주거권	환경권
③	환경권	주거권	④	환경권	잊힐 권리
⑤	잊힐 권리	주거권			

[12~13] 다음 조항을 보고 물음에 답하시오.

> • 대한민국 헌법 제22조 ① 모든 국민은 학문과 예술의 자유를 가진다.
> • 세계 인권 선언 제27조 모든 인간은 자유롭게 공동체의 문화생활에 참여하고 예술을 감상하며 과학의 진전과 혜택을 나눠 가질 권리를 갖는다.

12 위 조항에서 공통으로 보장하려는 인권으로 옳은 것은?

① 문화권   ② 안전권   ③ 주거권
④ 환경권   ⑤ 잊힐 권리

13 위 조항에 나타난 인권에 대한 옳은 설명을 〈보기〉에서 고른 것은?

보기
ㄱ. 지역 문화의 소외를 극복하기 위해 등장하였다.
ㄴ. 시민 혁명에서부터 강조되기 시작한 권리이다.
ㄷ. 국민의 권리로 보장함과 동시에 의무의 성격을 가진다.
ㄹ. 우리나라에서는 「문화 예술 진흥법」을 통해 보장하고 있다.

① ㄱ, ㄴ   ② ㄱ, ㄹ   ③ ㄴ, ㄷ
④ ㄴ, ㄹ   ⑤ ㄷ, ㄹ

14 다음 사진에서 침해받은 인권에 대한 설명으로 옳지 <u>않은</u> 것은?

① 한번 침해되면 회복이 어려운 영역이다.
② 도시 환경의 변화로 새롭게 강조되고 있는 권리이다.
③ 우리나라에서는 「환경 정책 기본법」을 통해 보장하고 있다.
④ 지속 가능한 발전을 위해 경제 개발의 억제를 강조한다.
⑤ 우리나라에서는 국민의 권리로 보장함과 동시에 의무로 규정하고 있다.

15 다음 글을 통해 추론할 수 있는 내용으로 가장 적절한 것은?

> 오늘날 우리 사회에서는 자유권, 평등권, 참정권 등 인권의 상당 부분이 실현되고 있다. 그러나 사회적·경제적 환경이 급속히 변화하고 사회가 복잡해지면서 기존의 인권 개념으로는 해결되지 않는 환경 문제, 주거 문제 등의 새로운 문제가 발생하고 있다. 이에 따라 깨끗한 환경, 쾌적한 주거 환경에 대한 시민들의 요구가 증가하고 있다.

① 국가 권력이 축소되어야 인권이 보장된다.
② 인권 보장의 국제적 기준이 규정되어야 한다.
③ 인권 문제 해결을 위한 국제적인 협력이 필요하다.
④ 인권 보장을 위해서는 법의 제정이 선행되어야 한다.
⑤ 사회 변화에 따른 사회 문제를 해결하기 위해 새로운 인권이 강조되고 있다.

☆중요
16 헌법 조항 (가)~(다)에 나타난 인권에 대한 옳은 설명을 〈보기〉에서 고른 것은?

> (가) 국가는 재해를 예방하고 그 위험으로부터 국민을 보호하기 위하여 노력하여야 한다.　　　－ 헌법 제34조 ⑥
> (나) 국가는 주택 개발 정책 등을 통하여 모든 국민이 쾌적한 주거 생활을 할 수 있도록 노력하여야 한다.　　　－ 헌법 제35조 ③
> (다) 모든 국민은 건강하고 쾌적한 환경에서 생활할 권리를 가지며, 국가와 국민은 환경 보전을 위하여 노력하여야 한다.　　　－ 헌법 제35조 ①

보기
ㄱ. (가)와 관련된 기구로는 환경 분쟁 조정 위원회가 있다. ㄴ. (나)와 관련한 법률로는 「주거 기본법」이 있다. ㄷ. (다)는 지역 간 문화 격차 해소와 관련된 권리이다. ㄹ. (가)~(다)에 나타난 권리를 보장하기 위해서는 국가의 적극적인 역할이 필요하다.

① ㄱ, ㄴ　　② ㄱ, ㄷ　　③ ㄴ, ㄷ
④ ㄴ, ㄹ　　⑤ ㄷ, ㄹ

서술형 문제

● 정답친해 32쪽

01 다음과 같은 인권 관련 문서가 채택된 배경을 서술하시오.

> - **제1조** 인간은 자유롭게, 그리고 평등한 권리를 가지고 태어난다.
> - **제2조** 모든 정치적 결사의 목적은 그 무엇도 침해할 수 없는 인간의 자연권을 보전하는 데 있다. 그 권리는 자유, 재산, 안전 및 압제에 대한 저항이다.
> - **제3조** 모든 주권의 원천은 본래 국민에게 있다. 어떤 개인이나 단체라 하더라도 국민에게서 나오지 않은 권위를 행사할 수 없다.

(길잡이) 시민 혁명의 사상적 배경과 역사적 배경을 고려하여 서술한다.

02 다음 글을 읽고 물음에 답하시오.

> 아직도 지구촌 일부 지역에서는 인권을 제대로 누리지 못하는 사람들이 많이 있다. 이들은 각종 차별에 시달리거나 전쟁, 기아, 환경 파괴 등에 의해 심각한 인권 침해를 당하고 있다. 그래서 오늘날에는 여성이나 아동, 장애인, 난민 등 사회적으로 차별받고 있는 사회적 약자의 인권을 보호해야 한다는 인식이 확대됨에 따라 (㉠)이 강조되고 있다.

(1) ㉠에 들어갈 인권을 쓰시오.

(2) ㉠의 주요 내용을 **두 가지** 이상 서술하시오.

(길잡이) 인류 구성원 전체의 인권 보장이 목적임을 고려하여 서술한다.

사회 ➕ 윤리

1 제시된 각 나라의 헌법 조항들을 종합해서 내린 결론으로 가장 적절한 것은?

▸ 인권의 특징

> • **대한민국 헌법 제10조** 모든 국민은 인간으로서의 존엄과 가치를 가지며, 행복을 추구할 권리를 가진다. 국가는 개인이 가지는 불가침의 기본적 인권을 확인하고 이를 보장할 의무를 진다.
> • **이탈리아 헌법 제2조** 공화국은 개인으로서의, 사회 단체의 구성원으로서의 인간의 불가침의 권리를 인정하고 보장한다.
> • **독일 연방 공화국 기본법 제1조** 인간의 존엄성은 침해되어서는 안 되며, 국가는 이 불가침의 원칙을 존중하고 보호할 의무를 지닌다.

① 인권은 어떤 권력이나 제도로도 침해할 수 없다.
② 국력의 차이에 따라 인권 보장의 범위가 달라질 수 있다.
③ 헌법에 열거되지 않은 권리는 인권으로 인정받을 수 없다.
④ 인권은 한 나라의 최고법인 헌법을 통해서만 보장될 수 있다.
⑤ 국가가 개인의 생활에 개입하지 않아야 인권 보장이 실현된다.

수능 응용

2 (가)~(라)에 들어갈 옳은 내용을 〈보기〉에서 고른 것은?

▸ 인권 보장의 역사

완자샘의 시험 꿀팁

인권 보장의 역사에서 나타난 인권 선언이나 헌법, 협약 등의 주요 내용과 한계를 정리해 본다.

> 학습 주제: 근대 시민 혁명
>
> 1. 근대 시민 혁명의 결과
>   • 영국: ____(가)____   • 미국: ____(나)____   • 프랑스: ____(다)____
> 2. 근대 시민 혁명의 한계와 한계 극복 노력
>   • 한계: 재산과 성별 등에 따른 참정권 제한이나 차등 부여
>   • 한계 극복 노력: ____(라)____

보기

ㄱ. (가) – 현대 복지 국가의 법적 근거 마련
ㄴ. (나) – 인권 보호를 위한 국제적인 연대 형성
ㄷ. (다) – 자유권과 평등권이 보장
ㄹ. (라) – 차티스트 운동, 여성 참정권 운동 전개

① ㄱ, ㄴ   ② ㄱ, ㄷ   ③ ㄴ, ㄷ
④ ㄴ, ㄹ   ⑤ ㄷ, ㄹ

3 다음은 수행 평가 문항에 대한 학생의 답안지이다. 이 학생의 점수로 옳은 것은?

표는 인권 보장의 역사를 단계별로 구분한 것이다. 설명이 맞으면 ○표, 틀리면 ✕표를 하시오.

구분	강조된 인권	특징
(가) 1세대 인권	㉠	국가의 개입을 경계하는 권리
(나) 2세대 인권	사회권	인간다운 삶을 보장받기 위해 국가가 적극적으로 개입할 것을 요구하는 권리
(다) 3세대 인권	㉡	차별받는 개인과 집단의 인권 보호에 주목하여 연대와 단결을 강조하는 권리

문항	내용	응답
1	㉠에는 자유권, ㉡에는 연대권이 들어갈 수 있다.	○
2	(가)는 산업 혁명에서부터 강조되기 시작했다.	✕
3	(나)에는 근로의 권리, 쾌적한 환경에서 살 권리 등이 포함된다.	○
4	(다)는 개별 국가 차원에서의 인권 문제 해결을 강조한다.	✕
5	(가)는 (나)에 비해 국가의 적극적인 역할을 필요로 한다.	○

(문항당 1점)

① 1점   ② 2점   ③ 3점   ④ 4점   ⑤ 5점

▶ 인권 보장의 역사

완자쌤의 시험 꿀팁

시대별로 처음 강조되기 시작한 인권의 종류를 구분하고, 각각의 상대적 특성을 묻는 문제가 자주 출제된다.

4 (가), (나)에서 침해받고 있는 인권에 대한 설명으로 옳은 것은?

(가)

집주인이 보증금을 또 올려달라고 해서 이사를 가야 해. 언제쯤 내 집을 마련할 수 있을까.

(나)

요즘 미세 먼지와 황사 때문에 대기의 질이 많이 나빠졌어. 실외에서 편하게 숨을 쉴 수가 없어.

① (가)는 차티스트 운동을 통해 보장되기 시작하였다.
② (가)는 국가 권력의 간섭으로부터 자유로울 권리이다.
③ (나)는 어떠한 경우에도 제한될 수 없다.
④ (가)는 (나)와 달리 사회적 약자의 인간다운 생활 보장을 목적으로 한다.
⑤ (가)와 (나) 모두 급격한 도시화에 따른 문제점을 해결하는 과정에서 중시되었다.

▶ 현대 사회에서 확장된 인권

| 완자 사전 |

• 도시화
도시에 거주하는 인구의 비율이 높아지거나 도시적 생활 양식이 확대되는 현상

02 헌법의 역할과 시민 참여

학습목표
• 인권 보장을 위한 헌법상의 제도적 장치를 설명할 수 있다.
• 시민 참여의 필요성과 시민 불복종의 정당화 요건을 설명할 수 있다.

이것이 핵심!

기본권의 종류

자유권	국가 권력의 간섭을 받지 않고 자유롭게 생활할 권리
평등권	불합리한 이유로 차별받지 않을 권리
참정권	국가의 의사 결정 과정에 참여할 수 있는 권리
사회권	국가에 인간다운 생활의 보장을 요구할 수 있는 권리
청구권	침해된 기본권을 구제하도록 요구할 수 있는 권리

★ **청원권**
국민이 국가 기관에 대하여 일정한 사항을 문서로써 진정하는 권리

★ **입헌주의**
통치 및 공동체의 모든 생활이 헌법에 따라 이루어져야 한다는 원리

★ **복수 정당제**
여러 정당이 자유롭게 활동하게 하여 의견의 다양성, 정권의 평화적 교체 가능성을 보장하는 제도

① 인권 보장을 위한 헌법의 역할

1. 인권과 헌법의 관계: 국가의 최고법인 헌법은 국민의 인권 보장을 위한 법과 제도의 근본적 토대가 됨 → 헌법에 국민의 기본권을 규정하여 국가의 인권 보장 의무를 밝힘

꼭! 헌법은 법체계상 가장 상위법으로, 국가의 통치 조직과 운영 원리를 담고 있어.

2. 헌법으로 보장하는 기본권 [교과서 자료]

자유권	국가 권력의 간섭을 받지 않고 자유롭게 생활할 수 있는 권리 예 신체의 자유, 종교의 자유 등
평등권	불합리한 기준에 의해 차별받지 않을 권리 예 법 앞에서의 평등, 차별 받지 않을 권리 등
참정권	국가의 의사 결정 과정에 참여할 수 있는 권리 예 선거권, 공무 담임권, 국민 투표권 등
사회권	국가에 인간다운 생활의 보장을 요구할 수 있는 권리 예 교육을 받을 권리, 근로의 권리 등
청구권	다른 기본권이 침해되었을 때 이를 구제하도록 요구할 수 있는 권리 예 *청원권, 형사 보상 청구권 등

3. 인권 보장을 위한 제도적 장치 [자료①]

권력 분립 제도	국가 권력을 나누어 각각 다른 기관에 분담시켜 상호 견제와 균형을 이루도록 함으로써 국민의 인권을 보장함
법치주의	국가의 운영이 국회가 제정한 법률에 근거하여 수행되어야 한다는 원리 → 국가 권력을 법에 구속함으로써 국민의 인권을 보장함
기본권 구제 제도	• 헌법 재판소: 헌법 소원 심판과 위헌 법률 심판을 통해 법률이나 공권력이 국민의 기본권을 침해했는지 판단하여 구제함 • 국가 인권 위원회: 일상생활에서 인권 침해가 발생하였을 때 이를 조사하여 구제함
기본권의 제한과 한계	국가 안전 보장, 질서 유지, 공공복리를 위해 필요한 경우에 한하여 법률로써 기본권을 제한할 수 있음 → 제한하는 경우에도 자유와 권리의 본질적인 내용은 침해할 수 없음
기타	*입헌주의, *복수 정당제, 국민 주권의 원리 등

이것이 핵심!

준법 의식과 시민 참여

준법 의식	• 의미: 법이나 규칙을 지키고자 하는 시민들의 의식 • 기능: 사회 질서 유지, 개인의 자유와 권리 보호 등
시민 참여	• 의미: 시민들이 참여 의식을 가지고 정치 과정이나 사회의 공공 문제에 개입하는 행위 • 기능: 정의로운 사회 실현에 기여, 대의 민주주의 보완 등

② 준법 의식과 시민 참여

1. 준법 의식

꼭! 준법 의식이 뒷받침되어야 인권 보호를 위해 마련된 법과 제도가 본연의 기능을 발휘할 수 있어.

(1) **준법 의식:** 법이나 규칙을 지키고자 하는 시민들의 의식

(2) **준법 의식의 기능:** 사회 질서 유지, 개인의 자유와 권리 보호 등

2. 시민 참여

Why? 시민의 감시가 없으면 정책 결정 과정이 불공정하게 이루어지거나, 시민의 권리와 의사에 부합하지 않는 법과 정책이 만들어질 수 있어.

(1) **시민 참여:** 시민들이 참여 의식을 가지고 정치 과정이나 사회의 공공 문제에 개입하는 행위

(2) **시민 참여의 기능:** 정의로운 사회 실현에 기여, 대의 민주주의 보완 등

(3) **시민 참여의 방법:** 선거, 서명 운동, 1인 시위, 이익 집단 및 시민 단체의 활동, 시민 불복종 등

3. 시민 불복종 [자료②]

의미	정의롭지 못한 법이나 정책을 바로잡아 공공의 이익을 지키기 위해 의도적으로 법을 위반하는 행위
정당화 조건	• 개인의 사익이 아닌 사회 정의의 실현을 목표로 하는 양심적 행동이어야 함(목적의 정당성) • 폭력적인 방법은 다수의 동의를 얻기 어려우므로 폭력적인 방법은 배제되어야 함(비폭력성) • 다른 모든 합법적인 방법을 통해 해결되지 않을 때 최후의 수단으로 시도해야 함(최후의 수단) • 위법 행위에 대한 처벌을 감수함으로써 법을 존중하고 있음을 분명히 해야 함(처벌 감수)

완자 자료 탐구

헌법으로 보장하는 기본권

- 제10조 모든 국민은 인간으로서의 존엄과 가치를 가지며, 행복을 추구할 권리를 가진다. 국가는 개인이 가지는 불가침의 기본적 인권을 확인하고 이를 보장할 의무를 진다.
- 제11조 ① 모든 국민은 법 앞에 평등하다. 누구든지 성별·종교 또는 사회적 신분에 의하여 정치적·경제적·사회적·문화적 생활의 모든 영역에 있어서 차별을 받지 아니한다. — 평등권
- 제12조 ① 모든 국민은 신체의 자유를 가진다. — 자유권
- 제24조 모든 국민은 법률이 정하는 바에 의하여 선거권을 가진다. — 참정권
- 제26조 ① 모든 국민은 법률이 정하는 바에 의하여 국가 기관에 문서로 청원할 권리를 가진다. — 청구권
- 제34조 ① 모든 국민은 인간다운 생활을 할 권리를 가진다. — 사회권

헌법 제10조에 명시된 인간의 존엄과 가치, 행복을 추구할 권리는 모든 기본권이 궁극적으로 지향하는 근본적인 가치이다. 이러한 가치를 바탕으로 우리 헌법은 자유권, 평등권, 사회권, 참정권, 청구권 등 다양한 국민의 기본권을 보장하고 있다.

완자쌤의 탐구 강의

- 헌법 제10조에 어떤 의의가 있는지 써 보자.

인간의 존엄과 가치, 행복 추구권을 불가침의 기본적 인권으로 규정하고, 국민의 기본권 보장을 국가의 의무로 명시하고 있다.

함께 보기 105쪽, 1등급 정복하기 1

꼭! 우리 헌법에서는 '헌법 제37조 ① 국민의 자유와 권리는 헌법에 열거되지 아니한 이유로 경시되지 아니한다.'는 조항을 통해 인간의 존엄을 위해 필요한 권리라면 헌법에 명시되지 않은 기본권도 보장하고 있어.

자료 1 헌법 소원 심판을 통한 기본권 구제

주민 등록 번호는 「주민 등록법」에 변경에 관한 규정이 없어서 바꿀 수 없어요.

개인 정보가 불법 유출됐는데도 바꿀 수 없다구요?

이건 헌법에 보장된 권리를 침해하는 거야. 헌법 소원 심판을 청구해야겠어.

주민 등록 번호 유출 또는 오·남용으로 인한 피해 등에 대해 아무런 고려 없이 번호 변경을 막는 것은 개인 정보 자기 결정권 침해입니다.

헌법 재판소

국민은 국가나 타인으로부터 기본권을 침해받았을 경우 법률에 정해진 절차에 따라 권리 구제를 요구할 수 있다. 이러한 절차를 모두 거치고도 기본권을 구제 받지 못한 경우에는 최종적으로 헌법 재판소에 기본권 구제를 청구할 수 있다.
└ 헌법 재판을 통해 인권을 침해하는 국가 권력의 행사나 법률 규정을 위헌으로 결정하여 인권 보장의 최후의 보루와 같은 역할을 해.

자료 2 시민 불복종 – 간디의 소금법 폐지 운동

1900년대 초반 영국은 식민지인 인도에서의 소금 생산을 금지하고 영국에서 소금을 수입해서 쓰도록 하는 소금법을 만들었다. 이에 저항하여 간디는 소금법 폐지를 요구하며, 그의 지지자들과 함께 평화적 행진을 시작하였다. 영국 경찰의 폭력적인 진압으로 수만 명이 투옥되었지만, 그들은 행진을 멈추지 않았고 결국 영국 정부는 인도에서의 소금 생산을 허용했다.

간디와 그의 지지자들은 부당한 법을 바로잡아 공공의 이익을 지키기 위해 양심에 따라 의도적이면서도 비폭력적으로 법을 거부하는 시민 불복종 운동을 통해 자신들의 인권을 지켜냈다.

자료 하나 더 알고 가자!

권력 분립 제도 관련 헌법 조항

- 제40조 입법권은 국회에 속한다.
- 제66조 ④ 행정권은 대통령을 수반으로 하는 정부에 속한다.
- 제101조 ① 사법권은 법관으로 구성된 법원에 속한다.

우리나라는 입법권은 국회에, 행정권은 정부에, 사법권은 법원에 속하도록 하는 삼권 분립주의를 헌법에 규정하고 있다. 이를 통해 어느 한 기관에 권력이 집중되는 것을 방지하여 국민의 기본권을 보장하고 있다.

문제로 확인할까?

시민 불복종의 정당화 조건으로 옳지 <u>않은</u> 것은?
① 비폭력성
② 비공개성
③ 처벌 감수
④ 최후의 수단
⑤ 목적의 정당성

② 🅑

STEP 1 핵심 개념 확인하기

1 기본권의 종류를 옳게 연결하시오.

(1) 자유권 •　　　　　　　　• ㉠ 교육을 받을 권리

(2) 평등권 •　　　　　　　　• ㉡ 법 앞에서의 평등

(3) 참정권 •　　　　　　　　• ㉢ 선거권, 공무 담임권

(4) 사회권 •　　　　　　　　• ㉣ 신체의 자유, 종교의 자유

(5) 청구권 •　　　　　　　　• ㉤ 청원권, 형사 보상 청구권

2 다음 설명에 해당하는 기본권을 〈보기〉에서 골라 기호를 쓰시오.

┌─ 보기 ─────────────────────────┐
ㄱ. 자유권　　ㄴ. 평등권　　ㄷ. 참정권
ㄹ. 사회권　　ㅁ. 청구권
└──────────────────────────────┘

(1) 국가 권력의 간섭을 받지 않을 권리이다.　　　(　　)

(2) 현대 복지 국가에서 강조되고 있는 권리이다.　(　　)

(3) 다른 기본권을 구제하기 위한 수단적인 권리이다. (　　)

3 (　　　　)는 국가 권력을 나누어 각각 다른 기관에 분담시켜 상호 견제와 균형을 이루도록 함으로써 국민의 인권을 보장하는 제도이다.

4 ㉠, ㉡에 들어갈 내용을 각각 쓰시오.

┌──────────────────────────────┐
국민의 기본권은 국가 안전 보장, (㉠　　　　　), 공공복리를 위해 필요한 경우에 한하여 (㉡　　　　　)로써 제한할 수 있으며, 제한하는 경우에도 자유와 권리의 본질적인 내용은 침해할 수 없다.
└──────────────────────────────┘

5 다음 괄호 안의 내용 중 알맞은 말에 ○표를 하시오.

(1) (헌법 재판소, 국가 인권 위원회)는 일상생활에서 발생한 인권 침해 사례를 조사하고 구제한다.

(2) 시민 불복종은 (준법, 위법) 행위에 대한 처벌을 감수함으로써 법을 존중함을 분명히 해야 한다.

STEP 2 내신 만점 공략하기

01 헌법에 대한 설명으로 옳지 <u>않은</u> 것은?

① 법체계상 가장 상위법이다.

② 국민의 인권을 수호하는 근본적 토대이다.

③ 국가의 통치 조직과 운영 원리를 명시하고 있다.

④ 헌법에 명시되지 않은 기본권은 보장받을 수 없다.

⑤ 우리 헌법은 국민의 인권을 기본권으로 규정하고 있다.

02 ☆중요 다음 헌법 조항에 대한 옳은 설명을 〈보기〉에서 고른 것은?

┌──────────────────────────────┐
제10조 모든 국민은 인간으로서의 존엄과 가치를 가지며, 행복을 추구할 권리를 가진다. 국가는 개인이 가지는 불가침의 기본적 인권을 확인하고 이를 보장할 의무를 진다.
└──────────────────────────────┘

┌─ 보기 ─────────────────────────┐
ㄱ. 국가는 국민의 기본권을 보장할 의무가 있음을 명시한다.

ㄴ. 기본권 침해를 구제하기 위해 필요한 권리를 강조하고 있다.

ㄷ. 모든 기본권이 지향하는 근본 가치를 기본적 인권으로 규정한다.

ㄹ. 모든 국민이 법 앞에서 동등하게 대우받을 권리가 있음을 명시한다.
└──────────────────────────────┘

① ㄱ, ㄴ　　　② ㄱ, ㄷ　　　③ ㄴ, ㄷ

④ ㄴ, ㄹ　　　⑤ ㄷ, ㄹ

03 다음을 내용으로 하는 기본권에 대한 설명으로 옳은 것은?

┌──────────────────────────────┐
• 선거권　　　• 국민 투표권　　　• 공무 담임권
└──────────────────────────────┘

① 어떠한 경우에도 제한할 수 없는 권리이다.

② 다른 기본권 보장을 위한 수단적인 권리이다.

③ 국가의 의사 결정 과정에 참여할 수 있는 권리이다.

④ 국가 권력으로부터 간섭받지 않고 생활할 수 있는 권리이다.

⑤ 국가에 대해 인간다운 생활의 보장을 요구할 수 있는 권리이다.

04 ㉠에 대한 옳은 설명을 〈보기〉에서 고른 것은?

> (㉠)은 어떠한 조건에 상관없이 모든 국민이 평등할 권리로서, 불합리한 기준에 의한 차별을 금지한다.

보기
ㄱ. 국민 주권주의를 실현하는 수단이다.
ㄴ. 우리 헌법에 명시되어 있는 권리이다.
ㄷ. 모든 기본권이 궁극적으로 지향하는 가치이다.
ㄹ. 법 앞에서의 평등, 차별 받지 않을 권리 등이 해당된다.

① ㄱ, ㄴ　　　② ㄱ, ㄷ　　　③ ㄴ, ㄷ
④ ㄴ, ㄹ　　　⑤ ㄷ, ㄹ

05 (가), (나)에 해당하는 기본권에 대한 설명으로 옳지 <u>않은</u> 것은?

> (가) 모든 국민은 인간다운 생활을 할 권리를 가진다.
> (나) 모든 국민은 법률이 정하는 바에 의하여 국가 기관에 문서로 청원할 권리를 가진다.

① (가)는 현대 복지 국가에서 강조되고 있다.
② (나)는 수단적 권리로서의 성격을 갖는다.
③ (가)에는 교육을 받을 권리, (나)에는 청원권이 포함된다.
④ (나)는 (가)와 달리 국가의 적극적인 개입을 통해 보장된다.
⑤ (가)와 (나) 모두 헌법에 명확히 규정된 기본적 인권이다.

06 다음 사례에서 제한된 기본권과 그 제한 사유를 옳게 연결한 것은?

안전띠 착용은 운전자의 의무입니다.

	제한된 기본권	기본권 제한 사유
①	자유권	공공복리를 위하여
②	참정권	공공복리를 위하여
③	청구권	공공복리를 위하여
④	사회권	국가 안전 보장을 위하여
⑤	평등권	국가 안전 보장을 위하여

07 다음 헌법 조항에 대한 옳은 설명을 〈보기〉에서 고른 것은?

> **제37조** ② 국민의 모든 자유와 권리는 국가 안전 보장·질서 유지 또는 공공복리를 위하여 필요한 경우에 한하여 법률로써 제한할 수 있으며, 제한하는 경우에도 자유와 권리의 본질적인 내용을 침해할 수 없다.

보기
ㄱ. 공권력에 의한 임의적인 기본권 제한을 금지하고자 한다.
ㄴ. 국가의 경제적 이익을 위해서는 기본권을 제한할 수 있음을 강조한다.
ㄷ. 기본권 제한의 한계를 규정하여 인권이 함부로 침해되지 않도록 한다.
ㄹ. 국가 권력의 자유로운 행사를 통해 국민의 기본권을 보장하고자 한다.

① ㄱ, ㄴ　　　② ㄱ, ㄷ　　　③ ㄴ, ㄷ
④ ㄴ, ㄹ　　　⑤ ㄷ, ㄹ

08 ㉠의 역할로 옳은 것은?

> 구치소에 수감 중인 갑은 구치소의 제지로 종교 집회에 참석하지 못하였다. 이에 갑은 종교의 자유를 침해받았다며 (㉠)에 헌법 소원 심판을 청구하였다. (㉠)에서는 수용자의 종교 집회를 제한하는 것은 종교의 자유를 과도하게 제한한 것이라며 위헌 결정을 내렸다.

① 국회가 제정한 법률에 근거하여 국가를 운영한다.
② 인권 보장의 최후의 보루와 같은 역할을 수행한다.
③ 국가 권력을 서로 다른 기관이 나누어 갖도록 한다.
④ 두 개 이상의 정당을 인정하고 정당 설립의 자유를 보장한다.
⑤ 일상생활에서 인권 침해가 발생하였을 때 이를 조사하여 구제한다.

09 다음 사례에 나타난 문제점을 해결하기 위한 방안으로 적절한 것을 〈보기〉에서 고른 것은?

한국 법제 연구원이 발표한 「2015 국민 법의식 조사」에 따르면 우리 사회의 준법 정도를 묻는 질문에 대하여 '법이 잘 지켜진다.'는 의견이 49.5%, '법이 잘 지켜지지 않는다.'는 의견이 50%인 것으로 나타났다. 법이 잘 지켜지지 않는다는 의견을 낸 응답자를 대상으로 그 이유를 물은 결과, '법대로 살면 손해를 보니까'라는 응답이 42.5%로 가장 높았고, '법을 지키지 않는 사람이 더 많아서'라는 응답이 18.9%로 나타났다.

〈보기〉
ㄱ. 법이 자주 변경되지 않도록 해야 한다.
ㄴ. 법을 어기는 사람에 대해서는 엄격하게 처벌한다.
ㄷ. 법을 제정하는 과정에서 시민의 참여를 제한한다.
ㄹ. 법을 잘 지키는 사람에 대한 보상 제도를 마련한다.

① ㄱ, ㄴ 　② ㄱ, ㄷ 　③ ㄴ, ㄷ
④ ㄴ, ㄹ 　⑤ ㄷ, ㄹ

10 ⊙에 대한 설명으로 옳은 것은?

정부가 시민의 의사를 무시하고 부당한 정책 결정을 함으로써 정책이 시민의 의사와 근본적으로 배치된다면, 그러한 정책 결정은 정당성을 결여한 것이 된다. 이에 대하여 시민은 주권자로서 최후의 수단으로 (⊙)을/를 행사할 수 있다.

① 폭력적인 수단도 사용할 수 있다.
② 개인이 이익 추구를 목적으로 한다.
③ 다른 수단 이전에 시도해 보아야 한다.
④ 합법적인 제도와 병행하여 행사해야 한다.
⑤ 위법 행위에 대한 처벌을 감수함으로써 법을 존중하고 있음을 분명히 해야 한다.

서술형 문제

● 정답친해 34쪽

01 다음 글을 읽고 물음에 답하시오.

• (가)는 국가 권력의 간섭을 받지 않고 자유롭게 생활할 수 있는 권리이다. 신체의 자유, 종교의 자유, 양심의 자유, 재산권 행사의 자유 등이 있다.
• (나)는 국가에 대하여 인간다운 생활의 보장을 요구할 수 있는 권리이다. 교육을 받을 권리, 근로의 권리, 사회 보장을 받을 권리, 쾌적한 환경에서 살 권리 등이 있다.

(1) (가), (나)에 해당하는 기본권을 쓰시오.

(2) (가)에 대한 (나)의 상대적 특징을 서술하시오.

(길잡이) 각 기본권 보장을 위한 국가의 역할을 비교하여 서술한다.

02 밑줄 친 내용을 헌법에 명시한 이유를 서술하시오.

제37조 ② 국민의 모든 자유와 권리는 국가 안전 보장·질서 유지 또는 공공복리를 위하여 필요한 경우에 한하여 법률로써 제한할 수 있으며, 제한하는 경우에도 자유와 권리의 본질적인 내용을 침해할 수 없다.

(길잡이) 기본권 제한의 한계를 둠으로써 실현하고자 하는 것을 고려하여 서술한다.

03 밑줄 친 부분은 시민 불복종의 정당화 조건 중 어느 것을 충족하는지 쓰고, 그 이유를 서술하시오.

1950년대 미국 앨라배마주 몽고메리 시의 버스는 백인과 흑인의 좌석이 구분되어 있었다. 1955년 로사 파크스라는 흑인 여성이 백인 좌석에 앉았다가 백인에게 자리를 양보하라는 요구를 거부했다는 이유로 경찰에 체포되었다. 이에 흑인들은 버스 탑승 거부 운동으로 저항했다.

(길잡이) 시민 불복종 행위의 목적을 고려하여 서술한다.

STEP 3 1등급 정복하기

수능 응용

1 다음 자료에 대한 설명으로 옳지 <u>않은</u> 것은?

> 헌법은 국민의 기본권과 이를 보장하기 위한 국가 기관의 구성과 운영을 규정한 근본 규범으로 ㉠ 최고 규범성을 가진다. 따라서 ㉡ 민주 국가는 헌법에 따라 구성되고 운영되어야 한다. 또한 우리 헌법에서는 다음과 같은 기본권을 보장하고 있다. (가)는 근대 자본주의의 모순을 극복하고 국가에 대하여 인간다운 생활의 보장을 요구할 수 있는 기본권이다. 한편, (나)는 국가의 의사 결정 과정에 국민이 참여할 수 있는 근거가 되는 기본권이다.

① ㉠에 따라 헌법의 하위 법령은 헌법에 위배될 수 없다.
② 국민의 기본권 보장은 ㉡의 목적에 해당한다.
③ (가)의 예로는 교육을 받을 권리, 근로의 권리 등이 있다.
④ (가)는 모든 국민의 실질적 평등을 실현하기 위한 적극적 권리이다.
⑤ (나)는 (가)와 달리 국가의 존재를 전제 조건으로 한다.

| 완자 사전 |

* **최고 규범**
모든 법령의 제정 근거인 동시에 법령의 정당성을 평가하는 기준이 되는 규범

교육청 응용

2 다음 사례를 시민 불복종의 정당화 조건에 비추어 볼 때 옳은 진술을 〈보기〉에서 고른 것은?

> 1900년대 초반, 인도를 지배하던 영국은 인도인의 소금 채취를 금지하고 소금세를 과도하게 부과하는 소금법을 시행하였다. 소금에 붙는 세금이 너무 비싸 소금을 사 먹지 못하는 상황이 벌어지자 간디는 영국 정부에 소금법 폐지를 요구하였다. 그러나 이러한 요구는 받아들여지지 않았고, 이에 대한 저항의 표시로 간디는 제자들과 함께 '소금 행진'을 시작하였다. 약 1개월 동안의 행진 끝에 해안가에 도착한 간디는 제자들과 함께 바닷물로 소금을 만들기 시작하였다. 영국 경찰의 진압으로 약 6만여 명이 투옥되었지만, 그들은 소금 만드는 것을 멈추지 않았고, 결국 영국 정부는 소금법을 폐지하였다.

보기
ㄱ. 특정 집단의 이익을 위한 행위였으므로 정당하다.
ㄴ. 평화적 행진으로서 저항하였다는 점에서 정당하다.
ㄷ. 법을 위반한 것에 대한 처벌을 거부하였으므로 정당하다.
ㄹ. 정의롭지 못한 법을 바로잡기 위한 저항이었으므로 정당하다.

① ㄱ, ㄴ   ② ㄱ, ㄷ   ③ ㄴ, ㄷ
④ ㄴ, ㄹ   ⑤ ㄷ, ㄹ

완자샘의 시험 꿀팁

시민 불복종의 정당화 조건을 충족하는지 파악해 본다.

인권 문제의 양상과 해결

학습목표

• 사회적 소수자 차별 문제, 청소년 노동권 문제에 대해 알 수 있다.
• 세계의 다양한 인권 문제를 알고, 해결 방안을 제시할 수 있다.

이것이 **핵심!**

사회적 소수자 문제 해결 방안

개인적 차원	• 사회적 소수자에 대한 편견 극복 • 사회적 소수자를 이해하고 다양성을 존중하는 자세 함양
사회적 차원	• 사회적 소수자를 차별하는 법률 정비 • 지속적인 교육과 의식 개선 활동 지원

★ 노동권
노동자가 노동할 기회, 임금, 근로 시간 등에서 정당한 대우를 받을 권리

① 국내 인권 문제의 양상과 해결

1. 사회적 소수자 차별 문제 (자료①)

(1) **사회적 소수자:** 한 사회에서 신체적·문화적 특징 때문에 다른 구성원에게 차별을 받으며, 스스로 차별받는 집단에 속해 있다는 의식을 가진 사람

(2) **사회적 소수자의 특징** ┌─ 우리나라에서는 장애인, 이주 외국인, 비정규직 노동자, 여성, 노인 등을 사회적 소수자로 보고 있어.

① 규정 기준의 다양성: 성별, 인종, 장애, 국적 등 다양한 기준에 따라 규정됨

② 시·공간적 상대성: 절대적인 수가 적은 사람들을 의미하는 것이 아니라 상황과 여건에 따라 누구나 사회적 소수자로 규정될 수 있음

(3) **사회적 소수자 차별의 문제점:** 인간의 존엄성을 해치고 사회적 갈등을 유발함

(4) **사회적 소수자 차별 문제의 해결 방안**

개인적 차원	• 사회적 소수자에 대한 편견을 극복해야 함 • 사회적 소수자를 이해하고 다양성을 존중할 줄 아는 자세를 가져야 함
사회적 차원	• 사회적 소수자에 대한 차별을 금지하는 정책이나 법률을 마련해야 함 • 지속적인 교육과 의식 개선 활동 등을 지원해야 함

└─ 장애인 의무 고용제, 여성 고용 할당제가 대표적이지.

2. 청소년 *노동권 침해 문제 (교과서 자료)

(1) **청소년 노동권의 침해 양상:** 장시간 노동, 휴식 시간 보장 미흡, 낮은 임금 지급 등

(2) **청소년 노동권 침해 문제의 해결 방안**

개인적 차원	• 청소년은 노동권에 대한 지식을 갖추고, 부당한 대우를 받았을 때 적극적으로 대처해야 함 • 고용주는 준법 의식을 가지고 청소년의 노동권을 보장해야 함
사회적 차원	청소년 노동 관련 법률과 제도를 보완해야 함

이것이 **핵심!**

세계 인권 문제의 양상과 해결 방안

양상	• 빈곤 문제 • 성차별 문제 • 기본권 침해 문제 • 인종 차별 문제 등
해결 방안	• 세계 시민 의식 함양 • 국제적인 연대

★ 세계 시민
지구촌을 하나의 공동체로 인식하여 인류 전체를 이웃으로 생각하고, 국제 사회의 평화와 질서, 안정과 공존을 위한 책임감과 협력 의식을 지닌 시민

② 세계 인권 문제의 양상과 해결

1. 세계의 다양한 인권 문제 (자료②)

빈곤 문제	생존의 위협은 물론 생활 환경, 교육, 직업 등 최소한의 인간다운 생활을 어렵게 함
성차별 문제	남녀 간 임금 격차나 고용 및 승진 등에서의 남녀 차별, 교육 수준이나 정치 참여 기회 등 일상생활의 전반적인 영역에서의 남녀 차별로 나타남
인종 차별 문제	특정 인종에 대한 적대감을 드러내는 배타주의로 나타나며, 다른 인종의 사람들이 자신과 다르거나 열등하다고 여기는 태도에서 비롯됨
기본권 침해 문제	국가 권력이 체제 유지를 목적으로 국민의 일상생활을 지나치게 통제하여 기본권을 침해함

2. 세계 인권 문제의 해결 방안

*세계 시민 의식 함양	인류를 하나의 공동체로 인식하는 세계 시민 의식을 가지고 국제 사회의 인권 문제 해결을 위해 노력해야 함
국제적인 연대	빈곤 국가에 대한 경제적 지원, 국제적인 여론 조성을 통한 인권 개선 유도, 국제법에 근거한 인권 침해 제재 등

꿀! 각국 정부, 국제기구, 국제 비정부 기구 등 다양한 주체가 국제적인 연대를 통해 세계 인권 문제 해결을 위해 노력하고 있어.

완자 자료 탐구

내 옆의 선생님

자료 ① 사회적 소수자에 대한 인권 침해 사례

> 저는 왼쪽 팔의 마비 증세로 지체 장애 3급입니다. 얼마 전 암 보험에 가입하려고 하다 장애가 있다는 이유로 가입을 거부당했습니다. 거의 다 계약되는 것처럼 진행되다가 맨 마지막에 보험 가입자가 장애 3급이라고 하니 담당 직원이 장애인은 암 보험 가입이 불가능하다고 했습니다.
>
> – 국가 인권 위원회

우리나라는 법률과 정책 등을 통해 장애인 차별을 금지하고 있다. 그러나 법률을 마련하는 것만으로 장애인에 대한 차별이 완전히 해소되는 것은 아니므로 사회 구성원들은 사회적 소수자에 대한 편견을 버리고 다양성을 존중하는 자세를 가질 필요가 있다.

정리 | 비법을 알려줄게!

사회적 소수자의 의미와 특징

의미	신체적·문화적 특징 때문에 다른 구성원에게 차별을 받으며, 스스로 차별받는 집단에 속해 있다는 의식을 가진 사람
특징	• 규정 기준의 다양성 • 시·공간적 상대성

수능이 보이는 교과서 자료 청소년 아르바이트 십계명

① 만 15세 이상이어야 근로할 수 있어요.
② 부모님 동의서와 나이를 알 수 있는 증명서가 필요해요.
③ 근로 계약서를 반드시 작성해야 해요.
④ 성인과 같은 최저 임금을 적용받아요.
⑤ 하루 7시간, 일주일에 35시간까지 일할 수 있어요.
⑥ 휴일에 일하거나 초과 근무를 했을 때는 50%의 가산 임금을 받을 수 있어요.
⑦ 일주일을 개근하고 15시간 이상 일을 하면 하루의 유급 휴일을 받을 수 있어요.
⑧ 청소년은 위험한 일이나 유해 업종의 일을 할 수 없어요.
⑨ 일을 하다 다치면 산재 보험으로 치료와 보상을 받을 수 있어요.
⑩ 상담은 청소년 신고 대표 전화 1644-3119로 전화하세요.

– 고용 노동부

청소년이 노동권을 보장받기 위해서는 「근로 기준법」의 주요 내용을 이해하고 이를 바탕으로 근로 계약서를 작성하는 것이 중요하다. 무엇보다도 청소년 근로자는 스스로 자신의 노동권을 제대로 알고, 고용주의 부당한 대우에 적극적으로 대처해야 한다.

완자샘의 탐구 강의

• 청소년 근로자가 노동권을 침해당했을 때 대응 방법을 써 보자.
– 최저 임금보다 낮은 임금을 받거나 임금을 받지 못한 경우: 고용 노동부에 임금 체불 신고
– 휴게 시간이 제대로 주어지지 않는 경우: 적법한 시간만큼의 휴게 시간 요구 가능
– 고용주의 부당한 행위나 요구가 노동권 침해에 해당되는지 판단하기 어려울 경우: 고용 노동부, 국가 인권 위원회, 대한 법률 구조 공단 등을 통한 법률 상담 가능

함께 보기 111쪽, 1등급 정복하기 2

근로 시간이 4시간 이상이면 30분, 8시간 이상이면 1시간의 휴게 시간이 보장되어야 해.

자료 ② 국제 사회의 성차별 문제

(세계 경제 포럼, 2015)

성 격차 지수
(1에 가까울수록 평등)
0   1
자료 없음

⊙ 세계 성 격차 지수

세계 성 격차 지수는 세계 145개국의 남녀 간 경제 참여 기회, 교육 성취, 정치적 힘, 건강 등 4개 분야 등을 수치화한 후 비교 분석하여 측정한 것이다. 제시된 지도에서 지수가 낮은 지역은 대체로 종교나 사회적 관습에 의한 여성 차별 관행이 남아 있는 지역이다. 이들 지역의 사회 구조와 편견 등이 성차별 문제의 해결을 어렵게 한다.

자료 | 하나 더 알고 가자!

다양한 인권 지수

세계 기아 지수	빈곤의 정도를 나타내는 지수로서, 영양실조 상태인 인구 비율, 5세 이하 아동의 급성·만성 영양 결핍과 사망률 등을 측정함
시민 자유권 지수	국가에 의한 인권 침해를 나타내는 지수로서, 언론 및 출판의 자유, 신체의 자유 등을 측정함
언론 자유 지수	언론의 자유를 나타내는 지수로서, 각국의 정치적 압력·통제, 언론 피해 사례 등을 측정함

1 다음 빈칸에 들어갈 내용을 쓰시오.

(1) 사회적 소수자는 상황과 여건에 따라 규정되는 시·공간적 (   )을 가진다.

(2) (   )이란 근로자가 노동할 기회, 임금, 근로 시간 등에서 정당한 대우를 받을 권리를 의미한다.

(3) 인권 문제를 해결하기 위해서는 지구촌을 하나의 공동체로 인식하고, 인류 전체를 이웃으로 생각하는 (   )을 가져야 한다.

2 다음은 청소년 노동권에 대한 규정이다. 맞으면 ○표, 틀리면 ×표를 하시오.

(1) 1일 7시간, 1주 35시간까지 일할 수 있다.　　(　)

(2) 성인 근로자가 아니므로 최저 임금 미만을 주어도 된다.
　　　　　　　　　　　　　　　　　　　　　(　)

(3) 근로 계약서에는 임금, 근로 시간, 휴식 시간 등이 반드시 포함되어야 한다.　　　　　　　　　　　(　)

3 다음 괄호 안의 내용 중 알맞은 말에 ○표를 하시오.

(1) 사회적 소수자는 성별, 인종, 장애, 국적 등 (다양, 획일)한 기준에 따라 규정된다.

(2) 근로 기준법에 따르면 사용자는 근로 시간이 8시간인 경우에는 (30분, 1시간) 이상의 휴게 시간을 근로 시간 도중에 주어야 한다.

4 다음 내용이 맞으면 ○표, 틀리면 ×표를 하시오.

(1) 빈곤 문제는 최소한의 인간다운 삶을 어렵게 한다.(　)

(2) 특정 인종에 대한 배타주의는 인종 차별 문제로 이어진다.
　　　　　　　　　　　　　　　　　　　　　(　)

(3) 성차별, 아동 노동 등과 같은 인권 문제는 개별 국가의 차원에서만 해결해야 한다.　　　　　　　　(　)

01 ㉠에 대한 옳은 설명을 〈보기〉에서 고른 것은?

> 우리 사회에는 장애인, 이주 외국인, 비정규직 노동자, 여성, 노인 등 다양한 (㉠)이/가 있다. 이들은 사회에 존재하는 불합리한 관행이나 법 제도, 다른 사회 구성원들의 편견으로 인해 교육이나 고용의 기회를 제대로 보장받지 못하는 등 사회생활에 어려움을 겪고 있다.

보기

ㄱ. 다양한 기준에 따라 규정된다.
ㄴ. 사회적·경제적으로 강자의 위치에 있다.
ㄷ. 상황과 여건에 따라 상대적으로 규정된다.
ㄹ. 주류 집단에 비해 구성원의 수가 절대적으로 적은 집단이다.

① ㄱ, ㄴ　　　② ㄱ, ㄷ　　　③ ㄴ, ㄷ
④ ㄴ, ㄹ　　　⑤ ㄷ, ㄹ

02 다음 사례에서 나타난 문제를 해결하기 위한 방안으로 적절하지 않은 것은?

> • 북한 이탈 주민인 A 씨는 탈북 과정에서 정서적 불안을 겪었으며 국내 정착 이후에는 사람들의 차별과 문화적 이질감으로 인해 사회에 적응하지 못하고 있다.
> • 외국인 근로자인 B 씨는 공장에서 하루에 15시간 이상 일을 한다. 쉬는 시간도 없이 이루어지는 고된 노동 때문에 B 씨는 몸이 많이 아프다고 고용주에게 말했지만 오히려 고용주는 더 강도 높은 노동을 강요하였다.

① 사회적 소수자를 위한 지원 센터를 설립·운영한다.
② 사회적 소수자를 보호하는 정책이나 법률을 마련한다.
③ 나와 다른 사람과의 차이를 인정하는 관용의 자세를 가진다.
④ 사회적 소수자가 주류 집단과 문화 동질성을 형성하도록 지원한다.
⑤ 타인의 인권 문제에 관심을 두고 인간은 누구나 존엄하다는 인식을 가진다.

03 다음 글의 필자가 주장하는 사회적 소수자 문제의 해결 방안과 그 성격이 <u>다른</u> 하나는?

오랜 세월에 걸쳐 형성된 사회적 소수자 문제를 해결하기 위해서는 사회적 소수자를 차별하는 법과 제도를 개선해야 한다. 또한 사회적 소수자를 우대하는 정책을 마련하여 사회적 소수자들이 실질적인 평등을 누릴 수 있도록 해야 한다.

① 장애인 의무 고용제를 시행한다.
② 결혼 이민자를 위한 지원 센터를 운영한다.
③ 기업 채용·승진 시 일정량의 인원을 여성에게 배분한다.
④ 사회적 소수자를 동등한 사회 구성원으로 인정하고 존중한다.
⑤ 외국인 근로자의 노동 조건 개선 및 임금 체불 금지에 관한 법률을 제정한다.

04 다음과 같은 법률을 마련한 궁극적인 목적으로 가장 적절한 것은?

• 누구든지 장애 또는 과거의 장애 경력 또는 장애가 있다고 추측됨을 이유로 차별을 하여서는 아니 된다.
• 국가는 외국인 근로자에 대한 상담과 교육, 그 밖에 대통령령으로 정하는 사업을 하는 기관 또는 단체에 대하여 사업에 필요한 비용의 일부를 예산의 범위에서 지원할 수 있다.

① 사회적 소수자의 범위를 줄이기 위해서
② 사회적 소수자의 인권을 보장하기 위해서
③ 사회적 소수자를 엄격히 구분 짓기 위해서
④ 사회적 소수자 차별에 대한 처벌을 강화하기 위해서
⑤ 인권 침해에 대한 구제 절차를 간편하게 하기 위해서

05 다음 사례와 관련한 옳은 법적 판단을 〈보기〉에서 고른 것은?

만 16세인 갑은 부모의 동의하에 편의점 사장인 을과 근로 계약을 체결하여 아르바이트를 하고 있다. 그런데 을은 갑이 초과 근무까지 하며 열심히 일하고 있음에도 불구하고 가게 사정이 어렵다는 핑계로 3개월째 갑에게 임금을 지급하지 않고 있다.

┌─ 보기 ─
ㄱ. 갑은 법적으로 근로할 수 없는 나이이다.
ㄴ. 갑의 초과 근무에 대해 50%의 가산 임금을 받을 수 있다.
ㄷ. 갑은 부모의 동의를 얻어야 을에게 임금을 청구할 수 있다.
ㄹ. 갑은 고용 노동부에 임금 체불 문제를 신고하여 구제받을 수 있다.

① ㄱ, ㄴ ② ㄱ, ㄷ ③ ㄴ, ㄷ
④ ㄴ, ㄹ ⑤ ㄷ, ㄹ

★중요
06 다음은 수행 평가 문항에 대한 학생의 답안지이다. 이 학생의 점수로 옳은 것은?

근로 기준법에 대한 설명이 맞으면 ○표, 틀리면 ×표를 하시오.

문항	내용	답안
1	청소년도 성인과 같은 최저 임금을 적용받는다.	○
2	청소년은 근로 계약 시 부모님의 동의서가 필요하다.	×
3	청소년의 경우 임금은 부모님에게 대신 지급해야 한다.	×
4	청소년의 근로 시간은 원칙적으로 1주일에 35시간을 초과하지 못한다.	×
5	근로 시간이 8시간 이상일 경우 30분 이상의 휴게 시간이 있어야 한다.	○

(문항당 1점)

① 1점 ② 2점 ③ 3점
④ 4점 ⑤ 5점

07 그림은 세계의 성 격차 지수를 나타낸다. 이에 대한 옳은 분석 및 추론을 〈보기〉에서 고른 것은?

(세계 경제 포럼, 2015)

성 격차 지수
(1에 가까울수록 평등)
0 ―――――― 1
□ 자료 없음

보기
ㄱ. 북아프리카 여성의 교육 성취도는 높을 것이다.
ㄴ. 북유럽은 비교적 양성평등이 잘 실현되고 있다.
ㄷ. 지수가 높을수록 남녀 간 임금 격차가 적을 것이다.
ㄹ. 지수가 낮을수록 여성의 정치 참여 기회가 많을 것이다.

① ㄱ, ㄴ   ② ㄱ, ㄷ   ③ ㄴ, ㄷ
④ ㄴ, ㄹ   ⑤ ㄷ, ㄹ

08 다음 문제점을 해결하기 위한 방안으로 적절한 것을 〈보기〉에서 고른 것은?

생명권은 모든 인간의 가장 기본적인 권리이다. 그런데 전 세계적으로 2030년까지 물 부족에 따른 질병과 위생 문제 때문에 사망하는 15세 어린이가 약 5만 명가량 늘어날 것으로 전망하고 있다. 특히 아프리카 남부 지역에서는 많은 사람이 가뭄 때문에 발생한 식량난과 질병으로 고통받고 있다.

보기
ㄱ. 국제기구를 통해 해당 국가에 대한 사회 기반 시설을 지원한다.
ㄴ. 세계 시민 의식을 갖고 개인적으로 해당 국가의 어린이들을 지원한다.
ㄷ. 내정 불간섭의 원칙에 따라 해당 국가 스스로 문제를 해결하도록 한다.
ㄹ. 국제적인 여론 조성을 통해 해당 국가가 국민에 대한 인권 탄압을 중지하도록 한다.

① ㄱ, ㄴ   ② ㄱ, ㄷ   ③ ㄴ, ㄷ
④ ㄴ, ㄹ   ⑤ ㄷ, ㄹ

서술형 문제

● 정답친해 36쪽

01 다음 사례에 나타난 인권 문제가 무엇인지 쓰고, 해결 방안을 두 가지 이상 서술하시오.

○○구 지역 횡단보도의 '시각 장애인용 음향 신호기 부착 실태'에 대해 조사한 결과, 조사 대상 51곳 중 20곳에는 아예 음향 신호기가 부착되어 있지 않은 것으로 나타났다. ○○ 경찰청의 '시각 장애인 음향 신호기 설치 기준'에는 정부 청사나 공공시설 주변에 음향 신호기 설치를 우선하도록 규정하고 있다. 그러나 행정 기관이 밀집한 ○○구마저도 신호기가 부착된 31곳 중 단 1곳을 제외하고는 설치 기준에 맞지 않거나 시각 장애인에 대한 배려가 부족한 것으로 드러났다.

길잡이 사회적 차원과 개인적 차원으로 구분하여 서술한다.

02 다음 글을 읽고 물음에 답하시오.

일부 이슬람 국가에서는 여성의 외부 활동을 엄격히 제한하며, 외출 시에 전신을 가리는 '아바야'를 의무적으로 착용하게 한다. 또한 남편, 아버지 등 남성 가족의 동반 없이는 여성의 자유로운 이동을 금지하고 있다. 또한 여성의 운전면허 취득을 막고, 여성의 올림픽 경기 출전은 물론, 경기장 구경까지 금지하고 있다.

(1) 윗글에 나타난 인권 문제가 무엇인지 쓰시오.

(2) (1)과 같은 인권 문제가 주로 나타나는 지역의 특징을 쓰시오.

길잡이 제시된 인권 문제가 나타나는 원인을 고려하여 서술한다.

STEP 3 1등급 정복하기

평가원 응용

1 (가), (나)에 대한 옳은 설명을 〈보기〉에서 고른 것은?

▶ 사회적 소수자

> (가) 갑은 자국에서는 일류 대학을 졸업한 우수한 인재로서 높은 임금을 받으며 근무했다. 그러나 A국에서는 휴게 시간을 제대로 보장받지 못하는 등 이주 노동자로서 차별을 받고 있다.
>
> (나) 흑인 여성 을은 흑인이 인구의 80%를 차지하고 있는 B국에 살고 있다. 을은 공직에서 근무하기 위한 필기시험에서 높은 점수를 받았지만 면접에서 불합격했다. 권력을 독점한 소수의 백인이 흑인의 공직 참여 기회를 제한하고 있기 때문이다.

보기
ㄱ. (가)는 사회적 소수자가 시·공간에 따라 다르게 규정됨을 보여 준다.
ㄴ. (나)는 사회적 소수자가 집단의 크기에 의해 결정됨을 보여 준다.
ㄷ. (가), (나)를 통해 사회적 소수자의 규정 기준이 다양함을 알 수 있다.
ㄹ. (가), (나)를 통해 사회적 소수자는 태어나면서부터 결정됨을 알 수 있다.

① ㄱ, ㄴ ② ㄱ, ㄷ ③ ㄴ, ㄷ
④ ㄴ, ㄹ ⑤ ㄷ, ㄹ

2 다음은 청소년의 근로 계약서이다. 이에 대한 분석으로 옳은 것은?

▶ 청소년 노동권 침해 문제

완자쌤의 시험 꿀팁

제시된 근로 계약서를 「근로 기준법」에 근거하여 분석해 본다.

근로 계약서

갑(주유소 사장)과 을(만 17세)은 다음과 같이 근로 계약을 체결하고 이를 성실히 이행할 것을 약정한다.

1. 계약 기간: 2018년 7월 10일부터 2018년 8월 25일까지
2. 업무 내용: 주유 및 주변 청소
3. 근무 시간: 오전 9시부터 오후 5시까지
4. 근무일/휴일: 월요일~금요일 / 매주 토요일·일요일 휴무
5. 임금: 협의 (연장 근로 시간에 대해서는 50% 가산하여 지급)

① 을우 부모의 동의 없이 임금을 청구할 수 없다
② 휴게 시간은 을의 근무 시간에 포함되어 있어야 한다.
③ 을의 동의하에 최저 임금 미만으로 시급을 협의할 수 있다.
④ 임금은 협의 사항이므로 근로 계약서에 기재하지 않아도 된다.
⑤ 을의 부모는 을을 대신하여 주유소 사장과 근로 계약을 체결할 수 있다.

01 인권의 의미와 변화 양상

1. 인권의 의미와 특징

의미	인간이라는 이유만으로 자신의 존엄성을 보호받으며 행복하게 살아갈 권리
특징	• (❶): 인종·성별·종교·사회적 신분 등에 관계없이 모든 인간이 가지는 권리 • 천부성: 인간이라면 누구나 태어나면서부터 당연히 갖게 되는 권리 • 불가침성: 다른 사람에게 양도할 수 없고 누구도 침해할 수 없는 권리 • 항구성: 일정 기간에만 한정되는 것이 아니라 영구히 보장되는 권리

2. 인권 보장의 역사

근대 이전	• 왕과 소수의 귀족, 성직자 등 일부 계층이 권력을 독점함 • 대부분의 평민은 엄격한 신분 제도에 가로막혀 부당한 대우와 차별을 받음
(❷)	• 의미: 시민들이 절대 군주에 대항하여 자유와 권리를 보장받기 위해 일으킨 혁명 • 배경: 시민 계급이 계몽사상, 사회 계약설, 천부 인권 사상 등의 영향을 받아 불평등한 신분제 사회의 차별과 억압에 저항함 • 관련 문서: 권리 장전(1689), 미국 독립 선언(1776), 프랑스 인권 선언(1789) → 자유권과 평등권이 보장됨 • 한계: 직업, 재산, 성별 등에 따라 선거권이 제한됨
참정권 확대 운동	• 배경: 시민 혁명 이후에도 모든 사람들이 참정권을 보장받지는 못함 → 참정권 확대 운동 전개 • 결과: 20세기 이후 거의 모든 사람의 참정권이 보장됨
사회권의 등장	• 배경: 산업 혁명 이후 노동자의 열악한 근로 조건, 빈부 격차 확대 등의 문제점 발생 → 최소한의 인간다운 생활 보장을 국가에 요구함 • 관련 문서: 독일 (❸) 헌법(1919)에 최초로 사회권이 최초로 규정됨
연대권의 등장	• 두 차례의 세계 대전 이후 인권을 누리지 못하는 개인과 십난에 대해 각성함 • 관련 문서: 세계 인권 선언(1948) → 인권 보장의 국제적 기준을 제시함, 연대권의 개념을 확립함

3. 다양한 영역으로 확장되는 인권

(1) **인권 확장의 배경**: 인권 의식이 높아지고 사회가 변화함에 따라 인권으로 보장하는 권리의 범위가 넓어지고 그 내용이 구체화됨

(2) **현대 사회에서 확장된 인권**

주거권	• 의미: 쾌적하고 안정적인 주거 환경에서 인간다운 주거 생활을 할 권리 • 관련 정책: 「주거 기본법」을 통해 국민의 주거 환경 정비, 최저 주거 기준 설정 등으로 주거 약자 보호
(❹)	• 의미: 건강하고 쾌적한 생활에 필요한 모든 조건이 충족된 양호한 환경을 누리는 권리 • 관련 정책: 「환경 정책 기본법」을 통해 국가와 지방 자치 단체, 기업, 국민의 환경 보전 의무를 규정함 → 국민의 권리로 보장함과 동시에 의무로 규정함
안전권	• 의미: 각종 위험으로부터 안전을 보호받을 권리 • 관련 정책: 「재난 및 안전 관리 기본법」을 통해 국가 및 지방 자치 단체의 재난 안전 관리 정책을 제시함
문화권	• 의미: 공동체의 문화생활에 자유롭게 참여할 권리 • 등장 배경: 여가 시간의 증대, 지역 문화의 소외 극복에 대한 요구 증가 • 관련 정책: 「문화 예술 진흥법」을 통해 문화 소외 계층의 문화 예술 복지 시책을 강구함
잊힐 권리	• 의미: 인터넷에서 유통되는 개인 정보를 당사자가 수정 또는 삭제해 달라고 요청할 권리 • 등장 배경: 정보 사회의 발달

02 헌법의 역할과 시민 참여

1. 인권 보장을 위한 헌법의 역할

(1) **인권과 헌법의 관계**: 인권은 국가의 최고법인 헌법을 통해 보장됨

(2) **헌법으로 보장하는 기본권**

자유권	국가 권력의 간섭을 받지 않고 자유롭게 생활할 수 있는 권리
평등권	불합리한 기준에 의해 차별받지 않을 권리
참정권	국가의 정치 과정에 참여할 권리
사회권	국가에 인간다운 생활의 보장을 요구할 권리
(❺)	다른 기본권이 침해되었을 때 이를 구제도록 요구할 수 있는 권리

(3) 인권 보장을 위한 제도적 장치

(❻)	국가 권력을 나누어 각각 다른 기관에 분담시켜 상호 견제와 균형을 이루도록 함
법치주의	국가의 운영이 국회가 제정한 법률에 근거하여 수행되어야 한다는 원리
기본권 구제 제도	• 헌법 재판소: 헌법 소원 심판과 위헌 법률 심판을 통해 법률이나 공권력이 국민의 기본을 침해했는지 판단함 • 국가 인권 위원회: 일상생활에서 발생한 인권 침해를 조사하여 구제함
기본권의 제한과 한계	국가 안전 보장, 질서 유지, 공공복리를 위해 필요한 경우에 한하여 법률로써 기본권 제한 가능 → 제한하는 경우에도 자유와 권리의 본질적인 내용은 침해할 수 없음
기타	입헌주의, 복수 정당제, 국민 주권의 원리 등

2. 준법 의식과 시민 참여

(1) 준법 의식

의미	법이나 규칙을 지키고자 하는 시민들의 의식
기능	사회 질서 유지, 개인의 자유와 권리 보호 등

(2) (❼)

의미	시민들이 참여 의식을 가지고 정치 과정이나 사회의 공공 문제에 개입하는 행위
기능	정의로운 사회 실현, 대의 민주주의 보완 등
방법	선거, 서명 운동, 1인 시위, 이익 집단 및 시민 단체의 활동, 시민 불복종 등

3. 시민 불복종

(1) 시민 불복종: 정의롭지 못한 법이나 정책을 바로잡아 공공의 이익을 지키기 위해 의도적으로 법을 위반하는 행위

(2) 시민 불복종의 정당화 조건

(❽)	개인의 사익이 아닌 사회 정의의 실현을 목표로 하는 양심적 행동이어야 함
비폭력성	폭력적인 방법은 다수의 동의를 얻기 어려우므로 폭력적인 방법은 배제되어야 함
최후의 수단	다른 모든 합법적인 방법을 통해 해결되지 않을 때 마지막 수단으로서 시도해야 함
처벌 감수	위법 행위에 대한 처벌을 감수함으로써 법을 존중하고 있음을 분명히 해야 함

---

03 인권 문제의 양상과 해결

1. 국내 인권 문제의 양상과 해결

(1) 사회적 소수자 차별 문제

(❾) 의 의미	한 사회에서 신체적·문화적 특징 때문에 다른 구성원에게 차별을 받으며, 스스로 차별받는 집단에 속해 있다는 의식을 가진 사람
사회적 소수자의 특징	• 규정 기준의 다양성: 성별, 인종, 장애, 국적 등 다양한 기준에 따라 규정됨 • 시·공간적 상대성: 상황과 여건에 따라 누구나 사회적 소수자로 규정될 수 있음
차별의 문제점	인간의 존엄성 훼손, 사회적 갈등 유발
해결 방안	• 개인적 차원: 사회적 소수자에 대한 편견 극복, 다양성을 존중할 줄 아는 자세 함양 • 사회적 차원: 사회적 소수자에 대한 차별을 금지하는 정책이나 법률 마련, 지속적인 교육과 의식 개선 활동

(2) 청소년 노동권 침해 문제

노동권 침해 양상	장시간 노동, 휴식 시간 보장 미흡, 낮은 임금 지급 등
해결 방안	• 개인적 차원: 청소년은 노동권에 대한 지식을 갖추고, 고용주는 준법 의식을 가지고 청소년의 노동권을 보장해야 함 • 사회적 차원: 청소년 노동 관련 법률과 제도 보완

2. 세계 인권 문제의 양상과 해결

(1) 세계의 다양한 인권 문제

빈곤 문제	생존의 위협은 물론 생활 환경, 교육, 직업 등 최소한의 인간다운 생활을 어렵게 함
(❿) 문제	남녀 간 임금 격차나 고용 및 승진, 교육 수준, 정치 참여 기회 등 다양한 영역에서 남녀 차별로 나타남
인종 차별 문제	특정 인종에 대한 배타주의로 나타나며, 다른 인종의 사람이 자신과 다르거나 열등하다고 여김
기본권 침해 문제	국가 권력에 체제 유지를 목적으로 국민의 일상생활을 통제함으로써 기본권을 침해함

(2) 세계 인권 문제의 해결 방안

세계 시민 의식 함양	인류를 하나의 공동체로 인식하는 세계 시민 의식을 가져야 함
국제적인 연대	빈곤 국가에 대한 경제적 지원, 국제적인 여론 조성을 통해 인권 개선 등을 유도할 수 있음

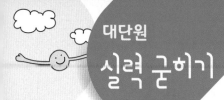

01 인권에 대한 설명으로 옳은 것은?

① 사회적 소수자만이 누릴 수 있는 권리이다.
② 태어나면서부터 당연히 보장받는 권리이다.
③ 헌법의 규정을 통해서만 보장받는 권리이다.
④ 시대와 장소에 따라 차별적으로 보장되는 권리이다.
⑤ 필요에 따라 다른 사람에게 양도할 수 있는 권리이다.

[02~03] 표는 인권의 확장 과정을 세대별로 나타낸 것이다. 물음에 답하시오.

구분	배경	내용
(가)	㉠	신체의 자유, 종교·양심의 자유 등
(나)	산업 혁명으로 인한 열악한 노동 환경, 빈부 격차 등의 문제 발생	㉡
(다)	두 차례의 세계 대전 이후 인권의 중요성 인식	㉢

02 (가)~(다)에 대한 옳은 설명을 〈보기〉에서 고른 것은?

보기
ㄱ. (가)는 인종 차별, 국가 간 빈부 격차 등으로 인권을 누리지 못하는 집단의 인권 보호를 목적으로 한다.
ㄴ. (나)는 국가의 역할을 확대함으로써 보장될 수 있다.
ㄷ. (다)는 전 지구적 차원의 협력을 중시한다.
ㄹ. (다)보다 (가)에서 보장하고 있는 인권의 내용과 범위가 더욱 구체적이다.

① ㄱ, ㄴ ② ㄱ, ㄷ ③ ㄴ, ㄷ
④ ㄴ, ㄹ ⑤ ㄷ, ㄹ

03 ㉠~㉢에 들어갈 내용으로 옳지 않은 것은?

① ㉠ – 신분제 사회에 대한 반발
② ㉠ – 계몽사상, 천부 인권 사상의 확산
③ ㉡ – 근로의 권리
④ ㉢ – 자결권
⑤ ㉢ – 사회 보장을 받을 권리

04 다음은 인권 보장의 역사에서 나타난 문서이다. ㉠~㉤에 대한 설명으로 옳지 않은 것은?

1689년	㉠ 영국 권리 장전
1776년	㉡ 미국 독립 선언
1789년	㉢ 프랑스 인권 선언
1919년	㉣ 독일 바이마르 헌법
1948년	㉤ 세계 인권 선언

① ㉠ – 국왕 중심의 입헌 군주제를 명시하였다.
② ㉡ – 천부 인권과 저항권 등을 규정하였다.
③ ㉢ – 자유권, 재산권, 평등권 등을 명시하였다.
④ ㉣ – 사회권을 처음으로 규정하였다.
⑤ ㉤ – 인권 보장을 위한 국제적 기준을 제시하였다.

05 제시된 사건이 인권의 발달 과정에 공통으로 미친 영향으로 적절한 것은?

• 영국 차티스트 운동(1838) • 흑인 민권 운동(1963)

① 보통 선거 제도가 확립되었다.
② 인권의 국제적 기준을 제시하였다.
③ 인간의 존엄성을 실현하는 데 기여하였다.
④ 봉건적 사회 체제를 무너뜨리는 데 기여하였다.
⑤ 국가가 사회적 약자의 인간다운 삶을 보장하게 되었다.

06 다음은 현대 사회의 인권 ㉠, ㉡을 보장하기 위하여 제정된 법률을 나타낸 것이다. 이에 대한 설명으로 옳지 않은 것은?

구분	법률
㉠	주거 기본법 등
㉡	재난 및 안전 관리 기본법 등

① ㉠은 쾌적하고 안정적인 주거 환경을 누릴 권리이다.
② ㉡은 여가 생활의 증대로 인해 강조되는 권리이다.
③ ㉠, ㉡ 모두 국가의 개입을 필요로 한다.
④ ㉠, ㉡ 모두 사회적·경제적 변화에 따라 새롭게 강조된 권리이다.
⑤ 최저 주거 기준 설정은 ㉠을, 기업의 산업 재해 예방 노력은 ㉡을 실현하기 위한 방안에 해당한다.

07 다음에서 강조하는 인권에 대한 옳은 설명을 〈보기〉에서 고른 것은?

이 권리는 2010년 스페인의 한 변호사가 인터넷에서 자신의 이름을 검색하다 '빚 때문에 집을 내놨다'라는 내용의 검색 결과를 보고 소송을 제기하면서 불거진 이슈다. 당시 유럽 연합(EU) 최고 법원인 유럽 사법 재판소는 "검색 결과에 링크된 해당 웹 페이지의 정보가 합법적인 경우에도 링크를 삭제할 의무가 있다."며 변호사의 손을 들어 줬다. 이후 2012년 유럽 일반 정보 보호 규정(GDPR)에서 처음으로 이 권리에 대한 개념이 공식적으로 나왔다.

– 「뉴스1」, 2016. 2. 19.

보기

ㄱ. 국민의 권리이자 의무의 성격을 가진다.
ㄴ. 시민 혁명에서부터 강조되어 온 권리이다.
ㄷ. 남용될 경우 '알 권리'를 침해할 소지가 있다.
ㄹ. 자기 정보에 대한 결정권을 중시하는 권리이다.

① ㄱ, ㄴ   ② ㄱ, ㄷ   ③ ㄴ, ㄷ
④ ㄴ, ㄹ   ⑤ ㄷ, ㄹ

08 다음과 같은 헌법 조항을 마련한 궁극적인 목적으로 가장 적절한 것은?

- 제8조 ① 정당의 설립은 자유이며, 복수 정당제는 보장된다.
- 제40조 입법권은 국회에 속한다.
- 제66조 ④ 행정권은 대통령을 수반으로 하는 정부에 속한다.
- 제67조 ① 대통령은 국민의 보통·평등·직접·비밀 선거에 의하여 선출한다.
- 제101조 ① 사법권은 법관으로 구성된 법원에 속한다.

① 통치자의 재량권을 확대하기 위함이다.
② 국가의 경제적 이익을 극대화하기 위함이다.
③ 현대에 새롭게 등장하는 권리를 보장하기 위함이다.
④ 국민의 자유와 권리를 충실하게 보장하기 위함이다.
⑤ 개인이 공익에 해를 끼치는 것을 방지하기 위함이다.

[09~10] 다음 대화를 보고 물음에 답하시오.

저는 어린 시절부터 변호사가 되겠다는 꿈을 가졌어요. 드디어 올해 ㉠ 법학 대학원을 졸업하고 변호사의 꿈을 이루었어요.

구청에서 관리하는 공원의 운동 기구를 이용하다가 다쳤어요. ㉡ 국가로부터 적절한 배상을 받았어요.

09 ㉠, ㉡에 나타난 기본권을 옳게 연결한 것은?

	㉠	㉡
①	자유권	평등권
②	자유권	사회권
③	자유권	청구권
④	평등권	사회권
⑤	평등권	청구권

10 ㉠, ㉡에 나타난 기본권에 대한 설명으로 옳은 것은?

① ㉠은 불합리한 차별을 받지 않을 권리이다.
② ㉠은 현대 사회에서 강조되기 시작한 인권이다.
③ ㉡은 차티스트 운동을 통해 보장되기 시작했다.
④ ㉡은 다른 기본권을 보장하기 위한 수단적 권리이다.
⑤ ㉠은 ㉡과 달리 국가의 개입을 필요로 하는 권리이다.

11 다음 설명에 해당하는 제도로 옳은 것은?

국민은 자신의 기본권이 침해당한 경우 법률에 정해진 구제 절차(법원의 재판 등)에 따라 권리 구제를 요구할 수 있다. 이러한 절차를 모두 거치고도 기본권 구제를 받지 못한 경우에는 최종적으로 헌법 재판소에 기본권 구제를 청구할 수 있다.

① 법치주의   ② 입헌주의
③ 복수 정당제   ④ 헌법 소원 심판
⑤ 권력 분립 제도

12 헌법 조항 (가), (나)에 대한 옳은 설명을 〈보기〉에서 고른 것은?

> (가) 국민의 자유와 권리는 헌법에 열거되지 아니한 이유로 경시되지 아니한다.
> (나) 국민의 모든 자유와 권리는 국가 안전 보장, 질서 유지 또는 공공복리를 위하여 필요한 경우에 한하여 법률로써 제한할 수 있으며, 제한하는 경우에도 자유와 권리의 본질적 내용은 침해할 수 없다.

〈보기〉
ㄱ. (가) – 기본권은 헌법에 규정됨으로써 보장받을 수 있다.
ㄴ. (가) – 새롭게 등장한 현대 사회의 인권도 보장하는 근거가 된다.
ㄷ. (나) – 국가는 기본권의 본질적 내용을 침해할 수 있다.
ㄹ. (나) – 기본권 제한의 한계를 규정하여 국민의 기본권을 보장하고자 한다.

① ㄱ, ㄴ ② ㄱ, ㄷ ③ ㄴ, ㄷ
④ ㄴ, ㄹ ⑤ ㄷ, ㄹ

13 다음 글을 읽고 생각해 볼 수 있는 주제로 가장 적절한 것은?

> ○○대로에서 1톤 화물차가 불법 정차해 있던 25톤 화물차를 미처 발견하지 못하고 그대로 들이받아 운전자 A 씨와 A 씨의 9살 난 아들이 크게 다쳤다. 이처럼 도로변에 불법 주정차한 차량이 도로의 흉기가 되고 있다. 불법 주정차는 교통 체증은 물론 운전자와 보행자의 시야를 가려 사고를 유발한다. 나만 편하면 된다는 운전자들 때문에 도로가 제 기능을 상실하고 있다.

① 법 집행의 형평성
② 준법 의식의 필요성
③ 운전면허 시험의 간소화
④ 도로 교통법 위반 시 처벌 정도
⑤ 시민 참여의 중요성과 시민 참여 방법

14 다음 주장에 대한 옳은 분석을 〈보기〉에서 고른 것은?

> 법이나 정책이 항상 바람직한 방향으로 가는 것은 아니다. 시민의 감시가 없으면 정책 결정 과정이 불공정하게 이루어지거나 시민의 권리와 의사에 부합하지 않는 법과 정책이 만들어지기도 한다. 따라서 시민들은 참여 의식을 가지고 정치 과정이나 사회의 공공 문제에 개입할 필요가 있다.

〈보기〉
ㄱ. 시민 참여는 대의 민주주의를 보완하는 방법이다.
ㄴ. 시민의 적극적인 참여는 정의로운 사회 실현에 기여한다.
ㄷ. 시민 불복종과 같은 위법 행위는 시민 참여에 해당되지 않는다.
ㄹ. 시민 참여는 국가 권력을 강화하여 효율적인 정책 결정을 가능하게 한다.

① ㄱ, ㄴ ② ㄱ, ㄷ ③ ㄴ, ㄷ
④ ㄴ, ㄹ ⑤ ㄷ, ㄹ

15 다음에서 강조하는 시민 운동이 정당성을 갖추기 위한 조건으로 옳지 않은 것은?

> • 불의(不義)한 법이 당신으로 하여금 다른 사람에게 불의를 행하는 하수인이 되라고 요구한다면 그 법을 어겨라.
> • 부당하다고 판단되는 법률을 위반하되, 지역 사회의 양심에 그 법률의 부당성을 호소하기 위해서 징역형도 불사하는 사람이야말로 법률을 지극히 존중하는 사람이다.

① 정의와 공동선 실현을 목적으로 삼아야 한다.
② 위법 행위에 대한 처벌을 기꺼이 감수해야 한다.
③ 불의에 대한 저항 수단으로 폭력을 배제해야 한다.
④ 자신의 이익에 불리한 법률이나 정책에 저항해야 한다.
⑤ 합법적 수단을 모두 사용한 후에 최후의 수단으로 사용해야 한다.

16 밑줄 친 두 집단의 공통적인 특징으로 적절한 것을 〈보기〉에서 고른 것은?

- 전국 각지의 농어촌에서 일하는 <u>이주 노동자</u>들은 주말과 휴일이 따로 없고 근무 시간도 정해져 있지 않아 장시간 노동에 시달리는 경우가 많다.
- <u>지체 장애인</u>의 이동권은 아직 완전히 보장되지 않고 있다. 특히 저상버스는 거의 시내버스로만 운행되기 때문에 지체 장애인이 지역 간 장거리 이동을 할 때 어려움이 큰 상황이다.

〈보기〉
ㄱ. 주류 집단에 대해 권력의 우위를 차지하고 있다.
ㄴ. 신체적·문화적 특성 때문에 다른 사람들과 구분된다.
ㄷ. 자신들이 스스로 차별받는 집단에 속해 있다는 인식을 가지고 있다.
ㄹ. 해당 집단에 속해 있다는 이유만으로 사회적 차별이나 불이익을 받지 않는다.

① ㄱ, ㄴ ② ㄱ, ㄷ ③ ㄴ, ㄷ
④ ㄴ, ㄹ ⑤ ㄷ, ㄹ

17 밑줄 친 제도에 대한 진술로 가장 적절한 것은?

우리나라에서는 공공 기관이나 일정 규모 이상의 기업체에서 장애인을 일정 비율 이상 고용하도록 하는 <u>장애인 의무 고용제</u>를 실시하고 있다. 또한 여성의 공직 진출을 확대하기 위해 승진이나 채용 시 일정량의 인원을 여성에게 배분하는 <u>여성 고용 할당제</u>를 실시하고 있다.

① 사회적 소수자가 경제적 강자의 위치가 되도록 한다.
② 사회적 소수자에 대한 불평등한 처우가 심화될 수 있다.
③ 사회적 소수자에 대한 실질적 평등을 실현하는 것을 목적으로 한다.
④ 사회적 소수자에 대한 사회적 차별을 강화하는 것을 목적으로 한다.
⑤ 사회적 소수자에 대한 편견과 고정 관념을 없애려는 의식적 차원의 노력이다.

18 다음 '지식 Q&A'의 질문에 옳게 답변한 학생만을 고른 것은?

▶ **지식 Q&A**

저는 17살 고등학생입니다. 이번 방학 때 아르바이트를 하려고 하는데 근로 시 알아야 할 점이 뭐가 있을까요?

▶ **답변하기**

↳ 갑: 청소년은 성인보다 낮은 최저 임금을 적용 받습니다.
↳ 을: 근로 계약서를 쓸 때는 부모님의 동의가 필요합니다.
↳ 병: 하루 4시간 근무를 기준으로 1시간의 휴게 시간이 주어집니다.
↳ 정: 사용자와의 협의에 따라 하루에 1시간씩 연장 근무할 수 있습니다.

① 갑, 을 ② 갑, 병 ③ 을, 병
④ 을, 정 ⑤ 병, 정

19 다음은 수행 평가 보고서의 목차를 정리한 것이다. ㉠~㉢에 대해 옳은 설명을 〈보기〉에서 고른 것은?

수행 평가 보고서

• 주제: 세계의 다양한 인권 문제
1. 세계 인권 문제의 양상
(1) 빈곤 문제 ·························· ㉠
(2) 인종 차별 문제 ···················· ㉡
2. 세계 인권 문제의 해결 방안
(1) 국제적인 연대 ···················· ㉢
(2) 세계 시민 의식 함양

〈보기〉
ㄱ. ㉠은 각 국가가 가진 종교나 관습으로 인해 나타난다.
ㄴ. ㉡은 다른 인종에 대한 배타주의로 나타난다.
ㄷ. 국제 사면 위원회 같은 국제 비정부 기구도 ㉢에 참여 가능하다.
ㄹ. 개별 국가에서 원하지 않는 경우에는 ㉢을 통해 개입할 수 없다.

① ㄱ, ㄴ ② ㄱ, ㄷ ③ ㄴ, ㄷ
④ ㄴ, ㄹ ⑤ ㄷ, ㄹ

시장 경제와 금융

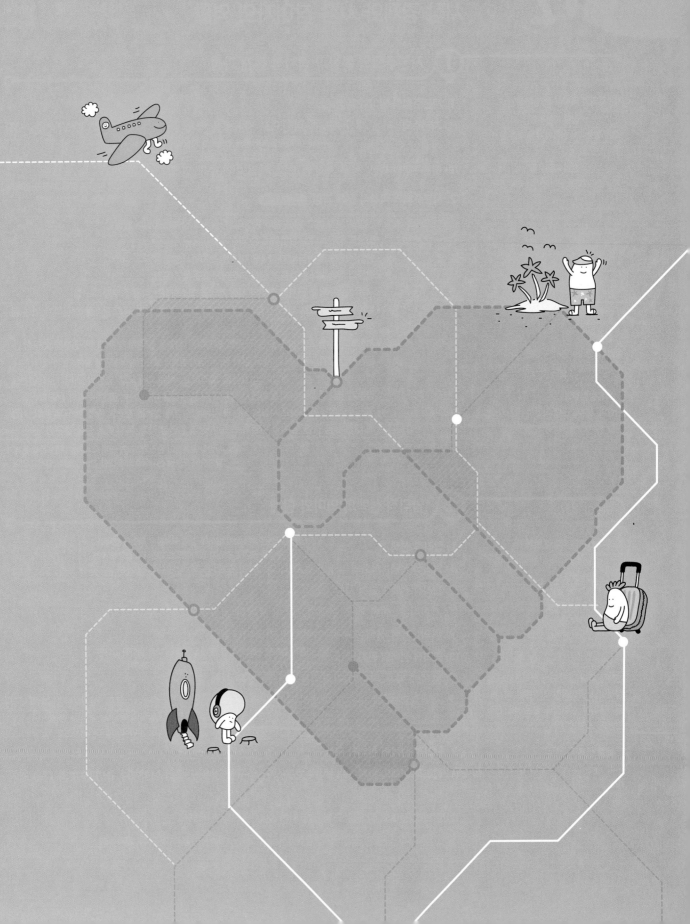

자본주의와 합리적 선택 ~ 시장 경제와 시장 참여자의 역할

이것이 핵심!

자본주의의 역사적 전개 과정

상업 자본주의
이윤 창출에서 상품의 유통 과정 중시

↓

산업 자본주의
자유방임주의를 근거로 작은 정부 추구

↓

수정 자본주의
정부의 시장 개입을 강조하는 큰 정부 추구

↓

신자유주의
시장의 기능과 자유로운 경제 활동 강조

★ 중상주의
상업을 장려하면서 수출은 적극적으로 권장하고, 수입은 극도로 막는 정책

★ 자유방임주의
시장의 기능을 강조하면서 국가의 간섭을 최대한 배제하려는 경제사상

① 자본주의의 특징과 역사적 전개 과정

1. 자본주의의 의미와 특징

(1) **자본주의**: 사유 재산 제도를 바탕으로 자유로운 경제 활동을 할 수 있도록 보장하는 시장 경제의 운용 원리 ┌ 개인이 재산을 자유롭게 획득하고 사용할 수 있는 권리가 법적으로 보장되지.

(2) **자본주의의 특징**: 사유 재산권 보장, 사적 이익 추구 인정, 경제 활동의 자유 보장 등
└ 시장에서의 경쟁을 통해 자신의 경제적 이익을 자유롭게 추구할 수 있어.

2. 자본주의의 역사적 전개 과정 〔교과서 자료〕

상업 자본주의 (16~18세기)	• 신항로 개척 이후 유럽 절대 왕정의 *중상주의 정책에 힘입어 발달함 • 상품의 생산보다는 상품의 유통 과정에서 이윤을 추구함
산업 자본주의 (18~19세기)	• 산업 혁명으로 상품의 대량 생산이 가능해지면서 발달함 • 상품의 유통보다는 상품의 생산 과정에서 이윤을 추구함 • *자유방임주의를 근거로 정부의 시장 개입을 최소화하는 작은 정부를 추구함
수정 자본주의 (20세기)	• 1929년 대공황으로 나타난 경기 침체, 기업 도산, 대량 실업 등의 문제를 해결하기 위해 등장함 〔자료①〕 • 시장의 한계를 보완하고 모든 국민의 인간다운 생활을 보장하기 위해 큰 정부를 추구함 → 공공사업 시행, 사회 보장 제도 강화 등 ┌ 경기 침체와 물가 상승이 동시에 발생하는 상태
신자유주의 (20세기 말)	• 정부의 적극적 시장 개입이 비효율을 초래하고, 석유 파동으로 발생한 스태그플레이션을 정부가 제대로 해결하지 못하면서 정부의 시장 개입을 비판하는 신자유주의가 등장함 • 정부의 역할을 제한하고 시장의 기능과 자유로운 경제 활동을 강조함 → 정부 규제 완화, 기업에 대한 세금 감면, 공기업 민영화, 노동 시장의 유연성 강화, 복지 축소 등을 추구함

VS 시장의 효율성이 증진되었지만 빈부 격차가 커지는 등의 문제가 발생하여 오늘날 신자유주의에 대한 찬반 입장이 맞서고 있어.

이것이 핵심!

합리적 선택의 의미와 한계

의미	최소의 비용으로 최대의 편익을 얻는 선택
한계	지나치게 효율성만 추구할 경우 공공의 이익 및 규범 준수와 같은 가치 훼손 우려

★ 편익
선택을 통해 얻게 되는 이익으로서 물질적이고 금전적인 이익뿐만 아니라 즐거움이나 성취감과 같은 비금전적인 것도 포함한다.

★ 매몰 비용
이미 지급하고 난 뒤 회수할 수 없는 비용

② 합리적 선택의 의미와 한계

1. 합리적 선택

꼭! 자원은 희소하기 때문에 경제 주체들은 무엇을 선택하고 무엇을 포기할 것인지 합리적으로 고민하고 결정해야 해.

(1) **합리적 선택**: 최소의 비용으로 최대의 *편익을 얻을 수 있도록 선택하는 것

(2) **합리적 선택의 고려 사항** 〔자료②〕

① **기회비용**: 어떤 것을 선택함으로써 포기한 것들 가운데 가장 가치 있는 것

② **편익**: 어떤 선택을 통해 얻어지는 만족이나 이득

(3) **합리적 선택의 원칙** ┌ 꼭! 비용이 같다면 편익이 가장 큰 것을, 선택에 따른 편익이 같다면 비용이 가장 적게 드는 것을 선택하는 것이 합리적이야.

① 선택에 따른 편익이 기회비용보다 큰 것을 선택해야 함

② 선택으로 인해 새롭게 발생하는 비용과 편익만 비교해야 함 → *매몰 비용을 고려해서는 안 됨
Q4? 매몰 비용은 선택으로 인해 발생한 비용이 아니므로 고려해서는 안 돼.

2. 합리적 선택의 한계와 극복

(1) **합리적 선택의 한계**: 지나치게 효율성만 추구할 경우 공공의 이익이나 규범 준수와 같은 가치를 훼손할 수 있음

(2) **합리적 선택의 한계를 극복하기 위한 노력**: 합리적 선택의 효율성뿐만 아니라 공공의 이익도 고려하여 공정한 경쟁의 틀 안에서 올바른 선택이 이루어지도록 해야 함

완자 자료 탐구   내 옆의 선생님

수능이 보이는 교과서 자료 **자본주의에 대한 사상가들의 주장**

- 애덤 스미스: 개인이 자유롭게 자신의 이익을 추구하는 가운데 '보이지 않는 손'의 인도를 받아 모든 문제가 해결될 수 있다. └자원의 배분이 효율적으로 이루어지도록 하는 시장의 기능
- 케인스: 경기가 침체된 상황에서 실업 문제를 해결하기 위해서는 정부가 지출을 확대하여 일자리를 늘림으로써 소득을 보장해야 한다.
- 하이에크: 정부가 시장에 개입하는 것이 비효율성이나 부패를 낳아 효율적인 자원 분배를 저해한다. 따라서 정부로부터 시장의 자유를 지켜야 한다.

애덤 스미스는 각자가 자신의 이익을 추구하도록 경제 활동의 자유를 최대한 보장할 때 사회 전체의 이익도 커지므로, 정부의 시장 개입을 최소화해야 한다고 주장하였다. 한편 케인스는 시장 경제의 문제점을 보완하려면 정부가 시장에 개입해야 한다고 주장하여 대규모 공공사업으로 구매력을 높이려는 정부 정책을 뒷받침하였다. 하이에크는 정부의 시장 개입이 효율적인 자원 배분을 저해하므로 경제는 시장 기능에 맡겨야 한다고 주장하였다. └정부 실패

완자쌤의 탐구 강의

- 제시된 사상가가 강조하는 정부의 역할을 각각 정리해 보자.

애덤 스미스	작은 정부
케인스	큰 정부
하이에크	작은 정부

- 제시된 사상가 중 "시장은 신뢰할 수 있을 만큼 합리적인 기구이다."라는 주장에 부합하는 사상가를 찾아 써 보자.

애덤 스미스, 하이에크

함께 보기 129쪽, 1등급 정복하기 1

자료 1 대공황과 자본주의의 변화

> 대공황 시기에 취임한 미국의 루스벨트 대통령은 경제 불황을 극복할 목적으로 경제에 대한 정부의 적극적인 개입을 강조하는 뉴딜 정책을 시행하였다. 그는 뉴딜 정책의 일환으로 국가 통제 정책을 도입하였으며, 빈민 구제 및 실업 문제 해소를 위해 테네시강 유역 개발 공사와 같은 대규모 공공사업을 추진하였다.

19세기 후반에서 20세기 초반에는 자유 경쟁이 지나치게 강조된 결과 대규모 독점 기업들이 출현하면서 자본의 집중 현상이 심화되었다. 이러한 상황은 과잉 생산과 소비 부족으로 이어졌고, 1929년 미국의 주가 폭락을 계기로 대공황이 시작되었다. 이 시기 많은 국가에서 경기 침체, 기업 도산, 대량 실업 등의 문제가 발생하였는데, 이러한 문제를 해결하기 위해 정부의 시장 개입을 강조하는 수정 자본주의가 등장하였다.

문제 로 확인할까?

수정 자본주의에 대한 설명으로 옳은 것은?

① 작은 정부 추구
② 시장의 기능 강조
③ 정부의 시장 개입 옹호
④ 상품의 유통 과정에서 이윤 추구 중시
⑤ 산업 혁명으로 상품의 대량 생산이 가능해지면서 성장

③ 🔒

자료 2 합리적 선택과 기회비용

> 혼자서 식당을 운영하는 갑은 여름휴가로 5일 동안 해외여행을 갈지, 식당을 운영할지 고민 중이다. 갑이 해외여행을 갈 경우 경비로 사용하게 되는 돈은 200만 원이며, 갑이 해외여행을 가지 않고 5일 동안 식당을 운영할 경우 벌어들일 수 있는 수입은 100만 원이다. 만약 갑이 해외여행을 가기로 결정했다면 기회비용은 얼마일까? └명시적 비용

제시된 사례에서 갑이 해외여행을 선택했을 때의 기회비용은 해외여행 경비 200만 원과 식당 영업을 하지 않는 동안 포기해야 하는 수입 100만 원을 포함한 300만 원이다. 해외여행에 따른 편익이 300만 원보다 커야 갑은 합리적 선택을 했다고 볼 수 있다. └암묵적 비용

자료 하나 더 알고 가자!

기회비용의 구성

명시적 비용	선택한 대안을 위해 실제로 지출한 비용
암묵적 비용	선택을 위해 포기한 대안이 갖는 가치

만약 포기한 대안이 두 개 이상일 경우 대안들의 가치 중 가장 큰 가치가 암묵적 비용에 해당한다.

이것이 핵심!

시장 경제에서 시장 참여자의 역할

정부	공정한 경쟁 촉진, 공공재 생산, 외부 효과 개선 등
기업	기업가 정신 발휘, 사회적 책임 실천 등
노동자	노동권의 행사, 업무의 성실한 수행 등
소비자	합리적 소비 및 윤리적 소비 실천, 소비자 주권 확립 등

※ 공공재
치안, 국방 등과 같이 다수의 사람이 공동으로 소비할 수 있는 재화나 서비스

※ 무임승차
어떤 재화나 서비스를 소비하여 이득을 보았음에도 불구하고 이에 대한 대가를 지급하지 않는 행위

※ 정부의 역할에 관한 헌법 조항
제119조 ② 국가는 균형 있는 국민 경제의 성장 및 안정과 적정한 소득의 분배를 유지하고, 시장의 지배와 경제력의 남용을 방지하며, 경제 주체 간의 조화를 통한 경제의 민주화를 위하여 경제에 관한 규제와 조정을 할 수 있다.

※ 노동 삼권
• 단결권: 노동조합을 결성할 수 있는 권리
• 단체 교섭권: 사용자와 근로 조건에 관해 교섭하고 협약을 체결할 수 있는 권리
• 단체 행동권: 노동 쟁의가 발생했을 때 파업 등의 단체 행동을 할 수 있는 권리

※ 소비자 주권
자본주의 경제에서 생산물의 종류와 수량을 결정하는 최종적 권한이 소비자에게 있다는 것

③ 시장 경제와 시장 참여자의 역할

1. 시장 경제의 한계

(1) 시장 실패

① 시장 실패: 시장에서 자원이 효율적으로 배분되지 못하는 상태
② 시장 실패의 원인

불완전 경쟁	하나 또는 소수의 기업이 지배하는 상품 시장에서는 기업이 이윤 극대화를 위해 가격이나 생산량을 임의로 조정할 수 있음
공공재의 공급 부족	*공공재는 *무임승차의 문제가 나타나기 쉬움 → 시장 기능에만 맡길 경우 사회적으로 필요한 만큼 충분히 공급되지 않음
외부 효과의 발생 (자료3)	• 외부 경제(긍정적 외부 효과): 다른 사람에게 의도하지 않은 혜택을 주지만 그에 대한 대가를 받지 않는 경우 → 사회적으로 필요한 양보다 적게 생산됨 • 외부 불경제(부정적 외부 효과): 다른 사람에게 의도하지 않은 손해를 끼치지만 그에 대한 보상을 하지 않는 경우 → 사회적으로 필요한 양보다 많이 생산됨

└ 소비자들은 시장 가격보다 더 높은 가격을 지불하게 되어 피해를 입게 돼.

(2) 시장 실패 이외의 문제점: 경제적 불평등, 노사 갈등, 실업, 인플레이션 등
└ 사람들 간에 위화감을 조성하고 갈등을 유발하여 사회 통합을 저해할 우려가 있어.

2. 시장 참여자의 바람직한 역할

(1) *정부의 역할

① 공정한 경쟁 촉진: 불공정한 거래 행위와 독과점 기업의 횡포 단속, 소비자의 권리 보호 등
  예 「독점 규제 및 공정 거래에 관한 법률」 적용, 한국 소비자원·공정 거래 위원회 운영 등
② 공공재 생산: 국방, 치안, 도로, 항만 등과 같이 사회 운영에는 꼭 필요하지만, 시장에서 충분히 생산되지 않는 공공재의 생산과 관리를 담당함
③ 외부 효과의 개선 ┌ 경제적 유인을 제공하여 자원 배분의 효율성을 높일 수 있어.

외부 경제	세금 감면, 보조금 지급 등을 통해 생산이나 소비를 늘리도록 유도함
외부 불경제	세금이나 벌금 부과 및 오염 물질 배출량 제한 등을 통해 생산이나 소비를 줄이도록 유도함

④ 기타: 사회 보장 제도나 소득 재분배 정책을 통한 빈부 격차 문제 개선 등

(2) 기업의 역할 (자료4)

① 기업가 정신 발휘: 기업가는 이윤 창출을 위해 위험과 불확실성을 무릅쓰고 새로운 시장 개척, 새로운 상품 및 기술의 개발 등을 위해 노력해야 함
② 사회적 책임 실천: 건전한 이윤을 추구하면서, 환경과 공동체 전체를 배려해야 함 → 윤리 경영, 공정한 경쟁, 소비자 및 노동자의 이익 보호, 장애인 고용 등

(3) 노동자의 역할

꼭! 노동자는 사용자보다 상대적으로 약자의 위치이므로, 근로 시간, 작업 환경 등을 고려한 노동권을 법적으로 보장받고 있어.

노동권의 행사	사용자에게 적절한 근로 조건을 요구하고, *노동 삼권을 행사할 수 있음
노동자의 책임	• 사용자와 맺은 근로 계약에 따라 자신의 업무를 성실히 수행해야 함 • 사용자와 소통하고 협력하며 상생의 관계를 형성하도록 노력해야 함

(4) 소비자의 역할 (자료5)

합리적 소비 실천	• 상품에 대한 정보를 바탕으로 비용보다 편익이 큰 소비를 해야 함 • 소득 수준에 맞지 않는 무분별한 과소비를 지양해야 함
*소비자 주권 확립	환경과 건강을 해치는 상품이나 부당한 영업 행위 등을 감시해야 함
윤리적 소비 실천	소비 행위가 원료 재배, 생산, 유통 등의 전 과정과 연결되어 있다는 것을 인식하고, 인간·동물·환경에 해를 끼치지 않는 윤리적인 상품을 구매해야 함

└ 예 동물 실험 없는 화장품, 동물 복지 농장 및 공정 무역 상품, 유기농 채소 등을 구매하는 행위

완자 자료 탐구

내 옆의 선생님

자료 ③ 외부 효과

> (가) 과수원 주변에 양봉업자가 와서 꿀벌을 친다면 과수원 주인은 이전보다 더 많은 과일을 수확할 수 있다. 그러나 과수원 주인은 그 혜택에 대한 대가를 양봉업자에게 지급하지 않는다.
>
> (나) 어떤 공장이 제품 생산 과정에서 대기 오염을 일으키는 물질을 배출하자, 인근 주민들이 호흡기 질환으로 병원을 찾는 일이 잦아졌다. 그러나 공장에서는 어떠한 배상도 하지 않았다.

(가)는 다른 사람에게 혜택을 주지만 그에 대한 대가를 받지 않는 외부 경제의 사례이고, (나)는 다른 사람에게 손해를 끼치지만 그에 대해 보상을 하지 않는 외부 불경제의 사례이다. 시장 경제에서는 외부 효과로 인해 발생하는 비용이나 혜택이 계산되지 않기 때문에 사회적으로 적정한 수준보다 많거나 적게 생산 또는 소비되어 자원이 비효율적으로 배분된다.

자료 ④ 기업의 사회적 책임

> ○○ 회사는 직원의 60%가 사회 취약 계층으로 구성된 사회적 기업이다. 이 회사는 북한 이탈 주민을 비롯한 사회 취약 계층의 자립을 돕기 위해 설립되었다. 따라서 이윤 창출을 최우선으로 하지 않고, 기업 운영을 통해 공공선을 달성하고자 한다. 이 회사의 대표는 "이 회사를 설립하여 사회적 편견 등 여러 가지 어려움에 부딪혔지만 포기하지 않고 경영해 온 결과 회사를 연 매출 50억 원대의 기업으로 성장시켰다."라고 말하였다.
> – 「MBN 뉴스」, 2015. 11. 20.

기업은 이윤 극대화라는 목적을 추구하는 것뿐만 아니라 기업 활동에서 지켜야 할 윤리를 준수하고 건전하게 이윤을 추구하는 등 사회적 책임을 다하기 위해 노력해야 한다. 더불어 노동자의 권리를 존중해야 하며, 정당하고 합법적으로 생산한 제품을 판매하여 소비자에 대한 책임을 다해야 한다.

자료 ⑤ 윤리적 소비

> 식품관에 쇼핑을 간 갑은 우유들을 꼼꼼히 살펴보더니 200㎖ 우유가 사은품으로 붙어 있는 우유 대신 '유기농'에 '방목 사육' 마크가 붙어 있는 더 비싸고 사은품 없는 우유를 집어 들었다. 다음으로 집어 든 커피 역시 마찬가지였다. 중량 대비 가격이 싸고 맛이 괜찮았던 대기업 상표의 원두 대신 조금 더 비싸지만 '공정 무역' 마크가 붙어 있는 기업의 원두를 골랐다.
> – 박지희 외, 「윤리적 소비-세상을 바꾸는 착한 거래」

제시된 사례에서 갑은 환경과 공동체를 고려한 윤리적 소비를 하고 있나. 유기농·방목 사육 제품을 구매한 행위를 통해 인간과 동물, 환경에 해를 덜 끼칠 수 있으며, 공정 무역으로 수입된 제품을 구매함으로써 개발 도상국 생산자에게 노동에 대한 정당한 몫을 줄 수 있다. 이처럼 윤리적 소비는 기업이 건전한 제품을 만들도록 유도하고, 정의로운 경제가 구축되도록 할 수 있다.

정리 | 비법을 알려줄게!

외부 효과의 유형

외부 경제	• 의미: 다른 사람에게 혜택을 주지만 그에 대한 대가를 받지 않는 경우 → 과소 생산 • 개선 방안: 세금 감면, 보조금 지급
외부 불경제	• 의미: 다른 사람에게 손해를 끼치지만 그에 대한 보상을 하지 않는 경우 → 과다 생산 • 개선 방안: 세금이나 벌금 부과, 오염 물질 배출량 제한

자료 | 하나 더 알고 가자!

공공재의 특징

> 가로등은 비용 지불 여부와 관계없이 누구나 이용할 수 있다. 가로등을 설치하는 데 돈을 낸 사람만 이용하게 할 수도 없고, 이용하는 사람이 늘어난다고 해서 그 혜택이나 효용이 줄어들지 않는다.

공공재는 사용한 만큼 비용을 부담하기 어렵고 사용을 제한하기도 어려워 사람들은 돈을 지불하지 않고 이용하려고 한다. 이러한 특성 때문에 공공재는 시장 기능에만 맡길 경우 충분히 공급되기 어려워 정부가 생산을 담당한다.

문제 | 로 확인할까?

다음 내용에 해당하는 소비 행위로 옳은 것은?

> 인간이나 동물·환경에 해를 끼치는 상품은 피하고, 환경과 지역 사회에 도움이 되거나 공정 무역을 통해 만들어진 제품을 구매하는 것이다.

① 과소비
② 모방 소비
③ 과시 소비
④ 합리적 소비
⑤ 윤리적 소비

⑤ 답

STEP 1 핵심 개념 확인하기

1 사유 재산 제도를 바탕으로 자유로운 경제 활동을 보장하는 시장 경제의 운용 원리를 (　　　)라고 한다.

2 다음 설명이 맞으면 ○표, 틀리면 ✕표를 하시오.

(1) 산업 자본주의에서는 자유방임주의를 근거로 작은 정부를 추구하였다. (　　)

(2) 석유 파동에 따른 스태그플레이션을 해결하기 위해 수정 자본주의가 등장하였다. (　　)

(3) 신자유주의는 독점 방지 및 실업자 구제 등과 같은 정부의 개입과 역할을 강조한다. (　　)

3 다음 괄호 안의 내용 중 알맞은 말에 ○표를 하시오.

(1) 어떤 것을 선택함으로써 포기한 것들 중 가장 가치 있는 것을 (기회비용, 매몰 비용)이라고 한다.

(2) 합리적 선택이란 (최소, 최대)의 비용으로 (최소, 최대)의 편익을 얻을 수 있도록 선택하는 것이다.

4 ㉠, ㉡에 들어갈 내용을 각각 쓰시오.

> (㉠　　　)는 다수의 사람이 공동으로 이용할 수 있는 재화나 서비스로, 사람들이 대가를 지급하지 않아도 같은 혜택을 누릴 수 있으므로 (㉡　　　)의 문제가 발생한다.

5 시장의 한계를 극복하기 위한 정부의 역할을 옳게 연결하시오.

(1) 외부 경제 　•　　　　• ㉠ 세금이나 벌금 부과

(2) 외부 불경제 •　　　　• ㉡ 세금 감면 및 보조금 지급

(3) 공공재 부족 •　　　　• ㉢ 국방, 치안 등의 서비스 제공

6 다음 빈칸에 들어갈 내용을 쓰시오.

(1) 기업의 (　　　)이란 건전한 이윤을 추구하는 것과 함께 소비자의 권익을 고려하는 것이다.

(2) 소비자가 인간, 동물, 환경에 해를 끼치지 않는 상품을 구매하는 것을 (　　　)라고 한다.

STEP 2 내신 만점 공략하기

01 (가)에 들어갈 내용으로 옳은 것을 〈보기〉에서 고른 것은?

> 오늘날 우리는 자신의 이익을 실현하기 위해 각자의 판단에 따라 물건을 생산하거나 소비하면서 자유로운 경제생활을 누리고 있다. 이러한 생활이 가능한 이유는 우리가 _____(가)_____ 하는 자본주의 사회에 살고 있기 때문이다.

〔보기〕
ㄱ. 정부에서 시장 가격을 결정
ㄴ. 누구에게나 균등한 소득을 보장
ㄷ. 개인에게 경제 활동의 자유를 보장
ㄹ. 개인의 사유 재산권을 법적으로 보장

① ㄱ, ㄴ　　② ㄱ, ㄹ　　③ ㄴ, ㄷ
④ ㄴ, ㄹ　　⑤ ㄷ, ㄹ

02 〔중요〕 다음 주장의 영향을 받은 자본주의에 대한 옳은 설명을 〈보기〉에서 고른 것은?

> 우리가 저녁 식사를 기대할 수 있는 것은 빵집 주인의 자비심이 아니라, 그들이 자기 이익을 챙기려는 생각 덕분이다. …… 각 개인은 보이지 않는 손에 의하여 인도되어 자기가 전혀 의도하지 않았던 목적을 촉진하게 된다. …… 그는 자신의 이익을 추구함으로써 오히려 더 효과적으로 사회 전체의 이익을 촉진한다.

〔보기〕
ㄱ. 절대 왕정의 중상주의 정책을 통해 발달하였다.
ㄴ. 국가의 시장 개입을 최소화하는 작은 정부를 추구하였다.
ㄷ. 산업 혁명을 통해 대량 생산 체제가 갖추어지면서 발달하였다.
ㄹ. 시장의 한계를 보완하고 모든 국민의 인간다운 생활을 보장하기 위해 큰 정부가 강조되었다.

① ㄱ, ㄴ　　② ㄱ, ㄷ　　③ ㄴ, ㄷ
④ ㄴ, ㄹ　　⑤ ㄷ, ㄹ

03 다음 사례에 나타난 문제점을 해결하기 위해 등장한 자본주의에 대한 설명으로 옳은 것은?

19세기 후반에서 20세기 초반에는 대규모 독점 기업들이 출현하면서 자본의 집중 현상이 심화되었다. 이러한 상황은 과잉 생산과 소비 부족으로 이어졌고, 1929년 미국의 주가 폭락을 계기로 대공황이 시작되었다. 이 시기 많은 국가에서 경기 침체, 기업 도산, 대량 실업 등의 문제가 발생하였다.

① 공기업 민영화, 복지 축소 등을 실시하였다.
② 시장의 기능과 자유로운 경제 활동을 강조하였다.
③ 상품의 생산보다 유통 과정에서 이윤을 추구하였다.
④ 시장에서 정부의 역할을 제한하는 작은 정부를 강조하였다.
⑤ 정부에서 각종 공공사업을 벌이거나 사회 보장 제도를 강화하는 정책을 펼쳤다.

04 ㉠에 해당하는 자본주의에 대한 옳은 설명을 〈보기〉에서 고른 것은?

1970년대에 들어 두 차례의 석유 파동으로 경기 침체와 동시에 물가가 상승하는 스태그플레이션이 발생하였다. 당시 이를 해결하려는 정부의 정책이 효과를 보지 못하자, (㉠)에 기초한 자본주의가 나타났다.

보기
ㄱ. 복지 확대를 지향한다.
ㄴ. 정부 규제 완화 및 철폐를 주장한다.
ㄷ. 민간의 자유로운 경제 활동을 강조한다.
ㄹ. 독점 방지 및 실업자 구제 등과 같은 정부의 역할을 강조한다.

① ㄱ, ㄴ　　② ㄱ, ㄷ　　③ ㄴ, ㄷ
④ ㄴ, ㄹ　　⑤ ㄷ, ㄹ

05 경제 개념 (가), (나)에 대한 설명으로 옳지 않은 것은?

(가) 이미 지급하고 난 뒤 회수할 수 없는 비용
(나) 어떤 것을 선택함으로써 포기한 것들 가운데 가장 가치 있는 것

① (가)는 매몰 비용이다.
② 경제적 선택을 할 때 (가)를 고려해서는 안 된다.
③ (나)는 기회비용이다.
④ (나)는 선택으로 인해 포기한 다른 기회나 가치를 포함한다.
⑤ 합리적 선택은 편익이 (가)와 (나)의 합계보다 더 큰 대안을 선택하는 것이다.

06 다음 사례에 대한 옳은 분석을 〈보기〉에서 고른 것은? (단, 미리 지불한 해외여행 경비는 취소해도 환불되지 않는다.)

혼자서 식당을 운영하는 갑은 여름휴가로 5일간 해외여행을 가기로 하였다. 갑이 해외여행 경비로 쓰게 되는 돈은 200만 원이고, 그 중 50만 원을 여행사에 미리 지불하였다. 만약 갑이 해외여행을 가지 않고 5일 동안 식당을 운영할 경우 벌어들일 수 있는 수입은 100만 원이다.

보기
ㄱ. 매몰 비용은 150만 원이다.
ㄴ. 해외여행에 따른 암묵적 비용은 100만 원이다.
ㄷ. 해외여행에 따른 명시적 비용은 250만 원이다.
ㄹ. 해외여행에 따른 편익이 200만 원이라면 여행을 가지 않고 식당을 운영하는 것이 합리적이다.

① ㄱ, ㄴ　　② ㄱ, ㄹ　　③ ㄴ, ㄷ
④ ㄴ, ㄹ　　⑤ ㄷ, ㄹ

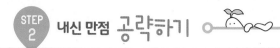

07 다음 사례에서 A 제약 회사의 선택에 대한 분석으로 가장 적절한 것은?

> A 제약 회사에서는 국내에서 유일하게 생산하는 희귀병 치료제의 생산을 중단하기로 결정하였다. 비싼 재료비와 적은 이용자로 적자를 면할 수 없다는 것이 그 이유이다. 그러나 희귀병에 걸린 환자와 그 가족들은 치료제가 없으면 생존이 어려워진다며 A 제약 회사에 치료제 생산을 중단하지 말아달라며 호소하고 있다.

① 선택의 과정에서 법을 위반하고 있다.
② 효율성과 형평성을 조화롭게 추구하고 있다.
③ 사적인 이익보다 공공의 이익을 중시하고 있다.
④ 이윤 극대화라는 효율성만을 중시하여 생명 존중의 가치를 훼손하고 있다.
⑤ 개별 경제 주체의 합리적 선택이 사회 전체적으로 바람직한 결과를 초래하고 있다.

08 밑줄 친 내용에 해당하는 사례로 적절하지 <u>않은</u> 것은?

> 시장의 기능이 제대로 작동하기 위해서는 시장에서의 경쟁이 자유롭고 공정하게 이루어져야 한다. 그러나 현실 경제에서는 시장이 불완전하거나 재화나 서비스의 특성 등으로 인해 <u>자원의 배분이 효율적으로 이루어지지 못하는 경우</u>가 발생하기도 한다.

① 간접흡연은 주변 사람들의 건강에 해를 끼친다.
② 기업들이 도로나 공원 등과 같은 재화나 서비스의 생산을 기피한다.
③ 고구마의 항암 효과가 인증되자 고구마의 소비량이 크게 증가하였다.
④ 자동차 회사들이 담합하여 자동차의 가격과 판매 조건을 동일하게 조정하였다.
⑤ 정원을 아름답게 가꾼 집은 지나가는 사람들에게 즐거움을 주지만 아무도 대가를 지불하지 않는다.

09 다음에 나타난 현상에 대한 옳은 설명을 〈보기〉에서 고른 것은?

> 가로등은 어두운 밤에 주민의 안전을 지켜주는 역할을 한다. 그런데 일단 가로등이 설치되면 대가를 지불하지 않고도 혜택을 얻을 수 있기 때문에 누군가가 먼저 설치해 주기를 기다리게 된다.

┌ **보기** ┐
ㄱ. 외부 효과가 나타났다.
ㄴ. 무임승차를 배제할 수 없다는 점에서 비롯된다.
ㄷ. 정부의 지나친 시장 개입이 비효율을 초래하였다.
ㄹ. 사회적으로 필요한 양보다 적게 생산되는 문제가 발생한다.

① ㄱ, ㄴ   ② ㄱ, ㄷ   ③ ㄴ, ㄷ
④ ㄴ, ㄹ   ⑤ ㄷ, ㄹ

10 (가), (나)에 대한 설명으로 옳지 <u>않은</u> 것은?

> (가) 과수원 주변에 양봉업자가 와서 꿀벌을 친다면 과수원 주인은 더 많은 과일을 수확할 수 있다. 그러나 과수원 주인은 양봉업자에게 아무런 보상을 하지 않는다.
>
> (나) 어떤 공장이 제품 생산 과정에서 대기 오염을 일으키는 물질을 배출하자, 인근 주민들이 호흡기 질환으로 병원을 찾는 일이 잦아졌다. 그러나 공장에서는 어떠한 배상도 하지 않았다.

① (가)는 외부 경제의 사례이다.
② (가)에서 양봉업자는 과수원 주인에게 의도하지 않은 혜택을 주었다.
③ (나)는 외부 불경제의 사례이다.
④ (나)에서 대기 오염 물질은 사회적으로 적정한 수준보다 많이 발생하였다.
⑤ (가)는 (나)와 달리 시장에서 자원이 효율적으로 배분되고 있다.

11 다음과 같은 정부의 활동이 공통으로 추구하는 목적으로 가장 적절한 것은?

> • 불공정한 거래, 독점 기업의 횡포를 단속하고 소비자의 권리를 보호하기 위한 장치를 마련한다.
> • 감시 활동을 통해 폐수를 무단으로 방출하는 기업을 찾아내고, 그 기업들에게 과징금을 부과한다.

① 외부 효과를 개선한다.
② 경제적 불평등을 완화한다.
③ 무임승차의 문제를 개선한다.
④ 자원 배분의 효율성을 높인다.
⑤ 개별 경제 주체의 자유로운 경제 활동을 보장한다.

12 표는 시장 경제의 한계와 정부의 역할을 정리한 것이다. (가)~(다)에 대한 옳은 설명을 〈보기〉에서 고른 것은?

구분	문제점	정부의 역할
(가)	과소 생산	정부의 직접 생산
(나)	과소 생산	보조금 지급
외부 불경제	과다 생산	(다)

┌ 보기 ┐
ㄱ. (가)에는 '공공재의 공급 부족'이 들어갈 수 있다.
ㄴ. 대형 할인점이 생겨 인근 소매점의 매출이 감소한 것을 (나)의 사례로 제시할 수 있다.
ㄷ. (다)에는 '세금이나 벌금 부과'가 들어갈 수 있다.
ㄹ. (가), (나) 모두 정부의 시장 개입 축소를 주장하는 근거가 된다.
└────────┘

① ㄱ, ㄴ   ② ㄱ, ㄷ   ③ ㄴ, ㄷ
④ ㄴ, ㄹ   ⑤ ㄷ, ㄹ

13 다음은 어느 기업이 추구하는 목표를 나타낸다. 이 기업에 대해 가장 적절한 평가를 내린 사람은?

> • 위험을 체계적으로 관리하라.
> • 불확실하고 한정된 자원에서도 끊임없이 도전하라.
> • 새로운 것을 창조하고 변혁하는 '창조적 파괴'에 앞장서라.

① 갑: 공익을 고려하여 사회적 책임을 다하고 있어.
② 을: 기업의 이익과 소비자의 권리를 상충 관계로 보고 있어.
③ 병: 환경과 공동체 전체를 배려하는 윤리 경영을 실천하고 있어.
④ 정: 기업의 이윤 추구가 공익과 충돌한다는 점을 간과하고 있어.
⑤ 무: 위험과 불확실성을 무릅쓰고 혁신을 이루려는 기업가 정신을 강조하고 있어.

14 다음 주장에 부합하는 사례로 적절하지 <u>않은</u> 것은?

> 기업은 이윤 추구 이외에 법령과 윤리를 준수하고, 사회의 구성원으로서 사회에 긍정적인 영향을 주는 책임 있는 활동을 해야 한다.

① 일정 비율 이상의 장애인을 고용한다.
② 노동자에게 쾌적한 작업 환경을 제공한다.
③ 공정한 경쟁을 통해 건전하게 이윤을 추구한다.
④ 환경을 보호하고 소비자의 안전을 보장하려는 노력을 기울인다.
⑤ 정년 단축을 통한 대규모 구조 조정을 시행하여 생산비를 절감한다.

15 다음 질문에 대한 답변으로 적절하지 <u>않은</u> 것은?

> 노동자는 기업에 노동을 제공한 대가로 임금을 받아 경제생활을 한다. 기업과 노동자는 근로 계약을 맺으며, 여기서 노동자의 권리와 책임이 발생한다. 그렇다면 시장 경제의 원활한 작동과 발전을 위해 필요한 노동자의 역할과 책임은 무엇일까?

① 근로 조건의 향상을 위해 노동 삼권을 행사할 수 있다.
② 사용자에게 법이 정한 근로 조건을 준수하도록 요구할 수 있다.
③ 사용자와 소통하고 협력하며 상생의 관계를 형성하도록 노력해야 한다.
④ 근로 계약에 따라 업무를 성실히 수행하여 생산성 향상에 이바지해야 한다.
⑤ 어떠한 경우에도 사용자의 정상적인 업무를 저해하는 쟁의 행위를 할 수 없다.

16 다음 글에서 설명하는 소비 행위에 해당하는 사례로 적절하지 <u>않은</u> 것은?

> 소비자는 상품, 서비스 등을 구매할 때 원료 재배, 생산, 유통 등의 전 과정이 소비와 연결되어 있다는 것을 인식하고 윤리적으로 소비해야 한다.

① 갑은 공정 무역으로 수입된 초콜릿을 구매하였다.
② 을은 생산 농가에서 직거래를 통해 유기농 채소를 구매하였다.
③ 병은 '비동물 실험 인증 마크'가 붙어 있는 화장품을 구매하였다.
④ 정은 할인율이 높다는 이유로 배기가스가 기준치 이상 발생하는 자동차를 구매하였다.
⑤ 무는 자신이 사려던 옷이 아동 노동 착취로 만들어졌다는 것을 알고 구매하지 않기로 했다.

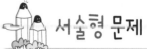

서술형 문제

● 정답친해 42쪽

01 다음 글을 읽고 물음에 답하시오.

> (가) 산업 혁명으로 공장제 기계 공업에 의한 상품의 대량 생산 체제가 갖추어지면서 상품의 유통보다 생산 활동을 통한 이윤 추구가 중심이 되는 자본주의가 성장하였다.
> (나) 19세기 후반에 이르러 하나 또는 소수의 거대 기업이 시장 지배력을 행사하면서 시장의 기능이 제대로 작동하지 않게 되었다. 이러한 상황에서 1929년 미국에서 시작된 대공황으로 수많은 은행과 공장이 문을 닫고 실업자가 넘쳐나게 되었다.

(1) (가), (나)로 인해 등장한 자본주의를 각각 쓰시오.

(2) (가), (나)로 인해 등장한 자본주의의 특징을 비교하여 서술하시오.

(길잡이) 정부의 시장 개입에 대한 입장을 비교하여 서술한다.

02 다음 글을 읽고 물음에 답하시오.

> 갑은 A 커피 전문점에서 200만 원의 월급을 받고 일하고 있었다. 일에 재미를 느낀 갑은 A 커피 전문점을 그만두고, B 커피 전문점을 개업하였다. 1년이 지난 후 결산을 해 보니 1년 동안 총수입은 1억 원이었으며, 인건비와 재료비, 임대료 등을 포함하여 발생한 비용은 총 8,000만 원이었다. (단, 다른 요소들은 고려하지 않는다.)

(1) 갑이 1년 동안 B 커피 전문점을 운영한 것에 따른 기회비용을 쓰시오.

(2) 갑이 B 커피 전문점을 개업한 것이 합리적인 선택인지 아닌지, 그 이유를 들어 서술하시오.

(길잡이) 커피 전문점 개업에 따른 비용과 편익을 비교하여 서술한다.

STEP 3 1등급 정복하기

1 갑과 을의 주장에 대한 추론으로 적절하지 <u>않은</u> 것은?

> • 갑: 정부는 시장과 별개입니다. 정부는 시장의 게임 규칙을 집행하는 심판자로서의 역할만 해야 합니다.
> • 을: 대공황과 같이 경기가 침체된 상황에서 실업 문제를 해결하기 위해서는 정부가 지출을 확대하여 일자리를 늘림으로써 소득을 보장해야 합니다.

① 갑은 정부의 시장 개입과 시장의 효율성이 양립 가능하다고 볼 것이다.
② 을은 세율을 높이고 새로운 세금을 만드는 것에 찬성할 것이다.
③ 갑은 을에 비해 '보이지 않는 손'의 기능을 더 신뢰할 것이다.
④ 갑은 을과 달리 경쟁을 저해하는 규제의 폐지에 찬성할 것이다.
⑤ 을은 갑과 달리 시장 실패의 위험을 강조할 것이다.

> **자본주의의 역사적 전개 과정**
>
> **완자샘의 시험 꿀팁**
> 정부의 시장 개입에 대한 찬반 입장을 정리해 본다.
>
> **완자 사전**
> • 대공황
> 1929년 미국의 주가 폭락을 계기로 시작하여 전 세계적으로 경기 침체, 기업 도산, 대량 실업 등의 문제가 발생하였다.

수능 응용

2 밑줄 친 ⊙~ⓒ에 대한 옳은 설명을 〈보기〉에서 고른 것은?

> 갑은 올해 정년퇴직을 했다. 갑은 내년부터 1년 동안 ⊙ 여가를 즐기는 것, ⓛ 라면 전문점을 경영하는 것, ⓒ 임시직으로 취업하는 것을 놓고 고민하고 있다. 표는 갑이 세 가지 대안에 대해 화폐 단위로 평가한 결과를 나타낸다. (단, 다른 요소들은 고려하지 않는다.)
>
> (단위: 만 원)
>
> | 대안 | 비용 | 판매 수입 | 연봉 | 정신적 만족 |
> |------|------|-----------|------|-------------|
> | ⊙ | 400 | | | 1,800 |
> | ⓛ | 5,000 | 6,800 | | 400 |
> | ⓒ | | | 1,500 | 800 |
>
> *음영으로 표시한 부분은 고려하지 않는다.

보기

ㄱ. ⊙의 매몰 비용은 400만 원이다.
ㄴ. ⓒ을 선택하는 것이 가장 합리적이다.
ㄷ. ⓛ은 ⓒ보다 기회비용이 크다.
ㄹ. ⊙~ⓒ의 정신적 만족이 50%씩 감소해도 갑의 선택은 달라지지 않을 것이다.

① ㄱ, ㄴ   ② ㄱ, ㄷ   ③ ㄴ, ㄷ
④ ㄴ, ㄹ   ⑤ ㄷ, ㄹ

> **합리적 선택과 기회비용**
>
> **완자 사전**
> • 기회비용의 구성
> 선택한 대안을 위해 실제로 지출하는 비용인 명시적 비용과 선택을 위해 포기한 대안이 갖는 가치인 암묵적 비용을 포함한다.

3 다음 사례에 대한 분석으로 가장 적절한 것은?

> 록펠러는 1870년에 자본금 100만 달러로 석유 회사를 설립하였다. 1878년에는 미국 시장 점유율의 90% 이상을 차지하게 되었고, 1882년에는 경쟁사의 대부분을 사들여 거대 기업 집단을 만들었다. 이 회사는 이러한 시장 지배력을 앞세워 당시 1갤런당 30센트이던 석유 가격을 6센트로 인하하였고, 그 결과 나머지 경쟁사들은 대부분 도산하였다. 이에 보다 못한 미국 정부는 독점 금지와 기업 분할을 명령할 수 있는 독점 금지국을 설립하고, 1911년 이 석유 회사에 대해 해산 명령을 내렸다.

① 공공재의 공급이 원활하게 이루어지지 않고 있다.
② 미국 정부의 정책은 독과점 기업이 시장에서 영향력을 발휘할 수 있게 한다.
③ 미국 정부의 정책은 자원을 모든 경제 주체에게 균등하게 분배하는 것을 목적으로 한다.
④ 경제 주체가 사회 전체에 의도하지 않은 손해를 끼치면서도 이에 대한 보상을 하지 않고 있다.
⑤ 독과점 기업이 시장에서 일방적으로 시장 지배력을 행사하여 자원 배분이 비효율적으로 이루어지고 있다.

> **시장 경제의 한계와 시장 참여자의 역할**
>
> **| 한자 사전 |**
>
> • **독과점 기업**
> 독점 시장은 공급자가 하나인 시장이며, 과점 시장은 공급자가 소수인 시장이다.

4 밑줄 친 ㉠~㉤에 대한 옳은 분석을 〈보기〉에서 고른 것은?

> ㉠ 독감 백신을 접종하는 사람들이 많을수록 독감 인플루엔자의 번식이 억제되어 ㉡ 주변 사람들이 독감에 걸릴 가능성이 줄어든다. 그런데 사람들이 독감 백신의 접종 여부를 결정할 때 ㉢ 자신의 편익만 고려한다면 ㉣ 사회 전체적으로 볼 때 효율적이지 않은 결과로 나타나기도 한다. 따라서 정부는 사회적으로 효율적인 결과가 나타날 수 있도록 ㉤ 필요한 조치를 취해야 한다.

| 보기 |
ㄱ. ㉠과 ㉡ 사이에는 외부 불경제가 나타난다.
ㄴ. ㉢은 개인적으로는 합리적인 선택일 수 있다.
ㄷ. ㉣은 사회적으로 필요한 수준보다 과다 생산되는 현상으로 나타난다.
ㄹ. 보건소의 무료 백신 접종은 ㉤에 해당한다.

> **외부 효과**

① ㄱ, ㄴ   ② ㄱ, ㄷ   ③ ㄴ, ㄷ
④ ㄴ, ㄹ   ⑤ ㄷ, ㄹ

5 다음 글을 쓴 사람이 긍정의 대답을 할 질문으로 가장 적절한 것은?

> 기업은 법의 테두리 내에서의 경영을 통한 재무적 성과에 대한 책임만이 아니라 인권, 환경 등의 개선에도 사회적 책임을 다해야 한다. 이것은 공익 증진을 위한 것뿐만 아니라, 장기적으로 볼 때 기업이 보다 유리한 경쟁력을 갖게 되기 때문이다. 따라서 기업은 사회적 문제에 대한 적극적 책임을 지는 것이 마땅하다.

① 기업의 이윤 추구와 공익은 양립할 수 없는가?
② 기업의 근본 목적은 사회 복지와 공동선의 실현에 있는가?
③ 기업 이익의 극대화 추구가 기업의 유일한 사회적 책임인가?
④ 기업의 사회적 책임 수행이 장기적인 이익을 위하여 필요한가?
⑤ 기업의 공익 활동이 기업 경쟁력 상실의 원인임을 강조하고 있는가?

기업의 사회적 책임

완자샘의 시험 꿀팁

기업이 이윤 극대화라는 목적을 추구하는 것 외에 사회적으로 어떤 역할을 수행해야 하는지 생각해 본다.

완자 사전

• **기업의 사회적 책임**
기업이 건전한 이윤을 추구하면서, 환경과 공동체 전체를 배려하는 것

수능 응용

6 (가), (나)의 입장을 〈보기〉에서 고른 것은?

> (가) 소비의 목적은 소비자의 만족감 충족이다. 소비자는 자신의 욕구와 상품에 대한 정보를 바탕으로 자신이 소유한 자원의 범위 내에서 소비하여 최소 비용으로 최대 만족을 얻을 수 있어야 한다.
> (나) 소비는 자신을 넘어 사회 및 환경에 이르기까지 영향을 미친다. 따라서 자신에게 돌아오는 직접적인 혜택만 생각하지 말고, 장기적 관점에서 인간과 동물, 환경에 미치는 영향도 고려하여 소비해야 한다.

보기
ㄱ. (가): 개인적 선호보다 공공성을 상품 선택의 기준으로 삼아야 한다.
ㄴ. (가): 자율적 선택권과 최대의 효용은 소비의 필수적 요소에 해당한다.
ㄷ. (나): 인권과 노동의 가치는 소비자가 고려할 사항이라고 볼 수 없다.
ㄹ. (나): 개인의 소비 행위는 상품의 생산 및 유통 과정과 연결되어 있다.

① ㄱ, ㄴ   ② ㄱ, ㄷ   ③ ㄴ, ㄷ
④ ㄴ, ㄹ   ⑤ ㄷ, ㄹ

시장 경제의 발전을 위한 소비자의 역할

03 국제 무역의 확대와 영향

학습 목표
• 국제 분업과 무역의 필요성을 파악할 수 있다.
• 무역의 확대가 우리 삶에 미치는 영향을 설명할 수 있다.

이것이 핵심!

국제 분업과 무역의 발생

각국이 처한 생산 조건의 차이
↓
상대적 생산비의 차이 발생
↓
특화 생산 및 교환
↓
무역에 따른 이익 발생

★ **특화**
각국이 자기 국가에서 생산하기에 유리한 상품을 전문적으로 생산하여 경쟁력을 갖추는 것

① 국제 분업과 무역의 필요성

1. 국제 분업과 무역

(1) 국제 분업의 의미와 발생 원인

① 국제 분업: 국가별로 각자의 특수한 환경에 가장 적합한 상품을 *특화하여 생산하는 것

② 국제 분업의 발생 원인: 각국이 보유한 천연자원의 종류와 양이 다르고, 노동과 자본의 양과 질, 기술 수준 등에 차이가 있음 → 국가 간 생산비의 차이 발생

└ 꼭! 생산 조건의 차이로 같은 물건을 만들더라도 그 상품의 생산비가 국가마다 달라지지.

(2) 무역의 의미와 필요성

① 무역: 각 국가가 자신들이 생산한 상품이나 서비스를 다른 국가와 사고파는 국제 거래

② 무역의 필요성

무역에 따른 이익 발생	국가 간 생산비의 차이 → 각국이 생산 조건에 따라 상품을 특화하여 교환하면 거래 당사국 간에 이익이 발생함
생산 요소 및 상품의 부족 문제 해결	자국 내에서 생산되지 않거나 부족한 재화와 자원, 기술 및 서비스 등을 무역을 통해 얻을 수 있음

2. 절대 우위와 비교 우위 교과서 자료

(1) 절대 우위: 한 국가가 어떤 상품을 생산하는 비용이 다른 국가보다 적게 드는 것

(2) 비교 우위: 한 국가가 생산하는 상품의 기회비용이 다른 국가보다 적은 것

이것이 핵심!

국제 무역 확대의 영향

긍정적 영향	• 소비 기회 확대 • 규모의 경제 실현 • 기업 경쟁력 강화 • 새로운 기술 전파
부정적 영향	• 경쟁력 없는 산업 및 기업 위축 • 국내 경제의 해외 의존도 심화 • 국가 간 빈부 격차 심화

★ **세계 무역 기구(WTO)**
국제 거래 시 지켜야 할 규칙을 정하고 국가 간 무역 마찰을 조정하는 국제기구

★ **규모의 경제**
생산 규모가 커지거나 생산량이 늘어나면서 제품 단위당 평균 생산 비용이 하락하는 경제 현상

② 국제 무역 확대의 영향

1. 국제 무역 확대의 배경: 세계화의 가속화, *세계 무역 기구(WTO)를 중심으로 한 자유 무역 추구, 자유 무역 협정(FTA)의 체결을 통한 경제 협력 증가 등 자료①

└ 교통수단의 발달로 운송 비용이 감소하고, 정보 통신 기술의 발달로 시·공간의 제약이 약해지면서 세계 각국의 교류가 촉진되고 있어.

2. 국제 무역 확대의 영향 자료②

(1) 국제 무역 확대의 긍정적 영향

소비 기회 확대	다양한 상품이나 서비스를 낮은 가격에 소비할 기회가 확대되어 풍요로운 소비 생활을 할 수 있음 → 편익 증가
*규모의 경제 실현	대량 생산에 따른 생산비 절감 → 생산량 증대, 고용 창출에 기여
기업 경쟁력 강화	외국 기업과 경쟁하는 과정에서 국내 기업은 기술 개발과 혁신에 힘쓰게 됨 → 국내 기업의 생산성과 효율성 향상
새로운 기술 전파	국가 간 기술이나 자본 등이 이전되어 개발 도상국에 경제 발전의 기회 제공

(2) 국제 무역 확대의 부정적 영향

경쟁력 없는 산업 및 기업 위축	국제 경쟁력을 갖추지 못한 산업과 기업이 위축될 수 있음 → 이와 관련한 사람들의 일자리와 소득 감소로 이어져 사회적 불안을 가져올 수 있음
국내 경제의 해외 의존도 심화	• 다른 나라의 경제 상황에 따라 국내 경제가 민감하게 반응하게 됨 • 정부가 경제 정책을 자율적으로 운영하는 데 제약이 될 수 있음
국가 간 빈부 격차 심화	자본과 기술이 풍부한 선진국과 상대적으로 경쟁력이 떨어지는 개발 도상국 간의 빈부 격차가 더욱 커질 수 있음

왜? 정부가 자국의 산업을 보호하기 위한 정책을 시행하면, 외국 정부나 기업과 이해관계가 충돌할 수 있기 때문이야.

완자 자료 탐구

내 옆의 선생님

비교 우위에 따른 국제 거래

갑국과 을국은 노동만을 생산 요소로 사용하여 X재와 Y재를 생산하고 소비한다. 오른쪽 표는 갑국과 을국이 각 상품을 생산하는 데 필요한 노동자의 수를 나타낸다. 만약 양국 간에 무역이 발생할 경우 갑국과 을국은 각각 어떤 상품을 수출하게 될까?

구분	갑국	을국
X재	2명	10명
Y재	4명	5명

⬆ 상품 1단위 생산에 필요한 노동자 수

제시된 자료에 따르면 X재 1단위 생산을 위해 갑국은 Y재 1/2단위(← 2/4), 을국은 2단위(← 10/5)의 생산을 포기해야 한다. 그리고 Y재 1단위 생산을 위해 갑국은 X재 2단위(← 4/2), 을국은 1/2단위(← 5/10)의 생산을 포기해야 한다. 한 재화를 생산하기 위해 포기해야 하는 다른 재화의 양, 즉 기회비용을 고려하면 갑국은 X재 생산에, 을국은 Y재 생산에 비교 우위를 갖는다. 따라서 각국이 비교 우위를 갖는 상품에 특화하여 교환을 하면 두 나라 모두에 이익이 된다.

완자샘의 탐구 강의

• 갑국과 을국은 어떤 상품에 절대 우위를 가질까?

갑국이 X재와 Y재 생산 모두에 절대 우위를 갖는다.

• 갑국과 을국 간에 무역이 발생할 경우 각각 어떤 상품을 수출하는지 쓰고, 그 이유를 서술해 보자.

갑국은 X재, 을국은 Y재를 각각 수출한다. 각국이 비교 우위를 갖는 재화를 생산하여 교역하면 두 나라 모두에 이익이 되기 때문이다.

함께 보기 137쪽, 1등급 정복하기 1

자료 1 자유 무역 협정(FTA)

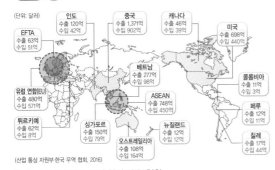

(산업 통상 자원부·한국 무역 협회, 2016)
⬆ 우리나라의 자유 무역 협정 발효 현황

경제적 이해관계를 같이하는 특정 국가끼리 맺는 자유 무역 협정은 상대국에서 수입하는 물품의 관세를 낮추어 자유롭게 수출입 거래가 이루어지도록 한다. 오늘날 자유 무역 협정의 대상은 상품을 비롯하여 서비스, 투자, 지식 재산권, 노동 기준 등으로까지 확대되고 있다.

자료 하나 더 알고 가자!

우리나라 주요 수출 품목의 변화

1960년	철광석, 무연탄, 오징어 등
1970년	섬유류, 합판, 가발 등
1990년	의류, 영상 기기, 선박 등
2000년	반도체, 선박, 자동차 등
2015년	반도체, 자동차, 무선 통신 기기 등

(한국 무역 협회, 2016)

우리나라는 경제 성장 초기에 풍부한 노동력을 바탕으로 의류, 신발 등과 같은 노동 집약적인 제품을 주로 수출하였다. 이후 자본과 기술이 축적되면서 점차 반도체, 통신 기기와 같은 첨단 제품을 주로 수출하게 되었다.

자료 2 국제 무역 확대의 영향

꿀! 최근 우리나라는 중국에 대한 무역 의존도가 높아 중국 경제가 불안해질 경우 부정적인 영향이 나타나게 될 가능성이 높아.

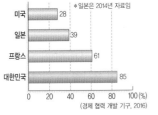

*일본은 2014년 자료임
(경제 협력 개발 기구, 2016)
⬆ 주요 국가의 무역 의존도

(한국 무역 협회, 2016)
⬆ 우리나라의 주요 무역 상대국

문제로 확인할까?

국제 무역 확대의 영향으로 적절하지 않은 것은?

① 소비 기회 감소
② 규모의 경제 실현
③ 기업 경쟁력 강화
④ 새로운 기술 전파
⑤ 국내 경제의 해외 의존도 증가

① 📄

우리나라는 수출 주도의 성장 우선 정책을 바탕으로 경제 성장을 이룩하였다. 이 과정에서 우리나라의 무역 의존도는 크게 높아졌다. 일반적으로 무역 의존도가 높은 국가에서는 국제 원자재 가격의 변동이나 무역의 비중이 높은 상대 국가의 경제 상황에 따라 국내 경제가 민감하게 반응하게 된다.

└ 국내 총생산(GDP)에서 무역액이 차지하는 비율

1 다음 빈칸에 들어갈 내용을 쓰시오.

(1) 국가별로 각자의 특수한 환경에 가장 적합한 상품을 특화하여 생산하는 것을 (   )이라고 한다.

(2) 한 국가가 다른 국가보다 상대적으로 더 적은 기회비용으로 상품을 생산할 수 있을 때 (   )가 있다고 말한다.

2 다음 사례에서 포르투갈과 영국이 비교 우위를 가지는 품목을 각각 쓰시오.

> 과거에 포르투갈은 영국보다 더 적은 노동력으로 와인과 옷을 생산할 수 있었다. 그러나 포르투갈은 와인을, 영국은 옷을 상대적으로 더 효율적으로 만들 수 있었다.

(1) 포르투갈 – (   ) (2) 영국 – (   )

3 다음 설명이 맞으면 ○표, 틀리면 ×표를 하시오.

(1) 세계 무역 기구(WTO)는 국가 간 무역 마찰을 조정하는 역할을 한다. (   )

(2) 자유 무역 협정(FTA)은 체결 당사국 간에 관세를 인상함으로써 무역을 확대한다. (   )

4 다음 괄호 안의 내용 중 알맞은 말에 ○표를 하시오.

(1) 무역의 확대는 다양한 상품이나 서비스를 (높은, 낮은) 가격에 소비할 기회를 증가시킨다.

(2) 경제의 해외 의존도가 높을수록 국외의 경제적 충격이 국내 경제에 미치는 파급 효과가 (커진다, 작아진다).

5 다음 설명이 맞으면 ○표, 틀리면 ×표를 하시오.

(1) 무역의 확대는 경쟁력을 갖추지 못한 국내 산업에 어려움을 줄 수 있다. (   )

(2) 무역이 확대되면 정부가 자국의 산업을 보호하거나 지원하는 정책을 펼치기 쉬워진다. (   )

(3) 무역이 확대되면 생산 규모가 커지면서 평균 생산 비용이 늘어나는 규모의 경제가 나타난다. (   )

01 ㉠, ㉡에 들어갈 말을 옳게 연결한 것은?

> 국가마다 자연환경, 천연자원의 종류와 양, 노동이나 자본의 질과 양이 다르다.
>
> ↓
>
> 국가마다 (㉠)의 차이가 나타난다.
>
> ↓
>
> 각국은 생산에 유리한 품목을 (㉡)하여 교역한다.

	㉠	㉡		㉠	㉡
①	환율	수입	②	환율	특화
③	생산비	특화	④	생산비	수입
⑤	생산비	수출			

02 다음 글을 통해 알 수 있는 국제 분업과 무역의 필요성으로 가장 적절한 것은?

> 오스트레일리아는 풍부한 지하자원을 바탕으로 세계적인 자원 수출국이 되었다. 특히 철광석은 우리나라를 비롯하여 제철 공업이 발달한 세계 각국으로 수출되고 있다. 오스트레일리아는 자원을 수출하여 경제적으로 부유해졌지만, 아직도 공업 발달은 부진한 편이어서 다른 국가로부터 공산품을 수입하고 있다.

① 자국에서 생산하는 상품의 질이 낮아지게 된다.

② 자국에서 필요한 모든 상품을 직접 생산할 수 있게 된다.

③ 자국에서 생산되지 않았던 상품을 직접 생산할 수 있게 된다.

④ 자국에서 얻기 힘든 물건을 다른 국가에서 얻을 수 있게 된다.

⑤ 모든 국가에서 같은 종류의 상품을 동일한 생산비로 생산할 수 있게 된다.

03 다음 사례에 대한 옳은 분석을 〈보기〉에서 고른 것은? (단, 전 세계에 갑국과 을국만 존재한다고 가정한다.)

> 갑국은 을국보다 메모리 반도체와 섬유 생산의 기술력이 모두 뛰어나다. 그러나 갑국은 메모리 반도체를 직접 생산하지만 섬유는 노동력이 풍부하고 인건비가 싼 을국에서 수입하고 있다. 그리고 을국은 갑국으로부터 메모리 반도체를 수입하고 있다.

보기
ㄱ. 갑국은 섬유 생산에 절대 우위를 갖는다.
ㄴ. 갑국은 메모리 반도체 생산에 비교 우위를 갖는다.
ㄷ. 을국은 섬유 생산에 비교 우위와 절대 우위를 모두 갖는다.
ㄹ. 무역을 통한 이익은 갑국이 을국보다 크다.

① ㄱ, ㄴ ② ㄱ, ㄷ ③ ㄴ, ㄷ
④ ㄴ, ㄹ ⑤ ㄷ, ㄹ

04 표는 갑국과 을국이 딸기와 포도를 1단위 생산하는 데 드는 비용을 나타낸다. 이에 대한 분석으로 옳지 않은 것은?

구분	딸기	포도
갑국	30원	60원
을국	200원	100원

① 갑국은 딸기 생산에 비교 우위를 갖는다.
② 갑국은 딸기와 포도 생산에 모두 절대 우위를 갖는다.
③ 을국은 포도 생산에 특화하는 것이 합리적이다.
④ 포도 생산의 상대적 생산비는 을국이 갑국보다 적다.
⑤ 딸기 1단위 생산의 기회비용은 을국이 갑국의 2배이다.

05 표는 우리나라 주요 수출 품목의 변화를 나타낸다. 이에 대한 옳은 분석 및 추론을 〈보기〉에서 고른 것은?

1960년	철광석, 무연탄, 오징어 등
1970년	섬유류, 합판, 가발 등
1990년	의류, 영상 기기, 선박 등
2000년	반도체, 선박, 자동차 등
2015년	반도체, 자동차, 무선 통신 기기 등

보기
ㄱ. 수출 의존도가 낮아졌을 것이다.
ㄴ. 무역 규모가 지속해서 줄어들고 있다.
ㄷ. 비교 우위를 갖는 품목이 변화했을 것이다.
ㄹ. 기술 집약적인 상품의 경쟁력이 강화되었을 것이다.

① ㄱ, ㄴ ② ㄱ, ㄷ ③ ㄴ, ㄷ
④ ㄴ, ㄹ ⑤ ㄷ, ㄹ

06 밑줄 친 ㉠, ㉡에 대한 옳은 분석 및 추론을 〈보기〉에서 고른 것은?

> 1995년 ㉠ 세계 무역 기구(WTO)가 등장한 이후 농산물, 서비스 등 국제적으로 거래되는 모든 상품과 서비스의 시장 개방이 전면적으로 이루어지고 있다. 또한 경제적 이해관계를 같이하는 특정 국가끼리 맺는 ㉡ 자유 무역 협정(FTA)의 대상은 상품을 비롯하여 서비스, 투자, 지식 재산권 등으로 확대되고 있다.

보기
ㄱ. ㉠은 각종 수입 제한 조치를 강화한다.
ㄴ. ㉠은 국가 간 무역 장벽을 완화할 목적으로 설립되었다.
ㄷ. ㉡이 확산되면 협정 당사국 간에 무역 규모가 늘어날 것이다.
ㄹ. ㉡이 확산되면 정부에서 시행하는 경제 정책의 자율성이 높아질 것이다.

① ㄱ, ㄴ ② ㄱ, ㄷ ③ ㄴ, ㄷ
④ ㄴ, ㄹ ⑤ ㄷ, ㄹ

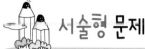

07 다음 사례를 통해 알 수 있는 국제 무역 확대의 영향으로 가장 적절한 것은?

> 불과 20년 전만 해도 우리나라에서 바나나는 가격도 비싸고 보기 힘든 과일이었다. 최근에는 수입을 통해 바나나뿐만 아니라 자몽, 망고, 코코넛 등 우리나라에서 생산되지 않는 다양한 열대 과일이 저렴한 가격으로 수입되어 쉽게 접할 수 있게 되었다.

① 국가 간 빈부 격차가 심화될 수 있다.
② 국내 기업의 경쟁력이 강화될 수 있다.
③ 국내 경제의 해외 의존도가 높아질 수 있다.
④ 규모의 경제를 실현하여 생산비를 절감할 수 있다.
⑤ 소비자가 선택할 수 있는 상품의 폭이 넓어져 편익이 커질 수 있다.

08 국제 무역을 바라보는 갑과 을의 입장에 대한 옳은 분석 및 추론을 〈보기〉에서 고른 것은?

> • 갑: 우리나라는 광복 이후 빈곤에서 헤어나지 못하다가 1960년대 이후 수출 주도의 성장 우선 정책으로 산업 성장의 기반을 마련하였어. 그리고 무역을 통해 선진국의 첨단 기술을 받아들이고 여기에 우리의 기술 개발 노력이 더해지면서 경제 성장을 이루었지.
> • 을: 하지만 모두 우리나라와 같지는 않아. 자유 무역이 확대되면서 미국과 같은 선진국의 경제 규모는 계속 커졌지만, 개발 도상국은 오히려 손해를 보는 경우가 많아.

보기
ㄱ. 갑은 국가 간 무역 장벽을 강화해야 한다고 주장할 것이다.
ㄴ. 갑은 무역의 확대로 무역 당사국의 이익이 증가한다고 본다.
ㄷ. 을은 개발 도상국의 경제 발전을 위해 무역의 확대가 필요하다고 본다.
ㄹ. 자유 무역 협정(FTA)의 확대에 대해 갑은 찬성, 을은 반대할 것이다.

① ㄱ, ㄴ 　② ㄱ, ㄹ 　③ ㄴ, ㄷ
④ ㄴ, ㄹ 　⑤ ㄷ, ㄹ

서술형 문제

01 다음은 사회 수업 시간의 모습을 나타낸다. 물음에 답하시오.

> 표는 갑국과 을국이 옷과 신발을 1단위 생산하는 데 필요한 생산비를 나타낸다.
>
> | 구분 | 갑국 | 을국 |
> |------|------|------|
> | 옷 | 50원 | 600원 |
> | 신발 | 100원 | 200원 |
>
> • 교사: 을국은 (㉠)을/를 갖는 상품이 없기 때문에, 갑국과 을국 간에 무역이 발생한다면 (㉡) 개념을 통해서만 설명할 수 있습니다.

(1) ㉠, ㉡에 들어갈 내용을 각각 쓰시오.

(2) 위 사례에서 을국이 어느 상품의 생산에 특화하여 갑국과 교역하는 것이 좋은지 쓰고, 그 이유를 서술하시오.

길잡이 갑국과 을국에서 생산하는 상품의 상대적 생산비를 비교하여 서술한다.

02 다음 사례를 통해 알 수 있는 국제 무역 확대의 영향을 서술하시오.

> 미국에서 밀 공급이 감소하면 국제 시장에서 밀의 가격은 상승하게 된다. 이는 밀을 수입하여 주원료로 사용하는 우리나라 상품의 가격에도 영향을 미쳐 소비자 물가 상승으로 이어질 수 있다.

길잡이 무역의 확대와 국가 간 상호 의존도와의 관계가 드러나도록 서술한다.

STEP 3 1등급 정복하기

수능 응용

1 다음 자료에 대한 옳은 분석을 〈보기〉에서 고른 것은?

갑국과 을국은 모두 노동만을 생산 요소로 사용하여 X재와 Y재를 생산하고 소비한다. 교역 시 양국은 각각 비교 우위에 있는 재화를 특화한다. 표는 각 재화 1단위를 생산하는 데 필요한 노동 시간을 나타낸다.

구분	갑국	을국
X재	2시간	3시간
Y재	4시간	⊙ 9시간

⊙ 각 재화 생산 시 필요한 노동 시간

보기

ㄱ. 갑국의 X재 1단위 생산에 대한 기회비용은 Y재 2단위이다.

ㄴ. 갑국은 X재와 Y재 생산에 모두 절대 우위를 갖는다.

ㄷ. X재와 Y재의 교환 비율이 3 : 1이라면 양국 모두 이득을 얻는다.

ㄹ. ⊙이 6시간으로 감소하면 양국은 교역으로 이득을 얻지 못한다.

① ㄱ, ㄴ   ② ㄱ, ㄷ   ③ ㄴ, ㄷ

④ ㄴ, ㄹ   ⑤ ㄷ, ㄹ

> **국제 무역의 발생 원리**
>
> **완자쌤의 시험 꿀팁**
>
> 각국에서 생산하는 상품의 상대적 생산비를 비교하여 비교 우위 상품을 찾아야 한다.
>
> **완자 사전**
>
> • 생산 요소
> 노동, 자연 자원, 자본 등과 같이 생산을 하는 데 필요한 요소

2 그림은 주요 국가의 무역 의존도를 나타낸다. 이에 대한 분석 및 추론으로 가장 적절한 것은?

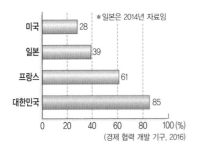

*일본은 2014년 자료임

미국 28
일본 39
프랑스 61
대한민국 85

(경제 협력 개발 기구, 2016)

① 무역 규모는 우리나라가 일본의 두 배 이상이다.

② 수출액과 수입액 간의 차이는 미국이 가장 크다.

③ 국민 경제의 자립도는 우리나라가 가장 높을 것이다.

④ 국내 총생산에서 무역액이 차지하는 비율은 우리나라가 가장 낮다.

⑤ 세계 경제 위기가 국내 경제에 영향을 미칠 가능성은 우리나라가 가장 높을 것이다.

> **국제 무역 확대의 영향**

자산 관리와 금융 생활

이것이 핵심!

• 자산 관리와 금융 자산

예금	• 수익 형태: 이자 • 특징: 유동성, 안전성은 높지만 수익성이 낮은 편임
주식	• 수익 형태: 배당금, 시세 차익 • 특징: 수익성이 높지만 원금 손실의 위험이 있음
채권	• 수익 형태: 이자, 시세 차익 • 특징: 주식보다 안전성이 높은 편임

↓

합리적인 자산 관리

다양한 금융 자산의 특성을 고려하여 분산 투자해야 함

★ 자산의 종류
• 금융 자산: 금융 회사와 연결된 현금, 예금, 주식, 채권 등의 자산
• 비금융 자산: 토지, 건물, 골동품과 같이 실물로 이루어진 자산

★ 저축성 예금의 종류
• 정기 적금: 일정 기간 동안 정기적으로 은행에 일정 금액을 적립하는 저축
• 정기 예금: 목돈을 일시에 은행에 넣어두었다가 만기일에 이자와 함께 돌려받는 저축

★ 배당
주식회사에서 회사 경영을 통해 얻은 이익 가운데 일부를 투자 지분에 따라 투자자들에게 나누어 주는 것

★ 시세 차익
투자자들이 금융 상품의 가격이 낮게 책정되어 있을 때 매수했던 금융 상품을 가격이 오른 시점에 내다 팔아서 얻는 이익

---

① 자산 관리와 금융 자산

1. 자산 관리의 의미와 필요성

(1) *자산 관리: 개인의 생애에 걸쳐 안정적인 경제생활을 유지하기 위해 저축과 투자에 대한 계획을 세우고 실행하는 것

(2) 자산 관리의 필요성 [자료①]

① 노후 대비: 평균 수명의 증가로 은퇴 이후의 생활에 대비해야 할 필요성이 높아짐

② 안정적인 경제생활 영위: 미래에 예상되는 지출 및 뜻밖의 사고나 질병 등 예기치 못한 지출에 대비해야 함

③ 신용 관리의 중요성 증대: 현대 사회에서는 신용이 중요하므로 철저한 관리가 필요함

> Q해? 신용은 미래의 소득을 담보로 현재 빌려 쓰는 것이므로 철저한 관리가 필요해.

2. 자산 관리의 원칙 [교과서 자료]

(1) 자산 관리의 기본 원칙

안전성	• 의미: 금융 상품의 원금과 이자가 보전될 수 있는 정도 • 특징: 투자의 위험 요소가 많을수록 투자 수단의 안전성이 낮음
수익성	• 의미: 금융 상품의 가격 상승이나 이자 수익을 기대할 수 있는 정도 • 특징: 수익률이 높을수록 안전성이나 유동성이 낮을 수 있음
유동성	• 의미: 보유 자산을 필요할 때 쉽게 현금으로 전환할 수 있는 정도 • 특징: 유동성이 낮은 자산의 경우 현금으로 전환하는 데 시간이 오래 걸릴 수 있음

(2) 합리적인 자산 관리 방법

① 안전성과 수익성이 균형을 이루도록 자금을 다양한 자산에 적절하게 분산하여 투자해야 함

② 장기적 관점에서 유동성 수준을 파악하여 자신이 돈을 써야 하는 목적이나 시기에 맞추어 적절하게 현금화할 수 있도록 관리해야 함

3. 다양한 금융 자산

(1) 주요 금융 자산 [자료②]

주식을 소유한 사람은 주주가 되며, 기업의 운영 및 이익 배당 등에 대해 주주의 권리를 행사할 수 있어.

예금	• 의미: 일정한 계약에 따라 이자를 받기로 하고 금융 기관에 돈을 맡기는 상품 • 종류: 입출금이 자유로운 요구불 예금, 이자 수입을 주된 목적으로 하는 *저축성 예금 • 특징: 다른 금융 자산에 비해 안전성과 유동성이 높지만, 수익성이 낮은 편임
주식	• 의미: 기업에 자금을 투자한 사람에게 그 대가로 회사 소유권의 일부를 지급하는 증표 • 수익의 형태: 주식 투자자들은 *배당과 *시세 차익을 통해 수익을 얻음 • 특징: 수익성은 높은 편이나, 원금 손실의 위험이 있어 안전성이 낮음
채권	• 의미: 국가나 공공 기관, 금융 기관, 기업 등이 직접 자금을 조달하기 위해 발행하는 차용 증서 • 수익의 형태: 만기 시에 발행 기관에서 약속한 이자를 받거나 만기 전에 팔아 시세 차익을 얻을 수 있음 • 특징: 비교적 신용도가 높은 곳에서 발행하므로 주식보다는 안전성이 높은 편임

(2) 기타 금융 자산

사고로 인한 큰 손해를 막아주는 역할을 하지.

펀드	다수의 투자자에게서 모은 자금을 금융 기관이 주식 및 채권 등에 투자하여 그 수익을 투자자들에게 분배하는 금융 상품
보험	미래에 당할지도 모르는 사고에 대비하여 보험료를 내고, 사고가 나면 약속한 보험금을 받는 금융 상품
연금	노후의 생활 안정을 위해 돈을 적립해 두고 일반적으로 은퇴 후에 받는 금융 상품

주식과 마찬가지로 원금 손실의 위험이 있어.

완자 자료 탐구

자료 1 신용 관리의 중요성

직장인 갑은 할부로 자동차를 구매하였는데, 할부금을 연체하여 신용 등급이 5등급으로 하락하였다. 전세금 마련을 위해 은행으로부터 5천만 원을 신용 대출받고자 하였으나 A 은행으로부터는 대출을 거절당하였고, B 은행으로부터는 신용 등급이 3등급인 동료보다 높은 대출 이자를 부담해야 한다는 말을 들었다. 갑은 평소에 신용 관리를 소홀히 한 것을 후회하였다.

신용이란 장래 어느 시점에 갚을 것을 약속하고 돈을 빌릴 수 있는 능력을 말한다. 신용이 나쁘면 은행으로부터 대출을 거절당하거나 높은 대출 이자를 부담해야 하는 등 경제 활동에서 불이익을 받을 수 있으므로 자신의 신용을 잘 관리해야 한다.

수능이 보이는 교과서 자료 분산 투자의 중요성

- **달걀을 한 바구니에 담지 마라**
  달걀을 각각의 바구니에 나눠 담으면 한꺼번에 깨질 위험이 줄어든다. 주식 한 종목에 가진 돈을 모두 투자할 경우 해당 회사의 부도 등 예상치 못한 상황이 발생하면 큰 손실을 입을 수 있다. 그러나 여러 자산에 나누어 투자하면 한 종목이 하락하더라도 다른 종목에서 손실을 보충할 수 있다.

- **'100-나이'의 원칙**
  '100-나이'의 원칙이란 금융 상품에 투자할 때, 100에서 자신의 나이를 뺀 숫자만큼의 비율을 수익성 위주의 자산에 투자하고, 나머지는 안전성 위주의 자산에 투자하라는 것이다. 즉 나이가 들수록 원금 손실의 위험이 큰 자산의 비중을 줄이고 원금이 보장되는 자산의 비중을 높여야 한다는 뜻이다.

일반적으로 금융 상품은 투자 수익이 크면 투자 위험도 커지기 때문에 안전성, 수익성, 유동성을 모두 갖춘 자산을 찾기는 어렵다. 따라서 자산을 합리적으로 관리하려면 투자의 목적과 기간, 금융 상품의 특성 등을 고려하여 자금을 다양한 자산에 적절히 분산하여 투자해야 한다.

자료 하나 더 알고 가자!

금융 상품별 수익과 위험의 정도

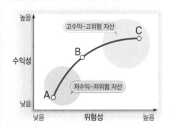

일반적으로 수익성이 높은 금융 상품일수록 안전성이 낮고, 안전성이 높은 금융 상품일수록 수익성이 낮다.

완자샘의 탐구 강의

- 수익성과 안전성 측면에서 주식과 정기 예금을 비교해 보자.

구분	주식	정기 예금
수익성	높음	낮음
안전성	낮음	높음

- '100-나이'의 원칙에 따를 때 40세인 사람은 자신의 자금을 어떻게 분산하여 투자할지 서술해 보자.

100에서 40을 뺀 60%를 수익성 위주의 자산에 투자하고, 나머지 40%는 안전성 위주의 자산에 투자한다.

함께 **보기** 143쪽, 내신 만점 공략하기 04

자료 2 금융 상품의 특징

질문	정기 예금	주식	채권
일반적으로 만기가 있습니까?	예	아니요	예
일반적으로 이자가 지급됩니까?	예	아니요	예
시세 차익을 얻을 수 있습니까?	아니요	예	예
배당 수익을 기대할 수 있습니까?	아니요	예	아니요
예금자 보호 제도의 보호를 받습니까?	예	아니요	아니요

정기 예금은 일정 금액을 은행에 넣어 두었다가 만기일에 이자와 함께 돌려받는 금융 상품으로, 예금자 보호 제도의 보호를 받아 안전성이 높은 편이다. 주식은 배당과 시세 차익을 통해 수익을 올릴 수 있는데, 국내외의 경제 여건, 기업의 경영 실적에 따라 수익이 달라질 수 있다. 채권은 만기 시 발행 기관에서 약속한 이자를 통해 수익을 얻을 수 있으며, 채권의 가격이 올랐을 때 팔아 시세 차익을 누릴 수도 있다.

└ 금융 기관이 예금을 지급할 수 없는 경우 예금 보험 공사에서 대신 원금과 이자를 합하여 1인당 최대 5천만 원까지 돌려주는 제도를 의미해.

문제 로 확인할까?

정기 예금에 대한 설명으로 옳은 것은?
① 수익성이 높다.
② 배당금이 지급된다.
③ 시세 차익을 얻을 수 있다.
④ 자산 가치의 변동이 심하다.
⑤ 만기 시 이자 수익을 얻을 수 있다.

⑤ 目

04 자산 관리와 금융 생활

재무 설계의 의미와 필요성

의미	생애 주기를 고려하여 재무 목표를 설정하고, 목표 달성에 필요한 구체적인 계획을 세우는 과정
과정	재무 목표 설정 → 재무 상태 분석 → 대안 모색 → 재무 행동 계획 실행 → 실행 평가와 수정

↓

필요성
제한된 소득을 현재와 장래 생활에 적절히 배분하도록 하여 안정적인 미래를 설계할 수 있게 함

★ **발달 과업**
생애 주기에 따라 단계별로 요구되는 과업

★ **소득의 유형**
· 근로 소득: 사업자에 고용되어 노동력을 제공하고 받는 임금
· 사업 소득: 직접 기업을 경영하여 얻은 이윤
· 재산 소득: 금융 이자, 지대 등 재산을 활용하여 얻은 소득
· 이전 소득: 생산에 직접 참여하지 않고 무상으로 얻는 소득

★ **재무**
개인이나 가정, 단체 등의 경제 상태와 관련된 일

★ **포트폴리오**
위험을 줄이고 수익을 극대화하기 위한 분산 투자 방법이나 그렇게 분산하여 투자한 자산의 집합

---

② 생애 주기별 금융 생활 설계

1. 생애 주기와 생애 설계 자료③ 자료④

(1) **생애 주기**: 시간의 흐름에 따라 개인의 삶이 어떻게 진전되는지, 가족의 모습은 어떻게 변화하는지를 몇 가지 단계로 나타낸 것

(2) **생애 설계**: 자신의 생애 주기에 따른 단계별 과업을 설정하고, 각 단계에 어떤 준비가 필요한지 구체적인 계획을 세우는 것

(3) **생애 주기별 주요 ★발달 과업 및 특징**

> 꽃! 생애 주기의 각 단계에 따라 필요한 자금의 내용과 크기가 달라지며, 소득도 달라져.

생애 주기	주요 발달 과업	특징
아동기	학업, 진로 탐색	부모의 ★소득에 의존하여 소비 생활을 하는 시기
청년기	취업, 결혼, 자녀 출산 및 교육	취업을 통해 소득이 생겨나는 시기
중·장년기	가족 부양, 주택 마련, 노후 대비	소득이 가장 많지만 소비 규모도 큰 시기
노년기	안정된 노후 생활	경제적 정년으로 소득보다 소비가 많은 시기

(4) **생애 주기에 따른 소득과 소비의 특징**: 생애 주기 동안 생산 활동을 통해 소득을 얻을 수 있는 시기는 한정되어 있지만, 개인의 소비 생활은 평생에 걸쳐 이루어짐

> 꽃! 평균 수명의 연장으로 고령화가 점점 더 가속화되면서 은퇴 이후의 삶에 대비할 필요성이 더 높아졌어.

2. 생애 주기를 고려한 금융 생활 설계 자료⑤

(1) **★재무 설계**: 생애 주기를 고려하여 재무 목표를 설정하고, 미래의 수입과 지출을 예상하면서 목표 달성에 필요한 구체적인 계획을 세우는 과정

(2) **재무 설계의 필요성**: 전 생애에 걸쳐 제한된 소득을 현재와 장래의 생활에 어떻게 배분할 것인지를 고민함으로써 안정적인 미래를 설계할 수 있음

(3) **재무 설계의 원칙**

① 생애 주기에서 어느 시기에 어느 정도의 규모로 목돈이 필요한지를 예측하여 금융 생활을 설계해야 함

② 현재의 소득이나 자산을 기준으로 현재의 소비를 결정하는 것이 아니라, 전 생애 동안의 예상 소득에 맞추어 장기적인 관점에서 소비와 저축을 결정해야 함

(4) **재무 설계 과정**

재무 목표 설정	자신의 가치관과 재무 상태 등을 고려해 장·단기 재무 목표를 설정함 예 주택 마련 자금, 노후 자금 등

↓

재무 상태 분석	자신의 재무 상태 및 이용 가능한 자산을 파악함

↓

목표 달성을 위한 대안 모색	재무 목표의 우선순위와 시간 계획 등을 설정하여 ★포트폴리오를 구성함

↓

재무 행동 계획 실행	재무 목표 달성을 위해 계획을 실행함

↓

재무 실행 평가와 수정	목표 달성 정도를 평가하고, 달성하지 못했을 경우 문제점을 파악하여 목표나 계획을 수정함

완자 자료 탐구

내 옆의 선생님

자료 3 일반적인 생애 주기별 발달 과업

- 자아실현을 위한 준비

10세

- 직업 선택을 위한 탐색과 능력 개발
- 취업

20세

- 결혼 및 출산
- 자녀 양육
- 주택 마련

30세

- 자녀 교육
- 부모님 부양

40세

- 자녀 결혼
- 은퇴 준비

50세

- 안정된 노후 생활

60세 이후

안정적인 직업 생활, 노후 자금 준비

일반적으로 아동기까지는 교육과 성장의 시기로 자신의 능력으로 돈을 벌 수 없으므로 대체로 부모님의 소득에 의존한다. 청년기는 취업, 결혼, 자녀 출산 및 교육 등 다양한 과업이 요구되며, 점차 본인의 소득에 따른 경제생활을 하게 된다. 중·장년기는 가족 부양 부담, 노후 준비를 대표적인 과업으로 갖게 되며, 일반적으로 소득이 가장 많지만 지출 규모도 크다. 노년기는 건강 유지 및 은퇴 후의 행복한 생활 유지가 가장 큰 과업이 된다.

자료 4 생애 주기별 수입과 지출의 흐름

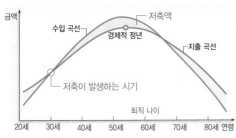

↑ 일반적인 생애 주기별 수입과 지출 곡선

생애 주기에서 수입이 지출을 초과하는 시기가 있고, 반대로 지출이 수입을 초과하는 시기가 있다. 사람마다 수입과 지출의 크기와 추이는 다르지만, 일반적으로 노년기 이전에는 수입이 지출보다 많으므로 이 시기에 충분한 금융 자산을 확보해 두어야 한다.

자료 5 재무 설계 시 고려해야 할 사항

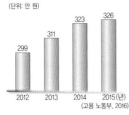

(단위: 만 원)

2012	2013	2014	2015 (년)
299	311	323	326

↑ 임금 근로자 월평균 임금
(고용 노동부, 2016)

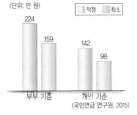

(단위: 만 원) ■적정 ■최소

	부부 기준	개인 기준
적정	224	142
최소	159	98

↑ 노후 필요 월 생활비
(국민연금 연구원, 2015)

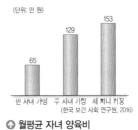

(단위: 만 원)

한 자녀 가정	두 자녀 가정	세 자녀 가정
65	129	153

↑ 월평균 자녀 양육비
(한국 보건 사회 연구원, 2016)

재무 설계를 할 때에는 근로자 임금, 노후 생활비, 자녀 양육비 등 다양한 통계 자료를 통해 필요한 비용을 예측하여 구체적인 자금 마련 계획을 세워야 한다. 이를 바탕으로 안정적인 미래를 설계하기 위한 저축 및 투자 계획을 수립할 수 있다.

정리 비법을 알려줄게!

생애 주기별 수입과 지출 변화

아동기	부모의 소득에 의존하는 시기
청년기	취업과 함께 소득 발생, 결혼·출산 관련 지출 발생
중·장년기	소득 증가, 자녀 결혼·주택 마련 등으로 지출 증가
노년기	경제적 정년으로 소득 감소, 연금 생활

문제 로 확인할까?

생애 주기를 고려할 때 소득 감소에 따른 생활에 적응해야 하는 사람으로 가장 적절한 것은?

① 6세의 어린이
② 17세의 고등학생
③ 지난달에 취업한 28세의 남성
④ 음식점을 운영하는 45세의 여성
⑤ 올해 초 정년퇴직한 65세의 남성

⑤ 답

자료 하나 더 알고 가자!

우리나라의 상대적 빈곤율

■전체 상대적 빈곤율
■노인 상대적 빈곤율(65세 이상)
*처분 가능 소득 기준
(단위: %)

	2011	2012	2013	2014	2015 (년)
노인	47.6	47.2	48.1	47.4	44.8
전체	15.2	14.6	14.6	14.4	13.8

(통계청, 각 연도)

우리나라에서는 경제적으로 어려움을 겪는 노인의 비중이 높게 나타난다. 생애 주기에서 흑자 시기에 저축하지 않으면 은퇴 후 생활 자금을 마련하지 못해 어려움을 겪을 수 있다.

STEP 1 핵심 개념 확인하기

1 금융 자산을 〈보기〉에서 골라 기호를 쓰시오.

┌─ 보기 ┐
ㄱ. 토지　　　ㄴ. 건물　　　ㄷ. 예금
ㄹ. 주식　　　ㅁ. 채권　　　ㅂ. 골동품
└─────────┘

2 다음 빈칸에 들어갈 내용을 쓰시오.

(1) 보유 자산을 필요할 때 쉽게 현금으로 전환할 수 있는 정도를 (　　　)이라고 한다.

(2) 금융 상품의 가격 상승이나 이자 수익을 기대할 수 있는 정도를 (　　　)이라고 한다.

(3) 일반적으로 투자의 위험 요소가 많을수록 그 투자 수단의 (　　　)은 낮다고 볼 수 있다.

3 다음 괄호 안의 내용 중 알맞은 말에 ○표를 하시오.

(1) (예금, 채권)은 예금자 보호 제도의 적용을 받는다.

(2) 일반적으로 주식은 예금보다 (안전성, 수익성)이 높다.

(3) 채권은 (배당, 시세 차익)을 통해 수익을 얻을 수 있다.

(4) (주식, 펀드)은/는 다수의 투자자로부터 모은 자금을 전문가가 대신 운용하는 간접 투자 상품이다.

4 생애 주기에 따른 주요 과업을 옳게 연결하시오.

(1) 아동기　　•　　　•㉠ 취업 및 결혼 준비

(2) 청년기　　•　　　•㉡ 교육과 성장의 시기

(3) 중·장년기•　　　•㉢ 건강관리 및 노후 생활

(4) 노년기　　•　　　•㉣ 자녀 결혼 및 노후 대비

5 다음 설명이 맞으면 ○표, 틀리면 ×표를 하시오.

(1) 아동기는 소비보다 소득이 적은 시기이다.　　　(　　)

(2) 생애 주기의 각 단계에 따라 필요한 자금의 내용과 크기가 달라진다.　　　(　　)

(3) 재무 설계는 생애 주기에 따라 지속적으로 증가하는 소득을 관리하기 위한 것이다.　　　(　　)

STEP 2 내신 만점 공략하기

01 ㉠에 대한 적절한 진술을 〈보기〉에서 고른 것은?

> 사람은 누구나 경제적인 어려움을 겪지 않고 풍족하게 살아가기를 원한다. 하지만 평생 돈을 벌고 쓰는 과정은 불규칙하게 이루어질 때가 많다. 이에 따라 안정적인 경제생활을 영위하기 위해서는 저축과 투자에 대한 계획을 세우고 실행하는 (　㉠　)이/가 필요하다.

┌─ 보기 ┐
ㄱ. 예기치 못한 질병이나 사고 등에 대비할 수 있게 한다.
ㄴ. 한정된 기간에만 이루어지는 소비 생활에 대비할 수 있게 한다.
ㄷ. 평균 수명 연장으로 인한 노후 비용 증가에 대비할 수 있게 한다.
ㄹ. 다양한 투자 방법을 이용하여 큰 수익을 얻는 것만을 목적으로 한다.
└─────────┘

① ㄱ, ㄴ　　　② ㄱ, ㄷ　　　③ ㄴ, ㄷ
④ ㄴ, ㄹ　　　⑤ ㄷ, ㄹ

02 다음 사례를 통해 이끌어 낼 수 있는 결론으로 가장 적절한 것은?

> 직장인 갑은 신용 카드 할부로 자동차를 구매하였는데, 할부금을 연체하여 신용 등급이 하락하였다. 갑은 전세금 마련을 위해 은행으로부터 5천만 원을 대출받고자 하였으나 A 은행으로부터는 대출을 거절당하였고, B 은행으로부터는 다른 사람보다 높은 대출 이자를 부담해야 한다는 말을 들었다.

① 모든 금융 거래를 현금으로만 해야 한다.
② 현재의 소득 범위 안에서만 소비해야 한다.
③ 위험성이 높은 금융 상품에 투자해서는 안 된다.
④ 안정적인 경제생활을 위해 신용 관리를 철저히 해야 한다.
⑤ 국민 경제의 성장을 위해 신용 거래를 활발하게 해야 한다.

03 표는 금융 상품 (가)~(다)에 대해 평가한 것이다. 이에 대한 옳은 분석을 〈보기〉에서 고른 것은?

평가 요소 \ 금융 상품	(가)	(나)	(다)
수익성	+	+++	++
안전성	+++	+	++
유동성	++	+	+++

* 단, +가 많을수록 그 정도가 강한 것이다.

보기

ㄱ. (가)는 정기 예금보다 주식에 더 가깝다.
ㄴ. (나)는 (가)보다 원금 손실의 위험이 크다.
ㄷ. (다)는 (나)보다 현금화하기 어렵다.
ㄹ. 수익성만을 고려하여 투자하는 사람은 '(나), (다), (가)' 순으로 선호할 것이다.

① ㄱ, ㄴ   ② ㄱ, ㄷ   ③ ㄴ, ㄷ
④ ㄴ, ㄹ   ⑤ ㄷ, ㄹ

04 다음 사례의 갑에게 해 줄 수 있는 조언으로 가장 적절한 것은?

얼마 전 퇴직한 갑은 퇴직금으로 받은 5천만 원을 모두 한 회사의 주식에 투자하였다. 그러나 경기 악화로 주식 가격이 하락하면서 큰 손실을 보았다. 이후 갑은 자신이 가진 모든 자금을 은행 예금에만 넣어두었다. 이번에는 경기 호황으로 주식에 투자한 사람들은 많은 수익을 얻었으나, 갑은 은행 이자에만 만족해야 했다.

① 한 가지의 자산에 집중적으로 투자해야 한다.
② 안전성보다 수익성을 우선하여 투자해야 한다.
③ 원금이 보장되는 금융 상품에만 투자해야 한다.
④ 자금을 다양한 자산에 적절하게 나누어 투자해야 한다.
⑤ 필요할 때 쉽게 현금화할 수 있는 상품 위주로 투자해야 한다.

05 다음 상품 설명서에 해당하는 금융 상품의 특징으로 옳은 것은?

상품 설명서

• 가입 목적: 목돈 모으기
• 가입 기간: 1개월 이상 24개월 이하
• 수익 형태: 만기 시 이자 지급(연리 2.5%)
• 상품 특징: 중도 해지 시 연리 0.5%만 적용

① 배당금이 지급된다.
② 시세 차익을 누릴 수 있다.
③ 예금자 보호 제도의 보호를 받는다.
④ 전문가가 투자를 대신한다는 장점이 있다.
⑤ 다른 금융 상품보다 수익성이 높은 편이다.

06 금융 상품 (가)~(다)에 대한 설명으로 옳지 않은 것은? (단, (가)~(다)는 주식, 채권, 정기 적금 중 하나이다.)

(가) 기업에 자금을 투자한 사람에게 그 대가로 회사 소유권의 일부를 지급하는 증표
(나) 국가나 공공 기관, 금융 기관 등이 투자자로부터 자금을 빌리면서 발행한 차용 증서
(다) 이자를 받을 목적으로 계약 기간 동안 매달 일정 금액을 은행에 입금하여 목돈을 마련하는 상품

① (가)는 원금 손실의 위험이 큰 편이다.
② (나)는 일정 기간 후 약속한 이자를 받을 수 있다.
③ 일반적으로 (나)는 (가)보다 안전성이 높다.
④ (가)는 (다)와 달리 시세 차익을 기대할 수 있다.
⑤ (다)는 (나)와 달리 원칙적으로 만기가 있는 상품이다.

07 ⊙, ⓒ에 들어갈 금융 상품을 옳게 연결한 것은?

안정적인 금융 생활을 위해 수익률이 높은 금융 상품만 필요한 것은 아니다. 미래에 당할지도 모를 사고에 대비하여 금융 회사에 일정 금액을 납부하고 사고가 나면 약속한 금액을 받는 (⊙)을/를 통해 큰 손해에 대비할 수 있다. 또한 (ⓒ) 상품에 가입하여 일정 금액을 적립하였다가 은퇴 후에 수령함으로써 노후 생활에 대비할 수 있다.

	⊙	ⓒ		⊙	ⓒ
①	연금	보험	②	연금	채권
③	보험	연금	④	보험	펀드
⑤	펀드	연금			

08 표는 갑~병이 보유한 금융 상품의 구성을 나타낸다. 이에 대한 분석으로 옳은 것은?

(단위: %)

구분	정기 예금	주식	채권	보험
갑	50	0	50	0
을	0	100	0	0
병	40	20	20	20

① 갑은 배당금이 지급되는 금융 상품에 투자하고 있다.
② 을은 수익성보다 안전성을 우선시하는 투자 성향을 보이고 있다.
③ 채권에 투자한 금액은 갑이 병보다 더 많다.
④ 을은 병과 달리 분산 투자를 하고 있다.
⑤ 병은 갑, 을과 달리 미래의 위험에 대비하는 금융 상품에 가입하였다.

09 밑줄 친 ⊙~ⓜ에 대한 설명으로 옳지 않은 것은?

시간의 흐름에 따라 개인의 삶이 어떻게 변화하는지 몇 가지 단계로 나타낸 것을 ⊙ 생애 주기라고 한다. 일반적인 사람들의 생애 주기는 ⓒ 아동기, ⓒ 청년기, ⓔ 중·장년기, ⓜ 노년기로 나눌 수 있다. 생애 주기별로 요구되는 과업을 적절히 수행할 때 개인은 안정적으로 성장할 수 있으며, 사회에 원만하게 적응해 만족스러운 삶을 영위할 수 있다.

① ⊙의 단계별로 필요한 자금의 내용과 크기가 달라지며, 소득도 달라진다.
② ⓒ은 소비보다 소득이 적은 시기이다.
③ ⓒ은 취업, 결혼, 자녀 출산 및 교육 등에 관한 과업이 요구되는 시기이다.
④ ⓔ은 소득이 가장 많은 반면, 소비가 가장 적은 시기이다.
⑤ ⓜ은 경제적 정년으로 소득이 감소하는 시기이다.

10 그림은 생애 주기에 따른 일반적인 수입과 지출의 흐름을 나타낸다. 이에 대한 옳은 분석 및 추론을 〈보기〉에서 고른 것은?

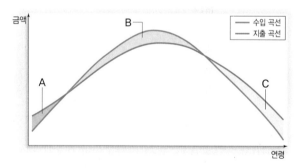

보기

ㄱ. 취업 준비 기간이 늘어날수록 A는 줄어들 것이다.
ㄴ. 자녀 교육비에 대한 부담이 높아질 경우 B는 줄어들 것이다.
ㄷ. 은퇴 시기가 늦어질 경우 B는 늘어나고 C는 줄어들 것이다.
ㄹ. 안정적인 경제생활을 영위하기 위해서는 A와 C의 합이 B와 같아야 한다.

① ㄱ, ㄴ ② ㄱ, ㄷ ③ ㄴ, ㄷ
④ ㄴ, ㄹ ⑤ ㄷ, ㄹ

11 다음 교사의 질문에 옳은 답변을 한 학생을 고른 것은?

생애 주기를 고려하여 재무 설계를 해야 하는 이유는 무엇일까요?

생애 주기를 고려한 재무 설계

교사

갑: 소득이 특정 시기에만 발생하기 때문입니다.

병: 소비 생활의 기간과 규모가 한정되어 있기 때문입니다.

을: 일생 동안 소득과 소비의 흐름이 일정하기 때문입니다.

정: 생애 주기 중 결혼 자금, 주택 자금 등과 같이 목돈이 필요한 시기에 대비해야 하기 때문입니다.

① 갑, 을   ② 갑, 정   ③ 을, 병
④ 을, 정   ⑤ 병, 정

12 다음은 갑의 재무 설계 과정을 나타낸다. (가)~(라)에 대한 분석으로 적절하지 <u>않은</u> 것은?

> (가) 결혼을 1년 앞둔 갑은 결혼 자금을 마련하려는 계획을 세웠다.
> (나) 갑은 현재 자신이 보유한 자산과 월별 수입과 지출 내역을 파악하였다.
> (다) 최근 경조사비 지출이 늘어 현금이 부족해지자, 갑은 주식에 대한 투자 비중을 줄였다.
> (라) 갑은 월급의 30%를 정기 적금에 넣고, 20%를 주식에 투자하기로 결정하고, 이를 실행하였다.

① (가) 단계에서 갑은 재무 목표를 설정하였다.
② (나) 단계에서는 재무 목표 달성에 필요한 자금 규모를 설정해야 한다.
③ (다) 단계에서 갑은 자신의 지출 변화에 따라 포트폴리오를 수정하였다.
④ (라) 단계에서는 재무 목표에 맞게 포트폴리오를 구성해야 한다.
⑤ 재무 설계는 '(가)-(나)-(라)-(다)'의 순서대로 이루어진다.

서술형 문제

● 정답친해 48쪽

01 표는 금융 상품의 종류를 구분한 것이다. 물음에 답하시오. (단, A~C는 주식, 채권, 정기 예금 중 하나이다.)

질문	A	B	C
예금자 보호 제도의 보호를 받는가?	예	아니요	아니요
(가)	아니요	예	아니요

(1) A에 들어갈 금융 상품을 쓰시오.

(2) (가)에 들어갈 수 있는 질문을 <u>두 가지</u> 이상 서술하시오.

> **길잡이** 예금자 보호 제도의 보호를 받지 않는 금융 상품을 찾고, 두 금융 상품의 차이가 드러나는 질문을 구성하여 서술한다.

02 그림은 생애 주기에 따른 일반적인 수입과 지출의 흐름을 나타낸다. 물음에 답하시오.

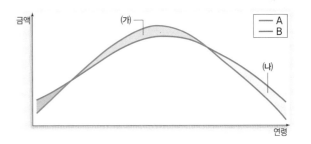

(1) A와 B는 무엇인지 각각 쓰시오.

(2) 만약 정년이 연장된다면 (가) 영역과 (나) 영역은 어떻게 변화할지 서술하시오.

> **길잡이** 정년이 연장될 때 수입과 지출에 어떤 변화가 나타나는지 생각해 본다.

평가원 응용

1 그림은 금융 상품 A~D의 일반적인 특성을 나타낸다. 이에 대한 옳은 설명을 〈보기〉에서 고른 것은? (단, A~D는 주식, 채권, 요구불 예금, 저축성 예금 중 하나이다.)

▶ 자산 관리의 기본 원칙

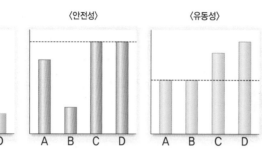

〈수익성〉 〈안전성〉 〈유동성〉

*막대의 높이가 높을수록 그 정도가 큼

┌ **보기** ┐
ㄱ. A는 주식, B는 채권이다.
ㄴ. C는 요구불 예금, D는 저축성 예금이다.
ㄷ. 원금 손실에 대한 위험을 감수하는 투자자일수록 A보다 B를 선호할 것이다.
ㄹ. C보다 D를 선호한다면 D가 C에 비해 현금화가 쉽기 때문이다.

① ㄱ, ㄴ   ② ㄱ, ㄷ   ③ ㄴ, ㄷ
④ ㄴ, ㄹ   ⑤ ㄷ, ㄹ

2 그림은 금융 상품을 수익성과 안전성을 기준으로 구분한 것이다. 이에 대한 옳은 설명을 〈보기〉에서 고른 것은? (단, A, B는 주식과 정기 예금 중 하나이다.)

▶ 자산 관리의 기본 원칙과 금융 상품

완자샘의 시험 꿀팁
주식과 정기 예금의 특성을 비교하여 그래프에 대입해 본다.

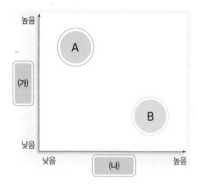

높음

(가)

낮음

낮음   (나)   높음

┌ **보기** ┐
ㄱ. A가 주식이라면 (가)는 수익성, (나)는 안전성에 해당한다.
ㄴ. (가)가 안전성이라면 A는 배당금이 지급되는 금융 상품에 해당한다.
ㄷ. (가)가 수익성이라면 B는 원칙적으로 만기가 있는 금융 상품에 해당한다.
ㄹ. (나)가 수익성이라면 B는 이자 수익이 발생하는 금융 상품에 해당한다.

① ㄱ, ㄴ   ② ㄱ, ㄷ   ③ ㄴ, ㄷ
④ ㄴ, ㄹ   ⑤ ㄷ, ㄹ

3 다음 사례에 대한 옳은 분석 및 추론을 〈보기〉에서 고른 것은?

> 갑, 을, 병은 1,000만 원의 자산을 각각 다음과 같이 활용하기로 하였다.
> • 갑은 1년 만기의 연리 4%의 정기 예금에 예치하였다.
> • 을은 ⊙ 채권에 500만 원을 투자하여 만기 시 원금과 ⓒ 이자를 받기로 하였다. 그리고 나머지 500만 원은 갑이 가입한 조건과 동일한 정기 예금에 예치하였다.
> • 병은 연리 5%로 받은 대출금 500만 원에 자기 자금 500만 원을 합한 1,000만 원을 모두 A 회사의 주식에 투자하였다. 1년 후 A 회사의 주가는 10% 상승하였다.

> **보기**
> ㄱ. ⊙의 수익률이 3%일 경우 갑이 을보다 더 큰 투자 수익을 얻을 수 있다.
> ㄴ. ⓒ은 을이 채권을 매입하지 않았을 때의 기회비용에 포함된다.
> ㄷ. 병은 자기 자금으로만 투자했을 경우 더 큰 투자 수익을 얻을 수 있다.
> ㄹ. 갑, 을, 병이 투자한 상품에서는 모두 시세 차익이 발생한다.

① ㄱ, ㄴ ② ㄱ, ㄷ ③ ㄴ, ㄷ
④ ㄴ, ㄹ ⑤ ㄷ, ㄹ

▷ 다양한 금융 상품

▌**한자 사전** ▌

• **기회비용**
어떤 것을 선택함으로써 포기한 것들 가운데 가장 가치 있는 것

---

4 그림은 어떤 사람의 일생 동안 소득과 소비의 흐름을 나타낸다. 이에 대한 분석 및 추론으로 가장 적절한 것은?

▷ 생애 주기에 따른 수입과 지출의 흐름

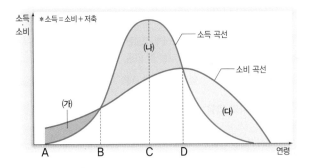

① A~B 기간에는 소득이 소비보다 크다.
② B~D 기간에는 누적 저축액이 지속적으로 증가한다.
③ C~D 기간에는 소득 대비 소비가 지속적으로 감소한다.
④ 은퇴 이후 연금이 지급된다면 (나)는 줄어들고 (다)는 늘어날 것이다.
⑤ 안정적인 경제생활을 위해서는 (가)와 (다)의 합이 (나)보다 커야 한다.

01 자본주의와 합리적 선택

1. 자본주의의 특징과 역사적 전개 과정

(1) 자본주의의 의미와 특징

의미	사유 재산 제도를 바탕으로 자유로운 경제 활동을 보장하는 시장 경제의 운용 원리
특징	사유 재산권 보장, 사적 이익 추구 인정, 경제 활동의 자유 보장

(2) 자본주의의 역사적 전개 과정

상업 자본주의	• 절대 왕정의 중상주의 정책하에 발달 • 상품의 생산보다는 상품의 유통 과정에서 이윤 추구
산업 자본주의	• 상품의 유통보다는 상품의 생산 과정에서 이윤 추구 • 정부의 시장 개입을 최소화하는 작은 정부 추구
수정 자본주의	• 대공황으로 나타난 경기 침체, 기업 도산, 대량 실업 등의 문제를 해결하기 위해 등장 • 시장의 한계를 극복하기 위해 정부의 시장 개입을 강조하는 (❶) 추구
(❷)	• 정부의 시장 개입이 비효율성을 초래한다는 비판으로 등장 • 정부의 역할 제한, 시장의 기능과 자유로운 경제 활동 강조

2. 합리적 선택의 의미와 한계

(1) 합리적 선택의 의미와 원칙

의미	최소의 비용으로 최대의 편익을 얻을 수 있도록 선택하는 것
고려 사항	• (❸): 어떤 것을 선택함으로써 포기한 것들 가운데 가장 가치 있는 것 • 편익: 어떤 선택을 통해 얻어지는 만족이나 이득
원칙	• 선택에 따른 편익이 기회비용보다 큰 것을 선택해야 함 • 선택함으로써 새롭게 발생하는 비용과 편익만 비교해야 함 → 매몰 비용을 고려해서는 안 됨

(2) 합리적 선택의 한계와 극복

한계	지나치게 효율성만 추구할 경우 공공의 이익이나 규범 준수와 같은 가치를 훼손할 수 있음
극복 노력	합리적 선택의 효율성뿐만 아니라 공공의 이익을 함께 고려해야 함

02 시장 경제와 시장 참여자의 역할

1. 시장 경제의 한계

(1) 시장 실패

의미	시장에서 자원이 효율적으로 배분되지 못하는 상태
원인	• 불완전 경쟁: 시장에서 독과점 기업이 이윤 극대화를 위해 가격이나 생산량을 임의로 조정함 • 공공재의 공급 부족: 공공재는 무임승차의 문제가 나타나 시장에서 필요한 만큼 충분히 공급되지 않음 • (❹)의 발생: 어떤 경제 주체의 활동이 다른 경제 주체에게 의도하지 않은 혜택이나 손해를 가져다주면서도 어떤 대가를 받거나 지급하지 않음

(2) 시장 실패 외의 문제점: 경제적 불평등, 실업, 인플레이션 등

2. 시장 참여자의 바람직한 역할

(1) 정부의 역할

공정한 경쟁 촉진	불공정한 거래 행위와 독과점 기업의 횡포 단속, 소비자의 권리 보호 등
공공재 생산	국방, 치안 등과 같은 공공재의 생산 및 관리
외부 효과의 개선	• 외부 경제: 세금 감면, 보조금 지급 • 외부 불경제: 세금이나 벌금 부과, 오염 물질 배출량 제한

(2) 기업의 역할

(❺) 발휘	기업가는 위험과 불확실성을 무릅쓰고 새로운 시장 개척, 새로운 상품 개발 등을 위해 노력해야 함
사회적 책임 실천	건전한 이윤을 추구하면서, 환경과 공동체 전체를 배려해야 함

(3) 노동자의 역할

노동권의 행사	사용자에게 적절한 근로 조건을 요구하고, 노동 삼권을 행사할 수 있음
노동자의 책임	업무의 성실한 수행, 사용자와 상생의 관계 형성

(4) 소비자의 역할

합리적 소비 실천	비용보다 편익이 큰 합리적 소비 지향, 무분별한 과소비 지양
소비자 주권 확립	환경과 건강을 해치는 상품이나 부당한 영업 행위 능을 감시해야 함
윤리적 소비 실천	인간·동물·환경에 해를 끼치지 않는 윤리적인 상품을 구매해야 함

03 국제 무역의 확대와 영향

1. 국제 분업과 무역의 필요성

(1) 국제 분업과 무역

국제 분업	• 의미: 국가별로 각자의 특수한 환경에 가장 적합한 상품을 (❻　　　　)하여 생산하는 것 • 발생 원인: 각국이 보유한 생산 요소의 양과 질의 차이에서 비롯된 생산비의 차이
무역	• 의미: 각 국가가 자신들이 생산한 상품이나 서비스를 다른 국가와 사고파는 국제 거래 • 필요성: 무역에 따른 이익 발생, 생산 요소 및 상품의 부족 문제 해결

(2) 절대 우위와 비교 우위

절대 우위	한 국가가 어떤 상품을 생산하는 비용이 다른 국가보다 적게 드는 것
비교 우위	한 국가가 생산하는 상품의 (❼　　　　)이 다른 국가보다 적은 것

2. 국제 무역 확대의 영향

긍정적 영향	• 소비 기회 확대: 상품 선택의 폭 확대 → 편익 증가 • (❽　　　　) 실현: 대량 생산에 따른 생산비 절감 → 생산량 증대, 고용 창출에 기여 • 기업 경쟁력 강화: 외국 기업과의 경쟁 촉진 → 국내 기업의 생산성과 효율성 향상 • 새로운 기술 전파: 개발 도상국에 경제 발전의 기회 제공
부정적 영향	• 경쟁력 없는 산업 및 기업 위축: 관련 산업 종사자의 일자리와 소득 감소 → 사회적 불안 초래 • 국내 경제의 해외 의존도 심화: 국외의 경제 상황이 국내 경제에 미치는 영향이 커짐 • 국가 간 빈부 격차 심화: 무역 확대로 선진국과 개발 도상국 간의 빈부 격차가 커질 수 있음

04 자산 관리와 금융 생활

1. 자산 관리와 금융 자산

(1) 자산 관리의 의미와 필요성

의미	저축과 투자에 대한 계획을 세우고 실행하는 것
필요성	은퇴 후의 생활, 미래에 예상되는 지출 및 예기치 못한 지출 등에 대비해야 할 필요성이 높아짐

(2) 자산 관리의 기본 원칙

안전성	금융 상품의 원금과 이자가 보전될 수 있는 정도
수익성	금융 상품의 가격 상승이나 이자 수익을 기대할 수 있는 정도
(❾)	보유 자산을 필요할 때 쉽게 현금으로 전환할 수 있는 정도

(3) 주요 금융 자산

예금	• 의미: 일정한 계약에 따라 이자를 받기로 하고 금융 기관에 돈을 맡기는 상품 • 특징: 수익성은 낮으나 안전성과 유동성이 높음
주식	• 의미: 기업에 자금을 투자한 사람에게 그 대가로 회사 소유권의 일부를 지급하는 증표 • 수익의 형태: 배당, 시세 차익 • 특징: 수익성은 높으나 안전성이 낮음
채권	• 의미: 국가나 공공 기관, 기업 등이 직접 자금을 조달하기 위해 발행하는 차용 증서 • 수익의 형태: 이자, (❿　　　　) • 특징: 주식보다는 안전성이 높음

2. 생애 주기별 금융 생활의 설계

(1) 생애 주기별 주요 과업과 특징

아동기	• 주요 과업: 학업, 진로 탐색 등 • 특징: 부모의 소득에 의존하여 소비 생활을 하는 시기
청년기	• 주요 과업: 취업, 결혼, 자녀 출산 등 • 특징: 취업을 통해 소득이 생겨나는 시기
중·장년기	• 주요 과업: 자녀 양육 및 가족 부양 부담, 은퇴 및 노후 준비 등 • 특징: 소득이 가장 많지만 소비 규모도 큰 시기
노년기	• 주요 과업: 건강 유지 및 은퇴 후의 행복한 생활 유지 • 특징: 근로 소득이 줄어 소득보다 소비가 많은 시기

(2) 재무 설계

의미	생애 주기를 고려하여 재무 목표를 설정하고, 미래의 수입과 지출을 예상하면서 목표 달성에 필요한 구체적인 계획을 세우는 과정
필요성	전 생애에 걸쳐 제한된 소득을 현재와 장래의 생활에 어떻게 배분할 것인지를 고민함으로써 안정적인 미래를 설계할 수 있음
과정	재무 목표 설정 → 재무 상태 분석 → 대안 모색 → 재무 행동 계획 실행 → 실행 평가와 수정

01 다음은 사회 수업 시간에 학생이 작성한 형성 평가지이다. 이 학생이 받을 점수로 옳은 것은?

	형성 평가	
자본주의의 역사적 전개 과정과 관련하여 답안을 채우시오.		
문항	문제	답안
1	상업 자본주의의 경제 정책	절대 왕정의 중상주의
2	산업 자본주의의 사상적 기반	자유방임주의
3	수정 자본주의의 등장 배경	스태그플레이션
4	수정 자본주의의 한계	과잉 생산과 소비 부족
5	신자유주의의 주요 정책	공기업 민영화, 복지 축소

(문항당 1점)

① 1점   ② 2점   ③ 3점
④ 4점   ⑤ 5점

02 갑과 을의 주장에 대한 옳은 분석 및 추론을 〈보기〉에서 고른 것은?

- 갑: 극심한 불황기에는 시장의 기능이 원활히 작동하지 않으므로 정부가 시장에 적극적으로 개입해야 합니다.
- 을: 정부는 시장에 함부로 개입해서는 안 됩니다. 정부의 시장 개입은 시장 경쟁력 없는 기업까지 살려 주어 자원 배분의 비효율성을 초래할 수 있습니다.

┌ 보기 ┐
ㄱ. 갑은 독과점 시장에 대한 규제 강화에 찬성할 것이다.
ㄴ. 을은 공기업을 민영화하자는 의견을 지지할 것이다.
ㄷ. 갑은 을에 비해 시장의 기능을 더 신뢰할 것이다.
ㄹ. 갑은 정부 실패, 을은 시장 실패를 우려하고 있다.

① ㄱ, ㄴ   ② ㄱ, ㄷ   ③ ㄴ, ㄷ
④ ㄴ, ㄹ   ⑤ ㄷ, ㄹ

03 다음 사례에 대한 분석으로 가장 적절한 것은?

대학생인 갑은 방학을 맞아 4주 동안 백화점에서 아르바이트를 하기로 했다. A 백화점에서는 갑에게 4주 동안 일할 경우 매주 50만 원의 급여를 주고, 4주를 모두 근무할 경우 상여금으로 20만 원을 주겠다고 제안하였다. 그리고 B 백화점에서는 갑에게 4주간 일할 경우 250만 원의 급여를 주겠다고 제안하였다. 갑은 4주 동안 두 백화점 중 어느 곳에서 일할지 고민하고 있다.

① 갑이 A 백화점에서 일하는 것은 합리적 선택이다.
② 갑이 A 백화점에서 일할 경우 기회비용은 250만 원이다.
③ 갑이 B 백화점에서 일할 경우 기회비용은 200만 원이다.
④ 갑이 합리적으로 선택하기 위해서는 A 백화점에서 제안한 상여금을 고려해서는 안 된다.
⑤ 갑이 B 백화점에서 일할 경우의 기회비용은 갑이 A 백화점에서 일할 경우의 기회비용보다 크다.

04 다음 사례에 대한 옳은 분석을 〈보기〉에서 고른 것은?

제지업체들이 담합을 통해 원료 단가를 깎고 최종 판매가를 높게 책정하였다. 이로 인해 소비자들은 울며 겨자 먹기로 높은 가격에 골판지 등을 구매할 수밖에 없게 되었고, 폐지 등 원료를 공급하는 업자들도 소득이 줄어드는 등의 부작용이 나타났다.

┌ 보기 ┐
ㄱ. 시장 실패를 가져온다.
ㄴ. 공공재가 원활하게 공급되지 않고 있다.
ㄷ. 시장에서 자유로운 경쟁이 이루어지지 않고 있다.
ㄹ. 정부의 적극적 시장 개입이 오히려 비효율을 초래하고 있다.

① ㄱ, ㄴ   ② ㄱ, ㄷ   ③ ㄴ, ㄷ
④ ㄴ, ㄹ   ⑤ ㄷ, ㄹ

05 (가), (나)에 대한 옳은 설명을 〈보기〉에서 고른 것은?

> (가) 꽃 가게 옆에 선물 가게가 새로 생기면서 꽃 가게의 매출이 상승하였다.
> (나) 아파트 공사 과정에서 소음과 먼지가 발생하여 주변 주민들이 고통을 받고 있다.

보기

ㄱ. (가)에서는 과다 생산의 문제가 나타난다.
ㄴ. (나)는 정부에서 세금이나 벌금을 부과함으로써 개선할 수 있다.
ㄷ. (가)는 (나)와 달리 시장에서 자원이 효율적으로 배분되고 있다.
ㄹ. (가)와 (나) 모두 정부의 시장 개입을 옹호하는 근거가 된다.

① ㄱ, ㄴ　　② ㄱ, ㄷ　　③ ㄴ, ㄷ
④ ㄴ, ㄹ　　⑤ ㄷ, ㄹ

06 다음 사례의 A 기업에 해 줄 수 있는 조언으로 가장 적절한 것은?

> 20년 전 개발 도상국의 어린아이가 학교도 가지 않고 A 기업의 축구공을 꿰매고 있는 사진이 온 세상을 발칵 뒤집었다. 당시 아이들은 시간당 15센트를 받고 하루 11시간 이상 노동을 했지만, A 기업은 "중간 공정을 담당하는 업체가 시킨 것이기 때문에 본사는 책임이 없다."라며 책임을 전가하였다.

① 소비자에게 필요한 재화를 공급해야 한다.
② 최소의 비용으로 최대의 생산을 이끌어 내야 한다.
③ 위험과 불확실성을 무릅쓰고 새로운 시장을 개척해야 한다.
④ 이윤 극대화를 위해 생산비를 절감하려는 노력을 기울여야 한다.
⑤ 건전한 이윤을 추구하는 것과 함께 노동자의 권리를 보호하는 등 사회적 책임을 다해야 한다.

07 다음 사례에서 갑의 소비 행위에 대한 옳은 분석을 〈보기〉에서 고른 것은?

> 식품관에 쇼핑을 간 갑은 200㎖ 우유가 사은품으로 붙어 있는 우유 대신 '유기농'에 '방목 사육' 마크가 붙어 있는 더 비싸고 사은품 없는 우유를 집어 들었다. 그리고 중량 대비 가격이 싸고 맛이 괜찮았던 대기업 상표의 원두 대신 조금 더 비싸지만 '공정 무역' 마크가 붙어 있는 기업의 원두를 골랐다.

보기

ㄱ. 합리적 소비를 통해 최대의 효용을 얻고자 한다.
ㄴ. 원료의 재배 및 유통 과정을 고려하여 소비하고 있다.
ㄷ. 공공성보다 개인적 선호를 소비의 기준으로 삼고 있다.
ㄹ. 소비가 사회와 환경에 미치는 영향력을 고려하고 있다.

① ㄱ, ㄴ　　② ㄱ, ㄷ　　③ ㄴ, ㄷ
④ ㄴ, ㄹ　　⑤ ㄷ, ㄹ

08 다음 질문에 대한 답변으로 가장 적절한 것은?

> 세계적인 신발 기업 A 사는 저렴한 노동력이 풍부한 국가들에 생산 공장을 세워 공간적 분업을 하고 있다. 한편 자본이 풍부한 국가는 그 자본을 다른 국가에 직접 투자함으로써, 그 국가가 가진 생산 요소의 이점을 활용한다. 이처럼 각 국가나 기업이 모든 물건을 직접 생산하지 않고 무역을 통해 다른 국가와 거래하는 이유는 무엇일까?

① 국가마다 경제적 수준에 차이가 있기 때문이다.
② 국가마다 절대 우위를 갖는 상품이 다르기 때문이다.
③ 국가마다 더 적은 생산비로 만들 수 있는 상품이 다르기 때문이다.
④ 각국이 같은 종류의 상품을 만들 경우 생산비가 동일하기 때문이다.
⑤ 생산비가 상대적으로 많이 드는 상품을 직접 생산하는 것이 이익이 되기 때문이다.

09 다음 자료에 대한 옳은 분석을 〈보기〉에서 고른 것은?

갑국과 을국은 모두 노동만을 생산 요소로 사용하여 장난 감과 휴대 전화를 생산한다. 표는 각 재화를 1단위 생산 하는 데 필요한 노동 시간을 나타낸다.

구분	갑국	을국
장난감	20시간	60시간
휴대 전화	10시간	15시간

〈보기〉
ㄱ. 갑국은 장난감 생산에 비교 우위를 갖는다.
ㄴ. 을국은 장난감과 휴대 전화 생산에 모두 절대 우위를 갖는다.
ㄷ. 휴대 전화 1단위 생산에 따른 기회비용은 갑국이 을 국의 4배이다.
ㄹ. 휴대 전화 생산의 상대적 생산비는 을국이 갑국보다 적다.

① ㄱ, ㄴ   ② ㄱ, ㄹ   ③ ㄴ, ㄷ
④ ㄴ, ㄹ   ⑤ ㄷ, ㄹ

10 다음 사례를 통해 추론할 수 있는 국제 무역 확대의 영 향으로 가장 적절한 것은?

세계 화장품 시장에서 우리나라 화장품의 인지도는 매우 낮은 편이었다. 그러나 우리나라 화장품 회사들은 세계 시장에서 성공하기 위해 연구·개발 분야에 투자를 늘리 고, 다양한 현지화 전략을 구사함으로써 큰 성과를 얻고 있다. 특히 A 사가 자체 기술로 개발한 ○○ 화장품은 여 러 국가 사람들의 피부색이나 기후 환경에 맞추어 생산함 으로써 엄청난 수출량을 기록하였다.

① 국가 간 빈부 격차가 심화된다.
② 규모의 경제가 실현되어 생산비가 절감된다.
③ 정부가 독자적인 경제 정책을 펼치는 것이 어려워진다.
④ 다른 국가의 경제 상황이 국내 경제에 미치는 영향이 커진다.
⑤ 기업 간 경쟁을 촉진하여 국내 기업의 생산성과 효율성 이 향상된다.

11 다음 사례를 통해 추론할 수 있는 을의 조언으로 가장 적절한 것은?

갑은 자신의 월급을 합리적으로 관리하기 위해 전문가인 을에게 상담을 의뢰하였다. 을의 조언을 받은 갑의 한 달 동안의 지출 내역은 다음과 같이 바뀌었다.

상담 전		상담 후	
주식	200만 원	주식	50만 원
정기 적금	20만 원	정기 적금	70만 원
생활비 지출	100만 원	채권	50만 원
		연금	30만 원
		보험	20만 원
		생활비 지출	100만 원
합계	320만 원	합계	320만 원

① 수익성이 높은 금융 자산에 투자를 집중해야 합니다.
② 미래의 소비보다 현재의 소비를 더 중시해야 합니다.
③ 노후 대비보다 단기적인 목적 자금 마련이 시급합니다.
④ 금융 자산보다 실물 자산의 보유 비중을 높여야 합니다.
⑤ 안전성과 수익성을 모두 고려하여 다양한 자산에 분산 하여 투자해야 합니다.

12 그림은 금융 상품 A~C의 특징을 나타낸다. 이에 대한 옳은 분석을 〈보기〉에서 고른 것은?

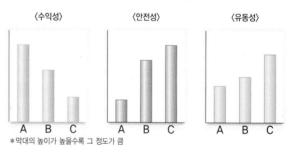
〈수익성〉 〈안전성〉 〈유동성〉
A B C   A B C   A B C
*막대의 높이가 높을수록 그 정도가 큼

〈보기〉
ㄱ. A는 주식보다 은행 예금에 더 가깝다.
ㄴ. B는 C보다 수익성이 낮지만 안전성이 높다.
ㄷ. C는 A에 비해 현금화하기 쉽다.
ㄹ. 원금 손실 위험을 기피하는 투자자는 'C, B, A' 순으로 선호할 것이다.

① ㄱ, ㄴ   ② ㄱ, ㄷ   ③ ㄴ, ㄷ
④ ㄴ, ㄹ   ⑤ ㄷ, ㄹ

13 그림은 자산 관리의 기본 원칙에 따라 금융 상품을 구분한 것이다. A, B에 대한 옳은 설명을 〈보기〉에서 고른 것은? (단, A, B는 주식과 정기 예금 중 하나이다.)

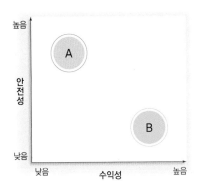

보기

ㄱ. A는 자산 가치의 변동이 심하다.
ㄴ. B는 예금자 보호 제도의 보호를 받는다.
ㄷ. A는 B와 달리 이자 수익을 기대할 수 있다.
ㄹ. B는 A와 달리 시세 차익을 기대할 수 있다.

① ㄱ, ㄴ   ② ㄱ, ㄷ   ③ ㄴ, ㄷ
④ ㄴ, ㄹ   ⑤ ㄷ, ㄹ

14 표는 금융 상품의 종류를 구분한 것이다. (가)~(다)에 대한 설명으로 옳은 것은? (단, (가)~(다)는 주식, 채권, 정기 예금 중 하나이다.)

질문	(가)	(나)	(다)
시세 차익을 기대할 수 있는가?	예	예	아니요
정부나 공공 기관에서도 발행하는가?	예	아니요	아니요

① (가)에 투자한 사람은 기업의 경영에 권리를 행사할 수 있다.
② (나)는 원칙적으로 만기가 있는 상품이다.
③ (가)는 (나)와 달리 배당 수익을 기대할 수 있다.
④ (다)는 (나)보다 원금 손실에 대한 위험이 크다.
⑤ (가)와 (다) 모두 이자 수익을 기대할 수 있다.

15 그림은 생애 주기에 따른 일반적인 소득과 소비의 흐름을 나타낸다. 이에 대한 분석으로 가장 적절한 것은?

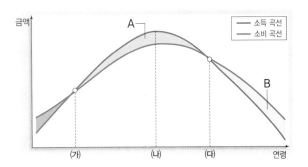

① A에 비해 B가 클 경우 안정적인 노후 생활을 영위할 수 있다.
② (나) 시점에서 누적 저축액은 일생 중 최대가 된다.
③ (다) 시점에서 누적 소비액은 일생 중 최대가 된다.
④ 저축은 (가) 시점부터 시작하여 (다) 시점까지 발생한다.
⑤ (나)~(다) 시기에 소득 대비 소비가 지속적으로 감소한다.

16 다음은 한 강연에서 어떤 사람이 경험한 내용을 들려준 것이다. 이를 통해 추론할 수 있는 강연의 주제로 가장 적절한 것은?

저희도 40~50대에는 집을 소유하고 살아가는 중산층이었어요. 그런데 아이들 두 명을 대학에 보내고 결혼까지 시키는 과정에서 집을 팔 수밖에 없었어요. 60대 중반인 지금은 작은 전셋집에서 사는데, 연금을 받아도 예전처럼 사는 건 꿈도 못 꿔요.

① 분산 투자의 중요성
② 신용 관리의 중요성
③ 예금자 보호 제도의 필요성
④ 고수익 달성을 위한 투자 방법
⑤ 생애 주기를 고려한 재무 설계의 필요성

VI

사회 정의와 불평등

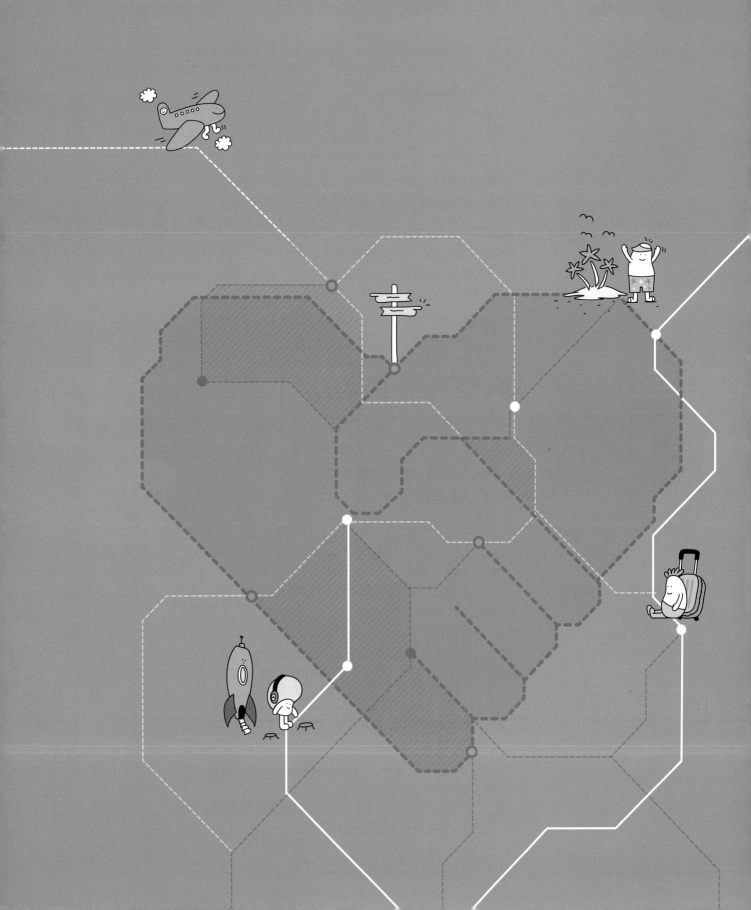

정의의 의미와 실질적 기준 ~
다양한 정의관의 특징과 적용

이것이 핵심!

정의의 의미와 역할

의미	'마땅히 받을 만한 몫'을 공정하게 받는 것
역할	• 기본적 권리 보장 • 사회 통합의 기반 마련 • 사회 갈등 해결

★ **개인선**
개인의 행복 추구나 자아실현 등 개인이 사적으로 누릴 수 있는 이익

★ **공동선**
공동체 구성원 모두에게 유익한 공공의 이익

① 정의의 의미와 역할

1. 정의의 의미 자료①

(1) 정의의 의미

꼭! 동양의 유교에서는 의로움, 즉 옳음을 정의로 이해하였고, 서양에서는 각자에게 그의 몫을 주는 것을 정의라고 여겼어.

① 정의: 사회적 대우나 보상, 처벌 등에 있어 '마땅히 받아야 할 몫'을 공정하게 받는 것

② 현대 사회에서 정의의 의미: 공정한 절차에 따라 자유와 평등이 조화롭게 실현된 상태

(2) **정의의 실현**: 잘못된 행위를 바로잡는 것, 다른 사람에게 피해를 준 만큼 보상하는 것, 각자의 몫을 정당하게 분배하는 것 등을 통해 정의가 실현됨

2. 정의의 역할

VS 사회 구성원을 부당하게 차별하는 정의롭지 못한 사회에서는 자유권이나 평등권과 같은 개인의 기본권이 충분히 실현되기 어려워.

(1) **기본적 권리 보장**: 사회 구성원이 기본적 권리를 보장받으며 인간다운 삶을 살 수 있게 함

(2) **사회 통합의 기반 마련**: 정의로운 법과 제도를 갖춘 사회에서는 사회 구성원이 서로 신뢰하고 협력할 수 있음

(3) **사회 갈등 해결**: *개인선과 *공동선을 조화롭게 유지시켜 사회 갈등을 최소화해 줌

꼭! 정의는 옳고 그름에 관한 판단 기준을 제시하여 사회 구성원 간의 이해 갈등을 공정하게 처리할 수 있어.

이것이 핵심!

분배적 정의의 실질적 기준

능력	육체적·정신적인 능력에 따라 분배
업적	성취하고 이바지한 정도에 따라 분배
필요	인간다운 삶을 사는 데 기본적인 필요를 충족하도록 분배

★ **분배의 대상이 되는 재화와 가치**
• 이익이 되는 분배의 대상: 부나 권리, 사회적 지위 등
• 부담이 되는 분배의 대상: 세금이나 의무, 사회적 책임 등

② 정의의 실질적 기준

1. *분배적 정의: 사회적·경제적 가치를 공정하게 분배하는 것과 관련된 정의 → 각자가 자신의 몫을 정당하게 누리며 살아갈 수 있게 함

2. 분배적 정의의 실질적 기준 자료② 자료③

(1) **능력에 따른 분배**

의미	개인의 육체적·정신적인 능력에 따라 분배하는 것
장점	개인이 지닌 잠재력을 실현할 기회를 제공함
단점	• 타고난 재능이나 환경과 같은 우연적 요소가 분배에 개입할 수 있음 → 사회적·경제적 불평등을 초래할 수 있음 • 능력을 평가할 정확한 기준을 마련하기 어려움

(2) **업적에 따른 분배** ─ 능력이 뛰어나도 노력하지 않거나 여건이 여의치 않다면 업적을 이루기 어려우므로, 능력과 업적이 꼭 비례하는 것은 아니야.

의미	당사자들이 성취하고 이바지한 정도에 따라 분배하는 것
장점	• 각자가 달성한 결과를 객관화·수량화할 수 있어서 평가와 측정이 비교적 쉬움 • 주관적인 편견을 배제하여 공정성을 확보할 수 있음 • 성취동기를 높여 주어 생산성·효율성을 기대할 수 있음
단점	• 사회적 약자에 대한 배려가 부족해질 수 있음 • 업적을 쌓기 위한 과열 경쟁으로 사회적 갈등이 커질 우려가 있음

(3) **필요에 따른 분배**

의미	인간다운 삶을 사는 데 기본적인 필요를 충족할 수 있도록 분배하는 것
장점	최대한 많은 사람이 인간다운 삶을 살 수 있도록 함
단점	• 사회적·경제적 가치는 한정되어 있으므로 모두의 필요를 충족하기 어려움 • 업적을 쌓으려는 개인의 동기가 부족해질 수 있음

꼭! 노동 의욕과 창의성이 저해될 수 있어.

자료 ① 정의의 여신상에 담긴 의미

⬆ 정의의 여신상

정의의 여신상은 왼손에는 칼을, 오른손에는 저울을 들고 있다. 저울은 엄격하고 공정한 정의의 기준을 상징하고, 칼은 이러한 기준을 바탕으로 한 판정에 따라 정의를 실현하기 위해서는 힘이 있어야 함을 상징한다. 그리고 정의의 여신상이 눈을 가린 것은 정의와 불의를 판정할 때 공평성을 유지해야 한다는 것을 상징한다.

자료 ② 정의로운 토지 분배 제도

> 무릇 토지는 세상의 커다란 근본이다. 이제 힘센 백성들이 논밭을 점유한 것이 혹은 수백 수천 경(頃)에 이르러, 그 부유함이 임금과 제후를 넘어섰으며, 이는 스스로 토지를 제멋대로 소유하는 것이다. …… 마땅히 식구 수에 비례하여 토지를 소유하게 하고, 토지 소유의 한계를 정하여 함부로 토지를 매매할 수 없게 해야 한다. 이렇게 해야 가난하고 약한 사람들을 구제하고 토지의 독점도 방지할 수 있을 것이니, 이처럼 토지 제도를 개선하는 것이 옳지 않겠는가? – 주희, 『주자대전』

제시된 글에서 주희는 토지 소유의 한계를 정하고, 식구 수에 비례하여 토지를 소유하게 함으로써 가난하고 약한 사람들을 구제해야 한다고 주장하고 있다. 이는 필요에 따른 분배를 강조한 것이다. 필요에 따른 분배는 기본적 필요를 충족하기 어려운 사회적 약자에게 자원을 우선 분배함으로써 최대한 많은 사람이 인간다운 삶을 살 수 있게 한다.

자료 ③ 분배적 정의의 실질적 기준

 교사 — 학교 장학금을 누구에게, 어떤 기준에 따라 분배하는 것이 좋을까요?

앞으로 성장할 가능성을 보고 재능 있는 학생을 뽑아 장학금을 지원하는 것이 좋을 것 같습니다. 갑

 을 — 제 생각은 다릅니다. 각종 경연 대회에서 우수한 성적을 거두어 학교의 위상을 높인 학생에게 장학금을 주어야 합니다.

아닙니다. 장학금은 그 돈이 꼭 필요한 학생에게 돌아가는 것이 옳다고 생각합니다. 경제적 형편이 어려운 학생을 대상으로 장학금을 주어야 합니다. 병

제시된 사례에서 갑은 개인이 지닌 잠재력과 재능, 즉 '능력'을 장학금의 분배 기준으로 제시하였고, 을은 경연 대회에서의 입상 성적과 같이 각자가 지신의 능력과 노력을 발휘하여 성취한 '업적'을 장학금의 분배 기준으로 제시하고 있다. 그리고 병은 누가 가장 장학금이 필요한지에 대한 '필요' 기준에 초점을 맞추어 장학금을 분배하자고 주장하고 있다. 각각의 분배 기준에는 장단점이 있으므로, 어느 하나의 기준만을 적용하기보다는 <u>사회적 합의를 거쳐 각각의 분배 상황에 가장 적합한 기준을 마련하려는 노력이 필요하다.</u>

> └─ 미국의 정치 철학자 왈처는 서로 다른 사회적 삶의 영역에서는 서로 다른 분배 기준이 통용되어야 한다고 주장하였어.

자료 하나 더 알고 가자!

아리스토텔레스가 말하는 분배적 정의

> 당사자들이 동등함에도 동등하지 않은 몫을, 혹은 동등하지 않은 사람들이 동등한 몫을 분배받아 갖게 되면 바로 거기서 싸움과 불평이 생겨난다. 그러므로 정의로운 것은 일종의 비례적인 것이다.
> – 아리스토텔레스, 『니코마코스 윤리학』

아리스토텔레스는 각자의 가치에 비례하는 몫의 분배를 추구하는 것을 분배적 정의로 보고, 권력과 명예, 재화가 각자의 가치에 따라 분배되어야 한다고 주장하였다.

정리 비법을 알려줄게!

분배 기준의 장단점

능력	• 장점: 개인의 잠재력 실현 기회 제공 • 단점: 능력 평가의 정확한 기준 마련이 어려움
업적	• 장점: 공정성 확보, 성취동기 향상 • 단점: 과열 경쟁 초래
필요	• 장점: 사회적 약자 보호 • 단점: 성취동기 저하

이것이 핵심!

다양한 정의관의 특징

자유주의적 정의관
개인의 자유와 권리를 보장하여 개인선을 실현하는 것이 정의로움

↕

상호 보완적 관계

↕

공동체주의적 정의관
개인이 속한 공동체의 공동선을 실현하는 것이 정의로움

★ 자유주의
개인의 자유를 무엇보다 소중한 가치로 보는 사상

★ 자유의 유형
• 소극적 자유: 외부로부터 강제나 방해가 없는 상태
• 적극적 자유: 자신의 선택과 결정에 따라 목적을 설정하고 그것을 실현할 수 있는 상태

★ 공동체주의
인간의 삶에서 공동체가 가지는 의미를 중시하는 사상

★ 자유주의와 공동체주의의 인간관
자유주의에서는 인간을 자유롭고 독립적인 무연고적 자아로 보는 반면, 공동체주의에서는 인간을 공동체에 소속된 연고적 자아로 본다.

③ 다양한 정의관의 특징과 적용

1. 자유주의적 정의관 [자료④]

(1) 자유주의적 정의관의 사상적 기반: 개인이 공동체의 전통이나 가치로부터 독립적이고 자율적인 존재임을 강조하는 *자유주의 사상을 바탕으로 함

(2) 자유주의적 정의관의 특징

Why? 개인은 어떤 삶이 좋은 삶인지 스스로 결정할 수 있기 때문이야.

① 개인선의 실현이 자연스럽게 공동선의 실현으로 이어진다고 봄
② 공동체는 공동체에 속한 개인에게 특정한 가치를 강요해서는 안 됨
③ 타인의 권리를 침해하지 않는 선에서 개인의 *자유와 권리를 최대한 보장하여 개인선을 실현하는 것이 정의롭다고 봄

꼭! 국가는 개인이 자신의 삶을 스스로 계획하고 살아갈 수 있도록 중립적 입장에서 개인의 자유로운 선택권을 최대한 허용해야 한다고 봐.

(3) 자유주의적 정의관의 한계: 개인의 이익만을 추구하는 극단적 이기주의로 변질할 경우 타인의 자유와 권리를 침해하고 공동체를 위태롭게 할 수 있음

(4) 자유주의 입장의 대표적 사상가

롤스	• 공정한 절차를 통해 합의된 것이라면 정의롭다고 봄 – 공정으로서의 정의 • 개인의 자유와 권리를 실현하기 위해 사회적·경제적 불평등을 해결하려는 국가 역할의 필요성을 인정함
노직	• 개인의 자유와 소유 권리를 최우선으로 보장하는 것이 정의롭다고 봄 – 소유 권리로서의 정의 • 개인이 가진 권리와 재산을 강도, 절도, 사기 등으로부터 보호하는 선에서만 행동하는 최소 국가를 정의롭다고 봄

2. 공동체주의적 정의관 [자료⑤]

(1) 공동체주의적 정의관의 사상적 기반: 개인은 독립적으로 존재하는 것이 아니라 공동체의 영향을 받으며 소속감과 정체성을 형성해 나가는 존재라는 *공동체주의 사상을 바탕으로 함

(2) 공동체주의적 정의관의 특징

꼭! 공동선이 실현되면 자연스럽게 개인의 자유와 권리가 보장된다고 봐.

① 개인이 속한 공동체의 공동선을 실현하는 것이 정의롭다고 봄
② 공동체 구성원에게는 자신의 정체성을 형성하는 기반이 되는 공동체와 전통으로부터 생겨난 도덕을 지킬 의무가 있다고 봄

Why? 개인은 자신이 속한 공동체가 올바로 유지되고 발전할 때 좋은 삶을 살아갈 수 있기 때문이야.

(3) 공동체주의적 정의관의 한계: 집단의 이익만을 중시하는 집단주의로 변질할 경우 개인의 자유와 권리를 훼손하여 개인선의 실현이 어려워질 수 있음

(4) 공동체주의 입장의 대표적 사상가

매킨타이어	• 개인은 사회적 역할을 통해 자아 정체성을 형성하고, 공동체의 역사적 흐름 속에서 자신의 삶을 구성하는 존재라고 봄 • 공동체의 가치와 전통을 존중하는 삶을 강조함
왈처	• 공동체의 문화적 특수성과 차이를 고려하여 사회적 가치를 분배해야 한다고 봄 • 공동체주의적 관점을 바탕으로 다원화된 현대 사회에 적합한 분배적 정의의 기준을 찾고자 함

3. 다양한 정의관의 적용 [교과서 자료]

꼭! 자유주의적 정의관과 공동체주의적 정의관은 모두 개인의 행복한 삶과 정의로운 사회를 지향한다는 점에서 상호 보완적이야.

(1) 권리와 의무, 개인선과 공동선의 조화: 개인의 권리와 사익을 중시하는 자유주의적 정의관과 사회 구성원으로서 의무와 공익을 중시하는 공동체주의적 정의관을 조화롭게 추구해야 함

(2) 개인과 공동체의 바람직한 역할: 개인은 공동체에 대한 의무를 다하고, 공동체는 개인의 자유와 권리를 보장해야 함 → 정의로운 사회 실현

완자 자료 탐구 내 옆의 선생님

자료 ④ 자유주의적 정의관

> 내가 강조하는 정의의 원칙은 다음과 같다. 첫째, 각 사람은 기본적 자유에 대해 평등한 권리를 가져야 한다. 둘째, 사회적·경제적 불평등은 다음과 같은 두 조건을 충족하도록 조정되어야 한다. 최소 수혜자에게 최대의 이익이 되고, 기회균등의 조건하에서 모든 사람에게 지위와 직책이 개방되어야 한다. 두 가지 원칙 중 첫 번째 원칙은 두 번째 원칙에 우선한다.　– 롤스, 『정의론』

자유주의는 개인의 자유와 권리를 최대한 보장하는 것이 정의롭다고 여긴다. 이와 관련하여 롤스는 사람이라면 누구나 동등한 기본적 자유를 최대한 누려야 한다고 주장하였으며, 사회가 정의의 원칙에 부합되도록 운영되면 비로소 공정한 사회라고 보았다.

자료 ⑤ 공동체주의적 정의관

> 나는 공동체와 분리된 독립된 존재가 아니다. 왜냐하면 내 삶의 역사는 항상 내가 그것으로부터 나의 정체성을 도출해 내는 공동체의 역사 속에 편입되어 있기 때문이다. 나는 가족, 도시, 친족, 민족, 국가 등 다양한 공동체의 구성원이다. 나는 내 가족, 나의 도시, 나의 민족, 나의 국가로부터 다양한 빚과 유산, 적절한 기대와 의무를 물려받는다.　– 매킨타이어, 『덕의 상실』

대표적인 공동체주의 사상가 매킨타이어는 공동체의 전통과 역사를 자아의 출발점으로 보았다. 공동체주의는 공동체의 구성원들이 서로에 대한 유대감을 바탕으로 각자의 역할과 의무를 다하며, 공동체의 선을 실현하는 것이 정의롭다고 여긴다. 그러므로 개인이 공동체의 가치와 목적을 내면화하고, 공동체에 관한 소속감을 지니며 자신에게 주어진 책무를 충실하게 이행하며 살아갈 수 있도록 공동체가 이를 장려하고 이끌어 주어야 한다고 본다.

정리 비법을 알려줄게!

국가의 역할에 관한 롤스와 노직의 입장 비교

롤스
- 사회적·경제적 불평등을 해결하기 위해 국가의 소득 재분배 정책이 필요하다고 봄
- 국가는 사회적 약자의 복지를 배려해야 함

↕

노직
- 국가의 소득 재분배 정책은 개인의 자유와 권리를 침해함
- 사회적 약자의 삶은 개개인의 자발적인 자선 행위를 통해 개선할 수 있음

자료 하나 더 알고 가자!

자유주의와 공동체주의가 보는 공동체

자유주의	공동체주의
공동체는 개인의 자유와 권리를 실현하기 위한 수단	공동체는 개인의 정체성 형성 및 삶의 방향을 설정하는 기반

수능이 보이는 교과서 자료　다양한 정의관의 적용

> ○○ 법원은 현역 입영 통지서를 받고 정당한 사유 없이 불응하면 3년 이하의 징역형에 처하도록 규정한 '병역법 제88조 ①'에 관한 피고인 갑의 주장을 거부하고, 유죄를 선고했다.

피고인 측 주장	법원의 판결
• 전쟁에 반대하는 종교적 교리와 그 신념을 지키고자 입대를 거부합니다. • 종교적 자유뿐만 아니라, 종교적 교리에 의해 형성된 양심의 자유에 따라 병역을 거부합니다.	• 국가의 안전 보장은 모든 자유의 전제 조건이므로, 양심의 자유와 종교의 자유가 국방의 의무에 항상 우선한다고 볼 수 없습니다. • 헌법상 기본권의 행사는 다른 헌법적 가치와 국가의 법질서를 위태롭게 해서는 안 됩니다.

제시된 사례에서 피고인은 개인선의 실현을 강조하는 데 비해, 법원에서는 공동선의 실현을 강조하고 있다. 개인의 자유와 권리만을 지나치게 추구하다보면 타인의 권리와 이익을 침해하고 공동체를 위태롭게 할 수 있는 반면, 공동체에 대한 의무만을 강조하다보면 공동체를 위한 개인의 희생을 강요할 수 있다. 따라서 자유주의나 공동체주의의 관점을 조화롭게 추구해 나가려는 노력이 필요하다.

완자샘의 탐구 강의

• 양심적 병역 거부에 관해 피고인과 법원은 각각 어떤 정의관을 중시하는지 써 보자.

피고인	자유주의적 정의관
법원	공동체주의적 정의관

• 정의로운 사회 실현을 위한 개인과 공동체의 노력을 서술해 보자.
공동체는 개인의 자유와 권리를 최대한 보장하고, 개인은 공동체에 대한 의무를 적극적으로 다할 필요가 있다.

함께 보기 165쪽, 1등급 정복하기 3

STEP 1 핵심 개념 확인하기

1 다음 빈칸에 들어갈 내용을 쓰시오.

(1) 사회 구성원이 '마땅히 받을 만한 몫'을 공정하게 받는 것을 (   )라고 한다.

(2) (   )에 따른 분배는 당사자들이 성취하고 이바지한 정도에 따라 분배하는 것이다.

(3) (   )에 따른 분배는 인간다운 삶을 살기 위해 기본적인 필요를 충족할 수 있도록 분배하는 것이다.

2 다음 설명이 맞으면 ○표, 틀리면 ×표를 하시오.

(1) 능력에 따른 분배는 개인이 지닌 잠재력을 실현할 기회를 제공한다. (   )

(2) 필요를 분배 기준으로 삼을 경우 타고난 재능이나 환경과 같은 우연적 요소가 개입할 수 있다. (   )

(3) 업적에 따른 분배는 각자가 달성한 결과를 객관화·수량화할 수 있어서 평가와 측정이 비교적 쉽다. (   )

3 다음 내용이 자유주의적 정의관에 해당하면 '자', 공동체주의적 정의관에 해당하면 '공'이라고 쓰시오.

(1) 개인의 자율성과 독립성을 중시한다. (   )

(2) 인간의 삶은 공동체에 뿌리를 두고 있다. (   )

(3) 개인은 공동체 속에서 정체성을 형성하는 존재이다. (   )

4 ㉠, ㉡에 들어갈 내용을 각각 쓰시오.

> 자유주의에서는 타인의 자유를 침해하지 않는 한에서 개인의 자유와 권리를 최대한 보장하여 (㉠   )을 실현하는 것이 정의롭다고 본다. 한편 공동체주의에서는 개인이 속한 공동체의 (㉡   )을 실현하는 것이 정의롭다고 본다.

5 다음 괄호 안의 내용 중 알맞은 말에 ○표를 하시오.

(1) (자유주의, 공동체주의)적 정의관은 개인의 자유로운 선택과 권리, 사익 추구 보장을 중시한다.

(2) (롤스, 노직)은/는 사회적·경제적 불평등을 최소화하려는 국가의 소득 재분배 정책이 필요하다고 본다.

STEP 2 내신 만점 공략하기

01 ☆중요 다음은 학생이 수업 시간에 정리한 노트 필기이다. ㉠의 역할로 적절하지 않은 것은?

> 학습 주제: (㉠)의 의미
> • 잘못된 행위를 바로잡는 것
> • 다른 사람에게 피해를 준 만큼 보상하는 것
> • 사회적 대우나 보상, 처벌 등에 있어 '마땅히 받을 만한 몫'을 공정하게 받는 것

① 사회 통합의 기반을 마련해 준다.
② 사회 구성원의 기본적 권리를 보장한다.
③ 사회 구성원 간의 이해 갈등을 공정하게 처리한다.
④ 사회 구성원이 인간다운 삶을 누릴 수 있게 해 준다.
⑤ 개인선의 양보를 통해 공동선을 실현할 수 있게 해 준다.

02 갑과 을이 강조하는 정의의 실질적 기준을 옳게 연결한 것은?

교사: 우리 음악 고등학교에서는 장학금을 전교생 중 10명에게만 지급할 수 있습니다. 학교 장학금을 누구에게, 어떤 기준에 따라 분배하는 것이 좋을까요?

갑: 제 생각에는 앞으로 성장할 가능성을 보고 재능 있는 학생을 뽑아 장학금을 지원하는 것이 좋을 것 같습니다.

을: 제 생각에는 각종 경연 대회에서 우수한 성적을 거두어 학교의 위상을 높인 학생에게 장학금을 지급하는 것이 좋을 것 같습니다.

	갑	을
①	능력	업저
②	능력	필요
③	업적	능력
④	업적	필요
⑤	필요	업적

03 분배적 정의의 실질적 기준 (가)~(다)에 대한 설명으로 옳지 <u>않은</u> 것은?

> (가) 개인이 지닌 육체적·정신적인 능력에 따라 분배한다.
> (나) 각자가 자신의 능력과 노력을 발휘하여 성취한 정도에 따라 분배한다.
> (다) 인간다운 삶을 살도록 하는 데 기본적인 필요를 충족할 수 있도록 분배한다.

① (가)는 타고난 재능이나 환경과 같은 우연적 요소가 개입할 수 있다.
② (나)는 개인의 성취동기를 높일 수 있다.
③ (다)는 노동 의욕 및 창의성을 저해할 수 있다.
④ (가)는 (나)에 비해 객관적 평가 기준을 마련하기 어렵다.
⑤ (다)는 (나)에 비해 사회적 약자가 소외될 가능성이 높다.

04 다음 글에서 강조하는 정의의 실질적 기준에 부합하는 진술로 가장 적절한 것은?

> 정의로운 사회는 절제의 덕을 갖춘 사람에게는 생산에 힘쓸 수 있는 일자리를 배분하고, 용기의 덕을 가진 사람에게는 국가를 수호할 일자리를 배분하며, 지혜의 덕을 갖춘 합리적인 사람에게는 국가를 통치할 수 있는 일자리를 배분해야 한다.

① 누구에게나 동등한 몫을 분배해야 한다.
② 분배의 기준보다 분배의 절차를 강조해야 한다.
③ 능력이 뛰어난 사람에게 더 나은 대우와 보상을 해야 한다.
④ 사회 구성원의 필요를 최우선으로 고려하여 분배해야 한다.
⑤ 분배를 통해 생산성을 높이는 동기를 제공할 수 있어야 한다.

05 밑줄 친 입장을 뒷받침할 수 있는 적절한 근거를 〈보기〉에서 고른 것은?

> A 기업에서는 성과 연봉제를 도입하기로 했다. 기업 관계자는 근무 연수가 늘어나면 자동으로 급여가 인상되는 호봉제 대신, 성과에 따라 급여 수준이 책정되는 성과주의를 도입하기로 했다고 밝혔다. 한편 B 기업에서는 성과 연봉제 도입에 따른 부작용을 우려하며 <u>성과 연봉제 도입에 반대하는 입장</u>을 밝혔다.

보기
ㄱ. 열심히 일하려는 동기가 약화될 수 있다.
ㄴ. 과열 경쟁으로 부정이 저질러질 우려가 있다.
ㄷ. 사회적 약자에 대한 배려가 부족해질 수 있다.
ㄹ. 선천적 자질을 무시할 수 없어 사회적·경제적 불평등을 초래할 수 있다.

① ㄱ, ㄴ ② ㄱ, ㄷ ③ ㄴ, ㄷ
④ ㄴ, ㄹ ⑤ ㄷ, ㄹ

06 다음 사상가가 긍정의 대답을 할 질문으로 가장 적절한 것은?

> 무릇 토지는 세상의 커다란 근본이다. …… 마땅히 식구 수에 비례하여 토지를 소유하게 하고, 토지 소유의 한계를 정하여 함부로 토지를 매매할 수 없게 해야 한다. 이렇게 해야 가난하고 약한 사람들을 구제하고 토지의 독점도 방지할 수 있을 것이니, 이처럼 토지 제도를 개선하는 것이 옳지 않겠는가?

① 자신이 노력한 만큼의 대가를 받아야 하는가?
② 사회적 약자를 배려하여 자원을 분배해야 하는가?
③ 객관적인 평가 지표를 분배의 기준으로 삼아야 하는가?
④ 개인이 성취한 업적보다 타고난 능력을 우선시해야 하는가?
⑤ 개인이 지닌 잠재력과 재능을 분배의 기준으로 삼아야 하는가?

07 다음과 같은 배경에서 등장한 정의관에 대한 설명으로 옳은 것은?

> 인간이 자유를 위해 억압에 항거하고 권력에 저항하는 일들은 인류 역사 속에서 끊임없이 이루어졌다. 근대 유럽에서 인간은 누구나 고유한 가치와 존재의 의의를 가지고 있으므로 개인의 자유를 존중하고 보장하는 것이 어떤 가치보다도 우위에 있다는 사상이 나타났다.

① 개인선은 공동선을 토대로 실현된다고 본다.
② 개인의 자유보다 공동체에 대한 의무를 중시한다.
③ 좋은 삶의 조건으로 공동체가 부여한 역할 수행을 중시한다.
④ 개인선의 실현이 자연스럽게 공동선의 실현으로 이어진다고 본다.
⑤ 개인은 공동체의 영향을 받으며 자아 정체성을 형성해 나가는 존재라고 본다.

08 다음 사상가의 입장으로 적절한 것을 〈보기〉에서 고른 것은?

> 누구나 기본적 자유에 있어 평등한 권리를 가져야 합니다. 그리고 최소 수혜자에게 우선적으로 최대의 이익을 보장하도록 노력해야 합니다. 다음으로, 공정한 기회균등의 원칙에 따라 모든 사람에게 개방된 직위와 직책이 결부되도록 배정해야 합니다. 사회가 이렇게 운영되면 공정한 사회라고 볼 수 있습니다.

─┤ 보기 ├─
ㄱ. 국가는 사회적 약자의 복지를 배려해야 한다.
ㄴ. 국가의 소득 재분배 정책은 개인의 권리를 침해하는 것이다.
ㄷ. 자유와 평등의 조화를 통한 공정한 분배가 이루어져야 한다.
ㄹ. 사회적 가치를 분배할 때는 공동체의 문화적 특수성과 차이를 고려해야 한다.

① ㄱ, ㄴ   ② ㄱ, ㄷ   ③ ㄴ, ㄷ
④ ㄴ, ㄹ   ⑤ ㄷ, ㄹ

09 다음 글에 나타난 정의관의 입장으로 가장 적절한 것은?

> 나는 가족, 도시, 친족, 민족, 국가 등 다양한 공동체의 구성원입니다. 나는 내 가족, 나의 도시, 나의 민족, 나의 국가로부터 다양한 빚과 유산, 적절한 기대와 의무를 물려받습니다.

① 개인은 독립적이고 자율적인 존재이다.
② 개인의 자유로운 선택과 권리를 보장해야 한다.
③ 개인의 좋은 삶은 공동선과 분리되어서는 안 된다.
④ 개인은 어떤 삶이 좋은 삶인지를 스스로 결정할 수 있다.
⑤ 공동체는 개인에게 특정한 가치나 삶의 방식 등을 강제해서는 안 된다.

10 (가)의 사례에 관한 (나)의 갑과 을의 입장으로 적절하지 않은 것은?

(가)	A 씨는 새벽에 고향에 가다가 교통사고 현장을 목격하였다. A 씨는 길가에 한 노부인이 피를 흘리며 쓰러져 있는 모습을 보았지만 차를 세우지 않고 집으로 향했다.
(나)	• 갑: A 씨의 행위는 잘못된 행위야. 왜냐하면 위험에 처한 사람을 돕는 것은 공동체 구성원으로서 당연히 해야 할 일이기 때문이지. • 을: 내 생각은 달라. 다친 사람을 돕거나 돕지 않는 것은 개인이 자율적으로 결정할 문제이지 누구나 이행해야 할 의무라고 볼 수 없어.

① 갑의 주장은 공동체주의적 정의관을 바탕으로 한다.
② 갑은 공동체 구성원으로서의 의무를 중시하고 있다.
③ 을의 주장은 자유주의적 정의관을 바탕으로 한다.
④ 을은 개인선보다 공동선의 실현을 더 중시하고 있다.
⑤ 을의 태도가 지나칠 경우 타인이나 사회 전체의 이익을 침해하는 이기주의 문제를 초래할 수 있다.

11 (가), (나)에 해당하는 정의관에 대한 설명으로 옳은 것은?

> (가) 개인은 자신이 속한 공동체의 영향 안에서 그 자신일 수 있다.
> (나) 공동체는 개인의 자율적인 삶을 보장하고 그것을 실현하게 해 주는 수단이다.

① (가)는 공동체의 가치와 전통을 존중하는 삶을 강조한다.
② (가)는 개인의 자유와 권리를 최대한 보장하는 것이 정의롭다고 여긴다.
③ (나)는 개인의 삶의 방식에 대한 결정권이 공동체에 있다고 본다.
④ (나)는 개인이 자신이 속한 공동체의 발전을 위해 노력해야 한다고 본다.
⑤ (가)는 개인의 권리 보호를, (나)는 공동선의 실현을 중시한다.

12 (가)는 정부의 개발 제한 구역 완화 정책에 관한 갑과 을의 입장이다. 갑과 을의 입장을 (나) 그림으로 표현할 때 A~C에 해당하는 진술로 가장 적절한 것은?

(가)	• 갑: 개발 제한 구역이라는 이유로 사익을 침해하는 것은 부당해. 그동안 많은 제약을 받아 왔으니, 사유 재산권 보장을 위해 개발 제한 구역 규제를 완화해야 한다고 생각해. • 을: 개발 제한 구역을 개인의 이익 차원에서만 바라보아서는 안 돼. 자연환경 보호를 위해 개발 제한 구역 규제 완화를 성급하게 결정해서는 안 된다고 생각해.
(나)	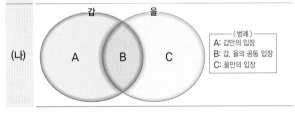 〈범례〉 A: 갑만의 입장 B: 갑, 을의 공통 입장 C: 을만의 입장

① A: 공동선은 개인의 자유와 권리보다 우선한다.
② A: 공유된 가치를 바탕으로 한 공동체의 연대 의식을 강조한다.
③ B: 개인의 자유는 공동체 속에서만 실현된다.
④ C: 공동체적 삶을 토대로 개인의 정체성이 형성된다.
⑤ C: 공동체는 개인의 자유와 권리를 실현하기 위한 수단이다.

 서술형 문제

● 정답친해 53쪽

01 다음 대화를 보고 물음에 답하시오.

> • 교사: 우리 학급에서 단 한 명만 해외 견학을 갈 수 있는데, 누구를 추천해야 할까?
> • 갑: 우리 반의 단합을 위해 노력한 반장을 추천합니다.
> • 을: 가정 형편이 좋지 않아 따로 해외 견학을 갈 기회가 없는 학생이 적합하다고 생각합니다.

(1) 갑과 을이 강조하는 정의의 실질적 기준을 각각 쓰시오.

(2) 을의 입장에서 갑의 주장을 비판할 수 있는 근거를 서술하시오.

(길잡이) 정의의 실질적 기준이 갖는 장단점을 비교하여 서술한다.

02 다음 글을 읽고 물음에 답하시오.

> (가) 개인의 삶의 역사는 공동체의 역사 속에 편입되어 있으며, 개인의 정체성은 공동체의 역사로부터 도출된다.
> (나) 인간은 자유롭고 평등한 존재이므로 어느 누구도 다른 사람의 생명, 자유, 그리고 소유물에 위해(危害)를 가해서는 안 된다.

(1) (가), (나)에 나타난 정의관을 각각 쓰시오.

(2) (가)의 입장에서 (나)의 주장을 비판할 수 있는 근거를 서술하시오.

(길잡이) 각 정의관이 중시하는 가치를 비교하여 서술한다.

1 갑, 을 사상가의 입장으로 적절하지 <u>않은</u> 것은?

> • 갑: 당사자들이 동등함에도 동등하지 않은 몫을, 혹은 동등하지 않은 사람들이 동등한 몫을 분배받아 갖게 되면 바로 거기서 싸움과 불평이 생겨난다. 그러므로 정의로운 것은 일종의 비례적인 것이다.
>
> • 을: 개인은 기본적 자유에 있어 평등한 권리를 가져야 한다. 그리고 사회 내에서 가장 불리한 처지에 있는 최소 수혜자에게 사회생활에 필요한 기본적 가치를 우선적으로 제공하고, 이후 모든 사회 구성원에게 어떤 직책이나 직위에 오를 수 있는 기회를 공평하게 주는 것이 정의롭다.

① 갑: 정의는 각자에게 차등이 없도록 동일한 몫을 분배하는 것이다.

② 갑: 정의로운 분배는 비례적이고, 부정의한 분배는 비례에 어긋난다.

③ 을: 정의로운 사회에서는 누구에게나 균등한 기회를 제공한다.

④ 을: 다수의 이익을 명목으로 개인의 자유를 침해해서는 안 된다.

⑤ 갑, 을: 정의로운 사회는 각자에게 각자의 당연한 몫을 할당해야 한다.

> **정의의 의미와 역할**
>
> **완자쌤의 시험 꿀팁**
>
> 정의의 일반적 의미를 기준으로 갑과 을의 입장을 정리해 본다.

2 갑은 긍정, 을은 부정의 대답을 할 질문으로 가장 적절한 것은?

> • 갑: 다양한 사회 제도를 통해 기회의 평등을 실현한 상태에서 개인들이 자유롭게 경쟁하여 그 성과를 분배받아야 합니다.
>
> • 을: 사회적·경제적 불평등을 완화하고 사회적 약자를 보호하기 위해 기회의 평등을 넘어 결과의 평등이 이루어져야 합니다.

① 타고난 재능을 개인의 소유로 인정해야 하는가?

② 모든 구성원들에게 사회적 자원을 균등 분배해야 하는가?

③ 객관적으로 평가할 수 있는 지표를 분배의 기준으로 삼아야 하는가?

④ 각 개인이 처해 있는 현실적인 상황을 고려하여 분배가 이루어져야 하는가?

⑤ 기본적 욕구 충족이 어려운 사람들에게 필요한 재화나 가치를 우선적으로 분배해야 하는가?

> **정의의 실질적 기준**
>
> **완자 사전**
>
> • 기회의 평등
> 사람들이 인종, 가족, 계급, 종교, 나이 등 여러 가지 선택할 수 없는 요소들로 인해 차별받지 않고, 모두에게 동등한 기회가 주어지는 것
>
> • 결과의 평등
> 모든 사람의 기본적 삶의 소선을 보장하기 위해 능력이나 배경 등 사회적 조건에서 열세에 있는 사람에게 다양한 혜택을 제공하는 합리적 차별

3 (가)의 정의관에 관한 갑, 을의 입장을 (나) 그림으로 탐구하려 할 때, A~C에 들어갈 질문으로 옳은 것은?

> 자유주의적 정의관과 공동체주의적 정의관
>
> **완자쌤의 시험 꿀팁**
>
> 개인의 자유와 공동선 중 어느 가치를 중시하는지 파악하여 갑과 을이 어떤 정의관의 입장인지 정리해 본다.

(가)	• 갑: 인간은 자신의 삶의 목적을 스스로 선택하는 자기 삶의 주체이며, 타인과의 공존을 위해 모든 사람이 수용할 수 있는 원칙에 입각하여 행동하려는 존재이다. • 을: 인간은 모두 누군가의 형제이고 사촌이며, 이 마을과 저 부족의 구성원이다. 이런 것들은 각자가 진정한 자아를 발견하고 정체성을 형성하기 위해 필요하며, 각자가 이행해야 할 의무를 규정해 준다.
(나)	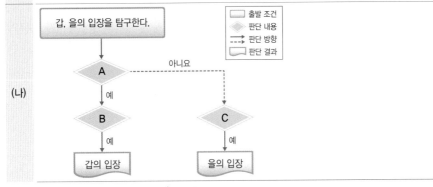

① A: 개인선과 공동선이 공존할 수 있다고 보는가?
② A: 개인은 공동체와 전통으로부터 생겨난 도덕을 지킬 의무가 있다고 보는가?
③ B: 공동선이 개인의 자유와 권리보다 우선하는 가치인가?
④ C: 개인보다 공동체를 좋은 삶의 원천으로 보는가?
⑤ C: 공동체를 개인의 자유와 권리를 실현하기 위한 수단으로 보는가?

4 (가) 정의관에 비해 (나) 정의관이 갖는 상대적 특징을 그림의 ㉠~㉤에서 고른 것은?

> 자유주의적 정의관과 공동체주의적 정의관

> (가) 개성의 자유로운 발달은 인간 행복의 중요한 요소이며 문명, 지식, 교육의 필수 조건이다. 자신의 신체와 정신에 대해서는 개인 각자가 주권자인 것이다.
>
> (나) 우리가 공통으로 인정하는 도덕적·정치적 책무들은 우리가 선택하지 않은 도덕적 연대와 의무를 포함한다. 개인을 무연고적 존재로 이해한다면 이 책무들을 설명하기 어렵다.

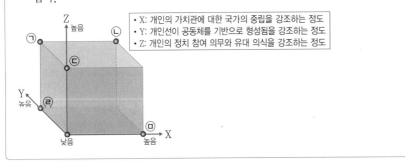

> • X: 개인의 가치관에 대한 국가의 중립을 강조하는 정도
> • Y: 개인선이 공동체를 기반으로 형성됨을 강조하는 정도
> • Z: 개인의 정치 참여 의무와 유대 의식을 강조하는 정도

① ㉠　　② ㉡　　③ ㉢　　④ ㉣　　⑤ ㉤

03 불평등의 해결과 정의의 실현

학습목표
• 다양한 불평등 현상을 파악하고, 그 원인을 설명할 수 있다.
• 정의로운 사회를 만들기 위한 실천 방안을 제시할 수 있다.

이것이 핵심!

다양한 불평등 현상

사회 불평등
사회적 희소가치가 불평등하게 분배되어 개인, 집단 및 지역이 서열화되어 있는 현상

↓

• 사회 계층의 양극화
• 사회적 약자에 대한 차별
• 공간 불평등

✱ 사회 계층
사회 구성원들이 차지하고 있는 사회적 지위의 층

✱ 사회 이동
개인이나 집단이 특정한 사회적 위치에서 다른 사회적 위치로 옮기는 일

✱ 소상공인
소기업 중에서도 규모가 특히 작은 기업과 생업으로 운영하는 자영업자를 일컫는 말

✱ 성장 거점 개발
성장 잠재력이 큰 지역을 선정하여 집중적으로 육성하고, 이에 따른 성장 이익을 다른 지역으로 파급하여 효과를 확산하는 개발

① 다양한 불평등 현상

1. 사회 불평등의 의미와 영향

(1) **사회 불평등**: 부, 권력, 지위와 같은 사회적 희소가치가 불평등하게 분배되어 개인, 집단 및 지역이 서열화되어 있는 현상 꼭! 사회 불평등은 모든 사회에서 공통으로 나타날 수 있지만, 국가나 시대마다 그 세부 양상에서는 차이가 있어.

(2) **사회 불평등의 영향**

① 긍정적 영향: 능력이나 업적에 따른 어느 정도의 불평등은 개인의 성취동기를 북돋워 사회를 발전시킬 수 있음

② 부정적 영향: 개인의 노력으로 극복할 수 없는 구조적인 성격을 띠거나 사회적으로 용인될 수 있는 수준 이상으로 불평등이 심화하면 정의로운 사회가 실현될 수 없음

2. 다양한 불평등 현상

(1) **✱사회 계층의 양극화** `자료①`

의미	사회의 중간 계층이 점점 감소하면서 구성원들이 상층과 하층의 양 극단으로 쏠리는 현상
원인	재산과 소득의 차이에 따른 경제적 격차가 대표적인 원인임
문제점	• 사회 발전의 동력이 줄어들고, 계층 간에 위화감이 조성될 수 있음 • 경제적 격차가 인간다운 삶을 위한 주거, 여가, 교육 등의 격차로 이어질 수 있음 • 양극화 현상이 심화되어 ✱사회 이동이 어려워질 때에는 계층 간 갈등으로 이어질 수 있음

(2) **사회적 약자에 대한 차별** `자료②`

① **사회적 약자**: 경제 수준이나 사회적 지위 등에서 열악한 위치에 있어 사회적으로 배려와 보호의 대상이 되는 개인 또는 집단 예 여성, 어린이, 노인, 장애인, 이주 노동자, 북한 이탈 주민, ✱소상공인 등

② **사회적 약자에 대한 차별** ┌ 사회적 약자들이 경험하는 차별과 불이익 등의 불평등은 이들이 사회적 주류 집단과 다르다는 비합리적인 이유로 나타나는 것이기에 문제가 돼.

원인	• 개인적 측면: 성별, 장애, 출신 지역 등에 대한 선입견 및 편견 • 사회적 측면: 차별을 용인하는 사회적 환경
문제점	구성원의 기본적 권리 침해

(3) **공간 불평등** `교과서 자료`

① **공간 불평등**: 지역을 기준으로 사회적 자원이 불균등하게 분배되어 지역 간에 경제적·사회적·문화적 수준의 차이가 나타나는 현상 예 수도권과 비수도권의 격차, 도시와 촌락의 격차 등 ┌ 꼭! 이러한 격차는 기본적으로 지역마다 자연환경 및 생산 요소가 다르게 분포하기 때문에 발생하지.

② **우리나라 공간 불평등의 원인**: 1960년대 이후 경제 발전을 위해 추진된 ✱성장 거점 위주의 지역 개발 전략

③ **공간 불평등의 양상과 문제점**

양상	• 수도권 및 대도시 지역: 인구와 산업, 편의 시설 등이 지나치게 집중됨 • 비수도권 및 촌락 지역: 인구가 지속적으로 유출되고, 지역 경제가 침체됨 • 도시 지역 내: 저소득층이 거주하는 지역은 주택이 노후화되고 기반 시설이 열악함
문제점	• 소득 불평등뿐만 아니라 교육, 문화, 의료 등 생활 환경의 전반적인 불평등으로 이어질 수 있음 → 국토의 효율적인 이용과 안정적인 국가 발전에 악영향을 미침 • 상대적으로 발전된 지역 주민과 낙후된 지역 주민 간에 갈등이 발생하여 사회 통합을 저해할 수 있음

자료 ① 사회 계층의 양극화

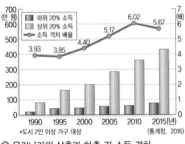

⬆ 우리나라의 상층과 하층 간 소득 격차

⬆ 소득 분위별 교육비 지출 현황

우리나라에서 소득 수준 하위 20%와 상위 20% 간의 소득 격차는 점차 심화하고 있다. 사회 구성원 간의 재산과 소득 격차는 교육 기회의 격차와 같은 다양한 격차로 이어져 부모의 계층이 자녀에게 대물림되는 결과를 낳기도 한다. 이는 개인의 능력이나 업적에 의한 계층 이동을 막아 폐쇄적인 사회 구조를 형성하므로 문제가 될 수 있다.

자료 ② 사회적 약자에 대한 차별

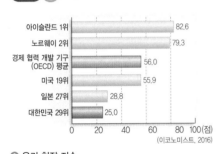

⬆ 유리 천장 지수

'유리 천장'은 충분한 능력을 갖춘 사람이 직장 내 차별 때문에 고위직으로 승진하지 못하는 불평등한 상황을 비유적으로 표현한 것이다. 특히 성차별 때문에 여성에게 유리 천장이 많이 적용된다. 유리 천장 지수가 낮을수록 여성 등 사회적 약자의 사회 참여 활동이 적고, 조직 내 승진이 어렵다.

자료 하나 더 알고 가자!

건강에서의 사회 불평등 현상

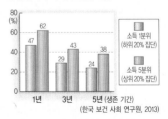

우리나라의 남성 암 환자의 소득 수준별 생존율을 분석해 보면, 소득 상위 20% 남성 암 환자의 5년 생존율은 소득 하위 20% 남성 암 환자의 생존율보다 14%p나 높다. 즉 소득 격차가 의료와 건강의 불평등으로 이어지고 있음을 알 수 있다.

정리 비법을 알려줄게!

사회적 약자가 겪는 어려움

여성	사회 진출이나 승진 문제에 있어 차별받고 있음
노인, 어린이, 장애인	신체적 또는 정신적 능력의 부족을 이유로 어려움을 겪거나 소외되고 있음
소상공인	대기업과의 불평등한 관계로 어려움을 겪음

수능이 보이는 교과서 자료 공간 불평등

⬆ 수도권과 비수도권의 격차

⬆ 도시와 농촌의 가구당 연간 소득 변화

우리나라 전체 인구의 절반 정도가 수도권에 밀집해 있으며 기업, 공공 기관 및 각종 교육·문화·의료 시설 등도 수도권에 집중되어 있다. 또한 도시와 농촌 간의 소득 격차도 크게 벌어지고 있다. 이러한 공간 불평등은 경제적인 차원뿐만 아니라 교육, 문화, 의료 등 생활 환경의 전반적인 불평등으로 이어져 사회 통합을 저해할 수 있다.

완자쌤의 탐구 강의

• 우리나라에서 공간 불평등 현상이 나타난 이유를 써 보자.
성장 거점 위주의 지역 개발 전략

• 공간 불평등이 지속할 때 나타날 수 있는 문제점을 서술해 보자.
공간 불평등은 경제적인 차원뿐만 아니라 교육, 의료, 문화 등 생활 환경의 전반적인 불평등으로 이어지므로, 장기적으로 국토의 효율적인 이용과 안정적인 국가 발전에 악영향을 미칠 수 있다.

함께 보기 175쪽, 1등급 정복하기 4

이것이 **핵심!**

② 정의로운 사회 실현을 위한 노력

1. 정의로운 사회 실현을 위한 제도

정의로운 사회 실현을 위한 제도

사회 복지 제도	사회 보험, 공공 부조, 사회 서비스 → 사회 계층의 양극화 현상 완화
적극적 우대 조치	여성 할당제, 장애인 의무 고용 제도 → 사회적 약자에게 실질적 기회의 평등 보장
지역 격차 완화 정책	수도권 기능의 지방 분산, 자립형 지역 발전 기반 구축 → 국토의 균형 발전 모색

★ 사회 복지 제도의 특징

사회 보험	• 모든 국민 대상 • 강제 가입 원칙 • 상호 부조의 원리
공공 부조	• 빈곤층 대상 • 국가의 비용 부담 • 사후 처방적 성격
사회 서비스	• 사회적 취약 계층 대상 • 비금전적 지원

★ 노인 장기 요양 보험

고령이나 노인성 질병으로 일상생활을 혼자서 수행하기 어려운 사람들에게 장기 요양 급여를 판정 등급에 따라 제공한다.

★ 기초 연금

노인에게 안정적인 소득 기반을 제공하여 생활 안정을 돕기 위한 제도로서, 65세 이상 노인 중 소득 인정액이 기준 금액 이하인 사람에게 연금 급여를 지급한다.

★ 역차별

부당한 차별을 받는 쪽을 보호하기 위하여 마련한 제도나 장치가 너무 강하여 오히려 반대편이 차별을 받는 것

★ 장소 마케팅

지역의 특정 장소 혹은 공간을 상품화함으로써 지역의 이미지를 높이고 지역 경제를 활성화하기 위한 전략

---

(1) 사회 복지 제도

① 사회 복지 제도: 사회 구성원이 기본적 욕구를 충족하고 정상적인 생활을 할 수 있도록 사회적으로 지원하는 제도

> **꼭!** 사회 복지 제도는 소득 재분배 효과가 있어서 경제적 측면의 불평등 완화에 도움이 돼.

② 사회 복지 제도의 필요성: 사회 계층의 양극화 현상을 완화하고 사회적 약자를 보호함으로써 인간의 존엄성을 보장하고 사회 통합에 기여함

> **VS** 사회 보험과 공공 부조
>
> | 사회 보험 | 납부자 = 수혜자 |
> |---|---|
> | 공공 부조 | 납부자 ≠ 수혜자 |

③ 우리나라의 *사회 복지 제도 **자료 ③**

사회 보험	• 의미: 일정 수준의 소득이 있는 개인과 정부, 기업이 보험료를 분담하여 구성원의 사회적 위험에 대비하는 제도 • 종류: 국민연금, 국민 건강 보험, 고용 보험, 산업 재해 보상 보험, *노인 장기 요양 보험 등
공공 부조	• 의미: 국가가 전액 지원하여 저소득 계층이 최소한의 삶을 꾸릴 수 있도록 돕는 제도 • 종류: 국민 기초 생활 보장 제도, *기초 연금, 의료 급여 등
사회 서비스	• 의미: 도움이 필요한 국민에게 다양한 서비스 혜택을 제공하는 제도 • 종류: 노인 돌봄 서비스, 장애인 활동 지원, 가사·간병 서비스 등

(2) 적극적 우대 조치 **자료 ④**

① 적극적 우대 조치: 사회적 약자에게 실질적인 기회의 평등을 보장하기 위해 일정한 혜택을 부여하는 제도

② 적극적 우대 조치의 사례

> 「공직 선거법」에서는 정당이 비례 대표 의원 후보자를 선출할 때 여성에 대한 의무 배정 기준을 준수하도록 규정하고 있어.

여성 할당제	여성에게 채용이나 승진 및 공직 진출의 혜택을 제공함
장애인 의무 고용 제도	기업이나 관공서에서 일정 비율 이상의 장애인을 고용하도록 함
대학 입학 전형	다양한 입학 전형으로 빈곤층, 장애인, 농어촌 지역 학생들에게 대학 입학 기회를 부여함

③ 적극적 우대 조치 시행 시 유의점: 그 혜택의 정도가 과도하여 *역차별의 문제를 발생시키는 일이 없도록 유의해야 함

(3) 지역 격차 완화 정책 **자료 ⑤**

① 지역 격차 완화 정책의 목적: 수도권과 비수도권, 도시와 촌락 간의 공간 불평등 해소 → 국토의 균형 발전 모색

② 지역 격차 완화 정책

수도권 기능의 지방 분산	공공 기관의 지방 이전, 수도권에서 지방으로 이전하는 기업에 세금 감면 및 규제 완화 등의 혜택 제공 등
자립형 지역 발전 기반 구축	지역의 특성을 살릴 수 있는 발전 전략 추진 ⑩ 지역 브랜드 구축, 관광 마을 조성 및 지역 축제와 같은 *장소 마케팅 추진 등
도시 내 공간 불평등 해소	저렴한 공공 임대 주택 및 장기 전세 주택 공급, 도시 정비 사업 및 도시 환경 정비 사업 실시 등

> 도시 정비 사업 및 도시 환경 정비 사업 — 공원·녹지의 확보 / 노후 불량 주택 개량, 도시·상하수도 등 도시 기반 시설 확충

2. 정의로운 사회 실현을 위한 노력

개인적 차원	• 다른 사람을 배려하고 존중하는 공동체 의식을 갖추어야 함 • 상대방에 대한 고정 관념이나 편견을 버려야 함 • 기부나 봉사 활동에 적극적으로 참여해야 함
사회적 차원	불평등의 원인이 되는 제도나 관행을 개선해 나가야 함

자료 ③ 우리나라의 사회 복지 제도

치매는 '치매 푸어(poor)'라는 말까지 생길 정도로 치료비가 만만치 않은 질병이다. …… 치매 환자인 갑과 옆에서 같이 고통을 겪는 가족들은 지난해부터 본인 부담금이 최대 10%로 대폭 낮아졌다는 소식에 그나마 치료비 부담을 덜 수 있었다. 갑의 아들인 을은 "국민 건강 보험은 이제 국민에게 공기 같은 존재가 됐다는 것을 실감할 수 있었다."라고 했다. – 「위클리 공감」, 2018. 5. 27.

제시된 사례에서 갑은 국민 건강 보험을 통해 경제적 지원을 받아 의료비 부담을 줄일 수 있게 되었다. 이러한 사회 복지 제도는 경제적 측면의 불평등을 완화하고, 모든 국민이 기본적인 생활 수준을 유지할 수 있게 함으로써 정의로운 사회 실현에 기여한다.

자료 ④ 적극적 우대 조치

· 장애인 의무 고용 제도
국가와 지방 자치 단체의 장은 장애인을 소속 공무원 정원의 3% 이상 고용해야 하며, 이에 따라 시험을 통해 공무원을 선발하는 경우 장애인이 신규 채용 인원의 3% 이상 채용되도록 시험을 실시해야 한다. 또한 상시 50명 이상의 근로자를 고용하는 사업주의 경우에도 대통령령으로 정하는 비율 이상의 장애인을 고용하여야 한다.

· 기회균등 전형
대학 입학 전형에서 정원 외 특별 전형을 통해 사회적 소외 계층이 대학에 진학할 수 있도록 별도의 경로를 마련하고, 진학 후 장학금과 학습 능력 향상 프로그램 등을 제공하여 실질적인 고등 교육 접근 기회를 보장하는 것을 목적으로 한다. 기초 생활 수급자 등 저소득층을 비롯해 농어촌 지역 주민, 장애인, 북한 이탈 주민 등을 대상으로 시행되고 있다.

사회적 약자에 대한 차별은 단순히 다른 사람들과 동등한 기회를 부여하는 것만으로는 해결하기 어려운 경우가 많다. 우리나라에서는 장애인 의무 고용 제도, 기회균등 전형을 비롯한 다양한 대학 입학 전형, 여성 할당제 등의 적극적 우대 조치를 통해 사회적 약자가 처한 불리한 조건을 개선하기 위해 노력하고 있다.

자료 ⑤ 지역 격차 완화를 위한 혁신 도시 개발

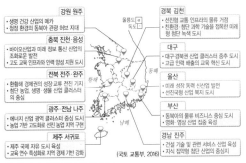

강원 원주
· 생명 건강 산업의 메카
· 청정 환경의 동북아 관광 허브 지대

경북 김천
· 선진형 교통 인프라의 물류 거점
· 친환경·첨단 과학 기술을 접목한 미래형 첨단 녹색 도시

충북 진천·음성
· 바이오산업과 미래 정보 통신 산업의 조화로운 발전
· 고도 교육 인프라와 인력 양성 지원 도시

대구
· 대구경북권 산업 클러스터 중추 도시
· 고급 인력 배출의 교육 혁신 도시

전북 전주·완주
· 환황해 경제권의 성장 전진 기지
· 첨단 농업, 생명·생물 산업 클러스터의 중심

울산
· 미래 성장 동력 신산업 발전
· 선진국형 산업 복지 도시

광주·전남 나주
· 에너지 산업 광역 클러스터 중심 도시
· 농업 기반 고도화로 선진 농업 지역 구현

부산
· 동북아의 물류 비즈니스 중심 도시
· 영화·영상 산업 집중 육성

제주 서귀포
· 제주 국제 자유 도시 육성
· 교육 연수 특성화로 지역 경제 기반 강화

경남 진주
· 건설 기술 및 관련 서비스 산업 육성
· 지식 집약형 첨단 산업의 중심지

(국토 교통부, 2016)

⬆ 우리나라의 혁신 도시 분포

혁신 도시란 주요 공공 기관의 지방 이전을 계기로 지역의 성장 거점에 조성되는 미래형 도시이다. 혁신 도시는 이전된 공공 기관과 지역의 대학·연구소·산업체·지방 자치 단체가 협력하여 지역의 새로운 성장 동력을 창출하는 기반이 될 것으로 기대되고 있다.

정리 비법을 알려줄게!

적극적 우대 조치에 관한 찬반 논거

찬성 입장
· 과거의 차별에 따른 고통을 보상할 필요가 있음
· 사회적 약자에게 유리한 기회를 부여함으로써 분배적 정의를 실현할 수 있음

⬆⬇

반대 입장
· 사회적 약자를 우대하는 과정에서 다른 집단에 대한 역차별이 발생할 수 있음
· 능력과 업적을 고려하지 않는 보상은 부당함

자료 하나 더 알고 가자!

자립형 지역 발전 정책

전라남도 보성은 특산물인 녹차를 브랜드화하여 지역 경쟁력을 강화하고 지역 경제의 활성화를 꾀하고 있다. 또한 제주도는 제주 올레길 개발을 통해 자연환경을 보전하면서도 지역 사회의 관광 소득을 높이는 발전 전략을 추진하고 있다.

각 지방 자치 단체에서는 지역 격차를 완화하고 각 지역이 자립적으로 발전할 수 있도록 지역 특성을 충분히 살리는 지역 개발 정책을 시행하고 있다.

1 다음 빈칸에 들어갈 내용을 쓰시오.

(1) 사회적 희소가치가 불평등하게 분배되어 개인, 집단 및 지역이 서열화되어 있는 현상을 (   )이라고 한다.

(2) 사회의 중간 계층이 점점 감소하면서 구성원들이 상층과 하층의 양 극단으로 쏠리는 현상을 (   )라고 한다.

(3) 경제 수준이나 사회적 지위 등에서 열악한 위치에 있어 사회적으로 배려와 보호의 대상이 되는 개인 또는 집단을 (   )라고 한다.

2 다음 괄호 안의 내용 중 알맞은 말에 ○표를 하시오.

(1) 우리나라는 경제 발전 과정에서 (균형, 성장 거점) 개발을 추진하면서 공간 불평등이 심화하였다.

(2) 공간 불평등에 따른 문제점을 해결하려면 주요 공공 기관을 (지방, 수도권)으로 이전하는 정책을 펴야 한다.

3 사회 복지 제도의 사례를 옳게 연결하시오.

(1) 사회 보험 •　　　　　　• ㉠ 기초 연금

(2) 공공 부조 •　　　　　　• ㉡ 국민 건강 보험

(3) 사회 서비스 •　　　　　• ㉢ 노인 돌봄 서비스

4 다음 설명이 맞으면 ○표, 틀리면 ×표를 하시오.

(1) 북한 이탈 주민은 사회적 약자에 속한다.　　　(　　)

(2) 사회 서비스는 금전적으로 사회적 약자를 지원하는 것이다.　　　(　　)

(3) 여성 할당제, 장애인 의무 고용 제도는 적극적 우대 조치에 해당한다.　　　(　　)

5 ㉠, ㉡에 들어갈 내용을 각각 쓰시오.

> 사회적으로 차별받는 사회적 약자에게 다양한 측면에서 직간접적으로 혜택을 제공하는 제도를 (㉠　　　)라고 한다. 이러한 제도는 부당한 차별을 받는 쪽을 보호하기 위한 혜택이 과도하여 오히려 반대편이 차별을 당하게 되는 (㉡　　　)의 문제를 유발할 수 있다.

01 ㉠에 대한 적절한 진술을 〈보기〉에서 고른 것은?

> (　㉠　)은/는 한 사회에서 부, 권력, 명예 등의 사회적 희소가치가 개인이나 집단에 차등적으로 분배되어 사회 구성원들이 차지하는 위치가 서열화되어 있는 상태를 말한다.

┌ 보기 ┐
ㄱ. 특정 사회에서만 나타난다.
ㄴ. 정의로운 사회 실현을 저해한다.
ㄷ. 개인의 성취동기를 북돋워 사회의 발전에 기여할 수 있다.
ㄹ. 사람들이 사회적 자원을 누구나 원하는 만큼 가질 수 있기 때문에 나타난다.

① ㄱ, ㄴ　　② ㄱ, ㄷ　　③ ㄴ, ㄷ
④ ㄴ, ㄹ　　⑤ ㄷ, ㄹ

02 그림은 갑국의 계층 구성 비율의 변화를 나타낸다. 이에 대한 분석으로 가장 적절한 것은?

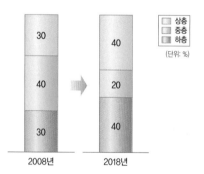

① 사회 계층 간 격차가 안화되었다.
② 사회 계층 구조의 안정성이 높아졌다.
③ 사회 계층의 양극화 현상이 나타났다.
④ 사회 계층의 대물림 현상이 완화되었다.
⑤ 계층 간 하강 이동보다 상승 이동이 더 많이 이루어졌다.

03 그림은 우리나라의 상층과 하층 간 소득 변화를 나타낸다. 이에 대한 옳은 분석 및 추론을 〈보기〉에서 고른 것은?

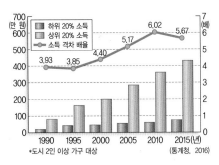
*도시 2인 이상 가구 대상
(통계청, 2016)

보기

ㄱ. 계층 간 소득 격차가 심화하는 추세이다.
ㄴ. 하위 20%의 소득 수준은 지속해서 하락하고 있다.
ㄷ. 1990년에 비해 2015년의 계층 구조는 사회 안정의 달성에 유리하다.
ㄹ. 1990년에 비해 2015년에는 사회 계층 중 중간 계층의 비중이 줄어들었을 것이다.

① ㄱ, ㄴ   ② ㄱ, ㄹ   ③ ㄴ, ㄷ
④ ㄴ, ㄹ   ⑤ ㄷ, ㄹ

04 다음 사례에 공통으로 나타난 문제점으로 가장 적절한 것은?

• 갑은 북한 이탈 주민 출신이라는 이유만으로 채용에서 불이익을 겪었다.
• 여성인 을은 육아 휴직 후 복직했다는 이유로 승진 대상자에서 누락되었다.

① 사회 계층의 세습화
② 사회적 약자에 대한 차별
③ 경제적 격차에 따른 불평등
④ 적극적 우대 조치의 역기능
⑤ 지역 격차에 따른 공간 불평등

05 그림은 우리나라의 수도권과 비수도권을 비교한 것이다. 이에 대한 분석 및 추론으로 적절하지 <u>않은</u> 것은?

(통계청·기획 재정부, 2016)

① 공간 불평등 현상이 나타났다.
② 수도권 권역이 축소될 수 있다.
③ 수도권과 비수도권 주민 간에 갈등이 발생할 수 있다.
④ 수도권을 중심으로 성장 거점 개발 정책을 추진하면서 심화된 현상이다.
⑤ 지역에 따라 사회적 기회나 자원이 불평등하게 배분되고 있음을 보여 준다.

06 ㉠ 지역에 비해 ㉡ 지역에서 나타나는 상대적 특징을 그림의 A∼E에서 고른 것은?

우리나라는 경제 발전 과정에서 성장 가능성이 큰 ㉠ <u>수도권과 대도시</u> 위주로 투자를 집중하면서 ㉡ <u>비수도권과 촌락 지역</u>에 대한 투자는 상대적으로 소홀하였다.

인구 유출 정도
(높음)

C
B
A
E
면적 대비
공공 기관의 수
(많음)
D
가구당 연 소득
(많음)
(적음, 낮음)

① A   ② B   ③ C   ④ D   ⑤ E

07 표는 우리나라 사회 복지 제도의 종류를 구분한 것이다. (가)~(다)에 해당하는 제도를 옳게 연결한 것은?

질문	(가)	(나)	(다)
강제 가입을 원칙으로 하는가?	예	아니요	아니요
금전적 지원을 원칙으로 하는가?	예	예	아니요

	(가)	(나)	(다)
①	사회 보험	공공 부조	사회 서비스
②	사회 보험	사회 서비스	공공 부조
③	공공 부조	사회 보험	사회 서비스
④	공공 부조	사회 서비스	사회 보험
⑤	사회 서비스	공공 부조	사회 보험

08 우리나라의 사회 복지 제도 A, B에 대한 설명으로 옳은 것은?

- 이 제도는 A의 하나로서, 국민 건강 보험 가입자 가운데 고령이나 노인성 질병 등으로 일상생활을 혼자서 수행하기 어려운 사람들에게 장기 요양 급여를 판정 등급에 따라 제공한다.
- 이 제도는 B의 하나로서, 노인에게 안정적인 소득 기반을 제공하여 생활 안정을 돕는 것을 목적으로 한다. 만 65세 이상 노인 중 소득 인정액이 기준 금액 이하인 사람에게 연금을 지급한다.

① A는 국가가 비용을 전액 부담한다.
② B는 개인, 국가, 기업이 비용을 분담한다.
③ A는 B와 달리 소득 재분배 효과가 있다.
④ B는 A에 비해 빈곤층 자활을 촉진하는 성격이 강하다.
⑤ A는 공공 부조, B는 사회 서비스이다.

09 (가), (나)에 대한 설명으로 가장 적절한 것은?

- (가) 국가와 지방 자치 단체, 공공 기관, 일정 규모 이상의 기업에서 공무원이나 근로자를 고용할 때 일정 비율 이상의 장애인을 고용해야 한다.
- (나) 저소득층, 농어촌 지역 주민, 장애인 등이 대학에 진학할 수 있도록 별도의 대학 입학 전형을 마련하고, 진학 후 장학금과 학습 능력 향상 프로그램 등을 제공한다.

① (가)는 공간 불평등을 해소하려는 노력에 해당한다.
② (나)는 개인이 이룬 업적에 대한 적절한 보상을 해 주는 것을 목적으로 한다.
③ (가)는 (나)와 달리 정의로운 사회 실현을 저해한다.
④ (나)는 (가)와 달리 역차별을 해소하는 데 기여한다.
⑤ (가)와 (나) 모두 실질적 평등의 실현을 추구한다.

10 갑과 을의 주장에 대한 적절한 진술을 〈보기〉에서 고른 것은?

- 갑: 여성 할당제는 기존의 남성 중심적 사회 구조에서 불이익을 받았던 여성에게 혜택을 제공함으로써 남녀 간의 불평등을 해소하려는 노력에 해당해. 이러한 정책은 기회의 재조정을 통해 실질적 평등을 가져올 수 있어.
- 을: 나는 여성 할당제가 개인의 기여도와는 무관하게 여성에게 과도한 혜택을 준다고 생각해. 이러한 정책은 다른 사람들의 기회를 박탈함으로써 또 다른 차별을 낳을 수 있어.

┌ 보기 ┐

ㄱ. 갑은 과거의 차별에 대한 보상이 필요하다고 본다.
ㄴ. 갑은 개인의 능력이나 업적에 따라 적절한 보상을 해야 한다고 본다.
ㄷ. 을은 역차별 문제를 우려하고 있다.
ㄹ. 을은 사회적 약자를 우대해야 한다고 본다.

① ㄱ, ㄴ 　② ㄱ, ㄷ 　③ ㄴ, ㄷ
④ ㄴ, ㄹ 　⑤ ㄷ, ㄹ

11 다음 사례에 나타난 문제점을 해결하기 위한 방안으로 적절하지 <u>않은</u> 것은?

> 우리나라 수도권의 면적은 전체 국토 면적의 약 12%에 불과하다. 그러나 전체 인구의 절반 정도가 수도권에 밀집해 있을 뿐만 아니라 기업, 공공 기관 및 각종 교육·문화·의료 시설 등도 수도권에 집중되어 있다. 또한 시간이 지날수록 도시 근로자의 소득은 꾸준히 늘어나는 반면 농촌 가구의 소득은 크게 달라지지 않아, 도시와 농촌 간의 소득 격차가 벌어지고 있다.

① 지역 브랜드 구축 사업을 추진한다.
② 수도권 규제 완화 정책을 시행한다.
③ 지역의 특성을 살린 지역 축제를 추진한다.
④ 공공 기관을 수도권에서 지방으로 이전한다.
⑤ 수도권에서 지방으로 이전한 기업의 세금을 감면해 준다.

12 지도에 나타난 '○○ 도시' 정책에 대한 설명으로 옳지 <u>않은</u> 것은?

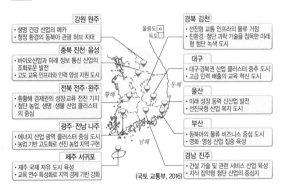

(국토 교통부, 2016)

① 공공 기관 이전을 통한 지역 발전을 추구한다.
② 국토의 균형 있는 발전을 촉진하려는 노력이다.
③ 공공 기관의 수도권 비중이 감소할 것을 기대한다.
④ 수도권 집중을 완화하고 낙후된 지방 경제를 활성화하는 것을 목적으로 한다.
⑤ 성장 잠재력이 큰 대도시를 집중적으로 개발하여 다른 지역까지 파급 효과가 미칠 것을 기대한다.

 서술형 문제

정답친해 56쪽

01 다음 글을 읽고 물음에 답하시오.

> (㉠)은/는 출신 국가, 민족, 성별, 장애, 나이 등 다양한 측면에서 사회적으로 불리한 위치에 있는 사람들을 말한다. 이들은 취업이나 승진, 입학 등의 대상에서 제외되는 등 차별과 불이익을 겪는 경우가 많다. 이들이 겪는 불평등은 구성원의 기본적 권리를 침해한다는 점에서 문제가 될 수 있다.

(1) ㉠에 들어갈 내용을 쓰시오.

(2) ㉠에 대한 차별이 나타나는 원인을 서술하시오.

길잡이 개인적 측면과 사회적 측면으로 구분하여 서술한다.

02 다음 글을 읽고 물음에 답하시오.

> 우리나라에서는 정당이 비례 대표 의원 후보자를 추천할 때 여성에 대한 의무 배정 기준을 준수하도록 규정하고 있으며, 기업이나 관공서에서 직원을 고용할 때 장애인을 일정 비율 이상 의무적으로 고용하는 등의 (㉠)을/를 마련해 두고 있다.

(1) ㉠에 들어갈 제도를 쓰시오.

(2) ㉠을 시행하는 과정에서 나타날 수 있는 문제점을 서술하시오.

길잡이 정책이 주는 혜택의 정도를 고려하여 서술한다.

1 사회 불평등 현상을 바라보는 갑과 을의 관점에 대한 옳은 분석을 〈보기〉에서 고른 것은?

> • 갑: 누군가 타인에게 직접적인 피해를 주지 않으면서 노동을 통해 어떤 재화를 소유하게 되었다면, 그는 그 재화에 대해 배타적인 권리를 가진다. 똑같은 시간이지만 어떤 사람은 열심히 일해서 100을 얻고, 다른 사람은 그럭저럭 일해서 50을 얻었다면 그로 인한 차이는 당연한 것이다.
>
> • 을: 100의 재능을 갖고 태어난 사람과 10의 재능밖에 타고나지 못한 사람 사이의 자유 경쟁에서, 누가 우승할 것인가는 쉽게 상상할 수 있다. 얼마나 불공정한 것인가? 따라서 100의 재능을 갖고 태어난 사람은 10의 재능을 갖고 태어난 사람에게 더 많은 관심을 가져야 사회 통합이 실현된다.

보기

ㄱ. 갑은 사회 불평등 현상이 불가피하다고 본다.
ㄴ. 을은 사회적 자원을 균등하게 분배할수록 사회적 효율성이 낮아진다고 본다.
ㄷ. 갑은 을에 비해 개인의 귀속적 요인이 사회 불평등에 미치는 영향력을 중시한다.
ㄹ. 을은 갑과 달리 타고난 재능으로 인한 이익은 사회 구성원을 위해 함께 나누어야 한다고 본다.

① ㄱ, ㄴ   ② ㄱ, ㄹ   ③ ㄴ, ㄷ
④ ㄴ, ㄹ   ⑤ ㄷ, ㄹ

> 사회 불평등 현상을 바라보는 관점
>
> **완자샘의 시험 꿀팁**
> 사회 불평등이 자연스러운 현상인지 완화해야 하는 현상인지에 관한 입장 차이를 정리해 본다.

평가원 응용

2 그림은 우리나라의 사회 복지 제도 A~C를 구분한 것이다. 이에 대한 분석으로 옳은 것은? (단, A~C는 각각 사회 보험, 공공 부조, 사회 서비스 중 하나이다.)

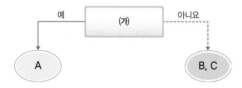

① A가 사회 보험이면, (가)에는 '강제 가입을 원칙으로 하는가?'가 적절하다.
② A가 공공 부조이면, (가)에는 '소득 재분배 효과가 나타나는가?'가 적절하다.
③ A가 사회 서비스이면, (가)에는 '금전적 지원을 원칙으로 하는가?'가 적절하다.
④ (가)가 '사전 예방적 성격이 강한가?'이면, 기초 연금과 고용 보험은 각각 B, C 중 하나에 속한다.
⑤ (가)가 '상담, 재활, 사회 복지 시설 이용 등의 지원을 제공하는가?'이면, A는 상호 부조의 성격이 강하다.

> 우리나라의 사회 복지 제도
>
> **완자 사전**
> • 소득 재분배
> 세금이나 사회 복지 제도를 통해 소득의 불평등과 그로 인한 생활의 격차를 줄이는 일

3 (가)의 입장에 비해 (나)의 입장이 갖는 상대적 특징을 그림의 ㉠~㉤에서 고른 것은?

▶ 적극적 우대 조치

완자쌤의 시험 꿀팁
적극적 우대 조치에 대한 찬반 주장의 근거를 보상의 논리, 재분배의 논리 등에 따라 정리해 본다.

> (가) 사회적 약자에 대한 적극적 우대 조치는 또 다른 차별을 가져올 수 있다. 사회적 약자라는 이유만으로 자신이 받아야 할 몫을 초과해서 받는다면 다른 사람은 그만큼 적게 받게 되므로 정의의 원칙에 어긋난다.
>
> (나) 사회적 약자에 대한 차별은 오랜 기간 동안 누적되어 왔기 때문에 단순히 다른 사람들과 동등한 기회를 부여하는 것만으로는 그 해결이 어려운 경우가 많다. 따라서 사회적 약자에게 다양한 측면에서 직간접적으로 혜택을 제공해야 한다.

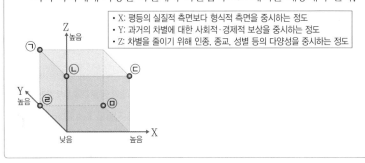

> • X: 평등의 실질적 측면보다 형식적 측면을 중시하는 정도
> • Y: 과거의 차별에 대한 사회적·경제적 보상을 중시하는 정도
> • Z: 차별을 줄이기 위해 인종, 종교, 성별 등의 다양성을 중시하는 정도

① ㉠   ② ㉡   ③ ㉢   ④ ㉣   ⑤ ㉤

지리 ➕ 사회

4 밑줄 친 사업에 관해 가장 적절한 평가를 내린 사람은?

▶ 지역 격차 완화 정책

> 전남 ○○군은 농촌 지역에 쾌적하고 다양한 주거 시설, 공동 문화 시설 등을 조성하는 '창조적 마을 만들기' 사업을 실시한다. 이 사업은 주택 등 생활 환경만 개선하는 것이 아니라 개발로 인해 마을 환경이 파괴되지 않도록 생태적 고려도 이루어진다. 또 주민을 대상으로 마을의 유·무형의 자원을 이용하여 특색 있는 마을 개발을 통해 새로운 소득을 올릴 수 있는 방법도 공모할 예정이다. ― 「무등일보」, 2016. 9. 8.

① 갑: 공간 불평등 현상이 더욱 심화될 수 있겠어.
② 을: 성장 거점을 중심으로 한 개발을 추구하고 있군.
③ 병: 사회 계층 간 소득 불평등을 완화하려는 노력에 해당해.
④ 정: 지역주의를 극복하여 사회 통합을 실현하려는 노력을 기울이고 있어.
⑤ 무: 지역의 특성을 고려한 발전 전략을 통해 지역 경쟁력을 높이려는 노력에 해당해.

01 정의의 의미와 실질적 기준

1. 정의의 의미와 역할

의미	• 정의: 사회적 대우나 보상, 처벌 등에 있어 '마땅히 받을 만한 몫'을 공정하게 받는 것 • 현대 사회에서 정의의 의미: 공정한 절차에 따라 자유와 평등이 조화롭게 실현된 상태
역할	• 기본적 권리 보장: 사회 구성원이 기본적 권리를 보장받으며 인간다운 삶을 살 수 있게 함 • 사회 통합의 기반 마련: 사회 구성원이 서로 신뢰하고 협력할 수 있게 함 • 사회 갈등 해결: 개인선과 공동선을 조화롭게 유지시켜 사회 갈등을 최소화해 줌

2. 분배적 정의의 실질적 기준

(1) (❶   )에 따른 분배

의미	개인의 육체적·정신적인 능력에 따라 분배하는 것
장점	개인이 지닌 잠재력을 실현할 기회를 제공함
단점	• 타고난 재능이나 환경과 같은 우연적 요소가 분배에 개입할 수 있음 → 사회적·경제적 불평등 초래 • 능력을 평가할 정확한 기준을 마련하기 어려움

(2) 업적에 따른 분배

의미	당사자들이 성취하고 이바지한 정도에 따라 분배하는 것
장점	• 각자가 달성한 결과를 객관화·수량화할 수 있어서 평가와 측정이 비교적 쉬움 • 주관적인 편견을 배제하여 공정성을 확보할 수 있음 • (❷)를 높여 주어 생산성·효율성을 기대할 수 있음
단점	• 사회적 약자에 대한 배려가 부족해질 수 있음 • 과열 경쟁으로 사회적 갈등이 커질 우려가 있음

(3) 필요에 따른 분배

의미	인간다운 삶을 사는 데 기본적인 필요를 충족할 수 있도록 분배하는 것
장점	최대한 많은 사람이 인간다운 삶을 살 수 있도록 할 수 있음
단점	• 사회적·경제적 가치는 한정되어 있으므로 모두의 필요를 충족하기 어려움 • 업적을 쌓으려는 개인의 동기가 부족해질 수 있음

02 다양한 정의관의 특징과 적용

1. 자유주의적 정의관과 공동체주의적 정의관

(1) 자유주의적 정의관

사상적 기반	개인이 공동체의 전통이나 가치로부터 독립적이고 자율적인 존재임을 강조하는 자유주의 사상을 바탕으로 함
특징	• 개인선의 실현이 자연스럽게 공동선의 실현으로 이어진다고 봄 • 공동체는 공동체에 속한 개인에게 특정한 가치를 강요해서는 안 됨 • 타인의 권리를 침해하지 않는 선에서 개인의 자유와 권리를 최대한 보장하여 (❸)을 실현하는 것이 정의롭다고 봄
한계	개인의 이익만을 추구하는 극단적 이기주의로 변질될 경우 타인의 자유와 권리를 침해하고 공동체를 위태롭게 할 수 있음
대표적 사상가	• 롤스: 사회적·경제적 불평등을 최소화하려는 국가 역할의 필요성을 인정함 • 노직: 국가는 개인의 소유권을 보호하는 역할에 머물러야 한다고 주장함

(2) 공동체주의적 정의관

사상적 기반	개인은 독립적으로 존재하는 것이 아니라 공동체의 구성원으로서 존재한다는 공동체주의 사상을 바탕으로 함
특징	• 개인이 속한 공동체의 (❹)을 실현하는 것이 정의롭다고 봄 • 공동체 구성원에게는 공동체와 전통으로부터 생겨난 도덕을 지킬 (❺)가 있다고 봄
한계	집단의 이익만을 중시하는 집단주의로 변질될 경우 개인의 자유와 권리를 훼손하여 개인선의 실현이 어려워질 수 있음
대표적 사상가	• 매킨타이어: 공동체의 가치와 전통을 존중하는 삶을 강조함 • 왈처: 공동체의 문화적 특수성과 차이를 고려하여 사회적 가치를 분배해야 한다고 주장함

2. 다양한 정의관의 적용

(1) **권리와 의무, 개인선과 공동선의 조화**: 개인의 권리를 중시하는 자유주의적 정의관과 사회 구성원으로서의 의무를 중시하는 공동체주의적 정의관을 조화롭게 추구해야 함

(2) **개인과 공동체의 바람직한 역할**: 개인은 공동체에 대한 의무를 다하고, 공동체는 개인의 자유와 권리를 보장해야 함 → 정의로운 사회 실현

03 불평등의 해결과 정의의 실현

1. 사회 불평등의 의미와 영향

의미	(❻　　　　　　)가 불평등하게 분배되어 개인, 집단 및 지역이 서열화되어 있는 현상
영향	• 긍정적 영향: 능력이나 업적에 따른 어느 정도의 불평등은 개인의 성취동기를 북돋워 사회를 발전시킬 수 있음 • 부정적 영향: 개인의 노력으로 극복할 수 없는 구조적인 성격을 띠거나 사회적으로 용인될 수 있는 수준 이상으로 불평등이 심화하면 정의로운 사회가 실현될 수 없음

2. 다양한 불평등 현상

(1) 사회 계층의 양극화

의미	사회의 중간 계층이 점점 감소하면서 구성원들이 상층과 하층의 양 극단으로 쏠리는 현상
주요 발생 원인	재산과 소득의 차이에 따른 경제적 격차
문제점	계층 간 위화감 조성, 계층 간 갈등 발생, 경제적 격차가 다른 측면의 격차로 이어짐 등

(2) 사회적 약자에 대한 차별

(❼　　　　)	경제 수준이나 사회적 지위 등에서 열악한 위치에 있어 사회적으로 배려와 보호의 대상이 되는 개인 또는 집단
차별 원인	성별, 장애, 출신 지역 등에 대한 선입견 및 편견과 이러한 차별을 용인하는 사회적 환경 등
문제점	구성원의 기본적 권리 침해

(3) 공간 불평등

의미	지역을 기준으로 사회적 자원이 불균등하게 분배되는 현상 ⑩ 수도권과 비수도권의 격차, 도시와 촌락의 격차 등
발생 원인	(❽　　　　　) 위주의 지역 개발 전략
양상	• 수도권 및 대도시 지역: 인구와 산업, 편의 시설 등이 지나치게 집중됨 • 비수도권 및 촌락 지역: 인구가 지속적으로 유출되고 지역 경제가 침체됨 • 도시 지역 내: 저소득층이 거주하는 지역은 주택이 노후화되고 기반 시설이 열악함
문제점	상대적으로 발전된 지역 주민과 낙후된 지역 주민 간 갈등 유발 → 사회 통합 저해

3. 정의로운 사회 실현을 위한 제도

(1) 사회 복지 제도

의미	사회 구성원이 기본적 욕구를 충족하고 정상적인 생활을 할 수 있도록 사회적으로 지원하는 제도
필요성	사회 계층의 양극화 현상 완화, 사회적 약자 보호 → 인간 존엄성 보장, 사회 통합에 기여
종류	• 사회 보험: 일정 수준의 소득이 있는 개인과 정부, 기업이 보험료를 분담하여 구성원의 사회적 위험에 대비하는 제도 ⑩ 국민연금, 국민 건강 보험, 고용 보험, 산업 재해 보상 보험, 노인 장기 요양 보험 등 • (❾　　　　　): 국가가 전액 지원하여 저소득 계층이 최소한의 삶을 꾸릴 수 있도록 돕는 제도 ⑩ 국민 기초 생활 보장 제도, 기초 연금, 의료 급여 등 • 사회 서비스: 도움이 필요한 국민에게 다양한 서비스 혜택을 제공하는 제도 ⑩ 노인 돌봄 서비스, 장애인 활동 지원, 가사·간병 서비스 등

(2) 적극적 우대 조치

의미	사회적 약자에게 실질적인 기회의 평등을 보장하기 위해 일정한 혜택을 부여하는 제도
사례	여성 할당제, 장애인 의무 고용 제도, 대학 입학 전형 등의 정책을 통해 사회적 약자에게 혜택을 제공
유의점	사회적 약자에 대한 혜택의 정도가 과도하여 (❿　　　　　)의 문제를 발생시키는 일이 없도록 유의해야 함

(3) 지역 격차 완화 정책

목적	수도권과 비수도권, 도시와 촌락 간의 공간 불평등 해소 → 국토의 균형 발전 모색
사례	• 수도권 기능의 지방 분산: 공공 기관의 지방 이전, 수도권에서 지방으로 이전하는 기업에 세금 감면 및 규제 완화 등의 혜택 제공 • 자립형 지역 발전 기반 구축: 지역 브랜드 구축, 관광 마을 조성 및 지역 축제와 같은 장소 마케팅 추진 등 • 도시 내 공간 불평등 해소: 저렴한 공공 임대 주택 및 장기 전세 주택 공급, 도시 정비 사업 및 도시 환경 정비 사업 실시 등

4. 정의로운 사회 실현을 위한 노력

개인적 차원	• 타인을 배려하고 존중하는 공동체 의식 함양 • 고정 관념이나 편견을 버리는 태도 함양 • 적극적인 기부나 봉사 활동 참여
사회적 차원	불평등의 원인이 되는 제도나 관행의 개선

01 ㉠에 공통으로 들어갈 개념에 대한 설명으로 옳지 <u>않은</u> 것은?

> 동양의 유교에서는 의로움[의(義)], 즉 옳음을 (㉠)(으)로 이해하였고, 서양은 고전적 의미에서 각자에게 그의 몫을 주는 것을 (㉠)(이)라고 여겼다. 오늘날에는 공정한 절차에 따라 자유와 평등이 조화롭게 실현된 상태를 (㉠)의 의미로 이해하기도 한다.

① 잘못한 만큼의 처벌을 받을 때 실현될 수 있다.
② '마땅히 받을 몫'을 공정하게 받는 것을 의미한다.
③ 사회 구성원의 기본적 권리를 보장할 수 있게 한다.
④ 개인선의 실현과 더불어 공동선의 실현을 가능하게 해 준다.
⑤ 개인의 이익 증진보다는 사회 제도의 개선에 관심을 갖게 해 준다.

02 분배적 정의의 실질적 기준 (가), (나)에 해당하는 사례를 〈보기〉에서 골라 옳게 연결한 것은?

> (가) 개인이 지닌 잠재력과 재능에 따라 분배한다.
> (나) 당사자들이 성취하고 이바지한 정도에 따라 분배한다.

> **보기**
> ㄱ. 성과가 더 높은 사람에게 더 많은 보수를 준다.
> ㄴ. 모든 사람에게 동등한 교육의 기회를 제공한다.
> ㄷ. 국가가 생계가 어려운 사람에게 복지 서비스를 제공한다.
> ㄹ. 신입 사원을 뽑을 때 전문적인 자격증이나 실력을 지닌 사람을 우대한다.

	(가)	(나)			(가)	(나)
①	ㄱ	ㄴ		②	ㄴ	ㄱ
③	ㄷ	ㄹ		④	ㄹ	ㄱ
⑤	ㄹ	ㄷ				

03 다음 사례에서 적용된 정의의 실질적 기준에 대한 질문에 모두 옳게 응답한 학생은?

> 어느 마을에서 주민들이 모여 공동으로 김장을 했다. 각자 다른 양의 김장을 하고 나서 식구 수가 많거나 아픈 사람이 있는 집이 많은 양의 김치를 가져가도록 했다.

질문＼학생	갑	을	병	정	무
사회적 약자에게 자원을 우선적으로 배분하는가?	○	×	○	×	○
분배를 통해 생산성을 높이는 동기를 부여하는가?	×	○	×	○	○
구성원 간의 과열 경쟁으로 갈등이 생길 수 있는가?	○	○	×	×	×
인간다운 삶을 사는 데 기본적인 필요를 충족하는가?	×	×	○	○	×

(○: 예, ×: 아니요)

① 갑　② 을　③ 병　④ 정　⑤ 무

04 대학 입학 전형의 유형 (가)~(다)에 적용된 정의의 실질적 기준에 대한 설명으로 옳지 <u>않은</u> 것은?

> (가) 예술, 체육 등 특정 분야에 탁월한 재능을 가진 학생을 선발한다.
> (나) 대학 수학 능력 시험을 치른 결과 상위 성적을 거둔 학생을 선발한다.
> (다) 장애 또는 지체로 인하여 특별한 교육적 요구가 있는 학생들을 대상으로 선발한다.

① (가)는 개인이 지닌 잠재력을 실현할 기회를 제공한다.
② (나)는 평가의 객관적인 기준을 마련하기 어렵다.
③ (다)는 개인의 기여도와 상관없이 분배가 이루어진다.
④ (가)는 (다)와 달리 사회적·경제적 불평등을 심화할 수 있다.
⑤ (다)는 (나)와 달리 열심히 일하려는 동기를 약화할 수 있다.

05 다음 사상가가 지지할 주장으로 가장 적절한 것은?

> 사회적 가치들은 사회적으로 공유되는 의미에 따라 고유한 영역을 갖습니다. 예를 들어 부는 경제 영역의, 권력은 정치 영역의 사회적 가치입니다. 저는 각각의 사회적 가치들이 자신의 고유한 영역 안에 머무름으로써 다원적 평등이 실현될 때 정의로운 사회가 된다고 생각합니다. 어떤 영역에서 우월한 위치를 차지한 사람이 그 위치를 이용하여 다른 영역의 가치까지 쉽게 소유해서는 안 됩니다.

① 모든 사회적 가치는 하나의 분배 영역으로 통일할 수 있다.
② 사회적 가치의 분배는 구성원의 합의보다 자율에 맡겨야 한다.
③ 모든 사회적 가치는 하나의 원칙과 절차에 따라 분배되어야 한다.
④ 경제적 불평등이 사회적 지위의 불평등으로 이어지는 것은 당연하다.
⑤ 서로 다른 사회적 삶의 영역에서는 서로 다른 분배 기준이 적용되어야 한다.

06 다음 주장에 나타난 정의관의 입장을 〈보기〉에서 고른 것은?

> 많은 사람의 즐거움을 위해 운동선수에게 강제로 경기하라고 말할 수 없는 것처럼, 소득 재분배를 위해 강제로 많은 세금을 내라고 하는 것은 부당하다.

보기
ㄱ. 개인은 공동체의 발전을 위해 노력할 의무가 있다.
ㄴ. 공동체는 개인에게 특정한 가치를 권장할 수 없다.
ㄷ. 공동선이 실현되면 자연스럽게 개인선이 실현된다.
ㄹ. 개인의 자유와 권리를 최대한 보장하는 것의 정의롭다.

① ㄱ, ㄴ ② ㄱ, ㄷ ③ ㄴ, ㄷ
④ ㄴ, ㄹ ⑤ ㄷ, ㄹ

07 다음 사상가의 입장으로 가장 적절한 것은?

> 나는 이 도시 혹은 저 도시의 시민이며, 이 조합 혹은 저 집단의 구성원이다. 또한, 나는 이 씨족, 저 부족, 이 민족에 속해 있다. 그러므로 나에게 좋은 것은 공동체에서 역할을 담당하는 누구에게나 좋은 것이어야 한다. 이처럼 나는 내 가족, 도시, 부족, 민족으로부터 다양한 부담과 유산, 정당한 기대와 책무를 물려받았다.

① 개인의 삶은 공동체에 뿌리를 두고 있다.
② 인간은 독립적이고 무연고적인 자아이다.
③ 개인의 자유로운 이익 추구에 의해 공동체가 발전한다.
④ 공동선은 개인의 자유와 권리보다 우선하는 가치일 수 없다.
⑤ 공동체는 개인의 자유를 보호하고 증진하는 수단에 불과하다.

08 다음은 서술형 평가와 학생 답안이다. 학생 답안의 밑줄 친 ㉠~㉤ 중 옳지 않은 것은?

> **서술형 평가**
>
> • 문제: (가), (나) 정의관의 특징을 비교하여 서술하시오.
>
> > (가) 개인은 공동체의 구성원으로서 존재하며, 일정한 책임을 부여받는다.
> > (나) 개인은 자신이 원하는 삶의 목적과 방식을 스스로 결정할 수 있는 주체이다.
>
> • 학생 답안: ㉠ (가)는 국가가 개인들의 다양한 가치관에 대해 가능한 중립을 유지해야 한다고 보며, ㉡ (나)는 국가를 개인의 자유와 권리를 보호하기 위한 조직으로 본다. 한편 ㉢ (가)는 인간을 상호 의존적인 연대적 존재로, (나)는 다른 사람과 독립된 자율적인 존재로 본다. 또한 ㉣ (가)는 공동체를 개인의 정체성 형성의 기반으로, (나)는 개인의 삶의 목적 달성을 위한 수단으로 본다. 그러나 ㉤ (가)와 (나) 모두 개인선과 공동선이 공존할 수 있는 것으로 본다.

① ㉠ ② ㉡ ③ ㉢ ④ ㉣ ⑤ ㉤

09 (가) 정의관의 입장에서 (나) 정의관에 제기할 수 있는 반론으로 가장 적절한 것은?

> (가) 모든 사회에서 동일하게 중요한 가치는 없으므로, 가치를 분배할 때는 공동체의 문화적 특수성과 차이를 고려해야 한다.
> (나) 개인은 자신이 존재하기로 스스로 선택한 것이고, 개인의 자아는 개인의 사회적·역사적 역할과 지위로부터 분리될 수 있다.

① 공동체의 가치보다 개인의 자율성이 중요하다.
② 개인보다 공동체를 좋은 삶의 원천으로 보아야 한다.
③ 좋은 삶이 무엇인지를 결정하는 주체는 오직 개인일 뿐이다.
④ 공동체는 개인에게 특정한 가치나 삶의 방식 등을 강제해서는 안 된다.
⑤ 국가는 개인의 자유와 권리를 보장하는 수단적 공동체로서의 역할을 넘어서면 안 된다.

10 다음과 같은 상황이 지속될 경우 나타날 수 있는 현상으로 적절하지 <u>않은</u> 것은?

> 2014년 기준 우리나라의 상위 10%는 전체 부의 66%를 소유하고 있으며, 그 중 최상위 1%가 전체 부의 26%를 소유하고 있다. 반면 하위 50%가 가진 부는 전체 부의 단 2%에 그쳤다.

① 사회 계층이 양극화될 수 있다.
② 계층 간 위화감이 조성될 수 있다.
③ 사회 발전의 동력이 줄어들 수 있다.
④ 계층 간 사회 이동이 활발하여 사회가 혼란해질 수 있다.
⑤ 경제적 격차가 주거, 여가, 교육 등 삶의 다른 측면의 불평등으로 이어질 수 있다.

11 다음 사례에 대한 옳은 분석을 〈보기〉에서 고른 것은?

> "대부분의 사람들이 결혼한 여성이 이직하거나 취업하기는 힘들다고 그러더군요. 회사는 반기지 않을 수밖에 없다고요. 여자들은 결혼, 그 다음에는 아기, 이렇게 계속 발목 잡혀야 하는 현실이 속상합니다." 얼마 전 한 직장인 익명 게시판에 올라온 글이다. 이 게시판에는 성차별, 남성 중심 문화, 유리 천장을 겪는 여성 직장인들의 사연이 이어지고 있다.

> **보기**
> ㄱ. 여성에 대한 역차별 문제가 나타났다.
> ㄴ. 성별에 대한 선입견 및 편견에 따른 차별이 나타났다.
> ㄷ. 여성에 대한 적극적 우대 조치를 통해 완화할 수 있다.
> ㄹ. 남성과 여성의 개인적 능력이나 업적에 따른 차이에서 기인한다.

① ㄱ, ㄴ   ② ㄱ, ㄷ   ③ ㄴ, ㄷ
④ ㄴ, ㄹ   ⑤ ㄷ, ㄹ

12 밑줄 친 ㉠~㉤에 대한 설명으로 옳지 <u>않은</u> 것은?

> ㉠ <u>공간 불평등</u>은 선진국과 개발 도상국의 격차, 수도권과 비수도권의 격차, 도시와 촌락의 격차 등 ㉡ <u>공간 규모</u>에 따라 다양한 양상을 보인다. 특히 우리나라는 성장 가능성이 큰 수도권과 대도시 위주로 지역 개발을 추진하였는데, 이 과정에서 ㉢ <u>수도권과 비수도권의 격차가 심화</u>하였다. 공간 불평등은 경제적 차원뿐만 아니라 ㉣ <u>생활 환경의 전반적인 불평등</u>으로 이어지므로, ㉤ <u>이를 해소하기 위한 노력</u>이 필요하다.

① ㉠-지역을 기준으로 사회적 자원이 불균등하게 분배되는 현상이다.
② ㉡-자연환경 및 생산 요소의 분포 차이의 영향을 받는다.
③ ㉢-수도권은 인구 집중, 비수도권은 인구 유출의 문제가 나타난다.
④ ㉣-기업, 공공 기관 및 각종 편의 시설이 수도권에 집중되어 있음을 사례로 들 수 있다.
⑤ ㉤-수도권 규제를 완화하여 파급 효과를 극대화함으로써 해소할 수 있다.

13 표는 우리나라의 사회 복지 제도를 종류별로 구분한 것이다. (가)~(다)에 대한 설명으로 옳은 것은?

(가)	• 국민연금 • 고용 보험	• 국민 건강 보험 • 노인 장기 요양 보험
(나)	• 기초 연금 • 의료 급여	• 국민 기초 생활 보장 제도
(다)	• 노인 돌봄 서비스 • 가사·간병 서비스	• 장애인 활동 지원

① (가)는 국가가 비용을 전액 부담한다.
② (나)는 빈곤층의 최저 생활 보장을 목적으로 한다.
③ (다)는 강제 가입을 원칙으로 한다.
④ (가)는 (나)와 달리 금전적 지원을 원칙으로 한다.
⑤ (다)는 (가)보다 혜택을 받는 대상자의 범위가 넓다.

14 갑, 을의 입장으로 가장 적절한 것은?

> • 갑: 교육 환경이 불리한 특정 지역 학생들에게 대학 입학의 기회를 확대할 필요가 있습니다. 따라서 특정 지역 학생들에게 일정한 대학 입학 정원을 할당하는 대학 입학 할당제를 실시해야 합니다.
> • 을: 대학 입학 할당제는 특정 지역에 거주하지 않는 학생들에게 오히려 불이익을 줄 수 있으므로, 학업 능력을 기준으로 입학 권리가 주어져야 합니다. 따라서 대학 입학 할당제는 부당합니다.

① 갑: 교육 환경 같은 우연적 요인에 의한 불평등은 부당하다.
② 갑: 성적 우수자가 대학 입학 할당제로 불이익을 받는 것은 정당화될 수 없다.
③ 을: 대학 입학 할당제는 누구의 입학 권리도 침해하지 않는다.
④ 을: 대학 입학 할당제는 과거의 차별을 보상함으로써 실질적 평등을 실현한다.
⑤ 갑, 을: 대학 입학 할당제는 부당한 역차별을 심화시킨다.

15 다음 법 조항들이 공통으로 추구하는 목적으로 가장 적절한 것은?

> • 사업주는 근로자를 모집하거나 채용할 때 남녀를 차별하여서는 아니 된다.
> • 상시 50명 이상의 근로자를 고용하는 사업주는 그 근로자의 총수의 100분의 5의 범위에서 대통령령으로 정하는 비율 이상에 해당하는 장애인을 고용하여야 한다.

① 공간 불평등을 해소한다.
② 계층 간 위화감을 해소한다.
③ 적극적 우대 조치에 따른 역차별을 시정한다.
④ 소득 재분배 정책을 통해 소득 불평등을 해소한다.
⑤ 사회적 약자에게 실질적인 기회의 평등을 보장한다.

16 다음 사례의 지역 발전 전략에 대해 적절한 평가를 내린 학생을 고른 것은?

> 우리나라 최대의 녹차 생산지인 전라남도 보성은 특산물인 녹차를 브랜드화하여 지역 경제의 활성화를 꾀하고 있다. 또한 자연 경관이 수려한 제주도는 제주 올레길 개발을 통해 자연환경을 보전하면서도 지역 사회의 관광 소득을 높이는 발전 전략을 추진하고 있다.

갑: 자립형 지역 발전의 기반을 구축하고 있어.
을: 수도권과 비수도권 간의 격차가 완화될 수 있겠어.
병: 수도권에 집중된 정부 기능을 지방으로 분산하고 있군.
정: 성장 가능성이 큰 도시를 집중 육성하여 지역 발전을 이끌어내고 있어.

① 갑, 을　　② 갑, 병　　③ 을, 병
④ 을, 정　　⑤ 병, 정

문화와 다양성

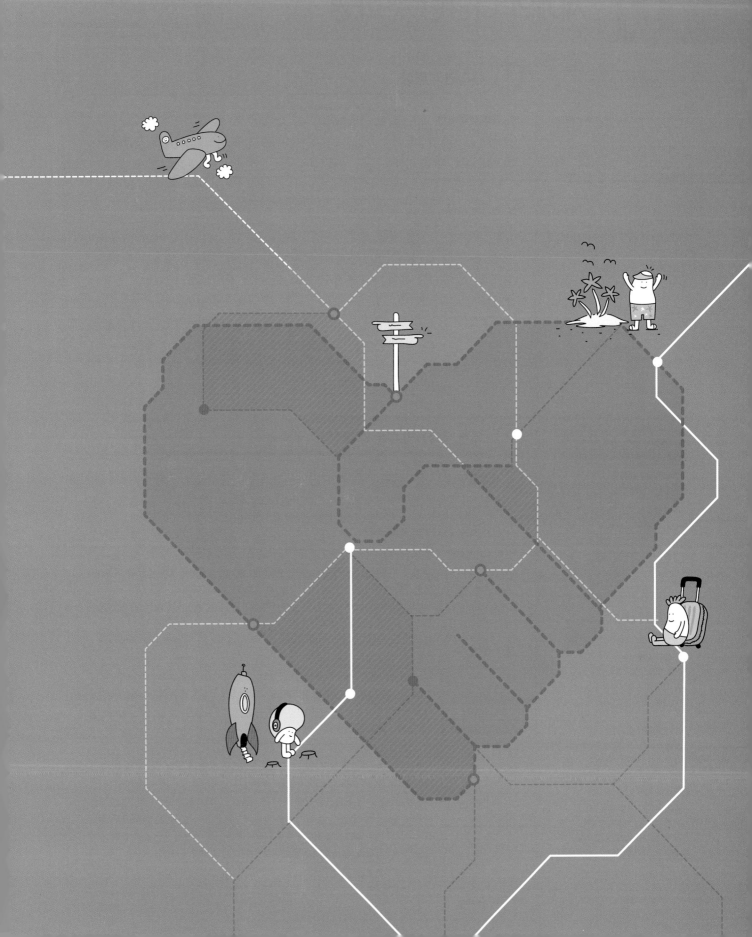

01 세계의 다양한 문화권

학습목표
- 문화권 형성에 영향을 주는 유인을 파악할 수 있다.
- 지도에서 세계의 문화권을 구분하고 각 문화권의 특징을 다른 문화권과 비교할 수 있다.

이것이 핵심!

문화권 형성에 영향을 주는 요인

자연 환경	기후, 지형 등 → 의식주 등 생활 양식에 영향을 줌
인문 환경	종교, 언어, 산업, 관습 등 → 문화 경관 및 가치관에 영향을 줌

★ **문화 경관**
어떤 장소에 특정 문화를 가진 사람들이 오랜 기간 동안 거주하면서 만들어 놓은 지역의 문화적 특성

1 문화권의 형성

1. 문화와 문화권 └ 문화는 의복, 음식, 가옥 등의 유형적 요소와 언어, 종교, 풍습 등의 무형적 요소로 구성돼.

(1) **문화**: 인간과 환경의 상호 작용으로 형성된 의식주, 풍습, 종교, 언어 등의 생활 양식

(2) **문화권(문화 지역)**: 의식주, 종교, 민족, 언어, 전통적인 산업 등의 문화 요소가 비슷하게 분포하는 공간적 범위 → 동일 문화권에서는 비슷한 생활 양식과 *문화 경관이 나타남
└ 문화권은 고정되어 있지 않고 인구의 이동, 문화 전파 등을 통해 끊임없이 변화해.

2. 문화권 형성에 영향을 주는 요인

(1) **자연환경**: 기후, 지형, 식생, 토양 등 → 의식주와 같은 기본적인 생활 양식에 영향을 미침

의복 문화	열대 기후 지역은 통풍이 잘 되는 옷, 건조 기후 지역은 온몸을 감싸는 옷을 주로 입음
음식 문화	아시아는 쌀, 건조 기후 지역과 유럽은 빵과 고기가 주식임 **자료①**
주거 문화	열대 기후 지역은 고상 가옥, 건조 기후 지역은 흙집이 발달함

(2) **인문 환경**: 종교, 언어, 산업, 관습, 제도 등 → 문화 경관 및 사람들의 가치관에 영향을 미침

종교	불교, 이슬람교, 크리스트교 등 종교마다 문화 경관과 생활 방식이 다름 **자료②**
산업	농경, 유목, 상공업 등 중심을 이루는 산업에 따라 문화권의 생활 양식이 다름

└ **VS** 농경 문화권에서는 정착 생활을 하고, 유목 문화권에서는 이동 생활을 해.

이것이 핵심!

세계의 주요 문화권

동양 문화권	계절풍, 벼농사 발달
유럽 문화권	크리스트교 문화 발달
건조 문화권	이슬람교, 유목 발달
아프리카 문화권	부족 단위 생활, 빈번한 분쟁 발생
아메리카 문화권	크리스트교, 다양한 문화가 공존함
오세아니아 문화권	유럽 문화 전파, 원주민 문화

동양(아시아) 문화권에 속해.

★ **점이 지대**
서로 다른 지리적 특성을 가진 두 지역 사이에서 중간적인 현상이 나타나는 지역

★ **계절풍**
계절에 따라 주기적으로 방향이 달라지는 바람

아메리카 문화권에 속해.

★ **유럽 문화권**

북서 유럽	• 개신교를 주로 믿음 • 산업 혁명의 발상지
남부 유럽	• 가톨릭교를 주로 믿음 • 그리스·로마 문화의 발상지

2 세계 문화권의 구분과 특징

1. 세계 문화권의 구분: 종교, 민족, 언어, 전통적 산업 등 문화 요소를 고려하여 구분 → 산맥, 하천, 사막 등의 지형에 의해 경계가 정해지며 *점이 지대가 나타남
└ **왜?** 교통에 장애가 되기 때문이야.

2. 주요 문화권의 특징 **교과서 자료**

동아시아 문화권	우리나라, 일본, 중국이 해당됨, 벼농사 발달, 유교·불교 문화 발달, 한자와 젓가락 사용
동남아시아 문화권	*계절풍 지대로 벼농사 발달, 교통의 요충지로 동서양 문화와 원주민 문화 등이 혼재되어 다양한 문화가 나타남 └ 인도양과 태평양이 만나는 곳이야.
남부 아시아 문화권	인도와 그 주변 국가가 해당됨, 불교와 힌두교의 발상지로 인도는 주로 힌두교를 믿으며 주변 국가는 이슬람교와 불교를 주로 믿음
건조 문화권	북부 아프리카와 서남아시아가 해당됨, 이슬람교의 발상지, 아랍어 사용, 주로 건조 기후가 나타나며 유목 및 오아시스 농업이 이루어짐
아프리카 문화권	사하라 사막 이남 지역으로 주로 열대 기후가 나타남, 부족 단위의 공동체 생활, 다양한 종족과 언어 분포, 분쟁이 빈번함 — **왜?** 유럽의 식민 지배를 받아 종족 경계와 국경이 불일치하기 때문이야.
*유럽 문화권	산업 혁명의 발상지로 일찍 산업화를 이룬 경제 중심지, 크리스트교 문화가 발달해 있음
앵글로아메리카 문화권	리오그란데강 이북의 미국과 캐나다가 해당됨, 영국의 식민 지배 영향으로 영어를 사용하고 크리스트교(개신교)를 믿음
라틴 아메리카 문화권	포르투갈과 에스파냐의 식민 지배 영향으로 크리스트교(가톨릭교)를 믿으며 포르투갈어와 에스파냐어를 사용함, 다양한 인종과 문화가 나타남
오세아니아 문화권	영국을 중심으로 한 유럽 문화 전파, 영어를 사용하고 크리스트교(개신교)를 믿음, 애버리지니와 마오리족의 원주민 문화가 남아 있음 — 최근에는 원주민 문화가 소멸할 위기에 처해 있어.
북극 문화권	북극해 연안 지역으로 한대 기후가 주로 나타남, 이누이트, 라프족 등이 순록 유목, 수렵·어로 활동을 하며 생활함, 최근 현대 문명 전파로 전통적 생활 양식이 약화됨

완자 자료 탐구 — 내 옆의 선생님

자료 ① 세계의 주식 문화권

```
■ 쌀   ■ 옥수수, 수수   ■ 고기, 유제품
■ 밀   ■ 밀, 고기      □ 기타
■ 감자류  ■ 보리, 감자
(일본 국립 민족학 박물관, 2015)
```

┌ 유라시아 대륙 동안에서 뚜렷하게 나타남.

아시아는 고온 다습한 계절풍 기후에 적합한 벼농사가 주로 이루어져 쌀을 주식으로 한다. 밀은 재배 조건이 까다롭지 않아 강수량이 부족한 건조 기후 지역과 여름철이 서늘한 북서 유럽에서 주로 재배된다.

└ 라틴 아메리카의 고산 지역에서는 냉량한 기후에서 잘 자라는 감자와 옥수수를 이용한 음식 문화가 발달했어.

자료 ② 세계의 주요 종교

```
주요 종교
■ 크리스트교
■ 이슬람교
■ 불교
■ 힌두교
□ 기타
(알렉산더 세계 지도, 2015)
```

┌ 노트르담 대성당 — 크리스트교

┌ 술탄 아흐메드 모스크 — 이슬람교

└ 왓프라케오 사원 — 불교

└ 스리미낙시 사원 — 힌두교

종교는 다른 지역과 구분되는 뚜렷한 문화 경관을 만들어 낸다. 크리스트교의 교회와 성당, 불교의 사찰, 이슬람교의 모스크는 각 종교를 상징하는 예배 장소이다. 또한 종교는 음식 문화에도 영향을 미치는데 이슬람교는 돼지고기를, 힌두교는 소고기를 먹지 않는다.

자료 하나 더 알고 가자!

기후와 의복 문화

열대 우림 기후 지역	연중 기온이 높으며 강수량이 많음 → 가볍고 얇은 옷차림
건조 기후 지역	기온이 높지만 습하지 않음 → 긴 옷을 입어 모래바람과 햇빛으로부터 몸을 보호함

정리 비법을 알려줄게!

세계 4대 종교

불교	• 아시아에서 주로 신봉 • 사찰, 불상, 탑, 탁발
이슬람교	• 건조 문화권에서 주로 신봉 • 모스크, 쿠란 • 돼지고기 금기
크리스트교	• 유럽, 아메리카, 오세아니아에서 주로 신봉 • 성당, 교회, 십자가, 종탑
힌두교	• 인도에서 주로 신봉 • 소를 신성시하여 소고기를 먹지 않음

수능이 보이는 교과서 자료 — 세계의 문화권

유럽 문화권
크리스트교 문화가 발달하였으며, 일찍 산업화를 이루었다.

동남아시아 문화권
주로 벼농사를 지으며, 인도와 중국의 영향을 받았다.

동아시아 문화권
유교, 불교, 한자, 젓가락 문화 등의 공통점이 나타난다.

북극 문화권
순록 유목을 하며, 추운 기후에 적응한 생활 양식이 나타난다.

건조 문화권
주로 유목 생활을 하며, 대부분의 주민들이 이슬람교를 믿는다.

앵글로아메리카 문화권
산업이 발달하였으며, 인종 구성이 매우 다양하다.

아프리카 문화권
유럽의 식민 지배를 받은 국가가 많으며, 부족 중심의 생활을 한다.

남부 아시아 문화권
불교와 힌두교의 발상지로 다양한 종교와 언어가 나타난다.

오세아니아 문화권
유럽 문화와 유사한 특성이 나타나며, 원주민 문화의 전통이 남아 있다.

라틴 아메리카 문화권
인디오, 백인, 흑인, 혼혈족으로 구성되어 독특한 문화를 형성한다.

```
(디르케 세계 지도, 2015)
```

문화권은 종교처럼 하나의 문화 요소를 기준으로 구분될 수도 있지만, 종교, 민족, 언어, 전통적인 산업 등을 복합적으로 고려하여 구분하기도 한다. 세계의 문화권은 대체로 대륙의 구분과 비슷한데, 이는 지리적으로 가까운 지역 간에는 오랜 기간의 교류를 통해 유사한 문화가 나타나기 때문이다.

완자샘의 탐구 강의

• 유럽 문화권과 아메리카 문화권이 유사한 종교를 믿고 유사한 언어를 사용하는 이유를 서술해 보자.

앵글로아메리카는 과거 북서 유럽(앵글로 색슨족)의 식민 지배를 받아 개신교를 주로 믿으며 영어를 사용한다. 라틴 아메리카는 과거 남부 유럽(라틴족)의 식민 지배를 받아 가톨릭교를 주로 믿는다. 라틴 아메리카 중 브라질은 포르투갈의 식민 지배 영향으로 포르투갈어를 사용하며, 브라질을 제외한 나머지 지역은 에스파냐의 식민 지배를 받아 에스파냐어를 주로 사용한다.

함께 보기 189쪽, 1등급 정복하기 1

STEP 1 핵심 개념 확인하기

1 다음 빈칸에 들어갈 내용을 쓰시오.

(1) 인간과 환경의 상호 작용으로 형성된 의식주, 풍습, 종교, 언어 등의 생활 양식을 (   )라고 한다.

(2) 의식주, 종교, 민족, 언어 등의 문화 요소가 비슷하게 분포하는 공간적 범위를 (   )이라고 한다.

2 다음 괄호 안의 내용 중 알맞은 말에 ○표를 하시오.

(1) 힌두교를 주로 믿는 인도에서는 (소고기, 돼지고기)를 먹지 않는다.

(2) 아시아는 (계절풍, 편서풍)의 영향으로 여름철에 고온 다습하여 벼농사가 발달하였다.

3 다음 설명이 맞으면 ○표, 틀리면 ×표를 하시오.

(1) 종교에 따라 문화 경관과 생활 방식이 다르게 나타난다.

(   )

(2) 열대 기후 지역에서 통풍이 잘 되는 옷을 입고 고상 가옥이 발달한 데에는 지형이 큰 영향을 주었다. (   )

4 다음에서 설명하는 문화권을 〈보기〉에서 골라 기호를 쓰시오.

> **보기**
> ㄱ. 유럽 문화권   ㄴ. 동남아시아 문화권
> ㄷ. 오세아니아 문화권

(1) 산업 혁명의 발상지로 일찍이 산업화를 이룬 경제 중심지이다. (   )

(2) 벼농사가 발달했으며 교통의 요충지로 동서양의 문화와 원주민 문화 등이 혼재되어 있다. (   )

(3) 영국 식민 지배의 영향으로 영어를 사용하고 애버리지니와 마오리족의 원주민 문화가 남아 있다. (   )

5 다음 문화권에 큰 영향을 준 종교를 옳게 연결하시오.

(1) 동아시아 문화권   •   • ㉠ 힌두교

(2) 남부 아시아 문화권 •   • ㉡ 가톨릭교

(3) 라틴 아메리카 문화권 •   • ㉢ 불교와 유교

STEP 2 내신 만점 공략하기

01 문화와 문화권에 대한 옳은 설명을 〈보기〉에서 고른 것은?

> **보기**
> ㄱ. 문화권의 경계 부근에는 점이 지대가 나타난다.
> ㄴ. 문화권은 한 가지 문화 요소만 고려하여 구분된다.
> ㄷ. 산맥, 하천, 사막 등의 지형은 문화권의 경계를 이룬다.
> ㄹ. 문화는 의식주와 같은 유형적인 요소로만 이루어져 있다.

① ㄱ, ㄴ   ② ㄱ, ㄷ   ③ ㄴ, ㄷ
④ ㄴ, ㄹ   ⑤ ㄷ, ㄹ

02 ☆중요 (가), (나)에 대한 옳은 설명을 〈보기〉에서 고른 것은?

(가)   (나)

> **보기**
> ㄱ. (가)는 유목 생활이 이루어지는 지역의 가옥이다.
> ㄴ. (가)는 (나)에 비해 연 강수량이 많은 지역에 적합한 가옥이다.
> ㄷ. (가), (나) 가옥은 문화 구분의 요소가 된다.
> ㄹ. (가), (나) 가옥의 차이에는 지형이 가장 크게 영향을 미쳤다.

① ㄱ, ㄴ   ② ㄱ, ㄷ   ③ ㄴ, ㄷ
④ ㄴ, ㄹ   ⑤ ㄷ, ㄹ

03 다음 장면을 다큐멘터리로 제작하기 위해 촬영해야 하는 기후 지역으로 옳은 것은?

> • **장면 #1** 순록을 유목하며 얼음 집과 같은 이동식 가옥에서 생활하는 모습
> • **장면 #2** 전통 생활을 고수하고 있는 라프족의 생활 모습

① 열대 기후 지역
② 건조 기후 지역
③ 온대 기후 지역
④ 냉대 기후 지역
⑤ 한대 기후 지역

04 다음은 알제리, 리비아, 튀르키예의 국기이다. 이들 국가에서 주로 믿는 종교와 관련된 문화권을 지도에서 고른 것은?

↑ 알제리　　↑ 리비아　　↑ 튀르키예

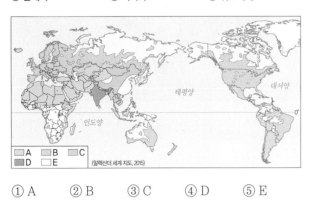
　A 　B 　C
　D 　E　　(알렉산더 세계 지도, 2015)

① A　　② B　　③ C　　④ D　　⑤ E

05 지도는 세계의 주식 문화권을 나타낸 것이다. 이에 대한 옳은 설명만을 〈보기〉에서 있는 대로 고른 것은?

　쌀　　옥수수, 수수　　고기, 유제품
　밀　　밀, 고기　　기타
　감자류　　보리, 감자
(일본 국립 민족학 박물관, 2015)

〈보기〉
ㄱ. 건조 기후 지역은 대체로 밀을 주식으로 한다.
ㄴ. 계절풍의 영향을 받는 지역은 쌀을 주식으로 한다.
ㄷ. 유럽에서는 빵과 고기를 이용한 음식 문화가 발달해 있다.
ㄹ. 감자와 옥수수는 쌀보다 연 강수량이 많은 지역에서 재배된다.

① ㄱ, ㄴ　　② ㄴ, ㄷ　　③ ㄷ, ㄹ
④ ㄱ, ㄴ, ㄷ　　⑤ ㄴ, ㄷ, ㄹ

06 사진은 서로 다른 두 지역의 문화 경관이다. 이러한 경관 차이가 나타나게 된 요인으로 가장 적절한 것은?

① 서로 다른 지형이 분포하기 때문이다.
② 서로 다른 종교의 영향을 받았기 때문이다.
③ 산업 발달과 경제 성장 속도가 다르기 때문이다.
④ 서로 다른 국가의 식민 지배를 받았기 때문이다.
⑤ 농업 발달 정도에 따라 정착 생활의 양상이 달라지기 때문이다.

07 다음은 어떤 학생이 작성한 노트 필기의 일부이다. ㉠~㉤ 중 옳지 않은 것은?

> **동아시아 문화권**
> • 우리나라, 중국, 일본이 해당함 ……………… ㉠
> • 전통적으로 벼농사가 이루어짐 ……………… ㉡
> • 불교의 발상지로 불교의 영향을 많이 받음 ……… ㉢
> • 언어는 다르지만 공통적으로 한자를 사용함 ……… ㉣
> • 정치, 경제, 사회, 문화 등 여러 분야에서 오래전부터 교류해 왔음 ……………… ㉤

① ㉠　　② ㉡　　③ ㉢　　④ ㉣　　⑤ ㉤

08 지도에 표시된 (가) 문화권과 비교한 (나) 문화권의 상대적인 특징을 그래프에서 고른 것은?

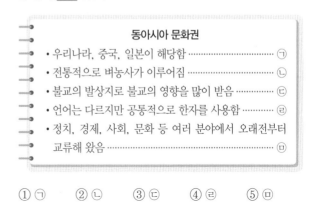 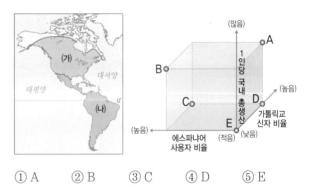

① A　　② B　　③ C　　④ D　　⑤ E

[09~10] 지도는 세계의 문화권을 나타낸 것이다. 이를 보고 물음에 답하시오.

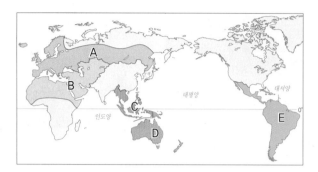

09 A~E 문화권에 대한 설명으로 옳지 않은 것은?

① A – 산업 혁명의 발상지로 경제가 발달해 있다.

② B – 건조 기후가 나타나며 주민의 대부분이 이슬람교를 믿는다.

③ C – 교통의 요충지로 다양한 문화가 혼재되어 나타난다.

④ D – 유럽의 식민 지배로 에스파냐어를 사용하며 원주민 문화가 남아 있다.

⑤ E – 다양한 인종이 거주하며 가톨릭교 신자의 비율이 높다.

10 (가), (나)와 같은 음식 문화가 발달한 지역이 속한 문화권을 지도에서 골라 옳게 연결한 것은?

(가)   (나)

↑ 포(Pho)   ↑ 토르티야로 만든 케사디야

	(가)	(나)		(가)	(나)
①	A	B	②	B	D
③	C	A	④	C	E
⑤	D	E			

서술형 문제

● 정답친해 61쪽

01 지도는 돼지고기와 관련된 문화권 구분이다. A 지역에서 주로 믿는 종교와 주로 이루어지는 농목업 유형을 쓰시오.

	매우 많이 소비하는 지역
	많이 소비하는 지역
	적게 소비하는 지역
	기피하는 지역

0   3,000 km   (휴먼 모자이크, 2013)

길잡이 북부 아프리카와 서남아시아가 속한 건조 문화권의 인문 환경을 중심으로 서술한다.

02 사진을 보고 물음에 답하시오.

(가)   (나)

 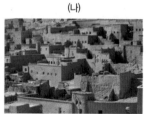

(1) (가)와 같은 문화 경관이 나타나는 지역의 기후를 쓰시오.

(2) (가)와 (나) 가옥의 지붕의 경사가 다른 이유를 자연환경과 관련하여 서술하시오.

길잡이 연 강수량의 차이와 관련하여 서술한다.

03 다음 밑줄 친 부분에 들어갈 라틴 아메리카 문화권의 특징을 언어·종교의 측면에서 서술하시오.

> 아메리카 대륙은 유럽인이 진출하면서 이들의 언어와 종교가 전파되었다. 이에 따라 원주민 고유의 문화가 쇠퇴하고, 유럽의 가치관과 생활 양식을 바탕으로 새로운 문화가 형성되었다. 라틴 아메리카는 _____

길잡이 라틴 아메리카를 주로 식민 지배한 국가들의 언어와 종교 특성을 중심으로 서술한다.

STEP 3 1등급 정복하기

교육청 응용

1 (가)~(다) 모둠의 탐구 주제와 관계 깊은 문화권을 지도의 A~E에서 고른 것은?

(가) 모둠	일상생활과 국가 통치에 적용되는 이슬람교의 엄격한 계율
(나) 모둠	원주민과 이주민 간의 높은 혼혈 비율
(다) 모둠	젓가락을 이용하는 음식 문화가 나타나는 이유

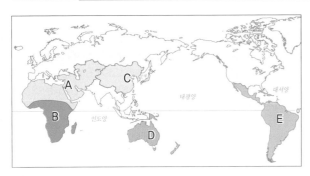

```
     (가)  (나)  (다)              (가)  (나)  (다)
①    A    B    D         ②      A    E    C
③    B    C    A         ④      B    D    C
⑤    C    B    E
```

2 다음은 어느 여행사의 여행 상품 홍보 자료이다. 여행 경로를 지도에서 찾아 옳게 나열한 것은?

8월 1일 ~ 8월 5일	8월 6일 ~ 8월 10일	8월 11일 ~ 8월 15일

사리를 보관하는 화려한 탑과 불상을 모시는 불당이 신비로운 느낌을 줍니다.	목초지를 찾아 이동하는 사람들을 볼 수 있으며, 이들이 사는 천막집에서 유제품도 맛볼 수 있습니다.	하늘을 향해 뾰족하게 솟아 있는 성당의 첨탑과 성경의 내용을 담은 벽화를 볼 수 있습니다.

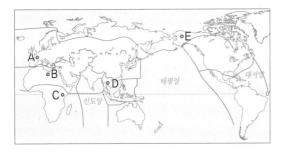

① A → C → E
② B → E → D
③ C → E → A
④ D → A → C
⑤ D → B → A

02 문화 변동과 전통문화의 창조적 계승

학 습 목 표
• 문화 변동의 의미를 이해하고 문화 변동 양상을 설명할 수 있다.
• 전통문화의 창조적 계승과 발전 방안에 대해 설명할 수 있다.

이것이 핵심!

문화 변동의 양상

문화 동화	한 사회의 문화가 다른 사회의 문화로 흡수됨
문화 융합	서로 다른 문화 요소가 만나 새로운 문화를 형성함
문화 병존	서로 다른 문화 요소가 한 사회 속에 나란히 존재함

★ **문화 접변의 성격**

구분	자기 문화의 정체성 상실	제3의 문화 형성
문화 동화	○	×
문화 융합	×	○
문화 병존	×	×

1 문화 변동의 양상

1. 문화 변동의 의미와 요인

(1) **문화 변동**: 새로운 문화 요소의 등장이나 다른 사회와의 접촉으로 문화가 변화하는 현상

(2) **문화 변동 요인**

> 꼭! 자극 전파와 문화 융합은 혼동하는 경우가 많으므로 개념 구분이 반드시 필요해.

내재적 요인	• 발명: 새로운 문화 요소를 만들어 내는 것 예 컴퓨터의 발명 • 발견: 이미 존재하고 있지만 알려지지 않은 것을 찾아내는 것 예 페니실린의 발견
외재적 요인 (문화 전파)	• 직접 전파: 다른 사회 구성원과의 직접적인 교류를 통해 문화 요소가 전파되는 것 자료① • 간접 전파: 인터넷, 서적 등 간접적인 매개체를 통해 다른 사회의 문화가 전파되는 것 • 자극 전파: 다른 사회의 문화 요소에서 아이디어를 얻어 새로운 문화 요소를 발명하는 것

> 과거에는 탐험가, 선교사, 제국주의 침략 등 직접 전파에 의한 문화 변동이 많았지만, 현대 사회는 인터넷과 같은 매체로 인해 간접 전파가 많이 일어나.

2. 문화 변동의 양상

(1) **문화 접변**: 둘 이상의 다른 문화가 장기간에 걸친 전면적인 접촉으로 변동이 일어나는 것

(2) **문화 접변의 결과** 교과서 자료

> 문화 접변은 다른 문화를 자발적으로 받아들이는 자발적 문화 접변과 다른 문화를 강제적으로 받아들이는 강제적 문화 접변으로 구분할 수 있어.

문화 동화	한 사회의 문화가 외부에서 전파된 다른 사회의 문화에 흡수되어 기존 문화 고유의 성격을 잃어버리는 현상 예 아메리카 원주민이 유럽 문화와 접촉하면서 고유의 문화를 상실한 모습
문화 융합	기존 문화 요소와 전파된 다른 사회의 문화 요소가 결합하여 이전의 두 문화와 다른 새로운 문화가 만들어지는 현상 예 성공회 강화 성당, 과달루페 성모상 등 └ 유럽의 가톨릭교와 멕시코 토착 문화의 융합
문화 병존	기존 문화 요소와 전파된 다른 사회의 문화 요소가 한 사회 내에서 각자 문화의 고유성을 유지하며 공존하는 현상 예 인천의 차이나타운, 필리핀에서 영어와 필리핀어를 공용어로 사용하는 모습

이것이 핵심!

전통문화의 의의와 계승

전통문화의 의의	• 사회의 유지와 통합 • 문화의 고유성 유지 • 세계 문화의 다양성 증진
전통문화의 계승 방안	• 현실적 여건에 맞게 전통문화를 재해석 • 외래문화의 비판적 수용

★ **문화 정체성**
한 문화에 속한 사람들이 공유하는 동질감 또는 그 문화에 대한 자긍심

2 전통문화의 창조적 계승

1. 전통문화의 의미와 의의

(1) **전통문화**: 한 사회에서 오랜 기간 유지되면서 고유한 가치로 인정받는 문화

(2) **전통문화의 의의**

① 사회의 유지와 통합: 사회 구성원 간에 유대를 강화하고 사회를 통합하는 데 기여함

② 문화의 고유성 유지: 각 문화에서 중시되는 고유한 정신과 가치는 구성원의 사고방식이나 행동 양식에 영향을 끼침 → 구성원으로서 문화 정체성을 지킬 수 있음

③ 세계 문화의 다양성 증진: 전통문화들이 모여 세계의 문화를 더욱 다채롭게 함

2. 전통문화의 창조적 계승과 발전 자료②

(1) **전통문화의 창조적 계승**: 고유의 전통문화를 지켜내는 것으로 한 사회의 정체성을 유지함과 동시에 시대적 변화에 맞게 재창조하는 것

(2) **전통문화의 계승 및 발전 방안**

① 전통문화의 재해석: 현실적 여건에 맞게 전통문화를 재해석하여 새로운 문화 콘텐츠로 발전시켜야 함 → 세계화 시대에 전통문화의 가치를 높일 수 있음

② 외래문화의 비판적 수용: 외부로부터 유입된 문화 요소의 장단점을 인식하여 **비판적으로 수용**하고 전통문화와 조화를 이루도록 해야 함

> 외래문화의 무분별한 수용은 자기 문화의 정체성을 상실하는 문화 동화 현상을 불러올 수 있어.

완자 자료 탐구

내 옆의 선생님

자료 ① 문화 전파

신라 시대 고분에서 발견된 유리 제품이 로마의 유리 제품과 형태나 제작 방식이 비슷한 것도 이 같은 교역로를 통한 문화 전파와 관련이 있어.

— 비단길
— 초원길
— 바다를 통한 교역로

(실크로드 도록, 2014)

⬆ 동서 교역로

근대 이전의 동서 교역은 육상의 비단길, 초원길과 해상 교역로를 통해 활발히 이루어졌다. 이러한 동서 교역로를 통해 종이, 화약, 나침반 등이 중국에서 유럽으로 전해졌으며, 불교, 이슬람교와 같은 종교도 세계 곳곳으로 퍼져나갔다.

자료 하나 더 알고 가자!

문화 전파의 사례

직접 전파	중국에서 인적 교류를 통해 우리나라로 불교와 한자가 들어옴
간접 전파	한국의 드라마와 노래가 인터넷을 통해 전 세계로 퍼짐
자극 전파	신라의 설총이 중국에서 전파된 한자의 영향을 받아 이두를 발명함

수능이 보이는 교과서 자료 **문화 변동의 다양한 모습**

⬆ 성공회 강화 성당 외관(좌)과 내부(우)   ⬆ 인천 차이나타운

(가) 성공회 강화 성당은 외관은 우리나라 불교 사찰의 모습과 다를 바 없지만 내부는 크리스트교 교회 건축에 많이 사용되는 바실리카 양식을 도입하여 지어졌다.

(나) 인천 차이나타운에 거주하는 중국인들은 한국의 생활 양식을 받아들이면서도 붉은색 치장이나 중국식 음식 등 중국의 고유문화를 유지하면서 생활하고 있다.

(다) 아프리카 대륙의 원주민들은 유럽의 식민 지배 과정에서 유럽 문화와 접촉하면서 토속 신앙을 잃고 대다수가 크리스트교를 믿게 되는 등 원주민 고유의 문화를 상실하였다.

(가)는 동서양의 문화가 조화를 이루는 독특한 건축물로, 서로 다른 문화 요소가 결합하여 새로운 문화가 나타난 문화 융합의 사례이다. (나)에서는 한 사회 내에서 서로 다른 문화가 공존하는 문화 병존 현상을 확인할 수 있으며, (다)에서는 기존 문화 요소가 새로운 문화에 흡수되어 정체성을 상실하는 문화 동화 현상을 확인할 수 있다.

완자샘의 탐구 강의

• (가), (나) 현상과 (다) 현상의 차이점을 서술해 보자.

문화 융합이나 문화 병존이 고유문화의 정체성을 유지하는 것과 달리 문화 동화는 외래문화와 교류하는 과정에서 고유문화의 정체성을 상실한다. 이러한 현상은 대체로 자기 문화에 관한 문화 정체성이 약하거나 다른 나라에 군사적·정치적으로 지배당하여 문화가 강제로 규제될 때 나타나기 쉽다.

함께 보기 195쪽, 1등급 정복하기 1

자료 ② 전통문화의 세계화

「대장금」은 조선 시대 궁중 음식을 다룬 드라마로, 아시아권을 중심으로 거센 한류 열풍을 일으키면서 세계적으로도 큰 인기를 끌게 되었다. 대장금이 세계적으로 사랑을 받는 이유는 드라마에 등장하는 전통 음식과 화려한 한복 등이 외국인의 호기심을 자극한 것으로 해석되는데, 이러한 우리의 전통문화를 체험하기 위해 우리나라를 방문하는 외국인도 크게 늘었다.

우리의 전통문화를 소재로 한 드라마나 노래가 인터넷을 통해 전 세계로 퍼지는 문화 전파의 영향으로 전통문화의 세계화가 이루어지고, 이를 현대적 감각에 맞게 상품화하는 것은 전통문화가 창조적으로 계승되는 대표적인 사례라고 할 수 있다.

문제로 확인할까?

전통문화의 의의로 적절하지 않은 것은?

① 사회 통합에 기여
② 문화의 고유성 유지
③ 문화의 상업화 촉진
④ 세계 문화의 다양성 증진
⑤ 사회 구성원 간 유대 강화

ⓒ 📖

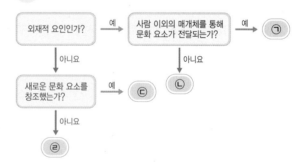

STEP 1 핵심 개념 확인하기

1 ㉠, ㉡에 들어갈 말을 각각 쓰시오.

> 문화 변동의 내재적 요인으로는 새로운 문화 요소를 만들어
> 내는 (㉠   )과 이미 존재하고 있지만 알려지지 않은
> 것을 찾아내는 (㉡   )이 있다.

2 다음에서 설명하는 문화 변동 요인을 〈보기〉에서 골라 기호를 쓰시오.

> 【 보기 】
> ㄱ. 직접 전파   ㄴ. 간접 전파   ㄷ. 자극 전파

(1) 텔레비전이나 인터넷 등의 매개체를 통해 문화 요소가 전달되어 정착되는 것 (   )

(2) 다른 사회에서 전파된 문화 요소에서 아이디어를 얻어 새로운 문화 요소가 발명되는 것 (   )

(3) 서로 다른 문화를 가진 사회 간의 직접적인 접촉에 의해 문화 요소가 전달되어 정착되는 것 (   )

3 다음 괄호 안의 내용 중 알맞은 말에 ○표를 하시오.

(1) 문화 동화는 외래문화와 교류하는 과정에서 고유문화의 정체성을 (유지, 상실)하는 현상이다.

(2) 서로 다른 문화 요소가 합쳐져서 기존과 다른 새로운 문화가 만들어지는 현상을 (문화 융합, 문화 병존)이라고 한다.

4 문화 변동의 양상과 사례를 옳게 연결하시오.

(1) 문화 융합 •   • ㉠ 필리핀에서 영어와 필리핀어를 공용어로 사용하는 모습

(2) 문화 병존 •   • ㉡ 갈색 피부에 전통 의상을 입은 멕시코 과달루페 성모상

(3) 문화 동화 •   • ㉢ 유럽 문화와 접촉하면서 고유문화를 상실한 아메리카 원주민

5 다음 설명이 맞으면 ○표, 틀리면 ✕표를 하시오.

(1) 세계의 다양한 전통문화는 문화의 보편성을 증진하는 데 이바지한다. (   )

(2) 전통문화의 창조적 계승을 위해서는 외래문화를 비판적으로 수용해야 한다. (   )

STEP 2 내신 만점 공략하기

01 (가), (나) 사례에 대한 설명으로 옳은 것은?

> (가) 근대 이전의 동서 교역은 육상의 비단길, 초원길과 해상 교역로를 통해 활발히 이루어졌다. 이 중 비단길을 통해 종이, 화약, 나침반 등이 중국에서 유럽으로 전해졌다.
> (나) 멕시코는 전통적으로 태양신을 숭배해 왔으나 1500년대 초반 에스파냐 군대가 들어오면서 가톨릭교가 전해졌다.

① (가)는 내재적 요인에 의한 문화 변동이다.

② (나)는 간접 전파에 해당한다.

③ (가)와 달리 (나)는 문화 변동에 해당한다.

④ (나)와 달리 (가)는 문화 다양성에 기여할 수 없다.

⑤ (가)와 (나)는 모두 직접 전파의 사례이다.

02 ㉠~㉢에 대한 설명으로 옳은 것은?

① ㉠은 직접 전파, ㉡은 간접 전파이다.

② ㉠의 사례로 등자, 전구 등이 발명을 들 수 있다.

③ ㉢은 자극 전파이며, 쉐쿼야 문자가 대표적 사례이다.

④ ㉣은 인간의 식생활에 영향을 준 불의 발견을 들 수 있다.

⑤ 오늘날 ㉠, ㉡보다 ㉢, ㉣이 문화 변동의 주요 요인으로 작용하고 있다.

03 (가), (나)에 나타난 문화 변동과 관련된 옳은 설명을 〈보기〉에서 고른 것은?

> (가) 7세기 초 고구려의 담징은 일본에 종이와 먹의 제조 방법을 전하였다.
> (나) 1928년 스코틀랜드 생물학자 플레밍이 발견한 페니실린 덕분에 전염병 치료 등 의료 문화가 변화하였다.

보기
ㄱ. (가)는 다른 사회의 영향을 받아 나타난다.
ㄴ. (가)는 인쇄물, 인터넷과 같은 매개체를 통해 나타난다.
ㄷ. (나)의 대표적인 사례로 '한글'을 들 수 있다.
ㄹ. (나)는 기존에 있었던 문화 요소를 찾아내는 것이다.

① ㄱ, ㄴ   ② ㄱ, ㄹ   ③ ㄴ, ㄷ
④ ㄴ, ㄹ   ⑤ ㄷ, ㄹ

04 다음 글을 통해 파악할 수 있는 내용으로 옳은 것은?

> 성공회 강화 성당은 겉은 불교 사찰의 모습을 하고 있지만, 내부는 성당 건축에 사용되는 바실리카 양식을 도입하여 지어졌다.

① 새로운 문화 요소가 발견되었다.
② 두 사회의 문화 요소가 결합한 것이다.
③ 한 사회 내의 자체적 문화 변동 결과이다.
④ 직접 전파가 아닌 자극 전파에 의한 결과이다.
⑤ 두 사회의 문화 요소 간 우열이 존재할 때 나타난다.

05 밑줄 친 ㉠, ㉡에 대한 설명으로 가장 적절한 것은?

> 중국 ㉠ 옌볜 조선족 자치주는 북한과 접하고 있어 중국 음식뿐만 아니라 한국 음식도 즐기며 언어도 중국어와 한국어를 함께 사용한다. 우리나라에서도 ㉡ 서울의 대림동과 가리봉동 그리고 인천의 차이나타운에 가면 중국을 가지 않고서도 중국 문화를 접할 수 있다.

① ㉠에서는 문화 동화 현상이 나타난다.
② ㉠에서는 두 사회의 문화 요소를 동시에 접할 수 있다.
③ ㉡은 자기 문화의 정체성이 약한 지역이다.
④ ㉡에서는 한 사회의 문화 요소가 우월하게 나타난다.
⑤ ㉠과 달리 ㉡에서는 문화 변동이 나타나지 않았다.

06 다음 글의 밑줄 친 '변화'에 대한 설명으로 가장 적절한 것은?

> 18세기 이후 남태평양의 작은 섬나라들은 유럽인에게 정복되어 무역 상인과 선교사들의 활동 무대가 되었다. 당시 선교사들은 기존의 관습이 원시적이라고 생각하여 원주민들을 개화하기 위해 노력하고, 그 결과 원주민 사회에는 많은 변화가 나타났다. 아직도 원주민 마을에는 조상 신당과 같은 전통 종교 체계가 있지만 존재만 할 뿐 주민들은 교회에 가서 노래하고 기도하는 것을 즐긴다.

① 발명과 발견에 의해 나타난 변화이다.
② 서로 다른 문화 요소가 고유성을 유지하며 발전하였다.
③ 전파된 문화 요소에 자극을 받아 새로운 문화 요소가 나타났다.
④ 자발적으로 다른 사회의 문화 요소를 받아들이면서 나타났다.
⑤ 한 사회의 문화 요소가 다른 사회의 문화 요소에 흡수되었다.

07 다음은 말레이시아의 종교 달력이다. 이를 통해 파악할 수 있는 내용으로 옳은 것을 〈보기〉에서 고른 것은?

1월 31일	5월 29일	6월 15~16일	8월 22일
참회와 속죄의 힌두교 축제	부처님 오신 날	이슬람교의 단식절 축제	이슬람교 성지 순례의 날

9월 12일	11월 7일	11월 21일	12월 25일
이슬람교의 새해	힌두교 빛의 축제	이슬람교 창시자의 생일	성탄절

보기
ㄱ. 전통문화의 소멸 과정을 엿볼 수 있다.
ㄴ. 대표적인 자극 전파의 사례에 해당한다.
ㄷ. 다른 사회의 문화에 대한 개방적인 태도를 알 수 있다.
ㄹ. 여러 사회의 문화가 상호 작용한 결과 나타난 문화 병존 현상이다.

① ㄱ, ㄴ   ② ㄱ, ㄷ   ③ ㄴ, ㄷ
④ ㄴ, ㄹ   ⑤ ㄷ, ㄹ

08 기사를 보고 추론할 수 있는 내용으로 옳은 것을 〈보기〉에서 고른 것은?

○○ 신문   2017. 2. 22.

「점프」는 한국의 전통 무예인 태권도를 소재로 한 무술 퍼포먼스로, 2002년 국내에 첫 선을 보인 뒤 미국 브로드웨이에 전용 극장까지 생겼다. 외국에서도 인기몰이를 계속해 영국 에든버러 프린지 페스티벌 2년 연속 입장권 판매 순위 1위를 기록하였으며, 스페인, 미국, 영국, 중국 등 세계 16개국 공연을 통해 한류(韓流) 전파자로서의 역할을 톡톡히 하고 있다.

┌ 보기 ┐
ㄱ. 전통문화의 세계화에 기여하고 있다.
ㄴ. 전통문화를 원형 그대로 보존할 필요가 있다.
ㄷ. 외래문화와의 융합으로 전통문화의 가치가 훼손되었다.
ㄹ. 전통문화 요소를 창조적으로 재해석하여 발전시킨 사례이다.

① ㄱ, ㄴ   ② ㄱ, ㄹ   ③ ㄴ, ㄷ
④ ㄴ, ㄹ   ⑤ ㄷ, ㄹ

09 (가)에 들어갈 내용으로 적절하지 <u>않은</u> 것은?

• 주제: 문화 콘텐츠 수출 방안 모색
• 발표자: 박○○(A 대학 문화콘텐츠학과 교수)
• 발표 사례
  (1) 한류 드라마 「대장금」
  (2) 퓨전 국악 뮤지컬 「판타스틱」
• 발전 방안: _____ (가)

① 전통문화를 객관적인 입장에서 분석한다.
② 전통문화에 대해 지속적으로 관심을 기울인다.
③ 문화 정체성을 바탕으로 전통문화를 재창조한다.
④ 외래문화를 비판적으로 수용하여 전통문화에 적용한다.
⑤ 전통문화의 세계화를 위해 우리 문화의 고유성을 과감히 포기한다.

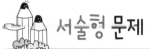

● 정답친해 64쪽

01 다음 사례에서 문화 변동의 요인과 양상을 파악할 수 있는 부분을 찾고 그 내용을 서술하시오.

필리핀은 약 50년에 걸친 미국 식민 지배의 영향으로 주민 대부분이 영어를 사용한다. 그렇지만 필리핀은 섬마다 고유하고 독특한 문자 체계를 갖고 있어 그 중 가장 널리 사용되는 타갈로그족의 언어를 기반으로 한 필리핀어를 공용어로 지정하여 영어와 함께 사용하고 있다.

(길잡이) 제시문에서 문화 전파에 해당하는 내용을 찾고, 그에 따른 문화 변동 양상을 함께 서술한다.

02 다음 글을 읽고 물음에 답하시오.

우리나라 절에는 산신을 모시는 <u>산신각</u>이라는 전각이 있다. 산신은 산지가 많은 우리나라에서 불교가 전래되기 이전부터 민간에서 숭배하던 토착신이다. 따라서 이 건축물은 다른 나라에서는 찾아볼 수 없는 우리나라만의 불교 문화이다.

(1) 밑줄 친 건축물에 나타난 문화 변동 양상을 쓰시오.

(2) (1)의 의미를 서술하고, 그에 해당하는 사례를 **두 가지** 제시하시오.

(길잡이) 문화 요소의 결합을 중심으로 서술한다.

03 다음 사례가 전통문화의 계승과 발전에 시사하는 바를 서술하시오.

궁중 떡볶이에서 길거리 간식으로 변화해 온 떡볶이를 세계화하는 방안이 연구되고 있다. 떡을 바탕으로 하여 외국인의 입맛에 맞는 카레나 칠리소스 등 외국의 소스와 결합하거나 매운맛에 익숙하지 않은 외국인을 위해 매운맛을 줄이는 등 다양한 시도를 하고 있다.

(길잡이) 전통문화의 재구성 내용이 드러나도록 서술한다.

STEP 3 1등급 정복하기

수능 응용

1 표는 문화 접변의 결과로 나타난 (가), (나)를 비교한 것이다. 이에 대한 설명으로 옳은 것은?

구분	(가)	(나)
의미	㉠	서로 다른 두 사회의 문화 요소가 한 사회 내에서 나란히 존재하는 현상
공통점	㉡	
사례	성공회 강화 성당	㉢

① (나)는 전통문화가 외래문화에 흡수되어 나타난다.

② (가)와 (나)의 구분 기준은 외래문화에 대한 주체적 수용 여부이다.

③ ㉠에는 '외래문화에 자극을 받아 새로운 문화 요소를 만드는 것'이 들어갈 수 있다.

④ ㉡에는 '자기 문화의 정체성이 남아 있음'이 들어갈 수 있다.

⑤ ㉢에는 '백인들에 의해 사라진 인디언 문화'가 들어갈 수 있다.

▶ 문화 변동 양상

완자샘의 시험 꿀팁
사례나 의미를 통해 문화 접변의 유형을 구분하는 문제가 출제된다. 문화의 정체성 유지, 제3의 문화 창조 등을 통해 구분할 수 있어야 한다.

│ 완자 사전 │
• 성공회
영국 교회의 전통과 조직을 같이 하는 교회를 통틀어 이르는 말로, 1534년에 로마 가톨릭 교회에서 분파하였다.

사회 ➕ 지리

2 다음 자료에 대한 분석으로 옳은 것은?

〈자료 1〉
멕시코는 전통적으로 태양신을 숭배하였다. 1500년대 초반 ㉠ 에스파냐 군대가 멕시코에 들어오면서 가톨릭교가 전파되었으나, 주민들은 여전히 자신들의 토착신을 숭배하였다. 이에 가톨릭 교단에서는 가톨릭교와 현지 종교를 조화시키기 위해 노력하였는데, 검은 머리에 갈색 피부를 갖고 있으며 남미 전통 의상을 입은 ㉡ 과달루페 성모상은 그 대표적인 사례로 손꼽히고 있다.

〈자료 2〉

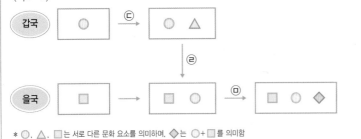

* ◯, △, ◻는 서로 다른 문화 요소를 의미하며, ◆는 ◯+◻를 의미함

① 갑국과 을국 모두 문화 요소의 추가 및 소멸 과정을 겪었다.

② 멕시코에서는 을국과 같은 문화 변동 양상이 나타날 수 있다.

③ ㉠ 이후 ㉡이 나타나는 것은 자발적 문화 접변에 의한 문화 변동이다.

④ ㉢과 달리 ㉣은 한 사회의 문화 다양성에 기여한다.

⑤ ㉤은 을국에서 문화 병존과 함께 문화 동화가 나타났음을 보여준다.

▶ 문화 변동의 요인과 양상

완자샘의 시험 꿀팁
두 사회의 접촉을 통해 문화 변동이 나타나는 과정을 도형을 통해 파악하는 문제가 출제된다.

03~04

문화 상대주의와 보편 윤리 ~ 다문화 사회와 문화 다양성 존중

학습목표
- 문화를 이해하는 바람직한 태도를 설명할 수 있다.
- 다문화 사회에서의 갈등 해결 및 공존 방안을 모색할 수 있다.

이것이 핵심!

문화를 이해하는 태도

자문화 중심주의	자기 문화가 가장 우월하다고 보는 태도
문화 사대주의	다른 문화를 우월하게 여겨 맹목적으로 따르는 태도
문화 상대주의	다른 사회의 문화를 그 사회의 입장에서 이해하려는 태도

★ 국수주의
다른 민족이나 국가의 문화를 열등하다고 여겨 자기 민족이나 국가의 문화만을 고수하려는 태도

★ 제국주의
다른 국가나 민족으로 지배 영역을 확장하려는 사상이나 정책

① 문화 다양성과 문화 상대주의

1. 문화 다양성

(1) **문화 다양성**: 문화는 인간이 살아가는 모든 사회에 보편적으로 존재하지만 문화의 구체적인 모습은 지역의 환경이나 시대의 흐름에 따라 사회마다 다양하게 나타남

(2) **문화 다양성이 나타나는 이유**: 인간은 자연환경에 적응하며 나름의 생활 방식을 형성해 왔으며, 사회 구성원이 공유하는 역사, 종교, 가치관 등 인문 환경에도 차이가 있기 때문

2. 문화를 이해하는 태도

(1) **자문화 중심주의와 문화 사대주의** 자료①

> **vs** 자문화 중심주의와 문화 사대주의는 우열의 기준을 어느 집단으로 삼느냐에 차이가 있는데, 자기 집단을 우월하다고 보는 것이 자문화 중심주의, 다른 집단을 우월하다고 보는 것이 문화 사대주의야.

구분	자문화 중심주의	문화 사대주의
의미	자기 문화는 우월하고 다른 문화는 열등하다고 여기는 태도	다른 문화를 더 우월하다고 믿고 동경하여 자기 문화를 무시하거나 낮게 평가하는 태도
장점	자기 문화의 주체성과 정체성을 유지할 수 있음	다른 문화를 수용하여 자기 문화를 개선할 수 있음
문제점	• 국수주의로 이어질 위험이 있음 • 다른 민족·인종·문화에 대한 차별을 불러올 수 있음 • 제국주의 침략을 정당화할 수 있음	• 자기 문화의 정체성을 상실할 우려가 있음 • 주체적인 문화 형성을 저해함 • 사회 구성원 간 소속감이나 일체감이 약화할 수 있음

(2) **문화 상대주의** 자료②

> 오늘날 세계화에 따라 문화 간 교류가 활발해지면서 문화 상대주의의 필요성은 더욱 부각되고 있어.

의미	각 사회의 문화를 그 사회의 특수한 환경과 역사적 상황 및 사회적 맥락에서 이해하려는 태도
특징	문화 간에 우열이 존재하지 않는다고 보며, 문화를 평가의 대상이 아닌 이해의 대상으로 인식함
필요성	• 문화적 차이에 따른 갈등을 방지하고, 관용의 자세로 다양한 문화의 공존을 도모할 수 있음 • 다른 문화를 객관적으로 이해하며, 자기 문화를 깊이 있게 이해할 수 있음

이것이 핵심!

문화 상대주의의 한계와 보편 윤리

극단적 문화 상대주의	인류의 보편적 가치 훼손, 문화 발전 저해
보편 윤리를 통한 성찰	자문화와 타문화에 대한 바람직한 성찰로 문화 발전에 기여

★ 전족
여자 아이의 발을 천으로 단단히 감고 작은 신발을 신겨 발이 자라지 못하게 하는 중국의 옛 풍습

★ 윤리 상대주의
윤리가 문화마다 다양하고 상대적이어서 옳고 그름에 관한 보편적인 기준은 존재하지 않는다는 관점

② 보편 윤리와 문화 성찰

1. 문화 상대주의의 한계

> 모든 문화를 문화 상대주의 관점에서 바라보면 인류가 보편적으로 받아들이기 어려운 문화 현상까지도 인정하는 극단적 문화 상대주의로 빠질 위험이 있어.

(1) **극단적 문화 상대주의**: 모든 문화가 고유한 의미와 가치를 갖는다는 생각을 극단적으로 적용하는 태도 예 ★전족 풍습, 명예 살인 등 인간 존엄성을 해치는 문화까지 인정하는 태도

(2) **극단적 문화 상대주의의 문제점**: 인간 존엄성, 자유와 평등과 같은 인류의 보편적 가치 훼손, 자문화와 타문화의 문제점을 비판하거나 개선할 수 없어 문화 발전을 기대하기 어려움

2. 바람직한 문화 이해의 방법

(1) **극단적 문화 상대주의 경계**: 문화 상대주의의 필요성을 폭넓게 인정하면서도 문화 상대주의를 극단적으로 적용하려는 태도는 경계해야 함

(2) **보편 윤리 관점에서의 문화 성찰** 교과서 자료

① **보편 윤리**: 시대와 장소를 초월하여 모든 사람이 존중하고 따라야 할 도덕 원리 예 황금률

② **보편 윤리에 근거한 문화 성찰의 필요성**: ★윤리 상대주의 경계, 인간 존엄성을 해치는 문화에 대해 윤리적으로 비판하고 개선을 요구할 수 있음 → 문화의 질적 발전 실현

자료 ① 자문화 중심주의와 문화 사대주의

(가) 2015년 이슬람 극단주의 무장 세력이 유네스코 세계 문화유산으로 지정된 시리아의 팔미라 고대 신전 일부를 '우상 숭배 금지'라는 명분을 내세워 파괴하였다.

(나) 우리 조선은 조종 때부터 내려오면서 지성스럽게 대국(大國)을 섬기어 한결같이 중화(中華)의 제도를 준행(遵行)하였는데, …(중략)… 만일 중국에라도 흘러 들어가서 혹시라도 비난하여 말하는 자가 있사오면, 어찌 대국을 섬기고 중화를 사모하는 데에 부끄러움이 없사오리까.
– 훈민정음 창제에 반대하는 상소문

(가)의 이슬람 극단주의 무장 세력은 자기 문화만을 우월하다고 여기고 타문화를 경시하는 자문화 중심주의적 태도를 갖고 있으며, (나)의 상소문을 쓴 사람들은 자신의 문화를 경시하고 중국의 문화를 우월하다고 여기며 추종하는 문화 사대주의적 태도를 갖고 있다.

자료 ② 문화 상대주의의 필요성

인도에 사는 힌두교도들은 암소를 생명의 모체로 간주하여 숭배하는 반면, 이슬람교도들은 돼지고기를 먹지 않는 대신 소고기를 먹는다. 이 때문에 힌두교도는 이슬람교도를 소 살해자라고 증오한다. 인도 대륙이 인도와 파키스탄으로 나뉘기 전에는 이슬람교도가 소를 잡아먹는 것에 분노한 힌두교도들이 일으킨 유혈 폭동이 연례행사처럼 일어났다. – 마빈 해리스, 『문화의 수수께끼』

각 사회의 문화적 차이를 인정하지 않으면 문화 갈등이 발생할 수 있다. 문화 갈등은 사회 통합을 방해하고 문화 발전을 저해한다. 따라서 다른 사회의 문화를 그 사회의 입장에서 이해하려는 문화 상대주의적 태도가 필요하다. – 꼭! 문화 상대주의는 문화를 이해하는 절대적 기준을 부정하기 때문에 문화 간 우열을 가리는 태도와 그에 따른 갈등을 경계할 수 있어.

수능이 보이는 교과서 자료 보편 윤리에 근거한 문화 성찰

• 누리 소통망(SNS)에서 양성평등을 주장하며 자유로운 행동으로 주목받았던 파키스탄 출신 여성 모델이 친오빠에게 '명예 살인'을 당하였다. 오늘날 대부분의 이슬람 국가들은 명예 살인을 법으로 금지하고 있지만 일부 국가에는 여전히 관습으로 남아 있다.

• 인도에서는 결혼할 때 지참금을 적게 가져온 부인을 학대하거나 살해하는 '지참금 살인'이 드물지 않게 발생하고 있다. 이러한 인도의 관습은 남성에 비해 상대적으로 낮은 여성의 지위를 보여 준다.

✎ 종교에 담긴 황금률
• "남이 너에게 해 주기를 바라는 대로 너도 다른 사람을 대하라." – 『성경』
• "네가 원하지 않는 바를 남에게 행하지 마라." – 『논어』
• "네가 고통받는 방식으로 남에게 상처를 주지 마라." – 『우다나바르가』

└ 인권을 침해하고 생명을 해치는 문화는 그 사회의 특수한 환경이 있다고 할지라도 인정되기 어려워.

문화 상대주의적 관점에서 모든 문화를 있는 그대로 인정하다 보면 극단적 문화 상대주의에 빠질 우려가 있다. 이를 경계하기 위해서는 보편 윤리적 관점에서 문화를 이해하고 성찰해야 한다. 황금률은 '남이 너에게 해 주었으면 하는 행위를 남에게 하라'라는 원칙으로, 많은 종교와 철학에서 황금률에 담긴 보편 윤리를 찾아볼 수 있다.

자료 하나 더 알고 가자!

천하도

조선 중기 이후 제작된 상상의 세계 지도로, 세계를 하나의 원으로 표시하고 지도의 중심에 중국을 배치하여 중화사상을 반영하고 있다. └ 중국의 자문화 중심주의와 우리나라의 문화 사대주의를 동시에 보여 주고 있어.

문제로 확인할까?

문화를 이해하는 올바른 태도는?
① 문화는 우열을 나눌 수 있다.
② 우리나라의 문화가 최고이다.
③ 모든 문화는 무조건 존재 가치가 있다.
④ 선진국의 문화를 무조건 받아들여야 한다.
⑤ 그 사회의 맥락에서 문화를 이해해야 한다.

⑤ 답

완자쌤의 탐구 강의

• 극단적 문화 상대주의를 경계해야 하는 이유를 서술해 보자.
인류의 보편적 가치를 훼손하는 문화까지도 문화 상대주의적 입장에서 인정하면 자문화와 타문화의 문제점을 비판하거나 개선할 수 없어 인류의 문화 발전을 저해하기 때문이다.

함께 보기 204쪽, 1등급 정복하기 2

이것이 핵심!

다문화 사회의 영향

긍정적 영향	• 다양한 문화 공존으로 풍부한 문화적 경험 가능 • 저출산·고령화에 따른 노동력 부족 문제 해소
부정적 영향	• 이주민에 대한 편견과 차별로 인한 인권 침해 • 타문화에 대한 이해 부족으로 갈등 발생

★ **세계화**
세계가 상호 의존성이 높아지면서 개인과 집단이 국경을 넘어 하나의 세계 안에서 살아가는 것

★ **제노포비아**
'이방'이라는 뜻의 '제노'와 '혐오'라는 뜻의 '포비아'가 합쳐진 말로, 상대방이 자기와 다르다는 이유만으로 무조건 경계하는 심리 상태를 의미한다.

③ 다문화 사회의 이해

1. 다문화 사회의 형성

(1) **다문화 사회**: 다양한 인종, 종교, 언어 등 서로 다른 문화적 배경을 가진 사람들이 함께 살아가는 사회

(2) **다문화 사회로의 변화**

> 교통수단과 정보 통신 기술의 발달로 한 사회에 이질적인 문화가 쉽고 빠르게 전파될 수 있어.

① 다문화 사회의 등장 배경: 교통·통신의 발달과 *세계화의 영향으로 서로 다른 문화권에 속한 사람들의 접촉이 빈번해짐

② 우리나라의 양상: 국제결혼 이주민과 외국인 근로자, 유학생, 북한 이탈 주민 등이 증가하여 다문화 사회에 접어들었음 [자료③]
> 인천의 차이나타운, 경기도 안산 다문화 특구 등이 대표적인 외국인 밀집 지역이야.

2. 다문화 사회의 영향

(1) **다문화 사회의 긍정적 측면**

문화 다양성 증가	• 여러 문화의 공존으로 풍부한 문화적 경험을 할 수 있음 • 다양한 문화를 접할 기회가 증가하여 다른 문화에 대한 편견이나 고정 관념이 약화됨 • 다양한 문화의 상호 작용으로 문화 발전 가능성이 높아짐
저출산·고령화에 따른 인구 문제 해소	• 외국인 근로자의 유입은 노동력 부족 문제 해소에 도움이 됨 • 국제결혼 이주민은 젊은 사람이 적은 농어촌 지역에 활력을 불어넣음

(2) **다문화 사회에서 나타나는 갈등** [자료④]

① 기존 문화와 새로 유입된 문화 간의 차이에 대한 무지와 이해 부족으로 갈등 발생 → 이주민들은 언어, 가치관, 생활 양식 등의 차이로 사회 적응에 어려움을 겪음

② 이주민에 대한 사회적 편견과 차별이 인권 침해로 이어져 갈등 발생 예 *제노포비아

③ 내국인과 외국인 간 일자리 경쟁 심화, 외국인 관련 범죄 등으로 인한 사회적 갈등 발생

이것이 핵심!

다문화 사회의 갈등 해결 방안

개인적 차원	관용의 자세, 문화 상대주의 태도 및 세계 시민 의식 함양
사회적 차원	다문화 교육 강화, 다문화 정책과 제도 마련

★ **세계 시민 의식**
지구촌 구성원 모두를 이웃으로 생각하고, 세계 곳곳에서 발생하는 다양한 문제를 함께 해결해 나가야 할 공동의 문제로 받아들이는 태도

★ **캐나다의 모자이크 정책**
캐나다는 1971년 다문화주의를 선언하고 각각의 인종과 민족이 자신의 특성을 유지하면서 평등하게 캐나다 사회에 참여하는 정책을 실시하였다.

④ 다문화 사회의 갈등 해결 방안

1. 다문화 사회의 갈등 해결을 위한 노력 [자료⑤]

개인적 차원	• 다른 문화에 관하여 편견이나 차별적인 태도를 버리고 문화적 다양성을 인정하는 관용의 자세를 갖춤 • 이주민의 문화를 그 사회의 맥락에서 이해하면서 서로의 문화를 존중하는 문화 상대주의적 태도를 함양함 • 다른 민족의 문화를 인정하고 포용하는 *세계 시민 의식을 함양함
사회적 차원	• 서로 다른 문화를 체험하고 이해할 수 있도록 다문화 교육을 강화함 • 이주민의 권리를 보장하고, 편견과 차별로부터 보호받을 수 있는 법적·제도적 장치를 마련함 예 외국인 근로자의 고용 등에 관한 법률, 다문화 가족 지원법 등

2. 다문화 정책

VS	용광로 정책	다양한 문화 융합 → 동질성 추구를 중시(동화주의 관점)
	샐러드 볼 정책	다양한 문화 인정 → 다양성과 공존을 중시(다문화주의 관점)

(1) **용광로 정책**: 여러 민족의 다양한 문화를 그 사회의 주류 문화에 동화시키는 정책 → 다양한 문화를 융합하여 하나의 정체성을 갖는 국가를 만들고자 함

(2) **샐러드 볼 정책**: 다양한 문화를 최대한 보장함으로써 서로 다른 문화가 각각의 정체성을 유지하면서 조화를 이루는 국가를 만들고자 함 예 *캐나다의 모자이크 정책
> 여러 개의 조각이 모여 하나의 작품이 되는 '모자이크'와 같다고 하여 붙여진 이름이야.

자료 ③ 우리나라의 다문화 인구 현황

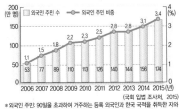

↥ 국내 거주 외국인 주민 수와 비중 추이

* 외국인 주민: 90일을 초과하여 거주하는 등록 외국인과 한국 국적을 취득한 자와
그 자녀로 한국 등 한국 문화와 생활에 익숙하지 않은 자를 의미함

↥ 국내 거주 외국인의 국적별·체류 유형별 분포

우리나라에 거주하는 외국인 주민 수는 10년간 지속해서 증가 추세를 보이며 2015년에는 전체 주민 등록 인구 대비 3.4%에 이르렀다. 국적별로는 한국계 중국인을 포함한 중국 국적자의 비율이 절반 이상으로 나타났으며, 체류 유형별로는 외국인 근로자, 외국 국적 동포, 외국인 주민 자녀, 국제결혼 이민자의 순으로 나타났다.

자료 ④ 우리나라의 다문화 수용성

> 다문화 수용성 지수는 문화 개방성, 고정 관념 및 차별, 세계 시민 행동 등 8개 구성 요소별 점수를 종합해 100점 만점으로 산출해.

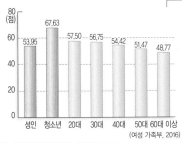

↥ 한국인의 다문화 수용성 지수

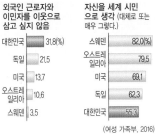

↥ 다문화 수용성 관련 주요 국제 지표

우리나라의 다문화 수용성 지수를 연령별로 살펴보면 연령대가 높을수록 수용성 지수가 낮아 다문화 사회에 부정적이고, 연령대가 낮을수록 다문화 사회에 대해 긍정적임을 알 수 있다. 국가별로 비교해 보면 우리나라는 선진국에 비해 다문화 수용성이 낮은 편이므로 이에 대한 개인적·사회 제도적 측면에서의 개선 방안 마련이 요구된다.

자료 ⑤ 행복한 다문화 사회를 위한 노력

> 바람직한 다문화 사회를 위한 개인적 차원의 노력에 해당해.

• 유네스코(UNESCO)에서는 '다양성과 포용을 위해 한 가지 실천하기' 운동을 펼치고 있다. 다른 문화가 전시된 미술 전시관이나 박물관 가 보기, 다른 국가 혹은 다른 종교에 관한 영화나 책 빌려 보기 등을 실천함으로써 다양한 가치를 이해하고 공감하는 정도가 개선될 것이다.
• 경기도 ○○시는 다문화 가구와 외국인 주민을 지역 공동체 일원으로 참여시키기 위해 '외국인 주민 대표자 회의'를 구성해 운영하기로 하였다. ○○시는 이 회의가 합리적인 다문화 정책을 실현하는 데 실질적인 역할을 할 것으로 기대하고 있다. — 사회적 차원의 노력이야

바람직한 다문화 사회를 위한 개인적 차원의 노력으로는 다른 사회의 문화에 대한 이해, 개방적인 자세, 관용의 자세, 세계 시민 의식 함양 등이 있으며, 사회적 차원의 노력으로는 다문화 교육 강화, 관련 법률 제정 및 제도 마련 등이 있다.

└ 다양한 사회적·문화적 배경을 지닌 사람들을 우리 사회의 동등한 구성원으로 존중할 수 있도록 실시하는 교육으로 언어 교육, 체험 행사 등이 있어.

자료 하나 더 알고 가자!

세계 문화 다양성 선언

> **제1조 문화 다양성: 인류의 공동 유산**
> 문화는 시공간에 여러 형태로 나타난다. 문화의 다양성은 인류를 구성하는 집단과 사회의 정체성과 독창성을 구현한다. 생태 다양성이 자연에 필요한 것처럼 교류와 혁신, 창조성의 근원으로서 문화 다양성은 인류에게 필요한 것이다. 이러한 의미에서, 문화 다양성은 인류의 공동 유산이며 현재와 미래 세대를 위한 혜택으로서 인식하고 확인해야 한다.

유네스코(UNESCO)는 2001년 '세계 문화 다양성 선언'을 채택하여 문화 다양성을 보호하는 것은 윤리적 의무이자 인간의 존엄성을 보장하는 것임을 강조하였다.

정리 | 비법을 알려줄게!

우리나라의 다문화 정책 변화

초기	우리 사회에 대한 이방인의 적응을 중시하는 용광로 정책에 가까움
최근	샐러드 볼 정책을 수용하여 문화 다양성을 강조하는 방향으로 변화

└ 이주민을 한민족 문화에 일방적으로 동화시키려 한다는 비판을 받기도 했어.

문제 로 확인할까?

다문화 사회의 갈등을 해결하기 위한 노력으로 적절하지 않은 것은?
① 다문화 교육 강화
② 문화 다양성 존중
③ 세계 시민 의식 함양
④ 문화 동화주의적 태도 강화
⑤ 다문화 관련 법적·제도적 장치 마련

㉠ 🔒

1 다음 설명이 맞으면 ○표, 틀리면 ×표를 하시오.

(1) 문화는 반드시 우열을 가려 평가해야 한다. (   )

(2) 열등한 문화는 우수한 문화로 대체하는 것이 문화 발전에 도움이 된다. (   )

(3) 각 사회가 지니는 문화는 그 사회의 고유한 가치를 포함하므로 그 사회를 기준으로 이해해야 한다. (   )

2 다음에서 설명하는 문화 이해 태도를 〈보기〉에서 골라 기호를 쓰시오.

┌─ 보기 ─────────────────────┐
ㄱ. 문화 사대주의   ㄴ. 문화 상대주의
ㄷ. 자문화 중심주의   ㄹ. 극단적 문화 상대주의
└───────────────────────────┘

(1) 자기 문화는 우월하고 다른 문화는 열등하다고 여기는 태도 (   )

(2) 모든 문화가 고유한 의미와 가치를 갖는다고 생각하여 무조건 인정하는 태도 (   )

(3) 다른 문화를 더 우월한 것으로 믿고 동경하여 자기 문화를 무시하거나 낮게 평가하는 태도 (   )

(4) 각 사회의 문화를 그 사회의 특수한 환경과 역사적 상황 및 사회적 맥락에서 이해하려는 태도 (   )

3 시대와 사회를 초월하여 모든 인간과 사회에 타당한 객관적이고 일반적인 도덕 원리를 (   )라고 한다.

4 다문화 사회의 갈등 해결을 위한 개인적 차원의 노력을 〈보기〉에서 골라 기호를 쓰시오.

┌─ 보기 ─────────────────────┐
ㄱ. 관용의 자세   ㄴ. 다문화 교육 강화
ㄷ. 세계 시민 의식 함양   ㄹ. 다문화 정책과 제도 마련
└───────────────────────────┘

5 다문화 정책을 정리한 표이다. ㉠, ㉡에 들어갈 내용을 쓰시오.

정책	내용
(㉠)	여러 민족의 다양한 문화를 그 사회의 주류 문화에 동화시키려는 정책
(㉡)	서로 다른 문화가 각각의 정체성을 유지할 수 있도록 다양성을 인정하며 조화를 추구하는 정책

01 다음 대화를 통해 알 수 있는 내용으로 가장 적절한 것은?

┌───────────────────────────────┐
• 갑: 우리 지역에서는 눈이 내리지 않아 눈을 가리키는 단어가 없어요.
• 을: 우리 지역에는 눈이 많이 내려요. 그래서 내리는 눈(gana), 땅에 쌓인 눈(aput), 바람에 휘날리는 눈(pigsirpog) 등 눈을 표현하는 단어가 많아요.
└───────────────────────────────┘

① 문화는 보편적인 특성을 지닌다.
② 문화는 모든 사회에서 동일하게 나타난다.
③ 한 사회의 문화 수준은 경제 수준과 일치한다.
④ 문화는 자연환경에 적응하는 과정에 형성된다.
⑤ 문화는 자연환경보다 인문 환경의 영향을 더 많이 받는다.

02 다음은 수업 시간에 학생이 작성한 형성 평가지이다. 이 학생이 얻은 점수로 옳은 것은?

┌─────────── 형성 평가 ───────────┐
다음 사례에 나타난 문화 이해 태도에 대한 설명이 맞으면 ○표, 틀리면 ×표를 하시오.

┌───────────────────────────┐
이슬람 극단주의 무장 세력이 유네스코 세계 문화유산으로 지정된 팔미라 고대 신전을 무참히 폭파하였다. 이 세력은 우상 숭배와 다신교를 금지하는 종교적 특성을 내세우며 점령지의 고대 유적과 유물을 파괴하고 있다.
└───────────────────────────┘

문항	답안
(1) 문화의 다양성 확보에 용이하다.	×
(2) 문화를 이해하는 절대적 기준은 없다.	○
(3) 내부 사회의 결속력을 다지는 데 유리하다.	○
(4) 다른 사회의 문화 유입에 대해 긍정적이다.	×
(5) 문화는 그 사회의 맥락에서 이해해야 한다고 본다.	×

(문항당 2점)
└───────────────────────────────┘

① 2점   ② 4점   ③ 6점   ④ 8점   ⑤ 10점

03 밑줄 친 ㉠, ㉡에 나타난 문화 이해 태도에 대한 설명으로 옳은 것은?

> 티베트에서는 야크(솟과의 동물)의 배설물을 일정한 크기로 벽에 붙여 말린다. 배설물을 손으로 손질하는 사람들의 모습을 보고 ㉠불결하고 미개하다고 생각하는 사람들도 있지만, 티베트 고원이나 섬 지역에서는 연료를 구하기 어려워 동물의 배설물을 연료로 사용하게 되었다는 ㉡자연환경을 고려해 문화를 이해하려는 사람들도 있다.

① ㉠과 같은 태도는 타문화 수용에 적극적이다.
② ㉠과 같은 태도는 국가 간 갈등을 예방할 수 있다.
③ ㉡과 같은 태도는 문화를 이해의 대상으로 본다.
④ ㉡과 같은 태도는 ㉠에 비해 자국 사회의 통합에 유리하다.
⑤ ㉠과 ㉡이 지닌 태도는 모두 문화를 우열의 평가 대상으로 본다.

04 (가)~(다)에 대한 설명으로 옳은 것은?

> ▶ 지식 Q&A
>
> [질문] 문화 이해 태도를 구분하는 방법을 알려주세요.
> [답변하기]
> └ 갑: 문화를 이해하는 태도는 이렇게 구분할 수 있습니다.
>
> | 문화 이해 태도 | 장점 |
> |---|---|
> | (가) | 자기 문화의 정체성 유지에 도움이 됨 |
> | (나) | 선진 문물 수용에 적극적이어 문화 발전에 도움이 됨 |
> | (다) | 다문화 사회에서 문화 다양성 유지에 도움이 됨 |
>
> └ 을: 위 답변은 (가)와 (나)의 장점을 바꾸어 설명하고 있네요.
> └ 갑: 앗! 저의 실수입니다. 지적해 주셔서 감사합니다.

① (가)는 국수주의로 흐를 위험이 있다.
② (나)는 조선 시대의 '중화사상'과 일맥상통한다.
③ (다)는 문화를 그 사회의 역사적·사회적 맥락에서 이해해야 한다고 본다.
④ (가)에 비해 (나)는 문화의 다양성 유지에 유리하다.
⑤ 갑은 문화 상대주의와 극단적 문화 상대주의를 혼동하였다.

05 (가)에 들어갈 내용으로 가장 적절한 것은?

> 다른 사회의 문화를 한 가지 관점으로만 바라본다면 각 문화가 지닌 고유한 가치와 의미를 제대로 이해하기 어렵다. 그렇기 때문에 어떤 문화를 바라볼 때는 그 사회의 맥락과 환경을 고려하려 바라보려는 문화 상대주의적 태도가 필요하다. 오늘날 세계화가 급속히 진행됨에 따라 문화 교류가 활발해지면서 문화 상대주의의 필요성은 더욱 커지고 있지만, 이 관점을 극단적으로 적용할 경우 _____ (가) _____ 는 점에서 비판받기도 한다.

① 문화를 상품으로 바라본다
② 외래문화에 배타적일 수 있다
③ 서로 다른 문화 간에 갈등을 유발한다
④ 보편적 가치를 무시하는 문화까지 수용할 수 있다
⑤ 자기 문화에 대해 매우 부정적으로 평가하게 된다

06 (가), (나) 사례를 통해 파악할 수 있는 문화 이해 태도를 옳게 연결한 것은?

> (가) 미국 언론 매체인 ○○에서 운영하는 여행 정보 사이트는 '세계 7대 혐오 음식'을 선정하면서 서양 음식은 하나도 포함하지 않고 아시아 음식으로만 채워 놓았다. 이것이 발단이 되어 미국과 중국의 주요 매체가 상대방의 음식이 혐오 식품이라며 설전을 벌였다.
> (나) 중국의 '전족' 풍습을 여성 인권 침해 사례로 이해하고 비판해서는 안 된다. 모든 문화는 그 나름의 가치와 형성 배경이 있기 때문에 사회적·역사적 맥락 속에서 이해하고 존중해야 한다.

	(가)	(나)
①	문화 상대주의	문화 사대주의
②	문화 사대주의	자문화 중심주의
③	문화 사대주의	극단적 문화 상대주의
④	자문화 중심주의	문화 상대주의
⑤	자문화 중심주의	극단적 문화 상대주의

07 세 사람의 문화 이해 태도에 대한 옳은 설명을 〈보기〉에서 고른 것은?

> TV에 나온 애벌레 먹는 원시 부족 봤니? 그런 야만적인 문화가 있다니 당장 금지해야 해. 우리 같은 선진 문화를 가진 사회에서는 있을 수 없는 일이야.
> 갑

> 을
> 그건 단백질 보충을 위한 그들만의 방식이야. 주어진 환경 속에서 생존하기 위해 형성된 문화니까 함부로 평가해서는 안 돼.

> 맞아. 모든 문화는 다 의미가 있으니까 있는 그대로 이해하고 존중해야 해. 어떤 사회의 문화가 우월하다거나 열등하다고 평가할 권리는 누구에게도 없어.
> 병

> **보기**
> ㄱ. 갑은 다른 사회의 문화를 객관적으로 바라보고 있다.
> ㄴ. 을은 문화 간 우열이 존재하며 평가가 가능하다고 본다.
> ㄷ. 병은 극단적 문화 상대주의에 빠질 우려가 있다.
> ㄹ. 갑은 을, 병과 달리 문화를 평가하는 절대적인 기준이 있다고 본다.

① ㄱ, ㄴ   ② ㄱ, ㄹ   ③ ㄴ, ㄷ
④ ㄴ, ㄹ   ⑤ ㄷ, ㄹ

08 다음 대화에서 갑, 을의 태도에 대한 설명으로 옳은 것은?

> • 교사: '다른 사람이 너에게 해 주었으면 하는 행위를 다른 사람에게 하라.'라는 황금률에 대해 어떻게 생각하는지 발표해 볼까요?
> • 갑: 윤리는 문화마다 상대적인 것이므로 옳고 그름에 대한 보편적인 기준이 존재하지 않습니다. 따라서 황금률도 모든 사회에 적용되어서는 안 됩니다.
> • 을: 황금률은 인간의 존엄성, 생명과 같은 기본권을 중시하는 윤리 원칙입니다. 이러한 가치는 인류가 지켜야 할 보편적인 가치이므로 이를 침해하는 문화까지 인정해서는 안 됩니다.

① 갑은 보편적 윤리를 강조한다.
② 갑은 문화를 이해하는 절대적 기준을 강조한다.
③ 갑은 자문화와 타문화의 비판적 이해를 중시한다.
④ 을은 윤리의 상대성을 보편성보다 우선시한다.
⑤ 을은 보편 윤리적 관점에서 문화 성찰을 강조한다.

[09~10] 그래프는 국내 거주 외국인 주민 수와 비중 추이를 나타낸 것이다. 이를 보고 물음에 답하시오.

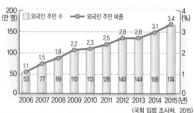

* 외국인 주민: 90일을 초과하여 거주하는 등록 외국인과 한국 국적을 취득한 자와 그 자녀로 한국어 등 한국 문화와 생활에 익숙하지 않은 자를 의미함

(국회 입법 조사처, 2015)

09 그래프와 같은 현상이 나타나게 된 배경으로 옳은 것을 〈보기〉에서 고른 것은?

> **보기**
> ㄱ. 국수주의 정책 강화   ㄴ. 교통의 발달과 세계화
> ㄷ. 자문화 중심주의 확산   ㄹ. 국제적 인구 이동 증가

① ㄱ, ㄴ   ② ㄱ, ㄷ   ③ ㄴ, ㄷ
④ ㄴ, ㄹ   ⑤ ㄷ, ㄹ

10 그래프와 같은 변화가 지속될 경우 나타날 수 있는 현상으로 옳지 <u>않은</u> 것은?

① 문화의 획일화 현상이 심화될 수 있다.
② 노동력 부족 문제 해소에 기여할 수 있다.
③ 이질적 문화 간 접촉으로 갈등이 발생할 수 있다.
④ 다양한 문화의 공존으로 풍부한 경험을 할 수 있다.
⑤ 서로 다른 문화권의 사람들 간 교류가 확대될 수 있다.

11 다음 글에 나타난 다문화 정책에 대한 설명으로 가장 적절한 것은?

> 샐러드 볼 정책은 국가라는 샐러드 볼 안에서 각 문화의 고유한 맛이 나타날 수 있도록 다양한 인종과 문화가 함께 어울리는 문화를 형성하자는 정책이다.

① 이주민을 문화 동화의 대상으로 인식한다.
② 문화 융합을 통한 동질성 추구를 강조한다.
③ 캐나다의 모자이크 정책이 대표적 사례이다.
④ 서로 다른 문화 간의 갈등을 심화할 수 있다.
⑤ 이주민이 문화적 정체성을 상실할 우려가 있다.

12 다음 자료는 다문화에 대한 한국인의 인식을 조사한 것이다. 이에 대한 분석 및 추론으로 적절하지 <u>않은</u> 것은?

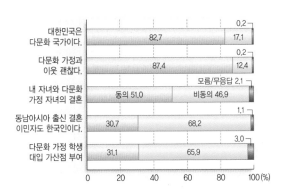

대한민국은 다문화 국가이다.	82.7	17.1 / 0.2
다문화 가정과 이웃 괜찮다.	87.4	12.4 / 0.2
내 자녀와 다문화 가정 자녀의 결혼	동의 51.0	비동의 46.9 / 모름/무응답 2.1
동남아시아 출신 결혼 이민자도 한국인이다.	30.7	68.2 / 1.1
다문화 가정 학생 대입 가산점 부여	31.1	65.9 / 3.0

① 다문화 가정과의 갈등이 발생할 우려가 있다.
② 이주민에 대한 공존과 배려의 자세가 필요하다.
③ 다문화 사회에서 역차별 논란이 야기될 수 있다.
④ 이주민을 대상으로 다문화 교육을 강화해야 한다.
⑤ 다문화에 대한 한국인의 이중적 인식을 알 수 있다.

13 다음 자료는 다문화 수용성 관련 주요 국제 지표이다. 이를 보고 추론한 내용으로 가장 적절한 것은?

일자리가 귀할 때 자국민 우선 고용 찬성		외국인 근로자와 이민자를 이웃으로 삼고 싶지 않음		자신을 세계 시민으로 생각 (대체로 또는 매우 그렇다.)	
대한민국	60.4(%)	대한민국	31.8(%)	스웨덴	82.0(%)
오스트레일리아	51.0	독일	21.5	오스트레일리아	79.5
미국	50.5	미국	13.7	미국	69.1
독일	41.5	오스트레일리아	10.6	독일	62.3
스웨덴	14.5	스웨덴	3.5	대한민국	55.3

(여성 가족부, 2016)

① 우리나라는 다문화 사회에서 갈등이 적을 것이다.
② 우리나라는 외국인에 대한 문화적 수용성이 높을 것이다.
③ 우리나라 사람들은 개방적인 태도를 지니고 있을 것이다.
④ 우리나라는 문화 간의 차이에 대한 이해와 배려 정도가 높을 것이다.
⑤ 우리나라는 다문화 사회의 갈등 개선을 위한 다문화 교육이 필요할 것이다.

서술형 문제

● 정답친해 68쪽

01 다음 글을 읽고 물음에 답하시오.

> (가) 과거 중국인들은 자기 민족이 살고 있는 곳을 세계의 중심이라고 믿고, 주변의 민족을 오랑캐라고 부르면서 비하하였다.
> (나) 조선 시대의 일부 집현전 학자들은 중국 문화를 섬기며 한글을 만드는 것에 반대하였다.

(1) (가)와 (나)에 해당하는 문화 이해 태도를 각각 쓰시오.

(2) (가)와 (나)의 문화 이해 태도가 지니는 공통점과 차이점에 대해 서술하시오.

길잡이 문화에 대한 평가 기준을 중심으로 서술한다.

02 ⓒ의 입장에서 ㉠의 입장에 대한 반론을 문화 발전 측면에서 비판적으로 서술하시오.

> 이슬람 문화권이나 인도 일부 지역에서는 가문의 이름을 더럽혔다는 이유로 남편이나 형제, 친척들이 여성을 살해하는 풍습이 있다. 이를 바라보는 관점은 두 가지로 구분할 수 있는데 윤리 상대주의를 기반으로 하여 ㉠ 인정해야 한다는 측과 보편 윤리적 관점에서 ⓒ 인정해서는 안 된다는 측이 있다.

길잡이 인류의 보편적 가치 훼손 여부를 중심으로 서술한다.

03 밑줄 친 A, B 정책의 명칭을 쓰고, 이를 토대로 우리나라 다문화 정책의 변화 양상과 그 이유를 서술하시오.

> A 정책은 기존 문화와 이주민 문화의 공존을 추구하는 정책으로, 서로 다른 문화가 각각의 정체성을 유지함을 중시한다. 반면, B 정책은 다양한 문화를 융합하여 하나의 정체성을 갖는 국가를 만들고자 하는 정책으로, 기존 문화에 이주민 문화를 흡수시켜 문화적 동질성을 추구한다.

길잡이 문화 공존과 다양성 등을 들어 우리나라의 다문화 정책 변화를 서술한다.

1 문화 이해의 태도 A~C에 대한 설명으로 옳은 것은? (단, A~C는 각각 문화 사대주의, 문화 상대주의, 자문화 중심주의 중 하나이다.)

> 타문화를 받아들임에 있어서 A는 B에 비해 수용적이다. 하지만 자기 문화의 정체성을 보존하는 데는 B가 A보다 유리하다. 한편 문화의 다양성 신장을 위해서는 A, B보다 C가 필요하다.

① 나와 다른 종교에 대해 거부감은 있지만 그들의 입장에서 이해하는 것은 A의 사례이다.
② 한글 대신 영어를 맹목적으로 사용하는 것은 B의 사례이다.
③ 천하도에 중국을 중앙에 그린 조선 사람들의 인식은 C의 사례이다.
④ A, B는 모두 문화에 대해 우열을 비교하는 것이 가능하다고 본다.
⑤ A는 국수주의에, C는 극단적 문화 상대주의에 빠질 가능성이 높다는 비판을 받는다.

> **문화 이해 태도**

> **완자쌤의 시험 꿀팁**
> 문화 간 우열 비교가 가능하다고 보는 관점과 불가능하다고 보는 관점을 비교하는 문제가 주로 출제된다.

사회 + 지리

2 다음 자료에서 세 사람의 문화 이해 태도에 대한 설명으로 가장 적절한 것은?

> • 교사: A국에서는 결혼할 때 지참금을 적게 가져온 부인을 학대하거나 심지어 살해하는 '지참금 살인'이 드물지 않게 발생합니다. 지참금 문화가 존재하는 지역은 대부분 집약적 농업이 발달한 곳입니다. 힘든 농사일은 여성이 담당하기 어려워 남성이 부인과 자녀를 양육할 책임을 전적으로 떠안게 되면서 여성은 경제적 부담이라는 인식이 싹트기 시작했고, 전체 사회 구조 속에서 여성의 지위가 낮아지면서 이러한 문화가 발생한 것입니다. 이에 대해 자신의 의견을 이야기해 봅시다.
> • 갑: 결혼 과정 중에 부인을 죽인다 하더라도 그것은 A국의 사회적 맥락이 반영된 고유한 문화이기 때문에 존중해야 합니다.
> • 을: 각 사회의 문화를 인정하고 존중하는 태도는 바람직하지만, 그 전에 한 인간을 죽이는 것이 보편적인 가치를 훼손하는 것은 아닌지 검토해야 합니다.
> • 병: 결혼 과정에 지참금을 내는 것도 문제이지만 금액이 적다고 죽이는 관습은 야만적인 것입니다. A국은 선진국인 우리나라의 결혼 문화를 배워 이러한 악습을 바꿔야 합니다.

① 갑의 태도는 자국의 문화 정체성 약화를 초래할 수 있다.
② 을의 태도는 문화를 평가가 아닌 이해의 대상으로 본다.
③ 병의 태도는 타문화를 보다 객관적으로 파악하는 데 유용하다.
④ 갑과 을의 태도는 병의 태도와 달리 문화 다양성 보존에 불리하다.
⑤ 을의 태도는 갑, 병의 태도와 달리 타문화와의 접촉 과정에서 문화적 마찰을 겪을 가능성이 크다.

> **문화 이해 태도**

> **완자쌤의 시험 꿀팁**
> 보편 윤리, 보편적 가치에 대한 입장을 비교하여 문화 상대주의와 극단적 문화 상대주의를 구분할 수 있어야 한다.

> **완자 사전**
> • 지참금(持參金)
> 신부가 결혼할 때 친정에서 시집으로 가지고 가는 돈
>
> • 집약적 농업
> 단위 면적당 많은 자본을 들이거나, 많은 노동력을 들여 수확량과 수익을 최대로 높이려는 농업

3 표는 우리나라의 다문화 관련 통계이다. 이에 대한 옳은 분석 및 추론을 〈보기〉에서 고른 것은?

▶ 다문화 사회

연도	1995	2000	2005	2010	2015	2016
혼인 총 건수	398,484	332,090	314,304	326,104	302,828	281,635
국제결혼 비율(%) (한국인 + 외국인)	3.4	3.5	13.5	10.5	7.0	7.3

┌ 보기 ┐
ㄱ. 우리 사회의 문화적 다양성이 증가했을 것이다.
ㄴ. 다문화 가구의 수는 지속적으로 감소하고 있다.
ㄷ. 2016년에 한국인과 외국인과의 혼인 건수는 2만 건을 넘는다.
ㄹ. 사회적 갈등을 줄이기 위해 이주민과의 공존보다는 이주민을 우리 문화에 동화시키는 정책이 필요하다.

① ㄱ, ㄴ   ② ㄱ, ㄷ   ③ ㄴ, ㄷ
④ ㄴ, ㄹ   ⑤ ㄷ, ㄹ

4 밑줄 친 ㉠~㉢에 대한 옳은 설명을 〈보기〉에서 고른 것은?

▶ 다문화 정책

완자샘의 시험 꿀팁

다문화 사회의 대표적인 이민자 정책인 용광로 정책과 샐러드 볼 정책을 구분하고, 각각의 특성을 이해할 수 있어야 한다.

국제결혼 이주민과 외국인 근로자, 유학생 등이 증가하면서 다문화 사회가 진행됨에 따라 우리나라에서도 다양한 다문화 정책이 시행되고 있다. 과거에는 이주민들이 우리 사회에 빠르게 적응할 수 있도록 ㉠한국어 교육과 법률 안내, 한국 예절 교육, 한국 전통문화 습득하기 프로그램 등을 위주로 진행하였다. 하지만 이와 같은 정책에 ㉡부작용이 드러나면서 현재는 ㉢과거와는 다른 시각의 다문화 정책이 부각되고 있다.

┌ 보기 ┐
ㄱ. ㉠은 공존, ㉢은 통합을 추구한다.
ㄴ. ㉠은 우리 사회의 '문화 정체성 유지'를 강조한다.
ㄷ. ㉡은 이주민이 사회적 소수자로 치별받는 경우에 해당한다.
ㄹ. ㉢은 문화 다양성보다는 문화의 통일성을 강조하는 정책이다.

① ㄱ, ㄴ   ② ㄱ, ㄷ   ③ ㄴ, ㄷ
④ ㄴ, ㄹ   ⑤ ㄷ, ㄹ

01 세계의 다양한 문화권

1. 문화권의 형성

(1) 문화와 문화권

문화	의식주, 풍습, 종교, 언어 등의 생활 양식
문화권	문화 요소가 비슷하게 나타나는 공간적 범위

(2) 문화권 형성에 영향을 주는 요인

자연환경	• 기후, 지형, 식생 토양 등 → 의식주에 영향 • 음식: 계절풍 기후 지역은 (❶), 건조 기후 지역은 밀이 주식 • 가옥: 열대 기후 지역의 고상 가옥, 건조 기후 지역의 흙집
인문 환경	• 종교, 언어, 산업, 관습 등 → 가치관에 영향 • 불교, 이슬람교, 크리스트교, 힌두교 등 종교마다 문화 경관이 다름 • 농경, 유목, 상공업 등 산업에 따라 생활 양식이 다름

2. 세계 문화권의 구분과 특징

동아시아 문화권	• 우리나라, 일본, 중국 • 벼농사, 유교와 불교, 한자와 젓가락 사용
동남아시아 문화권	• 계절풍 지대로 벼농사 발달 • 교통의 요충지로 다양한 문화가 나타남
남부 아시아 문화권	• 인도와 주변 국가 • 힌두교와 불교의 발상지
건조 문화권	• 북부 아프리카와 서남아시아 지역 • (❷)를 주로 신봉, 유목 생활
아프리카 문화권	• 사하라 사막 이남 지역 • 열대 기후, 다양한 종족과 언어 분포
유럽 문화권	• 산업 혁명의 발상지로 경제 중심지 • 크리스트교 문화 발달
앵글로아메리카 문화권	• 리오그란데강 이북의 미국과 캐나다 • 영어 사용, 개신교를 주로 신봉
(❸) 문화권	• 에스파냐어와 포르투갈어 사용, 가톨릭교를 주로 신봉 • 다양한 인종과 문화 분포
오세아니아 문화권	• 냉어 사봉, 개신교를 주로 신봉 • 원주민(애버리지니, 마오리족) 문화가 남아 있음
북극 문화권	북극해 연안, 소수 민족이 주로 순록을 유목함

02 문화 변동과 전통문화의 창조적 계승

1. 문화 변동의 의미와 요인

(1) 문화 변동: 새로운 문화 요소의 등장이나 다른 사회와의 접촉으로 문화가 변화하는 현상

(2) 문화 변동 요인

내재적 요인	• 발명: 새로운 문화 요소를 만들어 내는 것 • (❹): 이미 존재하고 있지만 알려지지 않은 것을 찾아내는 것
외재적 요인	• 직접 전파: 다른 사회 구성원과의 직접적인 교류를 통해 문화 요소가 전파되는 것 • 간접 전파: 인터넷, 서적 등 간접적인 매개체를 통해 다른 사회의 문화가 전파되는 것 • 자극 전파: 다른 사회의 문화 요소에서 아이디어를 얻어 새로운 문화 요소를 발명하는 것

2. 문화 변동 양상

(1) 문화 접변: 둘 이상의 다른 문화가 장기간에 걸친 전면적인 접촉으로 변동이 일어나는 것

(2) 문화 접변 양상

문화 동화	한 사회의 문화가 외부에서 전파된 다른 사회의 문화에 흡수되어 기존 문화 고유의 성격을 잃어버리는 현상 ◑ 아메리카 원주민이 유럽 문화와 접촉하면서 고유의 문화를 상실한 모습
(❺)	기존 문화 요소와 전파된 다른 사회의 문화 요소가 결합하여 이전의 두 문화와 다른 새로운 문화가 만들어지는 현상 ◑ 성공회 강화 성당, 과달루페 성모상 등
문화 병존	기존 문화 요소와 전파된 다른 사회의 문화 요소가 한 사회 내에서 각자 문화의 고유성을 유지하며 공존하는 현상 ◑ 인천의 차이나타운, 필리핀에서 영어와 필리핀어를 공용어로 사용하는 모습

3. 전통문화의 의의와 창조적 계승

전통문화의 의미와 의의	• 전통문화: 과거부터 이어져 내려온 고유한 생활 양식 • 의의: 사회 유지와 통합에 기여, 문화의 고유성 유지, 세계 문화의 다양성 증진
전통문화의 발전 방안	• 현실적 여건에 맞게 전통문화를 재해석하여 새로운 문화 콘텐츠로 발전시켜야 함 • 외래문화를 비판적으로 수용하고 전통문화와 조화를 이루도록 해야 함

03 문화 상대주의와 보편 윤리

1. 문화를 이해하는 태도

(1) 자문화 중심주의

의미	자기 문화는 우월하고 다른 문화는 열등하다고 여기는 태도
장점	자기 문화의 주체성과 정체성을 유지할 수 있음
문제점	• 국수주의 초래, 제국주의 침략을 정당화 • 다른 민족·인종·문화에 대한 차별을 불러올 수 있음

(2) 문화 사대주의

의미	다른 문화를 더 우월하다고 믿고 동경하여 자기 문화를 무시하거나 낮게 평가하는 태도
장점	다른 문화를 수용하여 자기 문화를 개선할 수 있음
문제점	• 자기 문화의 정체성을 상실할 우려가 있음 • 사회 구성원 간 소속감이나 일체감이 약화할 수 있음

(3) 문화 상대주의

의미	각 사회의 문화를 그 사회의 특수한 환경과 역사적 상황 및 사회적 맥락에서 이해하려는 태도
특징	문화 간에 우열이 존재하지 않는다고 보며, 문화를 평가의 대상이 아닌 이해의 대상으로 인식함
필요성	• 문화적 차이에 따른 갈등 방지, 관용의 자세로 다양한 문화의 공존을 도모할 수 있음 • 다른 문화를 객관적으로 이해할 수 있음

2. 보편 윤리와 문화 성찰

(1) 극단적 문화 상대주의

의미	모든 문화가 고유한 의미와 가치를 갖는다는 생각을 극단적으로 적용하는 태도 ⑩ 전족 풍습, 명예 살인 등 인간 존엄성을 해치는 문화까지 인정하는 태도
문제점	인간 존엄성, 자유와 평등과 같은 인류의 (❺) 가치 훼손, 자문화와 타문화의 문제점을 비판하거나 개선할 수 없어 문화 발전을 기대하기 어려움

(2) 보편 윤리 관점에서의 문화 성찰

보편 윤리	시대와 장소를 초월하여 모든 사람이 존중하고 따라야 할 도덕 원리
보편 윤리에 근거한 문화 성찰의 필요성	윤리 상대주의 경계, 인간 존엄성을 해치는 문화에 대해 윤리적으로 비판하고 개선을 요구할 수 있음 → 문화의 질적 발전 실현

04 다문화 사회와 문화 다양성 존중

1. 다문화 사회의 형성과 영향

(1) 다문화 사회

의미	다양한 문화적 배경을 가진 사람들이 함께 살아가는 사회
등장 배경	교통·통신의 발달과 세계화의 영향으로 서로 다른 문화권에 속한 사람들의 접촉이 빈번해짐
우리나라의 양상	국제결혼 이주민과 외국인 근로자, 유학생, 북한 이탈 주민 등이 증가하여 다문화 사회에 접어들었음

(2) 다문화 사회의 영향

긍정적 영향	• 다양한 문화를 접할 수 있는 기회가 증가하여 다른 문화에 대한 편견이나 고정 관념이 약화됨 • 다양한 문화의 상호 작용으로 문화 발전 가능성이 높아짐 • 외국인 근로자의 유입은 (❼) 문제 해소에 도움이 되며, 국제결혼 이주민은 농어촌 지역에 활력을 불어넣음
부정적 영향	• 기존 문화와 새로 유입된 문화 간의 차이에 대한 무지와 이해 부족으로 갈등 발생 • 이주민에 대한 사회적 편견과 차별이 인권 침해로 이어져 갈등 발생 • 내국인과 외국인 간 일자리 경쟁 심화, 외국인 관련 범죄 증가 등으로 인한 사회적 갈등 발생

2. 다문화 사회의 갈등 해결 방안

(1) 다문화 사회의 갈등 해결 노력

개인적 차원	• 다른 문화에 대한 편견이나 차별적 태도를 버리고 문화적 차이를 인정하는 (❽)의 자세 • 이주민의 문화를 그 사회의 맥락에서 이해하면서 서로의 문화를 존중하는 (❾)적 태도 함양 • 세계 시민 의식 함양
사회적 차원	• 서로 다른 문화를 이해할 수 있도록 다문화 교육을 강화함 • 이주민의 권리를 보장하고, 편견과 차별로부터 보호받을 수 있는 법적·제도적 장치를 마련함

(2) 다문화 정책

용광로 정책	여러 민족의 다양한 문화를 그 사회의 주류 문화에 동화시키는 정책 → 다양한 문화를 융합하여 하나의 정체성을 갖는 국가를 만들고자 함
(❿) 정책	다양한 문화를 최대한 보장함으로써 서로 다른 문화가 각각의 정체성을 유지하면서 조화를 이루는 국가를 만들고자 함

01 (가)~(다)와 같은 종교 경관 및 생활 양식이 나타나는 지역을 지도에서 골라 옳게 연결한 것은?

(가)　　　　(나)　　　　(다)

(가)	(나)	(다)		(가)	(나)	(다)
① A	C	B		② A	D	B
③ B	A	D		④ C	B	A
⑤ C	D	A				

02 (가)에 들어갈 내용으로 가장 적절한 것은?

> 몽골에는 말의 털빛을 가리키는 표현만 무려 240가지가 있다. 또한 순록을 키우며 사는 솔론족의 언어에는 순록을 암수, 털의 색과 무늬, 나이 등에 따라 매우 정교하게 분류하여 그 명칭이 최소 30개가 넘는다. 이처럼 몽골어와 솔론족의 언어에 말, 순록과 관련된 단어가 많은 이유는 _____(가)_____이다.

① 종교적으로 육식을 금지하기 때문
② 한대 기후가 나타나 농업에 불리하기 때문
③ 벼농사에 필요한 노동력을 가축이 제공하기 때문
④ 육류를 주식으로 하는 음식 문화가 나타나기 때문
⑤ 유목 생활이 주로 이루어져 가축이 중요하기 때문

[03~04] 지도는 세계의 문화권을 나타낸 것이다. 이를 보고 물음에 답하시오.

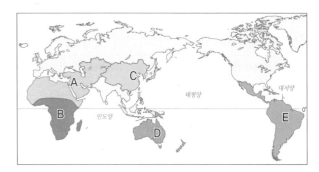

03 갑과 을이 다녀온 여행지를 지도에서 찾아 옳게 연결한 것은?

> • 갑: 제가 다녀온 지역은 토속 종교의 영향이 남아 있으며 부족 중심의 생활이 이루어지는 곳입니다. 이곳에서 재배된 커피의 향은 아직도 기억이 생생합니다.
> • 을: 저는 여행하면서 삼바 춤을 배워 왔습니다. 삼바는 아프리카의 흑인 리듬과 율동에 유럽과 미국의 음악이 결합한 춤으로 대표적인 문화 융합의 사례입니다.

갑	을		갑	을
① A	C		② B	E
③ C	E		④ D	B
⑤ D	A			

04 A 지역에서 볼 수 있는 전통 가옥의 모습으로 옳은 것은?

05 ㉠~㉢의 내용을 바르게 수행하지 <u>못한</u> 학생을 고른 것은?

수행 평가

• 주제: 문화 변동의 요인
• 조사 방법: ㉠~㉢에 해당하는 사례 찾아 발표하기

문화 변동의 원인이 외부에 있는가? ──아니요→ ㉠

│예
↓

외부 사회의 문화 요소에서 아이디어를
얻어 새로운 문화 요소를 발명했는가? ──아니요→ ㉡

│예
↓

㉢

① 갑: ㉠의 사례로 에디슨의 전구 발명 조사하기
② 을: ㉠의 사례로 플레밍의 페니실린 발견 조사하기
③ 병: ㉡의 사례로 세종대왕의 한글 발명 조사하기
④ 정: ㉡의 사례로 선교사에 의한 종교 전파 조사하기
⑤ 무: ㉢의 사례로 신라 시대 설총의 이두 발명 조사하기

06 표는 문화 변동 요인을 정리한 것이다. 이에 대한 설명으로 옳은 것은?(단, (가)~(다)는 각각 발명, 직접 전파, 자극 전파 중 하나이다.)

질문	(가)	(나)	(다)
다른 사회의 문화 요소에 영향을 받았나요?	예	아니요	예
기존에 없었던 새로운 문화 요소를 만들어 냈나요?	예	예	㉠

① ㉠에는 '예'가 들어가는 것이 적절하다.
② (나)는 두 사회의 문화 요소 결합에 의한 결과이다.
③ (다)는 두 사회가 지리적으로 인접한 경우에만 나타난다.
④ (가), (나)는 (다)와 달리 한 사회의 문화 다양성에 기여한다.
⑤ (가), (다)는 (나)와 달리 문화 변동의 외재적 요인에 해당한다.

07 ㉠에 대한 옳은 설명을 〈보기〉에서 고른 것은?

• 학습 주제: 문화 전파
• 학습 내용

오늘은 근대 이전 동서 교역로를 통한 문화 요소의 (㉠)에 대해 알아보았습니다.

─ 비단길
─ 초원길
─ 바다를 통한 교역로
(실크로드 도록, 2014)

보기

ㄱ. 자극 전파의 배경이 되기도 한다.
ㄴ. 강제적이거나 자발적으로 행해진다.
ㄷ. 문화 변동 요인 중 내재적 요인에 해당한다.
ㄹ. 인터넷을 통한 문화 교류가 대표적 사례이다.

① ㄱ, ㄴ   ② ㄱ, ㄷ   ③ ㄴ, ㄷ
④ ㄴ, ㄹ   ⑤ ㄷ, ㄹ

08 ㉠, ㉡에 대한 설명으로 옳은 것은?

• 교사: 문화 변동의 양상을 각자 사례를 들어 이야기해 볼까요?
• 갑: (㉠)의 대표적인 사례는 중남미 국가에서 유럽인들의 침입에 의해 토속 신앙이 사라지고 서양의 종교가 그 자리를 차지한 것입니다.
• 을: 중국 내 조선족들은 일상생활에서 중국의 문화 요소와 함께 우리의 고유한 풍습을 그대로 간직하며 살아가고 있습니다. 이는 (㉡)에 해당합니다.

① ㉠은 자발적 문화 접변에 해당한다.
② ㉠은 기존 문화의 고유성 강화에 도움이 된다.
③ ㉡은 내재적 요인에 의해 나타난다.
④ ㉡은 자기 문화의 정체성을 유지한다.
⑤ ㉠과 ㉡은 모두 제3의 문화를 형성한다.

09 다음에서 설명하는 문화 변동 양상으로 옳은 것은?

이 문화 변동 양상의 대표적인 사례는 종교에서 잘 나타난다. 멕시코 과달루페 성모상은 검은 머리에 갈색 피부를 갖고 있으며, 중남미 전통 의상을 입은 원주민의 모습을 보인다. 또한 우리나라의 성공회 강화 성당은 겉모습은 한옥 구조지만 내부는 서양의 성당 건축 양식으로 지어졌다.

① 문화 동화　　② 문화 병존　　③ 문화 융합
④ 간접 전파　　⑤ 문화 성찰

10 밑줄 친 ㉠에 대한 설명으로 옳은 것은?

'라이스버거(Rice burger)'는 햄버거 빵 대신 밥을 사용한 것이 특징으로, 우리나라와 중국 등 쌀을 주식으로 하는 나라에서 주로 판매되고 있다. 최근에는 밥 대신 라면을 이용한 '라면버거'도 출시되었는데, ㉠이러한 새로운 유형의 메뉴가 우리 식탁을 더욱 풍성하게 하고 있다.

① 간접 전파의 대표적 사례이다.
② 문화의 다양화에 기여할 수 있다.
③ 외래문화가 전통문화에 흡수된 것이다.
④ 외래문화의 수용 후 자국 문화가 소멸된 것이다.
⑤ 동일한 문화 변동 사례로 한류(韓流)를 들 수 있다.

11 다음 글이 시사하는 바로 가장 적절한 것은?

최근 처마, 대청마루, 온돌 등 한옥의 멋은 그대로 살리고 화장실이나 부엌과 같은 현대식 주거 문화를 결합한 개량 한옥이 늘고 있다. 특히 한옥 게스트하우스는 전통문화 체험을 위해 우리나라를 방문한 외국인들에게 인기가 많다.

① 전통문화이 산업화를 통해 고유성을 찾아야 한다.
② 전통문화를 현대적 의미에 맞게 재창조해야 한다.
③ 전통문화 보존을 통해 문화적 정체성을 유지해야 한다.
④ 외래문화의 유입을 통제하여 전통문화를 보존해야 한다.
⑤ 모든 외래문화를 적극 수용하는 정책을 실시해야 한다.

12 밑줄 친 A 단체가 지닌 문화 이해 태도에 대한 설명으로 옳은 것은?

아시아와 아프리카 지역의 일부 사회에는 한 명의 남편이 다수의 아내를 두는 일부다처제 풍습이 남아 있고, 인도의 토다족이나 티베트의 하층민 사회에는 한 명의 아내가 다수의 남편을 두는 일처다부제 풍습이 아직 남아 있다. A 단체는 이러한 현상을 미개한 민족의 습성이라고 생각하여 우리나라의 일부일처제 문화를 그들 사회에 확산시키는 것을 목적으로 설립되었다.

① 외래문화의 유입에 적극적인 모습을 보인다.
② 문화를 평가가 아닌 이해의 대상으로 여긴다.
③ 그 사회의 맥락에서 문화를 이해하고자 한다.
④ 다른 사회의 문화에 대해 관용적인 태도를 지닌다.
⑤ 자기 문화의 정체성과 자긍심을 유지하는 데 유리하다.

13 다음 대화에 나타난 문화 이해 태도에 대한 설명으로 옳은 것은?

에스파냐의 투우 경기를 고유의 가치를 지닌 문화라고 인정할 수는 없어. 동물을 죽이는 행위는 악습일 뿐이야.
갑

 한 사회의 문화를 평가할 권리는 그 누구에게도 없어. 그 사회의 문화는 그 사회의 맥락에서 이해하고 존중해야 해.
을

그렇지 않아. 문화를 바르게 이해하려면 문화적 차이를 인정하면서도 (㉠)의 관점에서 비판적으로 성찰하는 태도를 가져야 해.
갑

① 갑은 을에 비해 문화의 상대성을 강조한다.
② 갑은 을과 달리 '명예 살인'을 문화로 인정할 것이다.
③ 을은 갑에 비해 다른 사회의 문화를 비판적으로 이해하려 할 것이다.
④ 을은 갑에 비해 문화 동화 현상을 긍정적으로 이해할 것이다.
⑤ ㉠에는 '보편 윤리'라는 말이 들어가는 것이 적절하다.

14 다음은 인터넷 뉴스와 그에 대한 댓글이다. 사회 문제를 바라보는 입장이 <u>다른</u> 한 사람은?

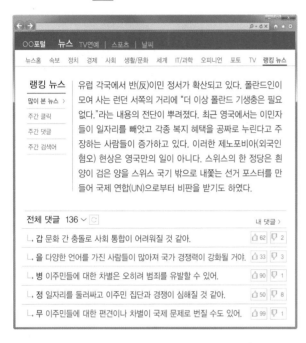

뉴스 내용:
유럽 각국에서 반(反)이민 정서가 확산되고 있다. 폴란드인이 모여 사는 런던 서쪽의 거리에 "더 이상 폴란드 기생충은 필요 없다."라는 내용의 전단이 뿌려졌다. 최근 영국에서는 이민자들이 일자리를 빼앗고 각종 복지 혜택을 공짜로 누린다고 주장하는 사람들이 증가하고 있다. 이러한 제노포비아(외국인 혐오) 현상은 영국만의 일이 아니다. 스위스의 한 정당은 흰 양이 검은 양을 스위스 국기 밖으로 내쫓는 선거 포스터를 만들어 국제 연합(UN)으로부터 비판을 받기도 하였다.

전체 댓글 136

- 갑 문화 간 충돌로 사회 통합이 어려워질 것 같아. 62 2
- 을 다양한 언어를 가진 사람들이 많아져 국가 경쟁력이 강화될 거야. 33 3
- 병 이주민들에 대한 차별은 오히려 범죄를 유발할 수 있어. 90 1
- 정 일자리를 둘러싸고 이주민 집단과 경쟁이 심해질 것 같아. 50 8
- 무 이주민들에 대한 편견이나 차별이 국제 문제로 번질 수도 있어. 99 1

① 갑　　② 을　　③ 병　　④ 정　　⑤ 무

---

15 다음 국제 선언문의 내용에 대한 옳은 설명을 〈보기〉에서 고른 것은?

> 문화는 시공간에 여러 형태로 나타난다. (㉠)은/는 인류를 구성하는 집단과 사회의 정체성과 독창성을 구현한다. … 중략 … 이러한 의미에서 (㉠)은/는 인류의 공동 유산이며 현재와 미래 세대를 위한 혜택으로서 인식하고 확인해야 한다.

〈보기〉
ㄱ. 문화를 이해가 아닌 평가의 대상으로 간주하고 있다.
ㄴ. ㉠에는 '인류 보편적 문화'가 들어가는 것이 적절하다.
ㄷ. 다문화 사회에서 문화 상대주의의 필요성을 말하고 있다.
ㄹ. 문화 다양성을 보호하는 것이 윤리적 의무임을 말하고 있다.

① ㄱ, ㄴ　　② ㄱ, ㄹ　　③ ㄴ, ㄷ
④ ㄴ, ㄹ　　⑤ ㄷ, ㄹ

---

16 (가), (나)에 대한 옳은 설명을 〈보기〉에서 고른 것은?

> (가) 프랑스 학교에서는 특별 학급을 개설하여 이민자 자녀들이 프랑스어를 최대한 빨리 습득한 후 일반 학급의 정규 과정에 편입될 수 있도록 지도하고 있다.
> (나) 캐나다는 1971년 다문화주의를 선언하고 각각의 인종과 민족이 자신의 특성을 유지하면서 평등하게 캐나다 사회에 참여하는 정책을 실시하였다.

〈보기〉
ㄱ. (가)는 문화의 다원화, (나)는 정체성 통일을 추구한다.
ㄴ. (가)는 용광로 정책, (나)는 샐러드 볼 정책에 해당한다.
ㄷ. (가)는 (나)에 비해 주류 문화로의 동화를 강조할 것이다.
ㄹ. (가)와 (나) 모두 타문화에 대한 존중과 배려를 가장 중시할 것이다.

① ㄱ, ㄴ　　② ㄱ, ㄷ　　③ ㄴ, ㄷ
④ ㄴ, ㄹ　　⑤ ㄷ, ㄹ

---

17 밑줄 친 ㉠, ㉡에 대한 설명으로 옳은 것만을 〈보기〉에서 있는 대로 고른 것은?

> • 사회자: 김○○ 박사님께 '다문화 사회의 명암'에 대해 들어보기로 하겠습니다.
> • 김○○: 우리 사회는 지금까지 우리나라에 거주하는 외국인 주민들을 위해 다양한 ㉠정책적 배려를 해 왔습니다. 하지만 이러한 정책에 대한 많은 ㉡우려가 있는 것도 사실입니다.

〈보기〉
ㄱ. ㉠의 대표적인 사례로 '이주민 자녀들의 학업 기회 보장'을 들 수 있다.
ㄴ. ㉠의 대표적인 사례로 '이민자들에 대한 관용의 태도 갖기'를 들 수 있다.
ㄷ. ㉡은 ㉠의 실시로 인한 역차별 발생을 들 수 있다.
ㄹ. ㉡의 해소를 위해서는 관용의 실천이 필요하다.

① ㄱ, ㄴ　　② ㄱ, ㄹ　　③ ㄴ, ㄷ
④ ㄱ, ㄷ, ㄹ　　⑤ ㄴ, ㄷ, ㄹ

세계화와 평화

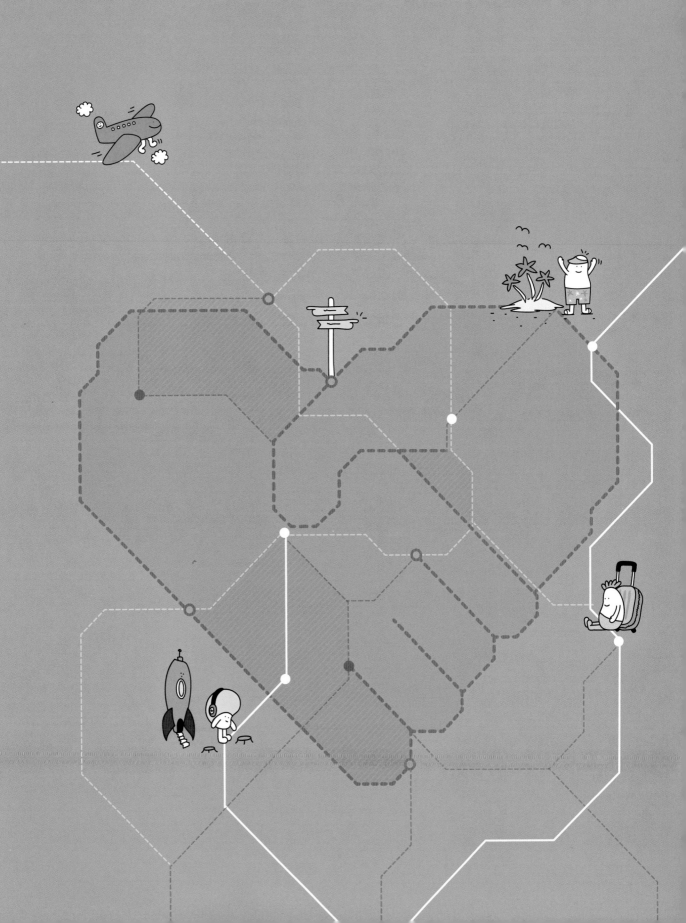

01 세계화의 양상과 문제의 해결

이것이 핵심!

세계화의 의미와 양상

의미	삶의 공간이 전 지구로 확대되고 전 세계가 하나로 통합되어 가는 현상
양상	· 다국적 기업의 성장 · 세계 도시의 발달

★ 세계 무역 기구(WTO)

국제 무역 확대, 국가 간의 무역 분쟁 조정과 세계 교역에 관한 연구 등의 목적을 위해 1995년 설립된 국제기구

★ 생산자 서비스업

상품과 서비스의 생산 및 유통 과정에 필요한 서비스업으로, 금융, 보험, 부동산업, 회계 서비스, 연구 개발 등이 이에 해당한다.

① 다양한 측면에서 전개되는 세계화

1. 세계화와 지역화

┌ 이동 시간과 비용이 줄어들면서 물리적 거리의 중요성이 감소하고 있어.

세계화	· 의미: 삶의 공간이 개별 국가의 국경을 넘어서서 전 지구로 확대되고, 전 세계가 통합되어 가는 현상 · 배경: 교통·통신의 발달로 상품, 사람, 정보 등의 교류와 이동 활발 → 국가 간·지역 간 상호 의존성 증대, ★세계 무역 기구(WTO) 출범 및 자유 무역의 확대
지역화	· 의미: 특정 지역의 독특한 사회적·문화적 특성이 세계적인 차원에서 가치를 지니게 되는 현상 · 배경: 세계화로 인해 각 지역이 세계의 다른 지역과 관계를 맺는 범위가 넓어지며 국가 단위가 아닌 지역 단위의 경쟁력이 중요해짐 ⑩ 지리적 표시제, 장소 마케팅

2. 다국적 기업

지리적 표시제	상품의 품질에 지역의 지리적 특성이 반영된 경우 지역의 이름을 표시하는 제도
장소 마케팅	특정 장소를 상품으로 인식하고 개발하여 지역의 가치를 상승시키는 전략

(1) **다국적 기업**: 세계 여러 국가에 자회사, 지점, 생산 공장 등을 두고 생산과 판매 활동을 하는 기업

(2) **다국적 기업의 공간적 분업** 교과서 자료

본사	자본과 우수한 인력 확보가 용이한 본국의 대도시에 주로 입지
연구소	대학 및 연구 시설이 밀집하고 전문 인력이 풍부한 선진국에 입지
생산 공장	임금 수준이 낮고 노동력이 풍부한 개발 도상국에 입지

3. 세계 도시의 의미와 기능 자료①

(1) **세계 도시**: 정치·경제·정보 등 다양한 측면에서 세계의 중심지 역할을 수행하는 도시 ┐

꾁! 대표적으로 뉴욕, 런던, 도쿄 같은 도시들이 있어. ┘

(2) **세계 도시의 기능**

① 회계·법률·광고 등의 전문화된 ★생산자 서비스업 발달, 다국적 기업의 본사 및 대형 금융 기관 밀집 → 전 세계의 자본과 정보 집중

② 다양한 국제기구의 본부 입지, 국제회의 및 행사 개최 → 인적·물적 교류 활발

이것이 핵심!

세계화에 따른 문제점과 해결 방안

국가 간 빈부 격차 심화
분배 정의 실현 및 공정 무역 확대
문화의 획일화
능동적인 외래문화 수용
보편 윤리와 특수 윤리 간 갈등
보편 윤리를 존중하며 각 사회의 특수 윤리 성찰

★ 공정 무역

무역을 통해 발생한 이익이 개발 노상국의 기업과 생산자에게 정당하게 돌아가도록 하는 무역 형태이자 윤리적 소비 운동

② 세계화에 따른 문제점과 해결 방안

1. 국가 간 빈부 격차 심화 자료②

양상	자유 무역의 확대로 높은 기술력과 충분한 자본을 지닌 선진국 및 다국적 기업은 이윤을 극대화하는 반면 상대적으로 경쟁력이 약한 국가나 기업은 쇠퇴함
해결 방안	· 분배 정의 실현: 국제기구와 선진국이 공적 개발 원조·기술 이전 등을 통해 개발 도상국 지원 · 개발 도상국의 경제적 자립을 돕는 ★공정 무역 및 공정 여행 확대

2. 문화의 획일화

┌ 꾁! 특히 문화의 상품화에서 유리한 위치를 차지하는 선진국의 제도나 생활 양식이 확산되며 선진국 문화가 보편화되고 있어.

양상	국가 간 문화 교류가 활발해지면서 전 세계의 문화가 비슷해짐
해결 방안	자국 문화의 정체성을 유지하면서 외래문화를 능동적으로 수용하는 자세가 필요함

3. 보편 윤리와 특수 윤리 간 갈등 — 왜? 인구의 국제 이동이 증가하면서 문화적 차이로 인한 갈등이 증가하고 있어.

양상	· 보편 윤리의 입장: 세계 시민으로서 인간 존엄성, 자유와 평등 같은 인류의 보편적 가치를 중시함 · 특수 윤리의 입장: 특정 사회에서만 공유하는 규범을 보편적 가치의 실현보다 우선시함
해결 방안	보편 윤리를 존중하는 가운데 각 사회의 특수 윤리를 성찰하는 태도가 필요함

완자 자료 탐구

내 옆의 선생님

수능이 보이는 교과서 자료

다국적 기업의 공간적 분업

└ 다국적 기업은 공간적 분업을 통해 특정 지역에 대한 의존도를 낮추어
 보다 안정적이고 효율적으로 기업을 운영할 수 있어.

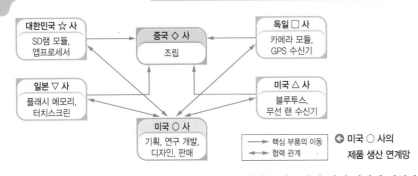

◁ 미국 ○ 사의
제품 생산 연계망

다국적 기업은 생산비를 절감하고 원료 및 현지 시장을 확보하기 위해 기업의 시설과 기능을 공간적으로 분업한다. 대표적 사례인 미국 ○ 사는 본국에서 제품을 설계하여 전 세계의 부품 회사에 외주를 주고, 그 부품을 중국의 공장에서 조립한다.

완자샘의 탐구 강의

• 다국적 기업의 공간적 분업에 따른 영향을 투자국과 투자 유치국으로 나누어 정리해 보자.

투자국 (본국)	• 긍정적 영향: 고급 인력에 대한 수요 증가
	• 부정적 영향: 생산 공장의 이전으로 실업률 증가
투자 유치국 (개발 도상국)	• 긍정적 영향: 고용 창출, 선진국의 기술 습득
	• 부정적 영향: 투자국에 대한 경제적 의존도 증가

함께 보기 217쪽, 내신 만점 공략하기 03

자료 1 세계 도시 ─┐세계 도시는 국제 금융에 미치는 영향력, 다국적 기업 본사의 수, 국제
기구 본부의 수, 인구 규모 등을 기준으로 계층별로 나눌 수 있어.

◁ 세계 도시 체계

세계 도시는 국제 금융 업무 기능, 생산자 서비스업 기능, 국제기구의 본부 등이 집중되어 세계 자본과 정치의 흐름을 주도하며, 세계 도시들은 기능적으로 유기적 관계를 맺고 있다.

꼭! 한 세계 도시에서 일어나는 변화는 연쇄적으로
다른 세계 도시에도 영향을 미치지.

자료 2 국가 간 빈부 격차 심화 ─┐빈부 격차의 심화는 국가 내 지역 간, 도시와 촌락 간,
또는 한 도시 내에서도 나타나고 있어.

◁ 국가별 1인당
국민 총소득

높은 부가 가치를 창출하는 첨단 산업이나 금융 서비스 산업 등은 주로 선진국에 위치하는 반면, 값싼 노동력이 필요한 제조업과 농업 부문은 대부분 개발 도상국이 담당하면서 이들 국가 간의 빈부 격차가 더욱 커지기도 한다.

문제 로 확인할까?

세계 도시에 대한 설명으로 옳지 <u>않은</u> 것은?

① 공적 개발 원조를 통해 성장한다.
② 자본의 집중도가 높게 나타난다.
③ 다국적 기업의 본사가 밀집해 있다.
④ 세계 도시들은 유기적인 관계를 맺고 있다.
⑤ 런던, 도쿄, 뉴욕은 대표적인 세계 도시이다.

① 📖

자료 하나 더 알고 가자!

공정 무역

공정 무역은 생산자의 경제적 자립과 지속 가능한 발전을 위해 생산자에게 더 많은 이익이 돌아갈 수 있도록 유통 구조를 단순화한 무역 형태를 의미한다.

STEP 1 핵심 개념 확인하기

1 다음 괄호 안의 내용 중 알맞은 말에 ○표를 하시오.

(1) 세계 도시에는 (생산자, 소비자) 서비스업이 집중되어 있다.

(2) 교통·통신의 발달과 물자의 이동 범위 확대로 국가 간 상호 의존도가 (높아지고, 낮아지고) 있다.

(3) 특수한 지역적 요소들이 지역의 수준을 넘어 세계적으로 그 가치를 인정받는 현상을 (세계화, 지역화)라고 한다.

2 다음 빈칸에 들어갈 내용을 쓰시오.

(1) 삶의 공간이 개별 국가의 국경을 넘어 전 지구로 확대되는 현상을 (   )라고 한다.

(2) 다국적 기업의 생산 공장은 임금 수준이 낮고 노동력이 풍부한 (   )에 주로 입지한다.

3 다음 설명이 맞으면 ○표, 틀리면 ×표를 하시오.

(1) 세계화 과정에서 선진국은 문화의 상품화에서 불리한 위치를 차지한다. (   )

(2) 세계화로 특정 지역의 문화가 전 세계로 확산되면서 문화의 다양성이 강화된다. (   )

(3) 다국적 기업은 생산과 판매 등 활동 범위가 여러 나라에 걸쳐진 기업을 의미한다. (   )

4 다음 빈칸에 들어갈 용어를 〈보기〉에서 골라 기호를 쓰시오.

> **보기**
> ㄱ. 자유 무역   ㄴ. 세계 도시   ㄷ. 보편 윤리

(1) 세계화 시대에 개별 국가의 경계를 뛰어넘어 세계적인 중심지 역할을 수행하는 도시를 (   )라고 한다.

(2) 세계 시민으로서 인간의 존엄성, 자유와 평등 같은 인류의 보편적 가치를 중시하는 것은 (   )의 입장이다.

(3) (   )의 확대로 선진국과 개발 도상국이 전 지구적 규모로 경쟁하며 국가 간 빈부 격차 문제가 심화되고 있다.

STEP 2 내신 만점 공략하기

01 세계화와 지역화에 대한 설명으로 옳지 **않은** 것은?

① 세계화는 교통·통신의 발달로 국가 간 상호 의존성이 심화되는 현상이다.

② 세계화에 따라 국제적 분업이 확대되며 국가 간 빈부 격차가 완화되고 있다.

③ 지역 경쟁력을 갖추기 위한 전략에는 장소 마케팅, 지리적 표시제 등이 있다.

④ 오늘날에는 정치·경제·문화적 측면에서 세계화가 활발하게 이루어지고 있다.

⑤ 지역화는 특정 지역의 독특한 특성이 세계적인 차원에서 가치를 지니는 현상이다.

02 지도에 표시된 도시의 공통적인 특징으로 옳지 **않은** 것은?

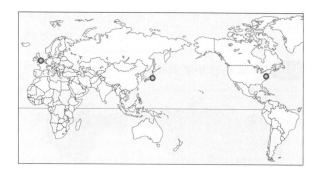

① 세계적으로 중심지 역할을 하는 도시이다.

② 대기업이나 다국적 기업의 생산 공장이 밀집해 있다.

③ 각 도시는 기능적으로 상호 유기적 관계를 맺고 있다.

④ 국제기구가 다수 입지해 있어 국제회의 등이 개최된다.

⑤ 회계·법률·광고 같은 생산자 서비스업이 발달한 도시이다.

[03~04] 지도는 ○○ 기업의 기능별 입지 분포를 나타낸 것이다. 물음에 답하시오.

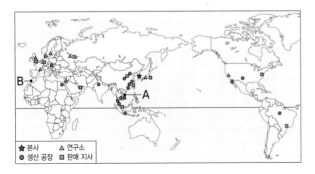

★ 본사   △ 연구소
● 생산 공장   ■ 판매 지사

03 위 지도에 대한 옳은 분석을 〈보기〉에서 고른 것은?

┌─ 보기 ─────────────────────────────┐
ㄱ. 본사는 판매 지사에 비해 공간적으로 분산되어 있다.
ㄴ. 연구소와 생산 공장은 모두 같은 지역에 입지하고 있다.
ㄷ. 생산 공장은 주로 저렴한 노동력이 풍부한 지역에 입지하고 있다.
ㄹ. ○○ 기업은 여러 국가에서 생산과 판매 활동을 하는 다국적 기업이다.
└────────────────────────────────┘

① ㄱ, ㄴ   ② ㄱ, ㄷ   ③ ㄴ, ㄷ
④ ㄴ, ㄹ   ⑤ ㄷ, ㄹ

04 ○○ 기업의 생산 공장이 A 지역에서 B 지역으로 이전했을 때 B 지역에서 나타날 수 있는 모습을 적절하게 추론하지 못한 학생은?

① 갑: 고용 기회가 확대될 거야.
② 을: 선진국의 기술 및 경영 기법을 배울 수 있을 거야.
③ 병: 기술 수준이 낮은 산업의 경쟁력이 약화될 수 있어.
④ 정: 기업의 본사가 있는 국가에 대한 경제적 의존도가 높아질 수 있어.
⑤ 무: 본사의 의사 결정 기능도 생산 공장을 따라 B 지역으로 이전해 올 거야.

05 다음 사례에 나타난 세계화에 따른 문제점에 대한 설명으로 옳지 않은 것은?

┌────────────────────────────────┐
국제 부흥 개발 은행(IBRD)에 따르면 2015년 최상위 20개국의 평균 1인당 국내 총생산은 5만 달러가 넘지만, 최하위 20개국의 평균 1인당 국내 총생산은 1만 달러 미만이다. 1975년부터 2015년까지 최상위 20개국과 최하위 20개국의 평균 1인당 국내 총생산의 차이는 64배에서 106배로 격차가 벌어졌다.
└────────────────────────────────┘

① 보호 무역의 확산으로 점차 심화되고 있다.
② 국가 내 지역 간, 도시와 촌락 간에서도 발생한다.
③ 세계화로 증대된 부가 일부 선진국에 집중되면서 발생한다.
④ 국제기구의 공적 개발 원조·기술 이전을 통해 해결할 수 있다.
⑤ 자본력과 생산 능력이 다른 국가들이 세계적인 규모로 경쟁하면서 발생한다.

06 ㉠에 대한 옳은 설명을 〈보기〉에서 고른 것은?

┌────────────────────────────────┐
최근 주목받고 있는 (㉠)은/는 개발 도상국의 현지인에게 혜택이 돌아가도록 하는 무역 형태이다. (㉠)의 주요 제품으로는 개발 도상국에서 생산하는 커피, 초콜릿, 설탕 등이 있다.
└────────────────────────────────┘

┌─ 보기 ─────────────────────────────┐
ㄱ. 생산지 환경의 지속 가능성을 추구한다.
ㄴ. 기존의 무역 방식에 비해 유통 구조가 복잡하다.
ㄷ. 생산자의 이윤을 줄여 소비사의 이익을 증대시킨다.
ㄹ. 개발 도상국 생산자의 경제적 자립에 기여할 수 있다.
└────────────────────────────────┘

① ㄱ, ㄴ   ② ㄱ, ㄹ   ③ ㄴ, ㄷ
④ ㄴ, ㄹ   ⑤ ㄷ, ㄹ

07 제시된 사례에 공통으로 나타난 문제점을 해결하기 위한 방안으로 가장 적절한 것은?

> • 사례 1: 영어의 영향력이 커지면서 일부 국가 또는 소수 민족이 사용하는 언어가 사라질 위기에 처해 있다.
> • 사례 2: 부모님과 자주 해외여행을 다니는 갑은 세계 어느 나라를 가든 맛볼 수 있는 햄버거와 피자를 보면서 왜 세계 어디에나 이런 비슷한 음식이 있는 건지 의문이 들었다.

① 절대적인 기준을 가지고 문화를 평가한다.
② 소수 민족의 문화에 대한 개선점을 찾는다.
③ 선진국의 문화를 흡수하여 새로운 문화를 형성한다.
④ 문화에 대한 평가는 그 국가의 특수 윤리적 측면보다는 보편적 윤리에 기초해야 한다.
⑤ 자국 문화의 정체성을 유지하면서 외래문화를 능동적으로 수용하는 자세를 가져야 한다.

08 밑줄 친 ㉠~㉢에 대한 옳은 설명을 〈보기〉에서 고른 것은?

> 싱가포르는 ㉠ 공공 시설물 파손을 엄격하게 처벌하는 것으로 유명하다. 싱가포르 정부는 지난 1994년 미국의 10대 소년에게 자동차와 공공 자산을 파손한 혐의로 태형 6대를 집행하였다. 당시 미국의 대통령은 싱가포르 정부에 선처를 호소하였고, 여러 인권 단체가 ㉡ 태형이 인간 존엄성을 훼손하는 처벌 방법이라고 항의하였다. 그러나 ㉢ 싱가포르 정부는 법원의 명령에 따라 태형을 집행하여 국제적 논란이 일어났다. ─「뉴스」, 2015. 3. 5.

보기
ㄱ. ㉠ - 싱가포르 사회에서 중시되는 특수한 가치이다.
ㄴ. ㉡ - 개별 국가가 처한 사회적·경제적 상황을 고려한 행위이다.
ㄷ. ㉡ - 세계 시민으로서 보편적 가치를 중시해야 한다는 입장이다.
ㄹ. ㉢ - 세계화에 나라 보편적 가치가 확산되면서 이와 같은 갈등은 점차 줄어들고 있다.

① ㄱ, ㄴ
② ㄱ, ㄷ
③ ㄴ, ㄷ
④ ㄴ, ㄹ
⑤ ㄷ, ㄹ

---

01 다음 자료를 보고 물음에 답하시오.

📈 연간 국내외 자동차 생산 규모 추이

세계적인 (㉠)인 △△ 기업이 올해 국외에서 생산하는 자동차 대수가 연간 기준으로 국내 생산 물량을 앞지를 것으로 예측하였다. 1989년 △△ 기업이 캐나다에서 첫 해외 생산을 한 지 27년 만이다. 이는 국내 생산 업체들의 현지화 전략에 따른 것이다. ─「헤럴드경제」, 2016. 5. 3.

(1) ㉠에 들어갈 개념을 쓰시오.

(2) 위 자료와 같은 추세가 지속될 경우 우리나라 경제에 미칠 수 있는 긍정적·부정적 영향을 서술하시오.

길잡이 다국적 기업의 공간적 분업이 투자국의 경제에 미치는 영향에 대해 생각해 본다.

02 다음 글을 통해 알 수 있는 세계화의 영향을 **두 가지** 서술하시오.

> • 세계의 네티즌들은 인터넷을 통해 세계 각국에서 유행하는 음악, 패션, 영화 등을 시·공간의 제약 없이 빠르게 받아들일 수 있게 되었다. 전 지구적 차원에서 문화적 공감대가 형성될 수 있는 시대가 온 것이다.
> • 세계화는 지구촌을 단일 시장으로 만들고 있다. 자국의 상품을 보다 많이 팔기 위한 경쟁이 국가 간에 치열하게 진개되며, 자유 무역이 확대됨에 따라 기술과 자본력에서 우위를 점하고 있는 선진국에 유리한 무역 환경이 조성되고 있다.

길잡이 세계화로 인한 문화적·경제적 변화가 드러나도록 서술한다.

STEP 3

1등급 정복하기

1 다음은 '세계화' 관련 단원의 핵심 개념을 정리한 노트이다. ㉠~㉣에 들어갈 내용으로 적절한 것을 〈보기〉에서 고른 것은?

> 다양한 측면에서 전개되는 세계화

주제어	개념	조사 내용
세계화	삶의 공간이 개별 국가의 국경을 넘어 전 지구로 확대됨	㉠
지역화	특정 지역의 사회·문화적 특성이 세계적 차원에서 의미를 지니게 됨	㉡
다국적 기업	세계적인 규모로 생산과 판매 활동을 하는 기업	㉢
세계 도시	정치·경제 등 다양한 측면에서 세계적인 중심지 역할을 수행하는 대도시	㉣

보기

ㄱ. ㉠ – 교통·통신의 발달에 따라 물리적 거리의 중요성이 증가하고 있다.
ㄴ. ㉡ – 오스트리아 빈에서 모차르트를 활용한 지역 축제를 열고 있다.
ㄷ. ㉢ – 기업의 공간적 분업이 확대되면서 전체 노동자 중 해외 노동자의 비율이 늘고 있다.
ㄹ. ㉣ – 저임금 노동력이 풍부하기 때문에 다국적 기업의 본사가 밀집해 있다.

① ㄱ, ㄴ ② ㄱ, ㄷ ③ ㄴ, ㄷ
④ ㄴ, ㄹ ⑤ ㄷ, ㄹ

교육청 응용

2 ㉠, ㉡에 대한 옳은 설명을 〈보기〉에서 고른 것은?

> 세계 도시의 특징

> **완자쌤의 시험 꿀팁**
> 세계 도시가 수행하는 기능과 전 세계에 끼치는 영향력을 이해하고 있어야 한다.

- 국제 금융의 중심지인 (㉠)은/는 정보 기술(IT) 산업의 허브이자 국제 자본의 네트워크를 이끌고 있다. 또한 이곳에는 세계 경제의 수도라고 불리는 월가(街)가 있으며, 도시민들의 문화생활을 위한 박물관이 입지해 있다.
- 동아프리카의 관광지로 유명한 (㉡)은/는 도시 역사는 짧지만 인근 지역의 물류, 경제, 문화의 중심지이다. 도시 인구의 절반 이상이 다국적 기업 ○○ 사의 생산 공장에서 근무하고 있으며, 도시의 일부 지역에는 슬럼가가 형성되어 있다.

보기

ㄱ. ㉠은 ㉡에 비해 국제기구의 본부가 적게 입지할 것이다.
ㄴ. ㉠은 ㉡보다 세계 경제에서 의사 결정 영향력이 클 것이다.
ㄷ. ㉡은 ㉠에 비해 다국적 기업의 본사 수가 많을 것이다.
ㄹ. ㉡은 ㉠보다 생산자 서비스업에 종사하는 인구 비중이 작을 것이다.

① ㄱ, ㄴ ② ㄱ, ㄷ ③ ㄴ, ㄷ
④ ㄴ, ㄹ ⑤ ㄷ, ㄹ

02 국제 사회의 모습과 평화의 중요성

학습목표
• 국세 사회의 행위 주체의 역할을 설명할 수 있다.
• 평화의 의미와 중요성을 이해할 수 있다.

이것이 핵심!

국제 사회의 행위 주체

국가	가장 기본적 행위 주체
정부 간 국제 기구	각국 정부를 회원으로 하는 행위 주체
국제 비정부 기구	개인과 민간단체를 회원으로 하는 행위 주체
기타	국가 내부적 행위체, 영향력 있는 개인, 다국적 기업 등

★ **국제 사회**
다양한 행위 주체들이 한 국가의 영역을 넘어 상호 교류하는 사회

★ **국제 협력의 사례**
국가 원수의 만남을 통한 정상 회담, 국제 스포츠 대회를 통한 상호 교류와 이해 증진(올림픽, 월드컵 등), 기아·빈곤·질병에 대한 협조 체제, 재난과 테러, 환경 문제에 대한 공동 대응

★ **국제법**
국가 간의 협의에 따라 국가 간 권리·의무 등을 규정한 국제 사회의 법률

① 국제 사회 행위 주체의 역할

1. *국제 사회의 갈등과 협력 교과서 자료

(1) **국제 갈등의 원인**: 자원, 영토, 민족, 종교, 언어 등을 둘러싼 이해관계의 대립, 지나친 경쟁, 자국의 이익을 우선적으로 추구하는 경향 등

(2) **국제 갈등의 특징**: 여러 가지 원인이 얽혀 발생함, 특정 지역의 갈등이 전 지구적 영향을 끼침

(3) *국제 협력의 필요성 증가

① 국가 간 상호 의존도가 높아지면서 [한 국가의 노력만으로는 해결하기 어려운 문제가 증가함]
── 국제 갈등을 해결하는 가장 바람직한 방법이야.

② 갈등 당사자 간의 합의를 통한 평화적 해결 이외에도 국제기구나 국제 비정부 기구를 통한 조정, 국가 간 협약 또는 *국제법 등을 통한 해결 필요

꼭! 국제 사회의 다양한 행위 주체들은 인권 존중, 자유와 평등, 평화 등 인류의 보편적 가치와 국제 평화를 실현하기 위해 노력하고 있어.

2. 국제 사회의 행위 주체 자료①

국가	• 의미: 독립된 주권을 가진 국제 사회의 가장 기본적이고 대표적인 행위 주체 • 역할: 자국의 이익과 자국민 보호를 위한 외교 활동을 최우선으로 함, 국제 사회에서 법적 지위를 가지고 공식적으로 활동함
정부 간 국제기구	• 의미: 각국의 정부를 회원으로 하는 행위 주체 • 역할: 국가 간 분쟁 및 이해관계를 조정하고 국제 규범을 정립함 • 종류: 국제 연합(UN), 세계 보건 기구(WHO), 국제 통화 기금(IMF) 등
국제 비정부 기구	• 의미: 개인이나 민간단체를 회원으로 하는 행위 주체 • 역할: 국제적인 연대 활동을 통해 환경 보호·인권 보장 등 지구촌 공통의 문제를 제기하고 공동의 노력을 끌어냄 • 종류: 국경 없는 의사회, 그린피스, 국제 사면 위원회 등
그 밖의 행위 주체	• 국가 내부적 행위체: 한 국가에 속해 있지만 독자적인 영역에서 국제적으로 활동함 ─ 예 개별 국가 내의 지방 정부 • 기타: 영향력 있는 개인, 다국적 기업 등

── 강대국의 전직 국가 원수, 노벨상 수상자, 국제 연합(UN) 사무총장 등이 이에 해당해.

이것이 핵심!

평화의 의미

소극적 평화	직접적·물리적 폭력이 없는 상태
적극적 평화	직접적 폭력뿐만 아니라 구조적·문화적 폭력까지 제거된 상태

★ **구조적 폭력**
빈곤, 정치적 독재, 경제적 착취, 사회적 차별과 소외 등 사회 구조 자체가 가하는 폭력

★ **문화적 폭력**
종교·사상·언어·예술·과학 등의 문화적 영역이 직접적 폭력이나 구조적 폭력을 정당화하는 데 이용되는 것

② 평화의 의미와 중요성

1. 평화의 의미 자료②

소극적 평화	• 의미: 전쟁, 범죄, 테러와 같은 직접적·물리적 폭력이 없는 상태 • 한계: 직접적 폭력의 원인이 근본적으로 해결된 것은 아님
적극적 평화	• 의미: 직접적 폭력뿐만 아니라 빈곤, 기아, 차별 및 불평등과 같은 *구조적·문화적 폭력까지 모두 제거된 상태 • 의의: 모든 사람이 인간의 존엄성을 보장받으며 안전하고 행복한 삶을 살아갈 수 있음

꼭! 적극적 평화의 실현이 진정한 의미의 평화라고 할 수 있어.

2. 평화의 중요성

소극적 평화의 실현이라고 볼 수 있어.

(1) **인류의 안전과 생존 보장**: 전쟁과 폭력에서 벗어나 안전하게 살아갈 수 있는 환경을 조성함

(2) **인류의 삶의 질 향상**: 빈곤과 기아, 각종 차별 및 불평등을 해소하여 인류가 행복, 복지, 번영을 누릴 수 있는 상태로 발전하게 함

(3) **인류의 축적된 지혜와 가치 보존**: 인류가 지금까지 쌓아 온 자연환경과 문화유산을 보존하여 물질적 풍요와 함께 정신적 문화의 가치를 현재 세대는 물론 미래 세대에까지 전수함

완자 자료 탐구

내 옆의 선생님

국제 사회의 다양한 갈등 양상

- 벨기에 언어 갈등
- 구유고슬라비아 지역의 분쟁 (보스니아 내전, 코소보 전쟁)
- 카스피해 영유권 분쟁
- 카슈미르 분쟁
- 북아일랜드 분쟁
- 난사 군도의 영유권 분쟁 (스프래틀리 군도, 쯔엉사 군도, 카라얀 군도)
- 콜롬비아 반정부 운동
- 나이지리아 부족·종교 대립
- 팔레스타인 분쟁
- 모로족의 분리 독립 운동
- 대서양
- 태평양
- 인도양

(한국 국방 연구원, 2016)

◑ 세계의 주요 분쟁 지역

오늘날 지구촌에서는 자원, 영토, 민족, 종교 등 다양한 원인에 의해 국제 갈등이 일어나고 있다. 국제 갈등은 하나의 원인에 의해서 발생하기보다는 여러 가지 원인이 복합적으로 작용하여 발생하며, 국제 사회의 행위 주체들이 협력함으로써 해결할 수 있다.

완자샘의 탐구강의

• 지도를 통해 알 수 있는 국제 갈등의 특징을 써 보자.

지도를 살펴보면 벨기에는 언어, 카스피해는 영토·자원, 나이지리아는 부족·종교 등 각각의 지역이 다양한 원인으로 인해 갈등을 겪고 있다. 이를 통해 국제 갈등은 여러 가지 원인이 복합적으로 작용하여 발생한다는 것을 알 수 있다.

함께보기 225쪽, 1등급 정복하기 1

자료 ① **국제 평화를 실현하기 위한 국제 사회 행위 주체의 역할**

• 정부 간 국제기구

포르투갈로부터 독립한 동티모르는 1976년 인도네시아의 일부로 강제 편입되었다. 이후 20여 년간 동티모르 주민들이 독립을 위해 노력한 결과 국제 연합(UN)의 주관으로 동티모르의 독립과 자치를 결정하는 주민 투표가 실시되었다. 그 결과 동티모르는 2002년에 독립 국가로 공식 선언되었다.

• 국제 비정부 기구

국경 없는 의사회는 전쟁과 자연재해, 전염병 등으로 모두가 꺼리는 곳에서 마지막까지 구호 활동을 펼친다. 1980년에는 아프가니스탄 전쟁의 한복판에 뛰어들어 부상자들을 치료했다. 이후 2014년 서아프리카 에볼라 사태 당시에도 4,000명의 의료진과 활동가들이 투입돼 감염병 환자들을 치료했다.

국제 연합(UN)과 같은 정부 간 국제기구는 분쟁 당사국이 원만한 해결을 모색할 수 있도록 중재하는 역할을 한다. 그리고 국경 없는 의사회와 같은 국제 비정부 기구는 인도주의적 구호 활동을 통해 인권 침해를 방지하는 역할을 한다.

정리 비법을 알려줄게!

정부 간 국제기구와 국제 비정부 기구의 비교

정부 간 국제기구	• 회원: 각국의 정부 • 역할: 국가 간 이해관계 조정, 국제 규범 정립 등
국제 비정부 기구	• 회원: 개인이나 민간단체 • 역할: 개별 국가의 이해관계에서 벗어나 국제적 연대를 통해 범세계적 문제를 제기하고 공동의 노력을 이끌어냄

자료 ② **소극적 평화와 적극적 평화의 측면에서 본 남북한의 갈등 상황**

우리 민족은 6·25 전쟁으로 가족을 잃거나 생존을 위협받는 등의 직접적 폭력을 경험한 바 있다. 전쟁이 끝나고 휴전 협정을 맺으면서 어느 정도 소극적 평화는 달성된 것으로 보인다. 다만 적극적 평화를 실현하기 위해서는 북한 주민들에 대한 식량 원조, 남북 이산가족 상봉 등도 필요하겠지만 궁극적으로는 자유롭고 정의로운 통일 한국을 이룩하여 직접적 폭력, 구조적 폭력, 문화적 폭력까지 제거하려는 노력이 필요하다.

남북한의 모든 국민들이 인간다운 삶을 누리기 위해서는 남북통일을 통해 전쟁이나 분쟁 등의 직접적 폭력은 물론 빈곤, 기아, 차별 및 불평등과 같은 구조적·문화적 폭력까지 제거된 적극적 평화를 정착시켜야 한다.

문제로 확인할까?

사회 제도와 관습, 경제적 상태, 정치나 법률로 인해 발생하는 억압과 착취 등에 의한 폭력을 ( ) 폭력이라고 한다.

답구조적

1 국제 사회에서 개별 국가들은 (   )을 우선적으로 추구하며 치열하게 경쟁한다.

2 다음 설명이 맞으면 ○표, 틀리면 ✕표를 하시오.

(1) 국가 간 교류가 증가하면서 오늘날 국제 협력은 점차 감소하고 있다. (   )

(2) 국제 사회를 구성하는 가장 기본적인 행위 주체는 정부 간 국제기구이다. (   )

(3) 국제 사회의 갈등과 분쟁은 일반적으로 여러 가지 원인이 복잡하게 얽혀 발생하는 경우가 많다. (   )

3 국제 사회의 행위 주체와 그 종류를 옳게 연결하시오.

(1) 정부 간 국제기구 •   • ㉠ 국제 연합(UN)

(2) 국제 비정부 기구 •   • ㉡ 국경 없는 의사회

4 다음에서 설명하는 국제 사회의 행위 주체를 〈보기〉에서 골라 기호를 쓰시오.

보기
ㄱ. 국가   ㄴ. 정부 간 국제기구   ㄷ. 국제 비정부 기구

(1) 각국의 정부를 회원으로 하는 국제 사회의 행위 주체이다. (   )

(2) 개인이나 민간단체를 회원으로 하는 국제 사회의 행위 주체이다. (   )

(3) 독립적인 주권을 행사하며, 국제 사회에서 공식적인 활동을 할 수 있는 자격이 있다. (   )

5 소극적 평화에 해당하는 설명에는 '소', 적극적 평화에 해당하는 설명에는 '적'이라고 쓰시오.

(1) 물리적 폭력이 없는 상태의 평화를 의미한다. (   )

(2) 직접적 폭력뿐만 아니라 구조적·문화적 폭력까지 모두 제거된 상태의 평화를 의미한다. (   )

01 국제 갈등과 협력에 대한 진술로 적절하지 **않은** 것은?

① 국제 갈등은 어느 한 국가의 노력만으로는 해결이 어렵다.

② 국제 갈등은 국제기구의 개입을 통해서만 해결이 가능하다.

③ 국가의 이익을 둘러싼 치열한 경쟁으로 국제 갈등이 발생하고 있다.

④ 국제 갈등은 여러 가지 원인이 복잡하게 얽혀 발생하는 경우가 많다.

⑤ 국가 간 상호 의존도가 높아짐에 따라 국제 협력의 필요성도 증가하고 있다.

02 다음 사례에 대한 분석으로 가장 적절한 것은?

> 20세기 초 남극 대륙을 놓고 영유권 분쟁이 심화하자, 영유권을 주장하는 7개국(영국, 프랑스, 아르헨티나, 칠레, 노르웨이, 오스트레일리아, 뉴질랜드)과 그 외 5개국(남아프리카 공화국, 미국, 벨기에, 소련, 일본)이 1959년에 '남극 조약'을 체결했다. 이 조약에 따라 남극 대륙은 누구도 영유권을 주장할 수 없고, 과학 연구 등 오직 평화적 목적으로만 이용할 수 있다.

① 개별 국가를 초월하는 국제기구가 갈등을 조정하였다.

② 영유권이 있는 강대국이 주도적으로 갈등을 해결하였다.

③ 갈등 당사자 간의 대화와 양보가 원만하게 이뤄지지 못했다.

④ 국가 간의 협의에 따라 국제 협약을 통해 갈등을 해결하였다.

⑤ 자국의 이해관계에 따라 발생한 갈등이므로 협력이 불가능했다.

03 국제 사회의 행위 주체인 국가에 대한 설명으로 옳은 것은?

① 국제 사회의 유일한 행위 주체로서 활동한다.

② 영토의 크기와 관계없이 독립적인 주권을 행사한다.

③ 정부를 구성 단위로 하여 국제적인 연대 활동을 한다.

④ 다국적 기업의 등장으로 국제 사회에서 영향력이 커졌다.

⑤ 자국의 이익보다 국제 사회의 보편적인 가치를 우선한다.

04 밑줄 친 ⊙, ⓒ에 해당하는 국제 사회의 행위 주체에 대한 옳은 설명을 〈보기〉에서 고른 것은?

포르투갈로부터 독립한 ⊙ 동티모르는 1976년 인도네시아의 일부로 강제 편입되었다. 그 후 동티모르와 인도네시아는 20여 년간 분쟁을 겪었다. 동티모르 주민들이 독립을 위해 노력한 결과 ⓒ 국제 연합(UN)의 주관으로 동티모르의 독립과 자치를 결정하는 주민 투표가 실시되었고 그 결과 동티모르는 2002년 독립 국가로 공식 선언되었다.

┌ 보기 ┐
ㄱ. ⊙은 국제 사회의 가장 기본적인 행위 주체이다.
ㄴ. ⓒ은 대표적인 국제 비정부 기구에 해당한다.
ㄷ. ⓒ은 ⊙을 회원으로 하여 국제 활동을 펼친다.
ㄹ. ⓒ은 ⊙과 달리 자국민 보호를 위한 외교 활동을 최우선으로 한다.

① ㄱ, ㄴ   ② ㄱ, ㄷ   ③ ㄴ, ㄷ
④ ㄴ, ㄹ   ⑤ ㄷ, ㄹ

05 ⊙에 해당하는 국제 사회의 행위 주체에 대한 설명으로 옳은 것은?

나이지리아 북동부 지역에 거주하는 주민 수십만 명이 기근 직전 상황에 있음이 밝혀졌다. 이 지역은 지난 수년간 이슬람 무장 단체와 나이지리아군의 무력 충돌에 직접적으로 영향을 받은 곳이다. (⊙)은/는 지속적으로 피난민들에게 영양실조 치료, 홍역 백신 투여 등의 의료 활동과 긴급 구호 식량 공급 등의 지원을 하고 있다.

① 각국의 정부를 회원으로 한다.
② 국제 사회에서 통용되는 규범을 정립한다.
③ 독립된 주권을 가진 국제 사회의 행위 주체이다.
④ 외교 활동을 통해 자국의 이익을 증진하는 데 힘쓴다.
⑤ 환경 보호, 인권 보장 등 인류 공동의 이익을 위해 노력한다.

06 (가), (나)에 대한 설명으로 옳지 않은 것은?

(가) 세계 여러 나라에 제조 및 판매 회사를 두고 생산 활동을 하는 기업을 뜻한다. 따라서 이들에게 국적과 국경은 큰 의미가 없다.
(나) 지미 카터 전 미국 대통령은 퇴임 후 더욱 활발하게 활동하고 있다. 집이 없는 사람에게 무료로 집을 지어 주는 봉사 활동을 전 세계에서 펼치고, 대북 특사를 자청하여 한반도의 전쟁 위기를 막아내는 등 국제 사회의 평화를 위한 다양한 활동을 전개해 나가고 있다.

① (가)는 세계화로 인해 그 영향력이 커지고 있다.
② (나)는 국가 내부에 속해 있지만 국제 사회에 영향력을 행사하는 개인에 해당한다.
③ (가)와 (나) 모두 국제 사회에서 법적 지위를 가지고 있다.
④ (가)와 (나) 모두 초국가적 행위 주체라고 할 수 있다.
⑤ (가)와 (나) 모두 개별 국가의 정책에 영향력을 행사하기도 한다.

07 갑과 을의 입장에 대한 옳은 분석 및 추론을 〈보기〉에서 고른 것은?

· 갑: 진정한 평화는 전쟁, 테러와 같은 직접적이고 물리적인 폭력이 없는 상태를 의미합니다.
· 을: 진정한 평화는 직접적 폭력뿐만 아니라 차별, 빈곤 등 구조적인 폭력과 종교, 사상 등 문화를 통해 행해지는 폭력까지 사라진 상태를 의미합니다.

┌ 보기 ┐
ㄱ. 갑은 사회 제도로부터 비롯되는 억압도 폭력이라고 본다.
ㄴ. 갑은 평화를 실현하기 위해서는 물리적 폭력을 제거하는 것이 가장 중요하다고 본다.
ㄷ. 을은 국가 간 전쟁이 없는 상태가 진정한 의미의 평화라고 본다.
ㄹ. 을은 평화를 실현하기 위해 모든 인류가 빈곤, 기아, 차별로부터 자유로워야 함을 강조할 것이다.

① ㄱ, ㄴ   ② ㄱ, ㄷ   ③ ㄴ, ㄷ
④ ㄴ, ㄹ   ⑤ ㄷ, ㄹ

08 밑줄 친 ㉠, ㉡에 대한 옳은 설명을 〈보기〉에서 고른 것은?

> 평화는 ㉠ 소극적 평화와 ㉡ 적극적 평화로 구분할 수 있다. 전쟁과 테러가 지속되는 국제 사회에서 소극적 평화는 중요한 목표이다. 그러나 소극적 평화는 직접적 폭력의 원인이 근본적으로 해결되지 않은 상태라는 점에서 한계가 있다.

보기
ㄱ. ㉠은 인권 침해가 발생하지 않는 상태이다.
ㄴ. ㉠은 빈곤, 정치적 독재, 사회적 차별 등으로 인한 고통을 무시할 수 있다.
ㄷ. ㉡은 모든 인류가 인간의 존엄성을 보장받는 상태이다.
ㄹ. ㉡은 종교, 사상, 언어 등 문화적 요인이 가하는 폭력이 남아 있는 상태이다.

① ㄱ, ㄴ   ② ㄱ, ㄷ   ③ ㄴ, ㄷ
④ ㄴ, ㄹ   ⑤ ㄷ, ㄹ

09 다음 글을 쓴 사람의 입장으로 가장 적절한 것은?

> 전쟁이 없는 상태를 넘어 모든 종류의 폭력이 없거나 감소한 상태가 평화이다. 이러한 평화를 저해하는 직접적이고 구조적인 폭력과 이를 정당화하는 문화적 폭력은 평화적 수단으로 해소해야 한다.

① 국내외적으로 전쟁이 일어나지 않는 상태가 평화라고 본다.
② 종교나 사상의 차별에서 비롯하는 폭력은 정당하다고 본다.
③ 직접적 폭력의 요인을 제거하면 간접적 폭력도 사라진다고 본다.
④ 평화를 실현하기 위해서는 폭력적 수단의 사용이 불가피하다고 본다.
⑤ 세대 간 또는 노사 간 갈등으로 발생하는 인권 침해도 폭력이 될 수 있다고 본다.

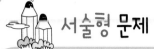 서술형 문제
● 정답친해 76쪽

01 다음 내용을 보고 물음에 답하시오.

> (가) 국제 통화 기금(IMF), 세계 보건 기구(WHO)
> (나) 굿네이버스, 국제 사면 위원회(국제 앰네스티, AI)

(1) (가), (나)와 같은 국제 사회의 행위 주체를 무엇이라고 하는지 각각 쓰시오.

(2) (가), (나)에 해당하는 국제 사회 행위 주체의 역할을 각각 두 가지 이상 서술하시오.

길잡이 각 행위 주체가 국제 사회의 문제 해결에 기여하는 바를 중심으로 서술한다.

02 다음 대화를 보고 물음에 답하시오.

> • 갑: 국가 간 무력 충돌이 없고 각 나라의 주권이 외부의 간섭을 받지 않는 상태가 평화입니다. 이를 실현하기 위해 직접적·물리적 폭력의 제거가 필요합니다.
> • 을: 하지만 물리적 폭력이 제거되었다고 해서 진정한 평화가 실현된 것은 아닙니다. 인간에게 가해지는 사회적 차별, 문화적 차별까지 제거된 상태가 평화입니다.

(1) 갑과 을이 강조하는 평화를 각각 쓰시오.

(2) 을의 입장에서 갑의 주장에 대한 비판을 서술하시오.

길잡이 직접적 폭력의 원인이 무엇인지 고려하여 서술한다.

STEP 3 1등급 **정복하기**

1 다음 사례에 대한 분석 및 추론으로 적절하지 <u>않은</u> 것은?

> 수단은 남부와 북부로 나뉘어져 영국의 식민 통치를 받아 서로 사용하는 언어, 믿는 종교 등에 이질성을 갖게 되었다. 영국으로부터 독립한 이후에는 북부 주민들이 수단 중앙 정부의 주요 직책을 차지하며 남북 간에 심각한 경제적 격차가 발생하였고, 이는 곧 두 차례의 내전으로 이어졌다. 2005년 포괄적 평화 협정을 체결하며 내전을 마무리 지은 수단은 2011년 남수단의 독립 여부를 결정하는 국민 투표를 실시하였다. 투표 결과 투표율 97.58% 중 찬성률 98.83%로 남수단의 분리 독립이 확정되었고 수단은 이 결과를 수용하였다. 그러나 남수단의 분리 독립 이후에도 두 국가는 원유 수입 배분, 국경선 획정 문제로 여전히 갈등을 겪고 있다.

① 남수단은 분리 독립하기 이전부터 수단과 이질적인 문화를 가지고 있었다.
② 영국의 식민 지배로 인해 수단의 남부와 북부 간 문화의 이질성이 커지게 되었다.
③ 수단과 남수단은 분리된 후에도 영토와 자원 등의 배분을 둘러싸고 대립하고 있다.
④ 수단은 내전을 통해 국제 사회가 지향하는 인류의 보편적 가치를 실현하기 위해 노력하였다.
⑤ 수단이 영국의 식민 지배로부터 독립한 후에는 북부가 남부보다 경제적으로 우월한 지위를 차지했을 것이다.

> **국제 사회의 특징**
>
> **| 완자 사전 |**
>
> • **이질성**
> 서로 바탕이 다른 특성

수능 응용

2 밑줄 친 ㉠, ㉡에 대한 옳은 설명만을 〈보기〉에서 있는 대로 고른 것은?

> ㉠ 국제 연합(UN)은 민주주의를 훼손하고 법의 지배를 위태롭게 하는 부패를 척결하기 위해 ㉡ '국제 연합 부패 방지 협약'을 마련하였다. 우리나라에서 이 협약은 헌법에 정해진 절차에 따라 체결·공포되어 2008년에 발효되었다. 국회는 이 협약의 효율적 이행을 위해「부패 재산의 몰수 및 회복에 관한 특례법」을 제정하였다.

보기
ㄱ. ㉠은 국제 사회의 행위 주체로 국제 규범을 정립하는 역할을 한다.
ㄴ. ㉡과 같은 국제 협약은 국제 갈등의 해결 기준으로 활용될 수 있다.
ㄷ. ㉡을 통해 국제 사회에서 국가 간 상호 의존도가 높아졌음을 알 수 있다.
ㄹ. ㉡과 같은 국제 협약은 회원국뿐만 아니라 전 세계 모든 국가에 적용된다.

① ㄱ, ㄴ   ② ㄱ, ㄷ   ③ ㄷ, ㄹ
④ ㄱ, ㄴ, ㄷ   ⑤ ㄴ, ㄷ, ㄹ

> **국제 사회의 행위 주체**
>
> **완자샘의 시험 꿀팁**
>
> 대표적인 정부 간 국제기구인 국제 연합에 대해 묻는 문제가 자주 출제된다. 국제 연합의 설립 목적과 주요 활동 등을 정리해야 한다.

03 동아시아의 갈등과 국제 평화

이것이 핵심!

통일의 필요성	
한반도의 평화 정착	한반도에서 전쟁의 위협 제거 및 세계 평화에 기여
민족 동질성 회복	민족 동질성 회복으로 민족 공동체 역량 극대화
민족의 경제적 발전과 번영	국내 경제 활성화 및 국가 경쟁력 강화
생활 공간 확장	지정학적 이점을 활용하여 대륙과 해양의 중심지 역할

★ 냉전 체제
직접적으로 무력을 사용하는 열전(熱戰)의 반대 개념으로 경제·외교·정보 등을 수단으로 하는 국제적 대립을 의미한다. 특히, 제2차 세계 대전 이후 미국과 소련의 이념 대립이 치열했다.

★ 신탁 통치
국제 연합의 위임을 받은 나라가 일정 지역에서 실시하는 특수한 통치 형태

★ 아시안 하이웨이
아시아의 32개국을 연결하는 고속도로망으로, 이 도로가 완공되면 아시아 국가 간 물적·인적 교류가 대폭 확대되고 정치적·경제적·사회적 협력이 증진될 것으로 기대된다.

① 통일이 필요한 이유

1. 남북 분단의 배경

(1) 국제적 배경

① **★냉전 체제 심화**: 제2차 세계 대전 이후 미국을 중심으로 한 자유주의 진영과 구소련을 중심으로 한 공산주의 진영 간의 대결과 이념적 갈등 심화

② **한반도의 지정학적 위치**: 유라시아 대륙과 태평양을 연결하는 지정학적 요충지에 위치함
└ 우리나라의 지리적인 위치가 국제 정치의 관계에 큰 영향을 미치는 중요한 위치라는 뜻이야.

(2) 국내적 배경

① **민족 내부의 응집력 부족**: 광복 후 **★신탁 통치**에 대한 찬반 논쟁과 민족 내부의 이념적 갈등 발생

② **6·25 전쟁 발발**: 오늘날까지 남북 분단을 고착화시키는 결과를 가져옴

2. 남북 분단의 과정 [자료 ①]

8·15 광복 (1945)	우리 민족의 지속적인 독립 운동, 제2차 세계 대전에서 일본의 항복과 연합국의 승리
국토 분단	• 미국과 소련이 북위 38도선을 경계로 남과 북을 분할 점령 • 국제 연합(UN)이 총선거에 의한 통일 정부 구성 방안 마련 → 소련과 북한 측의 거부로 남한만의 5·10 총선거가 실시되고 대한민국 정부 수립(1948)
분단의 고착화	• 북한의 남침으로 6·25 전쟁 발발(1950) → 휴전 협정 체결(1953) • 수많은 사상자 및 이산가족 발생, 각종 산업 시설 파괴 → 전쟁으로 입은 피해와 이념 대립 등으로 남북 간 적대감 심화 ― 전쟁을 통해서는 통일을 이룰 수 없다는 교훈을 얻었어.

└ 꿀! 38도선이 군사적 경계선에서 실질적 분단선이 되었어.

3. 통일의 필요성 [자료 ②]

한반도의 평화 정착	• 한반도에서 전쟁의 위협을 제거하여 군사적 긴장을 해소함 → 소극적 평화 실현 • 이산가족의 슬픔과 고통 해소, 빈곤으로 고통 받는 북한 주민의 인권 개선, 전 세계 유일한 분단국의 통일로 세계 평화에 기여 → 적극적 평화 실현
민족의 동질성 회복	• 분단으로 굴절된 우리 역사를 바로잡아 민족 공동체 역량을 극대화함 • 인적·물적 교류가 활발해져 분단이 빚어낸 이념, 지역, 세대 간의 갈등 해소 • 민족 문화의 전통을 계승하고 발전시켜 손상된 민족적 자부심을 회복
민족의 경제적 발전과 번영	• 남한의 자본 및 기술력, 북한의 노동력 및 천연자원의 결합에 따른 국가 경쟁력 강화 • 대립과 갈등으로 발생하는 소모적인 비용을 절감하여 경제 발전과 복지 사회 건설을 위해 사용 • 남북의 단일 시장 형성에 따른 국내 경제 활성화
생활 공간의 확장	• 국토의 일체성을 회복하여 대륙으로 진출 가능 예★아시안 하이웨이 • 유라시아 대륙과 태평양을 연결하는 지정학적 요충지로서의 이점 활용 → 대륙과 해양의 중심지로서 동아시아 지역의 번영을 이끌 수 있음 • 사회 구성원이 거주, 직업 등 다양한 분야에서 선택의 기회가 넓어짐

4. 통일을 위한 우리이 노력 [자료 ③]

(1) 남북한 간의 평화적 교류와 협력: 교류와 협력을 통해 서로 간의 이해를 증진하고, 군사적 긴장 상태를 완화하여 상호 신뢰를 회복할 수 있음 예 남북 정상 회담, 이산가족 상봉 등

(2) 통일에 우호적인 국제 환경 조성: 주변국의 지지와 협력이 필요함 → 동아시아 국가 간의 긴장 해소와 한반도 통일이 국제 사회의 평화를 가져올 수 있다는 점을 주변국에 설득함

완자 자료 탐구

자료 ① 남북 분단의 과정

↑ 8·15 광복(1945)

↑ 5·10 총선거(1948)

↑ 대한민국 정부 수립(1948)

↑ 6·25 전쟁(1950)

1945년 8월 15일, 우리 민족은 일본의 식민 지배로부터 벗어나 광복을 맞이했다. 그러나 광복 이후 남과 북에 미군과 소련군이 각각 주둔하면서 분단이 시작되었다. 1948년 남한에서 단독 총선거가 실시되면서 대한민국 정부가 수립되었고, 1950년 북한의 남침으로 발발한 6·25 전쟁 이후 오늘날까지 분단이 오랜 기간 이어지고 있다.

문제 로 확인할까?

다음 〈보기〉의 사건들을 남북 분단의 과정 순으로 나열하시오.

보기
ㄱ. 8·15 광복
ㄴ. 6·25 전쟁 발발
ㄷ. 대한민국 정부 수립
ㄹ. 남한만의 5·10 총선거

답 ㄱ-ㄷ-ㄹ-ㄴ

자료 ② 통일 한국의 미래

구분	한국(2050년)	통일 한국(2050년)	구분	한국(2050년)	통일 한국(2050년)
인구	4,710만 명	7,350만 명	명목 GDP	4조 730억 달러	6조 560억 달러
생산 가능 인구	54.0%	58.0%	올림픽 순위	종합 10위권	종합 5위 이내
인구 밀도	473명/km²	334명/km²	국력 지수	1.21(세계 14위)	1.71(세계 10위)

(현대 경제 연구원, 2012)

↑ 한국과 통일 한국의 2050년 미래상

통일 한국은 분단 비용을 절감하여 경제 발전과 복지 사회 건설을 위해 사용할 수 있다. 또한 남북한 단일 시장 형성으로 국내 경제 활성화와 국가 경쟁력 향상을 이끌어 낼 수 있다. 뿐만 아니라, 분단과 전쟁의 고통을 극복하고 통일을 이루어 낸 역사적 경험을 토대로 전 세계에 평화의 메시지를 전달할 수 있을 것이다.

정리 비법을 알려줄게!

정치·경제·사회 영역별 통일의 필요성

정치	• 전쟁의 위험으로부터 탈피 • 정치적 안정으로 국가 위상 상승
경제	• 군비를 절감하여 사회 복지에 사용 • 남한의 자본과 북한의 노동력 결합으로 경제 성장
사회	• 민족 문화의 발전에 기여 • 이념, 지역, 세대 간 갈등 해소

자료 ③ 독일 통일의 교훈

독일 통일은 통일에 대한 준비가 부족한 상황에서 이루어진 탓에 통합 과정에서 동독 경제를 재건하기 위한 통일 비용 문제, 동서독 주민 간 갈등과 같은 여러 문제가 발생했다. 그러나 이러한 문제들은 연방 정부의 노력으로 점차 해소되었고, 동독 지역의 경제가 점차 활성화되면서 통일의 효과가 나타나기 시작하였다. 동독 지역의 1인당 소득 수준은 1991년에 서독의 47%였으나 지금은 80%를 웃도는 등 통일을 통해 독일은 경제 규모가 더욱 확대되었고, 유럽 통합 과정에서도 주도적 역할을 담당할 수 있게 되었다.
– 통일교육원, 『2016 통일 문제의 이해』

독일의 통일은 동독과 서독의 협의를 통해 평화적으로 이루어졌다. 통일 후 독일은 극심한 경제적 후유증을 겪었지만, 지속해서 동독 지역을 개발한 결과 인구 약 8,000만 명의 유럽 최대 내수 시장을 보유하게 되었다. 또한 정치적 위험 요소가 줄어들면서 외국인의 직접 투자 규모도 엄청나게 커졌다.

자료 하나 더 알고 가자!

분단 비용, 통일 비용과 통일 편익

분단 비용	남북이 분단되어 있는 동안 끊임없이 지불해야 하는 기회비용 예 방위비, 체제 경쟁을 위한 외교비 등
통일 비용	남북의 다른 체제와 제도 등을 통합하는 과정에서 드는 비용 예 통일 후 경제 개발을 위한 비용 등
통일 편익	통일로 얻을 수 있는 경제적·비경제적 편익 예 분단 비용의 소멸, 이산가족 문제의 해결 등

03 동아시아의 갈등과 국제 평화

이것이 핵심!

동아시아의 역사 갈등 및 해결 방안

일본과의 갈등	•일본의 역사 교과서 왜곡 •일본의 독도 영유권 주장 •일본군 '위안부' 문제 •야스쿠니 신사 참배
중국과의 갈등	동북 공정

↓

해결 방안
•역사 왜곡에 대한 외교적 대처 및 공동 역사 연구 실시 •민간 교류 확대를 통한 상호 이해 확대

★ 독도

신라 때부터 영유한 우리나라 고유의 영토로, 17세기 안용복이 조선의 영토임을 확인하였으며, 대한 제국 칙령 제41호 등에서 대한 제국의 영토임을 증명하였다.

★ 동북 공정

동북 3성(랴오닝성, 지린성, 헤이룽장성)의 역사, 지리, 민족에 대한 문제를 집중적으로 연구하는 사업

② 동아시아의 역사 갈등

1. 일본과의 역사 갈등

새로운 역사 교과서를 만드는 모임이라는 우익 단체에서 왜곡된 교과서를 만들었어.

일본의 역사 교과서 왜곡	일본의 우익 단체들이 왜곡된 역사 교과서를 만들어 일제 강점기 징용·징병의 강제성을 감춰 식민지 지배와 침략 전쟁을 정당화함
일본의 *독도 영유권 주장	독도는 역사적, 지리적, 국제법적으로 명백한 우리나라의 영토이지만, 일본은 1905년 러일 전쟁 중 시마네현의 고시로 독도가 일본의 영토로 편입되었다는 왜곡된 주장을 펼침
일본군 '위안부' 문제	침략 전쟁 과정에서 조선과 타이완, 중국, 필리핀 등의 여성들을 일본군 '위안부'로 강제 동원하였으나, 현재 일본 정부는 '위안부'에 대한 강제성을 부정함
야스쿠니 신사 참배	총리를 비롯한 일본의 주요 보수 정치인들이 제2차 세계 대전의 전범을 안치한 야스쿠니 신사를 참배하며 침략 전쟁을 미화함

2. 중국과의 역사 갈등 교과서 자료

(1) *동북 공정: 중국은 우리나라의 역사에 해당하는 고조선, 부여, 고구려, 발해의 역사를 중국의 지방사라고 주장하며 역사를 왜곡함

(2) 동북 공정의 목적: 현재 중국 영토 내에 있는 소수 민족을 통합하여 이들의 분리 독립을 막고 국경 지역을 안정시키기 위함, 한반도 통일 이후 발생할 수 있는 영토 분쟁 방지

3. 동아시아 역사 갈등 해결의 필요성과 해결 방안 자료④

(1) 필요성: 역사 갈등에 따른 동아시아 각국의 상호 불신, 대립, 경쟁의 심화로 국가 간 갈등과 지역 내 불안정성 증대 → 갈등 해결을 통한 동아시아 국가 간의 신뢰와 협력 강화

꼭! 동아시아의 평화를 통해 국제 사회의 평화에도 이바지할 수 있어.

(2) 해결 방안

정부 차원	•주변국의 역사 왜곡에 대한 외교적인 대처 및 관계 법령 정비 •'동북아 역사 재단'을 설립하여 역사 왜곡에 대응하는 연구 지원
민간 차원	•공동 역사 연구를 통한 역사 인식의 차이 극복 예 한·중·일의 학자, 교사, 시민들이 공동으로 『미래를 여는 역사』(2005) 발행 •각국 학교, 시민 단체 등 민간 교류의 확대를 통해 상호 간의 이해 확대 예 일본군 '위안부' 문제 해결을 위한 여성 국제 전범 법정, 동아시아 청소년 역사 캠프 개최

이것이 핵심!

국제 사회의 평화에 기여하는 대한민국

세계 속의 우리나라	•지리적 요충지에 위치한 국제 물류의 중심지 •각종 국제기구에서 주도적인 활동
국제 평화를 위한 노력	•국제 연합의 활동 지원 •공적 개발 원조 확대 •국제 비정부 기구의 반전 및 평화 운동 동참

③ 국제 사회의 평화에 기여하는 대한민국

1. 세계 속의 우리나라

우리나라는 석굴암, 불국사 등의 유네스코 세계 문화유산을 가지고 있을 뿐만 아니라 한류 열풍을 타고 드라마, 케이팝 등을 세계로 확산시키며 문화적으로도 세계로 뻗어 나가고 있어.

지리적 측면	유라시아 대륙과 태평양을 연결하는 지리적 요충지에 위치 → 국제 물류 중심지로 도약 가능
정치·경제적 측면	•1960년대 이후 추진된 정부 주도의 개발 정책에 따라 고도의 경제 발전을 이룸 •여러 국제기구 가입: 경제 협력 개발 기구(OECD), 아시아·태평양 경제 협력체(APEC) 등 각종 국제기구에서 주도적인 활동 ┐ 우리나라는 국제 연합(UN) 안전 보장 이사회의 비상임 이사국을 역임하기도 했어.

2. 국제 평화를 위한 우리의 노력 자료⑤

예 국제 연합의 일원으로서 분쟁 지역의 평화 유지 활동(PKO)에 참여하고 있어.

국가적 차원	•국제 연합(UN)의 활동 지원 및 국제 문제 해결을 위해 세계 여러 국가들과 협력 •개발 도상국에 대한 공적 개발 원조 확대, 재난을 입은 국가에 긴급 구호 물품 제공
개인·민간 차원	•국제 비정부 기구의 반전 및 평화 운동에 적극적으로 동참 •세계 시민 의식을 갖고 빈곤, 기아 등 초국가적인 문제 해결을 위해 노력

완자 자료 탐구

내 옆의 선생님

동북 공정을 통한 중국의 역사 왜곡

```
─── 기존의 만리장성
▪▪▪ 중국이 확장 발표한 만리장성 구간
```

몽골 · 하미 · 자위관 · 신장웨이우얼 자치구 · 헤이룽장성 · 무단장 · 지린성 · 랴오닝성 · 단둥 · 산하이관 · 동해 · 중국 · 대한민국 · 황해

↑ 중국의 역사 왜곡 속에 늘어나는 만리장성

중국은 동북 공정을 통해 우리나라의 역사에 해당하는 고조선, 부여, 고구려, 발해의 역사가 중국의 지방사라고 주장하면서 역사를 왜곡하고 있다. 또한 중국은 역사적 자료를 일방적으로 해석하여 만리장성의 동쪽 끝을 옛 고구려와 발해의 영역인 헤이룽장성까지 확장함으로써 이 지역이 중국의 고유 영토라는 주장을 강화하고 있다.

완자쌤의 탐구 강의

• 중국의 동북 공정 사업에 대응하기 위한 정부와 민간 차원의 노력을 서술해 보자.

정부 차원에서는 관계 법령을 정비하고, 관련 재단을 설립하여 역사 왜곡에 대응하는 연구를 지원해야 한다. 한편 민간 차원에서는 공동 역사 연구, 민간 교류 확대를 통해 상호 간의 이해를 확대할 필요가 있다.

함께 보기 232쪽, 내신 만점 공략하기 11

자료 4 동아시아 국가들의 영토 분쟁

러시아 · 쿠릴 열도 (북방 도서) · 중국 · 동해 · 대한민국 · 일본 · 센카쿠 열도 (댜오위다오) · 시사 군도 (파라셀 제도) · 베트남 · 필리핀 · 난사 군도 (스프래틀리 군도)

↑ 동아시아 영토 분쟁

동아시아의 여러 지역에서는 청일 전쟁, 러일 전쟁과 같은 역사적 배경을 바탕으로 영토 분쟁이 일어나고 있다. 제2차 세계 대전 이후 동아시아의 수많은 작은 섬들의 영유권을 두고 일어난 영토 분쟁은 해양 자원의 중요성이 강조됨에 따라 더욱 심화되고 있다.

정리 비법을 알려줄게!

동아시아 영토 분쟁과 관련된 국가

쿠릴 열도 (북방 도서)	일본, 러시아
센카쿠 열도 (댜오위다오)	일본, 중국
시사 군도 (파라셀 제도)	중국, 베트남
난사 군도 (스프래틀리 군도)	중국, 베트남, 필리핀, 브루나이, 말레이시아

자료 5 국제 사회의 평화에 기여하는 우리나라의 활동

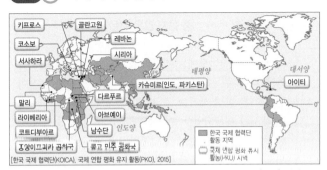

키프로스 · 골란고원 · 코소보 · 레바논 · 서사하라 · 시리아 · 태평양 · 대서양 · 카슈미르(인도, 파키스탄) · 아이티 · 말리 · 다르푸르 · 라이베리아 · 아브예이 · 코트디부아르 · 남수단 · 인도양 · 중앙아프리카 공화국 · 콩고 민주 공화국

```
■ 한국 국제 협력단 활동 지역
  국제 연합 평화 유지
  활동(PKO) 지역
```
[한국 국제 협력단(KOICA), 국제 연합 평화 유지 활동(PKO), 2015]

↑ 한국 국제 협력단(KOICA) 활동 지역과 국제 연합 평화 유지 활동(PKO) 지역

우리나라는 국가 간 분쟁의 평화적 해결을 위해 국제 연합의 평화 유지 활동(PKO)에 파병하고 있으며, 한국 국제 협력단(KOICA)을 통해 개발 도상국에 교육 및 직업 훈련, 농촌 개발 등을 지원하고 있다.

문제로 확인할까?

우리나라는 한국 국제 협력단을 통해 개발 도상국에 ( )를 확대함으로써 국제 평화를 위해 노력하고 있다.

답 공적 개발 원조

1 남북 분단의 국제적·국내적 배경을 옳게 연결하시오.

(1) 국제적 배경 •
 • ㉠ 냉전 체제 심화
 • ㉡ 6·25 전쟁 발발

(2) 국내적 배경 •
 • ㉢ 한반도의 지정학적 위치
 • ㉣ 민족 내부의 응집력 부족

2 다음 설명이 맞으면 ○표, 틀리면 ×표를 하시오.

(1) 6·25 전쟁은 북한의 불법적인 남침으로 시작되었다.
( )

(2) 미국과 소련은 북위 38도선을 경계로 한반도의 남과 북에 각각 군대를 주둔시켰다.
( )

(3) 우리나라는 1960년대 이후 추진된 민간 주도의 개발 정책에 따라 고도의 경제 발전을 이루었다.
( )

3 다음 괄호 안의 내용 중 알맞은 말에 ○표를 하시오.

(1) 통일 후 경제 개발비는 (통일 비용, 통일 편익)에 해당한다.

(2) 체제 경쟁을 위한 외교비는 (분단 비용, 통일 비용)에 해당한다.

4 다음에서 설명하는 통일의 필요성을 〈보기〉에서 골라 기호를 쓰시오.

보기
ㄱ. 민족 동질성 회복   ㄴ. 생활 공간의 확장
ㄷ. 민족의 경제적 발전   ㄹ. 한반도의 평화 정착

(1) 남북 단일 시장을 형성할 수 있다. ( )

(2) 한반도의 군사적 긴장을 해소할 수 있다. ( )

(3) 서로 다른 체제와 이념을 극복할 수 있다. ( )

(4) 대륙과 해양을 연결하는 중심지가 될 것이다. ( )

5 다음 빈칸에 들어갈 내용을 쓰시오.

(1) 일본은 1905년 시마네현의 고시를 근거로 ( )에 대한 영유권을 주장하고 있다.

(2) 중국은 ( )을 통해 고조선, 고구려, 발해 등의 우리 역사를 모두 중국의 역사라고 왜곡하고 있다.

01 남북 분단의 배경으로 적절하지 않은 것은?

① 민족 내부의 응집력이 부족했다.
② 6·25 전쟁이 발발하여 분단이 고착화되었다.
③ 광복 후 신탁 통치에 대한 찬반 논쟁이 일어났다.
④ 냉전 체제가 강화되어 국제 사회의 이념 갈등이 커졌다.
⑤ 제2차 세계 대전 이후 한반도는 지정학적 위치상 강대국의 관심에서 벗어나 있었다.

02 (가) 시기에 발생한 역사적 사건으로 옳은 것은?

8·15 광복

↓

(가)

↓

6·25 휴전 협정 체결

① 제2차 세계 대전에서 일본이 항복을 선언하였다.
② 북한에서 총선거가 실시되고 정부가 구성되었다.
③ 미국이 북한을, 소련이 남한을 각각 분할 점령하였다.
④ 정부 주도의 개발 정책에 따라 산업 시설이 생겨났다.
⑤ 전쟁이 일어나 많은 사상자가 생기고 이산가족이 발생하였다.

03 밑줄 친 ㉠~㉤ 중 옳지 않은 것은?

㉠ 광복 후 한반도에는 미국과 소련의 군대가 남쪽과 북쪽에 각각 주둔하고, ㉡ 신탁 통치에 대한 찬반 논쟁이 벌어졌다. 한편 세계는 ㉢ 제2차 세계 대전 이후부터 냉전 체제가 해체되었다. 이러한 배경 속에서 ㉣ 소련과 북한 측의 거부로 1948년에 남한만의 5·10 총선거가 시행되고, 대한민국 정부가 수립되었다. 1950년 6·25 전쟁이 일어났으며, 전쟁은 끝났지만 ㉤ 지금까지 한반도는 분단 상태이다.

① ㉠   ② ㉡   ③ ㉢   ④ ㉣   ⑤ ㉤

04 다음 사례를 통해 알 수 있는 내용으로 가장 적절한 것은?

> 같은 언어를 사용하던 남북한이 서로 다른 어문 정책을
> 펴온 이유로 남북 간의 언어 이질화 문제가 심각해지고
> 있다. 또한 분단 이후 정보화가 진전되면서 언어를 입력
> 하는 컴퓨터 자판의 체계도 다르게 만들어졌다. 이런 추
> 세대로라면 자칫 남북한을 한민족으로 묶는 중요한 징표
> 인 언어문화마저 서로 다른 길을 걷게 될 것이라는 우려
> 의 목소리가 높다.

① 민족의 동질성 회복이 힘들어질 수 있다.
② 언어의 다양화로 민족 문화가 풍부해질 수 있다.
③ 남북의 내면적 통합보다 외면적 통합이 시급하다.
④ 통일을 위해 남북이 새로운 공용어를 선택해야 한다.
⑤ 언어 이질화는 세계화 시대에 나타나는 당연한 현상이다.

05 다음은 남북통일의 필요성에 대한 수행 평가 보고서이
다. (가)에 들어갈 내용으로 적절하지 않은 것은?

> **남북통일의 필요성**
> 1. 개인·민족적 차원
>   (1) 민족의 동질성 회복
>   (2) 이산가족과 실향민의 아픔 해소
> 2. 정치적 차원
>   (1) 전쟁의 위협에서 탈피하여 평화 정착
>   (2) 한반도 구성원 모두의 자유와 인권 보장
> 3. 경제적 차원: _____(가)_____

① 남북 단일 시장 형성에 따른 국내 경제 활성화
② 태평양과 유라시아를 연결하여 물류의 중심지로 성장
③ 분단 비용의 지출을 줄여 군수 산업의 발전을 위해 투자
④ 체제 경쟁을 위한 비용을 절감하여 주민의 삶의 질을
  향상하는 데 사용
⑤ 남한의 자본 및 기술과 북한의 자원 및 노동력의 결합
  을 통한 경제 성장

06 바람직한 통일의 방법으로 적절하지 않은 것은?

① 평화적인 통일을 이룬다.
② 점진적이고 단계적인 통일을 이룬다.
③ 주변국들의 협력과 지지를 유도하며 통일을 이룬다.
④ 국민적 이해와 합의를 토대로 민주적 통일을 이룬다.
⑤ 주변국의 지지 없이 물리적인 방법으로 통일을 이룬다.

07 다음 사례가 남북통일에 주는 시사점으로 적절하지 않은
것은?

> 독일은 통일 과정에서 동독 경제를 재건하기 위한 통일
> 비용 문제, 동서독 주민 간 갈등과 같은 여러 문제를 겪었
> 다. 그러나 이러한 문제들은 연방 정부의 노력으로 점차
> 해소되었고, 동독 지역의 경제가 점차 활성화되면서 통일
> 독일의 경제 규모는 이전보다 확대되었다.

① 점진적인 방식으로 통일에 접근해야 한다.
② 단기적인 경제적 이익이 없을 경우 통일은 지양해야 한다.
③ 통일은 군사적 긴장을 해소하여 세계 평화에 기여한다.
④ 통일은 인구를 증가시켜 내수 시장 활성화에 기여한다.
⑤ 주민들 간의 갈등 해소를 위해 다양한 분야의 교류가
  이루어져야 한다.

08 표는 통일과 관련된 비용과 편익을 정리한 것이다.
(가)~(다)에 들어갈 적절한 항목을 〈보기〉에서 고른 것은?

구분	내용	사례
분단 비용	남북이 분단되어 있는 동안 끊임없이 지불해야 하는 기회비용	(가)
통일 비용	남북의 다른 체제와 제도 등을 통합하는 과정에서 드는 비용	(나)
통일 편익	통일로 얻을 수 있는 경제적·비경제적 편익	(다)

> **보기**
> ㄱ. (가) - 체제 경쟁을 위한 외교비
> ㄴ. (나) - 군사력 강화를 위한 방위비
> ㄷ. (다) - 이산가족 문제의 해결
> ㄹ. (다) - 통일 후 경제 개발을 위해 드는 비용

① ㄱ, ㄴ ② ㄱ, ㄷ ③ ㄴ, ㄷ
④ ㄴ, ㄹ ⑤ ㄷ, ㄹ

09 다음 자료에 나타난 역사 인식 태도에 대한 설명으로 옳지 <u>않은</u> 것은?

> 전후의 역사 교육은 일본인이 계승할 만한 문화의 전통을 잊고 일본인의 자랑을 잃어버리게 하는 것이었습니다. …… 현행 교과서에서는 과거 적대국의 선전을 그대로 사실로 기술하기까지 하고 있습니다. 세계에서 이런 역사 교육을 하는 나라는 없습니다.
>
> – '새로운 역사 교과서를 만드는 모임' 창립 취지문

① 한·일 간의 역사 갈등을 초래하고 있다.
② 일본의 제국주의 침략을 정당화하고 있다.
③ 일본군 '위안부' 문제를 축소·은폐하고 있다.
④ 일본의 한국 침략을 미화하여 기술하고 있다.
⑤ 정치인들의 야스쿠니 신사 공식 참배를 비판하고 있다.

10 다음 자료와 관련된 지역에 대한 옳은 설명을 〈보기〉에서 고른 것은?

> • 1876년(고종 13년) 일본의 최고 행정 기관인 태정관은 내무성이 올린 질의서를 검토한 후 1877년 3월 29일 "울릉도 외 1도(독도)에 관한 건에 대해 본방(일본)과 관계없음을 명심할 것"이라는 지령을 내렸다.
> – 일본 메이지 정부의 최고 행정 기관 태정관이 내린 지령(1877)
> • 연합국 최고 사령관은 이 각서에 일본 정부가 패전 직전까지 지배하고 있던 식민지나 점령지에 대한 통치·행정상의 권력 행사를 중지해야 한다고 명령했다. 이 각서는 제주도, 울릉도, 독도를 한국 영토로 분류하였다.
> – 연합국 최고 사령관 각서 제677호(1946)

> **보기**
> ㄱ. 현재 일본이 실효적으로 지배하고 있다.
> ㄴ. 중국과 일본 간 영토 분쟁이 발생하고 있다.
> ㄷ. 대한 제국 칙령 제41호에서 대한 제국의 영토임을 명확히 밝히고 있다.
> ㄹ. 일본이 시마네현 고시를 근거로 자국의 영토에 편입시켰다면서 영유권을 주장하고 있다.

① ㄱ, ㄴ   ② ㄱ, ㄷ   ③ ㄴ, ㄷ
④ ㄴ, ㄹ   ⑤ ㄷ, ㄹ

11 동아시아 지역의 영토 및 역사 갈등 문제에 대한 설명으로 옳지 <u>않은</u> 것은?

① 일본은 중일 전쟁 중 독도를 자국 영토에 편입시켰다.
② 중국은 동북 공정을 통해 고조선, 고구려, 발해를 중국 지방 정권의 하나로 주장하고 있다.
③ 동아시아의 역사 갈등 문제를 해결하기 위해 한·중·일 학자들이 공동 역사책 집필 등의 노력을 하고 있다.
④ 일본의 일부 우익 세력은 일본의 침략 전쟁과 식민 지배를 미화하는 내용이 담긴 역사 교과서를 만들었다.
⑤ 중국은 청일 전쟁 중 일본에 빼앗긴 센카쿠 열도의 반환을 요구하였으나 일본은 영유권을 주장하고 있다.

12 밑줄 친 내용에 해당하는 적절한 진술을 〈보기〉에서 고른 것은?

> 동아시아의 역사 갈등 문제는 국가 간의 상호 불신, 대립, 경쟁을 심화하여 국가 간 갈등과 지역 내 불안정성을 키우고 있다. 이러한 문제를 해결하기 위해서는 <u>동아시아 역사 갈등을 해소하고 역사 인식을 공유하기 위해 다양한 노력</u>이 이루어져야 한다.

> **보기**
> ㄱ. 자국의 이해관계를 강조하는 역사 교육을 한다.
> ㄴ. 공동의 역사 인식을 위해 공동 역사 연구 위원회를 설립한다.
> ㄷ. 동아시아 국가 간 민간 교류를 축소하여 갈등의 가능성을 줄인다.
> ㄹ. 국제 연대와 교류 등을 확대하여 다른 나라의 역사를 이해할 기회를 늘린다.

① ㄱ, ㄴ   ② ㄱ, ㄷ   ③ ㄴ, ㄷ
④ ㄴ, ㄹ   ⑤ ㄷ, ㄹ

13 다음 보고서에서 다루고 있는 역사 문제에 대한 설명으로 옳지 <u>않은</u> 것은?

> • 위안소 등과 관련된 활동에 대해 일본 정부가 가지고 있는 모든 문서와 자료를 완전히 공개해야 한다.
> • 일본 정부는 이에 관여한 범죄자를 확인해서 처벌해야 한다.
>
> – 라디카 쿠마라스와미 보고서(유엔 인권 위원회, 1996)

① 국제 사회는 이 문제에 대한 일본의 태도를 비판하고 있다.
② 일본 정부는 이 문제에 대한 강제성을 부정하는 주장을 하고 있다.
③ 일본의 우익 교과서에서는 이 문제를 축소·은폐하여 다루고 있다.
④ 현재 일본 정권은 이 문제에 대한 책임을 인정하고 피해자들에게 공식 사과하였다.
⑤ 동아시아 각국의 시민 단체들과 여성 단체들이 이 문제의 해결을 위해 국제 연대의 움직임을 보이고 있다.

14 (가)에 들어갈 신문 기사의 제목으로 가장 적절한 것은?

> **(가)**
>
> 우리나라는 세계 여러 지역에 국가 간 분쟁의 평화적 해결 등을 목적으로 하는 국제 연합 평화 유지 활동(PKO)에 파병하고 있으며, 한국 국제 협력단(KOICA)을 통해 개발 도상국의 교육 및 직업 훈련, 보건 위생, 농촌 개발 등을 지원하고 있다.

① 경제 대국으로 성장한 우리나라의 위상
② 국제기구 참여를 통한 세계 평화에의 기여
③ 동아시아 중심지로서의 우수한 지정학적 위치
④ 한류 열풍으로 확산되는 우리나라의 대중문화
⑤ 세계적으로 인정받는 우수한 우리나라의 전통문화

서술형 문제

● 정답친해 78쪽

01 다음은 아시안 하이웨이의 예상 노선도이다. 이를 통해 예측할 수 있는 통일의 필요성을 <u>두 가지</u> 이상 서술하시오.

(아시아 태평양 경제 사회 이사회, 2016)

(길잡이) 국토의 일체성을 회복함으로써 발생할 수 있는 이점을 고려하여 서술한다.

02 다음 자료를 보고 물음에 답하시오.

> **중국의 동북 공정 사업**
>
> 1. 동북 공정의 목적: _____(가)_____
> 2. 동북 공정의 내용
> (1) 고구려 유민의 상당수가 중국인이 되었다.
> (2) 고구려는 '기자 조선 – 위만 조선 – 한사군 – 고구려'로 계승된 중국의 고대 소수 민족 지방 정권이었다.

(1) (가)에 들어갈 내용을 <u>두 가지</u> 이상 서술하시오.

(2) 위와 같은 역사 갈등을 해결하기 위한 노력을 <u>두 가지</u> 이상 서술하시오.

(길잡이) 정부 차원, 민간 차원의 노력을 고려하여 서술한다.

1 갑과 을의 입장에 대한 분석으로 옳지 <u>않은</u> 것은?

> • 갑: 제2차 세계 대전 이후 세계는 미국을 중심으로 한 자본주의 진영과 소련을 중심으로 한 사회주의 진영 사이에서 이념적 갈등 상태에 놓였다. 이로 인해 북위 38도선을 경계로 남쪽은 미국의, 북쪽은 소련의 영향력 아래 놓이게 되었다.
>
> • 을: 광복 후 모스크바 3국 외상 회의에서 결정된 신탁 통치에 대한 찬반 논쟁과 민족 내부의 이념적 갈등은 외세에 의한 분단을 효과적으로 막아내지 못하는 원인이 되었다. 이후 북한의 남침으로 일어난 6·25 전쟁으로 남북의 분단은 고착화되었다.

① 갑은 냉전 체제가 남북 분단에 영향을 초래했다고 본다.
② 을은 민족 내부의 분열과 응집력 부족이 남북 분단에 영향을 주었다고 본다.
③ 갑은 남북 분단의 국제적 배경, 을은 남북 분단의 국내적 배경을 말하고 있다.
④ 갑은 을과 달리 한반도의 지정학적 위치가 남북 분단에 영향을 초래했다고 본다.
⑤ 을은 갑과 달리 남북 분단에 강대국들의 한반도 문제 개입이 영향을 주었다고 본다.

> ▶ 남북 분단의 배경
>
> **완자샘의 시험 꿀팁**
> 남북 분단의 국제적 배경과 국내적 배경을 구분하여 정리해야 한다.

평가원 응용

2 다음 입장에서 긍정의 대답을 할 질문에 모두 '✓'를 표시한 학생은?

> 통일이 되지 않으면 분단 비용이 지속적으로 발생하고 통일에 따르는 편익을 누릴 수 없게 된다. 반면, 통일이 되면 분단 비용이 없어지고 통일에 따르는 막대한 편익이 생기게 된다. 통일 이후의 경제적·인도적·정치적·사회적 편익을 고려한다면 통일 비용은 충분히 보상될 수 있으며 그 이후에도 지속적으로 편익이 증가하게 된다.

> ▶ 분단 비용과 통일 비용

질문	갑	을	병	정	무
통일은 이루어져야 하는가?	✓		✓	✓	
통일 비용은 보상될 수 있는 비용인가?	✓	✓	✓	✓	✓
분단 비용은 통일 비용에 비해 소모적인가?		✓	✓		
통일이 늦어질수록 분단 비용은 감소하는가?	✓			✓	
장기적으로 볼 때 통일에 따르는 편익은 통일 비용보다 더 큰가?	✓		✓		✓

① 갑   ② 을   ③ 병   ④ 정   ⑤ 무

수능 응용

3 동아시아의 영토 갈등 지역인 (가)~(라)에 대한 옳은 설명을 〈보기〉에서 고른 것은?

> 동아시아의 영토 분쟁

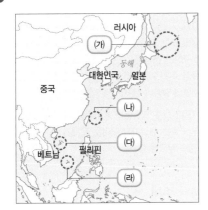

> | 한자 사전 |
>
> • 영유권
> 일정한 영토에 대한 해당 국가의 관할권

보기

ㄱ. (가) – 일본이 시마네현 고시를 근거로 영유권을 주장하고 있다.
ㄴ. (나) – 일본과 중국 간에 분쟁이 벌어지고 있는 지역이다.
ㄷ. (다) – 러시아가 제2차 세계 대전 이후 합법적으로 귀속한 영토라고 주장하고 있다.
ㄹ. (라) – 중국, 베트남, 필리핀, 말레이시아 등이 영유권을 놓고 갈등하고 있다.

① ㄱ, ㄴ   ② ㄱ, ㄷ   ③ ㄴ, ㄷ
④ ㄴ, ㄹ   ⑤ ㄷ, ㄹ

평가원 응용 윤리 ➕ 사회

4 다음 사상의 관점에서 이루어지고 있는 우리나라의 활동만을 〈보기〉에서 있는 대로 고른 것은?

> 세계 속의 우리나라

풍요로운 사회의 부유한 사람들은 빈곤으로 고통받는 전 세계 사람들을 위해 소득의 일부를 기부해야 한다. 이것은 모든 사람의 이익을 평등하게 고려하여 전 지구적인 의무를 공정하게 분담하는 것이다.

보기

ㄱ. 내전 중인 A국에 파견되는 국제 연합(UN) 평화 유지군에 참여한다.
ㄴ. 지진으로 큰 피해를 입은 B국에 긴급 구호 물품을 원조한다.
ㄷ. 개발 원조 위원회에 가입하여 개발 도상국인 C국에 대한 원조를 한다.
ㄹ. 빈곤으로 고통받고 있는 D국의 아이들에게 심리 치료 교육을 지원한다.

① ㄱ, ㄴ   ② ㄱ, ㄷ   ③ ㄷ, ㄹ
④ ㄱ, ㄴ, ㄹ   ⑤ ㄴ, ㄷ, ㄹ

01 세계화의 양상과 문제의 해결

1. 세계화와 지역화

세계화	• 의미: 삶의 공간이 개별 국가의 국경을 넘어서 전 지구로 확대되고, 전 세계가 하나로 통합되어 가는 현상 • 배경: 교통·통신 발달로 상품, 사람, 정보 등의 교류 활발, (❶) 출범 및 자유 무역의 확대
지역화	• 의미: 특정 지역의 독특한 사회·문화적 특성이 세계적인 차원에서 가치를 지니게 되는 현상 • 배경: 세계화로 인해 각 지역이 다른 지역과 관계를 맺는 범위가 넓어지고 지역 단위의 경쟁력이 중요해짐

2. 세계화의 양상

(1) 다국적 기업

의미	세계 여러 국가에 자회사, 지점, 생산 공장 등을 두고 전 세계를 대상으로 생산과 판매 활동을 하는 기업
공간적 분업	• 본사 및 연구소: 기술 수준이 높은 선진국에 입지 • (❷): 임금 수준이 낮고 노동력이 풍부한 개발 도상국에 입지

(2) 세계 도시

의미	정치·경제·정보 등 다양한 측면에서 세계의 중심지 역할을 수행하는 도시
기능	• 회계·법률·광고 등의 생산자 서비스업 발달, 다국적 기업의 본사와 금융 기관 밀집 → 전 세계의 자본과 정보 집중 • 다양한 국제기구의 본부 입지, 국제회의 및 행사 개최 → 인적·물적 교류 활발

3. 세계화에 따른 문제점과 해결 방안

국가 간 빈부 격차 심화	• 문제점: 자유 무역의 확대로 증대된 부가 일부 선진국에 집중되며 개발 도상국과의 빈부 격차 심화 • 해결 방안: 분배 정의 실현, 공정 무역 확대
문화의 (❸)	• 문제점: 국가 간 문화 교류가 활발해지면서 각 지역 고유문화의 정체성 약화 및 선진국 문화의 보편화 • 해결 방안: 외래문화를 능동적으로 수용해야 함
보편 윤리와 특수 윤리 간 갈등	• 문제점: 인류의 보편적 가치와 특정 사회에서 공유하는 특수 가치의 충돌 • 해결 방안: 보편 윤리를 존중하는 가운데 각 사회의 특수 윤리를 성찰하는 태도 필요

02 국제 사회의 모습과 평화의 중요성

1. 국제 사회의 갈등과 협력

국제 갈등	• 원인: 자원, 영토, 민족, 종교 등을 두고 이해관계의 대립 또는 지나친 경쟁, 자국의 이익을 우선적으로 추구하는 경향 등 • 특징: 여러 가지 원인이 복잡하게 얽혀 발생함, 특정 지역의 갈등이 전 지구적 영향을 끼침
국제 협력	국가 간 상호 의존도가 높아짐에 따라 한 국가의 노력만으로는 해결하기 어려운 문제가 증가함 → 국제 협력의 필요성 증가

2. 국제 사회의 행위 주체

국가	• 의미: 독립된 (❹)을 가진 국제 사회의 가장 기본적이고 대표적인 행위 주체 • 역할: 외교를 통해 자국의 이익 실현 및 자국민 보호
정부 간 국제기구	• 의미: 각국의 정부를 회원으로 하는 행위 주체 • 역할: 국가 간 분쟁 및 이해관계를 조정하고 국제 규범을 정립함
(❺)	• 의미: 개인이나 민간단체를 회원으로 하는 행위 주체 • 역할: 국제적인 연대 활동을 통해 환경 보호, 인권 보장 등 지구촌 공통의 문제 해결을 위해 노력함
그 밖의 행위 주체	국가 내부적 행위체, 노벨상 수상자 등 국제적으로 영향력이 있는 개인, 다국적 기업 등

3. 평화의 의미와 중요성

소극적 평화	• 의미: 직접적·물리적 폭력이 없는 상태 • 한계: 직접적 폭력의 원인이 근본적으로 해결된 것은 아님
(❻)	• 의미: 직접적 폭력뿐만 아니라 구조적·문화적 폭력까지 모두 제거된 상태 • 의의: 모든 사람이 인간의 존엄성을 보장받을 수 있는 진정한 평화로운 상태
평화의 중요성	• 인류의 안전과 생존 보장: 전쟁과 폭력에서 벗어나 인류가 안전하게 살아갈 수 있는 환경 조성 • 인류의 삶의 질 향상: 빈곤과 기아, 각종 차별 및 불평등을 해소하여 삶의 질 향상 • 인류의 축적된 지혜와 가치 보존: 자연환경과 문화유산을 보존하여 물질적 풍요와 함께 정신적 문화의 가치를 미래 세대에 전수

03 동아시아의 갈등과 국제 평화

1. 남북 분단의 배경

국제적 배경	• 국제 사회의 (❼) 체제 심화 • 한반도의 지정학적 위치의 중요성
국내적 배경	• 민족 내부의 응집력 부족 • 6·25 전쟁의 발발

2. 남북 분단의 과정

8·15 광복 (1945)	우리 민족의 지속적인 독립 운동, 제2차 세계 대전에서 일본의 항복과 연합국의 승리에서 비롯함
국토 분단	• 미국과 소련이 북위 38도선을 경계로 남과 북을 분할 점령 • 남한만의 5·10 총선거 → 대한민국 정부 수립(1948)
분단의 고착화	• 6·25 전쟁 발발(1950) → 휴전 협정 체결(1953) • 수많은 사상자, 이산가족 발생, 각종 산업 시설 파괴, 남북 간 적대감 심화 등

3. 통일의 필요성

한반도의 평화 정착	• 한반도의 전쟁의 위협을 제거하여 군사적 긴장 해소 → 소극적 평화 실현 • 북한 주민의 인권 개선, 전 세계 유일한 분단국의 통일로 세계 평화에 기여 → 적극적 평화 실현
민족의 동질성 회복	• 분단으로 굴절된 우리 역사를 바로잡아 민족 공동체 역량 극대화 • 민족 문화의 전통을 발전시켜 민족적 자부심 회복
민족의 경제적 발전과 번영	• 남한의 자본 및 기술력, 북한의 노동력 및 천연자원의 결합으로 국가 경쟁력 강화 • 남북 단일 시장 형성에 따른 국내 경제 활성화
생활 공간의 확장	• 국토의 (❽)을 회복하여 유라시아 대륙과 태평양을 연결하는 동아시아의 중심지 역할 • 거주, 직업 등 다양한 분야에서 선택의 기회 확대

4. 통일을 위한 우리의 노력

(1) **남북한 간의 평화적 교류와 협력**: 교류와 협력을 통한 서로 간의 이해 증진 및 군사적 긴장 상태 완화
(2) **통일에 우호적인 국제 환경 조성**: 한반도 통일이 국제 사회의 평화와 번영을 촉진함을 주변국에 설득

5. 동아시아의 역사 갈등

(1) 일본과의 역사 갈등

일본의 역사 교과서 왜곡	왜곡된 역사 교과서를 만들어 일제 강점기 징용·징병의 강제성 은폐 및 일본의 침략 행위 정당화
일본의 독도 영유권 주장	시마네현의 고시를 근거로 독도가 일본의 영토로 편입되었다는 왜곡된 주장을 펼침
일본군 '위안부' 문제	침략 전쟁 과정에서 일본군 '위안부'를 강제 동원하였으나 현재 일본 정부는 강제성을 부정하고 있음
야스쿠니 신사 참배	주요 정치인들이 제2차 세계 대전의 전범을 안치한 야스쿠니 신사를 참배하며 침략 전쟁을 미화함

(2) 중국과의 역사 갈등

(❾)	고조선, 부여, 고구려, 발해의 역사를 중국의 역사라고 주장하며 역사를 왜곡함
동북 공정의 목적	• 중국 내 소수 민족의 통합 • 한반도 통일 이후 발생할 수 있는 영토 분쟁 방지

(3) 동아시아 역사 갈등 해결의 필요성과 해결 방안

필요성	역사 갈등에 따른 동아시아 각국의 상호 불신, 대립, 경쟁의 심화로 국가 간 갈등과 지역 내 불안정성 증대
해결 방안	• 정부 차원: 외교적인 대처 및 관계 법령의 정비, '동북아 역사 재단'을 설립하여 연구 지원 • 민간 차원: 공동 역사 연구를 통한 역사 인식의 차이 극복, 민간 교류의 확대

6. 국제 사회의 평화에 기여하는 대한민국

(1) 세계 속의 우리나라

지리적 측면	유라시아 대륙과 태평양을 연결하는 지리적 요충지 → 국제 물류 중심지로 도약 가능
정치·경제적 측면	• 1960년대 이후 정부 주도에 따른 고도의 경제 발전 • 각종 국제기구에서 주도적인 활동

(2) 국제 평화를 위한 우리의 노력

국가적 차원	• 국제 연합(UN)의 활동 지원 및 국제 문제 해결을 위해 세계 여러 국가들과 협력 • 개발 도상국에 대한 공적 개발 원조 확대 및 재난을 입은 국가에 긴급 구호 물품 등을 제공
개인·민간 차원	• 국제 비정부 기구의 평화 운동에 적극적으로 동참 • (❿) 의식을 갖고 빈곤, 기아 등 초국가적인 문제 해결을 위해 노력

01 밑줄 친 ㉠~㉢에 대한 옳은 설명을 〈보기〉에서 고른 것은?

> 오늘날 ㉠ 전 세계가 긴밀하게 상호 의존하면서 단일한 체계로 통합되어 가는 현상이 나타나고 있다. 이러한 현상은 주로 ㉡ 경제적 측면에서 나타났지만, 최근에는 ㉢ 문화적 측면에서도 활발하게 나타나고 있다.

보기

ㄱ. ㉠ – 물리적 거리의 중요성이 증가하고 있다.
ㄴ. ㉠ – 교통과 정보 통신의 발달이 주요 배경이다.
ㄷ. ㉡ – 다국적 기업의 국제 분업이 확대되고 있다.
ㄹ. ㉢ – 각국이 가진 고유문화의 정체성이 강화되고 있다.

① ㄱ, ㄴ　　　② ㄱ, ㄷ　　　③ ㄴ, ㄷ
④ ㄴ, ㄹ　　　⑤ ㄷ, ㄹ

02 밑줄 친 ㉠에 대한 옳은 분석 및 추론만을 〈보기〉에서 있는 대로 고른 것은?

> 미국의 ㉠○ 사 같은 기업은 자신들의 제품 생산 연계망을 통해 기업의 시설과 기능을 공간적으로 분산하여 입지시킨다.

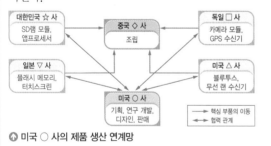

◐ 미국 ○ 사의 제품 생산 연계망

보기

ㄱ. ㉠은 다국적 기업이다.
ㄴ. ㉠은 제품의 핵심 부품을 직접 제작하고 있다.
ㄷ. ㉠은 중국 ◇ 사에 비해 임금 수준이 높을 것이다.
ㄹ. ㉠은 제품 생산 연계망을 통해 특정 지역에 대한 의존도를 낮추고 있다.

① ㄱ, ㄴ　　　② ㄱ, ㄷ　　　③ ㄱ, ㄴ, ㄷ
④ ㄱ, ㄷ, ㄹ　　　⑤ ㄴ, ㄷ, ㄹ

03 ㉠과 같은 도시가 성장하게 된 배경으로 가장 적절한 것은?

> 세계화와 함께 일부 대도시들은 하나의 국가에 국한되지 않고 전 세계적으로 영향력을 행사하고 있다. 이와 같이 세계적으로 중추적 역할을 하고 있는 도시를 (㉠)(이)라고 한다. (㉠)은/는 자본이 집중적으로 밀집된 곳으로 세계적인 기술·정보·문화 등이 생산되고 전달되는 중심지이다.

① 교통·통신 기술의 발달
② 특정 국가로의 인구 집중
③ 물리적 거리의 중요성 증가
④ 특수한 지역적 정체성 강화
⑤ 국제기구의 공적 개발 원조 확대

04 지도는 세계 도시의 계층 체계를 나타낸 것이다. A~C 도시에 대한 분석 및 추론으로 적절하지 않은 것은?

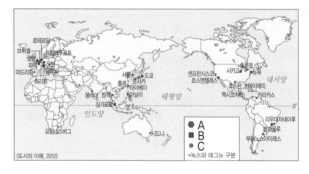

① A는 풍부한 저임금 노동력을 바탕으로 성장했을 것이다.
② A는 B에 비해 생산자 서비스업이 더 발달했을 것이다.
③ A는 C에 비해 국제기구 본부의 수가 더 많을 것이다.
④ A에서 C로 갈수록 다국적 기업의 본사 수가 감소할 것이다.
⑤ B는 C에 비해 고도의 정보 통신망이 발달했을 것이다.

05 밑줄 친 '문제점'에 해당하지 <u>않는</u> 것은?

> • 갑: 요즘은 손쉽게 세계 여러 나라의 문화와 상품을 접할 수 있어. 세계화는 더 확산되어야 해.
> • 을: 세계화가 꼭 좋은 점만 있는 것은 아니야. 세계화는 경제·문화적 측면에서 여러 <u>문제점</u>을 초래하기도 해.

① 다국적 기업이 점차 쇠퇴하고 있다.
② 전통문화의 고유성이 소멸되고 있다.
③ 국가 간 경제 불평등이 확대되고 있다.
④ 선진국의 제도와 생활 양식이 보편화되고 있다.
⑤ 보편 윤리와 특수 윤리 간 갈등이 증가하고 있다.

06 ㉠이 추구하는 목표로 적절하지 <u>않은</u> 것은?

> 카카오는 몇몇 세계적인 유통 업체에 의해 거래되고 있어, 초콜릿에서 발생하는 이익의 대부분은 카카오 유통 업체 및 초콜릿 제조 업체에 돌아가고 있다. 이러한 생산 구조를 바꾸고자 하는 무역 방식이 (㉠)이다.

① 무역 과정을 간소화한다.
② 생산지의 노동 조건을 개선한다.
③ 유통 과정에서 많은 이윤을 남긴다.
④ 생산지의 지속 가능한 발전을 추구한다.
⑤ 생산자에게 정당한 이윤이 돌아가도록 한다.

07 다음 사례를 통해 알 수 있는 내용으로 가장 적절한 것은?

> 본래 중국의 영토였던 헤이샤쯔섬은 1929년부터 1991년까지는 소련이, 그 이후에는 러시아가 점유해 왔다. 헤이샤쯔섬을 돌려받기 위해 중국은 러시아와 지속적으로 협상을 해 왔고, 그 결과 중국과 러시아는 헤이샤쯔섬을 절반씩 나누어 갖는 데 합의하였다.

① 국가 간의 갈등은 국제기구를 통해 해결해야만 한다.
② 국제 사회에서는 강대국이 힘의 논리로 갈등을 해결한다.
③ 국가 간 합의를 통해 평화적으로 갈등을 해결할 수 있다.
④ 세계화가 진행되면서 국가 간의 갈등이 감소하고 있다.
⑤ 국가는 자국의 이익을 최우선으로 추구하기 때문에 국제 평화에 기여할 수 없다.

08 밑줄 친 국제 사회의 행위 주체에 대한 옳은 설명을 〈보기〉에서 고른 것은?

> 국경이 인접한 이스라엘과 요르단은 이스라엘 건국 이후 줄곧 대립해 왔다. 특히 양국은 1967년 일어났던 중동 전쟁 이후 첨예한 적대 관계를 유지해 왔다. 이러한 양국 정부가 미국과 <u>국제 연합(UN)</u>의 적극적인 중재로 1994년 평화 협정을 체결하였다.

> **보기**
> ㄱ. 각국의 정부를 회원으로 한다.
> ㄴ. 국제 사회에서 규범을 정립한다.
> ㄷ. 외교를 통한 자국민 보호를 최우선으로 한다.
> ㄹ. 영토의 크기와 관계없이 독립적인 주권을 행사한다.

① ㄱ, ㄴ　　　② ㄱ, ㄷ　　　③ ㄴ, ㄷ
④ ㄴ, ㄹ　　　⑤ ㄷ, ㄹ

09 밑줄 친 국제 사회의 행위 주체에 대한 설명으로 옳은 것은?

> A국의 한 방송사는 소년원에 구금된 A국의 원주민 아동들이 복면에 씌워진 상태로 포박된 모습이 담긴 영상을 공개하였다. 이에 <u>국제 사면 위원회</u>는 A국 정부의 소년원 정책이 국제 연합(UN)의 아동 권리 협약과 고문 방지 협약을 모두 위반한다고 밝히고, A국의 소년원 제도를 재정비해야 한다고 주장하였다.

① 국교 수립이나 정상 회담 등을 추진한다.
② 국제 사회에서 가장 기본적인 행위 주체이다.
③ 국제 사회에서 독립된 주권을 가지고 활동한다.
④ 국제적 연대를 통해 범세계적인 문제를 해결한다.
⑤ 개별 국가의 행위를 규율하는 국제 규범을 정립한다.

10 다음은 수행 평가 문항에 대한 학생의 답안지이다. 이 학생의 점수로 옳은 것은?

다음 설명이 옳으면 ○, 틀리면 ×를 표시하시오.

문항	응답
(1) 대표적인 정부 간 국제기구인 국제 연합(UN)은 각국의 정부를 회원으로 한다.	○
(2) 오늘날 시민 사회의 영향력이 커지면서 국제 비정부 기구의 역할이 확대되고 있다.	○
(3) 국가 내부적 행위체는 한 국가에 속해 있지만 독자적인 영역에서 국제적인 활동을 한다.	×
(4) 국가는 자국의 이익을 우선시하기 때문에 외교적 협상을 통해 국제 갈등을 해결할 수 없다.	×
(5) 국가 간 상호 의존이 심화하면서 한 국가만의 노력으로 해결할 수 없는 문제가 증가하고 있다.	○

(문항당 2점)

① 2점　　　② 4점　　　③ 6점
④ 8점　　　⑤ 10점

11 밑줄 친 ㉠, ㉡에 대한 옳은 설명을 〈보기〉에서 고른 것은?

평화학 연구자인 갈퉁(Galtung, J.)은 평화의 개념을 ㉠ 소극적 평화, ㉡ 적극적 평화로 구분하였다. 그리고 적극적 평화란 물리적 폭력뿐 아니라 사회 구조 자체에서 발생하는 구조적 폭력, 문화의 측면으로 직·간접적 폭력을 정당화하는 문화적 폭력까지 사라진 상태로 정의하였다.

보기
ㄱ. ㉠은 다양한 차원의 고통을 소홀히 할 수 있다.
ㄴ. ㉠은 전쟁과 테러 등의 근본적인 원인이 해소된 상태이다.
ㄷ. ㉡은 인간다운 삶을 영위할 수 있는 상태를 의미한다.
ㄹ. ㉡은 종교와 사상에 따른 차별이 남아 있는 상태를 의미한다.

① ㄱ, ㄴ　　② ㄱ, ㄷ　　③ ㄴ, ㄷ
④ ㄴ, ㄹ　　⑤ ㄷ, ㄹ

12 다음 사례에 나타난 평화를 위협하는 요인에 대한 옳은 설명을 〈보기〉에서 고른 것은?

아파르트헤이트란 분리·격리를 뜻하는 아프리칸스어로, 백인 우월주의에 근거하여 남아프리카 공화국에서 시행되었던 인종 차별·인종 격리 정책을 말한다. 이 정책에 따라 남아프리카 공화국의 흑인과 토착민은 참정권 부정, 직업의 제한, 노동조합 결성 금지, 백인과의 결혼 금지, 버스 승차 분리, 공공시설 사용 제한, 거주 지역 분리 등 정치적·경제적·사회적으로 차별을 받았다.

보기
ㄱ. 직접적이고 물리적인 폭력에 해당한다.
ㄴ. 사회 관습이나 제도로부터 비롯되는 폭력이다.
ㄷ. 해당 국가의 특수 윤리에 해당하므로 국제 사회에서 존중해 주어야 한다.
ㄹ. 적극적 평화 상태를 실현하기 위해서는 이러한 요인을 제거하는 것이 중요하다.

① ㄱ, ㄴ　　② ㄱ, ㄷ　　③ ㄴ, ㄷ
④ ㄴ, ㄹ　　⑤ ㄷ, ㄹ

13 다음 '지식 Q&A'의 질문에 옳지 <u>않은</u> 답변을 한 학생은?

▶ 지식 Q&A

한반도 통일은 왜 이루어져야 할까요? 통일이 필요한 이유를 알고 싶어요.

▶ 답변하기

↳ 갑: 통일을 통해 이산가족의 아픔을 치유할 수 있어요.
↳ 을: 전 세계 유일한 분단국의 통일로 세계 평화에 기여할 수 있죠.
↳ 병: 남한의 기술력과 북한의 노동력 결합으로 국가 경쟁력을 향상시킬 수 있어요.
↳ 정: 유라시아 대륙과 태평양을 연결하는 지정학적 요충지로서의 이점을 활용할 수 있어요.
↳ 무: 남북한의 언어를 모두 공용어로 지정하여 사용하면 언어의 다양화에 기여할 수 있어요.

① 갑　　② 을　　③ 병　　④ 정　　⑤ 무

14 밑줄 친 '전쟁'에 대한 옳은 설명을 〈보기〉에서 고른 것은?

> 1945년 8월 15일, 우리 민족은 일본의 식민 지배로부터 벗어나 광복을 맞이했다. 그러나 광복 이후 남과 북에 미군과 소련군이 각각 주둔하면서 분단이 시작되었다. 1948년 남한에서 단독 총선거가 실시되면서 대한민국 정부가 수립되었고, 1950년에는 남한과 북한 사이에 <u>전쟁</u>이 발발하였다.

보기
ㄱ. 북한의 불법적인 남침으로 시작되었다.
ㄴ. 오늘날까지 남북 분단을 고착화시키게 되었다.
ㄷ. 전쟁을 거치면서 남북 간의 이념적 대립은 사라졌다.
ㄹ. 전쟁으로 입은 피해로 인해 서로에 대한 지원이 강화되었다.

① ㄱ, ㄴ ② ㄱ, ㄷ ③ ㄴ, ㄷ
④ ㄴ, ㄹ ⑤ ㄷ, ㄹ

15 다음과 같은 갈등을 해결하기 위한 노력으로 적절하지 <u>않은</u> 것은?

> • 국제 사회는 일본 정치인들의 야스쿠니 신사 공식 참배에 대해 비판하고 있다.
> • 중국이 고조선, 고구려, 발해의 역사를 중국의 지방사라고 간주하는 등 한국의 고대사를 왜곡하면서 한국과 갈등을 빚고 있다.

① 자국 역사의 우수성을 내세운 역사 교과서 편찬을 장려한다.
② 자민족 중심주의에서 벗어나 인류의 보편적 가치를 추구한다.
③ 국경을 넘어서 시민 단체들 간에 적극적인 연대 활동이 필요하다.
④ 역사적 사실 관계를 규명하는 동아시아 역사 공동 연구를 활성화한다.
⑤ 다른 나라의 문화에 대한 이해를 증진하기 위해 청소년들 간의 교류를 확대한다.

16 다음 사례가 역사 갈등 해결에 시사하는 바로 적절한 것을 〈보기〉에서 고른 것은?

> 제2차 세계 대전 당시의 가해국 독일과 피해국 폴란드는 오랜 역사 갈등을 겪어왔다. 두 국가 사이의 갈등은 공동 역사 연구를 통해 개선되기 시작하였다. 이후 독일과 폴란드의 역사, 지리학자들이 모여 공통된 역사 인식하에 꾸준한 교류와 연구를 지속한 끝에 2016년 공동 역사 교과서인 『유럽 – 우리의 역사』 제1권을 발간하였다.

보기
ㄱ. 역사 문제를 해결하기 위해서는 민간 차원의 교류를 확대해야 한다.
ㄴ. 국가 간 공동 역사 연구를 통해 역사 인식의 차이를 극복하기 위해 노력해야 한다.
ㄷ. 역사 갈등을 해결하기 위해서는 관계 법령의 정비 등 국가 차원의 노력이 필요하다.
ㄹ. 개별 국가는 민족적 자부심 극대화를 위해 자국의 이해관계를 강조하는 역사 교육을 해야 한다.

① ㄱ, ㄴ ② ㄱ, ㄷ ③ ㄴ, ㄷ
④ ㄴ, ㄹ ⑤ ㄷ, ㄹ

17 다음은 수업 시간에 정리한 노트의 일부이다. (가), (나)에 들어갈 내용으로 적절하지 <u>않은</u> 것은?

> **국제 사회의 평화에 기여하는 대한민국**
> 1. 국제 평화를 위한 우리나라의 노력
>   (1) 국가적 차원: _____ (가) _____
>   (2) 개인·민간 차원: _____ (나) _____

① (가) – 남북통일을 통해 분단 비용을 극대화한다.
② (가) – 개발 도상국에 공적 개발 원조를 확대한다.
③ (가) – 국가 간 분쟁 지역에 파견되는 평화 유지군에 참여한다.
④ (나) – 국제 비정부 기구의 반전 및 평화 운동에 석극석으로 동참한다.
⑤ (나) – 세계 시민 의식을 갖추고 빈곤, 기아 등 초국가적인 문제에 관심을 기울인다.

미래와 지속 가능한 삶

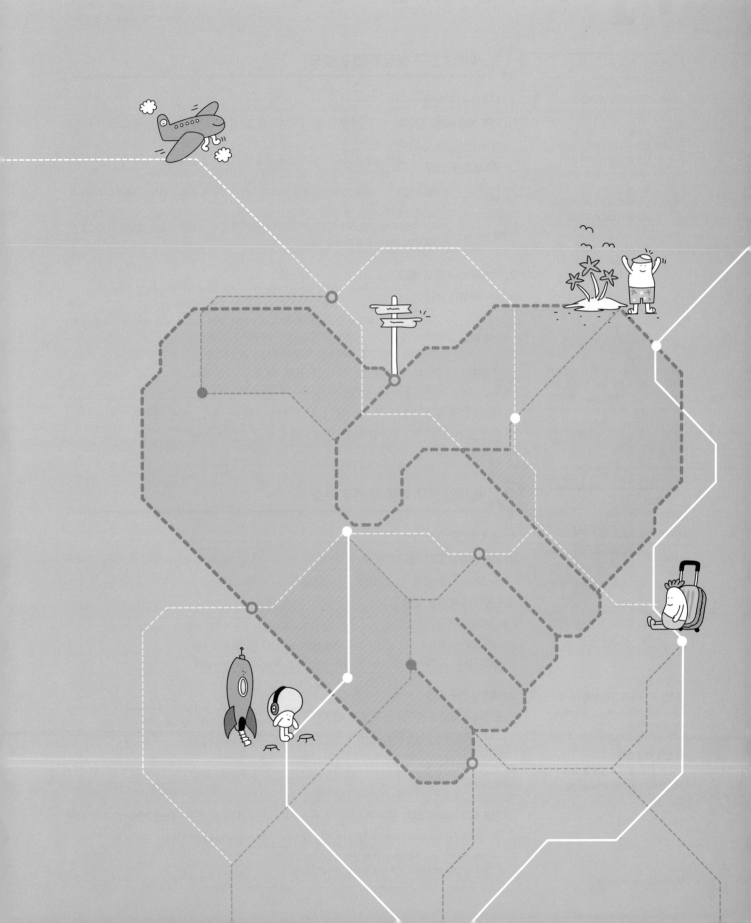

01 세계의 인구와 인구 문제

학 습 목 표
• 세계의 인구 성장·분포·이동·구조에 대한 자료를 분석할 수 있다.
• 세계의 인구 문제를 파악하고, 그 해결 방안을 제시할 수 있다.

1 세계의 인구 성장과 인구 분포

이것이 핵심!

세계의 인구 성장과 인구 분포

인구 성장	• 선진국: 낮은 사망률과 낮은 출생률 → 인구 정체 및 감소 • 개발 도상국: 낮은 사망률과 높은 출생률 → 인구 증가
인구 분포	• 자연적 요인과 사회·경제적 요인의 영향 • 농업에 유리한 지역과 공업이 발달한 지역에 인구 밀집

아시아와 아프리카의 인구가 빠른 속도로 증가하고 있어.

최근 들어 과학 기술의 발달로 인간의 거주 지역이 확대되고 있으며, 사회·경제적 요인이 인구 분포에 미치는 영향이 커지고 있어.

1. 세계의 인구 성장

(1) **인구 성장 배경**: 산업화 이후 생활 수준의 향상, 의료 기술의 발달로 사망률 감소 → 평균 수명 연장, 세계 인구 급증

(2) **국가별 인구 성장** ┌ 꿀! 산업 혁명 이후에는 선진국을 중심으로 세계 인구가 증가하였으며, 20세기 후반 이후에는 개발 도상국이 세계 인구 성장을 주도하고 있어.

선진국	산업화가 일찍 시작되어 18세기 말에서 20세기 초까지 인구가 빠르게 성장 → 출생률이 감소하면서 인구 증가율 정체 또는 감소
개발 도상국	20세기 중반 이후 산업화의 진행으로 인구가 빠르게 증가 → 출생률이 높은 상태를 유지하고 사망률이 낮아지면서 인구 증가율 높음

2. 세계의 인구 분포 〔자료①〕

(1) **인구 분포의 요인** ┌ 인간은 생활하기에 유리한 곳에 집단적으로 거주하는 경향이 있어서, 인구는 지구상에 고르게 분포하지 않고 특정 지역에 집중해.

자연적 요인	• 인구 밀집 지역: 북반구 중위도의 냉·온대 기후 지역, 해발 고도가 낮은 하천 주변의 평야 및 해안 지역 └ 세계 인구의 90% 이상이 북반구에 거주해. • 인구 희박 지역: 건조 기후 지역, 한대 기후 지역, 해발 고도가 높은 산지 지역
사회·경제적 요인	• 산업화·도시화의 영향: 직업, 교통, 문화, 교육 등의 영향을 받음 • 교통이 발달하고 일자리가 많은 대도시에 인구 집중

(2) **세계의 인구 밀집 지역**: 동부 아시아, 동남 및 남부 아시아, 유럽, 미국 북동부 지역 → 자연 환경 조건이 농업에 유리한 지역, 일찍부터 공업이 발달한 지역

2 세계의 인구 이동과 인구 구조

이것이 핵심!

세계의 인구 이동과 인구 구조

인구 이동	• 경제적 이동: 개발 도상국에서 선진국으로 이동 • 정치적 이동: 난민 형태의 이동
인구 구조	• 선진국: 유소년층 비중이 적고, 노년층 비중이 많음 • 개발 도상국: 유소년층 비중이 많고, 노년층 비중이 적음

★ **중위 연령**
특정 지역이나 국가의 전체 인구를 연령 순서로 세웠을 때 그 중앙에 위치한 사람의 연령

★ **산아 제한 정책**
인구의 빠른 증가 추세를 둔화하기 위해 인위적인 방법을 통해 출산을 제한하는 정책

1. 세계의 인구 이동

(1) **인구 이동의 요인**: 정치·경제·문화·환경 조건의 변화, 교통·통신의 발달에 따른 세계화 → 오늘날 전 세계적으로 인구 이동 활발

(2) **인구 이동의 유형** 〔자료②〕

경제적 이동	개발 도상국에서 경제 수준이 높고 일자리가 많은 선진국으로 이동
정치적 이동	정치적 탄압, 불안한 정세, 내전 등에 의한 난민 형태의 국제 이동
환경적 이동	사막화, 해수면 상승 등 기후 변화에 따른 환경 재앙을 피해 이동

2. 세계의 인구 구조

(1) **선진국과 개발 도상국의 인구 구조** 〔자료③〕 VS • 선진국: 합계 출산율이 낮고 기대 수명이 길다.
• 개발 도상국: 합계 출산율이 높고 기대 수명이 짧다.

선진국	• 유소년층 비중이 낮고, 노년층 비중이 높음 → *중위 연령이 높음 • 종형 또는 방추형 인구 구조가 나타남
개발 도상국	• 노년층 비중이 낮고, 유소년층 비중이 높음 → 중위 연령이 낮음 • 피라미드형 인구 구조가 나타남

(2) **전통 및 가치관에 따른 인구 구조**: 남아 선호 사상이 강한 국가 또는 *산아 제한 정책을 시행한 국가에서는 유소년층과 청장년층에서 남초 현상이 나타나기도 함

여자 100명당 남자 수를 성비라고 해. 성비가 100보다 크면 ┐
남초 현상이, 100보다 작으면 여초 현상이 나타났다고 해.

완자 자료 탐구 / 내 옆의 선생님

자료 ① 세계의 인구 분포 특성

꼭! 세계 인구는 2000년대 들어서 약 70억 명을 넘어섰어. 이러한 추세라면 2050년에는 약 90억 명에 이를 것으로 예상하고 있어.

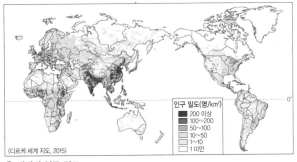

↑ 세계의 인구 밀도

(디르케 세계 지도, 2015)

인구 밀도(명/km²)
- 200 이상
- 100~200
- 50~100
- 10~50
- 1~10
- 1 미만

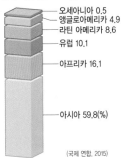

- 오세아니아 0.5
- 앵글로아메리카 4.9
- 라틴 아메리카 8.6
- 유럽 10.1
- 아프리카 16.1
- 아시아 59.8(%)

(국제 연합, 2015)

↑ 대륙별 인구 비율

세계 인구의 약 60%는 중국, 인도 등을 포함하는 아시아에 거주하고 있다. 특히 동부 아시아와 동남 및 남부 아시아는 계절풍 지대로 일찍이 벼농사가 발달하여 인구가 밀집하고 있다. 서부 유럽과 미국 북동부 지역은 일찍부터 산업화·도시화가 이루어져 공업이 발달하면서 인구가 집중하였다.

자료 ② 국제 인구 이동

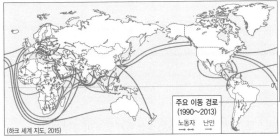

주요 이동 경로 (1990~2013)
노동자 난민

(하크 세계 지도, 2015)

VS 노동자의 국제 이동은 경제적 요인에 의한 것이며, 난민의 국제 이동은 정치적 요인에 의한 것이야.

← 세계 노동자와 난민의 국제 이동

전 세계적으로 경제적·정치적 요인에 의한 인구 이동이 활발하다. 경제적 이동은 개발 도상국에서 임금 수준이 높고 고용 기회가 많은 선진국으로 이동하는 것이다. 정치적 이동은 대부분 전쟁이나 분쟁에 의한 경우가 많다. 분쟁이 잦은 서남아시아와 아프리카에서 내전을 피해 이주하는 난민의 이동이 대표적인 사례이다.

자료 ③ 선진국과 개발 도상국의 인구 구조

일본 / 인도

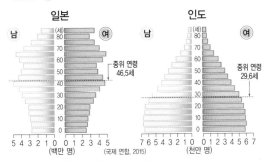

중위 연령 46.5세

(국제 연합, 2015)

중위 연령 29.6세

5 4 3 2 1 0 0 1 2 3 4 5 (백만 명)
7 6 5 4 3 2 1 0 0 1 2 3 4 5 6 7 (천만 명)

↑ 선진국과 개발 도상국의 인구 피라미드

선진국은 생활 수준이 높고 의료 기술이 발달하여 사망률이 낮으며, 여성의 사회 진출과 자녀에 대한 가치관 변화 등으로 출생률이 낮은 편이다. 반면, 개발 도상국은 상대적으로 생활 수준이 낮아 사망률이 높으며, 농업 사회의 특성이 나타나 출생률이 높은 편이다.

Q 왜? 많은 노동력을 필요로 하기 때문이야.

자료 하나 더 알고 가자!

인구 변천 모형과 단계별 특징

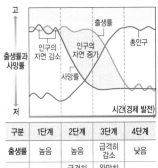

고
출생률과 사망률
저

출생률 / 인구의 자연 감소 / 인구의 자연 증가 / 총인구 / 사망률

시간(경제 발전)

구분	1단계	2단계	3단계	4단계
출생률	높음	높음	급격히 감소	낮음
사망률	높음	급격히 감소	완만히 감소	낮음
총인구	정체	증가	증가	정체

자료 하나 더 알고 가자!

대륙별 인구 유입과 인구 유출

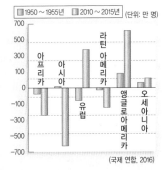

□ 1950~1955년 ■ 2010~2015년 (단위: 만 명)

700 / 500 / 300 / 100 / -100 / -300 / -500 / -700

아프리카 / 아시아 / 유럽 / 라틴 아메리카 / 앵글로아메리카 / 오세아니아

(국제 연합, 2016)

경제 수준이 낮고 개발 도상국이 많은 아프리카와 아시아, 라틴 아메리카는 인구가 유출되고 있다. 반면, 대체로 경제 수준이 높고 선진국이 많은 유럽과 앵글로아메리카는 인구가 유입되고 있다.

문제로 확인할까?

종형 또는 방추형 인구 구조가 나타나는 국가에 대한 설명으로 옳은 것은?
① 출생률이 높다.
② 인구가 급증한다.
③ 유소년 인구 비중이 낮다.
④ 남아 선호 사상이 나타난다.
⑤ 산아 제한 정책을 시행한다.

ⓒ

이것이 핵심!

선진국과 개발 도상국의 인구 문제

선진국	저출산·고령화 문제 → 청장년층 감소로 노동력 부족, 노년층 증가로 사회적 부담 증가, 세대 간 갈등 심화
개발 도상국	인구 과잉 문제, 대도시 과밀 문제 → 인구 급증과 도시 인구 집중에 따른 문제 발생

★ **생산 가능 인구**
생산 활동을 할 수 있는 15~64세의 청장년층 인구를 말하며, 생산 연령 인구라고도 한다.

③ 세계의 인구 문제

1. 선진국의 저출산·고령화 문제 (자료④)

구분	원인	영향
저출산 문제	여성의 사회 활동 증가, 결혼 및 자녀에 대한 가치관 변화, 출산과 양육 비용에 대한 부담, 청장년층의 고용 불안, 평균 결혼 연령의 상승	• ★생산 가능 인구의 감소로 노동력 부족 → 소비 감소에 따른 경제 성장 둔화 및 장기적 경기 침체 우려
고령화 문제	생활 수준의 향상과 의학 기술의 발달에 따른 평균 수명 연장	• 노년 인구 부양비 증가, 노인 복지를 위한 사회적 비용 증가 → 세대 간 일자리 경쟁 및 갈등 심화

└ 국민연금, 국민 건강보험 등

2. 개발 도상국의 인구 문제

(1) **인구 과잉 문제**: 사망률은 빠르게 낮아졌지만 출생률은 여전히 높은 상태 유지 → 인구 급증에 따른 식량 및 자원 부족, 기아와 빈곤, 실업 등의 문제 발생 ┌Why? 인구 부양력의 한계를 넘어섰기 때문이야.

(2) **대도시 과밀 문제**: 급속한 산업화로 일자리를 찾아 대도시로 이동하는 인구 증가 → 인구 집중에 따른 주택 부족, 환경 오염 등의 도시 문제 발생

3. 인구 이동에 따른 문제

인구 유입 국가	원주민과 이주민 간의 경제적·문화적 갈등, 난민 수용을 둘러싼 갈등 발생
인구 유출 국가	청장년층 노동력 감소, 지역 경제 및 사회적 분위기 침체

이것이 핵심!

저출산·고령화 문제의 해결 방안

정책적 방안	• 저출산 대책: 출산 장려 정책, 결혼 기반 지원 대책, 여성에 대한 처우 개선 • 고령화 대책: 노인에 대한 경제적 자립 지원, 사회 보장 제도 강화
가치관 변화	가족 친화적 가치관 확대, 노인에 대한 인식 변화, 양성평등 문화 확립, 세대 간 정의 실현

★ **가족계획**
행복한 가정생활을 위해 부부의 생활 능력에 따라 자녀의 수나 출산의 간격을 계획적으로 조절하는 일

★ **양성평등**
남녀가 동등한 사회적 조건과 지위, 권리, 의무를 가지는 것

④ 인구 문제의 해결 방안

1. 정책적 방안

(1) **선진국의 인구 정책** (교과서 자료)

저출산 대책	• 출산 장려 정책 실시: 출산 및 육아 비용 지원, 보육 시설 확충, 출산 휴가 및 육아 휴직 보장 • 결혼 기반 지원 대책 마련: 신혼부부 주택 특별 공급, 청년 일자리 확충 • 여성에 대한 처우 개선: 성별 임금 격차 해소, 유연 근무제 확대
고령화 대책	• 노인에 대한 경제적 자립 지원: 노년층 일자리 확대, 정년 연장 • 사회 보장 제도 강화: 노후 소득 보장을 위한 정책 마련, 사회 복지 시설 확충

(2) **개발 도상국의 인구 정책**

① 인구 과잉 문제의 대책: 경제 발전과 식량 증산 정책, ★가족계획을 통한 출산 억제 정책

② 대도시 과밀 문제의 대책: 중소 도시 육성 정책, 촌락의 생활 환경 개선 → 인구와 기능의 지방 분산 유도

2. 가치관의 변화 꼭! 인구 문제의 해결을 위해서는 국가의 정책적인 방안뿐만 아니라, 사회적 인식 및 개인의 가치관 변화가 필요해.

(1) **가족 친화적 가치관 확대**: 결혼과 가족의 소중함, 정서적 지지자로서 자녀의 가치 인식

(2) **노인에 대한 인식 변화**: 삶이 지혜와 경험을 나누는 사회 구성원으로서 노인 이해

(3) ★**양성평등 문화 확립**: 남녀 간 가사·양육 분담, 일과 가족생활 간 균형 추구 등에 대한 사회적 인식 개선

(4) **세대 간 정의 실현**: 현재 세대와 미래 세대 간의 형평성 고려 → 자원, 일자리, 환경 등의 측면에서 정의 실현을 위한 노력 (자료⑤) ┌ 저출산·고령화 현상이 지속되는 가운데, 장기적인 계획 없이 현재 세대만 만족하는 대책을 수립한다면 그 부담은 고스란히 미래 세대로 이어지게 돼.

완자 자료 탐구

내 옆의 선생님

자료 ④ 우리나라의 저출산·고령화 문제

꼭! 우리나라는 1980년대까지 인구 과잉에 대한 인구 정책이 이루어졌지만, 2000년 이후에는 저출산·고령화 문제의 해결을 위한 인구 정책을 시행하고 있어.

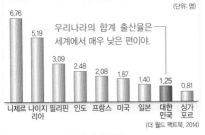

(단위: 명)

6.76 / 5.19 / 3.09 / 2.48 / 2.08 / 1.87 / 1.40 / 1.25 / 0.81

니제르 / 나이지리아 / 필리핀 / 인도 / 프랑스 / 미국 / 일본 / 대한민국 / 싱가포르

(더 월드 팩트북, 2014)

우리나라의 합계 출산율은 세계에서 매우 낮은 편이야.

⬆ 세계 주요 국가의 합계 출산율

(단위: 명) □2014년 ■2036년(예측)

5.26 / 1.96 / 4.16 / 2.58 / 3.30 / 2.30 / 2.94 / 2.04 / 2.85 / 1.64 / 2.19 / 1.56 / 3.74 / 2.38

대한민국 / 미국 / 영국 / 핀란드 / 독일 / 일본 / OECD 평균

(경제 협력 개발 기구, 2014)

⬆ 고령자 1명당 생산 가능 인구
고령화가 빠르게 진행될 것으로 예상하고 있어.

우리나라는 여성의 사회 진출 증가와 결혼 및 자녀에 대한 가치관의 변화로 출생률이 점차 감소하였다. 최근에는 청장년층의 고용 불안, 주택 가격의 상승, 평균 결혼 연령의 상승, 출산 및 육아 비용 증가 등으로 출생률이 더욱 낮아졌다. 이와 함께 경제 수준의 향상과 의학 기술의 발달로 사망률이 낮아지면서 고령화도 빠르게 진행되고 있다.

자료 하나 더 알고 가자!

저출산·고령화와 잠재 성장률

한국 개발 연구원(KDI)은 현재까지의 인구 변화 추세로 미루어 볼 때 2031~2035년에는 잠재 성장률이 1.4%까지 떨어질 것으로 전망하였고, 다른 민간 경제 연구원에서도 비슷한 연구 결과를 발표하였다. 각 기관에서는 공통적으로 저출산·고령화의 급속한 진행에 따른 생산 가능 인구의 감소를 하락세의 주요 원인으로 지목하였다.

생산 가능 인구가 감소하면 노동 생산성이 낮아져 잠재 성장률이 떨어진다. 또한 구매력이 높은 노동 인구의 감소는 소비 및 투자 증가율 하락으로 이어질 수 있다.

수능이 보이는 교과서 자료 **여러 국가의 출산 장려 정책**

스웨덴의 육아 휴직 제도
스웨덴은 부모 모두의 육아 휴직 기간을 보장하는 육아 휴직 제도를 시행하고 있다. 자녀가 8살이 될 때까지 부모는 480일의 출산 휴가를 받는데, 부모가 공동으로 나누어 사용할 수 있다. 부모 중에서 한 사람이 반드시 60일 이상 사용해야 한다.

우리나라의 다자녀 가정 지원 제도
우리나라는 다자녀 가정의 경제적 부담을 줄이기 위해 추가 소득 공제 혜택을 주거나 각종 세금을 감면해 주고 있다. 다자녀 가정에는 다자녀 우대 카드를 발급하여 각종 할인 혜택을 주고 있으며, 국가 장학금과 대학 등록금도 지원하고 있다.

우리나라와 여러 선진국에서는 저출산 문제를 해결하기 위해 임신·출산을 위한 의료비 지원, 출산 및 육아 비용 지원, 국공립 보육 시설 확충, 출산 휴가 및 육아 휴직 보장, 다자녀 가정 지원 제도 등 다양한 출산 장려 정책을 실시하고 있다.

완자쌤의 탐구 강의

• 저출산 문제를 해결하기 위해 우리나라 정부가 시행하고 있는 또 다른 정책을 조사해 보자.

우리나라 정부에서는 출산 장려 정책 이외에도 신혼부부 주택 특별 공급, 청년 일자리 확보 등과 같은 결혼 기반 지원 대책을 시행하고 있다. 또한 성별 임금 격차 해소, 유연 근무제 확대 등 여성에 대한 처우를 개선하기 위한 정책도 마련하고 있다.

함께 보기 251쪽, 내신 만점 공략하기 11

자료 ⑤ 세대 간 갈등과 세대 간 정의 실현

VS • 청년층의 어려움: 일자리 부족, 결혼 및 출산과 양육에 대한 부담, 노부모에 대한 부양 부담 등
• 노년층의 어려움: 소득 불안정, 자녀의 경제적 지원 감소 등

청년 세대

요즘은 취업하기가 너무 어려워요. 뒤늦게 취업을 한다 해도 결혼해서 집을 사고 아이를 낳아 기르는 게 어려울 것 같아요. 게다가 갈수록 많아지는 노년 세대를 부양하기 위한 세금 부담도 너무 크고요.

노년 세대

저는 퇴직을 앞두고 있어요. 은퇴를 한다 해도 자녀 뒷바라지와 가계 부채 부담 때문에 노후 준비를 제대로 하지 못해서 재취업을 해야 해요. 정년을 연장해 주셨으면 좋겠어요.

저출산·고령화가 계속되면 연금이나 사회 보험 등 노년층 부양을 위한 청장년층의 부담이 가중되어 세대 간 갈등이 발생할 수 있다. 따라서 현재 세대와 미래 세대 간의 형평성을 고려하여 세대 간 정의를 실현하기 위해 노력해야 한다.

정리 비법을 알려줄게!

청년 세대와 노년 세대를 위한 인구 정책

청년 세대를 위한 정책	안정된 청년 일자리 확충, 신혼부부 주택 특별 공급, 출산 및 양육 지원, 유연 근무제 등
노년 세대를 위한 정책	국민연금과 주택 연금 등의 노후 소득 보장 제도, 경제적 자립을 위한 직업 훈련, 정년 연장 등

정답친해 82쪽

STEP 1 핵심 개념 확인하기

1 다음 괄호 안의 내용 중 알맞은 말에 ○표를 하시오.

(1) 오늘날 전 세계 인구의 절반 이상은 (유럽, 아시아)에 분포하고 있다.

(2) 세계 인구가 급격하게 증가한 것은 생활 수준의 향상과 의학 기술의 발달에 따라 (출생률, 사망률)이 낮아졌기 때문이다.

2 ㉠, ㉡에 들어갈 내용을 각각 쓰시오.

> 개발 도상국에서 임금 수준이 높고 고용 기회가 많은 선진국으로 인구가 이동하는 것은 (㉠   ) 이동의 대표적인 사례이다. (㉡   ) 이동은 대부분 전쟁이나 분쟁에 의한 경우가 많다. 분쟁이 잦은 서남아시아와 아프리카에서 내전을 피해 이주하는 난민의 이동이 대표적인 사례이다.

3 특정 지역이나 국가의 전체 인구를 연령 순서로 세웠을 때, 그 중앙에 위치한 사람의 연령을 (   )이라고 한다.

4 다음 국가에서 주로 나타나는 인구 구조를 옳게 연결하시오.

(1) 선진국 •　　　　　• ㉠ 종형 인구 구조

(2) 개발 도상국 •　　　　　• ㉡ 피라미드형 인구 구조

5 다음 국가에서 주로 나타나는 인구 문제를 〈보기〉에서 골라 기호를 쓰시오.

> **보기**
> ㄱ. 고령화　　　　　ㄴ. 저출산
> ㄷ. 인구 과잉　　　　ㄹ. 대도시 과밀

(1) 선진국　　　　　　　　　　　　　(　　)

(2) 개발 도상국　　　　　　　　　　(　　)

6 다음 설명이 맞으면 ○표, 틀리면 ✕표를 하시오.

(1) 저출산·고령화 문제가 지속되면 유소년층을 부양하기 위한 노년층의 부담이 가중된다.　　　　(　　)

(2) 우리나라의 인구 문제를 해결하기 위해서는 결혼과 출산 및 양육에 대한 국가의 정책적인 지원과 함께 사회적 인식 및 가치관의 변화가 필요하다.　　　　(　　)

STEP 2 내신 만점 공략하기

01 그래프는 세계의 인구 성장을 나타낸 것이다. 이에 대한 옳은 설명을 〈보기〉에서 고른 것은?

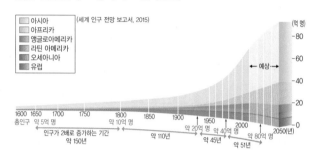

> **보기**
> ㄱ. 세계의 총인구는 지속적으로 감소하고 있다.
> ㄴ. 2050년 아프리카 인구는 아시아보다 많아질 것이다.
> ㄷ. 20세기 이후 세계 인구의 증가는 개발 도상국이 주도하고 있다.
> ㄹ. 세계 인구는 1900년~1950년보다 1950년~2000년에 더 많이 증가하였다.

① ㄱ, ㄴ　　② ㄱ, ㄷ　　③ ㄴ, ㄷ
④ ㄴ, ㄹ　　⑤ ㄷ, ㄹ

02 지도는 세계의 인구 분포를 나타낸 것이다. (가), (나) 지역에 대한 설명으로 옳은 것은?

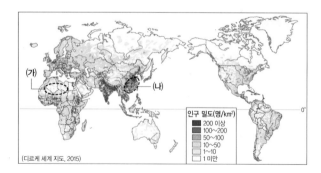

① (가)는 한대 기후가 나타나 인간이 거주하기 불리하다.

② (나)는 일찍부터 농경이 발달하여 인구가 밀집해 있다.

③ (가)는 (나)보다 인구 조밀 지역에 해당한다.

④ (나)는 (가)보다 단위 면적당 인구가 적은 편이다.

⑤ (가), (나)는 모두 자연환경이 농업에 유리한 지역이다.

03 다음은 세계의 인구 분포에 대한 내용이다. 밑줄 친 ㉠~㉤ 중 옳지 <u>않은</u> 것은?

인간은 생활하기에 유리한 곳에 집단적으로 거주하는 경향이 있다. 그래서 ㉠인구는 지구상에 고르게 분포하지 않고 특정 지역에 집중한다. 인구 분포는 기후, 지형, 식생, 토양과 같은 자연적 요인의 영향을 받는다. ㉡전 세계 인구의 90% 이상이 북반구에 살고 있으며, 10% 미만은 남반구에 살고 있다. 특히 ㉢북반구 중위도의 냉·온대 기후 지역과 해발 고도가 낮은 하천 주변의 평야 지역이나 해안 지역에 인구가 밀집해 있다. 반면 건조·한대 기후 지역이나 험준한 산지·고원 지역에는 인구가 희박하다. ㉣오늘날에는 과학 기술과 교통의 발달로 인간의 거주 지역이 점차 축소되고 있으며, ㉤산업화와 도시화가 진행되면서 산업, 교통, 문화, 교육과 같은 사회적·경제적 요인이 인구 분포에 많은 영향을 주게 되었다.

① ㉠　　② ㉡　　③ ㉢　　④ ㉣　　⑤ ㉤

04 그래프는 인구 변천 모형을 나타낸 것이다. (가)~(라) 단계에 대한 설명으로 옳은 것은?

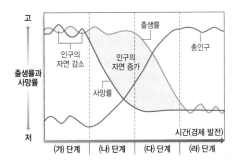

① (가) 단계에서 사망률이 가장 낮다.
② (나) 단계에서 인구 증가율이 가장 높다.
③ (다) 단계에서 출생률이 가장 높다.
④ (라) 단계에서 출생률과 사망률이 모두 높아진다.
⑤ (가) 단계에서 (라) 단계로 갈수록 총인구가 감소한다.

05 지도에 나타난 인구 이동의 특징에 대해 옳게 답변한 학생은?

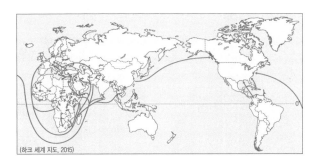

(하크 세계 지도, 2015)

① 갑: 관광을 목적으로 이동하는 일시적 인구 이동이야.
② 을: 성지 순례를 위한 종교인의 대규모 인구 이동이야.
③ 병: 일자리를 구하기 위한 경제적 요인의 인구 이동이야.
④ 정: 정치적 탄압이나 내전 등으로 인한 난민 형태의 인구 이동이야.
⑤ 무: 해수면 상승에 따라 거주 지역이 침수되어 발생한 인구 이동이야.

06 밑줄 친 부분에 따라 나타날 수 있는 인구 문제로 가장 적절한 것은?

지난 20여 년 동안 독일의 합계 출산율은 1.3~1.4명 내외에 머물러 왔고, 인구 대체 수준에 미치지 못하여 인구가 감소할 것으로 예상되었다. 그러나 독일은 이민자의 유입으로 인구 감소를 피할 수 있었다. 최근 조사에 따르면 1,000만 명 이상의 이민자가 유입되면서 독일의 인구는 증가한 것으로 집계되었다. 독일의 총인구 중에서 이민자 출신의 비율은 약 20% 정도이다. 이들 이민자 출신 인구의 평균 연령은 약 35.4세로 본국 출신 인구의 평균 연령보다 약 11.4세 낮은 것으로 조사되었다.

① 원주민과 이민자 간의 문화적 갈등이 발생한다.
② 생산 가능 인구의 감소로 경제 성장이 둔화된다.
③ 결혼 상대를 찾기 어려워져 미혼 인구가 급증한다.
④ 남아 선호 사상의 유입으로 남초 현상이 나타난다.
⑤ 인구 급증에 따른 식량 부족으로 기아나 빈곤 문제가 심화된다.

07 다음은 두 국가의 인구 구조를 나타낸 것이다. (가) 국가와 비교한 (나) 국가의 상대적 특성을 그림의 A~E에서 고른 것은?

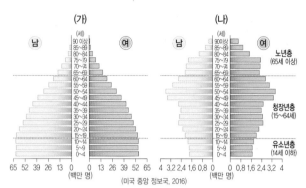

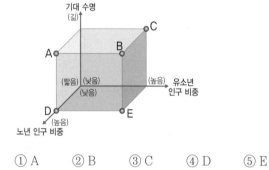

① A   ② B   ③ C   ④ D   ⑤ E

08 지도는 세계의 중위 연령을 나타낸 것이다. (가), (나) 국가군에 대한 옳은 설명을 〈보기〉에서 고른 것은?

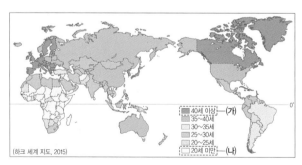

┌─ 보기 ─────────────────────────────┐
│ ㄱ. (가)는 피라미드형 인구 구조가 나타난다.   │
│ ㄴ. (나)는 경제 수준이 높은 국가가 대부분이다.   │
│ ㄷ. (가)는 (나)에 비해 합계 출산율이 낮은 편이다. │
│ ㄹ. (나)는 (가)에 비해 노년층 부양 부담이 작은 편이다. │
└──────────────────────────────────┘

① ㄱ, ㄴ   ② ㄱ, ㄷ   ③ ㄴ, ㄷ
④ ㄴ, ㄹ   ⑤ ㄷ, ㄹ

09 그래프에 대한 옳은 분석을 〈보기〉에서 고른 것은?

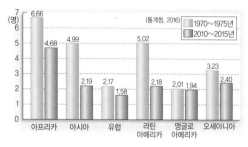

⬆ 대륙별 연평균 합계 출산율 변화

┌─ 보기 ─────────────────────────────┐
│ ㄱ. 유럽의 합계 출산율은 아시아에 비해 높은 편이다. │
│ ㄴ. 아프리카의 합계 출산율이 전 대륙에서 가장 낮게 나 │
│   타난다.   │
│ ㄷ. 라틴 아메리카의 합계 출산율이 전 대륙에서 가장 많 │
│   이 감소하였다.   │
│ ㄹ. 앵글로아메리카의 합계 출산율이 전 대륙에서 가장 │
│   적게 감소하였다.   │
└──────────────────────────────────┘

① ㄱ, ㄴ   ② ㄱ, ㄷ   ③ ㄴ, ㄷ
④ ㄴ, ㄹ   ⑤ ㄷ, ㄹ

10 밑줄 친 국가에서 시행할 수 있는 인구 정책으로 가장 적절한 것은?

┌──────────────────────────────────┐
│ 필리핀의 인구는 약 1억 명으로, 대가족을 선호하는 문화 │
│ 와 낙태를 금기시하는 가톨릭교의 관습으로 인구 증가율 │
│ 이 높은 편이다. 그러나 인구가 증가하면서 빈곤층이 증 │
│ 가하는 악순환이 발생하였다. 정부는 출산율을 낮추기 위 │
│ 해 2012년부터 인구 억제법을 만들고, 피임약과 피임 도 │
│ 구를 보급하고 있다.   │
└──────────────────────────────────┘

① 노년층 일자리를 확대한다.
② 사회 복지 시설을 확충한다.
③ 경제 발전과 식량 증산을 추진한다.
④ 이민자를 수용하여 노동력을 확보한다.
⑤ 출산을 장려하고 육아 비용을 지원한다.

11 다음 자료에 제시된 인구 문제의 해결 방안으로 적절하지 **않은** 것은?

> 우리나라는 2001년 이래 17년째 초저출산 상황(합계 출산율 1.3 미만)을 벗어나지 못하고 있으며, 이는 초저출산을 경험한 경제 협력 개발 기구(OECD)의 12개 국가 중 유일하다. 이와 함께 우리나라는 2026년에는 초고령 사회에 도달하게 될 것으로 전망된다. 이러한 결과는 고령화 사회에서 초고령 사회로의 진입 기간이 26년에 불과한 것으로 프랑스의 156년, 영국의 92년, 미국의 86년, 독일의 80년, 일본의 36년 등과 비교하여 지나치게 빠른 속도임을 알 수 있다.

① 공공 보육 시설을 확충한다.
② 출산 휴가 및 육아 휴직을 보장한다.
③ 도시 인구와 기능의 지방 분산을 유도한다.
④ 정서적 지지자로서 자녀의 가치를 인식한다.
⑤ 양성평등 문화 확립을 위해 사회적 인식을 개선한다.

12 다음은 정년 연장에 관한 대화이다. 갑보다 을의 입장에서 할 수 있는 적절한 발언을 〈보기〉에서 고른 것은?

갑
> 요즘은 대학을 졸업하고도 취업하기가 어려워요. 경기 침체로 기업이 신규 채용을 줄이려고 해서 청년층의 일자리가 부족하거든요. 그래서 정년 연장을 하지 않았으면 좋겠어요.

을
> 저는 퇴직을 앞두고 있어요. 은퇴를 한다 해도 자녀 뒷바라지와 가계 부채 부담 때문에 노후 준비를 제대로 하지 못해서 재취업을 해야 해요. 정년 연장을 해 주었으면 좋겠어요.

보기
ㄱ. 정년 연장은 청년층의 취업률을 감소시킵니다.
ㄴ. 정년 연장은 고령화 사회에서 불가피한 선택입니다.
ㄷ. 노년 세대를 부양하기 위한 세금 부담이 너무 커지고 있습니다.
ㄹ. 정년퇴직한 사람을 재고용하는 기업을 대상으로 보조금을 지급해야 합니다.

① ㄱ, ㄴ   ② ㄱ, ㄷ   ③ ㄴ, ㄷ
④ ㄴ, ㄹ   ⑤ ㄷ, ㄹ

서술형 문제

● 정답친해 84쪽

01 지도를 보고 다음 물음에 답하시오.

(국제 연합, 2015)

노년 인구 비율
(%, 2015년)
■ 20 이상 ┐(가)
□ 14~20
□ 7~14
□ 7 미만
□ 자료 없음

(1) (가)에 해당하는 국가들이 가장 많은 대륙을 쓰시오.

(2) 자료를 토대로 선진국과 개발 도상국의 인구 구조 특성을 서술하시오.

길잡이 선진국과 개발 도상국의 유소년층 비중과 노년층 비중을 비교하여 서술한다.

02 다음 글을 읽고 물음에 답하시오.

> 통계청에 따르면 우리나라의 생산 가능 인구는 2017년에 정점을 찍은 후 감소할 전망이라고 한다. (㉠) 현상이 심화하면서 생산 가능 인구가 전체 인구에서 차지하는 비중이 급속도로 줄어드는 현상을 '인구 절벽'이라고 부른다. 생산 가능 인구가 줄어들 경우 앞으로 어떤 문제가 발생할까?

(1) ㉠에 들어갈 말을 쓰시오.

(2) ㉠에 따른 인구 문제를 해결하기 위한 방안을 정책적 측면과 가치관의 변화 측면에서 각각 서술하시오.

길잡이 인구 문제를 해결하기 위한 국가의 정책적인 지원과 사회적 인식 및 개인의 가치관 변화가 필요하다는 점을 서술한다.

STEP 3 1등급 정복하기

평가원 응용

1 다음 자료에 나타난 (가)~(라) 대륙에 대한 옳은 설명을 〈보기〉에서 고른 것은? (단, (가)~(라)는 아시아, 아프리카, 앵글로아메리카, 유럽 중 하나이다.)

> **대륙별 인구 분포와 인구 성장**
>
> | 완자 사전 |
> • 인구의 자연적 증가
> 출생과 사망에 따른 인구 증가
> • 인구의 사회적 증가
> 전입과 전출에 따른 인구 증가

구분 대륙	자연적 인구 증가율		전체 인구 증가율	
	1950~1955년	2010~2015년	1950~1955년	2010~2015년
(가)	1.93	1.07	1.93	1.05
(나)	2.15	2.64	2.10	2.59
(다)	1.49	0.42	1.67	0.75
(라)	1.03	−0.01	0.99	0.10
라틴 아메리카	2.71	1.19	2.69	1.13
오세아니아	1.57	1.05	2.28	1.53

＊러시아는 유럽에 포함됨

보기

ㄱ. (가)는 인구의 자연적 증가보다 사회적 증가가 많다.
ㄴ. (나)는 인구 증가율이 높아 인구가 급증하고 있다.
ㄷ. (다)에는 세계 인구의 절반 이상이 분포한다.
ㄹ. (라)는 18세기 후반부터 산업화·도시화가 이루어졌다.

① ㄱ, ㄴ ② ㄱ, ㄷ ③ ㄴ, ㄷ
④ ㄴ, ㄹ ⑤ ㄷ, ㄹ

2 (가), (나)에 나타난 인구 이동에 대한 설명으로 옳지 <u>않은</u> 것은?

> **국제 인구 이동의 유형**
>
> **완자샘의 시험 꿀팁**
> 국제 인구 이동은 발생 요인에 따라 경제적 이동, 정치적 이동, 환경적 이동 등으로 구분할 수 있다.

(가)

주말을 끼고 홍콩 여행을 간다면 필리핀에서 온 가사 도우미들이 공원에서 쉬고 있는 모습을 어렵지 않게 볼 수 있다. 홍콩에서는 필리핀 출신의 입주 가사 도우미를 고용하고 있는데, 이들이 휴일인 일요일에 휴식을 취하러 집 밖으로 나온 것이다. 홍콩은 맞벌이 부부가 많아 가사 도우미가 필요하고, 필리핀은 실업률이 높아 자국민의 해외 취업을 장려하면서 양국 정부가 만들어 낸 결과이다.

(나)

아프리카와 서남아시아에서 유럽으로 넘어오는 난민이 점점 늘어나고 있으며, 그 과정에서 희생자들도 증가하고 있다. 유엔 난민 기구(UNHCR)는 올해 들어서만 30만 명 이상이 지중해를 건너 유럽으로 갔다고 발표했다. 올해 말까지 집계하면 유럽행 난민 숫자는 지난해보다 최소 40% 이상 늘어날 것으로 전망된다. 하지만 유럽 연합(EU) 국가들 사이에서도 난민 수용에 대해 입장이 서로 달라 갈등을 빚고 있다.

① (가)는 경제적 요인에 의한 인구 이동에 해당한다.
② (가)는 대체로 개발 도상국에서 선진국으로 이동한다.
③ (나)는 불안한 정세, 내전 등의 이유로 많이 발생한다.
④ (나)는 오늘날 이루어지는 국제 인구 이동의 대부분에 해당한다.
⑤ (가), (나)로 인해 인구 유입 국가에서 원주민과 이주민 간의 갈등이 나타나기도 한다.

3 다음 수업 장면에서 발표 내용이 옳은 학생만을 〈보기〉에서 있는 대로 고른 것은?

오늘은 인구 구조와 인구 문제에 대한 발표 수업을 진행하겠습니다.

저는 우리나라의 지역별 인구 구조에 대해 말해 보겠습니다.

저는 선진국의 인구 문제에 대해 발표해 보겠습니다.

저는 개발 도상국의 인구 문제에 대해 발표하겠습니다.

저는 연령별 인구 구조에 대해 조사하였습니다.

을 병 정 갑

┌ 보기 ┐
갑: 2·3차 산업 종사자의 인구 비율을 파악할 수 있습니다.
을: 농촌은 피라미드형 인구 구조, 도시는 방추형 인구 구조가 나타납니다.
병: 선진국은 출생률이 낮아 노동력 부족, 노년 인구 부양비 증가 등의 문제가 점차 심화하고 있습니다.
정: 개발 도상국은 의료 기술의 발달로 사망률이 낮아졌지만 출생률은 여전히 높아 인구 과잉 현상이 나타납니다.

① 갑, 정　　　　② 을, 병　　　　③ 병, 정
④ 갑, 을, 병　　⑤ 을, 병, 정

지리 ➕ 사회

4 다음과 같은 사회 보장 제도를 시행하는 배경이 되는 인구 문제로 가장 적절한 것은?

• 식사, 세면, 옷 갈아입기, 구강 관리, 화장실 이용, 외출, 목욕 등의 신변 활동과 취사, 생활 필수품 구매, 청소, 세탁 등의 일상생활을 혼자서 수행하기 어려운 노인을 지원하여 건강 증진 및 생활 안정을 도모한다. 재원은 가입자가 납부하는 보험료, 국가와 지방 자치 단체 부담금으로 조달한다.
• 생활이 어려운 사람에게 안정적인 소득 기반을 제공하여 생활 안정을 지원한다. 소득 인정액은 보건 복지부 장관이 매년 결정·고시하는 선정 기준액 이하인 65세 이상의 자에 한하여 차등 지급한다.

① 결혼과 출산의 기피로 인해 출산율이 급감하고 있다.
② 기대 수명이 늘어났지만 취약 계층으로 전락하는 노년층이 늘어나고 있다.
③ 노동력 부족에 따른 외국인 노동자의 유입으로 사회적 갈등이 심화되고 있다.
④ 일자리를 찾아 도시로 이동하는 촌락 인구가 늘어나면서 도시 빈민층이 증가하고 있다.
⑤ 고령화로 노인 인구를 부양하는 청년 세대의 부담이 늘어나 세대 간의 형평성이 저해되고 있다.

▶ 인구 구조와 인구 문제

완자샘의 시험 꿀팁

연령별 인구 구조를 보면 생산 가능 인구와 인구 부양비 등을 파악할 수 있으며, 이를 통해 해당 국가의 경제 수준을 예상해 볼 수 있다.

▶ 인구 문제의 해결 방안

완자 사전

• 사회 보장 제도
질병, 재해, 실직 따위의 어려움에 처한 사회 구성원들의 생활을 국가가 공공 지원을 통하여 해결해 주는 제도

02~03 세계의 자원과 지속 가능한 발전 ~ 미래 지구촌의 모습과 내 삶의 방향

이것이 핵심!

주요 에너지 자원의 특징

석탄	• 비교적 넓은 범위에 분포 • 공업용 원료와 화력 발전에 이용
석유	• 세계 매장량의 절반 이상이 서남아시아에 분포 • 산업 및 운송 수단의 연료, 화학 공업의 원료로 이용
천연가스	• 대기 오염 물질 배출량이 적은 청정에너지 • 가정용 및 산업용 연료로 이용

★ 석탄, 석유, 천연가스의 수출입

석탄의 수출량(총 11.9억 톤, 2015년)

오스트레일리아 32.8	인도네시아 30.6	러시아 10.8	기타 25.8(%)

석탄의 수입량(총 12.1억 톤, 2015년)
대한민국 11.2

인도 18.3	중국 16.5	일본 15.9	기타 38.1(%)

석유의 수출량(총 18.9억 톤, 2014년)
사우디아라비아 18.7 나이지리아 5.9

러시아 11.7	아랍 에미리트 6.6	이라크 6.6	기타 50.5(%)

석유의 수입량(총 19.6억 톤, 2014년)
대한민국 6.4

미국 17.6	중국 15.7	인도 9.7	일본 8.4	기타 42.2(%)

천연가스의 수출량(총 8,310억 m³, 2015년)
노르웨이 13.9

러시아 23.1	카타르 13.9	기타 49.1(%)

천연가스의 수입량(총 8,120억 m³, 2015년)
이탈리아 7.5

일본 14.4	독일 9.0	기타 69.1(%)

(국제 에너지 기구, 2016)

★ 배사 구조
지층이 횡압력에 밀려 형성된 습곡에서 볼록한 모양으로 솟은 부분

★ 냉동 액화 기술
기체 상태의 물질을 냉각하여 액체 상태로 변화하는 기술

★ 자원 민족주의
자원을 보유한 국가가 자원을 전략적 무기로 이용하는 것

---

① 자원의 분포와 소비

1. 자원의 의미와 특성

(1) **자원의 의미**: 자연으로부터 얻을 수 있는 것 중에서 인간에게 유용하면서 기술적·경제적으로 이용이 가능한 것

(2) **자원의 특성**

태양광, 풍력, 수력, 지열, 조력 등 무한하게 재생 가능한 에너지도 있어.
이로 인해 자원의 이동이 발생해.

유한성	대부분의 자원은 매장량이 한정되어 있어 언젠가는 고갈됨
편재성	특정 자원은 지구상에 고르게 분포하지 않고 일부 지역에 편중되어 분포함
가변성	자원의 가치는 기술 발달과 사회·문화적 배경에 따라 변화함

2. 에너지 자원의 분포와 소비

(1) **세계 에너지 자원의 분포 및 소비 특성**

① 분포 특성: 자원의 편재성이 있어 자원의 생산지와 소비지가 불일치하는 경우가 많음

② 소비 특성: 석유, 석탄, 천연가스 등 화석 에너지 자원의 소비 비중이 매우 높음 자료①

(2) **★석탄, 석유, 천연가스의 분포 및 소비 특성** 자료②

구분	분포	소비
석탄	• 주로 고생대 지층에 매장 • 비교적 넓은 범위에 고르게 분포 → 석유에 비해 국제 이동량이 적음 • 주요 수출국: 오스트레일리아, 인도네시아 등	• 가장 먼저 상용화된 에너지 자원 → 산업 혁명 이후 주요 동력원으로 사용 • 공업용 원료와 화력 발전의 연료로 사용 • 주요 수입국: 인도, 중국, 일본 등
석유	• 신생대 제3기★배사 구조 지층에 매장 • 세계 매장량의 절반 이상이 서남아시아에 분포 → 국제 이동량이 많음 ┗편재성이 매우 커. • 주요 수출국: 사우디아라비아, 러시아, 아랍 에미리트 등	• 자동차 등 운송 수단의 발달로 수요 급증 → 세계 소비량이 가장 많은 에너지 자원 • 각종 산업 및 운송 수단의 연료, 화학 공업 및 생활용품의 원료로 이용 • 주요 수입국: 미국, 유럽, 아시아 공업 국가
천연가스	• 신생대 지층에 주로 석유와 함께 분포 • ★냉동 액화 기술의 발달과 파이프라인의 건설 확대 → 국제 이동량 증가 • 주요 수출국: 러시아, 카타르, 노르웨이 등 ┗송유관이나 가스관을 의미해.	• 가정용·상업용 연료의 비중이 높음, 운송 수단의 연료로 사용 • 대기 오염 물질 배출량이 적은 청정에너지 • 주요 수입국: 유럽, 아시아 공업 국가

3. 자원의 분포와 소비에 따른 문제

꼭! 자원 문제의 해결을 위해서는 화석 에너지를 대체할 수 있는 신·재생 에너지의 개발과 보급을 확대해야 해.

(1) **자원 고갈 및 부족**: 오늘날 에너지 자원 소비량이 빠르게 증가하면서 자원 고갈 및 에너지 부족 문제 발생

(2) **자원의 개발과 확보를 둘러싼 국가 간 갈등**: 자원 생산지와 소비지의 불일치, 채굴 조건의 악화, 불안정한 가격 등으로 인해 국가 간 갈등 심화 → ★자원 민족주의의 확산으로 영역 분쟁 발생 자료③
┗자원의 생산과 공급을 통제하여 자국의 이익을 극대화하기도 해

(3) **환경 문제**: 자원 채굴 과정에서의 생태계 파괴, 화석 에너지 사용 증가로 대기 오염 및 지구 온난화 심화

(4) **에너지 소비 격차 문제**: 세계 에너지 소비 상위 10개국이 전체 화석 에너지 소비량의 절반 이상 차지, 에너지 빈곤 지역은 전기 없이 생활하거나 땔감을 연료로 사용

완자 자료 탐구   내 옆의 선생님

자료 1 세계의 에너지 소비 특성

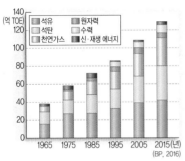

◀ 세계의 에너지 소비량 변화

전 세계적으로 인구가 증가하고 산업이 발달함에 따라 에너지 자원의 소비량은 지속적으로 증가하고 있다. 세계 에너지 자원의 소비 비중은 석유, 석탄, 천연가스 순으로 높은데, 이들 자원은 전체 에너지 소비에서 약 86%를 차지하고 있어 세계적으로 화석 에너지의 소비 비중이 매우 높은 편이다.

정리 비법을 알려줄게!

국가별 에너지 소비 현황

에너지 소비가 많은 국가	선진국이거나 공업이 발달한 국가, 자원 매장량이 많은 국가 등
에너지 소비가 적은 국가	경제 발전 수준이 낮은 중·남부 아프리카 및 아시아 국가들

자료 하나 더 알고 가자!

석탄, 석유, 천연가스의 생산

석탄의 생산량(총 77.1억 톤, 2015년)
오스트레일리아 6.6

중국 45.8	미국 10.5	인도 9.0	기타 22.0(%)

인도네시아 6.1

석유의 생산량(총 43.3억 톤, 2015년)
사우디아라비아 13.2

미국 13.1	러시아 12.3	기타 61.4(%)

천연가스의 생산량(총 3조 5,900억 m³, 2015년)
이란 5.1

미국 21.4	러시아 17.8	기타 55.7(%)

(국제 에너지 기구, 2016)

자료 2 석탄과 석유의 분포와 이동

중국은 세계 석탄의 약 절반을 생산하고 있지만, 중국 내에서의 수요가 많아 석탄 수입량도 많아.

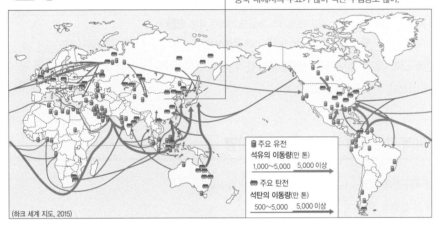

주요 유전
석유의 이동량(만 톤)
1,000~5,000 5,000 이상

주요 탄전
석탄의 이동량(만 톤)
500~5,000 5,000 이상

(하크 세계 지도, 2015)

석탄은 주로 고생대 지층에 매장되어 있으며, 비교적 넓은 범위에 분포한다. 석탄의 주요 수출국은 오스트레일리아, 인도네시아 등이며, 주요 수입국은 아시아의 공업 국가인 인도, 중국, 일본 등이다. 석유는 주로 신생대 제3기 지층에 매장되어 있으며, 세계 매장량의 절반이 서남아시아에 분포한다. 석유의 주요 수출국은 사우디아라비아, 러시아, 아랍에미리트 등이며, 주요 수입국은 산업이 발달한 유럽, 미국, 아시아의 공업 국가들이다.

문제 로 확인할까?

석탄과 비교한 석유의 상대적인 특징으로 옳은 것은?
① 국제 이동량이 적다.
② 자원의 편재성이 크다.
③ 상용화된 시기가 이르다.
④ 세계의 소비 비중이 적다.
⑤ 대기 오염 물질 배출량이 많다.

답 ②

자료 하나 더 알고 가자!

우리나라의 에너지 문제

우리나라는 전체 에너지원의 96%를 수입하고 있는 에너지 부족 국가이다. 2015년 우리나라가 수입한 에너지 자원은 약 309만 TOE이며, 이 중 석유 수입량은 세계 5위에 해당할 정도로 석유에 대한 의존도가 높다. 또한 천연가스 수입량도 세계 7위를 기록할 정도로 많았다.

우리나라는 전체 에너지 소비량에서 화석 에너지가 차지하는 비중이 매우 높으며, 화석 에너지의 대부분을 해외로부터 수입하고 있다.

자료 3 자원을 둘러싼 영역 분쟁

카스피해
· 러시아, 아제르바이잔, 이란, 투르크메니스탄
· 송유관 확보 및 석유 매장지 영유권 분쟁

북극해
· 러시아, 캐나다, 미국, 덴마크, 노르웨이
· 석유 매장지 영유권 경쟁

동중국해
· 주구 이부 가스전 분쟁

남중국해
· 중국, 필리핀, 브루나이, 말레이시아 등
· 해상 교통로, 석유 및 천연가스 매장지 영유권 분쟁

포클랜드 제도
· 영국, 아르헨티나
· 석유 매장지 영유권 분쟁

(한국 국방 연구원, 2016)

↑ 에너지 자원을 둘러싼 주요 분쟁 지역

석유, 천연가스 등의 주요 에너지 자원은 지역적으로 편재해 있고 매장량이 한정되어 있다. 이에 따라 에너지 자원의 개발과 확보를 둘러싼 국가 간 영역 갈등이 심화하고 있다. 최근에는 기후 변화로 북극의 빙하가 녹으면서 석유, 천연가스 등 에너지 자원의 개발 가능성이 커졌다. 이를 둘러싸고 북극해 연안 국가들은 영유권 분쟁을 벌이고 있다.

2 지속 가능한 발전

1. 지속 가능한 발전 꼭! 지속 가능한 발전은 경제적·사회적·환경적 측면을 아우르는 포괄적 개념이야.

(1) **의미**: 미래 세대가 사용할 자원을 낭비하거나 환경을 손상하지 않으면서 현재 세대의 필요를 충족하는 발전 → 경제 성장, 환경 보전, 사회 안정과 통합의 균형 추구

(2) **필요성**: 자원 고갈, 환경 오염, 생태계 파괴, 빈부 격차 확대, 갈등과 분쟁 등의 문제 발생 → 미래 세대의 권리 보장

(3) **지속 가능 발전 목표**: 국제 연합(UN) 정상 개발 회의에서 지속 가능한 발전을 위해 목표를 제시함

⊕ **지속 가능한 발전의 개념**

└ 빈곤 퇴치, 경제·사회의 양극화, 각종 사회적 불평등 문제, 정의, 기후 변화, 인권, 양성평등, 환경 지속성, 평화와 안보 등을 포함하는 목표를 제시하고 있어.

2. 지속 가능한 발전을 위한 노력 교과서 자료

(1) **국제적·국가적 노력**

경제적 측면	신·재생 에너지 개발 및 보급 확대, ★공적 개발 원조(ODA) 실시
환경적 측면	국제 환경 협약 체결, 온실가스 배출권 거래제 시행 자료④
사회적 측면	사회 취약 계층 지원 제도 실시 ─ 기초 생활 보장 제도, 주거 및 의료 복지 서비스 등이 있어.

(2) **개인적 노력**: 자원 및 에너지 절약, 친환경적 생활 방식 실천, ★윤리적 소비 실천, 사회 정의와 형평성을 위한 시민 의식 함양
└ 예 로컬푸드, 공정 무역 제품 이용

3 미래 지구촌의 모습과 내 삶의 방향

1. 미래 지구촌의 모습 ─ 미래 사회에 유연하게 대응하기 위해서는 미래 사회에 대한 예측이 필요해.

(1) **국가 간 협력과 갈등**

국가 간 협력 강화	• 정치적 협력: 난민·기아·빈곤 등 지구촌 문제의 해결책 모색, 인간의 존엄성과 자유·평등과 같은 기본권과 민주주의의 이념 확산, 세계 평화와 핵 안보 문제 해결 • 경제적 교류: 전 세계 부의 증대로 생활 수준 향상, 지역 협력체의 영향력 강화
국가 간 갈등 심화	• 치열한 경쟁: 자유 무역의 확대로 경쟁 심화, 국가 간 빈부 격차 확대 • 심각한 갈등: 전쟁과 테러 위협, 영토 및 자원 분쟁, 종교 및 문화 갈등 증가

(2) **과학 기술의 발달에 따른 변화**: 교통의 발달로 인간 활동 범위 확대, 정보 통신 기술의 발달로 ★초연결 사회 구축, 생명 공학의 발달로 식량 생산 증가 및 인간 수명 연장 자료⑤

(3) **생태 환경의 변화**: 자원 고갈 및 환경 문제 해결 노력 → 신·재생 에너지 개발, 멸종 위기 생물종 복원, 도시 수직 농장 활성화 등

2. 미래 사회를 대비하는 자세

(1) **지구촌 구성원으로서의 태도**: ★세계 시민 의식 함양, 공감과 연대 의식, 다양성을 존중하는 자세 → 세계 곳곳의 다양한 지구촌 문제를 해결하기 위한 적극적인 노력

(2) **미래 사회에서의 내 삶의 방향**
왜? 나와 견해를 달리하는 상대방과의 갈등이 생길 경우 합리적인 대안을 모색하기 위해 요구되는 자세야.

① 올바른 인성과 가치관 정립: 구성원 간 소통과 화합을 위한 개방적 태도와 관용의 정신

② 비판적 사고력 증진: 사회 문제의 발생 원인과 배경 등을 명확하게 파악 → 문제 해결 과정에 적극적으로 참여

완자 자료 탐구

내 옆의 선생님

수능이 보이는 교과서 자료 **지속 가능한 발전을 위한 노력**

[경제] '착한 기술'은 사회 공동체의 정치·문화·환경 조건을 고려하여 해당 지역에서 지속적인 생산과 소비가 가능하도록 만들어진 기술을 말한다. 선진국들은 1970년대부터 개발 도상국에 착한 기술을 보급해 왔다. '큐드럼'과 '라이프 스트로'는 대표적인 착한 기술 제품이다.

[환경] 독일의 프라이부르크는 환경친화적으로 변화를 추구하는 도시이다. 주민들은 자동차 대신 도보, 자전거, 전차를 주로 이용하며, 태양광뿐만 아니라 소수력, 열병합 발전 등의 신·재생 에너지를 사용하고 있다. 또한 분리수거를 통해 쓰레기 발생량을 줄이고 쓰레기 소각을 금지하고 있으며, 집집마다 퇴비화 용기를 설치하여 음식물 쓰레기를 재활용하고 있다.

[사회] 방글라데시의 그라민 은행은 가난한 사람에게 아무런 보증 없이 장기간 낮은 이자로 적은 액수의 돈을 빌려 준다. 이 은행은 주민들의 가정 형편을 꼼꼼히 확인하고 지역 주민 간의 신용을 바탕으로 돈을 빌려 주기 때문에 대출 회수율이 98%가 넘는다. 주민들은 대출금으로 수레, 재봉틀, 가축 등을 구입하여 경제 활동을 하며 자립의 기반을 마련하고 있다.

지속 가능한 발전은 경제 발전, 환경 보전, 사회 통합의 조화를 목표로 한다. 이를 위해서는 생태계 수용 능력의 한계 내에서 개발하고, 사회적 통합과 발전을 위해 빈곤 문제를 해결하며, 질적인 성장과 공정한 배분을 통해 평등한 사회를 지향해야 한다.

완자샘의 탐구 강의

• 지속 가능한 발전을 위해 고려해야 할 세 가지 요소를 써 보자.
경제 발전, 환경 보전, 사회 안정과 통합

• 지속 가능한 발전을 위한 개인적 차원의 실천 방안을 서술해 보자.
로컬푸드 구매하기, 노동 착취가 없고 환경친화적인 방식으로 생산된 공정무역 제품 이용하기, 사회적 취약 계층이나 빈곤국 주민 후원하기, 자신의 재능을 나누는 봉사 활동에 참여하기 등을 실천할 수 있다.

함께 보기 260쪽, 내신 만점 공략하기 08

자료 ④ 온실가스 배출권 거래제 — 우리나라는 2020년 국가 온실가스 전망치 대비 30% 감축을 목표로 2015년부터 이 제도를 시행하고 있어.

구매 가능
판매 가능

초과
배출량

초과
감축량

배출
허용량

실제
배출량

배출
허용량

실제
배출량

A 기업
할당량 > 배출량

B 기업
할당량 < 배출량

⬆ 온실가스 배출권 거래제의 개념

온실가스 배출권 거래제는 정부가 기업에게 온실가스 배출량을 정해 주고, 기업은 그 범위 내에서 온실가스를 감축하도록 하는 제도이다. 다만 기업이 감축을 많이 해서 남거나, 감축을 적게 해서 부족한 경우 기업 간에 온실가스 배출 허용량을 사고팔 수 있도록 한다. 이 제도는 기후 변화 협약에 따라 시행되고 있다.

정리 비법을 알려줄게!

다양한 국제 환경 협약

람사르 협약	습지의 보호와 지속 가능한 이용을 위한 노력
몬트리올 의정서	오존층 파괴 물질인 프레온 가스의 생산 및 사용 규제
바젤 협약	유해 폐기물의 국가 간 이동 및 처리 통제
기후 변화 협약	지구 온난화 방지를 위한 온실가스의 배출량 규제

자료 ⑤ 미래 사회를 변화시킬 과학 기술 — 꼭! 개인 정보 유출과 사생활 침해, 유전자 조작이나 인간 복제로 인한 윤리적 문제, 인공 지능으로 인한 일자리 감소와 인간 소외 문제 등의 부정적 측면도 존재해.

⬆ 무인 운송 수단, 드론

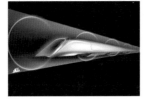
⬆ 차세대 교통수단, 하이퍼루프

⬆ 인공 지능을 갖춘 로봇

과학 기술이 발달하면 무인 운송 수단이 여러 분야에 활용될 수 있고, 새로운 교통수단이 등장하여 시공간의 제약이 더욱 줄어들 수 있다. 또한 생산성과 효율성이 높은 인공 지능 로봇이 개발되어 인간의 노동 시간은 줄어들고 삶의 질이 향상될 수 있다.
└ 인공 지능으로 인해 인간의 일자리가 줄어들거나 사라질 것이라는 우려도 있어.

자료 하나 더 알고 가자!

도시 수직 농장

도심에 고층 건물을 짓고, 각 층에 농장을 만들어 수경 재배가 가능한 농작물을 재배하는 일종의 아파트형 농장이다.

STEP 1 핵심 개념 확인하기

1 다음에서 설명하는 자원의 특성을 쓰시오.

(1) 대부분의 자원은 매장량이 한정되어 있어 언젠가는 고갈된다. (   )

(2) 자원의 가치는 기술 발달과 사회·문화적 배경에 따라 변화한다. (   )

(3) 특정 자원은 지구상에 고르게 분포하지 않고 일부 지역에 편중되어 분포한다. (   )

2 ㉠~㉢에 들어갈 에너지 자원을 각각 쓰시오.

- (㉠   ): 20세기 자동차의 보급이 확산되면서 수요가 급증하였다.
- (㉡   ): 다른 화석 에너지에 비해 대기 오염 물질이 적게 배출되어 청정에너지라고 불린다.
- (㉢   ): 산업 혁명 이후 증기 기관이 발명되고 제철 공업이 발달하면서 주요 연료로 사용되었다.

3 빈칸에 공통으로 들어갈 용어를 쓰시오.

최근 자원의 생산지와 소비지의 불일치로 인한 갈등이 커지고 있으며, 서남아시아의 산유국과 자원이 풍부한 중국, 러시아, 남아메리카 등지에서는 (   )가 확산되고 있다. (   )는 자원을 보유한 국가가 자원을 전략적 무기로 이용하는 것을 말한다.

4 (   )은 미래 세대가 사용할 자원을 낭비하거나 환경을 손상하지 않으면서, 현재 세대의 필요를 충족하는 것이다.

5 다음 설명이 맞으면 ○표, 틀리면 ×표를 하시오.

(1) 윤리적 소비의 실천을 위해 친환경 제품이나 공정 무역 제품을 구매하는 것은 바람직하다. (   )

(2) 미래 지구촌은 자유 무역의 확대, 국제기구의 활동 등으로 국가 간 상호 의존성이 커질 것이다. (   )

(3) 경제 협력 개발 기구(OECD)는 개발 도상국의 빈곤 문제 해결과 경제·사회 발전, 복지 증진을 목적으로 온실가스 배출권 거래제를 시행하고 있다. (   )

STEP 2 내신 만점 공략하기

01 다음 자료를 통해 파악할 수 있는 내용을 〈보기〉에서 고른 것은?

가채 연수는 확인된 자원의 매장량을 연 생산량으로 나눈 것으로, 앞으로 자원을 몇 년간 더 채굴할 수 있는지를 나타낸다. 대부분의 자원은 매장량이 한정되어 있어 가채 연수에 도달하면 고갈된다.

↑ 주요 에너지 자원의 가채 연수

〈보기〉
ㄱ. 석탄은 천연가스보다 더 오래 사용할 수 있다.
ㄴ. 가채 연수를 통해 자원의 유한성을 파악할 수 있다.
ㄷ. 자원의 가치가 올라가도 가채 연수는 바뀌지 않는다.
ㄹ. 새로운 자원 매장지가 발견되면 가채 연수는 줄어든다.

① ㄱ, ㄴ　　　② ㄱ, ㄷ　　　③ ㄴ, ㄷ
④ ㄴ, ㄹ　　　⑤ ㄷ, ㄹ

02 그래프는 세계의 에너지 소비량 변화를 나타낸 것이다. A~D 자원에 대한 설명으로 옳은 것은? (단, A~D는 석탄, 석유, 천연가스, 신·재생 에너지 중 하나이다.)

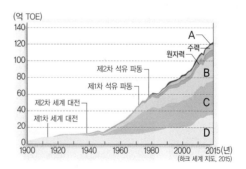

① A는 산업 혁명기의 주요 동력원이 되었다.
② B는 주로 고생대 지층에 많이 매장되어 있다.
③ C는 세계에서 소비량이 가장 많은 에너지 자원이다.
④ D는 냉동 액화 기술의 발달과 파이프라인 건설 확대로 운반이 편리해졌다.
⑤ A~D는 모두 화석 에너지 자원에 해당한다.

03 그래프는 주요 에너지 자원의 매장량을 나타낸 것이다. (가)~(다)에 해당하는 자원을 옳게 연결한 것은?

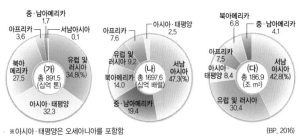

※아시아·태평양은 오세아니아를 포함함

(BP, 2016)

	(가)	(나)	(다)
①	석유	석탄	천연가스
②	석유	천연가스	석탄
③	석탄	석유	천연가스
④	석탄	천연가스	석유
⑤	천연가스	석유	석탄

05 다음 글에 제시된 자원 문제의 해결 방안을 〈보기〉에서 고른 것은?

> 오늘날 에너지 자원의 소비량이 폭발적으로 증가하면서 자원 고갈 및 부족 등의 문제가 발생하고 있다. 또한 자원의 채굴 과정에서 생태계가 파괴되어 생물종이 감소하고, 화석 에너지 사용에 따른 이산화 탄소의 배출량이 증가하여 지구 온난화 현상이 발생하고 있다.

보기

ㄱ. 자원 민족주의를 강화한다.
ㄴ. 자원 재활용 기술을 개발한다.
ㄷ. 1인당 에너지 소비량을 늘린다.
ㄹ. 신·재생 에너지의 사용 비중을 높인다.

① ㄱ, ㄴ   ② ㄱ, ㄷ   ③ ㄴ, ㄷ
④ ㄴ, ㄹ   ⑤ ㄷ, ㄹ

04 지도는 어느 에너지 자원의 분포와 이동을 나타낸 것이다. 이 에너지 자원에 대한 설명으로 옳은 것은?

(하크 세계 지도, 2015)

① 가장 먼저 상용화된 에너지 자원이다.
② 중국은 세계 생산량의 절반가량을 차지한다.
③ 비교적 넓은 범위에 고르게 분포하여 편재성이 작다.
④ 교통수단의 연료와 화학 공업의 원료로 많이 사용된다.
⑤ 자원 생산지에서 대부분 소비되어 국제 이동량이 적은 편이다.

06 다음 자료에 제시된 자원 분쟁이 나타나는 지역을 지도에서 고른 것은?

> 최근 이 지역은 평균 기온 상승으로 지속적인 해빙 현상을 보이며, 2012년 9월 얼음 면적이 관측 이래 최소 상태를 보였다. 이 지역에는 방대한 양의 미발견 석유 및 가스 자원이 매장되어 있는 것으로 파악되면서, 이를 둘러싸고 이 지역 주변 5개국인 미국, 캐나다, 러시아, 덴마크, 노르웨이 등이 영유권을 서로 주장하고 있다.

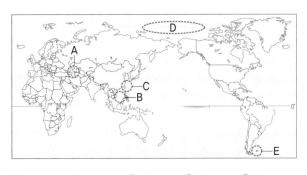

① A   ② B   ③ C   ④ D   ⑤ E

07 (가)에 들어갈 개념에 대한 설명으로 옳지 않은 것은?

> 자원 소비량이 증가하면서 각종 오염 물질이 대량으로 배출되고 있습니다. 결국 지구 환경은 훼손될 수밖에 없으며 인류는 위기를 맞게 됩니다. 따라서 세계 각국에서는 환경·경제·사회적 측면에서 _____(가)_____ 을/를 추구함으로써 인류의 존속을 위해 공동으로 대처해야 할 것입니다.

① 자원의 한계와 환경의 중요성을 인식하면서 등장하였다.
② 초기에는 환경 보전과 경제 발전의 조화만을 의미하였다.
③ 질적인 성장과 배분을 통해 평등한 사회를 지향하고 있다.
④ 경제 발전, 사회 안정과 통합, 환경 보전이 균형을 이루는 발전을 의미한다.
⑤ 생태계 수용 능력의 한계를 초과하더라도 새로운 자원의 개발이 필요함을 강조하였다.

08 (가)에 들어갈 내용으로 가장 적절한 것은?

> • 조사 주제: _____(가)_____
> • 수집 자료

⬆ 큐드럼(Q-drum) 멀리서 물을 길어 와야 하는 주민들을 위해 개발한 식수통으로, 바퀴 모양으로 만들어져 운반하기가 쉽다.

⬆ 라이프 스트로(Life straw) 휴대용 정수기로, 질병의 원인이 되는 세균과 중금속을 걸러내는 필터가 들어 있다.

① 지역 간 종교 갈등을 해소하기 위한 방안
② 건강과 환경에 좋은 먹을거리를 선택하는 방법
③ 탄소 발자국을 줄이기 위한 개인적 차원의 노력
④ 지구촌 곳곳에서 일어나는 환경 문제를 해결하기 위한 국제적 차원의 노력
⑤ 사회 공동체의 정치적·문화적·환경적 조건을 고려하여 만들어진 지속 가능한 기술 사례

09 그림은 환경 문제 해결을 위해 시행하는 제도를 나타낸 것이다. 이에 대한 옳은 설명을 〈보기〉에서 고른 것은?

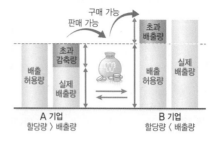

> **보기**
> ㄱ. 온실가스 배출권을 사고팔 수 있는 제도이다.
> ㄴ. 개인 소비자의 윤리적 소비를 촉진시키는 제도이다.
> ㄷ. 지속 가능한 발전을 위한 국제적·국가적 차원에서의 노력 방안이다.
> ㄹ. 사회 계층 간 통합을 위해 시행되는 사회 취약 계층 지원 제도에 해당한다.

① ㄱ, ㄴ ② ㄱ, ㄷ ③ ㄴ, ㄷ
④ ㄴ, ㄹ ⑤ ㄷ, ㄹ

10 다음은 주요 국제 환경 협약을 나타낸 것이다. (가)~(마)에 들어갈 내용으로 옳지 않은 것은?

명칭	주요 내용
기후 변화 협약	(가)
람사르 협약	(나)
몬트리올 의정서	(다)
바젤 협약	(라)
생물 다양성 협약	(마)

① (가) – 지구 온난화를 막기 위해 이산화 탄소 등의 온실가스 배출을 규제한다.
② (나) – 해양 오염 방지를 위해 국가가 실행 가능한 조치를 취하도록 규정한다.
③ (다) – 오존층 파괴 물질인 프레온 가스의 생산 및 사용을 규제한다.
④ (라) – 유해 폐기물의 국가 간 이동 및 처리를 통제한다.
⑤ (마) – 생물종의 보존, 생태계의 다양성 및 균형 유지를 목적으로 한다.

11 밑줄 친 ㉠, ㉡에 해당하는 내용을 〈보기〉에서 골라 옳게 연결한 것은?

> 미래 지구촌은 자유 무역의 확대, 국제기구의 활동 등으로 ㉠ 국가 간 협력이 강화되어 상호 의존성이 커질 것으로 예측된다. 그러나 다른 한편으로는 빈부 격차, 문화적 차이, 영토 분쟁 등으로 ㉡ 국가 간 경쟁이 치열해지고 갈등이 심화될 것으로 예측된다.

〈보기〉
ㄱ. 세계 평화를 위해 핵 안보 문제를 해결한다.
ㄴ. 인공 지능의 발달로 인간의 노동 시간이 줄어든다.
ㄷ. 자원 개발을 둘러싼 전쟁과 테러의 위협이 커진다.
ㄹ. 유전자 조작이나 인간 복제와 관련한 윤리적 문제가 대두된다.

	㉠	㉡		㉠	㉡		㉠	㉡
①	ㄱ	ㄷ	②	ㄴ	ㄱ	③	ㄷ	ㄴ
④	ㄷ	ㄹ	⑤	ㄹ	ㄴ			

12 다음 대화의 밑줄 친 내용을 실천하기 위한 개인적 차원의 노력으로 적절하지 <u>않은</u> 것은?

> 인류의 미래는 긍정적일까요? 부정적일까요?

> 저는 인류의 미래가 51%의 확률로 긍정적이고, 49%의 확률로 부정적일 것이라고 생각합니다. 우리에게 닥친 인류의 문제들은 대부분 우리가 만든 것이므로, 더 이상 문제가 발생하지 않도록 하는 것도 우리의 몫입니다.

① 문화의 차이를 인정하고 다양성을 존중한다.
② 세계 시민으로서 공감과 연대 의식을 가진다.
③ 세계 곳곳의 다양한 지구촌 문제에 관심을 가진다.
④ 미래에 대한 부정적 측면은 배제하고 긍정적 측면만을 인식한다.
⑤ 세계를 하나의 공동체로 인식하고 나 자신이 지구촌의 한 구성원임을 자각한다.

서술형 문제

● 정답친해 88쪽

01 다음 글을 읽고 물음에 답하시오.

> 지구 온난화에 따른 기후 변화가 지속되면, 인간을 포함한 모든 생물체가 생존을 위협받을 수 있다. 따라서 미래 지구촌에서는 온실가스의 배출을 줄이고, (㉠)을/를 개발·보급하기 위해 더욱 노력해야 한다. 이처럼 지구촌 곳곳에서 일어나는 환경 문제를 해결하고, ㉡ 지속 가능한 발전을 이루기 위해서는 전 지구적 차원의 협력과 국가적·사회적 차원의 노력이 필요하다.

(1) ㉠에 해당하는 에너지 자원을 쓰시오.

(2) 밑줄 친 ㉡의 사례를 경제적·환경적·사회적 측면에서 각각 서술하시오.

길잡이 경제 성장, 환경 보전, 사회 안정 및 통합이 균형을 이루어야 한다는 점이 드러나도록 서술한다.

02 다음 신문 기사를 읽고 과학 기술의 발전에 따른 긍정적 효과와 문제점을 서술하시오.

> 세 명의 유전자를 결합한 아이가 세계 최초로 태어났다. 아이의 어머니는 중추 신경이 마비되는 미토콘드리아 유전자 변이를 가지고 있었다. 의료진은 아이 친모의 난자에서 핵을 추출하여 정상 미토콘드리아를 가진 다른 여성의 난자 핵을 제거한 후, 그 자리에 친모의 핵을 넣어 친부의 정자와 수정시켰다. 이 수정란이 친모의 자궁에 착상하여 아이가 태어났다. 결국 이 아이는 친모의 유전자 변이를 물려받지 않았다.
> ─「경향신문」, 2016. 9. 28.

길잡이 유전자 조작을 통해 나타날 변화에 대해 서술한다.

1 다음 글에서 설명하는 에너지 자원의 국가별 수출 비중을 나타낸 그래프로 옳은 것은?

> 옛날 사람들에게 그저 끈적이는 '검은 물'에 지나지 않았다. 서양 고대인들은 종교 의식에 사용하거나 건축물의 접착제, 상처에 바르는 약 등으로 사용하였다. 하지만 정제 기술이 발전하고, 산업이 발달하면서 소비량이 폭발적으로 증가하였다. 최근에는 채굴 기술이 발전하면서 가채 연수가 줄어들지 않고 유지되고 있다.

①
러시아 10.8
오스트레일리아 32.8 | 인도네시아 30.6 | 기타 25.8(%)

②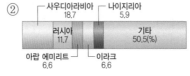
사우디아라비아 18.7 | 나이지리아 5.9
러시아 11.7 | 기타 50.5(%)
아랍 에미리트 6.6 | 이라크 6.6

③
노르웨이 13.9
러시아 23.1 | 카타르 13.9 | 기타 49.1(%)

④
대한민국 11.2
인도 18.3 | 중국 16.5 | 일본 15.9 | 기타 38.1(%)

⑤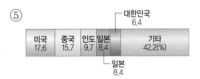
대한민국 6.4
미국 17.6 | 중국 15.7 | 인도 9.7 | 일본 8.4 | 기타 42.2(%)
일본 8.4

> 에너지 자원의 수출

> **완자샘의 시험 꿀팁**
> 주요 에너지 자원인 석탄, 석유, 천연가스의 국가별 생산 또는 수출 비중을 파악하는 문제가 자주 출제된다.

평가원 응용

2 그래프는 (가), (나) 에너지 자원의 용도별 비중을 나타낸 것이다. 이에 대한 옳은 설명을 〈보기〉에서 고른 것은?

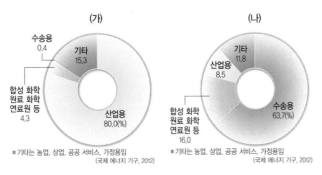

(가)
수송용 0.4
기타 15.3
합성 화학 원료 화학 연료원 등 4.3
산업용 80.0(%)
*기타는 농업, 상업, 공공 서비스, 가정용임
(국제 에너지 기구, 2012)

(나)
기타 11.8
산업용 8.5
합성 화학 원료 화학 연료원 등 16.0
수송용 63.7(%)
*기타는 농업, 상업, 공공 서비스, 가정용임
(국제 에너지 기구, 2012)

> 에너지 자원의 소비 특성

보기

ㄱ. (가)는 대기 오염 물질의 배출량이 적어 청정에너지라고 불린다.

ㄴ. (나)의 주요 생산 국가들은 자원의 생산과 공급을 통제함으로써 자국의 이익을 극대화하기도 하였다.

ㄷ. (가)는 (나)보다 서남아시아의 페르시아만 일대에 많이 매장되어 있다.

ㄹ. (나)는 (가)보다 가격 변화가 세계 경제에 미치는 영향이 크다.

① ㄱ, ㄴ   ② ㄱ, ㄷ   ③ ㄴ, ㄷ

④ ㄴ, ㄹ   ⑤ ㄷ, ㄹ

3 다음은 지속 가능한 발전에 대해 토론하는 장면이다. 이에 대한 설명으로 옳지 <u>않은</u> 것은?

▷ 지속 가능한 발전을 위한 노력

① 교사는 세계의 지속 가능한 발전이라는 토론 주제를 제시하고 있다.
② 갑과 을의 발언을 통해 선진국과 개발 도상국 간의 상반된 입장을 확인할 수 있다.
③ 을이 말한 환경 문제의 해결을 위해 온실가스 배출권 거래제를 시행할 수 있다.
④ 병은 개발 도상국에서 시행해야 할 과제를 언급하고 있다.
⑤ 정은 개발 도상국이 주체가 되어 공적 개발 원조를 시행해야 한다고 주장하고 있다.

| 완자 사전 |
• 의제 21(agenda 21)
1992년 브라질 리우데자네이루에서 개최된 국제 연합(UN) 환경 개발 회의에서 지속 가능한 발전을 실행하기 위해 채택한 행동 지침

`지리 ➕ 사회`

4 다음 자료를 보고 세계 시민 의식 수준이 가장 높은 학생을 고른 것은?

▷ 세계 시민 의식

> 세계 시민은 더불어 살아가는 지구촌을 만들기 위해 공동체 의식을 바탕으로 다양한 지구촌 문제에 관심을 가지고, 그 문제를 해결하기 위해 적극적으로 행동하는 사람이다. 세계 시민 의식은 우리가 사는 세계를 긴밀하게 연결된 하나의 공동체로 여기면서 보다 정의롭고 지속 가능한 공동체로 변화시키려는 의식을 말한다. 다음 문항을 통해 자신의 세계 시민 의식 수준은 어느 정도인지 알아보자. (※ 아래 표에 '그렇다'라고 생각이 드는 문항에 ○표를 하시오.)

문항	갑	을	병	정	무
1. 나는 텔레비전이나 인터넷에서 국제 문제를 다루는 기사에 관심이 있다.	○		○	○	○
2. 나는 지구 온난화 문제의 해결을 위해 탄소 발자국을 줄이려고 노력한다.	○	○			○
3. 나는 다른 국가의 특이한 문화를 보면 그 나름의 이유가 있다고 생각한다.	○			○	
4. 나는 다른 국가에서 아이들이 굶어 죽는다는 소식을 들으면 슬픈 마음이 든다.	○	○	○		○
5. 나는 어떤 국가에서 발생한 문제는 그 국가의 국민들이 알아서 해결해야 한다고 생각한다.			○	○	○

① 갑　　② 을　　③ 병　　④ 정　　⑤ 무

| 완자 사전 |
• 탄소 발자국
기업이 생산 활동을 하거나 개인이 일상생활에서 자원 및 제품을 소비할 때 발생하는 온실가스의 총량

01 세계의 인구와 인구 문제

1. 세계의 인구 성장과 인구 분포

(1) 세계의 인구 성장

인구 성장의 배경	산업화 이후 생활 수준의 향상, (❶) 기술의 발달로 사망률 감소 → 평균 수명 연장, 세계 인구 급증
국가별 인구 성장	• 선진국: 산업화가 일찍 시작되어 18세기 말에서 20세기 초까지 인구가 빠르게 성장 → 출생률이 감소하면서 인구 증가율 정체 또는 감소 • 개발 도상국: 20세기 중반 이후 산업화의 진행으로 인구가 빠르게 증가 → 출생률이 높은 상태를 유지하고 사망률이 낮아지면서 인구 증가율 높음

(2) 세계의 인구 분포

인구 분포의 요인	• (❷) 요인: 북반구 중위도의 냉·온대 기후 지역, 해발 고도가 낮은 하천 주변의 평야 및 해안 지역 등에 인구 밀집 • 사회·경제적 요인: 교통이 발달하고 일자리가 많은 대도시에 인구 집중
세계의 인구 밀집 지역	동부 아시아, 동남 및 남부 아시아, 유럽, 미국 북동부 지역 → 자연환경 조건이 농업에 유리한 지역, 일찍부터 공업이 발달한 지역

2. 세계의 인구 이동과 인구 구조

(1) 세계의 인구 이동

인구 이동 요인	정치·경제·문화·환경 조건의 변화, 교통·통신의 발달에 따른 세계화 → 오늘날 전 세계적으로 인구 이동 활발
인구 이동 유형	• (❸) 이동: 개발 도상국에서 경제 수준이 높고 일자리가 많은 선진국으로 이동 • 정치적 이동: 정치적 탄압, 불안한 정세, 내전 등에 의한 난민 형태의 국제 이동 • 환경적 이동: 사막화, 해수면 상승 등 기후 변화에 따른 환경 재앙을 피해 이동

(2) 세계의 인구 구조

신진국	유소년층 비중이 낮고, 노년층 비중이 높음 → 종형 또는 방추형 인구 구조
개발 도상국	노년층 비중이 낮고, 유소년층 비중이 높음 → 피라미드형 인구 구조

3. 세계의 인구 문제

(1) 선진국의 인구 문제

구분	원인	영향
저출산 문제	여성의 사회 활동 증가, 결혼 및 자녀에 대한 가치관 변화, 출산과 양육 비용에 대한 부담, 청장년층의 고용 불안, 평균 결혼 연령의 상승	• (❹)의 감소로 노동력 부족 → 소비 감소에 따른 경제 성장 둔화 및 장기적 경기 침체 우려 • 노년 인구 부양비 증가, 노인 복지를 위한 사회적 비용 증가 → 세대 간 일자리 경쟁 및 갈등 심화
고령화 문제	생활 수준의 향상과 의학 기술의 발달에 따른 평균 수명 연장	

(2) 개발 도상국의 인구 문제

인구 과잉 문제	인구 급증에 따른 식량 및 자원 부족, 기아와 빈곤, 실업 등의 문제 발생
대도시 과밀 문제	대도시로의 인구 집중에 따른 주택 부족, 환경 오염 등의 문제 발생

(3) 인구 이동에 따른 문제

인구 유입 국가	원주민과 이주민 간의 경제적·문화적 갈등, 난민 수용을 둘러싼 갈등 발생
인구 유출 국가	청장년층 노동력 감소, 지역 경제 및 사회적 분위기 침체

4. 인구 문제의 해결 방안

(1) 정책적 방안

선진국의 인구 정책	• 저출산 대책: 출산 장려 정책, 결혼 기반 지원 대책, 여성에 대한 처우 개선 • 고령화 대책: 경제적 자립 지원, 사회 보장 제도 강화
개발 도상국의 인구 정책	경제 발전과 식량 증산 정책, 가족 계획을 통한 출산 억제 정책, 중소 도시 육성 정책, 촌락의 생활 환경 개선

(2) 가치관의 변화

가족 친화적 가치관 확대	결혼과 가족의 소중함, 정서적 지지자로서 자녀의 가치 인식
노인에 대한 인식 변화	삶의 지혜와 경험을 나누는 사회 구성원으로서 노인 이해
양성평등 문화 확립	남녀 간 가사·양육 분담, 일과 가족생활 간 균형 추구 등에 대한 사회적 인식 개선
세대 간 정의 실현	현재 세대와 미래 세대 간의 (❺) 고려 → 자원, 일자리, 환경 등의 측면에서 정의 실현을 위한 노력

02 세계의 자원과 지속 가능한 발전

1. 자원의 의미와 특성

의미	자연으로부터 얻을 수 있는 것 중에서 인간에게 유용하면서 기술적·경제적으로 이용이 가능한 것
특성	• 유한성: 대부분의 자원은 매장량이 한정되어 있어 고갈됨 • 편재성: 특정 자원은 일부 지역에 편중되어 분포함 • 가변성: 자원의 가치는 다양한 요인에 따라 변화함

2. 에너지 자원의 분포와 소비

(1) 세계 에너지 자원의 분포 및 소비 특성

분포 특성	자원의 편재성이 있어 자원의 생산지와 소비지가 불일치하는 경우가 많음
소비 특성	석유, 석탄, 천연가스 등 (❻)의 소비 비중이 매우 높음

(2) 석탄, 석유, 천연가스의 분포 및 소비 특성

구분	분포	소비
석탄	• 주로 고생대 지층에 매장 • 비교적 넓은 범위에 고르게 분포 → 석유에 비해 국제 이동량이 적음	• 가장 먼저 상용화된 에너지 자원 • 공업용 원료와 화력 발전의 연료로 사용
석유	• 신생대 제3기 배사 구조 지층에 매장 • 세계 매장량의 절반 이상이 (❼)에 분포 → 국제 이동량이 많음	• 세계 소비량이 가장 많은 에너지 자원 • 각종 산업 및 운송 수단의 연료, 화학 공업 및 생활용품의 원료로 이용
천연가스	• 주로 석유와 함께 분포 • 냉동 액화 기술의 발달과 파이프라인의 건설 확대 → 국제 이동량 증가	• 가정용·상업용 연료의 비중이 높음 • 대기 오염 물질 배출량이 적은 청정에너지

3. 자원의 분포와 소비에 따른 문제

자원 고갈 및 부족	오늘날 에너지 자원 소비량이 빠르게 증가하면서 자원 고갈 및 에너지 부족 문제 발생
자원을 둘러싼 국가 간 갈등	자원 생산지와 소비지의 불일치, 채굴 조건의 악화, 불안정한 가격 등 → 국가 간 갈등 심화
환경 문제	자원 채굴 과정에서의 생태계 파괴, 화석 에너지 사용 증가로 대기 오염 및 지구 온난화 심화
에너지 소비 격차 문제	세계 에너지 소비 상위 10개국이 전체 화석 에너지 소비량의 절반 이상 차지

4. 지속 가능한 발전

(1) 지속 가능한 발전의 의미와 필요성

의미	미래 세대가 사용할 자원을 낭비하거나 환경을 손상하지 않으면서 현재 세대의 필요를 충족하는 발전 → 경제 성장, 환경 보전, 사회 안정과 통합의 균형 추구
필요성	자원 고갈, 환경 오염, 생태계 파괴, 빈부 격차 확대, 갈등과 분쟁 등의 문제 발생 → 미래 세대의 권리 보장

(2) 지속 가능한 발전을 위한 노력

국제적·국가적 노력	• 경제적 측면: 신·재생 에너지 개발 및 보급 확대, 공적 개발 원조(ODA) 실시 • 환경적 측면: 국제 환경 협약 체결, (❽) 배출권 거래제 시행 • 사회적 측면: 사회 취약 계층 지원 제도 실시
개인적 노력	자원 및 에너지 절약, 친환경적 생활 방식, 윤리적 소비 실천, 사회 정의와 형평성을 위한 시민 의식 함양

03 미래 지구촌의 모습과 내 삶의 방향

1. 미래 지구촌의 모습

(1) 국가 간 협력과 갈등

국가 간 협력 강화	• 정치적 협력: 난민·기아·빈곤 등 지구촌 문제의 해결책 모색, 인간의 존엄성과 자유·평등과 같은 기본권과 민주주의의 이념 확산, 세계 평화와 핵 안보 문제 해결 • 경제적 교류: 전 세계 부의 증대로 생활 수준 향상, 지역 협력체의 영향력 강화
국가 간 갈등 심화	• 치열한 경쟁: (❾)의 확대로 경쟁 심화, 국가 간 빈부 격차 확대 • 심각한 갈등: 전쟁과 테러 위협, 영토 및 자원 분쟁, 종교 및 문화 갈등 증가

(2) 과학 기술의 발달에 따른 변화: 교통, 정보 통신 기술, 생명 공학 등의 발달 → 편리하고 풍요로운 생활

(3) 생태 환경의 변화: 자원 고갈 및 환경 문제 해결 노력 → 신·재생 에너지 개발, 멸종 위기 생물종 복원 등

2. 미래 사회를 대비하는 자세

(1) 지구촌 구성원으로서의 태도: (❿   ) 의식 함양, 공감과 연대 의식, 다양성을 존중하는 자세

(2) 미래 사회에서의 내 삶의 방향: 올바른 인성과 가치관 정립, 비판적 사고력 증진

01 다음은 세계 인구 변화를 설명한 자료이다. 이에 대해 옳게 분석한 사람은?

> 18세기 후반, 산업 혁명을 기점으로 인구가 급속히 증가하였고, 인구가 증가하는 속도는 점점 빨라졌다. 1800년대에 약 10억 명이었던 인구가 2015년 현재는 약 73억 명을 넘어섰다. 특히 제2차 세계 대전 이후 산업화가 진행된 개발 도상국에서는 사망률은 낮아졌지만 출생률이 여전히 높아 인구 증가율이 높은 편이다.

① 갑: 인간의 기대 수명은 점차 짧아지고 있어.
② 을: 앞으로 세계의 인구 밀도는 감소할 것 같아.
③ 병: 인간의 거주 지역이 계속해서 축소될 우려가 있어.
④ 정: 노년층 비중은 감소하고 유소년층 비중이 증가할 전망이야.
⑤ 무: 선진국보다 개발 도상국이 세계의 인구 증가를 주도할 것 같아.

02 그래프는 대륙별 인구 비중의 변화를 나타낸 것이다. A~C 대륙에 대한 설명으로 옳은 것은? (단, A~C는 유럽, 아시아, 아프리카 중 하나이다.)

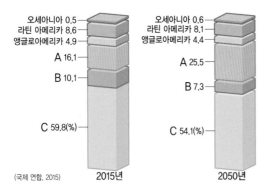

(국제 연합, 2015)

① A는 저출산·고령화 문제가 심각하다.
② B는 인구 증가율이 가장 높다.
③ C는 벼농사가 발달한 지역에 인구가 밀집한다.
④ A는 인구가 증가하였고 B와 C는 인구가 감소하였다.
⑤ B는 A, C에 비해 경제 수준이 낮은 개발 도상국이 많다.

03 지도는 인구의 국제 이동을 나타낸 것이다. (가), (나)의 인구 이동에 대한 옳은 설명을 〈보기〉에서 고른 것은?

(하크 세계 지도, 2015)

> **보기**
> ㄱ. (가)는 환경적 요인에 의한 인구 이동이다.
> ㄴ. (나)는 대체로 선진국에서 개발 도상국으로 이동한다.
> ㄷ. (가)는 (나)에 비해 구직 목적의 인구 이동 비중이 높다.
> ㄹ. (나)는 (가)에 비해 정치적 탄압을 피하기 위한 성격이 강하다.

① ㄱ, ㄴ ② ㄱ, ㄹ ③ ㄴ, ㄷ
④ ㄴ, ㄹ ⑤ ㄷ, ㄹ

04 다음은 A, B 국가의 인구 구조에 대한 설명이다. A에 비해 B에서 높게 나타날 인구 지표로 옳은 것은?

> • A 국가의 인구 구조를 보면 노년층 인구 비중은 크고, 유소년층 인구 비중이 작은 것을 알 수 있다. 이 국가는 생활 수준이 높고, 의료 기술이 발달하여 사망률이 낮기 때문이다. 또한 여성의 사회 진출 증가, 자녀에 대한 가치관 변화 등으로 출생률이 낮게 나타난다.
> • B 국가의 인구 구조를 보면 노년층 인구 비중은 작고, 유소년층 인구 비중이 큰 것을 알 수 있다. 이 국가는 상대적으로 생활 수준이 낮고, 의료 기술이 발달하지 않아 사망률이 높기 때문이다. 또한 1차 산업 중심의 사회에서는 많은 노동력을 필요로 하고 피임법이 보급되지 않은 경우가 많아 출생률이 높게 나타난다.

① 기대 수명 ② 중위 연령
③ 노년 부양비 ④ 합계 출산율
⑤ 평균 결혼 연령

05 다음 자료에 나타난 현상이 지속될 경우 발생할 수 있는 문제점으로 가장 적절한 것은?

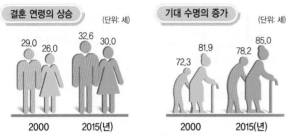

(제3차 저출산·고령 사회 기본 계획(2016~2020), 2015)

① 남아 선호 사상이 강하게 나타난다.
② 일자리를 찾아 대도시로 인구가 집중한다.
③ 출생률이 높아져 인구 과잉 문제가 발생한다.
④ 난민 수용을 둘러싼 세대 간 갈등이 심화한다.
⑤ 노년층 부양을 위한 청장년층의 부담이 커진다.

06 다음과 같은 인구 정책을 시행하는 시기에 만들어진 가족계획 표어를 고르면?

1. 청년 고용을 활성화하여 결혼 기반을 마련한다.
 - 5년간 청년 일자리 37만 개 창출, 청년 고용 기반 확충
2. 신혼부부가 선호하는 전·월세 주택 공급을 확대한다.
 - 신혼부부 맞춤형 공공 임대 주택 5년간 13.5만 호 공급
3. 사회가 국민의 임신과 출산을 책임진다.
 - 2017년부터 임신, 출산의 의료비 본인 부담 감소
4. 든든한 노후를 위해 체계적으로 노인의 소득을 보장한다.
 - 1인 1 국민연금 시대 본격화, 주택 연금 가입자 대폭 확대
5. 맞춤형으로 고령자의 건강한 생활을 지원한다.
 - 질병 예방, 치료, 요양 등 다양한 분야 지원

① 낳을수록
희망 가득
기를수록
행복 가득

② 덮어 놓고
낳다 보면
거지꼴을
못 면한다

③ 딸, 아들
구별 말고
둘만 낳아
잘 기르자

④ 잘 키운
딸 하나
열 아들
안 부럽다

⑤ 아들 바람
부모 세대
짝꿍 없는
우리 세대

07 그래프는 우리나라 인구 구조의 변화를 나타낸 것이다. 이에 대한 옳은 추론을 〈보기〉에서 고른 것은?

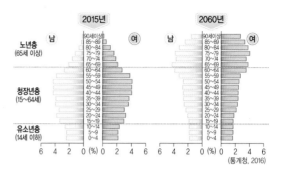

(통계청, 2016)

보기

ㄱ. 우리나라는 합계 출산율이 증가할 것이다.
ㄴ. 우리나라는 노동력 부족 문제가 발생할 것이다.
ㄷ. 우리나라는 피라미드형 인구 구조가 나타날 것이다.
ㄹ. 우리나라는 노인 1인당 생산 가능 인구가 감소할 것이다.

① ㄱ, ㄴ   ② ㄱ, ㄷ   ③ ㄴ, ㄷ
④ ㄴ, ㄹ   ⑤ ㄷ, ㄹ

08 (가)에 들어갈 내용으로 가장 적절한 것은?

• 주제: _____(가)_____

• 주요 내용

　고령 인구를 부양하기 위한 제도가 그 재원을 마련해야 할 청장년층에게 과도한 부담이 된다면 세대 간의 갈등을 피하기 어렵다. 오늘날 고령 인구의 증가에 따라 복지 혜택을 누려야 할 사람은 늘어나고 이를 부담해야 하는 청장년층의 비율은 계속 감소하고 있다. 이러한 상황에서 장기적인 계획 없이 현세대만 만족하는 대책을 수립한다면 그 부담은 미래 세대로 이어지게 된다. 따라서 우리는 서로 다른 세대의 상황을 이해하고, 미래 세대에게 부담을 주지 않는 범위 내에서 합리적인 해결 방안을 찾아야 한다.

① 양성평등 문화의 확립
② 세대 간 정의 실현의 필요성
③ 가족 친화적 가치관의 중요성
④ 노인에 대한 인식 변화를 위한 방안
⑤ 일·가정 양립 지원에 대한 사회적 인식

09 그래프는 세계 에너지 소비량 변화를 나타낸 것이다. A~C 에너지 자원에 대한 설명으로 옳은 것은?

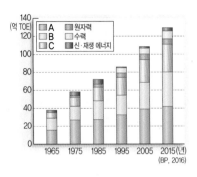

① A는 주로 고생대 지층에 매장되어 있다.
② B는 파이프라인 건설의 확대로 장거리 수송이 가능해졌다.
③ C의 최대 수출국은 동남아시아에 위치하고 있다.
④ A는 B에 비해 자원의 개발과 확보를 둘러싼 갈등이 많은 편이다.
⑤ B는 C에 비해 대기 오염 물질 배출량이 적은 편이다.

10 지도는 어느 에너지 자원의 분포와 이동을 나타낸 것이다. 이 자원에 대한 옳은 설명을 〈보기〉에서 고른 것은?

(하크 세계 지도, 2015)

보기
ㄱ. 산업 혁명 시기에 상용화되기 시작하였다.
ㄴ. 주요 수출국은 우리나라, 중국, 일본 등이다.
ㄷ. 제철 공업, 화력 발전 등 주로 산업용으로 이용된다.
ㄹ. 최근 북극해의 빙하가 녹으면서 개발 가능성이 커지고 있다.

① ㄱ, ㄴ ② ㄱ, ㄷ ③ ㄴ, ㄷ
④ ㄴ, ㄹ ⑤ ㄷ, ㄹ

11 다음 글에 나타난 자원 문제가 발생하게 된 요인으로 가장 적절한 것은?

> 러시아와 우크라이나가 밀린 가스 대금을 놓고 대립하면서 러시아산 천연가스를 소비하는 유럽의 많은 국가가 피해를 볼 수 있다는 우려를 낳고 있다. 수년 전에도 러시아와 우크라이나 간에 파이프라인 통과료, 가스비 채무 불이행, 가격 분쟁 등으로 갈등이 생기자, 러시아가 우크라이나행 가스 밸브를 잠가 관련 유럽 국가들이 큰 피해를 보았다. 현재 러시아는 유럽에서 소비되는 천연가스의 30% 이상을 공급하고 있으며, 이 가운데 절반 이상이 우크라이나를 지나는 파이프라인을 통해 유럽으로 공급된다.

① 신·재생 에너지의 보급이 확대되고 있다.
② 자원의 생산지와 소비지가 일치하지 않는다.
③ 자원의 소비량이 증가할수록 가채 연수가 줄어든다.
④ 선진국과 개발 도상국 간의 에너지 소비 격차가 크다.
⑤ 화석 연료의 사용 증가로 지구 온난화 문제가 심각하다.

12 다음은 어느 학생의 형성 평가지이다. 이 학생이 얻을 점수로 옳은 것은?

형성 평가

지속 가능한 방식의 자원 개발 및 이용에 대한 설명이 맞으면 ○표, 틀리면 ×표를 하시오.

문항	답안
(1) 석탄, 석유 등 화석 에너지의 사용 비중을 점차 줄여 나간다.	×
(2) 태양광, 풍력, 지열, 바이오 에너지 등의 소비 비중을 높인다.	○
(3) 미래 세대가 사용할 자원을 낭비하거나 환경을 손상하지 않는다.	○
(4) 자원의 해외 의존도가 높은 국가들은 영역 분쟁을 통해 자원을 최대한 확보한다.	○
(5) 자원을 풍부하게 부유한 국가들은 자원 민족주의를 통해 자원을 안정적으로 확보한다.	×

(문항당 2점)

① 2점 ② 4점 ③ 6점 ④ 8점 ⑤ 10점

13 (가)의 관점을 가진 사람이 일상생활에서 실천할 수 있는 행동만을 〈보기〉에서 있는 대로 고른 것은?

<보기>
ㄱ. 개발 도상국의 빈곤 퇴치를 위해 기부한다.
ㄴ. 공정 무역을 통해 공급된 제품을 구입한다.
ㄷ. 장거리 운송을 거친 지역의 농산물을 사 먹는다.
ㄹ. 음식물을 남기지 않는 '빈 그릇 운동'에 동참한다.

① ㄱ, ㄴ   ② ㄱ, ㄷ   ③ ㄱ, ㄹ
④ ㄱ, ㄴ, ㄹ   ⑤ ㄴ, ㄷ, ㄹ

14 다음 자료에 제시된 목표를 이루기 위한 정책으로 옳지 않은 것은?

① 공적 개발 원조(ODA) 실시
② 자유 무역 협정(FTA) 체결
③ 온실가스 배출권 거래제 시행
④ 저탄소 녹색 성장 기본법 제정
⑤ 사회 취약 계층 지원 제도 마련

15 (가)~(마)에 들어갈 내용으로 적절하지 않은 것은?

미래 지구촌의 모습
• 국가 간 협력 강화: (가)
• 국가 간 갈등 심화: (나)
• 정보 통신 기술의 발달: (다)
• 생명 공학의 발달: (라)
• 생태 환경의 변화: (마)

① (가) – 분쟁으로 인해 발생하는 난민, 기아, 빈곤 등 지구촌 문제의 해결책을 모색한다.
② (나) – 소수의 국가가 부를 독점하여 국가 간 빈부 격차가 더 벌어진다.
③ (다) – 사물 인터넷 기술의 발달로 초연결 사회가 출현한다.
④ (라) – 유전자 변형 식물을 만들어 농업 생산에 도움을 준다.
⑤ (마) – 자율 주행이 가능한 무인 자동차가 운행된다.

16 미래 사회에서 지구촌 구성원으로서의 역할을 수행한다고 보기 어려운 사람은?

 갑
저는 방학 때 어려움에 처한 국가에 가서 봉사 활동을 하면서 큰 보람을 느꼈습니다.

저는 다국적 기업의 국제 경쟁력을 강화하기 위해 최소한의 임금으로 노동자를 고용하는 방안을 찾고 있습니다. 을

 병
저는 국제 사면 위원회에서 주관하는 인권 실태 조사에 참여하고 있습니다. 모든 사람은 국제 인권 기준에 명시된 권리를 누릴 수 있어야 합니다.

저는 국경 없는 의사회 소속으로, 전 세계 긴급 재난 지역에 48시간 이내에 출동해서 의료 지원을 하고 있습니다. 정

 무
저는 '깨끗한 옷 입기' 운동에 참여하고 있습니다. 우리가 말하는 '깨끗한 옷'이란 옷이 생산·유통되는 과정이 얼마나 도덕적으로 정당한가를 따져 그 가치를 인정받은 옷을 말합니다.

① 갑   ② 을   ③ 병   ④ 정   ⑤ 무

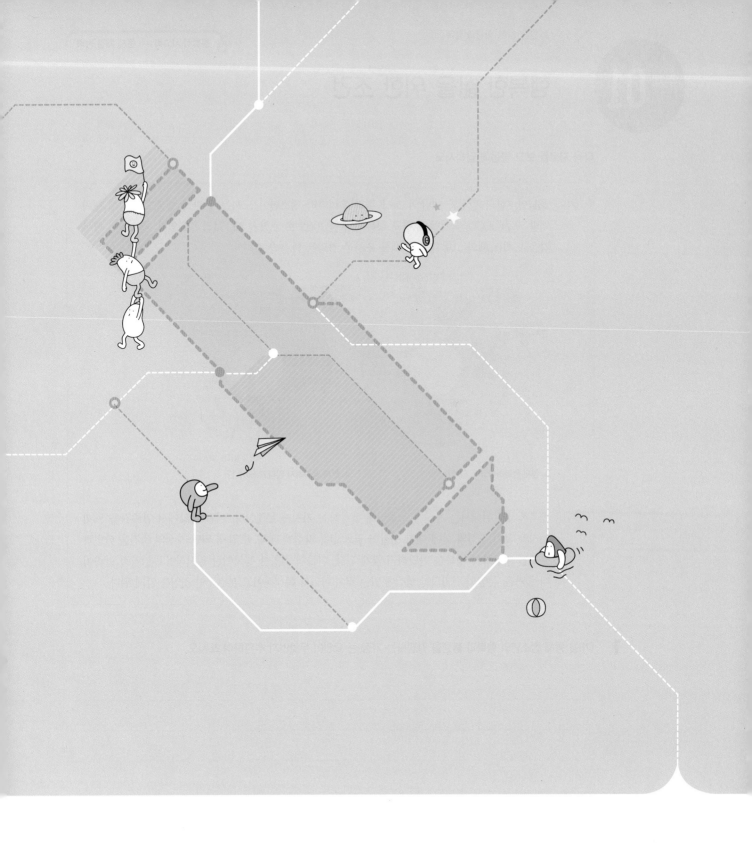

논술형 문제

▶▶ 정답친해 92쪽

주제 01 행복한 삶을 위한 조건

다음 자료를 보고 물음에 답하시오.

(가) 2014년, '한국 방정환 재단'의 조사 결과 우리나라 청소년이 느끼는 주관적 행복도는 경제 협력 개발 기구(OECD) 국가들의 평균 행복 지수를 100으로 보았을 때, 74점 정도였다. 청소년이 행복 감을 느끼는 때와 그렇지 않은 때를 조사한 결과는 다음과 같다.

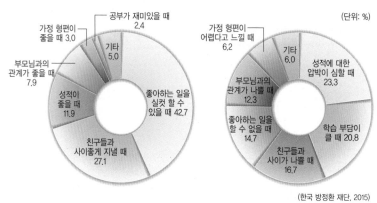

(단위: %)

(한국 방정환 재단, 2015)

▲ 언제 행복하다고 느끼나?　　　　　▲ 언제 행복하지 않다고 느끼나?

(나) 행복해지기 위해서는 자신이 소중하게 생각하는 가치가 무엇인지, 어떤 상황에서 만족감을 느끼는지와 같이 자신의 삶에 대한 성찰이 필요하다. 자신에 대해 잘 알게 되면 자신의 조건을 타인과 무조건 비교하여 행복을 판단하지 않게 된다. 더불어 진정한 행복이란 일시적이고 감각적 만족이나 즐거움, 눈앞의 단기적인 성취에 있는 것이 아니라 목적적이고 본질적인 것임을 알게 된다.

1 (가)를 통해 청소년의 행복과 불행을 결정하는 가장 큰 요인이 무엇인지 추론하여 쓰시오.

....

....

....

2 (나)를 토대로 (가)의 결과를 개선할 방법을 논술하시오.

....

....

....

주제 **02**

환경 문제 해결을 위한 노력

다음은 미세 먼지와 관련된 자료이다. 물음에 답하시오.

(가) 미세 먼지는 우리 눈에 보이지 않는 아주 작은 물질로, 대기 중에 장기간 떠다니는 직경 10㎛ 이하의 입자상 먼지 물질을 말한다. 장기간 미세 먼지에 노출될 경우 면역력이 급격히 낮아져 감기, 천식, 기관지염 등의 호흡기 질환은 물론, 심혈관 질환과 피부 질환, 안구 질환 등 각종 질병에 걸릴 수 있다. 미세 먼지는 주로 석탄이나 석유 등의 화석 에너지가 연소될 때 발생하거나 공장의 매연과 자동차의 배기가스 등에서 나오는 것으로 알려져 있다.

▲ 미세 먼지가 발생하기 전과 후의 모습(2016)

(나) 정부는 6월 30일 '미세 먼지 특별 대책 세부 이행 계획'을 확정하고, 국민의 안전과 건강을 위협하는 미세 먼지 문제를 국가의 최우선 해결 과제로 설정하였다. 이를 위해 특별 대책의 실효성 있는 이행을 뒷받침할 수 있는 사업별 세부 추진 일정과 투자 계획을 세우고 추가적인 미세 먼지 저감 대책도 마련하였다.

미세 먼지 저감 대책	• 노후 경유차 운행 제한 및 신차 구매 시 세금 감면 • 선박 배출 대기 오염 물질 저감 방안 강구 • 석탄 화력 발전소의 미세 먼지 저감 방안 마련 • 석탄을 이용한 화력 발전 비중 축소 및 신·재생 에너지를 이용한 발전 비중 확대 방안 검토
주변국과의 환경 협력	• 주변국과의 공동 연구, 대화 경로 구축 • 중국의 노후 트럭 매연 저감 장치 부착 사업 추진
예보·경보 체계 개선	• 미세 먼지 예보·경보제 운용 기반 확충 • 예보 불확실성 감소를 위한 예보 모델 다양화 및 고도화 추진

(환경부, 2016)

1 (가)를 통해 미세 먼지가 발생하는 원인과 미세 먼지로 인한 영향을 서술하시오.

....

....

....

2 (나)를 통해 미세 먼지를 감소시킬 수 있는 방안으로 정부, 기업, 시민 단체, 개인의 역할을 각각 서술하시오.

....

....

....

주세 **03**

지역의 공간 변화

다음은 평택시의 공간 변화에 대한 자료이다. 물음에 답하시오.

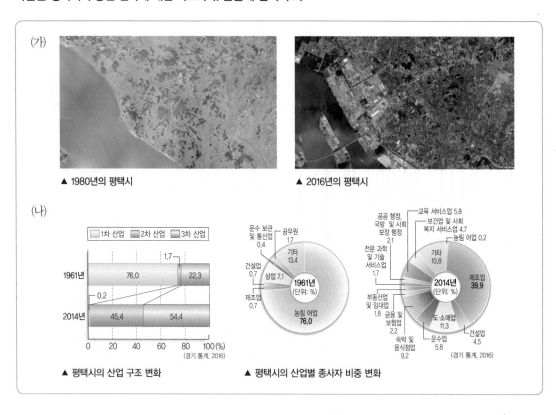

(가)

▲ 1980년의 평택시   ▲ 2016년의 평택시

(나)

▲ 평택시의 산업 구조 변화   ▲ 평택시의 산업별 종사자 비중 변화

1 (가), (나)를 보고 평택시의 공간 변화에 대해 서술하시오.

....

....

....

2 (가), (나)를 토대로 평택시에 나타날 주택 및 교통 문제와 환경 문제를 각각 한 가지씩 제시하고, 이를 해결하기 위한 방안을 서술하시오.

....

....

....

주제 04 시민 불복종의 정당화 조건

다음 글을 읽고 물음에 답하시오.

(가) 우리는 법을 준수해야 할 의무가 있다. 그렇지만 어떤 법은 인간의 기본권을 침해하고 소수자를 부당하게 차별한다. 이처럼 법이 인권을 침해하는 등의 문제가 있을 때 그 부당함에 항의하기 위해 법을 위반하는 경우가 있는데, 이것을 시민 불복종이라고 한다. 시민 불복종은 '법과 정부 정책에 변화를 가져오기 위해 공개적·비폭력적·양심적으로 법을 위반하는 행위'로 정의된다. <u>시민 불복종은 민주적 절차인 다수결에 의해 결정된 실정법을 위반하는 것이기 때문에, 그것이 정당화된다면 사회 질서를 무너뜨려 사회 혼란을 가져올 수 있다</u>는 반대 의견이 제기될 수 있다.

(나) 1987년 6월 민주 항쟁은 대통령 직선제를 비롯한 헌법과 정권의 개혁안을 발표하게 만든 사건이었다. 당시 많은 국민들이 기본권 강화와 대통령 직선제 등을 내용으로 하는 헌법 개정을 강력히 요구했지만, 국가는 이를 무시하고 강압적인 통치를 해나갔다. 이에 국민들은 국민 대회로 저항했고 정부의 폭력적인 진압으로 수만 명이 투옥되었지만, 굴하지 않았다. 다음은 당시 이 운동의 행동 요강이다.

> 6·10 국민 대회 행동 요강
> 4. 전 국민은 오후 9시에서 9시 10분까지 10분간 소등을 하고 … (중략) … 민주 쟁취의 의지를 표시할 수 있는 기도, 묵상, 독경 등을 한다.
> 7. 또 한 번 부탁하거니와 6·10 국민대회는 평화적으로 참여해 주시기를 바라며 폭력을 사용하거나 기물손괴 등을 자행하는 사람은 국민대회를 호도하려는 외부세력으로 규정한다.

1 (가)의 밑줄 친 부분에 대한 반론을 서술하시오.

....

....

....

2 (가)를 참고하여 (나)의 6월 민주 항쟁이 시민 불복종으로 정당화될 수 있는지 분석하여 서술하시오.

....

....

....

주제 **05**

소비자의 바람직한 역할

다음 글을 읽고 물음에 답하시오.

• 대형 할인점에 간 갑이 가장 먼저 집어든 것은 1ℓ에 2,200원짜리 ○○ 우유였다. 이 우유에는 사은품으로 200㎖짜리 우유가 붙어 있어서 단위 용량당 가격이 더 저렴했기 때문이다. 다음으로 커피 진열대로 가서 여러 제품을 비교해 본 후 중량에 비해 가격이 싸면서 향과 맛도 좋다고 알려진 대기업 제품을 구매하였다. 마지막으로 갑은 늘 사용하던 명품 화장품을 20만 원에 구매하였다. 동물 알레르기 테스트를 거쳐서 믿을 만하고, 금속으로 제작된 상표 장식과 화려한 용기 디자인이 고급스럽다고 생각했기 때문이다.

• 을도 쇼핑을 위해 대형 할인점에 갔다. 우유를 사기 위해 다양한 제품을 살펴보던 을은 1ℓ에 3,000원이나 하지만 '유기농'에 '방목 사육'이라고 표기된 △△ 우유를 선택했다. 을은 갑갑한 축사에서 원료가 무엇인지도 모를 사료를 억지로 먹여서 기른 소와 목장에서 자유롭게 풀을 뜯으며 자란 소를 비교하면 가격이 조금 더 비싼 것은 아무것도 아니라고 생각했다. 다음으로 가격은 다소 비싸지만 '공정 무역'으로 수입된 커피를 구매하였다. 그리고 을은 포장 상자조차 없는 얇은 플라스틱 몸체에 잔인한 동물 실험을 하지 않았다는 설명이 적힌 화장품을 4만 원에 구매하였다. 쓸데없는 포장은 줄여 겉보기에는 초라하지만 친환경적인 제품이기 때문이다.

1 갑과 을의 소비 행위의 차이점을 '상품 구매 기준'을 중심으로 서술하시오.

2 갑과 을의 소비 행위 중 자신이 바람직하다고 생각한 것을 선택하고, 그 이유를 적절한 근거를 들어 논술하시오.

적극적 우대 조치

다음 글을 읽고 물음에 답하시오.

(가) 인간은 각기 다른 능력과 조건을 가지고 태어나며 이를 기반으로 다양한 모습으로 살아간다. 모든 인간이 존엄성을 유지하고 서로의 인권을 존중하려면 각자의 차이를 인정하는 것이 중요하다. 그러나 합당한 이유 없이 차이를 근거로 불이익을 줄 때 차별이 발생한다. 차별은 기본적으로 평등한 사회 구성원을 불합리하고 자의적인 기준에 따라 불평등하게 대우하는 것을 말한다. 차별이 갖는 윤리적 문제는 사회 구성원의 인권을 침해하여 정의롭지 못한 사회를 만들 수 있다는 점이다. 인간은 존엄성을 지닌 존재로 부당한 차별을 받아서는 안 된다. 구성원을 차별하는 사회는 정의롭고 공정한 사회라고 할 수 없다.

(나) 정의로운 사회를 실현하기 위해서는 고용, 교육, 경제 등 다양한 분야에 걸쳐 사회적으로 차별받는 사회적 약자에게 직간접적으로 혜택을 제공하는 적극적 우대 조치를 마련해야 한다. 우리나라에서는 기존의 남성 중심적 사회 구조에서 불이익을 받았던 여성에게 채용이나 승진 및 공직 진출의 혜택을 제공하는 여성 할당제나, 기업이나 관공서에서 일정 비율 이상의 장애인을 고용하도록 하는 장애인 의무 고용 제도 등의 적극적 우대 조치를 통해 사회적 약자의 처지를 개선하기 위해 노력하고 있다.

1 (가)의 입장에서 (나)의 제도를 평가하시오.

2 (나)의 제도를 도입함에 따른 역차별을 정당화할 수 있는지에 대해 자신의 생각을 논술하시오.

주제 07 다문화 사회와 다문화 정책

다음 자료를 보고 물음에 답하시오.

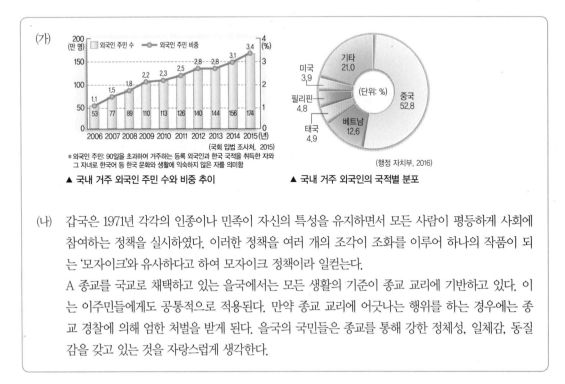

▲ 국내 거주 외국인 주민 수와 비중 추이

▲ 국내 거주 외국인의 국적별 분포

(나) 갑국은 1971년 각각의 인종이나 민족이 자신의 특성을 유지하면서 모든 사람이 평등하게 사회에 참여하는 정책을 실시하였다. 이러한 정책을 여러 개의 조각이 조화를 이루어 하나의 작품이 되는 '모자이크'와 유사하다고 하여 모자이크 정책이라 일컫는다.

A 종교를 국교로 채택하고 있는 을국에서는 모든 생활의 기준이 종교 교리에 기반하고 있다. 이는 이주민들에게도 공통적으로 적용된다. 만약 종교 교리에 어긋나는 행위를 하는 경우에는 종교 경찰에 의해 엄한 처벌을 받게 된다. 을국의 국민들은 종교를 통해 강한 정체성, 일체감, 동질감을 갖고 있는 것을 자랑스럽게 생각한다.

1 (가)와 같은 사회에서 나타나게 될 사회 문제 유형 중 하나를 제시하고, 그에 대한 해결 방안을 개인적 측면과 사회적 측면으로 구분하여 논술하시오.

2 (가)와 같은 다문화 사회에서 사회 통합과 공존을 위한 바람직한 정책 방향을 (나)의 갑국과 을국의 정책 중 하나를 선택하여 논술하시오.

주제 08 남북통일의 필요성

다음 글을 읽고 물음에 답하시오.

> (가) 다음은 남북한의 어휘 차이를 나타낸 것이다.
>
> > 빙수(단얼음), 거짓말(꽝포), 도시락(곽밥), 화장실(위생실), 주스(과일 단물)
>
> 같은 언어를 사용하던 남북한은 분단 이후 서로 다른 어문 정책을 펴면서 심각한 언어 이질화를 겪고 있다. 이런 흐름대로라면 남북한을 한민족으로 묶는 중요한 징표인 언어문화가 서로 다른 길을 걷게 될 것이라는 우려의 목소리가 높아지고 있다. 이러한 추세는 언어뿐만 아니라 사고방식, 가치관, 행동 양식에서도 나타나고 있다.
>
> (나) 1963년 동독인 카르타 슈테펜서는 서독으로 영구 이주했다. 당시 동·서독은 서로를 적대시하던 분단국가였지만, 동독은 자국민의 이주를 허가했고 서독은 이를 받아들였다. 1972년 동·서독은 기본 조약을 맺어 상호 방문, 동독인의 서독 TV 시청, 전화와 편지의 왕래를 이어갔다. 기본 조약이 체결된 이후 동·서독 간 방문자 수는 연평균 600만 명을 넘었다. 이처럼 내부적으로 통일의 여건을 다져 가는 것과 함께 통일을 반대했던 주변 강대국을 설득하는 작업도 진행되었다.
>
> – 「세계일보」, 2015. 10. 15.

1 (가)를 통해 알 수 있는 남북 분단의 영향을 서술하시오.

2 (나)를 참고하여 남북통일을 위해 우리나라가 해야 할 대내적·대외적 노력을 논술하시오.

유전자 변형 농산물(GMO)과 지속 가능한 발전

(가), (나)를 토대로 유전자 변형 농산물(GMO)의 긍정적·부정적 영향을 쓰고, 이러한 영향이 인류의 지속 가능한 발전에 이바지할 수 있는지에 대해 논술하시오.

(가) 2050년 전 세계 인구는 90억 명에 이를 것으로 추정하고 있다. 식량은 갈수록 부족해질 것이며 기아를 극복하기 위해서는 농작물의 수확을 늘려야 한다. 그런 의미에서 유전자 변형 농산물(GMO)의 역할은 중요하다. GMO는 어떤 생물체의 유용한 유전자를 다른 생물체의 유전자와 결합해 유전자 일부를 변형시켜 만든 생물체를 의미하는데, 지금까지 개발된 것이 대부분 식물이기 때문에 GMO라고 하면 통상 유전자 변형 농산물을 가리킨다. 미국 식품 및 농업 정책 연구소가 발표한 보고서에 의하면 미국에서만 바이오 기술을 이용한 GMO 작물 재배로 4백만 톤의 증산이 가능했고, 이에 따라 14억 달러의 원가가 절감되었다고 한다. 그뿐만 아니라 농약 사용도 3만 톤이나 줄여 전체적인 경제 효과가 20억 달러에 달했다고 한다. 또 다른 예를 찾아보면, 독일의 A사에서 나오는 옥수수는 유전자 조작을 통해 영양 성분이 강화되어 높은 농도의 아미노산과 지방 성분, 미네랄을 함유하고 있어 동물 사료로 인기가 높다. 또 다국적 농업 회사인 B 사에서는 병충해에 강한 목화 종자를 개발했는데, 통계에 의하면 이 목화 종자를 경작하면서 농약 사용량이 2.5배나 줄었다고 한다.

(나) 미국 시장을 거의 독점하다시피 하는 C 사의 GMO 콩 종자는 일반 종자의 두 배 가까운 값을 치러야만 구매할 수 있다. 또한 반드시 제초제와 함께 묶음으로 구매해야 한다. 다른 제초제를 사용하면 잡초와 함께 콩도 죽기 때문이다. 또한 특정 제초제를 계속 사용하면 내성이 생긴 잡초가 생기기도 한다. GMO 콩을 재배하여 수확량이 늘기는 했지만, 추가로 소요되는 생산비를 벌충하기에는 충분하지 않았다. 풍부한 수확을 보장하는 GMO 종자가 전 세계를 먹여 살린다는 선전과 달리, GMO 종자는 더욱 많은 사람을 가난하게 만들고 있다. 종자를 구매하는 그 순간부터 농민들은 새로운 비용을 추가로 지출해야 했지만, 소득은 늘어나지 않았기 때문이다. 비싼 종잣값, 기술 특허 사용료 지불, 때로는 수확량 감소, 그리고 수확물이 늘 경우에도 가격이 하락하는 등의 동반 피해를 보게 되는 것이다. 한편 세계 환경 단체들은 GMO가 미래 세대에게 어떻게 작용할지 알 수 없는 등 안전성에 문제가 있고, 유전자 변형 종자에 대한 내성 증가로 자연 생태계가 교란 및 파괴될 수 있는 만큼 인류의 지속 가능한 발전이 아니라 재앙의 시초가 될 수 있다며 GMO 업계가 내세우고 있는 지속 가능성을 일축한다.

정확한 **답**과 **친**절한 **해**설

정답친해

완벽한 자율학습서

통합사회

visang

ABOVE IMAGINATION

우리는 남다른 상상과 혁신으로
교육 문화의 새로운 전형을 만들어
모든 이의 행복한 경험과 성장에 기여한다

완벽한 자율학습서

완자

자율학습시
비상구
정답친해로
53

정확한 답과 친절한 해설

통 합 사 회

Ⅰ. 인간, 사회, 환경과 행복

01 인간, 사회, 환경을 바라보는 시각

STEP 1 핵심 개념 확인하기   012쪽

1 (1) × (2) ○ (3) ○   2 (1) ㄷ (2) ㄱ (3) ㄴ (4) ㄹ   3 (1) – ㉠
(2) – ㉢ (3) – ㉡ (4) – ㉣   4 통합적 관점

STEP 2 내신 만점 공략하기   012~014쪽

01 ①   02 ①   03 ②   04 ④   05 ⑤   06 ③   07 ④
08 ②   09 ④

01 시간적 관점

에스파냐 최대의 축구 라이벌전인 '엘 클라시코'가 만들어지게 된 배경은 시간적 관점에서 살펴보면 이해하기 쉽다. 카탈루냐 지방이 에스파냐에 통합되었던 역사와 에스파냐로부터 자치와 독립을 원하는 욕구를 역사적 맥락을 통해 살펴 보면 바르셀로나 사람들의 마드리드에 대한 지역 감정을 이해할 수 있게 된다.

▌바로 알기 ▌ ② 공간적 관점은 사회 현상을 공간적 맥락에서 살펴보는 것이다. ③ 사회적 관점은 사회 구조 및 제도의 영향을 고려하여 사회 현상을 살펴보는 것이다. ④ 윤리적 관점은 사회 현상을 규범적 차원에서 살펴보는 것이다. ⑤ 통합적 관점은 시간적·공간적·사회적·윤리적 관점을 종합적으로 고려하여 사회 현상을 살펴보는 것이다.

02 시간적 관점의 필요성

우리가 접하는 사건이나 상황은 단독으로 존재하는 것이 아니라 과거의 역사적 사건과 인과 관계로 이루어져 있다. 이러한 시간적 관점을 통해 우리는 오늘날 어떤 사회 현상이 일어나는 이유와 그 결과를 추론해 볼 수 있고, 앞으로 우리 사회의 변화 방향도 짐작할 수 있다.

▌바로 알기 ▌ ㄷ은 공간적 관점, ㄹ은 윤리적 관점의 필요성이다.

03 사회 현상을 바라보는 관점

세상을 바라보는 관점에는 시간적 관점, 공간적 관점, 사회적 관점, 윤리적 관점이 있다. 시간적 관점은 사회 현상을 시대적 배경과 맥락에서 살펴보는 것이며, 공간적 관점은 위치와 장소 등 공간적 맥락에서 살펴보는 것이다. 사회적 관점은 사회 현상을 사회 제도와 사회 구조의 측면에서 이해하는 것이며, 윤리적 관점은 도덕적 가치와 규범적 방향성에 초점을 두고 사회 현상을 이해하는 것이다.

▌바로 알기 ▌ ㄴ. 규범적 방향성과 가치는 사회 현상을 윤리적 관점에서 살펴볼 때 고려해야 할 요소이다. ㄹ. 위치와 장소, 분포 유형, 이동과 네트워크 등은 공간 정보로, 사회 현상을 공간적 관점에서 살펴볼 때 고려해야 할 요소이다.

04 공간적 관점으로 본 문화 차이

네덜란드는 연중 강수량이 고르고, 해발 고도가 낮으며 갯벌이 발달해 있다. 이러한 네덜란드의 기후 및 지형적 특성 때문에 사람들은 전통적으로 나막신을 신어 왔다. 스위스는 알프스산맥이 국토 면적의 대부분을 차지하는 산악 국가로, 겨울철에 많은 눈이 내려 전통적으로 아이젠과 유사한 신발을 개발해 미끄러운 눈길에 대비하였다. 이처럼 공간적 관점에서 보면 서로 다른 지역 문화의 공통점과 차이점을 이해할 수 있고, 그 과정에서 자연환경과 인간이 어떻게 상호 작용하는지를 파악할 수 있다.

▌바로 알기 ▌ ① 자연환경 요소에 따른 공간의 특징이다. ②, ③ 제시문의 내용과 거리가 멀다. ⑤ 비가 자주 내리거나 눈이 많이 오는 자연환경은 사회 문제로 볼 수 없다.

05 사회적 관점의 접근 방법

기후 변화는 인간, 사회, 환경이 서로 얽혀 있는 복잡한 문제이다. 따라서 기후 변화의 원인과 해결 방안을 알아보기 위해서는 다양한 관점에서 탐구할 필요가 있다. ⑤ 병, 정. 온실가스 배출 규제에 대한 국제적 합의를 추진하고, 기후 변화 문제를 국제 사회 및 국가적 차원에서 제도를 만들어 해결해야 한다고 대안을 제시하는 것은 사회적 관점에서의 접근 방법이다.

▌바로 알기 ▌ 갑. 기후 변화의 원인에 대해 산업 혁명이라는 시대적 배경과 맥락에 초점을 두고 접근하고 있다. 을. 지구 온난화로 환경이 파괴되고 기후가 변화한 것은 인간의 이기심 때문이라는 가치 판단을 내리고 있으므로 윤리적 관점에서의 접근 방법이다.

완자 정리 노트   다양한 관점으로 살펴보는 기후 변화

관점	접근 방법
시간적 관점	기후 변화는 언제부터 나타났을까?
공간적 관점	기후 변화가 환경과 인간 생활에 어떤 영향을 미쳤을까?
사회적 관점	국제 사회는 기후 변화를 막기 위해 어떤 노력을 하고 있을까?
윤리적 관점	기후 변화에 대한 책임은 누구에게 있을까?

06 사회 현상을 바라보는 관점

(가)는 과거를 통해 오늘날 사회 현상(교통 혼잡)이 일어나는 이유를 살펴보고 있으므로 시간적 관점의 질문에 해당한다. (나)는 위치나 장소의 측면에서 사회 현상을 살피거나 공간적 맥락에서 원인을 찾으려는 것으로 보아 공간적 관점의 질문이다. (다)는 사회 현상을 도덕적 가치로 판단하고 규범적 차원에서 살펴보고 있으므로 윤리적 관점의 질문에 해당한다.

07 공간적 관점의 탐구

자 료 분 석

─ 커피는 베트남, 인도네시아, 브라질 등 개발 도상국에서 주로 생산되고, 독일, 이탈리아, 미국 등 선진국이 주로 수입하고 있어.

독일
이탈리아
베트남
미국
인도네시아
브라질

커피 생두 생산량 (천톤, 2013년)
커피 생두 수입량 (천톤, 2013년)
1,500
1,000
500
*상위 10개 국가만 표시함

태평양
대서양
인도양
0°

[국제 연합 식량 농업 기구(FAO), 2016]

─ 커피가 생산되는 국가들은 주로 적도 부근의 저위도 지역에 위치하고 있는 것을 알 수 있어.

커피의 생산국과 수입국 분포를 공간적 관점에서 탐구하면 '커피는 주로 저위도의 열대 기후 지역에 위치한 개발 도상국에서 생산하고, 여러 유통 단계를 거쳐 대부분 선진국에서 수입한다.'라고 말할 수 있다.

▮ 바로 알기 ▮ ④ 커피 생산 과정에서 아동 노동이 착취되고 있는 현상을 탐구하는 것은 윤리적 관점에 해당한다.

08 윤리적 관점의 필요성

제시문은 아동 노동 문제를 윤리적 관점에서 바라보고 있다. 사회 현상을 윤리적 관점에서 바라본다는 것은 인간의 행위가 도덕적 차원에서 인정받기 위한 기준을 탐색하고 바람직한 삶의 모습을 살펴보는 것을 의미한다. 이러한 윤리적 관점이 필요한 이유는 개인의 삶의 방향성을 정하는 데 중요한 역할을 할 뿐만 아니라, 사회 현상을 이해할 때도 가치의 문제에 주목하여 사회가 나아가야 할 규범적인 방향을 설정하는 데 도움을 주기 때문이다.

▮ 바로 알기 ▮ ㄴ. 공간적 관점이 필요한 이유이다. ㄹ. 시간적 관점이 필요한 이유이다.

09 통합적 관점

제시문은 사회 문제를 특정 관점에서만 분석하면 해결책을 찾기 어려우므로 다양한 관점을 통합적으로 고려해야 함을 강조하고 있다. 사회 현상을 통합적 관점에서 바라볼 때, 우리는 사회 문제의 속성을 깊이 있게 이해하게 되어 근본적이고 다각적인 해결 방안을 모색할 수 있다. 또 다양한 측면에서 현상을 종합적으로 이해할 수 있기 때문에 인간과 사회에 대한 통찰력을 기를 수 있다.

▮ 바로 알기 ▮ ① 특정 분야의 전문가에게 문제의 해결을 맡기면 자신의 전문 지식에 의존하여 관점이 한쪽으로 치우칠 우려가 있다. ② 인간, 사회, 환경을 개별적 관점으로 살펴보면 사회 현상에 담긴 복잡하고 다면적인 의미를 파악하기 어렵다. ③ 윤리적 관점으로 사회 현상을 바라본 것이다. ⑤ 사회적 관점으로 사회 현상을 바라본 것이다.

 **서술형 문제**

014쪽

01 주제: 사회적 관점의 필요성

예시 답안 사회적 관점, 사회적 관점에서는 청소년의 은어 사용이라는 사회적 현상이 개인을 둘러싼 사회 구조와 사회 제도에 영향을 많이 받는다고 본다. 따라서 사회 구조 및 제도의 측면에서 문제의 원인을 분석하여 해결 방안을 찾는 데 도움을 준다.

채점 기준

상	사회 현상을 바라보는 관점과 필요성을 모두 정확하게 서술한 경우
중	사회 현상을 바라보는 관점을 정확히 썼으나, 필요성에 대한 서술이 미흡한 경우
하	사회적 관점이라고만 쓴 경우

02 주제: 사회 현상을 바라보는 관점

(1) ㉠ − 시간적 ㉡ − 공간적

(2) **예시 답안** 시간적 관점은 특정 현상과 관련된 과거의 자료를 수집하여 과거와 현재의 관계를 탐구하며, 공간적 관점은 자연환경과 인문 환경이 인간의 삶에 미치는 영향을 분석하고 인간, 사회, 환경이 상호 작용하는 방식을 탐구한다.

채점 기준

상	시간적 관점과 공간적 관점의 탐구 방법을 모두 정확하게 서술한 경우
하	시간적 관점과 공간적 관점의 탐구 방법 중 한 가지만 정확하게 서술한 경우

03 주제: 통합적 관점의 필요성

예시 답안 다양한 관점을 통합적으로 고려하면 복잡한 현상을 정확히 이해할 수 있으며, 문제에 대한 근본적이고 다각적인 해결책을 찾아낼 수 있기 때문이다.

채점 기준

상	통합적 관점의 필요성 두 가지를 정확하게 서술한 경우
중	통합적 관점의 필요성을 한 가지만 정확하게 서술한 경우
하	통합적 관점이라고만 쓴 경우

STEP 3 **1등급 정복하기**

015쪽

1 ④ 2 ③

1 사회 현상을 바라보는 관점

제시된 자료는 우리나라의 화장률 변화에 따른 화장장 건설의 필요성과 이를 둘러싼 지역 갈등에 대한 내용을 다루고 있다. 이러한 사회 문제는 시간적, 공간적, 사회적, 윤리적 관점에서 접근하여 통합적으로 바라보고 해결책을 찾아야 한다. ㄱ. 화장장 건설에 적힙한 입시 소선을 알아보는 것은 공간적 관점, ㄷ. 화장장 건설로 인한 갈등의 원인을 알아보기 위해 과거의 사례를 조사하는 것은 시간적 관점, ㄹ. 화장장 건설에 따른 문제를 해결하기 위해 필요한 제도를 알아보는 것은 사회적 관점에 해당한다.

▌바로 알기 ▌ ㄴ. '화장장은 지역의 공간을 어떻게 변화시킬 것인가?'는 사회 문제를 공간적 관점으로 바라보는 것이다. 윤리적 관점에서 화장장 건설 문제를 바라볼 때에는 '화장장 건설로 자연환경이 훼손될 경우 어떻게 하는 것이 바람직한가?', '화장장 건설을 둘러싼 갈등을 해결하기 위해 시민으로서 지녀야 할 바람직한 태도는 무엇인가?', '공익을 위해 특정 지역 주민의 이익이 희생되는 것이 바람직한가?' 등의 질문이 가능하다.

2 통합적 관점에서의 사회 문제 탐구

<자 료 분 석>

현대 사회는 기술이 급속도로 발전하고, 예전에 비해 학문 분야도 세분화·다양화되었다. 이에 따라 하나의 사회 현상에도 여러 분야가 복잡하고 긴밀하게 얽혀 있어 이를 올바로 이해하려면 다양한 측면을 고려해야 한다. 사회 문제도 특정한 관점으로만 분석하여 해결책을 찾으려 하면, 그 문제의 속성을 깊이 있게 이해할 수 없어 적절한 대책을 세우기 어렵다. 따라서 인간, 사회, 환경을 개별 학문의 경계를 넘어 다양한 관점에서 통합적으로 고려하면 복잡한 사회 현상을 정확히 이해할 수 있고, 이를 바탕으로 문제에 대한 근본적인 해결책을 찾아낼 수 있다.

▌바로 알기 ▌ ㄱ. 통합적 관점에서의 탐구는 다양한 관점에서 하나의 주제를 탐구하는 것이다. ㄹ. 특정한 개별적 관점을 선택하기보다는 시간적·공간적·사회적·윤리적 관점 등 다양한 관점에서 사회 현상을 탐구하는 것이 적절하다.

02~03 행복의 의미와 기준 ~ 행복한 삶을 실현하기 위한 조건

STEP 1 핵심 개념 확인하기   020쪽

1 (1) ㄱ, ㄴ, ㅁ (2) ㄷ, ㄹ, ㅂ **2** (1) ○ (2) × (3) ○ **3** (1) – ⓒ (2) – ⓛ (3) – ⓨ **4** 성찰 **5** ⓨ 정주 환경 ⓛ 복지 ⓒ 민주주의 ⓔ 역지사지

STEP 2 내신 만점 공략하기   020~023쪽

| 01 ③ | 02 ① | 03 ② | 04 ④ | 05 ⑤ | 06 ② | 07 ⑤ |
| 08 ② | 09 ④ | 10 ④ | 11 ③ | 12 ③ | 13 ① |

01 행복의 의미

제시문은 동양 사상에 나타난 행복에 대한 내용이다. 동양 사상에는 행복에 대한 직접적인 언급이 많지 않지만, 몸과 마음을 바르게 하는 수양을 통해 인간 본성을 실현하는 것을 이상적인 삶으로 강조한다는 점에서 결국 행복에 이르는 길을 모색한다고 볼 수 있다.

완자 정리 노트   동양의 행복론

유교	하늘로부터 부여받은 도덕적 본성을 보존하고 함양하면서 다른 사람과 더불어 살아가며 인(仁)을 실현하는 것
불교	불성(佛性)을 바탕으로 '나'라는 의식을 벗어버리기 위한 수행과 고통받는 중생을 구제하는 실천을 통해 해탈의 경지에 이르는 것
도교	타고난 본성에 따라 자연 그대로의 모습으로 살아가는 것

02 행복의 기준

선사 시대에는 짐승이나 자연재해를 피하고 생존을 위해 먹을 것을 얻는 것이 중요한 일이었다. 그래서 행복은 '우연한 기회에 운 좋게 나에게 주어진 것'이라는 행운과 같은 의미로 사용되었다. 하지만 시간이 지나면서 행복은 점점 인간의 노력으로 성취할 수 있는 것으로 인식되었고, 오늘날에는 개인이 느끼는 주관적 만족감이 중시되면서 행복의 기준이 과거보다 훨씬 복잡하고 다양해졌다.

▌바로 알기 ▌ ② 물질적 조건과 정신적 만족감이 조화를 이루어야 한다. ③ 행복은 사람들이 삶의 중요한 목표로 추구하고 있다. ④ 행복의 구체적인 기준은 시대나 장소에 따라 다르게 나타난다. ⑤ 산업화와 민주화 이후 행복은 인간의 노력으로 성취할 수 있는 것으로 인식되었다.

03 행복의 의미와 기준

동서양을 막론하고 예로부터 사람들은 행복을 추구하며 살아왔다. 그러나 그 구체적인 기준은 시대적 상황이나 지역적 여건에 따라 다르게 나타난다. 행복의 의미와 기준이 시대나 지역마다 다를 수는 있지만 행복을 그 자체로 가치 있는 삶의 진정한 목적이라고

보는 점은 공통적이다. 따라서 우리가 진정으로 행복해지기 위해서는 자신이 소중하게 생각하는 가치가 무엇인지, 어떤 상황에서 만족감을 느끼는지 생각해 보는, 삶에 대한 성찰이 필요하다.

| 바로 알기 | ② 자신이 처한 자연환경에 만족하거나 환경에서 결핍된 요소를 채우는 것이 행복의 기준이 되기도 하며, 지배적인 종교, 문화, 산업 등 인문 환경에 따라서도 행복의 기준이 달라질 수 있다.

완자 정리 노트   시대와 지역에 따른 행복의 기준

시대	지역
• 고대 그리스: 철학이라는 지적 활동을 통해 지혜와 덕을 얻는 것 • 고대 헬레니즘: 철학적인 성찰을 통해 마음의 평안을 얻는 것 • 중세: 신의 은총을 받고 구원을 받는 것	• 경제적으로 빈곤한 지역: 기본적인 의식주 충족과 질병 없는 삶 • 경제적으로 안정된 지역: 여가와 문화생활 향유 등 삶의 여유 • 민족, 종교, 정치적 갈등을 겪는 지역: 평화와 정치적 안정

04   행복의 의미

오늘날에는 행복의 기준으로 주관적 만족감이 중시되고 있다. 행복을 누리기 위해서는 의식주나 경제력, 사회적 지위 등과 같은 물질적 조건뿐만 아니라 가족과의 사랑, 친구와의 우정 등 정신적 만족감까지 필요로 하기 때문에 모든 사람에게 적용할 수 있는 절대적이며 객관적인 기준을 정하기 어렵다.

| 바로 알기 | ① 행복은 경제력뿐만 아니라 다양한 기준에 의해 좌우된다. ② 행복의 기준은 주관적 만족감에 의해 좌우되기 때문에 사람마다 다르다. ④ 행복은 궁극적으로 추구하는 삶의 목적이다. ⑤ 행복은 비교적 장기간에 걸쳐 느끼는 지속적이고 정신적인 즐거움이다.

05   행복 지수

제시된 자료를 보면 과거에는 객관적 기준을 행복 실현의 중요한 기준으로 꼽았으나 최근에는 삶의 만족도나 일상생활에서 느끼는 행복감 등 주관적 기준까지 고려하여 행복을 측정하고 있음을 알 수 있다. 그렇기 때문에 오늘날 우리나라를 포함한 여러 사회에서는 구성원들의 삶의 질을 높이기 위해 경제적·사회적·환경적 측면에서 다양한 노력을 기울이고 있다.

| 바로 알기 | ① 진정한 행복은 어느 한 가지 기준만 충족한다고 실현되는 것이 아니라 다양한 기준을 통합적으로 충족할 때 비로소 실현될 수 있다. ② 최근의 행복 관련 지수들은 객관적 기준 뿐만 아니라 개인의 주관적 만족감까지 통합적으로 고려하여 행복을 측정하고 있다. ③ 주거, 소득, 고용 등은 행복 실현의 객관적 기준이다. ④ 객관적인 기준이 아무리 잘 충족된다고 하더라도 우리가 삶에 대해 느끼는 주관적 만족감이 떨어진다면 진정으로 행복하다고 말하기 어렵다.

06   질 높은 정주 환경

낙후된 환경에서는 쾌적하고 인간다운 삶을 살기 어렵다. 행복한 삶을 위해서는 안락한 보금자리를 제공해 주는 질 높은 정주 환경이 필요하다. 정주 환경이란 인간이 정착하여 살아가고 있는 지역의 생활 환경을 말한다. 질 높은 정주 환경이 조성되려면 기본적

으로 깨끗하고 쾌적한 주거 환경이 갖추어져야 하며, 치안 서비스, 보건 및 위생 서비스, 교육·문화 서비스 등 안전하고 풍요로운 삶을 살 수 있는 사회적 환경 또한 필요하다.

| 바로 알기 | ㄴ, ㄹ. 도덕적 실천과 성찰, 시민의 기본적 자유와 권리 보장 역시 행복한 삶을 실현하기 위해 필요한 조건이지만 제시문과는 관련이 없다.

07   행복한 삶의 조건

(**자료 분석**)

사람이 살 터를 정할 때 [— 경제 활동의 여건이 유리한지를 보는 거야.] 첫째는 지리(풍수 지리적 명당)가 좋아야 하고, 둘째는 ㉠생리(그 땅에서 생산되는 이익, 풍부한 산물)가 좋아야 하며, 셋째는 ㉡인심(넉넉하고 좋은 이웃 간의 정)이 좋아야 하고, 넷째는 ㉢산수(빼어난 경치)가 좋아야 한다. 이 중 하나라도 모자라면 좋은 땅이라 할 수 없다.   ― 이중환, 『택리지』

『택리지』에는 '가거지(可居地)', 즉 사람이 살 만한 곳의 조건이 서술되어 있어.

행복한 삶을 위해 필요한 조건들 중에서 ㉠은 경제적 안정, ㉡은 공동체의 행복을 실현하기 위한 도덕적 실천, ㉢은 자연환경을 중요시하는 질 높은 정주 환경과 관련이 있다. 농업 사회에서 ㉠과 ㉢은 자연환경에 영향을 많이 받는 조건이다.

| 바로 알기 | ⑤ 인심은 인간에 의해 만들어지는 사회적 환경에 해당하지만, 산수는 자연환경에 해당한다.

08   연령별 행복도

제시된 자료는 우리나라 국민을 대상으로 연령별 행복도를 조사한 결과를 나타낸 것이다. 그래프를 보면 우리나라는 30대의 행복도가 가장 높으며, 노년층은 매우 낮은 행복도 지수를 보인다. 따라서 ② 중년층이 노년층보다 더 행복하다고 느끼고 있다.

| 바로 알기 | ① 행복도는 연령대별로 차이가 나타난다. ③ 30대에서 가장 높은 행복도를 보이고 이후 연령이 높아질수록 지속적으로 감소하는 추세를 보인다. ④ 우리나라 청소년은 과도한 학습 부담이나 입시 경쟁 등으로 행복도가 비교적 낮은 경향을 보인다. ⑤ 노년층의 행복도는 가장 낮게 나타나는데, 이는 은퇴 후 노후를 위한 준비가 제대로 되어 있지 않거나, 사회 복지 제도가 미흡하여 안정된 경제생활을 보장받지 못하는 노년층이 많기 때문이다.

09   민주주의의 발전

제시된 자료를 보면 민주주의 지수 순위가 높은 국가들이 대체로 행복 지수도 높은 것을 알 수 있다. 즉, 민주주의의 발전은 시민의 행복과 관련이 있다. 시민의 정치적 의사가 잘 반영될수록 시민 각자가 원하는 삶의 방식을 자유롭게 추구할 수 있기 때문이다. 민주주의가 발전하려면 민주적 제도를 잘 갖추는 것도 필요하지만, 시민 또한 정치에 활발히 참여하여 자신의 의사를 적극적으로 표현할 수 있어야 한다.

| 바로 알기 | ④ 국가의 정책 결정 과정에 시민들이 적극적으로 의견을 제시하고, 국가의 정책이 시민의 의견을 제대로 반영하고 있는지 감시해야만 부정부패와 독재를 방지할 수 있다.

10 민주주의의 실현

민주 국가에서는 시민이 정치적 의사를 자유롭게 표출하고 이것이 정치 과정에 반영되므로 자신의 삶에 만족하고 행복감을 느낄 가능성이 높다. 또한 객체가 아닌 주체로서 자신이 속한 공동체의 문제를 해결해 나가는 경험을 통해 만족감을 얻을 수 있다.

▌바로 알기 ▌ ㄱ. 시민의 정치 참여로 정치 권력의 남용이나 부정부패가 줄어들 수는 있지만, 정치적 갈등이 사라지지는 않는다. ㄷ. 시민들이 정책 결정 과정에 직접 참여하면 시민의 의사가 정확히 전달될 수 있으나 정책 결정의 효율성이나 신속성은 낮아질 수 있다.

완자 정리 노트 　 정치 참여의 방법

기본적인 정치 참여	선거나 국민 투표를 통해 자신의 의사를 표현
직접 참여	자신이 직접 입후보하여 공직자로 선출되어 활동
개인적 참여	언론 매체에 투고, 행정 기관에 진정, 건의, 청원 등
집단적 참여	정당, 이익 집단, 시민 단체 등에 가입하여 활동

11 행복의 실현

자료 분석

문항	답안
(1) 선사 시대에 행복은 행운과 같은 의미로 사용되었다.	× → ○
(2) 선진국에서는 삶의 질 향상이 행복의 기준이다.	○
(3) 행복은 물질적 조건만 충족되면 얻을 수 있다.	○ → ×
(4) 산업화와 도시화를 통해 자연을 이용하고 개발하여 삶의 질을 높이기 위한 정주 환경을 만들었다.	○
(5) 행복한 삶을 실현하기 위한 조건으로 민주주의 발전이 필요하다.	○
두 문제를 틀렸으므로 학생이 받을 점수는 6점이야.	

(1) 선사 시대에 행복은 '우연한 기회에 운 좋게 나에게 주어진 것'이라는 행운과 거의 같은 의미로 사용되었다. (2) 선진국은 정치와 경제 상황이 비교적 안정되어 있으므로 소득 불평등의 해결, 여가와 문화 생활의 향유 등 국민의 삶의 질 향상에 중점을 둔다. (4) 산업화 이전에는 인간이 자연환경에 적응하면서 살아왔지만, 산업화 이후 도시화가 진행되면서 본격적으로 자연을 이용하고 개발하여 삶의 질을 높이는 정주 환경을 만들었다. (5) 민주주의 사회에서는 시민의 의사가 정책으로 산출되므로 자신의 삶에 만족하고 행복감을 느끼게 된다.

▌바로 알기 ▌ (3) 인간이 행복하기 위해서는 물질적 조건뿐만 아니라 정신적 만족감도 필요하다.

12 도덕적 실천

제시문의 아프리카 부족 아이들은 혼자만 음식을 먹고 만족하는 것보다 친구와 함께 나누어 먹을 때 행복하다고 느낀다. 즉, 서로 경쟁하지 않고 자신과 타인의 행복을 함께 추구하여 공동체의 행복을 실현하는 모습이 잘 나타나 있다. 이처럼 모두가 행복해지기

위해서는 사회 구성원들이 바람직한 도덕적 가치에 대해 고민하고 이를 행동에 옮기는 도덕적 실천이 이루어져야 한다.

▌바로 알기 ▌ ① 삶의 질을 유지하기 위한 경제적 안정에 대한 내용이다. ② 질 높은 정주 환경의 조성에 대한 내용이다. ④ 시민 참여가 활성화되는 민주주의의 실현에 대한 내용이다. ⑤ 근대 자본주의의 운영 원리에 대한 설명이다.

13 도덕적 실천과 행복한 삶

제시된 신문 기사는 남을 돕는 활동이 심리적인 만족감과 즐거움을 주기 때문에 수명 연장에 도움이 된다는 연구 결과를 다루고 있다. 도덕적 실천은 어려운 사람에게 큰 힘이 될 뿐만 아니라 행위 그 자체로 실천하는 사람의 행복 실현에도 도움이 된다. 즉, 인간은 더불어 살 때 행복한 도덕적·사회적 존재라는 사실을 알 수 있다.

▌바로 알기 ▌ ③ 어려운 사람들을 돕기 위한 국가 차원의 복지 정책도 필요하지만, 제시문은 도덕적 실천이 이를 행하는 사람의 행복 실현에도 도움이 된다는 내용이다. ⑤ 제시된 신문 기사는 신체 활동이 아니라 정신적 만족감과 수명과의 관계를 분석한 연구 결과이다.

서술형 문제

023쪽

01 주제: 질 높은 정주 환경 조성

예시 답안 인간이 생명을 유지하고 행복한 삶을 누리기 위해서는 일정한 공간에 자리 잡고 살아갈 수 있는 주거지와 보건 및 위생, 치안, 교육, 문화 서비스 등 안전하고 풍요로운 삶을 살 수 있는 다양한 주변 환경이 갖춰진 질 높은 정주 환경이 필요하다.

채점 기준

상	질 높은 정주 환경의 필요성과 그 조건을 모두 정확하게 서술한 경우
중	질 높은 정주 환경의 필요성은 정확히 썼으나, 그 조건에 대한 서술이 미흡한 경우
하	질 높은 정주 환경이라고만 쓴 경우

02 주제: 경제적 안정의 필요성

예시 답안 경제적인 여유를 바탕으로 경제적 안정이 실현되어야 기본적인 생계를 유지할 수 있고, 자신의 욕구와 필요를 충족할 수 있으며, 자아실현의 기회를 가질 수 있기 때문이다.

채점 기준

상	경제적 안정의 필요성을 세 가지 모두 정확하게 서술한 경우
중	경제적 안정의 필요성을 두 가지만 정확하게 서술한 경우
하	경제적 안정의 필요성을 한 가지만 정확하게 서술한 경우

03 주제: 민주주의의 발전

(1) 정치 참여

(2) **예시 답안** 행복한 삶을 실현하기 위해서는 시민들이 적극적으로 정치에 참여해야 한다. 이를 통해 사회 구성원들은 자유와 권리를

누리며 살아갈 수 있으며, 자신이 속한 공동체의 문제를 해결해 나가는 경험을 통해 만족감을 느낄 수 있다.

채점 기준

상	정치 참여가 행복한 삶을 실현하는 데 주는 영향을 자유와 권리, 공동체의 문제 해결 등을 들어 정확하게 서술한 경우
하	정치 참여가 행복한 삶을 실현하는 데 주는 영향을 미흡하게 서술한 경우

STEP 3 · 1등급 정복하기

1 ② 　 2 ④ 　 3 ④ 　 4 ③

1 행복의 의미와 기준

자료 분석

나무통을 집 삼아 평생을 간소하게 생활했던 고대 그리스의 철학자 디오게네스. 어느 날, 콩깍지를 삶아 먹으려는 그의 앞에 왕궁에 들어가 호의호식하며 지내던 동료 철학자 아리스티포스가 찾아왔다. ┈┈ 경제적으로 빈곤한 삶을 부끄럽게 생각하고, 물질적으로 풍요로운 삶을 행복의 중요한 요소로 여기고 있어.

• 아리스티포스: 디오게네스, 자네는 왜 이렇게 사나? 왕한테 가서 고개를 숙이면 콩깍지를 삶아 먹지 않아도 될 텐데.

• 디오게네스: 쯧쯧, 콩깍지를 삶아 먹는 것만 배우면 그렇게 굽실거리며 살지 않아도 된다네. ┈┈ 경제적으로 빈곤하더라도 스스로 만족하며 자유롭게 살아가는 것이 행복한 삶이라고 여기고 있어.

ㄱ. 행복은 사전적 의미로 '생활에서 충분한 만족과 기쁨을 느끼어 흐뭇한 상태'를 말한다. 그렇기 때문에 행복의 기준은 사람마다 다를 수 있다. ㄷ. 같은 상황에 대해서 사람마다 다르게 인식하므로 상황을 어떻게 인식하느냐에 따라 행복감도 달라질 수 있다.

바로 알기 ㄴ. 남을 위한 봉사에 행복을 느끼는 사람도 있지만 다른 일에 행복을 느끼는 사람도 있듯이 무엇을 최고의 행복이라고 특정지을 수는 없다. ㄹ. 동시대를 살아가거나 비슷한 환경에 놓인 사람들은 행복의 기준을 공유하기도 하지만 모든 사람들의 행복의 기준이 같은 것은 아니다.

2 지역에 따른 행복의 기준

자료 분석

(가) 벼는 물이 어느 정도 고여 있는 논에서 자라기 때문에 물을 대는 일이 중요하다. 따라서 벼농사가 주로 이루어지는 지역의 사람들은 함께 모여 살면서 물길을 만들고 이를 공유하며 살아간다. ┈┈ 지역 여건에 따라 서로 협력하는 공동체 문화가 형성되었을 거야.

(나) 밀은 맨땅에서 자라기 때문에 관개 시설을 만들 필요가 없다. 따라서 밀 농사가 주로 이루어지는 지역의 사람들은 서로 협력해야 할 작업이 없고 모여 살지 않아도 농사를 지을 수 있다. ┈┈ 지역 여건에 따라 개인적 생활 방식을 중시하는 독립적인 문화가 형성되었을 거야.

지역의 기후와 지형 등 자연환경에 따라 행복의 기준은 다양하게 나타날 수 있다. 특히, 벼농사와 밀농사라는 농업 방식은 동서양의 문화 차이를 가져오고 지역 사람들의 행복의 기준에 영향을 미친다. 벼농사는 집단 생활과 협력이 중시되는 농업 방식으로 동양의 공동체 문화를 형성하는 밑바탕이 되었다. 반면, 서로 협력할 작업이 없고 모여 살 필요가 없는 밀 농사는 개인적이고 독립적인 생활 방식을 중시하는 서양의 개인주의 문화에 영향을 미쳤다.

바로 알기 ④ 공동체 생활을 중시하는 (가) 지역보다 개인주의적 생활 방식을 중시하는 (나) 지역 사람들이 자신의 능력을 최대한 발휘하는 것을 행복이라고 느낄 것이다.

3 행복의 조건

행복한 삶을 실현하기 위해서는 삶의 질을 높일 수 있는 다양한 조건이 갖추어져야 한다. 제시문에서는 행복한 삶을 위한 다양하고 구체적인 조건 중에서도 국가가 마련해 줄 수 있는 제도적 차원의 방안을 묻고 있다. ㄱ. 의료 급여 제도는 복지를 강화하기 위한 경제적 제도이다. ㄴ. 환경 영향 평가는 질 높은 정주 환경을 조성하기 위한 제도이다. ㄷ. 적정 근로 시간을 정하는 것은 삶의 질을 유지하기 위한 경제적 제도이다.

바로 알기 ㄹ. 나눔을 실천하는 기부 문화 확산을 위한 캠페인은 제도적 차원의 방안이 아니라 의식 변화를 목적으로 하는 활동으로 볼 수 있다. 이러한 캠페인 활동은 행복을 위해 필요한 다양한 조건들 중에서 도덕적 실천과 관련이 있다.

4 행복의 조건

행복한 삶의 구체적인 조건은 다양하지만, 질 높은 정주 환경과 경제적 안정, 민주주의의 실현, 도덕적 실천이 대표적이라고 할 수 있다. 북유럽에 위치한 덴마크는 경제적으로 안정되고 민주주의가 정착하여 행복 지수가 높다. ③ (나)와 같은 사회 복지 제도를 갖추어 경제적 안정을 추구하기 위해서는 (다)의 신뢰 관계가 형성되어야 한다. 복지 정책은 막대한 재원이 필요하기 때문에 정부는 국민에게 청렴한 운영을 한다는 신뢰를 주어야 한다.

바로 알기 ① 민주주의가 실현됨으로써 시민들이 자유를 보장받고 적극적인 시민 참여로 정부에 대한 신뢰가 형성되어야 (가)와 (다)가 정착될 수 있다. ② (나)와 같은 복지 제도가 확대되면 (가)처럼 자유로운 진로 탐색과 선택이 가능해진다. ④ (나)와 (라)는 행복을 실현하기 위해 경제적 안정이 필요함을 강조하고 있다. ⑤ (다)의 고세율 정책은 국민의 합의 과정을 거치지 않고 권위주의적인 방법으로 추진하면 강력한 조세 저항에 부딪히게 된다.

01 시간적 관점

제시문은 역사적 사실을 통해 독도가 과거부터 우리가 영유해 온 대한민국의 영토임을 확인시켜 준다. 이는 사회 현상을 시간적 관점에서 살펴본 것이다. 이처럼 시간적 관점은 과거의 사실과 사건, 제도나 가치 등을 통해 현재 일어나고 있는 일들을 올바르게 바라볼 수 있도록 돕는다.

02 사회적 관점

사회적 관점은 사회 현상을 사회 제도 및 사회 구조와의 관련성을 바탕으로 이해하는 것으로, 사회 구조와 법·제도 등이 사회 현상에 미치는 영향을 파악하고 정책 대안을 마련하는 데 도움을 준다. 이러한 사회적 관점에서 아동 노동 문제를 살펴본다면 '아이들의 인권을 보호하는 법과 제도가 없는 것일까?', '아이들이 노동에 투입될 만큼 해당 국가의 경제 상황이 좋지 않은가?' 등의 탐구 과제를 설정할 수 있다.

바로 알기 ㄱ은 시간적 관점, ㄹ은 윤리적 관점의 탐구 과제로 적절하다.

03 공간적 관점

오늘날 지구 곳곳에서는 기후 변화로 다양한 문제가 나타나고 있다. 이러한 기후 변화 현상은 인간, 사회, 환경이 서로 얽혀 있는 복잡한 문제이므로 다양한 관점에서 해결 방안을 모색해야 한다. ② 기후 변화 현상을 공간적 관점에서 살펴본다면 '기후 변화가 지역에 어떤 영향을 미쳤을까?'와 같은 질문을 할 수 있다. 기후 변화가 계속된다면 이상 기상 현상이 자주 나타나고 생태계의 다양성이 감소하며, 빙하 감소에 따른 해수면 상승으로 해안 저지대 침수와 같은 재해가 나타날 수 있다.

바로 알기 ①은 시간적 관점, ③은 윤리적 관점, ④와 ⑤는 사회적 관점에서 할 수 있는 질문이다.

04 통합적 관점

① 불면증이 시작된 과거의 시점을 묻는 질문으로 시간적 관점에 해당한다. ③ 취업 준비로 인한 스트레스는 개인의 심리적 문제일 수도 있지만 사회 제도와 구조에 영향을 받을 수도 있다. 따라서 사회적 관점에서 살펴보고 해결책을 모색할 필요가 있다. ④ 어려움을 겪고 있는 환자에게 어떻게 하면 행복한 삶을 살아갈 수 있을지에 대해 윤리적 관점에서 조언하고 있다. ⑤ 다양한 관점에서 살펴본 내용을 통합적으로 고려하면 문제를 깊이 있게 이해하고 다각적인 측면에서 해결 방안을 찾을 수 있다.

바로 알기 ② 불면증의 원인을 공간적 맥락에서 살펴보고 있으므로 공간적 관점에서의 질문에 해당한다. 도덕적 가치에 따라 평가하려면 ㉢과 같은 질문을 하는 것이 바람직하다.

05 통합적 관점

고령화 현상을 시간적 관점에서만 바라보면 고령화의 정도가 도시와 농촌이라는 공간적 차이에 따라 다르게 나타난다는 사실을 놓칠 수 있다. 또한 고령화에 따라 사회 복지 부담이 증가할 것이라는 사회적 관점은 노인 부양의 책임은 누구에게 있는지와 같은 가치 판단을 함께 고려할 때 구체적인 해결책으로 이어질 수 있다. 이처럼 복잡한 사회 현상을 개별적 관점으로만 바라보고 문제를 해결하는 것은 한계가 있기 때문에, 사회 현상을 탐구하기 위해서는 시간적·공간적·사회적·윤리적 관점 등 다양한 측면에서 통합적으로 살펴보는 자세가 필요하다.

바로 알기 ① 갑은 공간적 관점에서 문제를 바라보고 있다. ② 을은 시간적 관점에서 고령화의 원인을 파악하고 있다. ③ 병은 사회적 관점에서 문제를 바라보고 있다. 사람들의 가치관을 고려하려면 윤리적 관점이 필요하다. ④ 정은 윤리적 관점으로 문제를 파악하고 있다.

06 다양한 행복의 기준

1972년 부탄 정부는 전 국민에게 행복에 필요한 가치에 대한 설문 조사를 실시하여 그 결과를 바탕으로 행복 지수를 개발하였다. 부탄의 사례처럼 최근에는 국민 소득의 증가와 같은 경제적 측면에만 행복의 기준을 두지 않고, 공동체의 정치적 안정과 발전, 개발과 환경 보전의 조화, 그리고 구성원의 건강까지 고려하여 보다 포괄적·균형적으로 국민의 행복을 실현하기 위해 노력하는 국가들이 생겨나고 있다.

바로 알기 ③ 부탄은 국민 소득 증가와 같은 단순한 경제 성장의 측면에만 행복의 기준을 두지 않고 다양한 가치의 균형을 중시하고 있다.

07 중국인과 그리스인의 행복관

제시문을 보면 중국과 그리스의 행복관이 서로 다르다는 것을 알 수 있다. 그리스인들이 가졌던 개인의 자율성에 대한 신념은 행복에 영향을 주었고, 중국인들의 조화로운 인간관계 추구 역시 행복의 기준에 영향을 주었다. 따라서 행복의 구체적인 기준은 시대와 장소에 따라 다르게 나타난다.

바로 알기 ① 조화로운 인간관계를 중시한 중국인들은 어릴 때부터 집단의 구성원이라는 점을 가장 중요한 사실로 교육받았기 때문에 주변 환경을 자신에 맞추어 바꾸기보다는 자신을 주변 환경에 맞추도록 수양하는 일을 중시하였다.

08 행복의 조건

제시된 자료를 보면 1인당 국내 총생산이 많은 국가일수록 기대 수명이 높고 영아 사망률은 낮다. 이런 국가들은 상대적으로 교육이나 치안, 주택, 환경 등의 사회적 조건이나 여가·문화생활을 누릴 수 있는 조건이 잘 갖추어져 있을 가능성이 높다.

바로 알기 ① 콩고의 영아 사망률은 중국보다 높지만 영아 사망자 수가 더 많은지는 제시된 자료를 통해 알 수 없다. ② 1인당 국내 총생산이 많을수록 기대 수명은 높은 편이다. ③ 영아 사망률은 1인당 국내 총생산이 많을수록 낮은 편이다. ⑤ 제시된 자료를 통해 해당 국가들에서 소득의 양극화가 나타나는지는 파악할 수 없다.

09 경제적 안정의 중요성

일반 백성은 고정적인 생업[항산(恒産)]이 없으면 흔들림 없는 도덕적인 마음[항심(恒心)]도 없어집니다. 그러므로 지혜로운 왕은 백성들의 생업을 제정해 주되 반드시 위로는 부모를 섬기기에 충분하게 하고 아래로는 자녀를 먹여 살릴 만하게 하여, 풍년에는 언제나 배부르고 흉년에도 죽음을 면하게 합니다. — 맹자, 『맹자』

└ 맹자는 경제적 안정을 보장해 주어야 백성이 도덕성을 유지할 수 있다고 보았어.

맹자는 현명한 군주라면 백성이 부모님을 섬기고 처자식을 거두는 데 충분할 정도로 생업을 이루게 해 주어야 하며, 그런 연후에 백성들을 선으로 인도해야지만 사람들이 그에 따를 수 있다고 하였다. 이는 행복을 위해 경제적 안정이 중요함을 강조한 것이다.

‖ 바로 알기 ‖ ①, ⑤ 시민 참여의 활성화와 민주적인 정치 제도는 민주주의를 실현하기 위한 방법이다. ② 안락한 보금자리는 질 높은 정주 환경의 요건에 해당한다. ④ 타인에 대한 관용적 태도는 도덕적 실천의 요건에 해당한다.

10 행복의 조건

(나)는 행복한 삶을 실현하기 위해 필요한 조건 중 '민주주의의 실현'에 해당한다. 민주주의를 실현하기 위해서는 시민이 정치에 참여하여 자신의 의사를 적극적으로 표현할 수 있어야 한다. 정치 참여의 대표적인 방법으로는 선거를 들 수 있으며, 시민 단체 활동에 참여하여 국가의 정책이 시민의 의견을 잘 반영하고 있는지 감시할 수도 있다.

‖ 바로 알기 ‖ ① (가)에는 의식주의 해결, 교육 및 의료 혜택, 경제적 불안의 해결, 복지 제도 강화 등이 들어갈 수 있다. ③ 도덕적 실천과 성찰에는 바람직한 도덕적 가치에 대한 합의, 자신의 행위에 대한 성찰과 실천 등이 포함된다. ④ (다)에는 쾌적한 주거 환경, 교통의 편의성 강화, 문화·예술·체육 활동이 가능한 공간 조성 등이 들어갈 수 있다. ⑤ 경제적 안정과 질 높은 정주 환경의 구체적인 내용은 시대와 장소에 따라 다르게 나타날 수 있다.

11 도덕적 실천

도덕적 실천을 위해서는 먼저 자신과 우리 이웃에 대해 이해하고, 다른 사람의 입장에서 상황을 바라볼 줄 아는 역지사지의 마음가짐이 필요하다. 더 나아가 사회적 약자의 고통에 공감하고 기부나 사회봉사 등 작은 실천을 하는 데에서부터 공동체 구성원 모두가 행복해지는 방법을 찾을 수 있다.

‖ 바로 알기 ‖ ③ 고정관념에서 벗어나 관용적 태도를 가질 필요가 있다.

12 민주주의의 실현

제시문을 보면 A국은 민주주의를 파괴하는 독재 정권으로 인해 국가 경제가 어려워졌다. A국의 사례를 통해 민주주의가 발전하려면 민주적 제도를 갖추는 것도 필요하지만, 시민의 적극적인 정치 참여가 따라야 올바른 민주주의를 실현할 수 있다는 것을 알 수 있다.

‖ 바로 알기 ‖ ① A국은 민주주의가 파괴되면서 경제도 어려워지게 되었다. ② 사회 복지 제도를 확충하면 경제적 안정을 이룰 수 있다. ③ 민주주의의 발전은 민주적 제도만으로는 한계가 있으며, 사회 구성원의 적극적인 참여를 통해 실현된다. ④ 권력 남용과 부정부패로 국민들이 행복한 삶을 빼앗긴 사례를 통해 얻을 수 있는 교훈으로 적절하지 않다.

13 공동체의 행복 실현

공동체의 행복을 실현하기 위해서는 바람직한 삶에 대한 성찰을 바탕으로 한 도덕적 실천이 중요하다. 도덕적으로 바람직한 규범과 가치가 무엇인지 고민하고 이를 일상생활에서 실천하면서 행복을 느낄 수 있기 때문이다. 이를 위해서는 정치권력에 무조건 따르거나 경제적 이익만을 좇기보다 인권이나 정의와 같은 보편적 가치에 따라 행동하려는 습관을 길러야 한다.

Ⅱ. 자연환경과 인간

01 자연환경과 인간 생활

STEP 1 핵심 개념 확인하기
036쪽

1 자연환경 2 (1) ㄴ, ㄹ (2) ㄱ, ㄷ 3 급하게 4 ㉠ 화산 ㉡ 해안
5 (1) 지진 (2) 지진 해일 6 (1) ○ (2) ✕

STEP 2 내신 만점 공략하기
036~040쪽

01 ③ 02 ② 03 ⑤ 04 ① 05 ② 06 ④ 07 ⑤
08 ③ 09 ④ 10 ④ 11 ⑤ 12 ⑤ 13 ② 14 ②
15 ① 16 ④

01 열대 기후 지역의 주민 생활
지도의 (가)는 열대 기후 지역에 해당한다. 따라서 (가) 지역에서는 기온이 높고 강수량이 많은 기후 특성을 반영한 주민 생활이 나타난다. 열대 기후 지역에서는 음식이 쉽게 상하기 때문에 기름에 튀기거나 볶는 요리가 발달하였다. 또한 열기와 습기를 피하기 위해 집을 지면에서 띄워 지은 고상 가옥이 나타난다.

바로 알기 ㄱ. 일 년 내내 강수량이 많은 열대 기후 지역에서는 전통적으로 비가 잘 흘러내리도록 가옥의 지붕을 급경사로 만든다. ㄹ. 열대 기후 지역에서는 기온과 습도가 높으므로 주로 얇고 가벼운 옷을 입는다.

02 건조 기후 지역과 한대 기후 지역의 모습

자료 분석

건조 기후는 남·북회귀선이 지나는 지역과 바다와 멀리 떨어진 대륙 내부에서 잘 나타나.

한대 기후는 북극해 연안에서 잘 나타나.

■(가) □(나) ▨(다) ▩(라) ▨(마) (디르케 세계 지도, 2015)

A는 건조 기후가 나타나는 사막 지역, B는 한대 기후가 나타나는 북극해 연안 지역의 모습이다. 지도의 (가)에는 열대 기후, (나)에는 건조 기후, (다)에는 온대 기후, (라)에는 냉대 기후, (마)에는 한대 기후가 나타난다.

03 기후와 의복
(가)는 기온과 습도가 높은 열대 우림 지역, (나)는 모래바람과 햇볕이 강한 사막 지역, (다)는 추위가 심한 한대 기후 지역의 전통 의상을 입는 주민들의 모습이다. 열대 우림 지역의 주민들은 얇은 천으로 만든 간편한 옷을 입으며, 사막 지역의 주민들은 온몸을 감싸는 헐렁한 옷을 입는다. 한대 기후 지역의 주민들은 옷차림이 두껍고 무거운 편이다. ① 열대 기후 지역에서는 음식이 쉽게 상하는 것을 방지하기 위해 향신료를 많이 사용한다. ② 사막에서는 물을 구할 수 있는 오아시스와 외래 하천 주변에서 관개 농업이 발달한다. ③ 한대 기후 지역에서는 작물을 재배하기 어려워 열량이 높은 육류나 생선을 많이 먹는다. ④ 열대 기후는 저위도 지역에서, 한대 기후는 고위도 지역에서 나타난다.

└ 물줄기의 근원이 다른 지역에서 유래하는 하천

바로 알기 ⑤ (나)는 (가)보다 강수량이 적은 건조 기후 지역이다.

04 열대 기후 지역의 전통 가옥
열대 기후 지역의 전통 가옥은 땅에서 올라오는 열기와 습기를 피할 수 있도록 바닥을 지면에서 띄워 지었으며, 비가 잘 흘러내리도록 지붕을 급경사로 만들었다.

바로 알기 ② 열대 기후 지역의 전통 가옥은 구조가 단순하고 개방적이며, 통풍이 잘 되도록 창문을 크게 만든다. ③, ④ 열대 기후 지역은 연중 기온이 높아 땅이 얼지 않으며, 습도도 높은 편이다. ⑤ 가축을 기르며 이동 생활을 하는 건조 초원 지역에서는 유목 생활에 적응하기 위해 이동식 천막이 발달하였다.

05 벼농사와 인간 생활
지도의 (가) 작물은 쌀이다. 벼농사는 여름철 기온이 높고 강수량이 많은 동남 및 남부 아시아의 열대 기후 지역과 동아시아의 온대 계절풍 지역에서 많이 이루어진다.

바로 알기 ㄴ. 기온이 낮은 한대 기후 지역에서는 작물을 재배하기 어렵다. ㄹ. 벼는 다른 작물에 비해 단위 면적당 생산량이 많아 벼농사 지역에는 인구가 밀집하고 있다.

06 지중해성 기후의 특징
지중해 연안은 여름철에 고온 건조한 기후 특성이 나타난다. 이 지역의 가옥은 뜨거운 햇볕을 막기 위해 창문이 작으며, 벽이 두껍고 흰색으로 칠해져 있다. 또한 골목마다 그늘을 만들기 위해 집들이 다닥다닥 붙어 있으며, 강수량이 적어 지붕이 평평하다.

바로 알기 ① 이동식 경작은 주로 열대 기후 지역에서 이루어진다. ② 지중해성 기후 지역은 여름철에 비가 거의 내리지 않아 건조한 반면, 겨울철에 비가 자주 내려 습윤한 편이다. ⑤ 겨울이 매우 길고 추운 날씨가 지속되는 지역은 한대 기후 지역이다.

07 사막 지역의 주민 생활
사진은 사막 지역의 오아시스 농업 경관이다. 사막 지역은 연 강수량이 적고, 강수량보다 증발량이 많아 농사를 짓기에 불리하다.

따라서 사막에서는 물을 구할 수 있는 오아시스와 외래 하천의 주변에서 소규모 형태로 대추야, 밀, 목화 등을 재배한다. ⑤ 사막 지역에서는 강한 햇볕과 모래바람으로부터 몸을 보호하기 위해 온몸을 감싸는 헐렁한 옷을 많이 입는다.

바로 알기 ① 순록을 유목하는 일은 주로 한대 기후 지역에서 이루어진다. ② 이동식 경작을 통해 카사바, 얌 등을 재배하는 지역은 열대 기후 지역이다. ③ 냉대 기후 지역에서는 풍부한 침엽수를 이용하여 통나무집을 많이 짓는다. ④ 열대 기후 지역에서는 바람이 잘 통하도록 가옥의 창문을 크게 만든다.

08 자연환경이 인간 생활에 주는 영향

오늘날에는 과학 기술의 발달로 자연환경의 제약을 극복하여 인간이 거주할 수 있고 산업 활동이 가능한 지역이 점차 확대되고 있다. 특히, 물을 구하기 어려운 사막 지역에서도 해수 담수화 시설이나 현대식 스프링클러를 조성하여 대규모 관개 농업이 이루어지기도 한다.

09 산지 지형의 특성

(가)는 세계의 주요 산맥 분포를 나타낸 것이다. 산지는 해발 고도가 높고 경사가 급해 인간 생활에 불리하여 도시를 형성하거나 산업 시설이 들어서기에 어렵다. 이러한 지형 특성으로 산지 주민들은 예로부터 경사가 비교적 완만한 면에 집을 짓고 살았다. 또한 각종 임산 자원을 채취하거나 산비탈을 개간해 밭농사를 짓고 가축을 길러 고기와 젖을 얻기도 한다. 최근에는 아름답고 독특한 산지 경관을 활용하여 관광 산업이 발달하기도 한다.

바로 알기 ① 카르스트 지형은 석회암의 주성분인 탄산칼슘이 이산화탄소를 포함한 빗물이나 지하수에 녹아서 형성되는 지형이다.

10 지형과 관광 산업

화산 지형, 빙하 지형, 카르스트 지형 등과 같이 독특한 경관이 나타나는 지역에서는 지형을 관광 자원으로 활용하기도 한다. 대서양 해령에서 발생한 화산 활동으로 형성된 아이슬란드는 간헐천, 활화산, 노천 온천 등이 있어 많은 관광객이 찾고 있다. 튀르키예의 파묵칼레는 석회암의 용식 작용으로 형성된 카르스트 지형으로 경관이 아름다워 세계적인 관광지로 유명해졌다. 노르웨이의 피오르 해안은 빙하기에 두꺼운 빙하로 덮여 있던 깊은 골짜기에 후빙기 이후 빙하가 녹고 해수면이 상승하면서 바닷물이 내륙 깊숙이 들어와 만들어졌다.

11 지형과 인간 생활

지구상에는 산지, 평야, 해안 등의 다양한 지형이 분포한다. 각 지역의 지형적 특성은 인간의 거주 공간과 생활 양식에 많은 영향을 미치고 있다.

바로 알기 ⓔ 화산 지대에서는 대체로 지열 발전이 이루어진다. 태양광 발전은 일사량이 많은 사막에서 많이 이루어진다.

12 자연재해의 특징

자연재해에는 화산 활동, 지진, 지진 해일과 같이 지각 변동에 의한 자연재해와 가뭄, 홍수, 폭설, 태풍과 같이 기상 현상에 의한 자연재해가 있다. 자연재해는 오늘날의 과학 기술 수준으로도 정확히 예측하거나 완벽히 막아내기는 어렵다. 따라서 자연재해의 피해를 최소화하기 위해서는 자연재해 예측 기술을 개발하고, 지속적인 재난 대응 훈련을 시행해야 한다.

완자 정리 노트 발생 원인별 자연재해의 구분

기상 현상에 의한 자연재해	지각 변동에 의한 자연재해
가뭄, 홍수, 폭설, 태풍 등	화산 활동, 지진, 지진 해일 등

13 태풍에 따른 영향

태풍은 강한 바람과 많은 강수를 동반하여 농경지 및 주택 침수, 산사태 발생 등 많은 인명 피해와 재산 손해를 발생시킨다.

바로 알기 ①, ⑤ 화산 활동으로 인한 피해이다. ③ 지진으로 인한 피해이다. ④ 가뭄으로 인한 피해이다.

14 지진에 대한 대응

지진이 발생하면 땅이 갈라지고 흔들리면서 건축물과 도로 등이 붕괴하여 짧은 시간에 많은 사상자와 재산 피해가 발생한다. 또한 바다 밑에서 지진이 발생하면 대규모의 지진 해일이 일어나 거대한 파도가 해안을 덮쳐 큰 피해를 주기도 한다. 지진 피해를 줄이기 위해서는 내진 설계를 의무화하고, 평상시 대피 훈련을 시행하는 것이 중요하다.

바로 알기 ② 홍수에 따른 피해를 줄이기 위한 방안이다.

완자 정리 노트 지진 발생 시 행동 요령

실내	• 책상 아래로 들어가 몸을 보호한다. • 전기와 가스를 차단하고, 문을 열어 출구를 확보한다.
실외	• 붕괴 위험이 큰 건물이나 담장으로부터 멀리 떨어진다. • 고층 건물에서는 계단을 이용하여 신속히 빠져 나온다.

15 안전하고 쾌적한 환경에서 살아갈 시민의 권리

제시된 법률은 「재난 및 안전관리기본법」이다. 국민은 안전하고 쾌적한 환경에서 살아갈 권리를 지니고 있으므로, 우리나라는 헌법 제34조와 제35조를 바탕으로 이러한 법률을 제정하여 국민의 생명과 재산의 보호를 법적으로 보장하고 있다.

바로 알기 ① 「재난 및 안전관리기본법」은 재난 상황에서 국가와 지방 자치 단체의 역할을 규정하고 있다.

16 안전하고 쾌적한 환경에서 살아가기 위한 노력

제시된 그림은 일본의 지진 속보 체계를 나타낸 것이다. 일본에서는 지진 발생이 예측될 경우, 10초 안에 비상경보를 방송국과 통신사에 자동으로 전파하는 시스템을 마련하였다. 다른 많은 국가에서도 이러한 첨단 기술을 활용하여 스마트 재난 관리 시스템을 구축하고 있으며, 시민들이 자연재해에 대한 정보를 신속하게 전달받을 수 있도록 노력하고 있다.

서술형 문제

040쪽

01 주제: 기후와 음식 문화

예시 답안 인도네시아는 연중 고온 다습한 열대 기후가 나타나 벼농사가 많이 이루어지고 쌀을 이용한 음식 문화가 발달하였다. 또한 기온이 높은 열대 기후 지역에서는 음식물이 쉽게 상할 수 있어 기름에 볶거나 튀긴 요리가 발달하며 향신료를 많이 사용한다.

채점 기준

상	음식의 주재료에 쌀을 이용하게 된 요인과 기름과 향신료를 사용한 조리법이 발달하게 된 요인을 모두 기후적 측면에서 서술한 경우
중	음식의 주재료에 쌀을 이용하게 된 요인과 기름과 향신료를 사용한 조리법이 발달하게 된 요인 중 한 가지를 기후적 측면에서 서술한 경우
하	열대 기후가 나타난다는 사실만 언급한 경우

02 주제: 자연재해에 따른 피해와 대응

(1) (가) – 지진, (나) – 지진 해일

(2) **예시 답안** 지진이 발생하면 땅이 갈라지고 흔들리면서 각종 건물이 붕괴하는 피해가 발생한다. (가)는 지진 발생 시 베란다 유리가 깨지면서 발생하는 피해를 줄이기 위한 것이다. 바다 밑에서 지진이 발생하면 대규모의 지진 해일이 일어나 거대한 파도가 해안을 덮쳐 큰 피해를 주기도 한다. (나)는 지진 발생 시 해안에서 지진 해일에 대피하는 요령을 알리기 위한 것이다.

채점 기준

상	(가)는 지진, (나)는 지진 해일에 따른 피해를 줄일 수 있는 내용을 구체적으로 서술한 경우
중	자연재해에 따른 피해를 줄일 수 있는 내용을 (가), (나) 중 한 가지만 서술한 경우
하	지진과 지진 해일에 따른 피해 상황만 서술한 경우

STEP 3 1등급 정복하기

041~043쪽

1 ②   2 ③   3 ①   4 ④   5 ⑤   6 ②

1 기후와 주민 생활

(가)는 열대 기후 지역에서 커피를 재배하는 모습, (나)는 한대 기후 지역에서 순록을 유목하는 모습이다. (가) 지역에서는 기온이 높아

더운 날씨가 계속되므로 얇은 천으로 만든 간편한 옷을 입는 편이다. (나) 지역에서는 기온이 낮아 추운 날씨가 계속되므로 동물의 가죽이나 털로 만든 두꺼운 옷을 입는 편이다. 또한 적설량은 눈이 내려 땅 위에 쌓여 있는 양을 의미하므로, 기온이 높은 (가) 지역보다 기온이 낮은 (나) 지역에서 많게 나타난다.

완자 정리 노트   기온에 따른 생활 양식의 차이

더운 지역	얇고 가벼운 옷차림, 향신료를 사용하거나 기름에 튀긴 음식 발달, 개방적 가옥 구조
추운 지역	두껍고 무거운 옷차림, 육류나 생선 위주의 음식 문화, 폐쇄적 가옥 구조

2 건조 초원 지역의 주민 생활

자료 분석

'허르헉'이라고 하는 몽골의 전통 음식이야.

드넓은 초원을 한참 달려 숙소에 도착했다. 우리가 묵을 숙소는 몽골의 전통 가옥인 '게르'였다. 이곳에 머물면서 양젖으로 끓인 차를 마시고 양고기와 채소를 불에 달궈진 돌과 함께 넣어 찐 전통 음식을 먹으며 유목민의 생활을 만끽할 수 있었다. 어제는 태어나서 처음으로 말을 타 보았다. 말을 타고 드넓은 들판을 내달리니 마치 다른 세상에 와 있는 것 같았다.
— 강수량이 적어 나무가 자라기 어려워.

몽골은 연 강수량이 적고 초원 지대가 넓게 펼쳐져 있어 가축을 키우며 풀을 찾아 이동하며 생활하는 유목이 발달하였다. 몽골의 유목민들은 가축의 털과 가죽으로 만든 옷을 입고, 가축의 고기와 젖을 이용한 음식을 만들어 먹는다. 그리고 '게르'라고 하는 전통 가옥을 짓고 사는데, '게르'는 나무로 된 뼈대에 동물의 털로 짠 천이나 가죽을 덮어서 만든 이동식 천막이다.

‖ 바로 알기 ‖ ㄱ. 침엽수림은 냉대 기후 지역에 많이 분포한다. ㄹ. 벼농사는 열대 및 온대 계절풍 지역에서 활발하게 나타난다.

3 자연환경과 음식 문화

자료 분석

베트남의 대표 음식인 쌀국수야.   일본의 대표 음식인 초밥이야.

(가)로 만든 면을 쇠고기나 닭고기 국물에 말아 채소를 곁들여 먹는다.

(가)로 만든 밥을 갸름하게 뭉친 다음, 생선 등을 얹어 먹는다.

(가) 작물은 쌀을 나타내.

벼는 성장기에 고온 다습해야 잘 자라는 작물로, 기온이 높고 강수량이 많은 동남 및 남부 아시아의 열대 기후 지역과 동아시아의 온대 계절풍 기후 지역에서 주로 재배된다. 벼농사가 발달한 아시아 국가에서는 쌀을 이용한 음식 문화가 발달하였는데, 베트남의 쌀국수, 인도네시아의 나시고렝, 일본의 초밥 등이 대표적이다. 쌀은 다른 작물에 비해 단위 면적당 생산량이 많아 벼농사 지역에는 인구가 밀집하고 있다. 세계의 주요 쌀 생산 국가들은 대부분 아시아에 있으며, 대체로 인구수가 많고 인구 밀도도 높은 편이다.

‖ **바로 알기** ‖ ②는 옥수수, ③은 밀, ④는 차, ⑤는 커피의 국가별 생산 비중을 나타낸 그래프이다.

완자 정리 노트   벼의 재배 환경과 주요 생산지

재배 환경	• 기후: 기온이 높고 강수량이 많은 지역 • 지형: 하천의 범람으로 형성된 충적 평야 일대
생산 지역	• 인구 밀집 지역: 단위 면적당 생산량이 많아 인구 부양력이 높음 → 동아시아의 온대 계절풍 지역과 동남 및 남부 아시아의 열대 기후 지역 • 주요 생산국: 중국, 인도, 인도네시아, 베트남 등

4 지형과 고대 문명의 발상

평야는 해발 고도가 낮고 지표면이 평평하여 농경에 유리하고, 인간 생활에 가장 적합하다. 이러한 지형 특성으로 대하천 주변의 충적 평야는 토양이 비옥하여 농업에 유리하였으며, 고대부터 많은 사람들이 모여 농사를 지으며 문명을 발달시켜 왔다.

‖ **바로 알기** ‖ ①, ② 소금, 어패류 등의 식량 자원을 얻거나 갯벌을 간척할 수 있는 지역은 해안 지형이다. ③ 큰 낙차를 이용한 수력 발전은 해발 고도가 높은 산지 지형에서 유리하다. ⑤ 최근 인간이 거주하기에 불리한 사막이나 빙하 지형에서 석유와 천연가스 등 에너지 자원이 개발되면서 사람들이 모여들기도 한다.

5 화산 활동에 따른 피해

─ **자 료 분 석** ─

『조선왕조실록』, 「현종실록」 권 14와 「숙종실록」 권 36은 1702년 6월 함경도에서 발생한 현상에 대해 다음과 같이 묘사하고 있다. "천지가 갑자기 어둠에 갇히고", "재가 섞인 비가 들판에 고루 내리고", "횟가루가 날리며 마치 눈처럼 떨어진다."
└─ 화산 활동으로 분출한 화산재의 영향을 나타내고 있어.

제시된 자료는 과거 화산 활동에 의한 피해를 기록한 것이다. 화산 활동이 일어나면 용암과 함께 화산 가스, 화산재 등이 분출하면서 농작물과 주거지 등을 덮치기도 하고, 화재가 발생하기도 한다. 특히 화산재는 바람을 타고 먼 곳까지 이동하여 다른 지역에도 피해를 주고, 항공기 운항에 지장을 초래하기도 한다.

‖ **바로 알기** ‖ ①은 가뭄, ②는 폭설, ③은 태풍, ④는 지구 온난화로 인해 발생하는 피해이다.

6 자연재해에 대한 대응

제시된 자료는 자연재해가 발생했을 경우, 이에 대응하기 위해 시민들이 자연재해 관련 정보를 어떻게 전달하여 공유하는지 나타낸 사례이다. 자연재해로 인한 피해를 줄이기 위해서는 시민들도 스스로 위험 인지 능력과 위기 대응 역량을 갖추기 위해 노력할 필요가 있다. 또한 자연재해가 발생했을 때 개인의 이익만을 추구하기보다 공동체의 피해를 줄이기 위해 함께 노력하는 성숙한 시민 의식이 필요하다.

‖ **바로 알기** ‖ ㄴ, ㄹ. 제시된 신문 기사에 주 정부의 피해 복구 내용이나 자연재해와 관련된 법률 제정 내용은 나타나 있지 않다.

완자 정리 노트   자연재해의 대응 방안

재해 발생 전	평상시 재해 예방 활동과 대피 훈련 시행, 방어 시설물 구축
재해 발생 시	신속한 복구를 위한 대응 체계 마련, 피해 지역에 대한 지원 대책 마련

1 인간 중심주의 2 전일론적 3 (1) ㄴ (2) ㄱ (3) ㄷ 4 ㉠ 지구 온
난화, ㉡ 산성비 5 (1) 시민 단체 (2) 녹색 소비 (3) 환경 영향 평가

01 ② 02 ④ 03 ③ 04 ② 05 ⑤ 06 ① 07 ③
08 ④ 09 ⑤ 10 ① 11 ④ 12 ④

01 인간 중심주의 자연관

제시된 내용은 인간 중심주의 자연관을 지닌 데카르트의 주장이
다. 인간 중심주의 자연관은 인간과 자연을 분리하여 바라보는 이
분법적 관점을 가진다. 이에 따르면 인간은 자연의 한 부분이 아니
라, 자연으로부터 독립된 존재이며 자연보다 우월한 존재이다.

바로 알기 ①, ③, ④, ⑤는 모두 생태 중심주의 자연관에 대한 내용이다.

02 생태 중심주의 자연관

제시된 내용은 1855년 미국의 대통령이 지금의 미국 워싱턴주 수
쿠아미 지역에 살던 아메리칸 인디언에게 대표단을 보내 땅을 팔
라고 요구하자, 아메리칸 인디언 추장이 그에 대한 대답으로 쓴 편
지이다. 이 편지에는 생태 중심주의 자연관이 잘 드러나 있다. 생
태 중심주의 자연관은 생태계의 모든 것이 존재의 이유가 있으므
로 자연이 본래 가지고 있는 내재적 가치를 존중해야 한다고 본다.
그리고 인간과 자연은 서로 끊임없이 영향을 주고받는 관계로서
서로 조화와 균형을 이루어야 함을 강조한다.

바로 알기 ㄱ. 인간 중심주의 자연관은 자연을 인간의 욕구를 충족하는
도구로 여겨 자연을 임의로 이용하려는 경향이 크다. ㄷ. 이분법적 관점은
인간과 자연을 분리하여 바라보는 것으로, 인간은 자연과 구별되는 우월한
존재라고 인식한다.

완자 정리 노트 이분법적 관점과 전일론적 관점

이분법적 관점	인간과 자연을 분리하여 바라보며, 인간은 자연과 구별되는 우월한 존재라고 인식함 → 인간 중심주의
전일론적 관점	인간을 포함한 자연 전체를 하나로 바라보며, 모든 생명체는 자연의 일부라고 인식함 → 생태 중심주의

03 인간 중심주의 자연관에 따른 영향

제시된 자료는 관개 농업의 확대로 물이 부족해져 아랄해 면적이
점차 좁아지고, 사막화가 진행되고 있다는 내용이다. 이처럼 자연

을 인간의 욕구를 충족하는 도구로 여겨 임의로 이용하게 되면,
여러 가지 환경 문제가 나타나기도 한다.

바로 알기 ③ 생태 통로는 인간이 만든 도로 등의 시설물에 의해 야생
동물의 서식지가 분리되는 것을 막기 위해 만든 길을 말한다. 따라서 생태
통로는 인간의 필요에 따른 자연 개발을 허용하면서도, 이러한 개발이 생태
계에 끼칠 부정적 영향을 최소화하기 위한 노력으로 볼 수 있다.

04 인간과 자연의 관계

갑은 인간에게 경제적 풍요를 가져다주는 수단으로서 자연을 이
용할 수 있다고 보고 있으므로 인간 중심주의 자연관을 가지고 있
다. 을은 모든 생명체가 자연의 일부이며, 인간도 자연으로부터 독
립된 존재가 아니라 자연을 구성하는 일부라고 보고 있으므로 생
태 중심주의 자연관을 가지고 있다. ② 생태 중심주의 자연관은 인
간이 자신뿐만 아니라 자연 전체에 도덕적 의무를 지닌다고 본다.

바로 알기 ① 갑은 인간 중심주의 자연관을 가지고 있다. ③ 갑은 을에
비해 인간의 이익이나 필요에 따라 자연에 개입해도 된다고 보고 있다. ④
을은 갑에 비해 생태계의 안정을 우선적으로 생각한다. ⑤ 인간 중심주의
자연관은 오늘날 산업화·도시화 과정에서 발생한 환경 파괴의 주된 요인으
로 지적받기도 한다.

05 자연을 바라보는 다양한 관점

자료 분석

(가) 자연이 인간에게 이롭도록 지식을 활용해야 한다. 방황하고
있는 자연을 사냥해서 노예로 ──만들어 인간의 이익에 봉사하
도록 해야 한다. ── 자연 과학적 지식을 참된 지식으로
보았어.

(나) 만물은 독립적으로 존재할 수 없으며 서로 연결되어 상호 의
존하고 있다. 이러한 연기(緣起)를 깨닫고 모든 생명을 소중
히 여기며 자비를 베풀어야 한다. ── 원인과 조건이 없으면 결과도
없다는 불교 사상이야.

(다) 바람직한 대지 이용을 오직 경제적 문제로만 생각하지 마라.
낱낱의 물음을 경제적으로 무엇이 유리한가하는 관점뿐만 아
니라 윤리적, 심미적으로 무엇이 옳은가의 관점에서도 검토하
라. ── 도덕 공동체의 범위를 동물, 식물, 흙, 물을
비롯한 대지까지 확대하였어.

(가)는 인간 중심주의 자연관을 지닌 베이컨의 주장이다. (나)는 환
경친화적인 성격을 가지고 있는 불교의 자연관이며, (다)는 생태 중
심주의 자연관이 나타난 레오폴드의 대지 윤리이다. ⑤ (나), (다)는
인간과 자연은 서로 끊임없이 영향을 주고받는 관계로서 조화와
균형을 이루어야 함을 강조한다.

바로 알기 ① (가)는 자연을 개발과 극복의 대상으로 바라보고 이용하도
록 한다. ② 서양의 근대적 자연관은 인간 중심주의 관점을 지니고 있다.
③ 인간 중심주의 자연관을 지닌 서양의 사상가 데카르트는 오직 인간만이
이성을 지닌 존재라는 점을 강조하였다. ④ (가)는 인간 중심주의 자연관이,
(나)와 (다)는 생태 중심주의 자연관이 잘 나타난다.

06 불교의 자연관

(나)는 불교의 자연관이다. 불교에서는 만물이 수많은 원인과 조건에

의해 생겨나기 때문에, 자연 생태계를 구성하는 모든 것들은 상호 의존적이고 마치 그물처럼 유기적으로 연결되어 있다고 본다. 이처럼 인간과 자연이 유기적 관계를 맺으며 공존하기 위해서는 자연 친화적인 삶을 살아가야 하며, 생태계 전체를 도덕적으로 고려하는 생태 공동체 의식을 정립해야 한다.

┃바로 알기┃ ㄷ, ㄹ. 인간 중심주의 자연관에 관련된 내용이다.

완자 정리 노트 **동양의 자연관**

유교	만물이 본래적 가치를 지닌다고 보며, 인간과 자연이 조화를 이루는 천인합일(天人合一)의 경지를 지향함
불교	만물이 독립적으로 존재할 수 없으며, 서로 연결되어 상호 의존하고 있다는 연기(緣起)를 깨닫고 모든 생명을 소중히 여기며 자비를 베풀 것을 강조함
도교	사람의 힘이 더해지지 않은 자연 그대로의 질서를 따르는 무위자연(無爲自然)을 추구하여 자연의 한 부분인 인간과 자연의 조화를 강조함

07 지역 개발과 환경 보전

(가)는 케이블카 설치에 찬성하는 의견에 대한 토론 내용이므로 인간 중심주의 자연관에 대한 내용(ㄴ, ㄹ)이 들어가야 한다. 반면, (나)는 케이블카 설치에 반대하는 의견에 대한 토론 내용이므로 생태 중심주의 자연관에 대한 내용(ㄱ, ㄷ)이 들어가야 한다.

08 산성비로 인한 피해

산성비는 화력 발전소와 공장, 자동차 등에서 배출되는 대기 오염 물질이 비와 섞여 내리는 것이다. 산성비는 나무를 말라죽게 하고, 하천과 호수를 오염시키며, 건축물과 조각상을 부식시킨다.

┃바로 알기┃ ① 지구 온난화로 인한 피해이다. ② 사막화 또는 열대림 파괴의 원인에 해당한다. ③ 오존층 파괴로 인한 피해이다. ⑤ 대기 중 온실가스가 증가하여 지구 온난화가 심화하면, 각종 기상 이변이 발생하는 경우가 많아진다.

09 지구 온난화의 영향

화석 에너지의 소비 증가로 온실가스의 배출량이 늘어나면서 지구의 평균 기온이 점점 상승하는 지구 온난화 현상이 심화하고 있다. 이로 인해 극지방의 빙하 면적이 감소하고 해수면이 상승하여 일부 해안 저지대나 섬 지역은 침수 피해를 입고 있다.

┃바로 알기┃ ① 오늘날의 지구 온난화 문제는 자정 능력의 한계를 넘어설 정도로 심각하다. ② 국제 사회는 지구 온난화 문제를 해결하기 위해 교토 의정서, 파리 기후 협약 등의 국제 환경 협약을 체결하였다. 람사르 협약은 습지의 보호와 지속 가능한 이용에 관한 환경 협약이다. ③, ④ 염화 플루오린화 탄소 배출량이 증가하면 오존층 파괴 문제가 발생한다. 오존층 파괴가 심해지면 자외선이 증가하여 피부 및 눈 질환 환자가 증가한다.

10 국제 환경 협약

전 지구적으로 발생하고 있는 환경 문제는 개별 국가의 노력만으로는 해결하기 어려워 국제 사회의 공조와 협력이 필요하다. 따라서 많은 국가들이 환경 문제의 해결 노력에 적극적으로 동참하고 있으며, 국제 환경 협약을 체결·이행하고 있다.

┃바로 알기┃ ① 파리 기후 협약은 지구 온난화 문제를 해결하기 위해 온실가스 배출량을 감축하는 내용을 담고 있다.

완자 정리 노트 **주요 국제 환경 협약**

기후 변화 협약	지구 온난화 방지를 위한 온실가스 배출량 규제 예) 리우 환경 협약, 교토 의정서, 파리 기후 협약 등
람사르 협약	습지의 보호와 지속 가능한 이용을 위한 노력
몬트리올 의정서	오존층 파괴 물질의 생산 및 사용 규제
바젤 협약	유해 폐기물의 국가 간 이동 및 처리 통제
사막화 방지 협약	사막화 방지 및 피해 국가 지원
생물 다양성 협약	생물종 보호 및 생태계 다양성 유지

11 환경 문제 해결의 주체

그린피스와 같은 시민 단체는 정부와 기업이 추진하는 각종 정책과 사업을 환경 보전의 측면에서 감시하고 비판한다. 또한 사람들이 환경에 관심을 가지고 환경 보호를 실천할 수 있도록 다양한 시민운동과 환경 보호 캠페인을 펼치고 있다.

┃바로 알기┃ ①, ⑤ 환경 문제 해결을 위한 기업의 노력에 해당한다. ②, ③ 환경 문제 해결을 위한 정부의 노력에 해당한다.

12 환경 문제 해결을 위한 정책

정부는 탄소 성적 표지제를 통해 모든 제품의 탄소 배출량 정보를 공개하여 소비자들이 저탄소 상품을 구입할 수 있도록 하고 있다. 이는 저탄소 녹색 성장 정책의 일환으로 온실가스의 배출을 줄여 지구 온난화 문제를 방지하기 위해 시행되고 있다.

서술형 문제

051쪽

01 주제: 다양한 환경 문제

(1) (가) – 사막화, (나) – 열대림 파괴

(2) **예시 답안** 사막화가 진행되면 사막 지역이 확대되어 식량 생산량 감소, 물 부족, 황사 심화 등의 문제가 나타난다. 열대림 파괴가 진행되면 동식물의 서식지가 사라져 생물종 다양성이 감소하며, 대기 중 온실가스 농도가 증가하여 지구 온난화가 가속화 된다.

채점 기준

상	사막화와 열대림 파괴에 따른 피해를 모두 서술한 경우
하	사막화와 열대림 파괴 중 한 가지 환경 문제에 따른 피해만 서술한 경우

02 주제: 환경 문제 해결을 위한 개인의 노력

예시 답안 사용하지 않는 전자 제품의 콘센트 뽑기, 냉장고 문 여는 횟수 줄이기, 대중교통 이용하기 등을 통해 에너지 낭비를 줄인다. 쓰레기를 줄이고 분리 배출을 생활화하며, 불필요한 물건은 서로 나누어 재사용하는 등 일상생활에서 환경친화적인 생활 방식을 실천한다.

채점 기준

상	환경 문제 해결을 위한 개인적 차원의 노력을 세 가지 이상 서술한 경우
중	환경 문제 해결을 위한 개인적 차원의 노력을 두 가지 서술한 경우
하	환경 문제 해결을 위한 개인적 차원의 노력을 한 가지만 서술한 경우

STEP 3 1등급 정복하기

052~053쪽

1 ②   2 ③   3 ②   4 ④

1 동양의 자연관

동양의 자연관은 생태 중심주의 자연관과 마찬가지로 환경친화적인 성격을 가지고 있다. 인간은 자연과 분리되어 존재하는 것이 아니라 자연 속에서 더불어 존재한다고 보고, 자연과 조화를 이루어야 한다고 보았다. 특히, 도교에서는 사람의 힘이 더해지지 않은 자연 그대로의 질서를 따르는 무위자연(無爲自然)을 추구하였는데, 이는 자연 그 자체가 지닌 내재적 가치를 강조한 것이다.

┃바로 알기┃ ㄴ. 자연을 정신 혹은 영혼이 없는 단순한 물질로 보는 것은 인간 중심주의 자연관에 해당한다. ㄹ. 생태 중심주의 자연관을 지나치게 강조할 경우 인간의 어떤 개입도 허용하지 않게 되므로 비현실적이라는 비판을 받기도 한다.

2 인간과 자연의 바람직한 관계

인간과 자연은 서로 대립하는 관계가 아니라 공존하는 관계이다. 따라서 유기적으로 연결된 인간의 삶과 자연 생태계가 조화를 이루는 방안을 모색해야 한다. 효율성과 경제성보다는 자연과 인간의 공생을 중시하는 사회적 인식이 확대되어야 한다. 최근에는 자연과 조화를 이루는 개발을 위해 생태 도시와 슬로 시티를 지정하거나 동식물의 서식지를 보호하기 위해 생태 통로를 만드는 등의 노력을 하고 있다.

┃바로 알기┃ 갑. 생태계 전체의 선(善)을 위해 개체의 선을 희생하는 것은 극단적 생태 중심주의의 입장이며, 이는 환경 파시즘으로 흐를 우려가 있다. 정. 인간이 자연으로부터 독립되어 있다는 사고방식은 인간 중심주의 자연관에 해당한다.

3 전 지구적 차원의 환경 문제

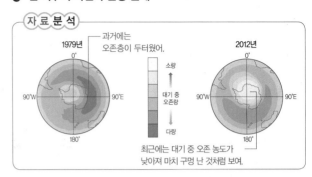

자료 분석

1979년   과거에는 오존층이 두터웠어.

2012년

소량 / 대기 중 오존량 / 다량

최근에는 대기 중 오존 농도가 낮아져 마치 구멍 난 것처럼 보여.

제시된 자료는 남극의 대기 중 오존량 변화를 나타낸 것으로, 이를 통해 오존층이 파괴되고 있음을 알 수 있다. 오존층 파괴는 염화 플루오린화 탄소(프레온 가스)의 사용 증가에 따라 발생한다. 이로 인해 지표에 도달하는 자외선이 증가하면 피부 및 눈 질환이 증가하고 작물 수확량이 감소하는 등의 피해가 나타난다.

┃바로 알기┃ ㄴ. 대기 중 이산화 탄소 농도가 증가하면 지구 온난화 문제가 심각해진다. ㄷ. 지구 온난화가 심각해지면 극지방과 고산 지대의 만년설이 녹아 해수면이 상승한다.

4 환경 문제 해결을 위한 개인적 차원의 노력

제시된 영화는 주인공이 환경 위기에 무력한 자신을 발견하고 가족과 함께 일 년 동안 환경 문제 해결을 위해 살아가는 실제 모습을 그대로 담은 영화이다. 주인공 가족은 자전거를 타거나 도보로 다니기, 내가 사는 지역에서 생산된 농산물 사 먹기, 필요 이상으로 소비하지 않기, 집에서 사용하는 에너지 줄이기, 물을 아끼고 오염하지 않기, 환경 단체 활동을 통해 사회에 도움 주기 등을 차례대로 실천한다.

┃바로 알기┃ ④ 내가 사는 지역과 가까운 지역에서 생산된 농산물을 구입하면 이동 과정에서 발생하는 온실가스의 배출량을 줄일 수 있다.

01 ⑤	02 ③	03 ④	04 ③	05 ④	06 ②	07 ①
08 ①	09 ⑤	10 ③	11 ⑤	12 ④	13 ③	14 ④
15 ⑤	16 ④					

01 열대 기후 지역의 특성

제시된 자료는 열대 기후 지역의 주민을 묘사한 것이다. 기온과 습도가 높은 열대 기후 지역의 주민들은 얇은 천으로 만든 간편한 옷을 입는 편이다. 또한 토양이 척박하여 전통적으로 이동식 경작을 통해 얌, 카사바 등의 식량 작물을 재배하고 있다.

바로 알기 ① 열대 기후 지역은 연중 기온이 높아 계절 변화가 뚜렷하게 나타나지 않는다. 냉대 기후 지역과 온대 기후 지역은 계절 변화가 뚜렷한 편이다. ② 열대 기후 지역은 연 강수량이 많고 기온의 일교차가 작은 편이다. 건조 기후 지역은 연 강수량이 적고 기온의 일교차가 큰 편이다. ③ 열대 기후 지역은 바람이 잘 통하는 개방적 구조의 가옥이 많다. 겨울이 길고 추운 한대 기후 지역은 난방 시설을 갖춘 폐쇄적 구조의 가옥이 많다. ④ 열대 기후 지역은 활엽수림이, 냉대 기후 지역은 침엽수림이 발달하였다.

02 한대 기후 지역의 주민 생활

한대 기후는 극지방 일대의 고위도 지역에 분포한다. 한대 기후 지역에서는 기온이 낮아 작물을 재배하기 어려우며, 겨울이 길고 춥기 때문에 열량이 높은 육류나 생선을 많이 먹는다.

바로 알기 ① 적도 주변에 위치한 국가들은 열대 기후가 나타난다. ② 한대 기후 지역의 주민들은 옷차림이 두껍고 무거운 편이다. ④ 몽골 건조 초원 지역의 유목민들은 '게르'라고 하는 이동식 천막에 거주한다. ⑤ 사막에서는 물을 구할 수 있는 오아시스나 외래 하천의 주변에서 소규모 형태로 대추야자, 밀, 목화 등을 재배하는 관개 농업이 발달하였다

03 건조 기후 지역의 주민 생활

지도에 표시된 지역은 건조 기후 지역에 해당한다. 연 강수량이 적은 건조 기후 지역은 물이 부족해 작물 재배와 인간 거주에 불리하다. 이러한 기후 특성에 따라 주민들은 전통적으로 초원 지대에서 유목을 하거나, 오아시스 주변에서 관개 농업을 하였다. 또한 모래바람과 강한 햇볕을 막기 위해 온몸을 감싼 헐렁한 옷을 입고, 흙벽돌집이나 이동식 가옥에 살았다.

바로 알기 ㄱ. 쌀을 이용한 음식 문화가 발달한 지역은 벼농사가 활발하게 이루어지는 아시아의 열대 및 온대 계절풍 지역이다. ㄷ. 순록 유목은 한대 기후 지역에서 이루어진다.

04 지중해 연안의 가옥 특성

지중해 연안의 가옥은 여름철 뜨거운 햇볕을 막기 위해 창문이 작으며, 대체로 벽이 두껍고 흰색으로 칠해져 있다. 또한 골목마다 그늘을 만들기 위해 가옥들이 다닥다닥 붙어 있으며, 강수량이 적어 지붕이 평평하다.

바로 알기 ③ 열대 기후 지역에서는 전통적으로 열기와 습기를 피하기 위해 바닥을 지면에서 띄운 고상 가옥을 많이 짓는다.

05 지형 특성과 주민 생활

평야(가)는 해발 고도가 낮고 지표면이 평평하여 농경에 유리하고, 인간 생활에 가장 적합한 곳이다. 이러한 지형적 특성으로 대하천 주변에 발달한 비옥한 평야 지역에는 많은 사람이 모여 살았다. 평야는 도시가 발달하거나 각종 산업 시설이 들어서는 등 경제 활동의 주요 공간이 되고 있다. 해안(나)은 육지와 바다가 맞닿아 있어 두 곳을 모두 이용할 수 있는 장점이 있다. 이러한 지형적 특성으로 해안 지역의 사람들은 어업이나 양식업에 종사하였으며, 넓은 평야가 발달한 해안 지역은 농업이 이루어지기도 하였다. 최근에는 국가 간의 교역 증대로 대규모 항구와 산업 단지를 조성하기도 한다. 산지(다)는 해발 고도가 높고 경사가 급해 인간 생활에 불리하여 도시를 형성하거나 산업 시설이 들어서기에 어렵다. 이러한 지형적 특성으로 주민들은 경사가 비교적 완만한 면에 집을 짓고 살았으며, 각종 임산 자원을 채취하거나 산비탈을 개간해 밭농사를 짓고 가축을 길러 고기와 젖을 얻기도 한다.

06 독특한 지형과 관광지

베트남 할롱 베이의 탑 카르스트는 석회암이 오랜 침식 과정에서 단단한 부분만 봉우리 형태로 남아 바다에서 섬을 이루며 솟아 있다. 노르웨이의 피오르는 과거 두꺼운 빙하로 덮여 있던 U자 모양의 골짜기에 빙하가 녹고 해수면이 상승하면서 바닷물이 내륙 깊숙이 들어와 만들어졌다.

바로 알기 ㄱ. 지각 판이 서로 충돌하는 지역에서는 화산 활동이나 지진이 활발하다. ㄷ. 밀물과 썰물에 의해 점토가 퇴적되어 형성된 지형은 갯벌이다.

07 화산 활동이 활발한 지역

제시된 미술 작품은 화산 지형을 그린 그림이다. 일본은 지각 판의 경계 부근에 위치하여 지진과 화산 활동이 많이 일어난다.

바로 알기 ② 태풍은 저위도 지역에서 발생하여 중위도 지역으로 이동한다. ③ 화산 활동이 활발한 지역과 석유 및 천연가스의 생산은 큰 관련이 없다. ④ 열대 기후가 나타나는 지역의 고산 지대는 연중 온화한 기후가 나타나 고산 도시가 발달하기도 한다. ⑤ 해수 담수화 시설은 물이 부족한 건조 기후 지역에 많이 건설된다.

08 자연재해의 유형

자연재해는 기상 현상에 의한 자연재해와 지각 변동에 의한 자연재해로 구분할 수 있다. 기상 현상에 의한 자연재해로는 홍수, 가뭄, 폭설, 태풍(열대 저기압) 등이 있으며, 지각 변동에 의한 자연재해로는 지진 및 지진 해일, 화산 활동 등이 있다. ㄱ은 폭설, ㄴ은 홍수로 인한 피해 모습이다.

바로 알기 ㄷ은 지진, ㄹ은 화산 활동에 따른 피해 모습이다.

기상 현상에 의한 자연재해	• 가뭄: 오랫동안 비가 내리지 않아 땅이 메마르고 물이 부족해지는 현상 • 홍수: 일시에 많은 비가 내려 시가지와 농경지가 침수되는 현상 • 폭설: 많은 눈이 단시간에 집중해 내리는 현상 • 태풍(열대 저기압): 열대 지역에서 발생한 저기압으로, 강한 바람과 많은 비를 동반하는 현상
지각 변동에 의한 자연재해	• 화산 활동: 용암, 화산재, 화산 가스 등이 지각의 약한 부분을 뚫고 분출하는 현상 • 지진: 지구 내부의 힘이 지표면에 전달되어 땅이 갈라지거나 흔들리는 현상 • 지진 해일: 지진이나 화산 활동에 의해 해저에서 지각 변동이 발생할 경우, 갑자기 파도가 크게 일어서 해안을 덮치는 현상

09 지진의 영향

제시된 그림은 지진에 견딜 수 있도록 건축물의 기초를 만드는 내진 설계를 나타낸 것이다. 지진이 발생하면 지구 내부의 힘이 지표에 전달되어 땅이 흔들리고 갈라지면서 짧은 시간에 건축물과 도로 등이 붕괴한다. 이로 인해 많은 인명 및 재산 피해가 발생한다.

‖ **바로 알기** ‖ ①은 태풍, ②는 집중 호우, ③은 가뭄, ④는 폭설로 인한 피해를 나타낸 것이다.

10 자연재해와 국가의 역할

모든 국민은 안전하고 쾌적한 환경에서 살아갈 권리를 지니고 있다. 따라서 국가는 재해 예방을 비롯해 복구와 지원에 대한 정책을 수립하고 시행해야 한다. 최근 들어 많은 국가에서 첨단 기술을 활용한 스마트 재난 관리 시스템을 구축하여 시민들이 자연재해에 대한 정보를 신속하게 전달받을 수 있도록 노력하고 있다. 또한 자연재해의 피해가 발생하면 즉각적인 복구와 함께 이에 대한 보상과 지원을 하고 있다.

‖ **바로 알기** ‖ ③ 자연재해는 오늘날의 과학 기술 수준으로도 정확히 예측하거나 완벽히 막아내기는 어렵다. 그러나 국가에서는 자연재해 관련 기술 개발, 지속적인 재난 대응 훈련 실시 등을 통해 자연재해로 인한 피해를 최소화하는 노력을 해야 한다.

11 생태 중심주의 자연관의 특징

제시된 사례와 같은 정책은 인간의 개입이 자칫 자연의 균형을 깨뜨릴 수 있다고 보고, 인간이 자연의 질서에 함부로 개입하지 않도록 하는 데 초점을 맞춘다. 이는 생태 중심주의 자연관에 해당하며, 인간과 자연의 관계에서 인간의 이익보다 자연 전체의 균형과 안정을 먼저 고려한다. ㄴ. 생태 중심주의 자연관은 인간을 포함한 자연 전체를 하나로 보는 전일론적 관점을 취한다. 전일론적 관점에 따르면 자연은 인간, 동식물, 환경 등과 같은 다양한 구성원이 유기적으로 엮여 있는 생태계로서, 인간은 자연과 독립적으로 존재할 수 없다. ㄷ. 도교에서는 사람의 힘이 더해지지 않은 자연

그대로의 질서를 따르는 무위자연(無爲自然)을 추구하여 자연의 한 부분인 인간과 자연의 조화를 강조하였다. ㄹ. 레오폴드는 공동체의 범위를 식물, 동물, 토양, 물을 포함하는 대지로 확대시키는 대지 윤리를 주장한다. 대지 윤리는 대지를 지배와 이용의 대상으로 간주하는 인간 중심주의 관점과 달리 공동체로 존중할 것을 강조한다.

‖ **바로 알기** ‖ ㄱ. 도구적 자연관은 자연을 인간의 욕구를 충족하는 도구로 여겨 자연을 임의로 이용하려는 경향이 크다.

12 자연을 바라보는 다양한 관점

<자료 분석>

━━ 자연을 인간의 이익과 행복을 위한 수단으로 여기고 있어. ━┐

제나라의 전 씨가 저택 뜰에서 어떤 사람의 송별회를 열었다. 손님이 천 명이나 모여 들었는데, 그 중에 물고기와 기러기를 선물로 가져온 사람이 있었다. ㉠ 전 씨는 고마워하면서 말했다. "아, 하늘의 은총은 참으로 깊다. 인간을 위해 오곡을 만들고, 물고기와 새를 길러 인간에게 쓰이게 해 주시는구나." 둘러선 손님들이 입을 모아 전 씨의 말에 동의하였다. 그때 ㉡ 포 씨의 열두 살짜리 아들이 나서며 말했다. "저의 의견은 다릅니다. 천지 만물은 모두 우리와 같은 동료입니다. 동료 사이에 귀천의 차별은 없습니다. 인간이 제 멋대로 먹을 수 있는 것을 잡아먹을 따름이지, 하늘이 인간에게 먹기 위해 그것들을 만든 것은 아닙니다."

━━ 인간과 자연을 동등한 관계로 보고 있어.

㉡은 생태 중심주의 자연관을 가지고 있다. 생태 중심주의 자연관은 자연이 그 자체로 가치를 지니고 있으므로 자연의 어떤 존재도 인간의 이익을 위한 수단으로만 고려될 수 없다고 본다. 따라서 인간은 자연 전체를 도덕적 고려의 대상으로 보아야 하며, 자연에 대한 행위의 옳고 그름은 그것이 생태계의 균형과 안정에 얼마나 이바지하느냐에 달려 있다고 본다.

‖ **바로 알기** ‖ ㄱ, ㄷ. ㉠은 인간 중심주의 자연관을 가지고 있으며, 이는 자연의 도구적 가치를 중요시한다. 동식물을 포함한 자연의 모든 구성 요소는 그 자체로 가치 있는 것이 아니라, 인간의 풍요로운 삶을 위한 도구에 불과하다는 것이다.

의미	인간의 이익보다 인간을 포함한 자연 전체의 균형과 안정을 먼저 고려하는 자연관
특징	인간과 자연의 관계를 전일론적 관점에서 인식함. 자연의 내재적 가치 강조
장점	인간이 생태계를 보전해야 할 의무가 있다는 점을 일깨움으로써 환경 문제 해결의 실마리를 제공함
문제점	생태 중심주의를 지나치게 강조할 경우 모든 인간 활동을 허용할 수 없으므로 비현실적이라는 비판을 받음

13 생태 도시의 특징

브라질 쿠리치바는 인간과 자연이 조화를 이루며 살아갈 수 있는

기반을 갖춘 환경친화적 성격의 생태 도시이다. 생태 도시는 도시 지역의 환경 문제를 해결하고 환경 보전과 개발의 조화를 위한 방안의 하나로 등장한 개념이다.

▌바로 알기 ▐ ① 생태 도시는 인간의 필요와 욕구보다는 인간과 자연의 공존에 초점을 맞추고 있다. ② 생태 도시는 인간의 필요에 따른 개발을 허용하면서도, 이러한 개발이 자연환경에 미칠 부정적 영향을 최소화하기 위해 노력한다. ④ 슬로 시티에 대한 설명이다. ⑤ 자연 휴식년제에 대한 설명이다.

14 다양한 환경 문제

지구 온난화, 산성비, 오존층 파괴, 열대림 파괴, 사막화 등의 환경 문제는 발생한 지역이나 국가를 넘어 인접한 국가와 전 지구에 광범위한 영향을 미칠 정도로 피해 규모가 크다.

▌바로 알기 ▐ ④ 열대림은 열대 기후 지역에 분포하는 식물 군락으로, 지구상에서 가장 많은 생물종이 분포하는 지역이다. 최근 농경지 및 목초지 조성을 위해 무분별하게 열대림을 파괴하면서 동식물의 서식지가 줄어들어 생물종 다양성이 감소하고 있다. 또한 열대림이 줄어들면 대기 중 이산화 탄소의 농도가 증가하여 지구 온난화를 심화시킨다. 이를 해결하기 위해서는 과도한 열대림 개발을 중단하고, 열대림을 자연 보호 구역으로 지정하는 등의 노력이 필요하다.

15 지구 온난화 문제

화석 연료의 사용 증가, 삼림 파괴 등 인위적 요인으로 온실가스의 배출량이 늘어나면서 지구 온난화 문제가 심각해지고 있다. 이에 따라 세계 곳곳에서 이상 기후 현상이 나타나고 있으며, 빙하가 녹아내려 해수면이 상승하고 동식물의 서식 환경이 변화하는 등의 문제가 발생하고 있다. 지구 온난화를 극복하기 위해 국제 사회에서는 파리 기후 협약을 체결하여 온실가스 배출량을 감축하기로 하는 등의 노력을 기울이고 있다.

16 환경 문제의 해결을 위한 주체별 노력

전 지구적 차원의 환경 문제는 국제적 차원에서 뿐만 아니라, 정부와 기업, 시민 단체, 개인적 차원에서도 해결하기 위해 노력하고 있다. (1) 전 지구적으로 발생하고 있는 환경 문제는 개별 국가의 노력만으로는 해결하기 어려워 국제 사회의 공조와 협력이 필요하다. 이러한 이유로 많은 국가가 환경 문제 해결 노력에 적극적으로 동참하고 있으며, 국제 환경 협약을 체결·이행하고 있다. (2) 저탄소 녹색 성장은 화석 에너지에 대한 의존도를 낮추고 청정에너지의 보급 및 기술 개발을 통해 온실가스 배출량을 적정 수준 이하로 줄이며, 청정에너지와 녹색 기술을 연구 개발하여 새로운 일자리를 창출해 나가는 등 경제와 환경이 조화를 이루는 성장을 말한다. (4) 시민 단체는 환경 문제 해결을 위해서 환경 문제를 사회적으로 쟁점화하고, 시민의 참여와 관심을 촉구하기 위한 홍보 활동과 서명 운동 등의 시민운동을 전개한다. 또한 정부의 환경 정책이나 제도의 수립 및 시행 과정과 기업의 활동을 감시하고 비판하는 역할을 하고 있다. (5) 환경 문제의 해결을 위한 개인적 차원의 실

천 방안으로는 전자 제품의 콘센트 뽑기, 냉장고 문 여는 횟수 줄이기, 대중교통 이용하기, 쓰레기 분리 배출하기, 불필요한 물건을 나누어 재사용하기 등이 있다.

▌바로 알기 ▐ (3) 기업은 생산 과정에서 환경 오염을 일으킬 수 있기 때문에 사회적 책임 의식을 가지고, 이를 최소화하려는 기업 윤리를 가져야 한다. 이를 위해 기본적으로 오염 물질 배출량의 기준을 지키고, 환경 오염 방지 시설을 갖추는 등 환경 관련 법률을 준수해야 한다. 또한 에너지 효율이 높은 생산 시설을 도입하고 온실가스 배출량을 줄이기 위해 노력하며, 기술 혁신을 통해 환경친화적 제품을 개발하는 등의 노력이 필요하다.

III. 생활 공간과 사회

01 산업화·도시화에 따른 변화

STEP 1 핵심 개념 확인하기   066쪽

1 (1) 산업화 (2) 도시화   2 ㉠ 도심 ㉡ 외곽 지역   3 (1) 확대 (2) 커진다   4 도시성   5 (1) × (2) ○   6 (1)-㉣ (2)-㉢ (3)-㉠ (4)-㉡

STEP 2 내신 만점 공략하기   066~069쪽

01 ③   02 ⑤   03 ②   04 ③   05 ①   06 ④   07 ①
08 ④   09 ③   10 ③   11 ⑤   12 ⑤

01 산업화에 따른 변화

소설 『괭이부리말 아이들』의 배경이 된 곳은 인천 만석동의 한 마을로, 이곳은 원래 갯벌이 많은 바닷가였으나 일제 강점기에 간척이 이루어졌다. 이후 산업화가 진행되면서 일자리를 찾아 많은 사람들이 모여들게 되었다. 산업화는 농림 어업 중심의 사회가 공업 및 서비스업 중심의 사회로 바뀌는 것을 의미한다. 밑줄 친 부분은 산업화로 인해 소나무 숲과 같은 녹지 면적이 감소하고, 주택이나 공장과 같은 시가지 면적이 증가한 변화를 보여주고 있다.

바로 알기 ① 교외화는 도시의 인구나 기능, 시설 등이 대도시 주변 지역으로 확산되는 현상이다. ② 기계화는 사람이 하는 노동을 기계가 대신하게 되는 현상이다. ④ 정보화는 정보 통신 기술을 활용하여 지식과 정보를 통한 부가 가치를 창출하는 현상이다. ⑤ 지역 분화는 도시 내부의 동일한 기능끼리 모여 상업·주거·공업 지역 등으로 나누어지는 현상이다.

02 우리나라의 산업화

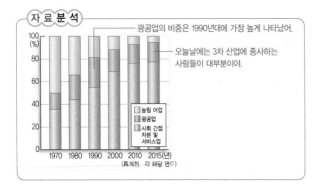

자료 분석

광공업의 비중은 1990년대에 가장 높게 나타났어.

오늘날에는 3차 산업에 종사하는 사람들이 대부분이야.

농림 어업 / 광공업 / 사회 간접 자본 및 서비스업

(통계청, 각 해당 연도)

우리나라는 1960년대 이후 경제 개발 계획이 추진되면서 산업화가 시작되었다. 산업화가 진행되면서 농림 어업(1차 산업) 비중은 지속적으로 감소한 반면, 광공업(2차 산업)과 사회 간접 자본 및 서비

스업(3차 산업) 비중은 증가하였다. 이후 산업 구조가 고도화되면서 최근에는 3차 산업 중심의 사회로 변화하였다.

바로 알기 ⑤ 광공업 종사자 비중은 산업화 이후 1990년대까지 증가하다가, 2000년대에 들어서면서 정보화의 영향으로 조금씩 감소하고 있다.

03 산업화·도시화에 따른 변화

과거 사진은 산업화·도시화 이전의 모습, 현재 사진은 산업화·도시화 이후의 모습이다. 산업화·도시화가 진행되면 인구 증가, 2·3차 산업 종사자 비중 증가, 인공적인 토지 이용 확대와 같은 생활 공간의 변화가 나타난다. 또한 도시성의 확산, 주민들의 직업 분화·전문화, 개인주의 확산과 같은 생활 양식의 변화가 나타난다.

바로 알기 ㄴ. 산업화·도시화가 진행되면 도로, 건물 등의 시가지 면적이 증가하면서 농경지, 삼림 등의 녹지 면적은 감소한다. ㄹ. 산업화·도시화가 진행되면 공업이나 서비스업 등 2·3차 산업에 종사하는 사람이 많아지는 반면, 농림 어업 등 1차 산업에 종사하는 사람은 줄어든다.

04 산업화·도시화에 따른 거주 공간의 변화

산업화·도시화 이후 도시에 많은 사람과 기능이 집중하면서 제한된 공간을 효율적으로 이용하기 위해 고층 건물과 아파트 단지가 들어선다. 도시가 성장하면서 도시 내부는 중심 업무 지역, 상업 지역, 주거 지역, 공업 지역 등으로 기능의 분화가 이루어진다. 또한 교통의 발달로 도시권의 범위는 점차 확대되면서 대도시권을 형성한다. 이러한 변화는 대도시와 인접한 농업 지역에도 영향을 미쳐 근교 촌락 지역이 주거 지역 또는 공업 지역으로 바뀌면서 도시적 경관이 확산되기도 한다.

바로 알기 ③ 교외화 현상은 대도시와 주변 지역이 기능적으로 밀접한 관계를 가지게 되는 것이다.

완자 정리 노트   산업화·도시화에 따른 거주 공간의 변화

도시 내부의 지역 분화	• 집약적 토지 이용: 제한된 공간의 효율적 사용 → 고층 빌딩과 공동 주택 증가 • 기능별 지역 분화: 도시 내부는 상업 및 업무 지역, 공업 지역, 주거 지역 등으로 분화됨
대도시권의 형성	• 교외화: 대도시의 인구, 기능 등이 주변 지역으로 확산 → 대도시와 주변 지역이 밀접한 관계 형성 • 대도시권의 확대: 교통의 발달로 대도시권의 범위 확대 • 근교 촌락의 변화: 대도시 주변의 농업 지역에서 도시적 경관 확대

05 도심과 외곽 지역의 특징

(가)는 도심, (나)는 외곽 지역에 해당한다. 도심은 접근성이 높고 교통이 편리하여 지가가 높으므로 고층 건물이 밀집되어 있다. 따라서 행정·금융 기관, 백화점, 대기업의 본사 등이 모여 상업 및 업무 기능이 발달한다. 도심에 비해 지가가 낮은 외곽 지역은 대체로 많은 인구를 수용할 수 있는 대규모 주거 단지 또는 넓은 부지를 필요로 하는 공업 단지가 조성되어 있다.

┃바로 알기┃ ② 외곽 지역은 도시의 중심에 위치하지 않는다. ③ 도심에서 외곽 지역으로 갈수록 접근성이 낮아지므로 지가도 낮아진다. ④ 외곽 지역은 도심보다 지가가 낮으므로 조방적 토지 이용이 나타난다. ⑤ 대규모 공업 단지는 주로 외곽 지역에 조성된다.

06 산업화·도시화에 따른 생태 환경의 변화
산업화·도시화가 진행되면 농경지와 산림 등의 녹지 면적이 감소하고, 콘크리트 건물이나 아스팔트 도로 등의 포장 면적은 증가하는 변화가 나타난다. 인공 상태의 지표면은 빗물을 제대로 흡수하지 못하는데, 이러한 불투수 면적이 증가하면 짧은 시간 안에 빗물이 한꺼번에 하천으로 흘러들어 수위가 빠르게 상승하여 홍수의 위험이 커진다.

07 산업화·도시화와 직업의 분화
산업화 이전에는 대부분의 사람들이 촌락에 거주하며 주로 1차 산업에 종사하였으나, 산업화 이후에는 도시화가 이루어지고 2·3차 산업이 발달하면서 직업이 분화되고 전문성이 증가하였다. 이에 따라 도시에 거주하는 사람들은 다양한 직업에 종사하고 있으며, 사람들 간의 이질성이 높게 나타나고 직업 간 소득 격차가 발생한다.

┃바로 알기┃ ㄷ. 산업화에 따라 직업의 전문성이 높아지면서 개인 간 경쟁이 치열해지고 있다. ㄹ. 산업화 이후 촌락보다 도시에 거주하는 사람들의 직업 종류가 다양해졌다.

08 산업화·도시화와 개인주의의 확산
산업 구조가 고도화되고 도시가 확장하면서 현대 사회는 전반적으로 공동체보다는 개인을 강조하는 경향이 커졌다. 이에 따라 개인의 가치와 성취를 중시하는 개인주의적 가치관이 확산하였다. 최근 이러한 경향을 반영하듯 혼자 밥을 먹거나 혼자 여가 생활을 즐기는 등 혼자 활동하는 성향이 강한 '나홀로족'이 새로운 사회 현상으로 나타났다.

09 1인 가구 비중의 증가
산업화·도시화의 영향으로 가족의 형태가 핵가족화되었고, 1인 가구의 비중이 증가하고 있다. ③ 1인 가구 비중이 늘어나는 과정에서 개인주의적 가치관이 확산되면 사회적 유대감과 공동체 의식이 약화되기도 한다.

10 도시 열섬 현상의 원인
도시의 기온이 주변보다 높게 나타나는 현상을 열섬 현상이라고 한다. 도시의 열섬 현상은 산업화·도시화가 가장 큰 원인이다. 도시 내부는 냉난방 시설과 자동차 등에서 인공 열이 많이 발생할 뿐만 아니라, 콘크리트 구조물이나 아스팔트 도로가 흙으로 된 땅보다 더 많은 열을 흡수하기 때문이다. 또한 아파트 단지가 바람길을 차단하여 열이 빠져나가지 못하게 하는 것도 열섬 현상의 원인이 된다.

┃바로 알기┃ ③ 도시의 하천과 공원은 인공 열에 의한 급격한 온도 변화를 줄이는 데 도움이 된다.

11 도시 문제의 해결 방안
① 도시의 주택 문제를 해결하기 위해서는 대도시 주변에 신도시를 건설하거나 불량 주택 지역에 도시 재개발 사업을 추진해야 한다. ② 교통 문제를 해결하기 위해서는 거주자 우선 주차 제도를 정착시키고 공영 주차장을 확대하며, 대중교통 수단을 확충하는 노력이 필요하다. ③ 인간 소외 현상을 극복하기 위해서는 인간의 존엄성을 중시하고 타인을 존중하며, 지역 공동체를 회복하려는 노력이 필요하다. ④ 계층 간 빈부 격차를 줄이기 위해서는 소외 계층을 위한 사회 복지 제도가 확충되어야 한다.

┃바로 알기┃ ⑤ 지역 간 공간 불평등 문제를 해결하기 위해서는 대도시로의 과도한 집중을 막고, 지방 중소 도시를 육성하는 등 지역 균형 발전 정책을 시행해야 한다. 최저 임금제와 비정규직 보호법 등의 제도를 마련하는 것은 노동 문제를 해결하기 위한 방안이다.

완자 정리 노트 산업화·도시화에 따른 문제의 해결 방안	
환경 문제	환경친화적 도시 계획 수립, 녹지 공간 확대, 생태 하천 조성, 도시 농업 장려 등
주택 문제	대도시 주변에 신도시 건설, 불량 주택 지역에 도시 재개발 사업 추진 등
교통 문제	혼잡 통행료 부과, 공영 주차장 확대, 대중교통 수단 확충, 공영 자전거 제도 시행 등
사회 문제	사회 복지 제도 확충, 지역 공동체 회복 전략, 국토 균형 발전 추구, 최저 임금제와 비정규직 보호법 마련 등

12 산업화·도시화에 따른 문제의 해결 방안
산업화된 도시에서는 지역 공동체의 파괴, 개인의 고립화, 인간성의 상실 등이 문제로 지적되고 있다. 이에 따라 최근에는 공동체적 삶을 회복하기 위한 시민들의 자발적인 노력이 이루어지고 있다. 제시된 내용의 '공동체 활성화 프로그램'은 인간적인 유대감을 바탕으로 지역 공동체를 회복하기 위한 노력 사례이다.

 서술형 문제
069쪽

01 주제: 근교 촌락의 변화
예시 답안 판매를 목적으로 하는 상품 작물의 재배가 증가하고 있다. 2·3차 산업이 발달하면서 농업에 종사하던 사람들도 농업 이외에 다른 업종을 겸하는 경우가 많아졌다. 주거 지역과 공업 지역으로 바뀌면서 도시적 경관이 확산되기도 하였다.

02 주제: 산업화·도시화에 따른 생활 양식의 변화

(1) 개인주의

(2) **예시 답안** 산업화·도시화가 진행되면서 사회는 전반적으로 공동체보다 개인을 강조하는 경향이 나타났다. 이에 따라 개인의 자유와 권리 및 가치와 성취를 중시하는 개인주의적 가치관이 확산하였다. 그러나 개인주의가 지나치게 강조되거나 극단적인 방향으로 흐를 경우, 타인에 대한 무관심과 이기주의로 인한 문제가 발생할 수 있다. 업무의 분업화와 기계화, 공동 주택의 증가 등으로 주변 사람과의 소통이 줄어들고 개인 중심의 생활을 하게 되면서 타인의 삶에 관심을 두지 않는 사람들이 많아질 우려가 있다. 또한 물질적 가치와 경쟁을 강조하는 사회 구조 속에서 타인이나 사회의 이익보다는 자신만의 이익을 우선하여 추구하는 경향도 문제가 될 수 있다.

STEP 3 1등급 정복하기
070~071쪽

1 ①　2 ⑤　3 ③　4 ②

1 우리나라의 도시화

ㄱ. 전체 인구 중 도시에 거주하는 인구가 차지하는 비율을 도시화율이라고 한다. 우리나라의 도시화율은 1960년대 이후 계속해서 증가하였다. ㄴ. 도시화가 진행될수록 농림 어업 종사자 비율이 낮아지고, 서비스업 종사자 비율은 높아진다.

바로 알기 ㄷ. 2000년~2010년의 도시화율은 약 2.6%p 증가하였지만, 1980년~1990년의 도시화율은 13.2%p 증가하였다. ㄹ. 1970년 이후 우리나라의 도시화율은 50% 이상이므로, 촌락에 거주하는 인구는 도시에 거주하는 인구보다 적다.

2 도시 내부의 모습

(가)는 서울의 도심에 해당하는 중구, (나)는 서울의 외곽 지역에 해당하는 노원구이다. 교통이 편리한 도심에는 상업·업무 기능이 집중하여 고층 건물이 밀집하므로 단위 면적당 지가가 높은 편이다. 외곽 지역에는 많은 인구가 거주하고 있으며, 이를 수용하기 위한 대규모 주거 단지가 조성되어 있다. 특히, 아파트와 같은 공동 주택이 밀집하고 있어 학교 수가 많고 학교 내 평균 학급 수도 많은 편이다.

완자 정리 노트 　도심과 외곽 지역의 특징

도심	대체로 도시의 중심에 위치, 접근성이 높고 교통이 편리함, 행정·금융 기관, 백화점, 대기업의 본사 등이 모여 있음, 상업 및 업무 기능 발달
외곽 지역	많은 인구를 수용하기 위한 대규모 주거 단지 또는 넓은 부지를 필요로 하는 공업 단지 조성

3 근교 촌락의 변화

과거의 근교 촌락은 전통적으로 농업이 중심을 이루던 지역이었지만, 최근 들어 교통의 발달로 대도시와의 접근성이 높아지면서 도시적 경관이 나타나고 있다. 특히 도시의 주택 부족 문제를 해결하기 위해 대규모 주택 단지가 들어서면서 대도시로부터 유입되는 인구가 증가하였다. 이에 따라 근교 촌락 지역에서 대도시로 출퇴근하는 사람과 2·3차 산업에 종사하는 사람이 많아졌으며, 도시적 생활 양식도 보편화되었다.

4 산업화·도시화에 따른 생활 양식의 변화

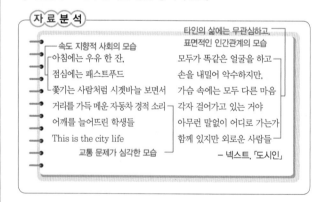

자료 분석

속도 지향적 사회의 모습
아침에는 우유 한 잔,
점심에는 패스트푸드
쫓기는 사람처럼 시곗바늘 보면서
거리를 가득 메운 자동차 경적 소리
어깨를 늘어뜨린 학생들
This is the city life
교통 문제가 심각한 모습

타인의 삶에는 무관심하고, 표면적인 인간관계의 모습
모두가 똑같은 얼굴을 하고
손을 내밀어 악수하지만,
가슴 속에는 모두 다른 마음
각자 걸어가고 있는 거야
아무런 말없이 어디로 가는가
함께 있지만 외로운 사람들
- 넥스트, 「도시인」

제시된 자료는 도시에 거주하는 사람들의 생활 모습을 나타낸 대중가요의 노랫말이다. 오늘날의 도시 주민들은 익명성을 바탕으로 표면적·비인격적 인간관계를 맺는 경우가 많으며, 주변 사람과의 소통이 줄어들고 개인 중심의 생활을 하게 되면서 타인의 삶에 무관심한 사람들이 많아졌다. 또한 개인 간의 경쟁 심화, 생산성 및 효율성의 강조에 따라 속도 지향적 사회의 모습이 나타나고 있으며, 자신의 이익을 우선하여 추구하는 경향도 증가하고 있다.

┃바로 알기┃ ② 제시된 자료에 도시와 촌락 간의 공간 불평등 문제는 나타나 있지 않다.

완자 정리 노트 산업화·도시화에 따른 생활 양식의 변화

구분	요인	영향
도시성 확산	효율성과 합리성 추구, 자율성과 다양성 존중	편리한 교통·상업·여가·문화 시설 이용, 사회적 유대감 약화
직업 분화·전문화	산업 구조의 고도화, 직업의 전문성 증가	직업 간 소득 격차 발생, 주민들 간 이질성 증가
개인주의 확산	개인의 가치와 성취 및 자유와 권리 중시	핵가족과 1인 가구의 보편화, 개인 간 경쟁 심화

02 ~ 03 교통·통신의 발달과 정보화 ~ 지역의 공간 변화

STEP 1 핵심 개념 확인하기 076쪽

1 (1) ○ (2) × (3) ○ (4) × **2** 생태 통로 **3** 전자 상거래 **4** (1) 위성 위치 확인 시스템(GPS) (2) 지리 정보 시스템(GIS) **5** (1)-ⓒ (2)-㉠ (3)-ⓛ **6** ㄷ → ㄱ → ㄹ → ㄴ

STEP 2 내신 만점 공략하기 076~079쪽

01 ④ 02 ④ 03 ⑤ 04 ① 05 ① 06 ③ 07 ①
08 ⑤ 09 ② 10 ② 11 ③ 12 ⑤

01 교통의 발달에 따른 변화

제시된 내용은 교통수단이 발달한 과정을 나타낸 것이다. 교통의 발달로 사람과 물자의 이동이 편리해짐에 따라 사람들의 일상생활 범위와 경제 활동 범위가 확대되었다. 또한 고속 철도, 항공기 등을 이용하여 장거리 이동이 가능해짐에 따라 국내 여행뿐만 아니라, 해외여행을 할 기회가 증가하였다. 이에 따라 사람들의 여가 공간도 확대되었다.

┃바로 알기┃ ④ 교통의 발달에 따라 시간적·공간적 제약이 줄어들어 이동에 소요되는 시간이 감소하였다.

완자 정리 노트 교통·통신의 발달에 따른 생활 공간의 변화

생활권의 확대	사람들의 이동 소요 시간 감소 및 이동 가능 거리 증가 → 원거리 통근·통학 증가, 대도시권 형성
경제 활동 범위의 확대	대량 화물 수송 가능, 전자 상거래 발달과 무점포 상점의 증가로 상권 확대, 국제 금융 거래 활성화
여가 공간의 확대	고속 철도, 항공기 등을 이용한 장거리 이동 가능, 국내 및 해외여행 관광객 증가 → 관광 산업 발달
생태 환경의 변화	교통·통신 시설을 구축하는 과정에서 생태계 파괴 문제가 발생하지만, 교통·통신 수단을 이용하여 생태 환경 보호에 도움을 주기도 함

02 교통의 발달과 대도시권의 확대

수도권의 광역 철도 노선이 확대되면서 경기도에서 서울로의 통근·통학자 비율이 증가하였고, 통근·통학자의 평균 이동 거리도 늘어났다. 이처럼 교통의 발달로 대도시와 주변 지역 간의 접근성이 높아지며, 대도시의 인구와 기능이 주변 지역으로 확산되면서 대도시권이 확대된다.

┃바로 알기┃ ㄱ. 교통의 발달로 서울을 중심으로 한 대도시권의 범위는 확대되고 있다. ㄷ. 제시된 자료에서 도로 교통의 쇠퇴 여부를 파악할 수 없지만, 실제로 수도권의 철도 교통과 도로 교통은 모두 발달하였다.

03 새로운 교통로의 건설과 생활권의 확대

새로운 교통로가 건설되는 지역은 다른 지역과의 접근성이 향상되어 지역 간 이동 시간이 줄어든다. ⑤ 교통의 발달로 거제와 부산 간 이동 시간은 과거에 비해 줄어들기 때문에 거제에서 부산으로 통근하는 직장인이 늘어날 것으로 예상할 수 있다.

┃바로 알기┃ ①, ② 거가 대교의 개통으로 거제로의 접근성이 높아지면, 이에 따라 거제를 방문하는 관광객도 증가할 것이다. ③ 거가 대교의 개통으로 부산을 중심으로 하는 대도시권이 거제까지 확대되면서 부산의 지역 경제는 활성화될 것이다. ④ 부산에서 거제로의 도로 교통이 편리해지면서 부산에서 거제로 가는 여객선의 운항 횟수는 줄어들 것이다.

04 철도 교통의 발달과 생활 공간의 변화

(가) 시기(1960년)에는 서울에서 부산까지 6시간 40분이나 걸렸지만, 열차의 성능이 개선되면서 이동 시간이 점차 줄어들었다. (나) 시기(2004년)에는 고속 철도가 등장하면서 서울에서 부산까지 2시간 40분 정도면 이동할 수 있게 되었다. 따라서 A는 (가) 시기에 높아야 하므로 '생태계의 연속성', '시·공간적 제약' 등의 지표가 들어가야 한다. 반면, B는 (나) 시기에 높아야 하므로 '여가 공간의 범위', '고속 철도 이용객' 등의 지표가 들어가야 한다.

05 교통의 발달에 따른 문제와 해결 방안

교통의 발달은 우리 생활에 편리함을 주지만, 인간 생활과 생태 환경에 부정적인 영향을 미치기도 한다. 도로와 철도 건설의 증가로 산림이 훼손되고 녹지 공간이 감소하고 있으며, 이로 인해 생태계의 연속성이 단절되어 야생 동식물의 서식 환경도 악화되고 있다. 그리고 항공기, 자동차, 선박 등에 의해 외래 동식물이 유입되어 기존의 생태 환경이 파괴되거나 악화되기도 한다. ㄱ. 도로나 터널을 건설할 때 야생 동물의 서식지 파괴를 막고 동물들이 자유롭게 이동할 수 있도록 도로나 터널 위에 생태 통로를 함께 만들고 있다. ㄴ. 선박을 통해 외래 생물종이 유입되어 생태계가 교란되는 것을 막기 위해 선박 평형수 처리 장치를 의무적으로 설치하도록 하고 있다.

┃바로 알기┃ ㄷ, ㄹ. 교통수단에서 배출되는 각종 오염 물질을 줄이기 위한 방안이다.

완자 정리 노트　교통·통신 발달에 따른 환경 문제

환경 오염	교통수단에서 발생하는 오염 물질 증가 → 대기 오염, 토양 오염, 해양 오염 발생
녹지 면적 감소	교통로 건설에 따른 생태계의 연속성 단절, 야생 동물 서식지 파괴
생태계 교란	교통수단을 통해 유입된 외래 생물종에 의한 생태계 교란

06 고속 철도의 개통에 따른 변화

고속 철도와 같이 빠르고 편리한 교통 수단이 새롭게 구축되는 지역은 다른 지역과의 접근성이 향상되고 지역 간 교류가 활발해져 경제가 활성화된다. 반면 기존에 있었던 버스, 항공기와 같은 교통 수단은 이용객 비율이 줄어들게 된다.

┃바로 알기┃ ㄱ, ㄹ. 교통 발달에 따른 대도시권의 형성 및 생태 환경의 악화와 관련된 내용은 제시되어 있지 않다.

07 정보화에 따른 경제생활의 변화

정보화가 진행되면서 인터넷을 통해 가상 공간이 새롭게 등장하였고, 사람들의 생활 공간은 가상 공간까지 확장되었다. 이에 따라 온라인 및 이동 통신 쇼핑을 통해 물건을 구매할 수 있게 되어 일상생활에서 공간적 제약이 감소하고 있다. 전자 상거래가 활성화되면 소비자가 직접 상점을 방문하지 않아도 되므로 상품 구매를 위한 이동 거리는 감소한다. 또한 인터넷이나 텔레비전을 통해 물건을 언제 어디서나 쉽게 구입할 수 있게 되므로 상점이 위치하는 장소의 중요성은 낮아진다. 이러한 소비 특성이 보편화되면서 택배 산업도 성장하고 있으며, 교통이 편리한 곳에 유통 제품을 포장·보관·분류하는 물류 센터도 늘어나고 있다.

┃바로 알기┃ ① 전자 상거래는 대체로 무점포 상점에서 이루어지므로 상품의 유통 단계가 단순한 편이다.

08 공간 정보 기술의 활용

제시된 내용은 위성 위치 확인 시스템(GPS)에 관한 것이다. 일상생활에서 위성 위치 확인 시스템(GPS)이 가장 많이 활용되는 분야는 자동차의 내비게이션이다. 이는 차량 항법 시스템으로 불리며, 도착지까지의 경로와 예상 소요 시간뿐만 아니라 혼잡한 교통 상황에서 목적지까지 가장 빠르게 갈 수 있는 경로를 알려 준다. 최근에는 위성 위치 확인 시스템(GPS)을 활용한 스마트폰의 인터넷 지도 서비스나 지도 응용 프로그램을 통해서 자신의 위치를 쉽게 파악할 수 있게 되었다.

┃바로 알기┃ ㄱ, ㄴ은 지리 정보 시스템(GIS)을 활용한 공간 정보 기술의 이용 사례이다. 지리 정보 시스템(GIS)은 공간 정보 자료를 수치화하여 컴퓨터에 입력·저장하고, 이를 사용자의 요구에 따라 분석·가공하여 각종 분야에 활용한다.

09 정보화에 따른 문제점

가상 공간에서는 익명성이 보장되어 자신의 신분을 숨길 수 있고, 타인과 대면하지 않고 교류할 수 있기 때문에 현실 공간보다 행동에 대한 책임감을 약하게 느낀다. 또한 시·공간을 초월하여 지식과 정보를 쉽고 빠르게 공유할 수 있다.

┃바로 알기┃ ② 가상 공간에서는 비대면 접촉을 통해 인간관계를 형성하는 경우가 늘어난다.

10 정보화에 따른 문제와 해결 방안

'잊힐 권리'는 정보화로 인해 새롭게 나타난 사회 문제이며, 이에 대한 다양한 입장이 나타나고 있다. 이를 해결하기 위해서는 여론을 수렴하고 공청회를 개최하는 등의 절차를 거쳐 제도적 방안을 마련해야 한다. 갑, 정은 '잊힐 권리'의 필요성과 이를 인정하지 않을 경우 발생할 문제에 대해 말하고 있다.

┃ 바로 알기 ┃ 을, 병은 '잊힐 권리'의 불필요성과 이를 인정할 경우 발생할 문제에 대해 말하고 있다.

11　지역의 공간 변화와 지역 조사

우리가 살고 있는 지역은 산업화와 도시화, 교통과 통신의 발달 등에 따라 변화한다. 이러한 지역의 공간 변화는 토지 이용, 산업, 인구, 생태 환경 등의 변화를 중심으로 살펴볼 수 있다. 그리고 공간 변화로 인한 지역 주민들의 직업, 인간관계, 가치관 등의 변화도 살펴볼 수 있다. ③ 지역의 산업 구조는 주민들의 직업별 종사자 수, 주요 업종별 생산액 등을 통해 파악할 수 있다.

┃ 바로 알기 ┃ ① 지역의 인구 변화를 조사하기 위해서는 인구 통계 정보가 필요하다. ②, ④ 생태 환경 및 토지 이용과 경관 변화를 조사하기 위해서는 과거와 현재의 항공 사진 또는 위성 영상을 비교해 보는 것이 적절하다. ⑤ 주민들의 인간관계 및 가치관 변화를 조사하기 위해서는 지역 주민들을 대상으로 설문 조사 또는 면담을 실시하는 것이 적절하다.

12　지역의 산업 구조 변화

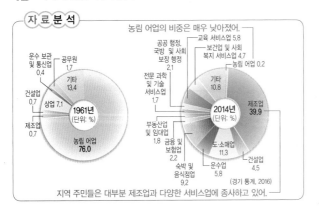

자 료 분 석

농림 어업의 비중은 매우 낮아졌어.

운수 보관 및 통신업 0.4 / 공무원 1.7 / 공공 행정, 국방 및 사회 보장 행정 2.1 / 교육 서비스업 5.8 / 보건업 및 사회 복지 서비스업 4.7 / 농림 어업 0.2

건설업 0.7 / 기타 13.4 / 상업 7.1 / 제조업 0.7 / **1961년** (단위: %) / **농림 어업 76.0**

전문 과학 및 기술 서비스업 1.7 / 기타 10.8 / **2014년** (단위: %) / 제조업 **39.9** / 부동산업 및 임대업 1.8 / 금융 및 보험업 2.2 / 숙박 및 음식점업 9.2 / 운수업 5.8 / 도·소매업 11.3 / 건설업 4.5

(경기 통계, 2016)

지역 주민들은 대부분 제조업과 다양한 서비스업에 종사하고 있어.

□□시 주민들의 직업 구성 변화를 보면 종사하는 직업이 다양해졌음을 알 수 있다. 이를 통해 지역의 산업 구조가 농림 어업 등의 1차 산업 중심에서 제조업과 서비스업 등의 2·3차 산업 중심으로 바뀌었음을 파악할 수 있다.

┃ 바로 알기 ┃ ① 도시화가 진행되었으므로 전입 인구가 증가했다고 추론할 수 있다. ②, ④ 농림 어업의 비중이 감소하고 제조업과 서비스업의 비중이 증가하였으므로 녹지 면적의 비율이 높아졌다고 보기 어려우며, 지역 총생산에서 1차 산업의 비중이 작아졌을 것이다. ③ 1960년 이전에는 농림 어업 중심의 산업 구조가 나타났으므로 도시화가 진행되었다고 보기 어렵다.

🦔 서술형 문제
079쪽

01　주제: 새로운 교통로 건설에 따른 지역 변화

예시 답안 새로운 교량이 건설되면 섬 지역과 육지 간의 접근성이 향상되어 시·공간의 제약이 크게 줄어든다. 이에 따라 사람과 물자의 이동이 활발해져 섬 지역 주민들의 생활권이 확대되고, 육지 지역 주민들의 여가 공간이 확대된다. 그리고 예전보다 풍요롭고 편리한 생활을 할 수 있으며, 다른 지역의 문화를 체험할 기회도 많아진다.

채점 기준

상	교통 발달에 따른 생활 공간의 변화와 생활 양식의 변화를 모두 서술한 경우
중	교통 발달에 따른 생활 공간의 변화 또는 생활 양식의 변화 중 한 가지만 서술한 경우
하	교통 발달에 따른 영향을 대략적으로 서술한 경우

02　주제: 정보화에 따른 문제점과 해결 방안

(1) 사생활 침해

(2) **예시 답안** 사회적 차원에서 개인 정보 관리 강화, 보안 프로그램 개발, 「개인 정보 보호법」과 같은 관련 법률 정비 및 강화 등의 노력이 필요하다. 개인적 차원에서도 개인 정보 보호 수칙을 준수하여 자신의 정보 노출을 최소화하려는 노력이 필요하다.

채점 기준

상	사생활 침해 문제의 해결을 위한 사회적 차원의 노력과 개인적 차원의 노력을 모두 서술한 경우
하	사생활 침해 문제의 해결을 위한 사회적 차원의 노력 또는 개인적 차원의 노력 중 한 가지만 서술한 경우

1 ⑤   2 ④   3 ③   4 ⑤

1 교통 발달에 따른 공간 변화

자료 분석

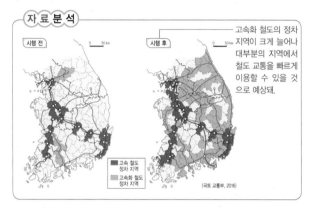

고속화 철도의 정차 지역이 크게 늘어나 대부분의 지역에서 철도 교통을 빠르게 이용할 수 있을 것으로 예상돼.

[시행 전]   [시행 후]

고속 철도 정차 지역
고속화 철도 정차 지역

(국토 교통부, 2016)

'제3차 국가 철도망 구축 계획'은 철도 교통 서비스가 제공되지 않는 지역에 고속화 철도를 건설하고, 기존의 낙후된 일반 철도를 고속화하는 사업이다. 이러한 계획이 실행될 경우 지역 간 사람과 물자의 이동이 더욱 편리해지며, 특히 철도 교통을 이용하기 불리했던 동해안 지역의 접근성이 크게 향상된다. 또한 철도를 이용하는 승객이 많아져 철도 교통의 여객 수송 분담률이 증가할 것으로 예상된다.

바로 알기 ㄱ, ㄴ. 철도 교통의 발달에 따라 지역 간 평균 이동 시간이 줄어들기 때문에 대도시의 통근·통학권은 넓어질 것이다.

2 교통 발달에 따른 문제점

부산은 교통의 발달로 많은 관광객을 유치하는 등의 긍정적 변화가 나타났지만, 의료 및 문화 분야의 수요가 서울로 집중하는 부정적 변화도 나타났다. 이처럼 교통의 발달에 따라 접근성이 좋아진 대도시가 중소 도시의 인구나 각종 기능을 흡수하여 지역 격차가 커지는 문제가 발생할 수 있다.

3 정보화에 따른 변화

ㄴ. 정보 통신 기술이 발달하면서 누리 소통망(SNS)을 통해 가상 공간에서 개인의 정치적 의견을 표현하거나 토론할 수 있게 되었다. 또한 인터넷을 통한 여론 수렴, 전자 투표, 홍보 활동, 청원이나 서명 운동이 활발해지는 등 개인의 정치 참여 기회가 확대되고 있다. ㄷ. 정보 통신 기술의 발달로 시간과 장소에 얽매이지 않고 짧은 시간에 많은 정보를 분석·처리할 수 있게 되었다. 이로 인해 전자 문서 처리, 화상 회의 등이 가능해져 업무의 효율성이 높아지고, 원격 근무 및 재택근무도 활성화되고 있다.

바로 알기 ㄱ. 인터넷을 이용한 온라인 및 이동 통신 쇼핑이 보편화되면서 상품을 배달해 주는 택배 산업도 빠르게 성장하고 있다. ㄹ. 사이버 범죄는 가상 공간에서 익명성을 이용하여 쉽게 범죄를 일으킬 수 있고, 확인되지 않은 정보가 빠른 속도로 전파될 수 있어서 심각한 사회 문제가 되고 있

다. 계층 간 정보 기술의 활용 및 정보 기기에 대한 접근도에 차이가 커짐에 따라 정보 격차 문제가 나타난다.

완자 정리 노트 정보화에 따른 생활 양식의 변화

정치·행정 분야	가상 공간을 통한 정치 참여 기회 확대, 인터넷을 이용한 민원 신청 및 행정 서류 발급
경제 분야	원격 근무 및 화상 회의를 통한 업무 활동의 효율성 증가, 온라인 금융 거래 및 전자 상거래 활성화
사회·문화 분야	원격 교육 및 원격 진료 서비스 확대, 다양한 정보 공유 및 문화 교류 확산, 수평적 인간관계로의 변화

4 정보화에 따른 문제점

자료 분석

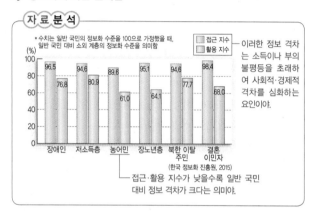

* 수치는 일반 국민의 정보화 수준을 100으로 가정했을 때, 일반 국민 대비 소외 계층의 정보화 수준을 의미함

접근 지수
활용 지수

장애인	96.5 / 76.8
저소득층	94.6 / 80.9
농어민	89.6 / 61.0
장노년층	95.1 / 64.1
북한 이탈 주민	94.6 / 77.7
결혼 이민자	98.4 / 68.0

(한국 정보화 진흥원, 2015)

접근·활용 지수가 낮을수록 일반 국민 대비 정보 격차가 크다는 의미야.

이러한 정보 격차는 소득이나 부의 불평등을 초래하여 사회적·경제적 격차를 심화하는 요인이야.

정보 격차란 사회적, 경제적, 지역적, 신체적 여건으로 인해 정보 통신 서비스에 접근하거나 이용할 수 있는 기회에 차이가 생기는 것을 말한다. 접근 지수는 컴퓨터와 인터넷 등 정보 통신 기기의 보유 정도와 성능을 나타내는 지표이며, 활용 지수는 컴퓨터와 인터넷 이용률, 사용 시간, 이용의 다양성 등을 나타내는 지표이다.

바로 알기 ⑤ 북한 이탈 주민의 활용 지수(77.7%)는 장애인의 활용 지수(76.8%)보다 높다. 그러나 북한 이탈 주민의 접근 지수(94.6%)는 장애인의 접근 지수(96.5%)에 비해 낮게 나타나고 있다.

대단원 실력 굳히기
084~087쪽

01 ②	02 ①	03 ③	04 ⑤	05 ③	06 ②	07 ⑤
08 ④	09 ③	10 ④	11 ②	12 ⑤	13 ⑤	14 ①
15 ④	16 ①					

01 산업화·도시화에 따른 공간 변화

제시된 항공 사진을 통해 ○○시에서 산업화·도시화가 이루어졌음을 파악할 수 있다. 산업화·도시화 이전에는 농경지, 산림과 같은 자연 상태의 토지가 대부분이었으나, 산업화·도시화에 따라 주택, 공장, 도로 등이 늘어나면서 시가지 면적이 증가하고 녹지 면적이 감소하였다. 도시화가 진행되면서 도시적 생활 양식이 확대되는데, 도시 주민들은 생활에 편리한 교통 시설과 편의점, 대형 마트, 백화점, 복합 쇼핑몰 등의 상업 시설, 그리고 영화관, 공연장, 경기장 등의 여가·문화 시설을 이용한다.

▎바로 알기▎ ㄴ. 산업화·도시화가 진행되면 농림 어업 종사자 비율이 감소하고, 공업 및 서비스업 종사자 비율은 증가한다. ㄹ. 도시 주민들은 사람들 간의 이질성이 높게 나타나 이웃 간의 유대 관계가 낮고, 공동체보다는 개인의 자유와 권리를 중시하는 개인주의 성향이 강한 편이다.

완자 정리 노트　산업화·도시화의 영향

산업화의 영향	제품의 대량 생산과 대량 소비 확대, 소득 증가로 인한 생활 수준 향상, 기계화·자동화로 근로자의 노동 시간 감소
도시화의 영향	도시적 생활 양식 확대 → 편리한 교통수단 및 상업 시설과 다양한 여가·문화 시설 이용

02 산업화·도시화에 따른 거주 공간의 변화

도시가 성장하면서 도시 내부는 중심 업무 지역, 상업 지역, 주거 지역, 공업 지역 등으로 기능의 분화가 이루어졌다. 도시 내부에서는 제한된 공간을 효율적으로 사용하기 위하여 고층 건물과 공동 주택이 밀집하고 토지 이용이 집약적으로 이루어졌다. 도시의 성장은 도시 주변의 촌락에도 영향을 미쳐 근교 촌락은 주거 지역과 공업 지역으로 바뀌면서 도시적 경관이 나타나기도 하였다. 대도시의 주변에는 교외화 현상이 일어나 대도시와 주변 지역이 기능적으로 밀접한 관계를 갖는 대도시권이 형성되었다.

▎바로 알기▎ 4. 교통의 발달에 따라 대도시권의 범위가 확대되고 있으므로 주거지와 직장의 거리가 멀어지고 있다.

03 도시 내부의 지역 분화

대체로 도시의 중심에 위치하는 도심은 접근성이 높고 교통이 편리하여 지가가 높으므로 고층 건물이 밀집되어 있다. 따라서 행정·금융 기관, 백화점, 대기업의 본사 등이 모여 상업 및 업무 기능이 발달한다. 도심에 비해 지가가 낮은 외곽 지역에는 많은 인구를 수용하기 위해 대규모의 주거 단지가 조성되어 있다. 따라서 아파트가 밀집해 있고, 대형 마트와 학교도 많은 편이다.

04 산업화·도시화에 따른 생활 양식의 변화

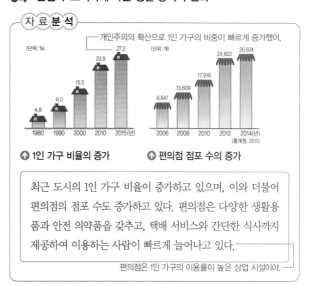

자료 분석

개인주의의 확산으로 1인 가구의 비중이 빠르게 증가했어.

(단위: %)
4.8 (1980), 9.0 (1990), 15.5 (2000), 23.9 (2010), 27.2 (2015(년))

(단위: 개)
9,847 (2006), 13,609 (2008), 17,919 (2010), 24,822 (2012), 26,874 (2014(년))
(통계청, 2015)

⬆ 1인 가구 비율의 증가　　⬆ 편의점 점포 수의 증가

최근 도시의 1인 가구 비율이 증가하고 있으며, 이와 더불어 편의점의 점포 수도 증가하고 있다. 편의점은 다양한 생활용품과 안전 의약품을 갖추고, 택배 서비스와 간단한 식사까지 제공하여 이용하는 사람이 빠르게 늘어나고 있다.

편의점은 1인 가구의 이용률이 높은 상업 시설이야.

도시 주민들은 효율성과 합리성을 추구하며 개인의 자유와 권리를 중시하는 개인주의 성향이 강하다. 이러한 도시성의 확산으로 현대 사회는 전반적으로 공동체보다는 개인을 강조하는 경향이 커졌다. 이러한 경향에 따라 1인 가구의 비중과 편의점의 점포 수가 빠르게 증가하고 있다.

05 산업화·도시화에 따른 사회 문제

(가)에서 '아파트'는 3년 동안 살면서도 서로의 존재를 모르는 삭막한 공간이며, (나)에서 '아파트'는 이웃과의 접촉이 없어 강한 익명성이 나타나는 공간이다. 따라서 (가), (나)에서 '아파트'는 공통적으로 도시 주민들의 타인에 대한 무관심한 모습을 상징한다고 볼 수 있다.

06 산업화·도시화에 따른 환경 문제

콘크리트나 아스팔트와 같은 인공 상태의 지표면은 빗물을 제대로 흡수하지 못하는데, 이처럼 빗물이 토양에 흡수되지 못하는 면적을 불투수 면적이라고 한다. 불투수 면적이 증가하면 짧은 시간 안에 빗물이 한꺼번에 하천으로 흘러들어 수위가 빠르게 상승하게 되므로 홍수 발생 위험이 커진다. 도시 홍수 문제를 해결하기 위해서는 자연환경과 조화를 이루는 도시 개발 계획을 세우고, 공원을 늘리고 생태 하천을 조성하는 등 녹지 공간을 확대하기 위한 노력이 필요하다.

▎바로 알기▎ ③, ④ 열섬 현상은 도시의 냉난방 시설과 자동차 등에서 나오는 인공 열로 인해 도시 지역의 기온이 주변보다 높게 나타나는 현상이다. 열섬 현상을 줄이기 위해서는 도시 내 녹지 면적을 확대해야 한다.

07 산업화·도시화에 따른 문제의 해결 방안

최근 지역 공동체를 회복하기 위해 사회적 차원에서 공동 주거 프로젝트와 같은 노력이 이루어지고 있다. 이웃에게 관심을 기울이고

배려하며, 사회 전체의 균형 발전을 위해 타인과 더불어 살아가려는 의식이 필요하기 때문이다. 이를 통해 파편화된 인간관계가 만연한 상황을 극복하여 이웃과의 유대감을 높이고, 공동체 의식을 함양할 수 있다.

08 여러 가지 도시 문제

산업화와 도시화로 우리 생활은 풍요롭고 편리해졌지만 다양한 문제가 발생하기도 하였으며, 이러한 문제를 해결하기 위해서는 사회적·개인적 측면의 여러 노력이 필요하다. (2) 도시 농업은 주택이나 학교, 회사 등의 내·외부, 옥상, 발코니 등을 활용하여 농산물을 생산하는 것을 말한다. 도시 농업은 도시 내 녹지 공간을 늘려 공기를 정화하고 열섬 현상을 완화하며, 빗물의 흡수와 순환을 촉진한다. (3) 도시 재개발 사업은 노후화되고 불량해진 주택이나 시설물을 개량하여 낙후된 지역의 생활 환경을 개선하고, 교통 시설과 교통 체계 등을 정비하여 마을 공동체를 회복하려는 노력이다. (4) 산업화로 경제가 발전하여 사회는 예전보다 풍요로워졌지만 빈부 격차 문제, 사회 계층 간의 갈등 문제는 더욱 심화되고 있다. 이를 해결하기 위해서는 소외 계층을 위한 사회 복지 제도의 확충이 필요하다. (5) 산업화·도시화에 따라 촌락의 인구가 도시로 빠져나가면서 촌락의 마을 공동체가 약화되고, 인구 감소에 따른 노동력 부족 문제가 발생하였다. 또한 각종 기능과 산업 시설이 대도시에 집중하면서 촌락은 상대적으로 경제 활동이 위축되는 등 사회적·경제적으로 문제가 발생하고 있다. 이를 해결하기 위해서는 대도시의 기능을 지방으로 분산시키고, 촌락의 활성화를 위한 정책을 마련하는 등 국토 균형 발전을 추구해야 한다.

┃ 바로 알기 ┃ (1) 주택 문제를 해결하기 위해서는 대도시 주변에 신도시를 건설하거나 도시 재개발 사업을 추진해야 한다. 공영 자전거 제도는 교통 문제에 대한 해결 방안이다.

09 교통의 발달에 따른 생활 공간의 변화

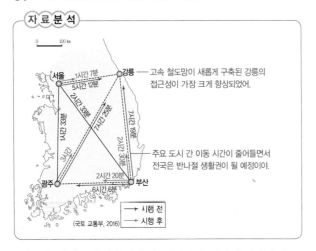

고속 철도망이 새롭게 구축된 강릉의 접근성이 가장 크게 향상되었어.

주요 도시 간 이동 시간이 줄어들면서 전국은 반나절 생활권이 될 예정이야.

(국토 교통부, 2016)

고속 철도망이 구축되면 지역 간 이동 소요 시간이 짧아져 각 도시를 찾는 관광객이 증가하는 등 지역 간 교류가 활발해진다. 특

히, 고속 철도가 정차하는 주요 도시는 유동 인구가 늘어나 지역 경제가 활성화된다.

┃ 바로 알기 ┃ ① 고속 철도망이 구축되면 철도를 이용하는 승객이 증가한다. ② 부산과 강릉 간 이동 시간이 줄어들면 지역 교류가 확대된다. ④ 고속 철도망의 구축으로 부산과 광주 간 이동 시간이 크게 줄어들면, 고속 철도의 대체 교통수단인 항공기의 이용 빈도는 감소할 것이다. ⑤ 고속 철도의 개통으로 서울로의 접근성은 더욱 향상되어 서울을 중심으로 하는 대도시권의 범위는 확대된다.

10 교통의 발달과 지역 변화

(가)는 도로와 철도 등 육상 교통이 발달하면서 기존의 지역 중심지가 바뀐 사례이며, (나)는 고속 국도가 신설되면서 기존의 일반 국도 주변 지역이 쇠퇴한 사례이다. 따라서 (가), (나)를 통해 새로운 교통로가 건설된 지역이 활성화됨에 따라 기존 교통로 주변 지역은 쇠퇴하였다는 내용을 공통적으로 파악할 수 있다.

11 교통의 발달과 관광 산업의 발달

경제 발달에 따라 소득 수준이 향상되고 항공 교통이 대중화되면서, 해외로 나가는 우리나라 관광객과 우리나라를 찾는 외국인 관광객은 해마다 증가하였다. 이를 통해 각 지역 및 국가의 문화를 체험할 기회가 많아졌고, 관광 산업도 빠르게 성장하고 있다.

┃ 바로 알기 ┃ ㄴ. 우리나라는 과거에 비해 출입국 절차가 간소화되어 해외로 나가는 우리나라 관광객과 우리나라를 찾는 외국인 관광객이 크게 증가하였다. ㄹ. 지리 정보 시스템(GIS), 위성 위치 확인 시스템(GPS) 등과 같은 공간 정보 기술의 발달이 관광객 증가에 영향을 주었는지는 제시된 자료에서 파악하기 어렵다.

12 정보화에 따른 변화

제시된 내용은 건강 장애 학생이 직접 학교에 가지 않고도 인터넷 등을 이용해 교사의 수업을 받고, 전자 칠판이나 디지털 교과서 등을 통해 쌍방향 수업을 할 수 있는 원격 교육에 관한 것이다. 정보 통신 기술의 발달로 언제 어디서나 쌍방향 의사소통이 가능해지면서 원격 교육, 원격 진료 등의 서비스가 확대되고 있다.

13 정보화에 따른 생활 양식의 변화

① 정보화에 따라 개인의 정치 참여의 기회가 확대되고 있다. 인터넷을 통한 여론 수렴, 홍보 활동, 서명 운동 등이 활발해짐에 따라 개인의 정치적 입장을 직접 표현하는 전자 민주주의가 실현되고 있다. ② 정보화에 따라 행정 기관을 방문하지 않고도 인터넷으로 필요한 민원서류를 신청하고 발급받을 수 있다. ③ 정보화에 따라 전자 상거래가 활성화되어 온라인 및 이동 통신 쇼핑을 통해 물건을 쉽게 구매할 수 있으며, 인터넷 뱅킹을 이용하여 은행 업무를 볼 수 있다. ④ 정보 사회에서는 가상 공간에서 비대면 접촉을 통해 정보를 교류하고 개인의 가치관을 공유하면서 새로운 인간관계를 형성하는 경우가 많아지고 있다.

14 정보화에 따른 문제점

정보 사회에서는 지식과 정보가 부가 가치를 창출하기 때문에 정보의 소유와 통제를 둘러싼 사회 갈등이 심화될 수 있다. 또한 정보를 소유한 사람(또는 기업)과 정보를 소유하지 못한 사람(또는 기업) 간의 정보 격차가 커지는 등 새로운 사회 불평등이 나타날 수 있다.

| **바로 알기** | ㄷ. 제시된 자료에서 대면 접촉의 감소에 따른 인간 소외 현상은 나타나 있지 않다. ㄹ. 인터넷 중독은 지나친 인터넷 사용에 따라 발생하는 문제이다.

15 공간 정보 기술의 발달과 정보 격차의 발생

(가)는 위성 위치 확인 시스템(GPS)에 대한 설명이다. 일상생활에서 위성 위치 확인 시스템(GPS)이 가장 많이 활용되는 분야는 자동차의 내비게이션으로, 도착지까지의 경로와 예상 소요 시간뿐만 아니라 혼잡한 교통 상황에서 목적지까지 가장 빠르게 갈 수 있는 경로를 알려 준다. 최근에는 이를 활용한 스마트폰의 인터넷 지도 서비스나 지도 응용 프로그램을 통해서 자신의 위치를 쉽게 파악할 수 있게 되었다. (나)는 정보 격차에 대한 설명이다. 정보화에 따라 정보 기기의 이용과 접근에 있어 일반 국민과 정보 소외 계층 간의 차이가 발생하여 정보 격차가 커지기도 한다. 이는 정보 소외 계층이 정보 기기나 서비스를 구매할 경제적 능력이 부족하고, 신체적으로 불편하거나 정보 활용 능력이 낮은 경우가 많기 때문이다. 또한 정보 격차는 소득이나 부의 불평등을 초래하여 사회적·경제적 격차를 심화하는 요인이 되기도 한다.

| **바로 알기** | ① 누리 소통망(SNS)은 온라인을 통한 가상 공간에서 인간관계를 구축·유지하며, 정보를 주고받기 위해 제공되는 서비스이다. ② 지리 정보 시스템(GIS)은 공간 정보 자료를 수치화하여 컴퓨터에 입력·저장하고, 이를 사용자의 요구에 따라 분석·가공하여 각종 분야에 활용하는 공간 정보 기술이다. ⑤ 사이버 폭력은 가상 공간에서 집단으로 따돌리거나 괴롭히는 행위 등을 말한다.

16 지역 조사 과정

A에는 지역 정보를 수집하고, 수집한 지역 정보를 정리·분석하는 활동이 들어가야 한다. 지역 정보를 수집하기 위해서는 먼저 실내 조사를 진행한 다음에 야외 조사를 실시한다. 지방 자치 단체나 지역 신문, 인터넷 등을 통해 다양한 문헌 자료와 통계 자료, 지형도, 항공 사진 등을 수집하여 지역 정보를 미리 파악한다.(ㄱ) 그리고, 현지를 방문하여 지역 주민과의 면담, 설문 조사, 촬영, 관찰, 실측 등을 통해 미리 파악한 정보를 확인하고 새로운 정보를 얻는다.(ㄴ) 이렇게 정보 수집이 끝나면, 자료를 정리한 후 그래프, 통계 지도, 도표 등으로 표현한다.(ㄷ) 이 과정에서 지역의 공간 변화와 그로 인한 문제점을 확인할 수 있다.

완자 정리 노트	**실내 조사와 야외 조사**
실내 조사	• 자료 수집: 도서관이나 해당 관청 등을 방문하여 지도, 문헌, 통계 자료 등의 정보를 수집함. 최근에는 인터넷을 이용하여 항공 사진, 인공위성 영상 등의 정보도 쉽게 얻을 수 있음 • 야외 조사를 위한 준비: 야외 조사를 통해 조사해야 할 항목, 조사 방법, 답사 경로와 답사 일자, 방문 기관을 결정함. 이때 설문 대상 선정과 설문지 작성 등도 함께 이루어짐
야외 조사	• 야외 조사는 실내 조사만으로는 불충분하거나 직접 정보를 수집해야 할 때 시행함 • 현장 답사 시에는 사전에 준비한 조사 계획대로 조사 항목, 답사 경로와 절차 등에 따라 조사를 수행해야 함 • 현장 답사를 나갈 때는 준비물을 잘 챙기고, 답사를 통해 얻은 정보를 사진이나 메모로 기록함

Ⅳ. 인권 보장과 헌법

01 인권의 의미와 변화 양상

STEP 1 핵심 개념 확인하기   94쪽

1 (1) – ㉠ (2) – ㉢ (3) – ㉣ (4) – ㉡   2 (1) × (2) ○ (3) × (4) ×
3 (1) ㄱ (2) ㄴ (3) ㄷ   4 ㄱ, ㄷ, ㅂ   5 잊힐 권리

STEP 2 내신 만점 공략하기   94~97쪽

01 ②	02 ⑤	03 ④	04 ②	05 ②	06 ②	07 ③
08 ②	09 ②	10 ⑤	11 ③	12 ①	13 ②	14 ④
15 ⑤	16 ④

01 인권의 특징

㉠은 인권에 해당한다. ㄱ. 인권은 인종·성별·종교 등에 관계없이 모든 인간이 누리는 권리이다. ㄷ. 인권은 법으로 보장되기 이전에 자연적으로 누리는 권리이다.

▎바로 알기▎ ㄴ. 인권은 일정 기간에 한정되지 않고 영구히 누릴 수 있는 권리이다. ㄹ. 인권은 타인에게 양도하거나 다른 사람이 침해할 수 없는 불가침의 권리이다.

완자 정리 노트 인권의 특징

구분	내용
보편성	인종·성별·종교·사회적 신분 등과 관계없이 인류 구성원 모두가 가지는 권리
천부성	태어나면서부터 갖게 되는 당연한 권리
불가침성	다른 사람에게 양도할 수 없고 누구도 침해할 수 없는 권리
항구성	일정 기간에만 한정되는 것이 아니라 영구히 보장되는 권리

02 인권의 특징

(가)는 태어나면서부터 당연히 갖게 되는 것은 인권의 천부성에 대한 설명이다. (나)는 국가 권력 또는 다른 사람이 침해할 수 없는 것은 인권의 불가침성에 해당하는 설명이다.

03 인권 보장의 역사

④ 제2차·세계 대전 이후 인권 문제를 해결하려면 인류 공동의 노력이 필요하다는 공감대가 형성되었고, 이를 바탕으로 국제 연합(UN)은 세계 인권 선언을 채택하였다. 세계 인권 선언은 전 지구적 차원의 협력을 강조하는 연대권을 주요 내용으로 한다.

▎바로 알기▎ ① 참정권이 보편적 인권으로 자리 잡은 것은 참정권 확대 운동 이후인 (나) 시기이다. ② 사회적 약자를 보호하기 위한 국가의 적극적인 역할이 강조된 것은 산업 혁명 이후인 (다) 시기이다. ③ 국가로부터의 자유가 처음 확립된 것은 시민 혁명 직후인 (가) 시기이다. ⑤ 자유권은 (가) 시기 이후, 사회권은 (다) 시기 이후 강조되었다.

04 시민 혁명

㉠은 시민 혁명에 해당한다. ㄱ. 시민 혁명의 결과 자유권과 평등권이 보장되기 시작했다. ㄷ. 시민 혁명은 계몽사상, 사회 계약설, 천부 인권 사상 등의 영향으로 발생하였다.

▎바로 알기▎ ㄴ. 시민 혁명 이후에도 직업, 재산, 성별 등에 따라 선거권이 제한되어 대다수의 사람들은 참정권을 행사할 수 없었다. ㄹ. 국가가 적극적으로 나서서 사회 구성원의 기본적인 생존을 보장해야 한다는 생각이 확산된 것은 산업 혁명 이후이다.

05 시민 혁명

① 계몽사상, 사회 계약설 등이 시민들 사이에 확산되며 시민 혁명의 사상적 배경이 되었다. ③ 대표적인 시민 혁명으로 영국 명예혁명, 미국 독립 혁명, 프랑스 혁명 등이 있다. ④ 시민 혁명의 결과 자유권과 평등권이 보장되기 시작했다. ⑤ 시민 혁명 이후에도 직업, 재산, 성별 등에 따라 선거권이 제한되었다.

▎바로 알기▎ ② 바이마르 헌법은 산업 혁명 이후 사회적 약자들의 인간다운 삶을 보장하기 위해 등장한 문서이다. 시민 혁명 관련 문서로는 영국의 권리 장전, 미국 독립 선언, 프랑스 인권 선언 등을 제시할 수 있다.

완자 정리 노트 시민 혁명

배경	• 사상적 배경: 계몽사상, 사회 계약설, 천부 인권 사상 등 • 역사적 배경: 시민 계급이 불평등한 신분제 사회의 차별과 억압에 대한 반발 표출
경과	영국의 명예혁명(1688), 미국의 독립혁명(1776), 프랑스 혁명(1789)
관련 문서	권리 장전(1689), 미국 독립 선언(1776), 프랑스 인권 선언(1789) → 자유권과 평등권 중시

06 참정권 확대 운동

제시된 내용은 영국에서 일어났던 참정권 확대 운동인 차티스트 운동이다. ② 보통 선거를 실시하라는 주장이 있는 것으로 보아 당시 참정권의 제한이 있었음을 알 수 있다.

▎바로 알기▎ ① 무기명 투표를 실시하라는 주장을 통해 비밀 선거의 원칙이 지켜지지 않았음을 알 수 있다. ③ 신분제 사회에 대한 반발이 커진 것은 시민 혁명 이전이다. ④ 의원의 재산 자격 제도 폐지를 요구하는 것으로 보아 선거에 출마하기 위해서는 재산과 관련한 조건이 있었음을 알 수 있다. ⑤ 국가가 나서서 사회적 약자의 인간다운 생활을 보장한 것은 산업 혁명 이후이다.

07 사회권

산업 혁명 이후 근로자들을 비롯한 사회적 약자들은 열악한 노동

환경, 빈부 격차 등으로 최소한의 인간다운 생활조차 유지하기 어려워졌다. 이에 국가가 적극적으로 사회 구성원의 기본적인 생존을 보장해야 한다는 생각이 확산되었고, 독일 바이마르 헌법(1919)에 사회권이 처음으로 규정되었다.

08 세계 인권 선언
20세기에 들어 두 차례의 세계 대전을 통해 심각한 인권 침해 문제를 겪은 인류는 인권 문제를 해결하기 위해 인류 공동의 노력이 필요하다는 공감대를 형성하였다. 이를 바탕으로 국제 연합(UN)은 세계 인권 선언을 채택하였고, 인권 보장의 국제적인 기준을 제시하였다. 세계 인권 선언에서는 지구촌 구성원 모두의 인권 보장을 위해 함께 노력하는 연대권을 강조하였다.

▌바로 알기▐ ② 자유권과 평등권은 시민 혁명 과정에서 미국 독립 선언(1776), 프랑스 인권 선언(1789)에 규정되었다.

09 인권 보장의 역사
(가)는 1세대 인권, (나)는 2세대 인권, (다)는 3세대 인권에 해당한다. ① 자유권 중심의 1세대 인권은 시민 혁명 이후 보장되기 시작했다. ③ 3세대 인권은 민족이나 집단 차원에서 누리는 연대권을 강조한다. ④ 2세대 인권은 사회권 중심의 인권으로, 인간다운 삶을 보장받기 위해 국가의 개입을 요구한다. ⑤ 3세대 인권은 2세대 인권에 비해 전 지구적 차원의 연대와 협력을 중시한다.

▌바로 알기▐ ② 국가로부터의 자유에 해당하는 것은 자유권 중심의 1세대 인권이다.

10 인권 보장의 역사
ㄷ, ㄹ. 산업 혁명 이후 급격한 자본주의의 발달 과정에서 노동자를 비롯한 사회적 약자들의 열악한 노동 환경, 빈부 격차 등이 문제로 떠올랐다. 이에 국가가 사회적 약자들의 인간다운 삶을 보장해야 한다는 요구가 커졌고, 사회권적 기본권을 명시한 현대 복지 국가 헌법이 등장하였다.

▌바로 알기▐ ㄱ. 근대 입헌주의 헌법을 통해 자유권 중심의 1세대 인권이 보장되기 시작했다. ㄴ. 현대 복지 국가 헌법은 사회적 약자들의 인간다운 삶을 보장하는 사회권을 강조하는 것으로 독일 바이마르 헌법의 영향을 받아 규정되었다.

11 현대 사회의 인권
(가)에서는 인공조명으로 쾌적한 환경을 누릴 권리인 환경권을 침해받고 있다. (나)에서 타이완의 청년들은 안정적인 주거 환경에서 인간다운 주거 생활을 할 권리인 주거권을 침해받고 있다.

12 문화권
제시된 헌법 조항과 세계 인권 선언이 공통으로 보장하고자 하는 인권은 문화권이다.

13 문화권
ㄱ. 도서 지역 주민들은 대도시 및 수도권 지역 주민들에 비해 문화생활을 누릴 기회가 상대적으로 적다. 이러한 지역 문화의 소외를 극복하고 모든 사람에게 문화를 누릴 권리를 보장하기 위해 문화권이 등장하였다. ㄹ. 우리나라는 「문화 예술 진흥법」을 통해 문화 소외 계층의 문화권을 보장하고 있다.

▌바로 알기▐ ㄴ. 시민 혁명에서부터 강조되기 시작한 권리는 자유권과 평등권이다. ㄷ. 국민의 권리로 보장함과 동시에 의무의 성격을 가지는 것은 환경권이다.

14 환경권
① 환경은 한번 침해되면 회복이 어려우며, 지구촌 전체와 미래 세대의 생활에까지 위험을 줄 수 있다. ② 급격한 산업화로 인해 공장이 들어서면서 대기 오염으로 환경 침해가 발생했고, 인구의 도시 집중으로 주택, 건물, 도로 등이 건설되면서 환경 침해 가능성이 높아지며 환경권이 강조되었다. ③ 우리나라에서는 「환경 정책 기본법」에서 국가의 환경 정책 수립, 기업과 국민의 환경 보호 노력 등을 규정하고 있다. ⑤ 우리 헌법에서는 국가의 환경 보전 노력뿐만 아니라 국민 개개인의 환경 보전 의무를 규정함으로써 환경권 보장을 위해 국가와 국민 모두 함께 노력해야 함을 강조하고 있다.

▌바로 알기▐ ④ 지속 가능한 발전이란 현 세대뿐만 아니라 미래 세대의 필요를 충족시킬 정도의 발전을 말한다. 따라서 환경을 보호하면서 개발하는 것이지 무조건 개발을 억제하려는 것은 아니다.

15 현대 사회의 인권
제시된 글을 통해 현대 사회에서는 사회적·경제적 환경의 변화에 따라 다양한 영역으로 인권 보장의 요구가 확장되고 있음을 알 수 있다.

16 현대 사회의 인권
(가)는 안전권, (나)는 주거권, (다)는 환경권에 해당하는 헌법 조항이다. ㄴ. 주거권을 보장하기 위한 정책으로는 「주거 기본법」이 있다. ㄹ. 안전권, 주거권, 환경권과 같은 인권을 보장하기 위해서는 국가의 적극적인 역할이 요구된다.

▌바로 알기▐ ㄱ. 환경 분쟁 조정 위원회는 (다) 환경권과 관련된 기구이다. ㄷ. 지역 간 문화 격차 해소와 관련된 권리는 문화권이다.

서술형 문제

97쪽

01 주제: 프랑스 인권 선언

예시 답안 프랑스 인권 선언은 시민 혁명 당시 채택된 선언이다. 당시 계몽사상, 사회 계약설, 천부 인권 사상 등이 사람들 사이에 퍼지며 시민 혁명의 사상적 배경이 되었다. 또한 역사적으로는 상공업의 발달 과정에서 부를 축적한 시민 계급이 사회에서 영향력을 행사하며 불평등한 신분제 사회의 차별과 억압에 대한 반발로 시민 혁명을 일으켰다.

채점 기준

상	시민 혁명 당시 채택되었다고 쓰고, 시민 혁명의 사상적 배경과 역사적 배경을 모두 서술한 경우
중	시민 혁명 당시 채택되었다고 쓰고, 시민 혁명의 사상적 배경과 역사적 배경 중 한 가지만 서술한 경우
하	시민 혁명 당시 채택되었다고만 서술한 경우

02 주제: 연대권

(1) 연대권

(2) **예시 답안** 연대권은 인종이나 국적과 관계없이 누구나 평등하게 대우받을 권리, 평화의 권리, 재난으로부터 구제받을 권리 등을 주요 내용으로 한다.

채점 기준

상	연대권의 내용을 두 가지 이상 정확히 서술한 경우
하	연대권의 내용을 한 가지만 서술한 경우

STEP 3 1등급 정복하기

98~99쪽

1 ① 2 ⑤ 3 ④ 4 ⑤

1 인권의 특징

제시된 각 나라의 헌법 조항들은 모두 국가가 국민들이 가지는 기본적인 인권을 침해해서는 안 된다는 내용을 포함하고 있다. 이를 통해 제시된 헌법 조항이 인권의 불가침성을 나타내고 있음을 알 수 있다.

2 인권 보장의 역사

(가)에는 권리 장전과 입헌 군주제 확립, (나)에는 미국 독립 선언 발표, (다)에는 프랑스 인권 선언 발표, 자유와 평등 이념의 확산 등이 들어갈 수 있다. ㄷ. 시민 혁명을 통해 프랑스 인권 선언이 채택되면서 자유권과 평등권이 보장되기 시작했다. ㄹ. 시민 혁명 이후에도 재산, 성별, 직업 등에 따른 참정권의 제한이 있었다. 이에 차티스트 운동, 여성 참정권 운동과 같은 참정권 확대 운동이 전개되었다.

바로 알기 ㄱ. 영국은 명예혁명을 통해 의회 중심의 입헌 군주제를 확립하고 권리 장전을 발표하였다. ㄴ. 미국은 독립 혁명을 통해 영국으로부터의 독립을 쟁취하였다.

3 인권 보장의 역사

(1) 1세대 인권은 자유권 중심의 인권, 3세대 인권은 연대권 중심의 인권을 강조한다. (2) 1세대 인권은 시민 혁명에서부터 강조되기 시작했다. (3) 2세대 인권은 근로의 권리, 쾌적한 환경에서 살 권리 등을 내용으로 하는 사회권 중심의 권리이다. (4) 3세대 인권은 전 지구적 차원의 협력을 통한 인권 문제 해결을 강조한다.

바로 알기 (5) 1세대 인권은 2세대 인권에 비해 국가의 개입을 경계한다는 특징이 있다.

완자 정리 노트 세대별 인권

1세대 인권	• 신체의 자유 • 사상, 양심, 종교의 자유 • 집회 및 결사, 표현의 자유 • 자유로운 선거를 통해 정부에 참여할 수 있는 권리
2세대 인권	• 근로의 권리 • 교육을 받을 권리 • 사회 보장을 받을 권리 • 인간다운 생활을 할 권리 • 쾌적한 환경에서 생활할 권리
3세대 인권	• 자결권 • 발전의 권리 • 평화의 권리 • 재난으로부터 구제받을 권리 • 지속 가능한 환경에 대한 권리

4 현대 사회에서 확장된 인권

(가)에서는 주거권, (나)에서는 환경권을 각각 침해받고 있다. ⑤ 현대 사회에 접어들며 급격한 도시화로 도시의 인구가 빠르게 증가하면서 도시 기반 시설의 부족, 주택 부족, 주거 환경 악화, 대기 오염 및 수질 오염 등과 같은 문제가 발생하였다. 이에 따라 주거권, 환경권과 같은 새로운 분야의 인권이 강조되고 있다.

바로 알기 ① 차티스트 운동을 통해 보장되기 시작한 권리는 참정권이다. ② 국가 권력의 간섭으로부터 자유로울 권리는 자유권이다. 주거권은 주택 개발 정책 등 국가의 적극적인 개입을 통해 보장될 수 있다. ③ 환경권은 국가 안전 보장, 질서 유지, 공공복리를 위하여 필요한 경우에는 법률로 제한될 수 있다. ④ 주거권과 환경권은 모두 사회적 약자의 인간다운 생활을 보장하기 위한 사회권적 성격을 가지고 있다.

완자 정리 노트　　현대 사회의 인권

주거권	• 쾌적하고 안정적인 주거 환경에서 인간다운 주거 생활을 할 권리 • 「주거 기본법」 등을 통해 국민의 주거 환경 정비, 최저 주거 기준 설정 등으로 주거 약자를 보호함
환경권	• 건강하고 쾌적한 생활에 필요한 모든 조건이 충족된 양호한 환경을 누리는 권리 • 「환경 정책 기본법」 등을 통해 국가와 지방 자치 단체, 기업가, 국민 개개인이 환경 보전 노력을 기울이도록 함
안전권	• 각종 위험으로부터 안전을 보호받을 권리 • 「재난 및 안전 관리 기본법」을 통해 국가 및 지자체의 재난 안전 관리 정책 방안을 제시함
문화권	• 공동체의 문화생활에 자유롭게 참여할 권리 • 「문화 예술 진흥법」등을 통해 문화 소외 계층의 문화 예술 복지 시책을 보장함
잊힐 권리	• 인터넷에서 유통되는 개인 정보를 당사자가 수정 또는 삭제해 달라고 요청할 권리 • 정보 사회의 발달로 중요성이 강조되고 있음

02 헌법의 역할과 시민 참여

STEP 1 핵심 개념 확인하기　　102쪽

1 (1) – ⓔ (2) – ⓛ (3) – ⓒ (4) – ⓐ (5) – ⓜ　**2** (1) ㄱ ㄴ ㄹ (3) ㅁ
3 권력 분립 제도　**4** ㉠ 질서 유지 ㉡ 법률　**5** (1) 국가 인권 위원회 (2) 위법

STEP 2 내신 만점 공략하기　　102~104쪽

01 ④	02 ②	03 ③	04 ④	05 ④	06 ①	07 ②
08 ②	09 ④	10 ⑤				

01 헌법의 의의

헌법은 국민의 기본적 인권을 규정하고, 국가 기관을 어떻게 조직하고 운영할 것인지 규정한 국가의 최고법이다. 법체계상 가장 상위법으로서 헌법의 하위 법령은 헌법에 위배될 수 없다.

▌바로 알기▌ ④ 우리 헌법에서는 구체적으로 명시되지 않은 기본권도 인간의 존엄성을 위해 필요하다고 여겨지는 경우 광범위하게 보장될 수 있도록 규정하고 있다.

02 인간의 존엄과 가치, 행복을 추구할 권리

제시된 헌법 제10조는 인간의 존엄과 가치, 행복을 추구할 권리, 기본적 인권 보장 등을 내용으로 한다. 인간의 존엄과 가치, 행복을 추구할 권리는 모든 기본권이 궁극적으로 지향하는 근본적인 가치이다. 이 조항을 통해 국가가 국민의 기본적 인권을 보장할 의무가 있음을 알 수 있다.

▌바로 알기▌ ㄴ. 청구권에 대한 설명이다. ㄹ. 평등권에 대한 설명이다.

03 참정권

제시된 선거권, 국민 투표권, 공무 담임권 등은 모두 참정권에 해당한다. ③ 참정권은 국민이 국가의 의사 결정에 참여할 수 있는 권리이다.

▌바로 알기▌ ① 기본권은 국가 안전 보장, 질서 유지, 공공복리를 위해 필요한 경우에 한하여 법률로써 제한할 수 있다. ② 청구권에 대한 설명이다. ④ 자유권에 대한 설명이다. ⑤ 사회권에 대한 설명이다.

04 평등권

㉠은 평등권에 해당한다. ㄴ. 평등권은 우리나라 헌법 제11조 ① 항에 명시되어 있다. ㄹ. 우리 헌법은 법 앞에서의 평등, 차별 받지 않을 권리 등을 평등권으로 규정하고 있다.

▌바로 알기▌ ㄱ. 국민 주권주의를 실현하는 수단은 참정권이다. ㄷ. 다른 기본권을 모두 포함하는 권리는 인간의 존엄과 가치, 행복을 추구할 권리이다.

05 사회권과 청구권

(가)는 사회권, (나)는 청구권에 해당한다. ① 사회권은 인간다운 생활의 보장을 국가에 요구할 수 있는 권리로서 현대 복지 국가에서 강조되고 있다. ② 청구권은 다른 기본권이 침해되었을 때 이를 구제하기 위한 수단적 권리이다. ③ 사회권에는 교육을 받을 권리, 근로의 권리 등이 있으며, 청구권에는 청원권, 형사 보상 청구권, 국가 배상 청구권 등이 있다. ⑤ 우리 헌법은 국민의 기본적 인권을 기본권이라는 이름으로 규정해 두고 있다.

┃ 바로 알기 ┃ ④ 사회권과 청구권은 모두 국가의 개입을 전제로 한다.

06 기본권의 제한

제시된 사례에서는 교통안전이라는 공공복리를 위하여 운전자의 안전띠 착용을 의무화함으로써 개인의 자유권을 제한하고 있다.

07 기본권의 제한과 한계

제시된 헌법 조항은 기본권의 제한과 한계를 규정하고 있다. ㄱ. 기본권은 국가 권력이라 하더라도 임의적으로 제한할 수 없으며 정해진 요건에 따라 법률로써만 제한할 수 있다. ㄷ. 기본권 제한의 한계를 규정함으로써 국가 권력이 국민의 기본권을 함부로 침해할 수 없도록 하고 있다. 이를 통해 국민의 자유와 권리를 더욱 충실히 보장할 수 있다.

┃ 바로 알기 ┃ ㄴ, ㄹ. 국민의 기본권은 국가 안전 보장, 질서 유지, 공공복리 등 필요한 경우에 한하여 법률로써만 제한이 가능하다. 제시된 헌법 조항은 국가 권력이 기본권을 제한하더라도 그 본질적인 내용은 침해할 수 없음을 규정하고 있다.

08 헌법 재판소

㉠은 헌법 재판소에 해당한다. 공권력 또는 법률에 의하여 인권을 침해당한 국민이 법률에 정해진 다른 절차를 모두 거친 후에도 권리를 구제받지 못한 경우에는 헌법 소원 심판을 신청할 수 있다. 헌법 재판소는 위헌 법률 심판, 헌법 소원 심판을 통해 국민이 침해받은 권리를 구제해 주는 인권 보장의 최후의 보루 역할을 수행한다.

┃ 바로 알기 ┃ ①은 법치주의, ③은 권력 분립 제도, ④는 복수 정당제, ⑤는 국가 인권 위원회에 대한 설명이다.

09 준법 의식

ㄴ, ㄹ. 법을 지키지 않는 이유에 대해 법을 지키면 손해를 본다는 응답이 많았다. 따라서 법을 어기는 사람에 대해서 엄격하게 처벌하고, 법을 잘 지키는 사람에 대한 보상 제도를 마련한다면 법을 지키는 사람이 늘어날 것이다.

┃ 바로 알기 ┃ ㄱ. 법이 자주 변경되기 때문에 법을 제대로 지키지 않는다는 내용은 찾아볼 수 없다. ㄷ. 법을 제정하는 과정에서 시민의 참여를 제한하면 준법 의식은 오히려 더 낮아질 것이다. 준법 의식을 높이기 위해서는 법을 제정하는 과정에서 국민의 의견을 수렴하여 법에 대한 신뢰도를 높여야 한다.

10 시민 불복종

㉠은 시민 불복종이다. ⑤ 시민 불복종이 정당화되려면 위법 행위에 대한 처벌을 감수함으로써 법을 존중하고 있음을 분명히 해야 한다.

┃ 바로 알기 ┃ ① 시민 불복종은 비폭력적인 방법으로 이루어져야 한다. ② 시민 불복종은 공권력 행사가 사회 정의에 어긋날 때 행사해야 한다. ③, ④ 시민 불복종은 합법적 수단을 모두 사용한 후에 최후의 수단으로 행사하는 비합법적인 수단이다.

서술형 문제
104쪽

01 주제: 기본권의 특징

(1) (가) – 자유권 (나) – 사회권

(2) 예시 답안 자유권은 국가의 개입을 배제하는 소극적 성격의 권리인 반면, 사회권은 국가의 개입을 통해 인간다운 생활의 보장을 적극적으로 요구하는 권리이다.

채점 기준

상	자유권과 사회권을 보장하기 위한 국가의 역할을 비교하여 서술한 경우
중	사회권을 보장하기 위한 국가의 역할만을 서술한 경우
하	자유권과 사회권의 의미만을 비교한 경우

02 주제: 기본권의 제한

예시 답안 밑줄 친 내용은 기본권 제한의 한계에 대한 규정이다. 이는 국가 권력이 국민의 기본권을 함부로 제한할 수 없도록 하기 위해서이다. 즉, 국가 권력의 남용을 방지함으로써 국민의 자유와 권리를 더 충실히 보장하기 위함이다.

채점 기준

상	국가 권력의 남용 방지, 국민의 자유와 권리 보장을 모두 포함하여 서술한 경우
하	국가 권력의 남용 방지, 국민의 자유와 권리 보장 중 한 가지만 서술한 경우

03 주제: 시민 불족종의 정당화 조건

예시 답안 목적의 정당성. 버스 탑승 거부 운동은 인종 차별에 대한 저항으로서 사회 정의의 실현을 목표로 하였다.

채점 기준

상	목적의 정당성과 사회 정의 실현이라는 목표에 대해서 정확히 서술한 경우
하	목적의 정당성이라고만 서술한 경우

STEP 3 1등급 정복하기

105쪽

1 ⑤   2 ④

1 기본권의 종류

(가)는 사회권, (나)는 참정권에 해당한다. ① 헌법의 최고 규범성에 따라 헌법의 하위 법령은 헌법에 위배될 수 없다. ② 입헌주의의 목적은 국민의 기본권을 보장하는 것이다. ③, ④ (가)는 사회권으로서 국민의 인간다운 생활을 보장하고 실질적 평등을 실현하기 위해 현대 복지 국가에서 강조되는 권리이다. 근로의 권리, 교육을 받을 권리, 쾌적한 환경에서 살 권리 등을 내용으로 한다.

┃바로 알기┃ ⑤ 사회권과 참정권 모두 국가의 존재를 전제로 한다.

2 시민 불복종

제시문은 간디와 인도인들이 함께한 소금 행진 운동으로 시민 불복종의 사례에 해당한다. 시민 불복종의 정당화 조건으로는 목적의 정당성, 비폭력성, 최후의 수단, 처벌 감수 등이 있다. ㄴ. 평화적 행진이라는 비폭력적인 방법을 활용하였으므로 정당하다. ㄹ. 소금법은 사회 정의를 훼손하는 정의롭지 못한 법이었으므로 정당하다.

┃바로 알기┃ ㄱ. 시민 불복종은 법에 저항하는 목적이 개인이나 집단이 아닌 사회 전체의 이익을 실현하는 데 있어야 한다. 소금법에 대한 저항은 모든 인도인들을 위한 행위였으므로 특정 집단의 이익을 위한 행위라고 볼 수 없다. ㄷ. 간디를 비롯하여 소금 행진에 참여한 인도인들은 경찰의 진압으로 투옥되는 처벌을 감수하였다.

완자 정리 노트 시민 불복종

의미	정의롭지 못한 법이나 정책을 바로잡아 공공의 이익을 지키기 위해 의도적으로 법을 위반하는 행위
정당화 조건	• 목적의 정당성: 개인의 사익이 아닌 사회 정의의 실현을 목표로 하는 양심적 행동이어야 함 • 비폭력성: 폭력적인 방법은 다수의 동의를 얻기 어려우므로 배제되어야 함 • 최후의 수단: 여러 가지 합법적인 방식을 시도했으나 실패했을 경우 최후의 수단으로 시도해야 함 • 처벌 감수: 위법 행위에 대한 처벌을 기꺼이 받아들임으로써 법을 존중하고 있음을 분명히 함

03 인권 문제의 양상과 해결

STEP 1 핵심 개념 확인하기

108쪽

1 (1) 상대성 (2) 노동권 (3) 세계 시민 의식   2 (1) ○ (2) × (3) ○
3 (1) 다양 (2) 1시간   4 (1) ○ (2) ○ (3) ×

STEP 2 내신 만점 공략하기

108~110쪽

01 ②   02 ④   03 ④   04 ②   05 ④   06 ②   07 ③
08 ①

01 사회적 소수자의 특징

㉠은 사회적 소수자에 해당한다. ㄱ. 사회적 소수자는 성별, 인종, 장애, 국적 등 다양한 기준에 따라 규정된다. ㄷ. 사회적 소수자는 시·공간적 상대성을 가지므로 상황이나 여건에 따라 사회적 소수자로 규정될 수도 있고, 그렇지 않을 수도 있다.

┃바로 알기┃ ㄴ. 사회적 소수자는 주류 집단에 비해 권력이 열세에 있기 때문에 사회·경제적으로 약자의 위치에 있다. ㄹ. 사회적 소수자는 집단에 속한 인원수의 많고 적음과는 상관없이 편견과 차별의 대상인지 아닌지의 여부에 따라 규정된다.

02 사회적 소수자 차별 문제

제시된 사례에서는 북한 이탈 주민과 외국인 근로자와 같은 사회적 소수자가 겪는 문제에 대해 보여 준다. 사회에서 다수를 차지하는 사람들과 사회적 소수자들이 갖고 있는 차이는 다른 것일 뿐 틀린 것이 아님에도 사회적 소수자는 차별의 대상이 되는 경우가 많다. 이러한 사회적 소수자에 대한 차별을 없애기 위해서는 사회적 소수자를 위한 지원 센터를 설립·운영하는 등 그들이 동등한 사회 구성원으로 살아갈 수 있는 제도를 마련해야 한다. 또한 사회적 소수자에 대한 편견에서 벗어나 그들을 동등한 사회 구성원으로 인정하고 함께 살아가려는 관용의 자세를 가져야 한다.

┃바로 알기┃ ④ 사회적 소수자를 다수의 사회 구성원들에게 동화시키는 것은 적절치 않다. 사회적 소수자를 그 자체로 인정하고 공존하려는 노력이 필요하다.

03 사회적 소수자 차별 문제의 해결 방안

제시문에는 사회적 소수자가 겪는 차별 문제를 해결하기 위해 사회적 차원에서 제도적 개선이 필요하다는 내용이 나타나 있다. ①은 장애인, ②, ⑤는 이주 외국인, ③은 여성에 대한 사회적 차별을 해소하기 위한 제도적 차원의 노력에 해당한다.

┃바로 알기┃ ④ 사회적 소수자를 인정하고 존중하는 것은 사회적 소수자 문제를 해결하기 위한 개인적·의식적 차원의 노력에 해당한다.

04 사회적 소수자 차별 문제의 해결 방안

제시된 법률은 우리 사회의 사회적 소수자인 장애인과 외국인 근로자의 인권을 보장하기 위해 마련되었다.

05 청소년 노동권

ㄴ. 근로 기준법상 휴일에 일하거나 초과 근무를 했을 경우 50%의 가산 임금을 받을 수 있으므로 갑은 초과 근무에 대해 가산 임금을 받을 수 있다. ㄹ. 을이 갑에게 임금을 주지 않고 있으므로 이는 임금 체불에 해당한다. 임금 체불 문제는 고용 노동부에 신고하여 구제받을 수 있다.

┃바로 알기┃ ㄱ. 갑은 만 15세 이상이므로 근로할 수 있다. ㄷ. 갑이 근로 계약을 맺은 당사자이므로 임금 청구 시 부모의 동의를 얻을 필요가 없다.

06 청소년 노동권

(1) 청소년도 성인과 같은 최저 임금을 적용 받는다. (3) 근로 기준법 상 임금은 근로 계약을 맺은 당사자에게 직접 지급해야 한다.

┃바로 알기┃ (2) 청소년은 근로 계약 시 부모의 동의서가 필요하다. (4) 청소년의 근로 시간은 원칙적으로 1주일에 35시간을 초과하지 못한다. (5) 근로 시간이 8시간 이상일 경우 1시간 이상의 휴게 시간을 근로 시간 도중에 주어야 한다.

07 성차별 문제

제시된 지도에서 옅은 색으로 표시된 지역일수록 남녀 차별이 심한 곳이며, 짙은 색으로 표시된 지역일수록 양성평등이 이루어지고 있는 곳이다. ㄴ. 북유럽 국가는 짙은 색이므로 비교적 양성평등이 잘 이루어지고 있을 것이다. ㄷ. 지수가 높을수록 양성평등이 실현되는 지역이므로 남녀 간 임금 격차가 적을 것이다.

┃바로 알기┃ ㄱ. 북아프리카는 대체적으로 옅은 색이므로 남녀 차별이 심할 것이다. 그러므로 여성의 교육 성취도가 낮을 것이다. ㄹ. 지수가 낮을수록 남녀 차별이 심한 것이므로 여성의 정치 참여 기회도 적을 것이다.

08 빈곤 문제

제시된 사례에서는 생존의 위협은 물론 생활환경, 교육 등 최소한의 인간다운 생활까지 어렵게 하는 빈곤 문제가 나타나고 있음을 보여 준다. ㄱ, ㄴ. 빈곤 문제를 해결하기 위해서는 전 세계의 사람들이 세계 시민 의식을 갖고 개별적으로 빈곤 국가의 어린이들과 후원 결연을 맺거나 국가 차원에서 국제기구를 통해 해당 국가에 사회 기반 시설을 지원하는 것으로 도움을 줄 수 있다.

┃바로 알기┃ ㄷ. 내정 불간섭의 원칙은 다른 나라의 문제에 대해서는 간섭하지 않는다는 국제법상의 원칙이다. 빈곤 문제는 해당 국가 스스로 문제를 해결하기가 어려우므로 국제 사회가 나서야 한다. ㄹ. 빈곤 문제는 자연 재해, 내전 등 다양한 요인이 작용하여 나타난 것으로 해당 국가의 국민 탓만 때문에 발생한 것이라고 보기는 어렵다.

서술형 문제

110쪽

01 주제: 사회적 소수자 차별 문제

예시 답안 제시된 사례는 사회적 소수자가 사회에서 겪는 차별 문제를 다루고 있다. 이러한 문제를 해결하기 위해 국가는 사회적 소수자에 대한 차별 금지와 각종 지원 방법이 규정된 법률을 제정할 필요가 있다. 또한 개인적으로는 사회적 소수자에 대한 편견을 버리고 다양성을 존중하는 자세를 가져야 한다.

채점 기준

상	사회적 소수자 차별 문제에 대한 사회적·개인적 차원의 해결 방안 두 가지를 모두 서술한 경우
중	사회적 소수자 차별 문제에 대한 사회적·개인적 차원의 해결 방안 중 한 가지만 서술한 경우
하	사회적 소수자 차별 문제라고만 쓴 경우

02 주제: 세계 인권 문제

(1) 성차별 문제

(2) **예시 답안** 성차별 문제는 대체로 종교나 사회적 관습에 의한 여성 차별 관행이 남아 있는 지역에서 나타난다. 이들 지역의 사회 구조와 편견 등이 성차별 문제의 해결을 어렵게 한다.

채점 기준

상	종교나 사회적 관습, 사회 구조와 편견 등의 지역적 특성을 서술한 경우
하	종교나 관습만을 서술한 경우

STEP 3 1등급 정복하기

111쪽

1 ② 2 ②

1 사회적 소수자

ㄱ. 갑은 A국의 이주 노동자가 되면서 사회적 소수자가 된 경우이다. 이를 통해 사회적 소수자가 시·공간에 따라 다르게 규정될 수 있음을 알 수 있다. ㄷ. (가), (나)는 각각 국적과 인종이라는 기준에 의해 사회적 소수자로 규정되는 모습을 보여 준다. 이를 통해 사회적 소수자를 규정하는 기준이 다양함을 알 수 있다.

┃바로 알기┃ ㄴ. B국에서는 다수인 흑인이 사회적 소수자라는 점에서, 집단의 크기가 사회적 소수자를 결정하는 것이 아님을 알 수 있다. ㄹ. (가)를 통해 사회적 소수자는 후천적 요인에 의해서도 결정될 수 있음을 알 수 있다.

2 청소년 노동권 침해 문제

근로 계약서
└ 부모의 동의를 얻어 본인이 작성함

갑(주유소 사장)과 을(만 17세)은 다음과 같이 근로 계약을 체결하고 이를 성실히 이행할 것을 약정한다.

1. 계약 기간: 2018년 7월 10일부터 2018년 8월 25일까지
2. 업무 내용: 주유 및 주변 청소
3. 근무 시간: 오전 9시부터 오후 5시까지
4. 근무일/휴일: 월요일~금요일 / 매주 토요일·일요일 휴무
5. 임금: 협의 (연장 근로 시간에 대해서는 50% 가산하여 지급)

② 을의 근로 시간은 8시간이므로 1시간 이상의 휴게 시간이 근로 시간에 포함되어 있어야 한다.

┃바로 알기┃ ① 을은 근로 계약을 맺은 당사자이므로 부모의 동의 없이도 임금을 청구할 수 있다. ③ 시급을 협의한다고 하더라도 최저 임금 미만으로는 협의할 수 없다. ④ 근로 계약 기간, 근무 시간, 임금 등은 모두 근로 계약서에 명시되어 있어야 한다. ⑤ 청소년 근로자는 근로 계약 체결 시 부모의 동의를 얻어야 하지만 그 계약의 체결은 본인이 스스로 해야 한다. 부모가 대신 체결하는 것은 불법이다. 이는 부모가 자녀의 뜻과는 다르게 노동을 착취하는 경우를 예방하기 위한 것이다.

01 ②	02 ③	03 ⑤	04 ①	05 ③	06 ②	07 ⑤
08 ④	09 ③	10 ④	11 ④	12 ④	13 ②	14 ①
15 ④	16 ③	17 ④	18 ④	19 ③		

01 인권의 특징

인권은 인간이 태어나면서부터 당연히 갖게 되는 권리로서, 일정 기간에만 주어지지 않고 영구히 보장되는 권리이다. 또한 인종·성별·종교 등에 관계없이 누구나 가질 수 있는 권리이며, 다른 사람에게 양도하거나 다른 사람이 침해할 수 없다.

┃바로 알기┃ ① 인권은 인간이라면 누구나 누릴 수 있는 권리이다. ③ 인권은 헌법에 규정이 없어도 보장받을 수 있는 권리이다. ④ 인권은 시대와 장소에 관계없이 항상 보장받는 권리이다. ⑤ 인권은 다른 사람에게 양도할 수 없는 불가침성을 가지고 있다.

02 인권 보장의 역사

(가)는 1세대 인권, (나)는 2세대 인권, (다)는 3세대 인권에 해당한다. ㄴ. 2세대 인권에서 강조되는 사회권은 국가의 역할을 확대함으로써 인간다운 생활을 보장받는 것을 목적으로 한다. ㄷ. 3세대 인권에서 강조하는 연대권은 개인의 인권 보장을 넘어 지구촌 구성원 모두의 인권 보장을 위해 전 지구적 차원의 협력을 중시한다.

┃바로 알기┃ ㄱ. 1세대 인권은 국가의 전제 정치에서 벗어나 자유와 평등을 누리는 데 강조점을 두었다. 인종 차별, 국가 간 빈부 격차를 없애는 데 중점을 둔 것은 3세대 인권인 연대권이다. ㄹ. (가) 1세대 인권보다 (다) 3세대 인권에서 보장하고 있는 인권의 내용과 범위가 훨씬 구체적이다.

03 인권 보장의 역사

①, ② 신분제 사회에 대한 반발, 계몽사상과 천부 인권 사상의 확산을 배경으로 시민 혁명이 일어난 결과 1세대 인권이 보장되기 시작하였다. ③ 2세대 인권은 근로의 권리, 교육을 받을 권리, 사회보장을 받을 권리 등을 내용으로 한다. ④ 3세대 인권은 자결권, 평화의 권리, 지속 가능한 환경에 대한 권리 등을 내용으로 한다.

┃바로 알기┃ ⑤ 사회 보장을 받을 권리는 2세대 인권인 사회권에 해당한다.

04 인권 보장의 역사

② 미국 독립 혁명 과정에서 선포된 미국 독립 선언문은 국민 주권의 원리, 천부 인권, 저항권 등에 대해 규정하였다. ③ 프랑스 혁명 과정에서 채택된 프랑스 독립 선언은 정치 권력으로부터 간섭받지 않고 자유롭게 생활할 수 있는 권리인 자유권, 재산권과 부당하게 차별 받지 않을 권리인 평등권 등을 명시하였다. ④ 산업 혁명 이후 국가가 사회적 약자를 보호해야 한다는 생각이 널리 확산되었고 이에 따라 독일 바이마르 헌법에 사회권이 처음으로 규정되었다. ⑤ 세계 인권 선언은 인권을 누리지 못하는 개인과 집단의 인권을 보장하기 위해 인권 보장의 국제적 기준을 제시하였다.

┃바로 알기┃ ① 영국 권리 장전은 의회 중심의 입헌 군주제를 명시하였다.

05 인권 보장의 역사

제시된 사건들은 모두 인권이 발달되는 과정에서 일어난 사건들이다. 이 사건들은 평등권, 참정권 등 인간의 기본권 보장을 주장함으로써 인간의 존엄성을 실현하는 데 기여하였다.

06 현대 사회의 인권

㉠은 주거권, ㉡은 안전권이다. ① 주거권은 쾌적하고 안정적인 주거 환경에서 인간다운 주거 생활을 할 권리이다. ③ 주거권과 안전권은 국가가 적극적인 보장 노력을 기울여야 하므로 국가의 개입을 필요로 한다. ④ 주거권과 안전권 모두 사회적·경제적 변화에 따라 현대 사회에서 새롭게 강조되는 인권이다. ⑤ 최저 주거 기준 설정은 주거권을, 기업의 산업 재해 예방 노력은 안전권을 실현하기 위한 방안이다.

ǁ 바로 알기 ǁ ② 안전권은 위험 요소로부터 안전을 보장받기 위해 등장한 권리이다. 여가 생활의 증대에 따라 강조되는 권리는 문화권이다.

07 잊힐 권리

제시된 기사는 잊힐 권리에 대한 내용이다. 잊힐 권리는 정보 사회의 발달에 따라 등장한 권리로 인터넷에서 유통되는 개인 정보를 당사자가 수정 또는 삭제해 달라고 요청할 수 있는 권리, 즉 자기 정보에 대한 자기 결정권을 중시하는 권리이다. 그러나 무분별하게 남용될 경우 자신에게 득이 될 만한 정보만 남겨 다른 사람의 '알 권리'를 침해할 소지가 있다.

ǁ 바로 알기 ǁ ㄱ. 환경권에 대한 설명이다. ㄴ. 시민 혁명에서부터 강조되어 온 권리는 자유권과 평등권이다.

08 인권 보장을 위한 제도적 장치

┌─ 자 료 분 석 ─┐

- 제8조 ① 정당의 설립은 자유이며, 복수 정당제는 보장된다.
- 제40조 입법권은 국회에 속한다. ── 권력 분립의 원리 ┐ 복수 정당제
- 제60조 ④ 행정권은 대통령을 수반으로 하는 정부에 속한다. ┘
- 제67조 ① 대통령은 국민의 보통·평등·직접·비밀 선거에 의하여 선출한다. ─ 국민 주권의 원리
- 제101조 ① 사법권은 법관으로 구성된 법원에 속한다. └─ 권력 분립의 원리

제시된 헌법 조항은 복수 정당제, 권력 분립의 원리, 국민 주권의 원리 등을 명시하고 있다. 이러한 제도는 모두 국민의 인권을 충실히 보장하는 것을 목적으로 한다.

09 기본권의 종류

㉠은 직업 선택의 자유, 즉 자유권이다. ㉡은 국가 배상 청구권을 통해 국가로부터 배상을 받았으므로 청구권에 해당한다.

10 자유권과 청구권

④ 청구권은 다른 기본권이 침해되었을 때 이를 구제하기 위한 수단적인 권리이다.

ǁ 바로 알기 ǁ ① 불합리한 차별을 받지 않을 권리는 평등권에 해당한다. ② 자유권은 역사적으로 가장 오래된 기본권이다. ③ 차티스트 운동을 통해 보장되기 시작한 권리는 참정권이다. ⑤ 자유권은 청구권과 달리 국가로부터의 자유를 추구하는 권리이다.

11 헌법 재판소의 역할

제시된 글은 헌법 소원 심판에 해당하는 내용이다. 공권력 또는 법률에 의하여 인권을 침해당한 국민은 헌법 소원 심판을 신청할 수 있다. 헌법 재판소는 위헌 법률 심판, 헌법 소원 심판을 통해 국민의 침해된 권리를 구제해 주는 인권 보장의 최후의 보루 역할을 수행한다.

12 기본권의 보장과 제한

(가)는 헌법에 열거되지 않은 자유와 권리도 보장받을 수 있음을 명시한 규정이고, (나)는 기본권의 제한과 한계를 명시한 규정이다. ㄴ. (가)에 근거하여 사회가 변화하면서 새롭게 등장한 주거권, 문화권, 잊힐 권리 등도 보장받을 수 있다. ㄹ. (나)의 국민의 권리를 제한하더라도 본질적인 내용은 침해할 수 없다는 내용을 통해 국민의 기본권 보장을 위해 기본권 제한의 한계를 규정함을 알 수 있다.

ǁ 바로 알기 ǁ ㄱ. (가)를 통해 헌법에 규정되지 않은 기본권도 보장받을 수 있음을 유추할 수 있다. ㄷ. (나)는 국가가 기본권을 제한하는 경우에도 기본권의 본질적 내용은 침해할 수 없다고 명시하였다.

13 준법 의식

제시된 사례는 일부 운전자의 준법 의식 결여로 도로 질서가 무너지고, 다른 사람까지 피해를 입은 모습을 보여 준다. 만약 운전자들이 법을 잘 지켰다면 이러한 사고는 일어나지 않았을 것이다. 이를 통해 준법 의식의 필요성을 알 수 있다.

14 시민 참여

제시문은 시민 참여에 대한 내용이다. 시민 참여는 사회 구성원 모두의 권리와 이익이 존중받는 정의로운 사회 실현에 이바지한다. 또한 시민 참여는 직접 민주주의적 요소로서 대의 민주주의를 보완하는 역할을 한다.

ǁ 바로 알기 ǁ ㄷ. 시민 참여는 보통 합법적인 방법으로 이루어지지만, 법이나 정책이 사회 구성원의 권리를 심각하게 침해하고 정의를 훼손할 경우 시민 불복종과 같은 비합법적 방법으로도 전개될 수 있다. ㄹ. 시민 참여는 국가 권력을 견제하는 역할을 한다.

15 시민 불복종

제시문은 시민 불복종의 정당화 조건에 대해 말하고 있다. 정의롭지 않은 법을 지키는 것은 공동선을 파괴하는 행위이므로 저항하

라는 것이다. 다만 이러한 시민 불복종이 정당화되려면 그 목적이 정의를 위한 것이어야 하며, 폭력을 배제해야 하고, 최후의 수단으로 사용해야 한다. 또한 위법 행위에 대한 처벌을 감수해야 한다.

∥ 바로 알기 ∥ ④ 자신의 이익에 불리한 법률이나 정책이라고 해서 무조건 저항하는 것은 옳지 않다. 정의에 어긋나는 법률이나 정책에 대한 저항이어야 시민 불복종의 정당화 조건인 목적의 정당성을 충족시킬 수 있다.

16 사회적 소수자

이주 노동자와 장애인은 우리 사회의 사회적 소수자에 해당한다. 사회적 소수자는 신체적·문화적 특성 때문에 자신이 사는 사회의 다른 구성원들과 구분되며, 자신들이 차별받는 집단에 속해 있다는 사실을 인식하고 있다.

∥ 바로 알기 ∥ ㄱ. 사회적 소수자는 사회·경제적 약자의 위치에 있기 때문에 주류 집단에 비해 권력의 열세에 있다. ㄹ. 사회적 소수자는 특정 집단에 속해 있다는 이유만으로 불평등한 대우나 사회적 차별을 받는 집단이다.

완자 정리 노트 사회적 소수자 차별 문제

사회적 소수자의 의미	한 사회에서 신체적·문화적 특징 때문에 다른 구성원에게 차별을 받으며, 스스로 차별받는 집단에 속해 있다는 의식을 가진 사람
사회적 소수자의 특징	• 규정 기준의 다양성: 성별, 인종, 장애, 국적 등 다양한 기준에 의해 규정됨 • 시·공간적 상대성: 상황과 여건에 따라 누구나 사회적 소수자로 규정될 수 있음
차별의 문제점	인간의 존엄성을 해치고 사회적 갈등을 유발함
해결 방안	• 개인적 차원: 사회적 소수자에 대한 편견을 극복하고 다양성을 존중할 줄 아는 자세 함양 • 사회적 차원: 사회적 소수자를 차별하는 정책이나 법률 정비, 지속적인 교육과 의식 개선 활동

17 사회적 소수자 차별 문제의 해결 방안

밑줄 친 제도는 사회적 소수자인 장애인과 여성을 우대하기 위해 마련되었다. 이는 사회적 차별로 인해 기회의 평등을 실현하기 어려운 사회적 소수자들을 적극적으로 우대함으로써 사회적 소수자들이 실질적인 평등을 누릴 수 있도록 하려는 제도적 차원의 노력에 해당한다.

∥ 바로 알기 ∥ ① 사회적 소수자에 대한 우대 정책을 펼친다고 하여 사회적 소수자가 경제적 강자의 위치에 서게 되는 것은 아니다. ②, ④ 제도 시행을 통해 사회적 소수자가 받는 불평등한 처우를 개선함으로써 사회적 소수자에 대한 차별 완화를 목적으로 한다. ⑤ 제시된 내용은 사회적 소수자에 대한 차별을 해소하기 위한 제도적 차원의 노력에 해당한다.

18 청소년 노동권

을. 청소년 근로자는 근로 계약서를 쓸 때 부모의 동의서가 필요하다. 정. 청소년 근로자는 하루 최대 7시간 근로할 수 있으며, 사용자와의 협의에 따라 하루에 1시간 이내에서 연장 근로를 할 수 있다.

∥ 바로 알기 ∥ 갑. 청소년도 최저 임금법의 적용을 받으므로 최저 임금 이상

의 임금을 받아야 한다. 병. 하루 4시간 근로에 30분 이상의 휴게 시간을 보장해 주어야 한다.

19 세계의 다양한 인권 문제

ㄴ. 인종 차별 문제는 특정 인종에 대한 적대감을 나타내는 배타주의로 나타난다. ㄷ. 세계 인권 문제를 해결하기 위해 정부 간 국제기구를 비롯하여 국제 사면 위원회, 국경 없는 의사회와 같은 국제 비정부 기구 등의 국제적인 연대가 이루어지기도 한다.

∥ 바로 알기 ∥ ㄱ. 빈곤 문제는 전쟁과 내전, 자연재해 등으로 인해 나타날 수 있다. ㄹ. 인류의 보편적 가치인 인권을 지키는 것은 개별 국가만의 문제가 아니므로 개별 국가의 의사와 관계없이 국제기구 등이 문제 해결에 참여하기도 한다. 국제적인 여론 조성을 통한 인권 개선 유도, 국제법에 근거한 인권 침해 제재 등이 이에 해당한다. 또한 국가 권력의 남용으로 인권 탄압이 지속될 경우에는 국제 형사 재판소에 제소하여 처벌할 수도 있다.

V. 시장 경제와 금융

01~02

자본주의와 합리적 선택~ 시장 경제와 시장 참여자의 역할

STEP 1 핵심 개념 확인하기
124쪽

1 자본주의 **2** (1) ○ (2) × (3) × **3** (1) 기회비용 (2) 최소, 최대 **4** ㉠ 공공재 ㉡ 무임승차 **5** (1) - ㉡ (2) - ㉠ (3) - ㉢ **6** (1) 사회적 책임 (2) 윤리적 소비

STEP 2 내신 만점 공략하기
124~128쪽

01 ⑤	02 ③	03 ⑤	04 ③	05 ⑤	06 ④	07 ④
08 ③	09 ④	10 ⑤	11 ④	12 ②	13 ⑤	14 ⑤
15 ⑤	16 ④					

01 자본주의의 특징

(가)에는 자본주의의 특징에 해당하는 내용이 들어가야 한다. ㄷ. 자본주의에서는 경제 활동의 자유가 보장되므로 개별 경제 주체들은 시장에서의 경쟁을 통해 자신의 경제적 이익을 자유롭게 추구할 수 있다. ㄹ. 자본주의에서는 개인이 재산을 자유롭게 획득하고 사용할 수 있는 사유 재산권이 법적으로 보장된다.

┃ 바로 알기 ┃ ㄱ. 자본주의에서는 주로 시장에서 결정된 가격에 따라 상품의 거래가 이루어진다. ㄴ. 자본주의에서 개별 경제 주체들은 자신의 이익을 자유롭게 추구하므로 누구에게나 균등한 소득이 보장되지 않는다.

02 산업 자본주의의 특징

제시된 자료는 애덤 스미스의 주장이다. 애덤 스미스는 경제 활동의 자유를 최대한 보장할 때 사회 전체의 이익도 커지므로, 국가의 간섭을 최대한 배제해야 한다고 주장하였다. ㄴ. 산업 자본주의에서는 시장에서 국가의 역할을 최소화하는 작은 정부가 강조되었다. ㄷ. 산업 혁명으로 공장제 기계 공업에 의한 상품의 대량 생산체제가 갖추어지면서 산업 자본주의가 성장하였다.

┃ 바로 알기 ┃ ㄱ은 상업 자본주의, ㄹ은 수정 자본주의에 대한 설명이다.

03 수정 자본주의의 특징

제시된 사례에 나타난 문제를 해결하기 위해 수정 자본주의가 등장하였다. ⑤ 수정 자본주의를 받아들인 국가들은 각종 공공사업을 벌이거나 사회 보장 제도를 강화하는 등 다양한 정책을 통해 시장에 적극적으로 개입하는 큰 정부를 추구하였다.

┃ 바로 알기 ┃ ①은 신자유주의, ②, ④는 산업 자본주의와 신자유주의, ③은 상업 자본주의에 대한 설명이다.

04 신자유주의의 특징

㉠에 들어갈 내용은 신자유주의이다. 신자유주의는 정부가 시장에 개입하는 것이 비효율성이나 부패를 낳아 효율적인 자원 분배를 저해한다고 보았다. ㄴ. 신자유주의는 정부의 역할을 제한해야 한다고 보기 때문에 정부 규제의 완화 및 철폐를 주장한다. ㄷ. 신자유주의는 시장의 기능과 민간의 자유로운 경제 활동을 강조한다.

┃ 바로 알기 ┃ ㄱ. 신자유주의는 복지 축소를 주장한다. ㄹ. 수정 자본주의에 대한 설명이다.

완자 정리 노트 자본주의의 역사적 전개 과정

상업 자본주의	상품의 생산보다 유통 과정에서의 이윤 추구 중시
⬇ 산업 혁명	
산업 자본주의	자유방임주의, 작은 정부 추구
⬇ 대공황	
수정 자본주의	큰 정부 추구
⬇ 석유 파동에 따른 스태그플레이션	
신자유주의	정부의 역할 제한, 시장의 기능 강조

05 기회비용과 매몰 비용

(가)는 매몰 비용, (나)는 기회비용이다. ② 합리적 선택을 하려면 선택으로 새롭게 발생하는 비용과 편익만 비교해야 한다. 이미 써 버려 회수할 수 없는 매몰 비용은 선택으로 발생하는 비용이 아니므로 고려해서는 안 된다. ④ 어떤 대안을 선택하면 그로 인해 가질 수 있었던 다른 대안을 포기할 수밖에 없으므로 포기한 대안의 가치인 암묵적 비용도 기회비용에 포함된다.

┃ 바로 알기 ┃ ⑤ 합리적 선택은 편익이 기회비용보다 큰 대안을 선택하는 것이다.

06 합리적 선택과 기회비용

자료 분석

혼자서 식당을 운영하는 갑은 여름휴가로 5일간 해외여행을 가기로 하였다. 갑이 해외여행 경비로 쓰게 되는 돈은 200만 원이고, 그 중 50만 원을 여행사에 미리 지불하였다. 만약 갑이 해외여행을 가지 않고 5일 동안 식당을 운영할 경우 벌어들일 수 있는 수입은 100만 원이다.

- 직접 지출하는 명시적 비용이야.
- 이미 지불하여 회수할 수 없는 매몰 비용이야.
- 선택을 위해 포기한 가치인 암묵적 비용이야.

ㄴ. 갑이 해외여행을 갔을 때의 기회비용은 해외여행 경비 200만 원(명시적 비용)에 식당 영업을 하지 않는 동안 포기해야 하는 수입인 100만 원(암묵적 비용)을 포함한 300만 원이다. ㄹ. 합리적 선택은 편익이 기회비용보다 큰 대안을 선택하는 하는 것이다. 따라서 해외여행에 따른 편익이 200만 원이라면 기회비용인 300만 원보다 작으므로 여행을 가지 않고 식당을 운영하는 것이 합리적이다.

┃ 바로 알기 ┃ ㄱ. 매몰 비용은 50만 원이다. ㄷ. 명시적 비용은 200만 원이다.

07 합리적 선택의 한계

제시된 사례에서 A 제약회사는 소수의 환자에게 반드시 필요한 치료제를 적자를 이유로 생산 중단을 결정하였다. 이는 효율성을 중시한 기업의 선택이지만, 환자들의 생존이 어려워진다는 측면에서 인간의 존엄성 및 생명 존중이라는 가치를 훼손할 수 있다.

08 시장 실패의 원인

밑줄 친 내용은 시장 실패에 해당한다. 시장 실패는 불완전 경쟁, 공공재의 공급 부족, 외부 효과 등의 이유로 시장에서 자원 배분이 효율적으로 이루어지지 못하는 상태를 말한다. ① 다른 사람에게 의도하지 않은 손해를 끼치면서 그에 대한 보상을 하지 않는 것으로 외부 불경제에 해당한다. ② 도로나 공원 등과 같은 공공재는 비용을 지불하지 않는 사람의 소비를 막을 수 없기 때문에 민간 기업에서 생산을 꺼릴 수밖에 없어 사회가 필요로 하는 만큼 공급되지 않는다. ④ 독과점 시장에서 시장 지배력을 가진 소수의 기업들이 담합하여 생산량을 조절하거나 가격을 높게 책정하여 시장에서 자유로운 경쟁이 이루어지지 못하고 있다. ⑤ 다른 사람에게 의도하지 않은 혜택을 주지만 그에 대한 대가를 받지 않는 경우로 외부 경제에 해당한다.

바로 알기 ③ 수요 증가에 따른 소비량 증가는 시장 경제에서 자연스러운 현상이다.

완자 정리 노트 시장 실패

의미	시장에서의 자원 배분이 효율적이지 못한 상태
원인	• 불완전 경쟁: 시장에서 독과점 기업이 이윤 극대화를 위해 가격이나 생산량을 임의로 조정함 • 공공재의 공급 부족: 공공재는 무임승차의 문제가 나타나 시장에서 필요한 만큼 충분히 공급되지 않음 • 외부 효과의 발생: 어떤 경제 주체의 활동이 다른 경제 주체에게 의도하지 않은 혜택이나 손해를 가져다주면서도 어떤 대가를 받거나 지급하지 않음

09 공공재의 공급 부족

가로등은 다수의 사람이 공동으로 소비할 수 있는 재화인 공공재에 해당한다. ㄴ, ㄹ. 공공재는 대가를 지급하지 않은 사람도 소비할 수 있고, 한 사람이 공공재를 소비한다고 해서 다른 사람이 소비할 수 있는 몫이 줄어들지 않는다. 이처럼 공공재는 사람들이 대가를 지급하지 않아도 같은 혜택을 누릴 수 있으므로 무임승차의 문제가 발생한다. 따라서 공공재는 이윤을 추구하는 기업에게 자율적인 생산을 기대하기 어렵고, 사회적으로 필요한 양만큼 생산되지 못하는 한계가 있다.

바로 알기 ㄱ. 외부 효과는 다른 사람 또는 사회 전체에 의도하지 않은 혜택이나 손해를 가져다주면서도 어떤 대가를 받거나 지급하지 않는 현상이다. ㄷ. 공공재의 부족은 시장의 기능이 제대로 작동하지 않아 발생하는 문제이다. 이러한 문제를 해결하기 위해 정부의 개입이 이루어진다.

10 외부 효과

(가)는 다른 사람에게 혜택을 주지만 그에 대한 대가를 받지 않는 외부 경제, (나)는 다른 사람에게 손해를 끼치지만 그에 대한 보상을 하지 않는 외부 불경제의 사례이다. 외부 경제가 발생하는 재화나 서비스는 사회적으로 적정한 수준보다 적게 생산 또는 소비되는 반면, 외부 불경제가 발생하는 재화나 서비스는 사회적으로 적정한 수준보다 많이 생산 또는 소비된다.

바로 알기 ⑤ 외부 경제와 외부 불경제로 인해 발생하는 혜택이나 비용이 계산되지 않기 때문에 재화나 서비스가 사회적으로 적정한 수준보다 많거나 적게 생산된다. 따라서 자원이 비효율적으로 배분되는 시장 실패가 나타난다.

완자 정리 노트 외부 효과

외부 경제	• 다른 사람에게 혜택을 주지만 그에 대한 대가를 받지 않는 경우 • 사회적으로 적정한 수준보다 적게 생산 또는 소비됨
외부 불경제	• 다른 사람에게 손해를 끼치지만 그에 대한 보상을 하지 않는 경우 • 사회적으로 적정한 수준보다 많이 생산 또는 소비됨

11 정부의 역할

제시된 내용은 불완전 경쟁, 외부 효과에서 비롯한 시장 실패를 개선하기 위한 정부의 노력에 해당한다. 이러한 정부의 노력은 시장에서 자원이 더 효율적으로 배분될 수 있게 한다.

완자 정리 노트 시장 실패 개선을 위한 정부의 노력

공정한 경쟁 촉진	불공정 거래 행위 규제 및 독과점 기업의 횡포 단속, 소비자 권리 보호
공공재의 공급	시장에서 충분히 생산되지 않는 공공재를 생산 및 관리
외부 효과의 개선	• 외부 경제: 세금 감면, 보조금 지급 • 외부 불경제: 세금이나 벌금 부과, 오염 물질 배출량 제한

12 시장 경제의 한계와 정부의 역할

(가)는 사회적으로 적정한 양보다 적게 생산되고, 이를 해결하기 위해 정부가 직접 생산한다는 것에서 '공공재의 공급 부족임을 알 수 있다. (나)는 사회적으로 적정한 양보다 적게 생산되고, 이를 해결하기 위해 정부가 보조금을 지급하여 생산을 늘리려 한다는 것에서 '외부 경제'임을 알 수 있다. (다)는 외부 불경제를 해결하기 위한 정부의 노력에 해당하므로, '세금이나 벌금 부과'를 통해 생산이나 소비를 줄이려는 노력이 들어가야 한다.

바로 알기 ㄴ. 대형 할인점이 생겨서 인근 소매점의 매출이 줄어든 것은 경쟁에 의한 것으로 외부 경제의 사례라고 볼 수 없다. ㄹ. 공공재의 부족, 외부 경제, 외부 불경제는 모두 정부의 시장 개입이 필요하다는 주장의 근거가 된다.

13 기업가 정신

제시된 내용은 기업이 이윤 극대화를 위해 위험과 불확실성을 무릅쓰고 모험적이고 창의적인 정신을 발휘해야 한다는 기업가 정신을 강조하고 있다.

14 기업의 사회적 책임

제시된 주장은 기업이 이윤 창출 외에도 기업 활동에서 지켜야 할 윤리를 준수해야 한다는 기업의 사회적 책임을 강조하고 있다. ①, ② 장애인과 같은 사회적 약자를 고용하고, 노동자의 권리를 존중하는 것은 기업이 사회적 책임을 다하려는 노력에 해당한다. ③, ④ 기업이 사회적 책임을 다하기 위해서는 투명하고 공정한 경제 활동을 통해 노동자와 소비자의 이익을 보호하고, 환경과 공동체 전체를 배려하는 윤리 경영을 실천할 필요가 있다.

▌바로 알기▌ ⑤ 기업이 생산비 절감을 위해 일방적으로 구조 조정을 하는 것을 기업이 사회적 책임을 다한 것으로 볼 수 없다.

15 노동자의 역할과 책임

①, ② 노동자는 사용자보다 상대적으로 약자의 위치에 있다. 따라서 노동자는 근로 조건의 향상을 위해 노동 삼권(단결권, 단체 교섭권, 단체 행동권)을 행사할 수 있으며, 사용자에게 적절한 임금과 근로 시간 등 법이 정한 근로 조건을 준수하도록 요구할 수 있다. ③ 노동자는 사용자와 소통하고 협력하며 상생의 관계를 형성하도록 노력해야 한다. 노동자가 자신의 이익만을 추구하다 보면 노사 관계가 악화하여 시장의 원활한 작동을 저해할 수 있다. 따라서 장기적인 관점에서 공동의 이익을 달성하기 위해 함께 노력해야 한다. ④ 노동자는 사용자와 맺은 근로 계약에 따라 자신의 업무를 성실히 수행하여 생산성 향상에 이바지해야 한다.

▌바로 알기▌ ⑤ 노동자는 근로 조건의 유지 및 개선을 위해 사용자에 대항하는 등의 쟁의 행위를 할 수 있다.

16 윤리적 소비

제시된 글은 윤리적 소비에 대한 설명이다. ① 공정 무역으로 수입된 상품을 구매함으로써 개발 도상국 생산자에게 좀 더 유리한 무역 조건을 제공할 수 있다. ② 생산 농가에서 직거래로 농산물을 구매하는 행위는 유통 단계를 줄여 농가에 더 많은 이익을 줄 수 있다. ③ 동물 실험을 하지 않는 화장품을 구매함으로써 동물이 실험 대상으로써 고통 받지 않도록 할 수 있다. ⑤ 아동 노동의 착취를 통해 만들어진 제품을 구매하지 않는 행위는 기업이 더 이상 아동 노동을 착취하지 않도록 만들 수 있다.

▌바로 알기▌ ④ 저렴한 가격만을 중시하여 배기가스를 기준치 이상 발생시키는 자동차를 구매하는 행위는 환경에 헤를 끼칠 수 있다.

 서술형 문제

128쪽

01 주제: 자본주의의 역사적 전개 과정

(1) (가) – 산업 자본주의, (나) – 수정 자본주의

(2) **예시 답안** 산업 자본주의에서는 개별 경제 주체의 자유로운 경제 활동을 보장하고 시장에서 정부의 역할을 제한하는 작은 정부가 강조되었다. 한편 수정 자본주의에서는 시장의 한계를 보완하고 모든 국민의 인간다운 생활을 보장하기 위해 큰 정부가 강조되었다.

채점 기준

상	산업 자본주의와 수정 자본주의에서 정부의 역할이 어떻게 작용하는지 구체적으로 비교하여 서술한 경우
하	산업 자본주의에서는 작은 정부, 수정 자본주의에서는 큰 정부가 강조되었다고만 서술한 경우

02 주제: 합리적 선택과 기회비용

(1) 1억 400만 원(← 명시적 비용 8,000만 원 + 암묵적 비용 2,400만 원) ⌐A 커피 전문점에서 일할 경우 1년 동안 벌어들일 수 있는 수익⌐

(2) **예시 답안** 갑이 B 커피 전문점을 개업함으로써 얻은 편익은 1억 원이고, 기회비용은 1억 400만 원이다. 즉 B 커피 전문점 개업에 따른 기회비용이 편익보다 크기 때문에 갑의 선택은 비합리적이다.

채점 기준

상	B 커피 전문점 개업에 따른 편익과 기회비용을 비교하여 갑의 선택이 비합리적이라고 서술한 경우
중	B 커피 전문점 개업에 따른 편익과 기회비용만 비교한 경우
하	갑의 선택이 비합리적이라고만 서술한 경우

STEP 3 **1등급 정복하기**

129~131쪽

1 ①   2 ③   3 ⑤   4 ④   5 ④   6 ④

1 자본주의의 역사적 전개 과정

갑은 시장에서 정부의 역할을 제한해야 한다는 입장이며, 을은 시장 경제의 한계를 극복하기 위해 정부가 시장에 적극적으로 개입해야 한다는 입장이다. ② 을은 정부의 시장 개입을 옹호하므로 세율 인상 및 세금 부과에 찬성할 것이다. ③ '보이지 않는 손'의 기능은 시장의 기능을 중시하는 갑이 을보다 더 신뢰할 것이다. ④ 경쟁을 저해하는 규제 폐지는 정부의 시장 개입을 주장하는 을보다 시장 기능을 중시하는 갑이 찬성할 것이다. ⑤ 을은 시장 실패를 해결하기 위해 정부의 시장 개입이 필요하다고 주장하고 있다.

▌바로 알기▌ ① 갑은 정부가 시장에 개입하는 것이 비효율을 초래한다고 본다.

2 합리적 선택과 기회비용

자료 분석

갑은 올해 정년퇴직을 했다. 갑은 내년부터 1년 동안 ⊙ 여가를 즐기는 것, ⓒ 라면 전문점을 경영하는 것, ⓒ 임시직으로 취업하는 것을 놓고 고민하고 있다. 표는 갑이 세 가지 대안에 대해 화폐 단위로 평가한 결과를 나타낸다. (단, 다른 요소들은 고려하지 않는다.)

선택으로 얻을 수 있는 수입과 정신적 만족의 합이 편익에 해당해.

(단위: 만 원)

대안	비용	판매 수입	연봉	정신적 만족	편익
⊙	400			1,800	1,800
ⓒ	5,000	6,800		400	7,200
ⓒ			1,500	800	2,300

* 음영으로 표시한 부분은 고려하지 않는다.

제시된 사례에서 ⊙~ⓒ을 선택했을 때의 이익(편익-비용)은 각각 1,400만 원(← 편익 1,800만 원 - 비용 400만 원), 2,200만 원(← 편익 7,200만 원 - 비용 5,000만 원), 2,300만 원(← 편익 2,300만 원 - 비용 없음)이다. 그리고 기회비용은 명시적 비용과 암묵적 비용을 합한 것으로, 암묵적 비용은 포기한 대안 중 가장 큰 이익을 말한다. 따라서 ⊙~ⓒ을 선택했을 때의 기회비용은 각각 2,700만 원(← 명시적 비용 400만 원 + 암묵적 비용 2,300만 원), 7,300만 원(← 명시적 비용 5,000만 원 + 암묵적 비용 2,300만 원), 2,200만 원이다. 이때 편익에서 기회비용을 차감한 값인 순편익이 가장 큰 대안을 선택하는 것이 합리적 선택이다. ㄴ. ⊙~ⓒ의 순편익은 각각 -900만 원(← 편익 1,800만 원 - 기회비용 2,700만 원), -100만 원(← 편익 7,200만 원 - 기회비용 7,300만 원), 100만 원(← 편익 2,300만 원 - 기회비용 2,200만 원)이다. 세 가지 대안 중 순편익이 가장 큰 ⓒ을 고르는 것이 합리적 선택이다. ㄷ. 기회비용은 ⓒ이 7,300만 원, ⓒ이 2,200만 원으로, ⓒ이 ⓒ보다 크다.

바로 알기 ㄱ. 매몰 비용이란 이미 지불되어 회수할 수 없는 비용으로, ⊙에는 매몰 비용이 존재하지 않는다. ㄹ. ⊙~ⓒ의 정신적 만족감이 50%씩 감소할 경우 편익은 각각 900만 원, 7,000만 원, 1,900만 원이며, 이익은 각각 500만 원, 2,000만 원, 1,900만 원이다. 그리고 ⊙~ⓒ을 선택했을 때의 기회비용은 각각 2,400만 원, 6,900만 원, 2,000만 원이다. 따라서 ⊙~ⓒ의 순편익은 각각 -1,500만 원, 100만 원, -100만 원이 된다. 순편익이 가장 큰 대안은 ⓒ이므로 갑의 선택은 달라진다.

3 시장 경제의 한계와 시장 참여자의 역할

제시된 사례에서 록펠러가 설립한 석유 회사는 시장에서 지배력을 가지고 가격을 임의적으로 조정하여 경쟁 기업에 불이익을 주고 있다. 이에 따라 시장에서 공정한 경쟁이 이루어지지 않아 자원 배분이 비효율적으로 이루어지고 있다.

바로 알기 ① 공공재의 공급이 원활하게 이루어지지 않는지 여부는 나타나 있지 않다. ②, ③ 미국 정부는 독점 금지를 막기 위한 정책을 시행하여 자유롭고 공정한 경쟁 질서를 촉진하고자 한다. ④ 외부 불경제에 대한 설명이다.

4 외부 효과

ㄴ. 독감 접종에 대한 편익이 비용보다 작은 사람은 백신 접종을 하지 않는다. 이는 개인적 차원에서 보면 편익과 비용을 고려하여 합리적 선택을 한 것이지만, 사회적 차원에서 보면 바람직하지 않은 결과를 초래할 우려가 있다. ㄹ. 독감 백신 접종은 외부 경제가 나타나므로 보조금 지급 등을 통해 많은 사람이 접종을 받게 함으로써 사회 전체적으로 바람직한 결과를 가져올 수 있다. 보건소의 무료 독감 백신 접종이 그 예에 해당한다.

바로 알기 ㄱ. 독감 백신을 접종하면 주변 사람들이 독감에 걸릴 가능성이 줄어들기 때문에 외부 경제가 나타난다. ㄷ. 자신의 편익만 고려하면 편익이 비용보다 작은 사람은 백신 접종을 하지 않는다. 따라서 독감 백신 접종은 사회적으로 적정한 수준보다 적게 이루어진다.

5 기업의 사회적 책임

제시된 글을 쓴 사람은 기업의 사회적 책임과 윤리 경영이 장기적으로 기업의 이익을 위해 필요하다고 본다. 즉 기업이 사회적 책임을 다하는 것의 중요성을 묻는 질문인 ④에 긍정의 대답을 하게 된다.

바로 알기 ① 기업의 이윤 추구와 공익이 양립할 수 있다고 보기 때문에 부정의 대답을 할 질문이다. ② 기업은 사회 복지와 공공선을 고려해야 하지만 근본적으로 이윤 창출을 목적으로 하므로, 부정의 대답을 할 질문이다. ③ 기업은 이윤 극대화를 위해 노력하면서 인권, 환경 등에 대한 사회적 책임을 져야 한다고 보기 때문에 부정의 대답을 할 질문이다. ⑤ 기업의 공익 활동이 기업의 경쟁력을 강화할 수 있다고 보기 때문에 부정의 대답을 할 질문이다.

6 시장 경제의 발전을 위한 소비자의 역할

(가)는 자신의 욕구와 상품에 대한 정보를 바탕으로 자신의 소득 범위 안에서 최대의 만족을 추구하는 합리적 소비에 관한 내용이다. (나)는 소비 행위가 원료 재배, 생산, 유통 등의 전 과정과 연결되어 있다는 것을 인식하고, 윤리적으로 소비해야 한다는 윤리적 소비에 관한 내용이다.

바로 알기 ㄱ. 합리적 소비는 공공성보다 개인적 선호를 상품 선택의 기준으로 삼는다. ㄷ. 윤리적 소비는 인권, 노동의 가치 등을 고려하여 소비하는 것이다.

국제 무역의 확대와 영향

1 (1) 국제 분업 (2) 비교 우위 **2** (1) 와인 (2) 옷 **3** (1) ○ (2) ×
4 (1) 낮은 (2) 커진다 **5** (1) ○ (2) × (3) ×

01 ③ **02** ④ **03** ① **04** ⑤ **05** ⑤ **06** ③ **07** ⑤
08 ④

01 국제 분업과 무역의 발생

각 국가는 기후, 지형 등 자연조건이 다르고, 자원, 노동, 자본 등
생산 요소의 질과 양도 차이가 나므로 같은 종류의 상품을 만들
더라도 생산비가 서로 다르다. 이에 따라 각국은 생산 조건에 따라
가장 적합한 상품을 특화하여 무역을 통해 교환하는 것이 이익이
된다. 따라서 ㉠에는 생산비, ㉡에는 특화가 들어간다.

02 국제 분업과 무역의 필요성

제시된 사례에서 오스트레일리아는 무역을 통해 철광석을 비롯한
지하자원을 수출하고 자국에서 생산하기 어려운 공산품을 수입하
고 있다. ④ 국제 분업과 무역은 자국에서 얻기 힘든 물건을 다른
국가에서 얻는 데 필요하다. 이는 자원, 노동, 자본 등과 같은 생산
요소가 지역에 따라 분포의 차이를 보이기 때문이다.

03 절대 우위와 비교 우위

제시된 사례에서 갑국은 을국보다 메모리 반도체와 섬유 생산의
기술력이 뛰어나므로 메모리 반도체와 섬유 생산 모두에 절대 우
위를 갖는다. 그러나 상대적으로 갑국은 메모리 반도체 생산, 을
국은 섬유 생산을 더 잘 할 수 있으므로, 갑국은 메모리 반도체,
을국은 섬유 생산에 비교 우위를 갖는다.
┃바로 알기┃ ㄷ. 섬유 생산에 있어 더 뛰어난 기술력을 가진 갑국은 절대
우위를, 상대적으로 더 잘 생산할 수 있는 을국은 비교 우위를 갖는다. ㄹ.
갑국과 을국 모두 무역을 통해 이익을 얻을 수 있으나, 이익의 크기는 알
수 없다.

완자 정리 노트   절대 우위와 비교 우위

절대 우위	한 국가가 어떤 상품을 생산하는 비용이 다른 국가보다 적게 드는 것
비교 우위	한 국가가 생산하는 상품의 기회비용이 다른 국가보다 낮은 것

04 국제 무역의 발생 원리

갑국과 을국의 딸기와 포도 1단위 생산에 따른 기회비용은 아래
표와 같다.

구분	갑국	을국
딸기	포도 1/2단위(← 30/60)	포도 2단위(← 200/100)
포도	딸기 2단위(← 60/30)	딸기 1/2단위(← 100/200)

① 딸기 1단위 생산의 기회비용은 갑국이 을국보다 적으므로 갑국
은 딸기 생산에 비교 우위를 갖는다. ② 갑국은 을국에 비해 딸기
와 포도를 더 적은 비용으로 생산할 수 있다. 따라서 갑국은 딸기
와 포도 생산에 모두 절대 우위를 갖는다. ③, ④ 포도 1단위 생산
의 기회비용, 즉 상대적 생산비는 을국이 갑국보다 적으므로 을국
은 포도 생산에 비교 우위를 갖는다. 따라서 을국은 포도 생산에
특화하는 것이 합리적이다.
┃바로 알기┃ ⑤ 딸기 1단위 생산의 기회비용은 을국이 갑국의 4배이다.

05 우리나라의 주요 수출 품목 변화

자료 분석

	자본과 기술이 부족하여 수산 및 광물 자원을 주로 수출했어.
1960년	철광석, 무연탄, 오징어 등
1970년	섬유류, 합판, 가발 등 ┐ 풍부한 노동력을 바탕으로 노동 집약
1990년	의류, 영상 기기, 선박 등 ┘ 적인 산업이 수출을 이끌었어.
2000년	반도체, 선박, 자동차 등
2015년	반도체, 자동차, 무선 통신 기기 등

1990년대 이후에는 자본과 기술이 축적되면서 점차 반도체,
무선 통신 기기와 같은 첨단 상품을 주로 수출하게 되었어.

제시된 표를 통해 우리나라가 주로 수출하는 품목이 시기에 따라
변화하고 있음을 알 수 있다. 이는 우리나라가 다른 국가보다 상대
적으로 더 적은 기회비용을 들여 생산할 수 있는 상품, 즉 비교 우
위를 가지는 상품이 달라졌기 때문이다. ㄹ. 1990년대 이후 반도
체, 통신 기기 등과 같은 기술 집약적인 상품의 수출이 주로 이루
어지고 있다.
┃바로 알기┃ ㄱ, ㄴ. 우리나라의 수출 의존도와 무역 규모를 파악할 수 있
는 자료는 제시되어 있지 않다.

06 세계 무역 기구(WTO)와 자유 무역 협정(FTA)

ㄴ. 세계 무역 기구(WTO)는 국가 간 무역 장벽을 제거하고 자유
무역을 확대하기 위해 설립되었으며, 회원국 간의 무역 분쟁 조정,
관세 인하 요구 등의 법적인 권한과 구속력을 행사한다. ㄷ. 자유
무역 협정(FTA)은 국가 간 상품의 자유로운 이동을 위해 무역 장
벽(관세, 수입 할당제 등)을 완화하거나 제거하는 협정으로, 협정
이 체결된 국가 간의 무역 규모 증가를 가져온다.
┃바로 알기┃ ㄱ. 세계 무역 기구는 각종 수입 제한 조치를 완화하여 자유
무역을 촉진한다. ㄹ. 자유 무역 협정에 위반되는 내용의 정책을 집행해서
는 안 되기 때문에 정부가 경제 정책을 자율적으로 운영하는 데 제약이 될
수 있다.

07 국제 무역 확대의 영향

제시된 사례에서는 우리나라에서 생산되지 않는 다양한 열대 과일을 무역을 통해 쉽게 접할 수 있음을 보여 준다. ⑤ 국제 무역이 확대되면 개인적 차원에서는 국내에서 구할 수 없거나 부족한 상품을 더 싸고 쉽게 구할 수 있으며, 상품 선택의 폭이 넓어져 편익이 커질 수 있다.

┃바로 알기┃ ①, ③ 국제 무역 확대의 부정적 영향, ②, ④ 국제 무역 확대의 긍정적 영향에 해당하지만, 제시된 사례와는 관련이 없다.

08 국제 무역 확대를 바라보는 시각

갑은 국제 무역 확대가 국가 경제에 긍정적으로 작용한다고 보고 있으며, 을은 국제 무역이 확대되면서 국가 간 빈부 격차가 심화될 수 있음을 우려하며 국제 무역 확대가 부작용을 가져온다고 보고 있다. ㄴ. 갑은 국제 무역이 확대되면서 경제가 성장한다고 주장하고 있으므로, 무역의 확대가 무역 당사국의 이익을 가져온다고 본다. ㄹ. 자유 무역 협정의 확대는 국제 무역의 확대를 가져오므로 갑은 찬성, 을은 반대할 것이다.

┃바로 알기┃ ㄱ. 갑은 국제 무역 확대를 긍정적으로 바라보므로 국가 간 무역 장벽을 완화해야 한다고 주장할 것이다. ㄷ. 을은 자본과 기술이 풍부한 선진국과 그에 비해 상대적으로 경쟁력이 떨어지는 개발 도상국이 자유 무역을 하면 이들 국가 간의 격차가 더욱 커질 수 있다고 본다.

완자 정리 노트   국제 무역 확대의 영향

긍정적 영향	소비 기회 확대, 규모의 경제 실현, 기업 경쟁력 강화, 새로운 기술 전파 등
부정적 영향	경쟁력 없는 산업 및 기업 위축, 국내 경제의 해외 의존도 심화, 국가 간 빈부 격차 심화 등

서술형 문제

136쪽

01 주제: 국제 무역의 원리

(1) ㉠ – 절대 우위, ㉡ – 비교 우위

(2) 예시 답안 을국은 신발 생산에 특화하여 갑국과 교역하는 것이 유리하다. 옷 1단위 생산을 위해 갑국은 신발 1/2단위, 을국은 3단위를 포기해야 한다. 반면 신발 1단위 생산을 위해 갑국은 옷 2단위, 을국은 1/3단위를 포기해야 한다. 을국은 갑국과 비교할 때 옷 생산의 상대적 생산비가 더 많고, 신발 생산의 상대적 생산비가 더 적기 때문이다.

채점 기준

상	갑국과 을국의 상대적 생산비를 계산하여 을국이 특화하는 상품에 대해 서술한 경우
중	갑국과 을국의 상대적 생산비만 비교한 경우
하	을국의 특화 상품만을 쓴 경우

02 주제: 국제 무역 확대의 영향

예시 답안 무역의 확대는 국가 간 상호 의존도를 심화하여 국외의 경제적 충격이 국내 경제에 큰 영향을 끼칠 수 있다. 특히 무역 의존도가 높은 국가는 다른 국가의 경제 상황의 영향을 더 크게 받을 수 있다.

채점 기준

상	무역의 확대가 국가 간 상호 의존도에 미치는 영향을 들어 서술한 경우
하	무역의 확대가 국가 간 상호 의존도를 심화한다고만 서술한 경우

STEP 3 1등급 정복하기
137쪽

1 ④   2 ⑤

1 국제 무역의 발생 원리

갑국과 을국의 X재와 Y재 1단위 생산에 따른 기회비용은 아래 표와 같다.

구분	갑국	을국
X재	Y재 1/2단위(← 2/4)	Y재 1/3단위(← 3/9)
Y재	X재 2단위(← 4/2)	X재 3단위(← 9/3)

ㄴ. X재와 Y재 모두 1단위 생산에 필요한 노동 시간이 갑국이 을국보다 적다. 따라서 갑국은 X재와 Y재 생산 모두에 절대 우위를 갖는다. ㄹ. ㉠이 6시간으로 감소할 경우 X재 생산의 기회비용은 갑국과 을국 모두 1/2단위이며, Y재 생산의 기회비용은 갑국과 을국 모두 X재 2단위이다. 따라서 어느 나라도 비교 우위를 가질 수 없으며, 교역의 이익 또한 발생하지 않는다.

┃바로 알기┃ ㄱ. 갑국의 X재 1단위 생산에 대한 기회비용은 Y재 1/2단위이다. ㄷ. 을국의 교역 전 X재와 Y재의 국내 교환 비율 역시 3 : 10이므로, 을국은 교역으로 이익을 얻지 못한다.

2 국제 무역 확대의 영향

제시된 그림을 통해 우리나라의 무역 의존도가 다른 국가에 비해 높다는 점을 알 수 있다. 무역 의존도는 한 국가의 경제가 어느 정도 무역에 의존하는가를 나타내는 지표로, 국내 총생산(GDP)에서 무역액이 차지하는 비율로 나타낸다. ⑤ 무역 의존도가 높을 경우 다른 국가의 경제 상황이 국내 경제에 끼치는 파급 효과가 커질 수 있다.

┃바로 알기┃ ① 무역 의존도가 높다고 해서 무역 규모가 크다고 볼 수 없다. ② 정확한 수출액과 수입액은 제시되어 있지 않다. ③ 우리나라 경제는 무역에 의존하는 정도가 높아 상대 국가의 경제 상황에 따라 국내 경제가 민감하게 반응하므로 국민 경제의 자립도가 높다고 볼 수 없다. ④ 제시된 자료에서 무역 의존도는 우리나라가 가장 높게 나타난다.

04 자산 관리와 금융 생활

STEP 1 핵심 개념 확인하기 142쪽

1 ㄷ, ㄹ, ㅁ **2** (1) 유동성 (2) 수익성 (3) 안전성 **3** (1) 예금 (2) 수익성 (3) 시세 차익 (4) 펀드 **4** (1) – ㄴ (2) – ㄱ (3) – ㄹ (4) – ㄷ **5** (1) ○ (2) ○ (3) ×

STEP 2 내신 만점 공략하기 142~145쪽

01 ②	02 ④	03 ④	04 ④	05 ③	06 ⑤	07 ③
08 ⑤	09 ④	10 ③	11 ②	12 ②		

01 자산 관리의 필요성

㉠에 들어갈 말은 자산 관리이다. ㄱ, ㄷ. 안정적인 경제생활을 위해서는 미래에 예상되는 지출과 더불어 뜻밖의 사고나 질병 등과 같이 예기치 못한 지출에 대비해야 한다. 또한 오늘날에는 의료 기술의 발달과 생활 수준의 향상으로 사람들의 평균 수명이 늘어남에 따라 노후 생활에 대비해야 할 필요성이 더욱 높아지면서 효율적인 자산 관리의 필요성이 커지고 있다.

▌바로 알기▐ ㄴ. 소득을 얻을 수 있는 기간은 한정되어 있지만 소비 생활은 평생 이루어지므로 자산 관리의 필요성이 더 커지고 있다. ㄹ. 수익성이 높은 자산에만 투자하다보면 원금이 손실될 위험도 높아 안정적인 경제생활이 어려워질 수 있다.

02 신용 관리의 중요성

제시된 사례에서 갑은 할부금 연체로 신용 등급이 하락하여 경제생활에서 불이익을 받고 있다. ④ 신용은 미래의 소득을 담보로 현재 빌려 쓰는 것인 만큼 신용 관리를 철저히 해야 안정적인 경제생활을 영위할 수 있다.

▌바로 알기▐ ① 신용을 적절히 이용함으로써 편리한 경제생활을 영위할 수 있다. ② 신용은 현재의 소득 범위를 넘어서 소비할 수 있게 하므로 철저한 관리가 필요하다. ⑤ 신용 관리를 철저히 하지 않고 무분별하게 신용 거래를 많이 할 경우 그만큼 미래의 소득이 줄어들어 안정적인 경제생활을 영위할 수 없다.

03 자산 관리의 기본 원칙

ㄴ. (나)는 (가)보다 수익성이 높은 반면 안전성이 낮다. 일반적으로 투자 수단의 위험성이 높을수록 안전성이 낮아지므로 원금 손실의 위험은 (나)가 (가)보다 크다. ㄹ. 수익성은 '(나), (다), (가)' 순으로 높다.

▌바로 알기▐ ㄱ. (가)는 수익성이 낮은 반면 안전성이 높은 금융 상품이므로 주식보다는 정기 예금에 더 가깝다. ㄷ. (다)는 (나)보다 유동성이 높으므로 더 쉽게 현금화할 수 있다.

04 분산 투자의 중요성

제시된 사례에서 갑은 자신의 자금을 한 종목의 주식에만 투자했다가 주식 가격의 하락으로 큰 손실을 입었다. 그리고 이후에는 자신의 자금을 은행 예금에만 예치하여 이자 수익에 만족해야만 했다. ④ 자금을 다양한 자산에 나누어 투자하면 만약 한 종목에서 손해를 보더라도 다른 종목에서 손실을 보충할 수 있기 때문에 보다 안전하다고 할 수 있다. 따라서 갑에게 위험을 줄이고 수익을 극대화하기 위해 자금을 여러 종목의 상품에 분산하여 투자해야 한다고 조언할 수 있다.

05 은행 예금의 특징

제시된 내용은 일정 금액의 돈을 계약 기간 동안 맡겨 두고 만기 시 이자를 받는 저축성 예금의 상품 설명서에 해당한다. ③ 예금은 원금과 이자를 합하여 1인당 5천만 원 한도까지 예금자 보호 제도에 의해 보호받을 수 있다.

▌바로 알기▐ ① 주식에 대한 설명이다. ② 시세 차익은 매수했던 금융 상품의 가격이 오른 시점에 내다 팔아 얻는 이익으로, 주식이나 채권에서 발생한다. ④ 펀드에 대한 설명이다. ⑤ 은행 예금은 다른 금융 상품보다 안전성이 높고 수익성이 낮은 편이다.

06 다양한 금융 상품

(가)는 주식, (나)는 채권, (다)는 정기 적금에 해당한다. ① 주식은 기업의 경영 실적이 나쁘거나 파산하게 되면 투자한 원금을 모두 잃을 가능성이 있어 원금 손실의 위험이 큰 편이다. ② 채권에 투자함으로써 얻을 수 있는 수익에는 채권 발행 기관에서 약속한 이자가 있다. ③ 채권은 국가, 공공 기관 등 비교적 신용도가 높은 기관에서 발행하므로 주식보다 안전성이 높은 편이다. ④ 주식은 시세 차익을 통해 수익을 올릴 수 있는 만큼, 정기 적금은 정해진 이자 수익만을 얻을 수 있다.

▌바로 알기▐ ⑤ 채권과 정기 적금 모두 원칙적으로 만기가 있는 상품이다. 다만 채권의 경우 만기 전에도 매수 시점보다 가격이 올랐을 때 팔아 시세 차익을 얻을 수 있다.

　주식과 채권의 비교

구분	주식	채권
발행 기관	주식회사	국가, 공공 기관, 기업 등
수익의 형태	배당, 시세 차익	이자, 시세 차익
위험의 정도	채권에 비해 위험함	주식에 비해 안전함

07　보험과 연금

㉠은 미래에 당할지도 모르는 사고 등 위험 대비를 위한 금융 상품인 보험이다. 그리고 ㉡은 노후 생활의 안정을 위해 돈을 적립해 두고 일반적으로 은퇴 후에 받는 금융 상품인 연금이다.

08　다양한 금융 상품

⑤ 미래의 위험에 대비하는 것을 목적으로 하는 금융 상품은 보험이다. 병은 갑, 을과 달리 보험에 가입하였다.

┃**바로 알기**┃ ① 배당금이 지급되는 금융 상품은 주식이다. 갑은 주식에는 투자하고 있지 않다. ② 을은 원금 손실의 위험이 높은 주식에만 투자하고 있으므로 수익성보다 안전성을 중시한다고 볼 수 없다. ③ 투자 총액이 제시되어 있지 않으므로 채권에 대한 투자 비중이 갑이 병보다 많다고 해서 채권에 투자한 금액이 더 많다고 볼 수 없다. ④ 을은 주식에만 자신의 자금을 모두 투자하고 있으므로 분산 투자한다고 볼 수 없다.

09　생애 주기별 특징

① 생애 주기의 각 단계에 따라 필요한 자금의 내용과 크기가 달라지고 소득도 달라지므로, 이를 고려하여 재무 설계를 해야 한다. ② 아동기에는 부모의 도움을 받아 성장하고 교육을 받으므로 소득이 소비보다 적은 시기이다. ③ 청년기에는 일반적으로 결혼 및 출산, 자녀 양육, 주택 마련 준비 등과 관련된 과업이 요구되므로, 이에 따른 자금을 마련해야 한다. ⑤ 노년기에는 경제적 정년으로 소득이 감소하는 시기이므로 이에 대한 대비가 필요하다.

┃**바로 알기**┃ ④ 중·장년기에는 경력 증가로 소득이 크게 증가하지만, 자녀 교육 및 결혼, 주택 마련 등의 과업에 따른 소비 역시 크게 증가한다.

10　생애 주기에 따른 수입과 지출의 흐름

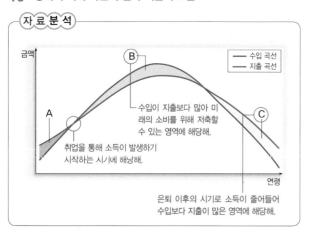

┃**자료 분석**┃

11　생애 주기에 따른 재무 설계의 중요성

생애 주기에 따른 재무 설계는 살아가면서 발생할 수 있는 수입과 지출을 예상해 보고 언제, 어느 정도의 돈을 저축하고 소비할 것인지를 사전에 검토하는 것이다. 이를 통해 안정적인 미래를 설계할 수 있다. 갑. 생애 주기 동안 생산 활동을 통해 소득을 얻을 수 있는 시기는 한정되어 있지만 개인의 소비 생활은 평생에 걸쳐 이루어지므로, 이에 대한 대비가 필요하다. 정. 생애 주기 가운데 결혼 자금, 주택 자금, 자녀의 양육과 교육 자금, 자녀 결혼 자금, 노후 자금 등과 같이 목돈이 필요한 경우가 생기는데, 이런 시기에 어느 정도의 규모로 목돈이 필요할지를 예측하여 금융 생활을 설계하는 것이 중요하다.

┃**바로 알기**┃ 을, 병. 특정 기간에만 발생하는 소득과 달리 개인의 소비 생활은 평생에 걸쳐 이루어지며, 그 규모와 양상은 생애 주기에 따라 차이가 있다.

12　재무 설계의 과정

제시된 사례에서 (가)는 재무 목표 설정, (나)는 재무 상태 분석, (다)는 재무 실행 평가와 수정, (라)는 대안 모색 및 계획 실행 단계에 해당한다. 재무 설계를 할 때는 먼저, 결혼 자금, 주택 마련 자금, 노후 자금 등 구체적인 재무 목표를 설정하고, 저축 및 지출 등 자신의 재무 상태를 분석해야 한다. 이후 필요한 자금을 모으기 위한 계획을 수립하고 금융 자산의 특징을 고려하여 금융 상품을 구매해야 한다. 또한 재무 목표를 달성하기 위한 실행 결과를 점검하고 조정하는 과정을 거쳐야 한다.

┃**바로 알기**┃ ② 재무 목표 달성에 필요한 자금 규모 설정은 (가) 단계에서 이루어져야 한다.

(본문 상단 우측) ㄴ. 자녀 교육비에 대한 부담이 높아질수록 지출 곡선은 상향 이동하여 B 영역이 줄어들 것이다. ㄷ. 은퇴 시기가 늦어질수록 소득이 발생하는 기간이 늘어나므로 B 영역은 늘어나고 C 영역은 줄어들 것이다.

┃**바로 알기**┃ ㄱ. 취업 준비 기간이 늘어날수록 소득이 발생하는 시기가 늦어지므로 수입 곡선이 하향 이동하여 A 영역은 늘어날 것이다. ㄹ. B는 생애 주기에서 흑자 기간이며, A와 C는 적자 기간이다. 안정적인 경제생활을 위해서는 B가 A와 C의 합보다 커야 한다.

서술형 문제

145쪽

01 주제: 다양한 금융 상품

(1) 정기 예금

(2) **예시 답안** • 배당 수익을 기대할 수 있습니까?

• 투자한 사람은 기업의 경영에 권리를 행사할 수 있습니까?

채점 기준

상	주식과 채권의 차이점이 드러나는 질문을 두 가지 이상 정확히 서술한 경우
하	주식과 채권의 차이점이 드러나는 질문을 한 가지만 서술한 경우

02 주제: 생애 주기에 따른 수입과 지출의 흐름

(1) A-수입 곡선, B-지출 곡선

(2) **예시 답안** 정년이 연장된다면 소득을 얻을 수 있는 기간이 늘어나므로 (가) 영역은 늘어나고 (나) 영역은 줄어들 것이다.

채점 기준

상	정년이 연장될 때 소득을 얻을 수 있는 기간이 어떻게 변화하는지 근거를 들어 (가) 영역과 (나) 영역의 변화를 정확히 서술한 경우
하	(가) 영역이 늘어나고 (나) 영역이 줄어든다고만 서술한 경우

STEP 3 1등급 정복하기

146~147쪽

1 ⑤ 2 ② 3 ① 4 ②

1 자산 관리의 기본 원칙

제시된 그림에서 수익성이 가장 높고 안전성이 가장 낮은 B는 주식이며, 안전성이 높은 편이고 유동성이 가장 높은 D는 요구불 예금에 해당한다. 그리고 안전성이 요구불 예금과 같지만 유동성이 다소 낮은 C는 저축성 예금이며, 나머지 A는 채권에 해당한다. ㄷ. 원금 손실에 대한 위험을 감수하는 투자자는 안전성보다 수익성을 중시할 것이다. 따라서 채권보다 주식을 선호한다. ㄹ. C와 D의 안전성은 동일하다. 그러나 D는 C에 비해 수익성이 낮지만 유동성이 높다. 따라서 C보다 D를 선호한다면 D가 유동성이 높아 보유한 자산을 쉽게 현금화할 수 있기 때문이다.

바로 알기 ㄱ, ㄴ. A는 채권, B는 주식, C는 저축성 예금, D는 요구불 예금이다.

2 자산 관리의 기본 원칙과 금융 상품

ㄱ. A가 주식이라면 수익성이 높은 반면 안전성이 낮을 것이다. 따라서 (가)는 수익성, (나)는 안전성에 해당한다. ㄷ. (가)가 수익성이라면 B는 수익성이 낮고 안전성이 높은 금융 상품인 정기 예금에 해당한다. 정기 예금은 만기 시 약속한 이자를 받을 수 있다.

바로 알기 ㄴ. (가)가 안전성이라면 A는 안전성이 높고 수익성이 낮은 금융 상품인 정기 예금에 해당한다. 배당금이 지급되는 금융 상품은 주식이다. ㄹ. (나)가 수익성이라면 B는 수익성이 높고 안전성이 낮은 금융 상품인 주식에 해당한다. 이자 수익이 발생하는 금융 상품은 정기 예금이다.

3 다양한 금융 상품

ㄱ. 채권의 수익률이 3%일 경우 갑이 얻을 수 있는 수익은 40만 원(1,000만 원×4%)이며, 을이 얻을 수 있는 수익은 35만 원[(500만 원×3%)+(500만 원×4%)]이다. 따라서 갑이 을보다 더 큰 수익을 얻게 된다. ㄴ. 채권을 보유함으로써 얻는 이자는 채권을 매입하지 않고 다른 곳에 투자했을 때에는 포기해야 하는 것이므로 기회비용에 포함된다.

바로 알기 ㄷ. 대출 이자는 연리 5%이고 주가 상승률은 10%이므로 돈을 빌려 투자함으로써 자기 자금만으로 투자하는 것보다 대출금의 5%에 해당하는 투자 수익을 더 얻을 수 있다. ㄹ. 시세 차익은 채권과 주식에서만 발생할 수 있다.

4 생애 주기에 따른 수입과 지출의 흐름

② 저축은 B 시점부터 시작되어 D 시점까지 발생한다. 따라서 B~D 기간에는 누적 저축액이 지속적으로 증가한다.

바로 알기 ① A~B 기간에는 소득이 소비보다 작다. ③ C~D 기간에는 소득의 감소가 소비의 증가보다 더 급격하게 나타나 소득 대비 소비는 오히려 증가한다. ④ 은퇴 이후 연금이 지급된다면 D 시점 이후의 소득 곡선이 상향 이동하므로 (나)는 변화가 없고, (다)는 줄어들 것이다. ⑤ 안정적인 경제생활을 영위하려면 (나)가 (가)와 (다)의 합보다 커야 한다.

01 자본주의의 역사적 전개 과정

〈문항 1〉 상업 자본주의는 신항로 개척, 교역의 확대 등을 배경으로 성장하였고, 절대 왕정의 중상주의 정책하에서 더욱 발전하였다.

〈문항 2〉 애덤 스미스는 각자가 자신의 이익을 추구하도록 경제적 자유를 최대한 보장할 때 사회 전체의 이익도 커지므로 정부의 시장 개입을 최소화해야 한다는 자유방임주의를 주장하였다. 이러한 자유방임주의를 근거로 산업 자본주의가 발전하였다.

〈문항 3〉 대공황으로 많은 국가에서 경기 침체, 기업 도산, 대량 실업 등의 문제가 발생하였는데, 이러한 문제를 해결하기 위해 정부의 역할을 강조하는 수정 자본주의가 등장하였다.

〈문항 4〉 수정 자본주의는 정부의 지나친 시장 개입이 오히려 자원 배분의 비효율성을 초래한다는 한계를 가진다.

〈문항 5〉 신자유주의는 정부의 지나친 시장 개입을 비판하고 민간의 자유로운 경제 활동을 옹호하므로 공기업 민영화, 복지 축소 등을 지향한다.

제시된 형성 평가에서 학생은 1, 2, 5번만 맞췄으므로 총 3점을 얻게 된다.

02 정부의 시장 개입에 대한 찬반 의견

갑은 경제 불황을 해결하기 위해 정부가 시장에 적극적으로 개입해야 한다는 입장이며, 을은 정부의 시장 개입이 오히려 비효율을 초래하므로 정부의 시장 개입을 최소화해야 한다는 입장이다. ㄱ. 갑은 정부의 시장 개입을 옹호하므로 독과점 시장에 대한 규제 강화에 찬성할 것이다. ㄴ. 공기업 민영화는 시장 기능을 중시하는 을의 입장에 부합한다.

∥**바로 알기**∥ ㄷ. 을이 갑에 비해 시장의 기능을 더 신뢰한다. ㄹ. 갑은 시장 실패, 을은 정부 실패를 우려하고 있다.
└─ 정부의 시장 개입이 오히려 비효율을 초래하는 현상

03 합리적 선택과 기회비용

갑이 A 백화점에서 일하는 경우의 기회비용은 B 백화점에서 일하는 경우 받을 수 있는 급여인 250만 원이다. 갑이 B 백화점에서 일하는 경우의 기회비용은 A 백화점에서 일하는 경우 받을 수 있는 급여 200만 원과 상여금 20만 원의 합으로, 총 220만 원이다.

∥**바로 알기**∥ ① 갑은 A 백화점보다 B 백화점에서 일할 경우의 기회비용이 더 적으므로, B 백화점에서 일하는 것이 합리적 선택이다. ④ A 백화점에서 제안한 상여금은 갑이 B 백화점에서 일하는 경우의 기회비용에 포함된다. 따라서 합리적 선택을 위해서는 이를 고려해야 한다. ⑤ 갑이 B 백화점에서 일하는 경우의 기회비용은 220만 원으로, A 백화점에서 일하는 경우의 기회비용인 250만 원보다 적다.

04 불완전 경쟁

제시된 사례에서는 독과점 시장에서 공급자가 임의적으로 생산량을 줄이고 가격을 올리면서 시장에서 자유로운 경쟁이 이루어지지 않고 있다. 이에 따라 시장에서의 자원 배분이 비효율적으로 이루어지는 시장 실패가 나타났다.

∥**바로 알기**∥ ㄹ. 시장 실패는 시장의 기능이 제대로 작동하지 않아 자원 배분이 비효율적으로 이루어지는 것이다. 이를 해결하기 위해 정부의 시장 개입이 이루어진다.

05 외부 효과

(가)는 외부 경제, (나)는 외부 불경제의 사례에 해당한다. ㄴ. 외부 불경제를 해결하기 위해 정부는 세금이나 벌금을 부과함으로써 생산이나 소비를 줄이도록 유도한다. ㄹ. 외부 효과에서 비롯하는 시장 실패를 개선하고자 정부는 경제적 유인을 제공한다. 즉 외부 효과는 정부의 시장 개입을 주장하는 근거가 될 수 있다.

∥**바로 알기**∥ ㄱ. 외부 경제는 사회적으로 적정한 수준보다 적게 생산된다. ㄷ. 외부 경제와 외부 불경제는 시장에서 사회적으로 적정한 수준보다 적게 또는 많이 생산되므로, 자원의 비효율적 배분을 가져온다.

06 기업의 사회적 책임

제시된 사례에서 A 기업은 이윤을 추구하는 과정에서 아동 노동을 착취하는 비윤리적인 행위를 하고 있다. ⑤ A 기업에게는 기업 활동에서 지켜야 할 윤리를 지키고, 건전하게 이윤을 추구하는 등 사회적 책임을 다하는 자세가 필요하다고 조언할 수 있다.

07 윤리적 소비

제시된 사례에서 갑은 인간, 동물, 환경에 해를 끼치지 않는 상품을 구매하는 윤리적 소비를 하고 있다. ㄴ, ㄹ. 윤리적 소비는 원료의 재배 및 유통 등의 전 과정이 소비와 연결되어 있다는 것을 인식하여 소비하는 행위이다. 이를 통해 장기적 관점에서 사회와 환경에 도움이 될 수 있다.

∥**바로 알기**∥ ㄱ. 합리적 소비는 비용보다 편익이 큰 소비를 함으로써 최대 효용을 얻고자 하는 것이다. 효율성만을 추구하는 합리적 소비는 소비에 따른 사회적 영향을 고려하지 못한다는 한계가 있다. ㄷ. 윤리적 소비는 개인적 선호보다 공공성을 상품 선택의 기준으로 삼는다.

08 국제 분업과 무역의 필요성

국가마다 보유한 생산 요소의 종류와 양이 다르고 기술 수준 등에 차이가 있기 때문에 같은 종류의 상품을 생산하더라도 생산비는 국가마다 차이가 있다. 따라서 국내에서 생산 가능한 상품이라도 외국에서 더 저렴하게 생산할 수 있다면 직접 생산하는 것보다 수입하는 것이 경제적이다. 세계 각국이 다른 나라보다 더 잘 만들 수 있는 재화와 서비스를 특화 생산하여 무역을 통해 교환한다면 거래 당사국은 모두 이익을 얻을 수 있다.

09 국제 무역의 발생 원리

갑국과 을국의 장난감과 휴대 전화 1단위 생산에 따른 기회비용은 아래 표와 같다.

구분	갑국	을국
장난감	휴대 전화 2단위(← 20/10)	휴대 전화 4단위(← 60/15)
휴대 전화	장난감 1/2단위(← 10/20)	장난감 1/4단위(← 15/60)

ㄱ. 장난감 1단위 생산의 기회비용은 갑국이 을국보다 작다. 따라서 갑국은 장난감 생산에 비교 우위를 갖는다. ㄹ. 휴대 전화 1단위 생산의 기회비용, 즉 휴대 전화 생산의 상대적 생산비는 을국이 갑국보다 적다.

▌**바로 알기** ▌ ㄴ. 갑국은 을국에 비해 장난감과 휴대 전화를 더 적은 시간을 들여 생산할 수 있다. 따라서 갑국은 장난감과 휴대 전화 생산에 모두 절대 우위를 갖는다. ㄷ. 휴대 전화 1단위 생산의 기회비용은 갑국이 을국의 2배이다.

10 국제 무역 확대의 영향

제시된 사례를 통해 국제 무역의 확대가 국내 기업의 경쟁력을 강화하는 데 기여하고 있음을 알 수 있다. ⑤ 국제 무역이 확대되면 국내 기업은 외국 기업과 경쟁해야 하므로 기술 혁신에 힘쓰게 된다. 이를 통해 국내 기업의 효율성과 생산성이 높아지게 되고, 이 과정에서 국내 경제가 활성화되고 일자리가 창출되어 국가 경제가 성장할 수 있다.

11 분산 투자의 중요성

갑은 상담 전에는 수익성이 높은 대신 원금 손실의 위험이 높은 주식에 대부분의 자금을 투자하고 있었으나, 상담 후 주식 외에 다양한 금융 상품에 자신의 자금을 나누어 투자하고 있다. 이를 통해 을은 갑에게 수익성만을 추구하지 말고 다양한 자산에 자금을 나누어 관리함으로써 위험을 분산하라고 조언했을 것이라고 추론할 수 있다.

12 자산 관리의 기본 원칙

ㄷ. C는 A에 비해 유동성이 크다. 따라서 C는 A보다 보유한 자산을 쉽게 현금화할 수 있다. ㄹ. 원금 손실 위험을 기피하는 투자자는 안전성을 중시할 것이다. 따라서 안전성이 높은 순서인 'C, B, A' 순으로 선호할 것이다.

▌**바로 알기** ▌ ㄱ. A는 수익성이 높은 반면 안전성이 낮으므로 은행 예금보다 주식에 더 가깝다. ㄴ. B는 C보다 수익성이 높지만 안전성이 낮다.

13 예금과 주식

A는 안전성이 높은 반면 수익성이 낮으므로 정기 예금, B는 안전성이 낮은 반면 수익성이 높으므로 주식에 해당한다. ㄷ, ㄹ. 정기 예금은 이자 수익을 얻을 수 있는 반면, 주식은 시세 차익과 배당을 통해 수익을 올릴 수 있다.

▌**바로 알기** ▌ ㄱ. 자산 가치의 변동이 심한 금융 상품은 주식이다. ㄴ. 예금자 보호 제도의 보호를 받는 금융 상품은 정기 예금이다.

14 다양한 금융 상품

(가)는 채권, (나)는 주식, (다)는 정기 예금에 해당한다. ⑤ 채권과 정기 예금 모두 만기 시 금융 기관으로부터 약속한 이자를 받을 수 있다.

▌**바로 알기** ▌ ① 주식에 대한 설명이다. 주식을 소유한 사람은 주주가 되며, 기업의 운영 및 이익 배당 등에 대해 주주의 권리를 행사할 수 있게 된다. ② 만기가 있는 금융 상품은 채권과 정기 예금이다. ③ 배당 수익을 기대할 수 있는 금융 상품은 주식이다. ④ 주식이 정기 예금보다 원금 손실에 대한 위험이 크다.

15 생애 주기에 따른 소득과 소비의 흐름

④ 저축은 소득이 소비를 넘기 시작하는 (가) 시점부터 소비가 소득을 넘기 시작하기 전인 (다) 시점까지 발생한다.

▌**바로 알기** ▌ ① 안정적인 노후 생활을 영위하기 위해서는 A가 B보다 더 커야 한다. ② (나) 시점은 소득이 가장 많은 시기이며, 이후 (다) 시점까지 저축이 계속해서 발생하고 있으므로 누적 저축액이 최대가 되는 시점은 (다) 시점이다. ③ 누적 소비액이 일생 중 최대가 되는 시점은 더 이상 소비를 하지 않는 시점으로 그림에서 소비 곡선이 가로축과 만나는 시점이다. ⑤ (나)~(다) 기간에는 소득과 소비 모두 감소하지만 소득의 감소가 더 급격하게 나타나 소득 대비 소비는 오히려 증가한다.

16 생애 주기를 고려한 재무 설계의 필요성

제시된 사례에서는 경제적으로 중산층이었던 부부가 자녀 교육 및 결혼 자금, 노후 자금 등과 같이 목돈이 필요한 시기에 적절히 대비하지 못함으로써 노후 생활에 어려움을 겪고 있음을 보여 준다. ⑤ 전 생애 동안의 예상 소득에 맞추어 장기적 관점에서 소비와 저축을 결정해야 한다는 재무 설계의 필요성을 강조하는 강연임을 추론할 수 있다. 안정적인 미래를 준비하기 위해서는 생애 주기별로 어느 정도의 규모로 목돈이 필요한지를 예측하여 재무 설계를 하는 것이 중요하다.

VI. 사회 정의와 불평등

STEP 1 핵심 개념 확인하기　160쪽

1 (1) 정의 (2) 업적 (3) 필요　2 (1) ○ (2) × (3) ○　3 (1) 자 (2) 공
(3) 공　4 ㉠ 개인선 ㉡ 공동선　5 (1) 자유주의 (2) 롤스

STEP 2 내신 만점 공략하기　160~163쪽

01 ⑤　02 ①　03 ⑤　04 ③　05 ③　06 ②　07 ④
08 ②　09 ③　10 ④　11 ①　12 ④

01 정의의 의미와 역할

㉠에 들어갈 말은 정의이다. ① 정의가 실현된 사회에서 구성원들은 공동체를 신뢰하고 서로 협력할 수 있다. 즉 정의는 사회 통합의 기반을 마련해 준다. ②, ④ 정의는 사회 구성원이 자신의 기본적 권리를 보장받고 인간다운 삶을 살 수 있게 한다. 왜냐하면 부당한 이유로 구성원을 차별하는 사회라면 인간 존엄성을 누리며 살아가기 어렵기 때문이다. ③ 정의는 옳고 그름에 관한 판단 기준을 제시하여 사회 구성원 간의 이해 갈등을 공정하게 처리할 수 있게 한다.

┃바로 알기┃ ⑤ 정의가 실현되어야 개인이 추구하는 개인선이나 행복한 삶을 실현할 수 있을 뿐만 아니라 사회가 추구하는 공동선을 실현할 수 있다.

02 능력과 업적에 따른 분배

갑은 개인이 지닌 잠재력과 재능, 즉 능력을 장학금의 분배 기준으로 제시하고 있다. 앞으로 성장할 가능성이 큰 능력 있는 학생에게 장학금을 지원하는 것이 가장 공정하다는 것이다. 을은 경연 대회에서의 입상 성적과 같이 각자가 자신의 능력과 노력을 발휘하여 성취한 업적을 장학금의 분배 기준으로 제시하고 있다. 자신이 이룬 업적을 통해 학교의 위상을 높이는 데 이바지한 학생이 그만큼의 보상을 받는 것이 정의롭다는 것이다.

03 정의의 실질적 기준

(가)는 능력에 따른 분배, (나)는 업적에 따른 분배, (다)는 필요에 따른 분배에 해당한다. ① 능력을 분배 기준으로 삼을 경우, 타고난 재능이나 환경 등과 같은 우연적 요소가 개입할 수 있다는 단점이 있다. ② 업적을 분배 기준으로 삼을 경우, 자신이 이룬 업적만큼 보상을 받기 때문에 열심히 노력하려는 동기를 북돋을 수 있다.

③ 필요를 분배 기준으로 삼을 경우, 열심히 일하려는 동기를 약화할 수 있다. ④ 능력에 따른 분배는 능력의 우열을 명확히 가리기 어려운 반면, 업적에 따른 분배는 각자가 달성한 결과를 객관화·수량화할 수 있어서 평가와 측정이 비교적 쉽다.

┃바로 알기┃ ⑤ 업적을 분배 기준으로 삼을 경우, 사회적 약자에 대한 배려가 부족해질 수 있다. 반면 필요를 분배 기준으로 삼을 경우, 사회적 약자에게 자원을 우선적으로 배분함으로써 모든 사람의 인간다운 삶을 보장할 수 있다.

완자 정리 노트　분배적 정의의 실질적 기준

능력	• 장점: 개인의 잠재력 실현 기회 제공 • 단점: 능력 평가의 정확한 기준 마련이 어려움
업적	• 장점: 공정성 확보, 성취동기 향상 • 단점: 과열 경쟁 초래
필요	• 장점: 사회적 약자 보호 • 단점: 성취동기 저하

04 능력에 따른 분배

제시된 글에서는 절제, 용기, 지혜와 같은 능력을 기준으로 직업의 가치를 배분하는 것이 정의롭다고 주장하고 있다. ③ 능력을 분배 기준으로 삼을 경우, 능력이 뛰어난 사람이 이를 마음껏 발휘하여 높은 업적을 쌓도록 할 수 있다.

┃바로 알기┃ ② 분배의 기준으로 능력을 강조하고 있으므로 분배의 기준보다 분배의 절차를 강조하고 있다고 볼 수 없다. ④는 필요에 따른 분배, ⑤는 업적에 따른 분배에 대한 설명이다.

05 업적에 따른 분배

성과 연봉제는 자신의 업무 성과를 바탕으로 연봉을 정하는 것이므로, 업적에 따른 분배 방식에 해당한다. ㄴ. 업적을 지나치게 강조하다 보면 업적을 쌓기 위한 과열 경쟁으로 부정이 저질러질 우려가 있다. ㄷ. 업적을 분배 기준으로 삼을 경우, 사회적 약자에 대한 배려가 부족해질 수 있다. 질병이나 장애, 가난 등의 이유로 업적을 쌓기 어려운 사람들도 있기 때문이다.

┃바로 알기┃ ㄱ. 업적에 따른 분배는 개인의 성취동기를 높이고 사회가 역동적으로 발전할 수 있다는 장점이 있다. ㄹ. 능력에 따른 분배에 대한 설명이다.

06 필요에 따른 분배

자료 분석

필요와 상황을 고려해야 한다는 뜻이야.

무릇 토지는 세상의 커다란 근본이다. …… 마땅히 식구 수에 비례하여 토지를 소유하게 하고, 토지 소유의 한계를 정하여 함부로 토지를 매매할 수 없게 해야 한다. 이렇게 해야 가난하고 약한 사람들을 구제하고 토지의 독점도 방지할 수 있을 것이니, 이처럼 토지 제도를 개선하는 것이 옳지 않겠는가?

사회적 약자를 배려하고 최소한의 인간다운 삶을 보장하려는 노력에 해당해.

제시된 글에서 식구 수에 비례하여 토지를 소유하게 하는 것은 식구 수가 많은 사람일수록 많은 토지가 필요하다는 논리에 의한 것이다. 즉 필요를 분배의 기준으로 삼고 있다. 이러한 분배 방식은 식구 수는 많지만 가난한 사람들이 토지를 갖지 못해 고충을 겪는 것을 방지하기 위한 목적이 있으므로 사회적 약자를 배려하는 의미를 담고 있다. 따라서 ②의 질문에 긍정의 대답을 할 것이다.

바로 알기 ①, ③ 업적에 따른 분배를 중시하는 사람이 긍정의 대답을 할 수 있다. ④, ⑤ 능력에 따른 분배를 중시하는 사람이 긍정의 대답을 할 수 있다.

07 자유주의적 정의관

자유주의적 정의관은 누구나 독립된 지아로서 자유로운 선택을 할 수 있다는 자유주의 사상을 바탕으로 한다. 근대 시민 혁명을 전후로 등장한 자유주의 사상에서는 개인의 독립성과 자율성을 우선시하며, 개인의 자유에 최고의 가치를 부여한다. ④ 자유주의에서는 개인의 자유와 권리를 최대한 보장하여 개인선을 실현하는 것이 정의로우며, 개인선의 실현이 공동선의 실현으로 이어진다고 본다.

바로 알기 ①, ②, ③, ⑤ 공동체주의적 정의관에 대한 설명이다.

08 롤스의 입장

자료 분석

┌─ 개인의 기본적 자유를 최대한 보장해야 한다는 뜻이야.

누구나 기본적 자유에 있어 평등한 권리를 가져야 합니다. 그리고 최소 수혜자에게 우선적으로 최대의 이익을 보장하도록 노력해야 합니다. 다음으로, 공정한 기회균등의 원칙에 따라 모든 사람에게 개방된 직책이나 직위와 결부되도록 배정해야 합니다. 사회가 이렇게 운영되면 공정한 사회라고 볼 수 있습니다.

└─ 사회적 약자에게 최대의 이익을 보장하기 위해 국가의 소득 재분배 정책이 필요하다고 보았어.

제시된 글은 자유주의적 정의관의 대표적 사상가인 롤스의 주장이다. ㄱ. 롤스는 사회 내에서 불리한 처지에 있는 사회적 약자에게 사회생활에 필요한 기본적 가치를 우선적으로 제공해야 한다고 주장하였다. ㄷ. 롤스는 모든 사람은 동등한 기본적 자유를 최대한 누려야 한다고 주장하였다.

바로 알기 ㄴ. 노직의 주장이다. 노직은 개인의 배타적인 소유권을 강조하기 때문에 국가의 소득 재분배 정책도 개인의 재산권을 침해하는 것으로 본다. ㄹ. 왈처의 주장이다. 왈처는 공동체주의적 관점을 바탕으로, 다원화된 현대 사회에 적합한 분배적 정의의 기준을 찾고자 하였다.

09 공동체주의적 정의관

제시된 글에는 공동체의 가치와 전통을 존중하는 삶을 강조하는 공동체주의적 정의관이 나타나 있다. ③ 공동체주의에 따르면 개인은 자신이 속한 공동체가 올바로 유지되고 발전할 때 좋은 삶을 살아갈 수 있다. 그리고 공동선은 언제나 개인선보다 우선하며, 개인의 좋은 삶은 공동선과 분리되어서는 안 된다고 본다.

바로 알기 ①, ②, ④, ⑤ 자유주의적 정의관의 입장이다.

10 다양한 정의관의 적용

제시된 사례에서 갑은 공동체주의적 정의관, 을은 자유주의적 정의관의 입장을 보인다. 공동체주의적 정의관에서는 위험에 처한 사람을 그대로 두고 지나친 A 씨의 행위를 잘못된 행위라고 비난할 수 있다. 왜냐하면 위험에 처한 사람을 돕는 것은 공동체 구성원으로서 누구나 지녀야 할 당연한 의무라고 여기기 때문이다. 한편, 자유주의적 정의관에서는 자신의 일을 위해 교통사고 현장을 지나친 A 씨의 선택을 잘못된 행위라고 보지 않을 것이다. 왜냐하면 교통사고 현장을 목격했더라도 다친 사람을 돕거나 돕지 않는 것은 자율적으로 결정할 문제이지 누구나 이행해야 할 의무라고 여기지 않기 때문이다. ② 갑은 자신이 속한 공동체에 대한 구성원으로서의 의무를 중시하고 있다. ⑤ 자유주의적 정의관이 아무런 제한 없이 오직 개인의 이익만을 추구하는 극단적인 이기주의로 변질할 경우, 타인의 자유와 권리를 침해하고 공동체를 위태롭게 할 수 있다.

바로 알기 ④ 을은 자유주의적 정의관의 입장이므로, 개인선의 실현을 우선시할 것이다.

11 자유주의적 정의관과 공동체주의적 정의관

(가)는 공동체주의적 정의관, (나)는 자유주의적 정의관에 해당한다. ① 공동체주의는 공동체의 사회적·역사적 맥락에서 형성된 공동체의 가치와 전통을 중시한다.

바로 알기 ② 자유주의적 정의관의 입장이다. ③, ④ 공동체주의적 정의관의 입장이다. ⑤ 공동체주의적 정의관에서는 공동선의 실현을, 자유주의적 정의관에서는 개인의 권리 보호를 중시한다.

완자 정리 노트 자유주의적 정의관과 공동체주의적 정의관

자유주의적 정의관	개인의 자유와 권리를 최대한 보장하여 개인선을 실현하는 것이 정의롭다고 봄
공동체주의적 정의관	개인이 속한 공동체의 공동선을 실현하는 것이 정의롭다고 봄

12 다양한 정의관의 적용

(가)에서 개발 제한 구역 규제 완화를 찬성하는 갑은 '사유 재산권 보장'을 강조하는 데 비해, 이에 반대하는 을은 '자연환경 보호'를 강조하고 있다. 따라서 갑은 개인선의 실현을 중시하는 자유주의적 정의관, 을은 공공선의 실현을 중시하는 공동체주의적 정의관의 입장임을 알 수 있다. (나)의 A에는 갑만의 입장이 제시되어야 하고, B에는 갑, 을의 공통된 입장이 들어가야 한다. 그리고 C에는 을만의 입장이 제시되어야 한다. ④ 공동체주의적 정의관에서는 개인이 사회적 역할을 수행함으로써 자신의 정체성을 형성하고, 공동체의 문화와 역사 등의 영향을 받으며 자신의 삶을 구성하는 존재라는 관점에 기반을 둔다.

바로 알기 ①~③은 공동체주의적 정의관, ⑤는 자유주의적 정의관의 입장이다.

서술형 문제

01 주제: 정의의 실질적 기준

(1) 갑 – 업적에 따른 분배, 을 – 필요에 따른 분배

(2) **예시 답안** 업적에 따른 분배는 질병이나 장애, 가난 등의 이유로 업적을 쌓기 어려운 사람들, 즉 사회적 약자를 소외시킬 수 있다는 단점이 있다. 따라서 필요에 따른 분배를 통해 최대한 많은 사람이 인간다운 삶을 살 수 있도록 해야 한다. 필요에 따른 분배는 기본적 필요를 충족하기 힘든 사회적 약자에게 자원을 우선 분배할 것을 요구하기 때문이다.

채점 기준

상	필요에 따른 분배가 갖는 장점과 업적에 따른 분배가 갖는 단점을 비교하여 서술한 경우
하	필요에 따른 분배의 장점만 제시하거나 업적에 따른 분배의 단점만 제시한 경우

02 주제: 다양한 정의관의 특징

(1) (가) – 공동체주의적 정의관, (나) – 자유주의적 정의관

(2) **예시 답안** 개인만이 궁극적 가치를 지니며 공동체는 개인의 자유와 권리를 보장하는 수단에만 불과하다고 보는 자유주의적 정의관에서는 공동체를 위해 도덕적·정치적 의무를 다하고, 나아가 헌신하고 희생하는 사람들의 삶을 이해할 수 없다. 공동체주의적 정의관에서는 개인의 정체성이 공동체의 역사적 맥락에서 형성된다고 보며, 개인은 공동체와 분리된 독립된 존재라고 볼 수 없다. 따라서 개인은 자신이 속한 공동체의 발전을 위해 노력해야 할 의무를 가진다.

채점 기준

상	공동체주의적 정의관의 입장에서 자유주의적 정의관에 제기할 수 있는 비판을 명확히 서술한 경우
하	단순히 공동체주의적 정의관과 자유주의적 정의관을 비교한 경우

STEP 3 1등급 정복하기

1 ① 2 ③ 3 ④ 4 ①

1 정의의 의미와 역할

갑은 아리스토텔레스, 을은 롤스이다. ② 아리스토텔레스는 각자의 가치에 비례하는 몫의 분배를 추구하는 것을 분배적 정의로 보고, 권력과 명예, 재화가 각자의 가치에 따라 분배되어야 한다고 주장하였다. ③ 롤스는 모든 사회 구성원에게 어떤 직책이나 직위에 오를 수 있는 기회를 공평하게 주는 것이 정의롭다고 주장하였다. ④ 롤스는 다수의 이익을 위한다는 명목으로 개인의 자유를 침해해서는 안 된다고 보았다. ⑤ 아리스토텔레스와 롤스는 각자에게 그의 몫을 주는 것을 정의라고 보았다.

┃바로 알기┃ ① 아리스토텔레스는 각자에게 각자의 몫을 주어야 한다고 주장하였다. 그러나 모든 사람에게 동등한 몫을 주어야 한다고 주장하지는 않았다.

2 정의의 실질적 기준

갑은 기회의 평등, 을은 결과의 평등을 중시하고 있다. 업적에 따른 분배를 강조하는 사람들은 사람들 간에는 타고난 신체적·사회적 조건이 달라서 업적을 쌓을 수 있는 기회에 차이가 있으므로, 다양한 사회적 제도를 통해 기회의 평등을 실현한 상태에서 개인들이 자유롭게 경쟁하여 그 성과를 분배받는 것이 정의롭다고 본다. 한편 필요에 따른 분배를 강조하는 사람들은 타고난 신체적 조건뿐만 아니라 사회적·경제적 환경의 차이에 의해 능력과 업적에 차이가 나타나기 때문에, 능력과 업적만을 기준으로 분배하는 것은 공정하지 않다고 본다. 따라서 이 입장에서는 사회 불평등을 완화하고 사회적 약자를 보호하기 위해 기회의 평등을 넘어 결과의 평등이 이루어져야 한다고 본다. 즉 갑은 업적에 따른 분배, 을은 필요에 따른 분배를 중시하고 있음을 알 수 있다. ③ 업적에 따른 분배는 각자가 달성한 결과를 객관화·수량화할 수 있어서 평가와 측정이 비교적 쉽다는 장점이 있다. 따라서 갑은 긍정, 을은 부정의 대답을 할 것이다.

┃바로 알기┃ ② 갑과 을 모두 부정의 대답을 할 질문이다. ④, ⑤ 갑은 부정, 을은 긍정의 대답을 할 질문이다.

3 자유주의적 정의관과 공동체주의적 정의관

갑은 개인이 공동체의 전통이나 가치로부터 독립적이고 자율적인 존재임을 강조하는 자유주의의 입장이며, 을은 개인이 공동체가 추구하는 가치와 목적의 영향 아래 일정한 의무를 부여받는다고 보는 공동체주의의 입장이다. A, B에는 갑이 긍정의 대답을 할 질문이 들어가야 하고, C에는 을이 긍정의 대답을 할 질문이 들어가야 한다. ④ 공동체주의적 정의관에서는 개인은 자신이 속한 공동체가 올바로 유지되고 발전할 때 좋은 삶을 살아갈 수 있다고 본다. 따라서 을만 긍정의 대답을 할 질문에 해당한다.

의관과 공동체주의적 정의관은 모두 개인의 행복한 삶과 정의로운 사회를
지향한다는 점에서 상호 보완적이다. ②, ③ 을만 긍정의 대답을 할 질문이
다. 공동체주의적 정의관에서는 공동체의 구성원에게는 자신의 정체성을
형성하는 기반이 되는 공동체와 전통으로부터 생겨난 도덕을 지킬 의무가
있다고 본다. 따라서 개인이 속한 공동체의 공동선을 실현하는 것이 정의롭
다고 본다. ⑤ 갑만 긍정의 대답을 할 질문이다. 자유주의적 정의관에서는
공동체가 개인의 자유와 권리를 보호하기 위한 수단으로서 존재한다고 주
장한다.

4 자유주의적 정의관과 공동체주의적 정의관

(가)는 자유주의적 정의관, (나)는 공동체주의적 정의관에 해당한
다. 공동체주의적 정의관은 개인이 공동체의 가치와 목적을 내면
화한다고 본다는 점에서 개인의 가치관에 대한 국가의 중립 정도
를 강조하는 정도(X)가 자유주의적 정의관에 비해 낮다. 그리고
공동선이 실현되면 자연스럽게 개인의 자유와 권리의 보장뿐만 아
니라 행복한 삶도 가능하다고 본다는 점에서 개인선이 공동체를
기반으로 형성됨을 강조하는 정도(Y)가 자유주의적 정의관에 비
해 높다. 또한 공동체주의적 정의관에서는 공동체 구성원들은 누
구나 공동체가 추구하는 목표를 달성하기 위해 책임과 의무를 성
실히 이행하는 것이 옳다고 주장한다는 점에서 개인의 정치 참여
의무와 유대 의식을 강조하는 정도(Z)도 자유주의적 정의관에 비
해 높다고 볼 수 있다. 따라서 X가 낮고, Y, Z가 높은 ㉠이 자유
주의적 정의관에 비해 공동체주의적 정의관이 갖는 특징이라고 볼
수 있다.

---

03 불평등의 해결과 정의의 실현

STEP 1 핵심 개념 확인하기   170쪽

1 (1) 사회 불평등 (2) 사회 계층의 양극화 (3) 사회적 약자   **2** (1) 성장
거점 (2) 지방   **3** (1)-ⓛ (2)-㉠ (3)-ⓒ   **4** (1) ○ (2) × (3) ○
5 ㉠ 적극적 우대 조치 ⓛ 역차별

STEP 2 내신 만점 공략하기   170~173쪽

01 ③	02 ③	03 ②	04 ②	05 ②	06 ②	07 ①
08 ④	09 ⑤	10 ②	11 ②	12 ⑤		

01 사회 불평등 현상의 의미와 영향

㉠에 들어갈 말은 사회 불평등이다. ㄴ. 사회 불평등 현상이 심화
하면 사회 구성원들이 공정하게 대우받지 못하게 되어 정의로운
사회 실현을 저해할 수 있다. ㄷ. 능력이나 업적에 따른 어느 정도
의 불평등은 개인의 성취동기를 북돋워 사회를 발전시키는 긍정적
기능을 하기도 한다.

┃바로 알기┃ ㄱ. 사회 불평등은 모든 사회에서 공통으로 나타날 수 있지만,
국가나 시대마다 그 세부 양상에서는 차이가 난다. ㄹ. 재산, 권력, 사회적
지위 등과 같은 사회적 자원은 모든 사람이 골고루 나누어 가질 수 있을 만
큼 충분하지 않으므로 사람들은 이를 얻기 위해 경쟁을 한다. 이 과정에서
사회적 자원이 일부 개인이나 집단에게 차등적으로 분배되어 사회 불평등
이 나타난다.

02 사회 계층의 양극화

2008년에 비해 2018년에는 중간 계층이 줄어들면서 구성원들이
상층과 하층의 양 극단으로 쏠리고 있다. 이를 통해 갑국에서 사
회 계층의 양극화가 나타나고 있음을 알 수 있다.

┃바로 알기┃ ①, ② 사회 계층이 양극화되면서 계층 구조가 불안정하게 변
화하였다. ④ 제시된 자료는 계층의 비율만을 나타낼 뿐 계층을 대물림한
비율은 나타나 있지 않다. ⑤ 사회 구성원들이 어느 계층에서 어느 계층으
로 이동하였는지는 나타나 있지 않다.

완자 정리 노트   사회 계층의 양극화

의미	사회 계층 중 중간 계층의 비중이 줄어들고 상층과 하층의 비중이 늘어나는 현상
문제점	• 사회 발전의 동력이 줄어들고, 계층 간에 위화감이 조성될 수 있음 • 경제적 격차가 인간다운 삶을 위한 주거, 여가, 교육 등의 격차로 이어질 수 있음 • 양극화 현상이 심해지고 사회 이동이 어려워지면 계층 간 갈등으로 이어질 수 있음

03 사회 계층의 양극화

제시된 그림은 우리나라에서 소득 수준 상위 20%와 하위 20%의 소득 변화를 나타낸 것이다. ㄱ. 상층과 하층 간 소득 격차가 점차 심화하고 있다. ㄹ. 2015년에는 1990년에 비해 소득 격차 배율이 더 크다. 이를 통해 중간 계층의 비중이 줄어들었을 것임을 추론할 수 있다.

┃바로 알기┃ ㄴ. 하위 20%의 소득 수준은 상승 폭은 작지만 지속해서 높아지고 있다. ㄷ. 1990년에 비해 2015년에는 소득 격차가 커졌다. 소득 격차가 커지면 상대적 박탈감이나 위화감이 조성되어 사회가 불안정해질 수 있다.

04 사회적 약자에 대한 차별

북한 이탈 주민과 여성은 경제 수준이나 사회적 지위 등에서 열악한 위치에 있어 사회적으로 배려와 보호의 대상이 되는 사회적 약자에 해당한다. 제시된 사례에서는 북한 이탈 주민과 여성, 즉 사회적 약자에 대한 차별이 나타나고 있음을 보여 준다.

완자 정리 노트	사회적 약자에 대한 차별
원인	성별, 장애, 출신 지역 등에 대한 선입견 및 편견과 이러한 차별을 용인하는 사회적 환경 등
문제점	구성원의 기본적 권리 침해

05 공간 불평등

제시된 그림은 수도권의 면적이 전체 국토 면적의 약 12%에 불과하지만, 전체 인구의 절반 정도가 수도권에 밀집해 있을 뿐만 아니라 기업, 공공 기관 및 각종 교육·문화·의료 시설 등도 수도권에 집중되어 있음을 보여 준다. ①, ⑤ 수도권과 비수도권의 격차가 나타나는 것처럼 지역 간에 사회적 자원이 불균등하게 배분되는 현상을 공간 불평등이라고 한다. ③ 공간 불평등 현상은 낙후 지역 주민들의 경제적·사회적·문화적 생활 수준을 떨어뜨리고, 상대적으로 발전된 지역 주민과의 갈등을 일으켜 사회 통합을 저해할 수 있다. ④ 우리나라는 빠른 경제 성장을 이룩하고자 성장 가능성이 큰 수도권을 중심으로 성장 거점 개발을 추진하였는데, 이 과정에서 지역 격차가 심화되었다.

┃바로 알기┃ ② 수도권으로 인구와 자본이 유입되면서 수도권 권역이 확대될 수 있다.

06 공간 불평등

우리나라에서는 경제 발전 과정에서 추진된 성장 위주의 개발 정책으로 수도권과 대도시에서는 인구가 늘고 경제가 성장하였지만, 그 외 지역에서는 인구가 유출되고 경제가 침체되는 등의 문제가 나타났다. 따라서 수도권과 대도시 지역에 비해 비수도권과 촌락 지역에서는 인구 유출 정도가 높은 반면, 면적 대비 공공 기관의 수와 가구당 연 소득은 적게 나타난다. 따라서 B가 ㉠ 지역에 비해 ㉡ 지역이 갖는 특징이라고 볼 수 있다.

07 우리나라의 사회 복지 제도

(가)는 강제 가입과 금전적 지원을 원칙으로 하므로 사회 보험이며, (나)는 강제 가입이 이루어지지는 않지만 금전적 지원이 이루어지므로 공공 부조이다. 나머지 (다)는 강제 가입이 이루어지지 않고 비금전적인 지원이 이루어지는 사회 서비스이다.

완자 정리 노트	사회 복지 제도
사회 보험	• 모든 국민 대상 • 개인, 정부, 기업의 보험료 분담
공공 부조	• 빈곤층 대상 • 국가의 전액 비용 부담
사회 서비스	• 사회적 취약 계층 대상 • 비금전적 지원

08 사회 보험과 공공 부조

첫 번째 자료는 노인 장기 요양 보험에 대한 설명으로, 사회 보험(A)에 해당한다. 두 번째 자료는 기초 연금에 대한 설명으로, 공공 부조(B)에 해당한다. ④ 일반적으로 모든 국민을 대상으로 하는 사회 보험과 달리, 공공 부조는 빈곤층을 대상으로 한다.

┃바로 알기┃ ①은 공공 부조, ②는 사회 보험에 대한 설명이다. ③ 사회 보험과 공공 부조 모두 소득 재분배 효과가 있다.

09 적극적 우대 조치

(가)는 장애인 의무 고용 제도, (나)는 기회균등 전형에 대한 설명으로, 모두 적극적 우대 조치에 해당한다. ⑤ 적극적 우대 조치는 사회적 약자에게 실질적인 기회의 평등을 보장하는 것을 목적으로 한다.

┃바로 알기┃ ① 적극적 우대 조치는 사회적 약자에 대한 차별을 해소하려는 노력이다. ② 적극적 우대 조치는 개인이 이룬 업적보다는 사회적 약자에게 우선적으로 사회적 자원을 배분하는 것이다. ③ 적극적 우대 조치는 사회적 약자가 소외되거나 차별받지 않게 함으로써 정의로운 사회 실현에 기여한다. ④ 적극적 우대 조치를 도입하면, 사회적 약자를 우대하는 과정에서 오히려 사회적 약자가 아닌 사람들이 차별받는 역차별의 문제가 나타날 수 있다.

10 적극적 우대 조치에 관한 쟁점

┌ 자 료 분 석 ┐

• 갑: 여성 할당제는 기존의 남성 중심적 사회 구조에서 불이익을 받았던 여성에게 혜택을 제공함으로써 남녀 간의 불평등을 해소하려는 노력에 해당해. 이러한 정책은 기회의 재조정을 통해 실질적 평등을 가져올 수 있어.
└ 적극적 우대 조치가 과거에 받았던 차별을 보상할 수 있다고 보고 있어.

• 을: 나는 여성 할당제가 개인의 기여도와는 무관하게 여성에게 과도한 혜택을 준다고 생각해. 이러한 정책은 다른 사람들의 기회를 박탈함으로써 또 다른 차별을 낳을 수 있어.
└ 부당한 차별을 받는 쪽을 보호하기 위한 정책으로 오히려 다른 구성원들이 차별을 받을 수 있다는 점을 우려하고 있어.

여성 힐딩제에 대해 갑은 찬성, 을은 반대하는 입장이다. ㄱ. 갑은 여성이 과거에 받아왔던 차별에 대한 보상으로 채용이나 승진, 공직 진출의 혜택을 제공하는 여성 할당제가 필요하다고 주장한다. ㄷ. 을은 개인의 업적에 따른 분배를 무시하고 부당한 역차별을 초래한다는 근거를 들어 여성 할당제에 반대하고 있다.

바로 알기 ㄴ. 갑은 개인의 업적이나 능력에 따른 보상보다 사회적 약자에 대한 배려를 우선시하고 있다. ㄹ. 을은 사회적 약자를 위한 적극적 우대 조치에 반대하는 입장이다.

11 지역 격차 완화 정책

제시된 사례에서는 우리나라에서 공간 불평등이 심화하고 있음을 보여 준다. ①, ③ 지역 브랜드 구축, 지역의 특성을 살린 지역 축제 개최 등은 해당 지역의 경쟁력을 높임으로써 지역 격차를 해소할 수 있다. ④, ⑤ 수도권에 집중된 기능을 지방으로 분산하려는 노력으로, 수도권 과밀화를 해소함으로써 지역 격차를 완화할 수 있다.

바로 알기 ② 수도권 규제를 완화하면 오히려 수도권으로 기능들이 더욱 집중되어 공간 불평등이 심화할 수 있다.

12 지역 격차 완화 정책

제시된 지도는 우리나라의 혁신 도시 분포를 나타낸다. 혁신 도시는 지방으로 이전한 공공 기관 및 산업체, 대학교, 연구소 등이 긴밀히 협력할 수 있는 최적의 혁신 여건을 갖춘 도시를 의미한다. 우리나라에서는 수도권에 밀집한 공공 기관을 지방으로 이전함으로써 수도권 집중을 해소하고 낙후된 지방 경제를 활성화하기 위한 목적으로 혁신 도시 정책이 추진되고 있다.

바로 알기 ⑤ 대도시를 성장 거점으로 집중 육성하면 지역 격차가 심화될 수 있다.

서술형 문제
173쪽

01 주제: 사회적 약자에 대한 차별

(1) 사회적 약자

(2) **예시 답안** 사회적 약자에 대한 차별은 성별, 장애, 출신 지역 등에 대한 선입견 및 편견과 이러한 차별을 용인하는 사회적 환경 등이 원인이 되어 나타난다.

채점 기준

상	사회적 약자에 대한 차별의 원인을 개인적 측면과 사회적 측면으로 구분하여 서술한 경우
하	개인적 측면과 사회적 측면 중 한 가지만 제시한 경우

02 주제: 적극적 우대 조치

(1) 적극적 우대 조치

(2) **예시 답안** 적극적 우대 조치를 통한 혜택의 정도가 클 경우 그 혜택을 받지 못하는 나머지 구성원들은 역차별의 문제를 겪을 수 있다.

채점 기준

상	역차별의 문제가 나타나는 이유를 들어 적극적 우대 조치의 문제점을 서술한 경우
하	역차별의 문제가 나타날 수 있다고만 서술한 경우

STEP 3 1등급 정복하기
174~175쪽

1 ②   2 ①   3 ①   4 ⑤

1 사회 불평등 현상을 바라보는 관점

갑은 사회 불평등을 자연스러운 현상으로 보며, 을은 사회 불평등을 완화해야 할 현상으로 본다. ㄱ. 갑은 개인의 노력에 따라 그 결과가 다르게 나타나므로 불평등 현상은 자연스럽게 발생한다고 본다. 즉 열심히 일해서 많은 것을 성취한 사람에 대해 정의롭지 않다고 말할 수는 없다는 것이다. ㄹ. 을은 갑과 달리 천부적 재능으로 생겨나는 불평등을 공정하지 못하다고 보고 있다. 따라서 천부적 재능이 산출하는 이익을 구성원들이 함께 나누어야 한다고 본다.

바로 알기 ㄴ. 을은 재능과 같은 사회적 희소가치가 모든 사람에게 공정하게 분배되어야 사회 통합이 실현됨으로써 사회적 효율성이 높아진다고 본다.

2 우리나라의 사회 복지 제도

① A가 사회 보험이면, (가)에는 '강제 가입을 원칙으로 하는가?'가 들어갈 수 있다. 사회 보험은 공공 부조, 사회 서비스와 달리 강제 가입을 원칙으로 한다.

바로 알기 ② A가 공공 부조이면 (가)에는 '소득 재분배 효과가 나타나는가?'가 들어갈 수 없다. 사회 보험도 공공 부조와 마찬가지로 소득 재분배의 효과가 나타나기 때문이다. ③ A가 사회 서비스이면, (가)에는 '금전적 지원을 원칙으로 하는가?'가 들어갈 수 없다. 사회 서비스는 사회 보험, 공공 부조와 달리 비금전적 지원이 이루어지기 때문이다. ④ (가)가 '사전 예방적 성격이 강한가?'이면, A는 사회 보험에 해당한다. 따라서 B, C는 공공 부조와 사회 서비스 중 하나이다. 기초 연금은 공공 부조, 고용 보험은 사회 보험에 해당한다. ⑤ (가)가 '상담, 재활, 사회 복지 시설 이용 등의 지원을 제공하는가?'이면, A는 사회 서비스이다. 상호 부조의 성격이 강한 것은 사회 보험이다.

3 적극적 우대 조치

(가)는 사회적 약자에 대한 적극적 우대 조치는 또 다른 차별을 가져오며, 정의의 원칙에 어긋나므로 거부되어야 한다는 입장이다. 반면 (나)는 사회적 약자에 대한 적극적 우대 조치를 통해 오랫동안 부당한 차별로 고통받았던 사람들에게 실질적인 기회의 평등을 보장함으로써 정의로운 사회를 실현할 수 있다고 보는 입장이다. 따라서 X는 낮고, Y, Z가 높게 나타나는 ⊙이 (가)의 입장에 비해 (나)의 입장이 갖는 특징에 해당한다.

완자 정리 노트   적극적 우대 조치에 관한 찬반 논거

찬성 입장	• 과거 차별에 따른 고통을 보상할 필요가 있음 • 사회적 약자에게 유리한 기회를 부여함으로써 분배적 정의를 실현할 수 있음
반대 입장	• 사회적 약자를 우대하는 과정에서 다른 집단에 대한 역차별이 발생할 수 있음 • 능력과 업적을 고려하지 않는 보상은 부당함

4 지역 격차 완화 정책

밑줄 친 사업은 지방 자치 단체에서 주관하는 지역 발전 프로그램에 해당한다. 지역 특성에 맞게 환경 개발, 주택 개발, 관광 자원 개발 등을 통해 거주 환경을 개선하고 수익을 창출함으로써 주민의 삶의 질을 높이려는 것이다. ⑤ 낙후된 지역의 경쟁력을 높이고 발전을 끌어내기 위한 자립형 지역 발전 전략에 해당한다.

┃바로 알기┃ ① 공간 불평등을 해소하려는 노력이다. ② 지역의 균형 발전을 추구한다. ③ 사회 계층보다는 지역 간의 불평등을 해소하기 위한 노력이다. ④ 지역주의는 같은 지역 특유의 연대 의식과 일체감을 중시하는 것이다. 자립형 지역 기반 전략은 지역 격차를 해소하려는 노력으로, 지역주의를 극복하려는 노력이라고 볼 수 없다.

완자 정리 노트   지역 격차 완화 정책

수도권 기능의 지방 분산	공공 기관의 지방 이전, 수도권에서 지방으로 이전하는 기업에 세금 감면 등
자립형 지역 발전 기반 구축	지역의 특성을 살릴 수 있는 발전 전략 추진 예 지역 브랜드 구축, 장소 마케팅 등
도시 내 공간 불평등 해소	저렴한 공공 임대 주택 및 장기 전세 주택 공급, 도시 정비 사업 및 도시 환경 정비 사업 실시 등

↓

수도권과 비수도권, 도시와 촌락 간의 공간 불평등을 해소함으로써 국토의 균형 발전을 모색함

┃ **대단원 실력 굳히기** ┃   178~181쪽

01 ⑤	02 ④	03 ③	04 ②	05 ⑤	06 ④	07 ①
08 ①	09 ②	10 ④	11 ③	12 ⑤	13 ②	14 ①
15 ⑤	16 ①					

01 정의의 의미와 역할

⊙에 들어갈 개념은 정의이다. 정의에 대한 관점은 시대와 장소에 따라 다양하지만, 대체로 정의는 개인이 지켜야 할 올바른 도리 또는 사회를 구성하고 유지하는 공정한 도리로, 개인이나 사회가 추구해야 할 기본적인 덕목이라고 할 수 있다. ①, ② 정의의 의미는 잘못된 행위를 바로잡는 것, 다른 사람에게 피해를 준 만큼 보상하는 것, 마땅히 받을 만한 몫을 공정하게 분배하는 것 등에서 찾아볼 수 있다. ③ 정의가 실현되면 사회 구성원의 기본적 권리를 보장할 수 있다. 사회 구성원을 부당하게 차별하는 정의롭지 못한 사회에서는 자유권이나 평등권과 같은 개인의 기본권이 충분히 실현되기 어렵기 때문이다. ④ 정의를 통해 개인은 자신의 노력에 알맞은 보상을 받을 수 있으며, 공동체 전체의 나아갈 방향에 대한 합의에 도달할 수 있다. 이렇듯 정의는 개인선과 공동선을 조화롭게 유지시켜 사회적 갈등을 최소화해 주는 역할을 한다.

┃바로 알기┃ ⑤ 정의로운 사회는 개인의 이익 증진과 더불어 사회 제도의 개선에도 노력을 기울인다.

완자 정리 노트   다양한 사상가가 보는 정의의 의미

공자	천하의 바른 정도(正道): 올바른 길, 정당한 도리
플라톤	국가가 지녀야 할 가장 필수적 덕목
아리스토텔레스	각자에게 각자의 몫을 주는 것

02 능력과 업적에 따른 분배

(가)는 능력에 따른 분배에 해당한다. ㄹ. 능력에 따른 분배는 자격증 소지자처럼 능력이 뛰어난 사람을 대우할 수 있다. 그리고 (나)는 업적에 따른 분배에 해당한다. ㄱ. 각자가 자신의 능력과 노력을 발휘하여 성취한 업적을 분배의 기준으로 제시하였다.

┃바로 알기┃ ㄷ. 필요에 따른 분배에 해당하는 사례이다.

03 필요에 따른 분배

마을에서 공동으로 김장한 뒤에 김치를 식구 수나 각자의 경제 형편을 고려하여 분배하는 것은 필요를 분배의 기준으로 삼은 것이다. 필요에 따른 분배는 기본적 필요를 충족하기 힘든 사회적 약자에게 자원을 우선 분배하기 때문에 최대한 많은 사람들이 인간다운 삶을 살 수 있도록 한다.

┃바로 알기┃ 필요를 기준으로 분배할 경우 열심히 일하려는 동기를 약화하여 생산성을 높이는 것이 어려울 수 있다. 그리고 업적을 기준으로 분배할 경우 업적을 쌓기 위한 과열 경쟁으로 구성원 간에 갈등이 발생할 수 있다.

04 정의의 실질적 기준

자료 분석

(가) 예술, 체육 등 특정 분야에 탁월한 재능을 가진 학생을 선발한다. ┐ 개인의 육체적·정신적 능력을 분배의 기준으로 삼고 있어.

(나) 대학 수학 능력 시험을 치른 결과 상위 성적을 거둔 학생을 선발한다. ┐ 열심히 공부하여 성취한 업적을 분배의 기준으로 삼고 있어.

(다) 장애 또는 지체로 인하여 특별한 교육적 요구가 있는 학생들을 대상으로 선발한다. └ 사회적 약자에 기회를 우선적으로 주는 것은 필요를 분배의 기준으로 삼은 것이지.

(가)는 능력, (나)는 업적, (다)는 필요를 분배의 기준으로 삼고 있다. ① 능력에 따른 분배는 개인이 지닌 잠재력을 실현할 기회를 제공한다는 장점이 있다. 즉 능력이 뛰어난 사람이 이를 마음껏 발휘하여 높은 업적을 쌓도록 할 수 있다. ③ 필요에 따른 분배는 개인이 이루어 낸 기여도와 상관없이 사람들의 필요와 상황에 따라 분배하는 것이다. ④ 능력에 따른 분배는 지능과 같은 선천적 측면을 무시할 수 없기 때문에 사회적·경제적 불평등을 초래할 수 있다는 단점이 있다. ⑤ 필요에 따른 분배는 열심히 일하려는 동기를 약화할 수 있는 반면, 업적에 따른 분배는 자신이 이룬 업적만큼 보상을 받기 때문에 열심히 노력하려는 동기를 북돋을 수 있다.

바로 알기 ② 업적에 따른 분배는 각자가 달성한 결과를 객관화·수량화할 수 있어서 평가와 측정이 비교적 쉽다.

05 다양한 분배 기준의 필요성

제시된 자료는 왈처의 주장으로, 서로 다른 사회적 삶의 영역에서는 서로 다른 분배 기준이 적용되어야 한다는 내용이 나타나 있다. 분배적 정의의 다양한 기준은 각각 장단점이 있어서 어느 한 가지 기준만이 정의롭다고 말할 수 없다. 따라서 분배적 정의가 요구되는 상황이 발생했을 때, 여러 가지 기준을 고려하여 상황에 가장 적합한 분배 기준을 찾아보려는 노력이 필요하다.

바로 알기 ①, ④ 왈처는 각각의 분배 영역 사이에는 원칙적으로 경계가 존재하며, 어떤 영역의 가치도 다른 영역의 가치에 의해 지배받거나 다른 영역의 가치로 전환되어서는 안 된다고 보았다. ③ 왈처에 따르면 사회적 가치는 그것의 사회적 의미에 따라 각기 다른 원칙에 의해 분배되어야 한다.

06 자유주의적 정의관

제시된 사례에는 개인의 노력을 통해 얻은 소득은 개인의 권리라는 내용이 나타나 있다. 즉 자유로운 경쟁을 통해 공정하게 취득한 이익을 보장하는 것이 옳다고 보는 자유주의의 입장임을 알 수 있다. ㄴ. 자유주의적 정의관에서는 개인이 어떤 삶이 좋은 삶인지를 스스로 결정할 수 있으므로, 공동체는 공동체에 속한 개인에게 특정한 가치를 강요해서는 안 된다고 본다. ㄹ. 자유주의적 정의관에서는 타인의 자유를 침해하지 않는 한에서 개인의 자유와 권리를 최대한 보장하여 개인선을 실현하는 것이 정의롭다고 본다.

바로 알기 ㄱ. 공동체주의적 정의관에 따르면 개인은 자신이 속한 공동체가 올바로 유지되고 발전할 때 좋은 삶을 살아갈 수 있으므로, 공동체의 발전을 위해 노력해야 할 의무를 지닌다. ㄷ. 공동체주의적 정의관에서는 공동선의 실현이 자연스럽게 공동체 속에서 살아가는 구성원 각자의 개인선으로 이어진다고 본다.

07 공동체주의적 정의관

제시된 자료는 공동체주의적 정의관의 대표적 사상가 매킨타이어의 주장으로, 매킨타이어는 공동체의 가치와 전통을 존중하는 삶을 강조하였다. ① 공동체주의적 정의관에서는 인간의 삶이 공동체에 뿌리를 두고 있음을 강조한다.

바로 알기 ②~⑤ 자유주의적 정의관의 입장이다.

08 자유주의적 정의관과 공동체주의적 정의관

(가)는 공동체주의적 정의관, (나)는 자유주의적 정의관에 해당한다. ⓛ 자유주의적 정의관에서는 개인의 자유와 권리를 보호하기 위해 국가와 공동체가 존재한다고 본다. ⓒ 공동체주의적 정의관에서는 개인을 독립적으로 존재하는 것이 아니라 공동체의 구성원으로 존재한다고 보는 반면, 자유주의적 정의관에서는 개인을 공동체의 전통이나 가치로부터 독립적이고 자율적인 존재라고 본다. ⓔ 공동체주의적 정의관에서는 개인의 자아 정체성이 공동체적 삶을 토대로 형성된다고 보는 반면, 자유주의적 정의관에서는 공동체를 개인의 자유와 권리를 실현하기 위한 수단으로 본다. ⓜ 자유주의적 정의관과 공동체주의적 정의관 모두 개인선과 공동선이 공존할 수 있다고 본다.

바로 알기 ⓐ 공동체주의적 정의관에서는 공동선이 개인선보다 우선하며, 개인의 좋은 삶은 공동체의 가치에 의해 이끌어진다고 본다. 국가가 개인들의 다양한 가치관에 대해 중립을 유지해야 한다고 보는 것은 자유주의적 정의관의 입장이다.

완자 정리 노트 자유주의와 공동체주의가 보는 공동체

자유주의	공동체주의
공동체는 개인의 자유와 권리를 실현하기 위한 수단	공동체는 개인의 정체성을 형성하고 삶의 방향을 설정하는 기반

09 자유주의적 정의관과 공동체주의적 정의관

(가)는 공동체주의적 정의관, (나)는 자유주의적 정의관에 해당한다. ② 공동체주의적 정의관에서는 개인이 속한 공동체의 공동선을 실현하는 것이 정의롭다고 보는 반면, 자유주의적 정의관에서는 개인을 좋은 삶을 계획할 권리를 가진 독립적 자아로 본다. 따라서 공동체주의적 정의관에서는 자유주의적 정의관에게 개인보다는 공동체를 좋은 삶의 원천으로 보아야 한다는 반론을 제기할 수 있다.

바로 알기 ①, ③, ④, ⑤ 자유주의적 정의관에서 공동체주의적 정의관에게 제기할 수 있는 반론에 해당한다.

10 사회 계층의 양극화

제시된 사례에서는 우리나라의 사회 계층 중 중간 계층의 비중이 줄어들고 상층과 하층의 비중이 늘어나고 있음을 보여 준다. 이를 통해 우리나라에서 사회 계층의 양극화가 심화하고 있음을 알 수 있다. 이러한 현상이 지속되면 사회 발전의 동력이 줄어들고, 계층 간 위화감이 조성될 수 있다. 또한 사회 계층의 양극화는 인간다운 삶을 위한 주거, 여가, 교육 등 삶의 다른 측면에도 영향을 미친다는 점에서 문제가 된다.

바로 알기 ④ 사회 계층의 양극화가 심화되면 개인의 능력이나 업적에 의한 계층 이동이 어려워져 폐쇄적인 사회 구조를 형성할 수 있다.

11 사회적 약자에 대한 차별

제시된 사례에서는 사회적 약자 중 여성이 직장에서 부당하게 차별받는 모습이 나타나 있다. ㄴ. 여성에 대한 차별은 성별에 따른 선입견 및 편견에서 비롯한다. ㄷ. 적극적 우대 조치를 통해 기존의 남성 중심적 사회 구조에서 불이익을 받았던 여성에게 채용이나 승진 및 공직 진출의 혜택을 제공함으로써 사회적 약자로서 여성의 처지를 개선할 수 있다.

바로 알기 ㄱ. 역차별은 부당한 차별을 받는 쪽을 보호하기 위하여 마련한 제도나 장치가 너무 강하여 오히려 반대편이 차별을 받는 것으로, 제시된 사례에는 나타나 있지 않다. ㄹ. 개인의 능력이나 업적과 상관없이 단순히 선입견이나 편견에 의해 성차별이 나타나고 있다.

12 공간 불평등

① 공간 불평등이란 지역 간에 경제적·사회적·문화적 수준의 차이가 나타나는 현상으로, 지역을 기준으로 사회적 자원이 불균등하게 분배되는 것이다. ② 공간 불평등은 기본적으로 지역마다 자연환경 및 생산 요소가 다르게 분포하기 때문에 발생한다. ③ 우리나라는 성장 거점 위주의 개발 정책으로 수도권에서는 인구가 늘고 경제가 성장하였지만, 비수도권에서는 인구가 유출되고 경제가 침체되는 등의 문제가 나타났다. ④ 기업, 공공 기관 및 각종 편의 시설 등이 수도권에 집중되어 있기 때문에 교육·문화·의료 등 생활 전반의 불평등이 더욱 심화되었다.

바로 알기 ⑤ 수도권 규제를 완화하면 수도권으로 기능들이 더욱 집중되어 지역 격차가 심화될 수 있다.

13 우리나라의 사회 복지 제도

(가)는 사회 보험, (나)는 공공 부조, (다)는 사회 서비스에 해당한다. ② 공공 부조는 생활이 어려운 빈곤층의 최저 생활 보장 및 자립을 지원한다.

바로 알기 ① 국가에서 비용을 원칙적으로 모두 부담하는 것은 공공 부조이다. ③ 강제 가입을 원칙으로 하는 것은 사회 보험이다. ④ 사회 보험과 공공 부조 모두 금전적 지원이 이루어진다. ⑤ 일반적으로 사회 보험은 전 국민을 대상으로 하지만, 사회 서비스는 사회적 취약 계층을 대상으로 하므로 혜택을 받는 대상자의 범위는 사회 보험이 사회 서비스보다 넓다.

14 적극적 우대 조치에 관한 쟁점

갑은 교육 환경과 같은 우연적 요인에 의해 실질적 평등이 실현되지 못하는 것은 부당하므로, 불리한 지역의 학생들에게 대학 입학 정원을 할당해야 한다고 주장하고 있다. 반면 을은 대학 입학 할당제는 역차별 문제를 유발하므로 부당하다고 주장하고 있다.

바로 알기 ② 갑은 대학 입학 할당제를 실시함으로써 교육 환경과 같은 우연적 요인에 의한 불평등을 바로잡아야 한다고 본다. 따라서 성적 우수자가 대학 입학 할당제로 불이익을 받는 것은 불가피하다고 볼 것이다. ③ 을은 대학 입학 할당제는 교육 환경과 같은 학업 능력 이외의 요소를 고려함으로써, 학업 능력을 기준으로 부여되어야 하는 입학 권리를 침해한다고 본다. ④ 을은 대학 입학 할당제가 공정한 경쟁의 원칙에 어긋난다고 본다. ⑤ 부당한 역차별의 초래를 우려하는 것은 을의 입장에만 해당한다.

15 적극적 우대 조치

제시된 법 조항은 여성에게 채용이나 승진 및 공직 진출의 혜택을 제공하고, 기업이나 관공서에서 일정 비율 이상의 장애인을 고용하도록 하고 있다. 이는 여성과 장애인, 즉 사회적 약자에게 실질적인 기회의 평등을 보장하기 위해 일정한 혜택을 부여하는 적극적 우대 조치에 해당한다.

16 지역 격차 완화 정책

제시된 사례에서 보성과 제주도는 해당 지역의 발전 잠재력을 적극적으로 발굴하고 지역의 특성을 살릴 수 있는 발전 전략을 추진하고 있다. 이는 수도권과 비수도권 간의 격차를 완화하기 위해 자립형 지역 발전 기반을 구축하려는 노력에 해당한다.

바로 알기 병. 수도권에 집중된 정부 기능이 지방으로 분산된 모습은 나타나 있지 않다. 정. 성장 거점을 집중 육성하면 지역 격차가 심화될 수 있다.

VII. 문화와 다양성

01 세계의 다양한 문화권

01 문화와 문화권

우리가 살아가는 세계에는 다양한 문화가 존재하며 이러한 문화적 특성이 비교적 넓은 지표 공간에 걸쳐 유사하게 나타나는 범위를 문화권이라고 한다. 일반적으로 문화권의 경계는 주로 산맥, 하천, 사막 등의 지형에 의해 정해지며, 문화권과 문화권이 만나는 곳에는 점이 지대가 나타난다.   사하라 사막, 리오그란데강 등이 대표적인 예가 될 수 있어.

| 바로 알기 | ㄴ. 문화권은 종교, 민족, 언어 등의 문화 요소를 복합적으로 고려하여 구분하기도 한다. ㄹ. 문화는 의식주와 같은 유형적 요소와 언어, 종교, 풍습 등의 무형적 요소로 이루어져 있다.

02 주거 문화

가옥은 지역의 기후, 식생 등과 같은 자연환경을 반영하기 때문에 언어처럼 문화 구분의 요소가 된다. (가)는 건조 기후 지역의 이동식 가옥, (나)는 열대 기후 지역의 고상 가옥을 나타낸다. 이동식 가옥은 풀을 찾아 이동하며 가축을 기르는 유목 생활에 적합하다.

| 바로 알기 | ㄴ. (가)보다 (나)가 연 강수량이 많은 지역에 적합하다. ㄹ. (가)와 (나) 가옥의 차이에는 기후가 가장 크게 영향을 미쳤다.

완자 정리 노트   기후와 전통 가옥

기후	전통 가옥
열대 기후	• 고상 가옥: 땅의 열기를 피하고 침수를 막기 위해 가옥을 땅에서 떨어뜨려 지음 • 강수 시 빗물이 빨리 흘러 내리도록 지붕의 경사가 급함
건조 기후	• 이동식 가옥(몽골의 게르): 유목 생활에 적합함 • 흙집: 사막에서 구하기 쉬운 재료를 활용하며 지붕이 평평함
한대 기후	• 고상 가옥: 땅이 얼었다 녹기를 반복하면서 가옥이 붕괴되는 것을 막기 위해 가옥을 땅에서 떨어뜨려 지음 • 이동식 천막(여름철) 또는 얼음집(겨울철)

03 문화권 형성에 영향을 주는 기후

한대 기후가 나타나는 지역은 대부분 눈과 빙하로 덮여 있어 농업이 불가능하기 때문에 순록 등을 유목한다. 북극해 연안에는 사모예드족, 라프족, 이누이트와 같은 소수 민족이 생활하고 있다.

04 문화권 형성에 영향을 주는 종교

자료 분석

북아프리카와 서남아시아 지역에서는 주로 이슬람교를 믿어.

동남아시아와 동아시아 지역에서는 주로 불교를 믿어.

유럽, 아메리카, 오세아니아 등 가장 넓은 분포 범위를 보이는 종교는 크리스트교야.

인도에서 주로 믿는 종교는 힌두교야.

(애뉴얼대 세계지도, 2015)

이슬람교를 주로 믿는 국가의 국기에는 달과 별이 그려져 있다. 이슬람교는 건조 기후가 나타나는 서남아시아와 북부 아프리카 지역에서 주로 믿고 있다.   이슬람교를 창시한 무함마드가 신의 계시를 받던 날 밤에 달과 별이 나란히 떠 있었다는 데서 유래하였어.

| 바로 알기 | A는 크리스트교, C는 불교, D는 힌두교 문화권이며, E는 기타 종교에 해당한다.

05 자연환경에 따른 주식 문화권

ㄱ. 밀은 재배 조건이 까다롭지 않아 강수량이 부족한 건조 기후 지역에서도 많이 재배된다. ㄴ. 아시아 지역에서는 고온 다습한 계절풍 기후에 적합한 벼농사가 주로 이루어진다. ㄷ. 유럽은 밀 농사와 목축업이 주로 이루어져 빵과 고기를 이용한 음식 문화가 발달해 있다.

| 바로 알기 | ㄹ. 쌀은 감자와 옥수수보다 연 강수량이 많은 지역에서 재배된다.

06 문화권 형성에 영향을 주는 산업

어떤 산업이 발달하느냐에 따라 지역 주민들이 살아가는 방식이 달라져 문화권이 형성될 수 있다. 왼쪽 사진은 농업이 주로 이루어지는 농경 문화권의 경관을 나타낸 것이며, 오른쪽 사진은 높은 건물이 밀집한 도시로 공업과 서비스 산업이 중심을 이루는 문화권의 경관을 나타낸 것이다. 따라서 두 지역은 산업 발달과 경제 성장 속도가 달라 서로 다른 경관이 나타난다고 볼 수 있다.

07 동아시아 문화권

우리나라, 일본, 중국은 동아시아 문화권에 속한다. 이 지역은 벼농사가 발달하였고 유교와 불교의 영향을 받은 생활 양식이 나타나며, 한자와 젓가락을 사용한다는 공통점이 있다.

| 바로 알기 | ㉢ 불교는 인도에서 발생하여 동남아시아와 동부 아시아 지역으로 확산되었다.

08 아메리카 문화권

(가)는 앵글로아메리카 문화권, (나)는 라틴 아메리카 문화권이다. 라틴 아메리카 문화권은 앵글로아메리카 문화권에 비해 1인당 국내 총생산이 적다. 앵글로아메리카 문화권은 주로 영어를 사용하는 반면, 라틴 아메리카 문화권은 브라질(포르투갈어)을 제외한 대부분의 지역이 에스파냐어를 사용한다. 앵글로아메리카 문화권에서는 개신교를 주로 믿으며 라틴 아메리카 문화권에서는 가톨릭교를 주로 믿는다.

완자 정리 노트 아메리카 문화권

구분	앵글로아메리카 문화권	라틴 아메리카 문화권
공통점	유럽의 문화 전파, 다양한 인종이 거주하고 있으며 다양한 문화가 나타남	
차이점	주로 영어를 사용	에스파냐어와 포르투갈어 사용
	주로 개신교를 믿음	주로 가톨릭교를 믿음
	경제가 발달해 있음	대부분의 국가가 개발 도상국에 해당함

09 세계 문화권의 구분과 특징

지도의 A는 유럽 문화권, B는 건조 문화권, C는 동남아시아 문화권, D는 오세아니아 문화권, E는 라틴 아메리카 문화권이다.

| 바로 알기 | ④ 오세아니아 문화권은 영국의 식민 지배 영향으로 영어를 사용한다.

완자 정리 노트 세계 문화권의 구분과 특징

구분	특징
동양 문화권	• 동아시아: 유교·불교 문화, 젓가락·한자 사용 • 남부 아시아: 불교와 힌두교의 발상지 • 동남아시아: 다양한 문화 혼재, 벼농사 발달
유럽 문화권	산업 혁명의 발상지, 크리스트교 문화 발달
건조 문화권	이슬람교의 발상지, 아랍어 사용, 유목 및 오아시스 농업
아프리카 문화권	부족 단위 공동체 생활, 토속 신앙, 유럽의 식민 지배, 빈번한 분쟁 발생
아메리카 문화권	• 앵글로아메리카: 개신교, 영어 사용, 경제 발달 • 라틴 아메리카: 가톨릭교, 에스파냐어·포르투갈어 사용, 혼혈족으로 구성된 독특한 문화
오세아니아 문화권	유럽 문화 전파, 원주민 문화의 전통이 남아 있음
북극 문화권	한대 기후 지역, 순록 유목

10 세계의 음식 문화

(가)의 포(Pho)는 쌀로 만든 국수를 이용한 베트남 요리이다. 베트남이 위치한 동남아시아(C) 지역은 고온 다습한 계절풍 기후와 하천 주변의 비옥한 평야로 인해 벼농사에 유리하여 쌀을 주식으로 하는 음식 문화가 발달하였다.

(나)의 케사디야는 옥수수를 이용해 만든 전병(토르티야)에 여러 가지 재료를 넣어서 먹는 멕시코의 전통 요리이다. 멕시코가 위치한 라틴 아메리카(E)의 고산 지역에서는 냉량한 기후로 인해 감자와 옥수수를 이용한 음식 문화가 발달하였다.

서술형 문제

188쪽

01 주제: 문화권 형성에 영향을 주는 종교

예시 답안 A는 돼지고기를 기피하는 지역으로 건조 문화권의 범위와 거의 일치한다. 이 지역은 주로 이슬람교를 믿기 때문에 교리에 따라 돼지고기를 먹는 것을 금기시하며, 건조 기후가 나타나 강수량이 부족하기 때문에 풀을 찾아 가축을 데리고 이동하는 유목이 이루어진다.

채점 기준

상	이슬람교와 유목이라는 용어를 사용하고 그 내용을 모두 정확하게 서술한 경우
중	이슬람교 또는 유목이라는 용어를 사용하였으나 종교와 농목업 중 한 가지에 대해서만 서술한 경우
하	이슬람교, 유목이라는 용어만 쓴 경우

02 주제: 기후와 주거 문화

(1) 열대 기후(열대 우림 기후)

(2) **예시 답안** (가)는 열대 기후 지역의 전통 가옥이다. 이 지역은 연 강수량이 많기 때문에 강수 시 빗물이 빨리 흘러 내리도록 지붕의 경사가 급하다. 반면 (나)는 건조 기후 지역의 전통 가옥으로, 이 지역은 연 강수량이 적기 때문에 지붕의 경사가 없이 평평하다.

채점 기준

상	열대 기후(열대 우림 기후)와 건조 기후를 정확히 쓰고 연 강수량의 차이를 비교하여 서술한 경우
중	열대 기후(열대 우림 기후)와 건조 기후를 정확히 썼으나 연 강수량의 차이에 대한 서술이 미흡한 경우
하	기후가 다르기 때문이라고만 서술한 경우

03 주제: 라틴 아메리카 문화권

예시 답안 남부 유럽에 위치한 에스파냐와 포르투갈의 식민 지배를 받았기 때문에 대부분의 국가에서 에스파냐어와 포르투갈어를 사용하고 있으며 크리스트교(가톨릭교)를 주로 믿는다.

채점 기준

상	라틴 아메리카의 언어와 종교를 모두 정확하게 서술한 경우
중	라틴 아메리카의 언어와 종교 중 한 가지만 서술한 경우
하	유럽과 유사한 문화가 나타난다고만 서술한 경우

1 세계 문화권의 구분과 특징

자료 분석

		건조 문화권
(가) 모둠	일상생활과 국가 통치에 적용되는 이슬람교의 엄격한 계율	
(나) 모둠	원주민과 이주민 간의 높은 혼혈 비율 – 라틴 아메리카 문화권	
(다) 모둠	젓가락을 이용하는 음식 문화가 나타나는 이유	

동아시아 문화권

A: 건조 문화권
B: 아프리카 문화권
C: 동아시아 문화권
D: 오세아니아 문화권
E: 라틴 아메리카 문화권

(가) 모둠의 탐구 주제와 관계 깊은 문화권은 건조 문화권(A)이다. 서남아시아와 북부 아프리카에 해당하는 건조 문화권에서는 주로 이슬람교를 믿는데, 이슬람교는 쿠란의 교리에 따라 술과 돼지고기를 금기시한다. (나) 모둠의 탐구 주제와 관계 깊은 문화권은 라틴 아메리카 문화권(E)이다. 라틴 아메리카 문화권은 원주민과 이주민인 유럽인, 아프리카인 간의 혼혈족이 많다. (다) 모둠의 탐구 주제와 관계 깊은 문화권은 동아시아 문화권(C)이다. 동아시아 문화권은 벼농사가 발달하였고 한자를 사용하며, 젓가락을 이용하는 음식 문화가 나타난다.

바로 알기 B는 아프리카 문화권, D는 오세아니아 문화권이다.

2 다양한 문화 경관

첫 번째로 여행하는 지역은 불교 문화가 나타나는 지역으로 동남아시아 문화권에 속하는 타이(D)이다. 두 번째 여행 지역은 가축을 몰고 이동하는 사람들, 천막집 등의 경관이 나타나는 것으로 보아 유목이 이루어지는 건조 문화권에 속한 지역임을 알 수 있다. 북아프리카 지역에 위치한 리비아(B)이 이에 해당한다. 세 번째 여행 지역은 크리스트교 문화가 발달한 곳으로, 제시된 지도에서 찾으면 유럽 문화권에 속한 프랑스(A)가 이에 해당한다. 따라서 여행 경로는 D → B → A가 된다.

바로 알기 C는 아프리카 문화권, E는 북극 문화권에 속하는 지역이다.

---

02 문화 변동과 전통문화의 창조적 계승

01 문화 변동의 요인

자료 분석

무역을 하는 상인들 간의 접촉 ── 상인들 간의 접촉을 통해 전파된 문화 요소

(가) 근대 이전의 동서 교역은 육상의 비단길, 초원길과 해상 교역로를 통해 활발히 이루어졌다. 이중 비단길을 통해 종이, 화약, 나침반 등이 중국에서 유럽으로 전해졌다.

(나) 멕시코는 전통적으로 태양신을 숭배해 왔으나 1500년대 초반 에스파냐 군대가 들어오면서 가톨릭교가 전해졌다.

에스파냐 군인이 멕시코에 ── 멕시코에는 없었던 에스파냐의
들어와 이루어진 접촉 ── 종교(문화 요소)

(가)는 동서 교역 즉, 무역을 통해 종이, 화약, 나침반 같은 문화 요소가 전해진 것이고, (나)는 에스파냐 군대에 의해 가톨릭교라는 문화 요소가 전해진 것으로 모두 외재적 요인 중 직접 전파에 의한 문화 변동에 해당한다. ⑤ (가)는 교역이므로 상인들, (나)는 군대이므로 군인들에 의해 각각 문화 요소가 전해졌음을 알 수 있다. 따라서 모두 직접 전파에 해당한다.

바로 알기 ① (가)는 외재적 요인에 의한 문화 변동이다. ② (나)는 직접 전파에 해당한다. ③ (가)와 (나) 모두 문화 변동에 해당한다. ④ (가)는 문화 요소의 교류를 통해 문화 다양성에 기여한다.

02 문화 변동의 요인과 양상

'외재적 요인인가?'에 '예'라고 응답한 ㉠과 ㉡ 중 '사람 이외의 매개체를 통해 문화 요소가 전달되는가?'에 '예'라고 대답한 ㉠은 간접 전파, '아니요'라고 대답한 ㉡은 직접 전파라고 할 수 있다. 한편 ㉢, ㉣은 내재적 요인에 해당하는데, 이 중 '새로운 문화 요소를 창조했는가?'에 '예'라고 대답한 ㉢은 발명, '아니요'라고 대답한 ㉣은 발견이다. ④ ㉣은 발견이므로 불의 발견이 대표적인 사례라고 할 수 있다.

바로 알기 ① ㉠은 간접 전파, ㉡은 직접 전파이다. ② 등자, 전구 등의 발명은 ㉢의 사례에 해당한다. ③ ㉢은 발명이다. 자극 전파는 외재적 요인으로, 간접 전파 혹은 직접 전파에 의해 유입된 문화 요소로부터 자극을 받아

발명이 이루어진 것이다. 쉐쿼야 문자가 대표적 사례이다. ⑤ 오늘날에는 국가 간 활발한 교류와 대중 매체의 발달 등에 따라 문화 전파가 문화 변동의 주요 요인으로 작용하고 있다.

└ 체로키 인디언들이 백인들과의 접촉을 통해 알파벳을 알게 된 후 이에 아이디어를 얻어 만들어 낸 문자로, 부족 이름을 따 '체로키어'라고도 해.

03 문화 변동의 요인

(가)는 7세기 초 고구려의 담징이 일본에 종이와 먹의 제조 방법을 전해 준 것으로 직접 전파에 해당한다. (나)는 1928년 스코틀랜드 생물학자 플레밍이 페니실린을 발견했다는 내용이다. ㄱ, ㄹ. (가)는 외재적 요인 중 직접 전파로 다른 사회로부터 문화 요소가 들어온 것인 반면, (나)는 내재적 요인 중 발견으로 한 사회 내에서 기존에 존재하였으나 알려지지 않았던 문화 요소를 찾아낸 것이다.

┃바로 알기┃ ㄴ. (가)는 한 사회의 문화 요소를 그 사회의 구성원이 다른 사회에 전파하는 직접 전파이다. 인쇄물, 인터넷과 같은 매개체를 통한 전파는 간접 전파에 해당한다. ㄷ. '한글'은 대표적인 '발명'의 사례이다.

완자 정리 노트 문화 변동의 요인

구분		내용
내재적 요인	발명	새로운 문화 요소를 만들어 내는 것
	발견	존재하고 있었지만 알려지지 않았던 문화 요소를 찾아내는 것
외재적 요인	직접 전파	두 문화 간 직접적인 접촉에 의한 전파
	간접 전파	인터넷, 서적 등 매개체를 통한 간접적인 전파
	자극 전파	다른 사회에서 전파된 문화 요소에 자극을 받아 새로운 발명이 일어나는 것

04 문화 융합

제시된문은 성공회 강화 성당에 대한 내용으로, 외관은 전통 불교 사찰과 같고 내부는 서양 성당 건축 문화 양식을 보인다는 점에서 문화 융합에 해당한다. 이처럼 문화 융합은 서로 다른 두 사회의 문화 요소 간 결합으로 인해 기존에는 없던 새로운 문화 요소가 생겨나는 것이다.

┃바로 알기┃ ① 발견은 내재적 요인에 해당한다. ③ 한 사회 내의 자체적 문화 변동은 내재적 요인에 의한 발견과 발명을 들 수 있다. ④ 자극 전파는 전파된 문화 요소에 자극을 받아 발명이 이루어진 것이다. 문화 융합은 두 사회의 문화 요소 간 결합으로 나타난다. ⑤ 제시된 자료는 두 사회의 문화 요소 간 우열과는 관련이 없다.

완자 정리 노트 문화 변동의 양상

구분		내용
문화 접변 결과	문화 동화	한 사회에 전파된 문화 요소가 기존 사회의 문화 요소를 대체하는 것
	문화 융합	서로 다른 두 사회의 문화 요소가 결합하여 제3의 문화 요소를 만들어 내는 것
	문화 병존	한 사회에 전파된 문화 요소가 그 정체성을 유지한 채 존재하는 것

05 문화 병존

중국 옌벤 조선족 자치주는 북한의 함경북도와 접하고 있으며, 조선 말기에 이곳으로 이주한 조선인들의 2·3세대들이 많이 모여 살고 있어 중국 풍습과 우리나라 풍습이 함께 나타난다. 우리나라 서울의 대림동과 가리봉동, 인천의 차이나타운에 거주하는 중국인들 역시 한국의 생활 양식을 받아들이면서도 중국의 고유문화를 유지하면서 생활하고 있다. 따라서 두 지역 모두 문화 병존이 나타나고 있는 것을 알 수 있다. ② 문화 병존은 기존의 문화 요소와 전파된 다른 사회의 문화 요소가 함께 공존하는 것으로, ㉠ 지역에서는 한국과 중국의 문화를 동시에 접할 수 있다.

┃바로 알기┃ ① ㉠에서는 문화 병존 현상이 나타난다. ③ 자기 문화의 정체성이 약한 지역은 다른 문화가 유입되면 문화 동화 현상이 나타날 가능성이 더 높다. ④ 한 사회의 문화 요소가 우월하게 나타날 경우 문화 동화 현상이 나타날 수 있지만 제시문을 통해 파악할 수 없다. ⑤ ㉠에는 한국 문화가, ㉡에는 중국 문화가 유입되어 문화 변동이 나타났음을 알 수 있다.

06 문화 동화

자료 분석

18세기 이후 남태평양의 작은 섬나라들은 유럽인에게 정복되어 무역 상인과 선교사들의 활동 무대가 되었다. 당시 선교사들은 기존의 관습이 원시적이라고 생각하여 원주민들을 개화하기 위해 노력하였고, 그 결과 원주민 사회에는 많은 변화들이 나타났다. 아직도 원주민 마을에는 조상 신당과 같은 전통 종교 체계가 있지만 존재만 할 뿐 주민들은 교회에 가서 노래하고 기도하는 것을 즐긴다.

└ 강제적 문화 접변이 일어났음을 알 수 있어.

└ 문화 동화 현상이 나타났음을 알 수 있어.

작은 섬나라에 서양인들이 들어와 원주민들을 개화하기 위해 노력했고, 그 결과 기존 사회 체계가 무너지고 서양인들의 사회 체계가 이를 대체하였다. 이로 인해 전통 종교가 사라지고 교회가 이를 대신하는 현상이 나타났는데, 이는 ⑤ 한 사회의 문화 요소가 다른 사회의 문화 요소에 흡수되는 문화 동화에 해당한다.

┃바로 알기┃ ① 발명과 발견은 내재적 요인에 의한 변화이다. 제시문은 서양인들의 유입에 따른 변화로 외재적 요인 중 직접 전파에 해당한다. ② 원주민 사회의 전통적인 문화 요소가 사라지는 모습을 보이고 있다. ③ 전파된 문화 요소에 의해 자극을 받아 새로운 문화 요소가 발명되는 것은 자극 전파이며 제시문을 통해 파악할 수 없다. ④ 제시문 중 선교사들에 의한 개화가 이루어졌다는 내용을 통해 원주민들이 자발적으로 서양인들의 문화 요소를 받아들이지 않았음을 알 수 있다.

07 다양한 종교의 공존

말레이시아는 인구의 50% 이상이 이슬람교를 믿지만, 이슬람교 이외에 힌두교, 불교, 크리스트교 등 다양한 종교의 기념일도 공휴일로 지정하고 있다. 이를 통해 말레이시아가 서로 다른 종교에 대해 수용적이고 개방적인 자세를 가지고 문화 공존을 위해 노력하고 있음을 알 수 있다.

| 바로 알기 | ㄱ. 제시된 사료를 통해 선통분화의 소멸 과성은 파악할 수 없다. ㄴ. 대표적인 문화 병존의 사례에 해당한다.

08 전통문화의 창조적 계승

제시된 신문 기사에서 소개한 「점프」 공연은 태권도라는 전통문화 요소를 현대적인 감각으로 재해석하여 흥과 재치를 살린 것으로, 언어를 사용하지 않기 때문에 외국인도 쉽게 즐길 수 있어 우리나라를 대표하는 세계적인 공연으로 성장할 수 있었다. 이처럼 전통문화 요소를 창조적으로 계승하여 발전시킨 문화 콘텐츠는 우리 문화를 세계에 알리는 데 큰 기여를 하고 있다.

| 바로 알기 | ㄴ, ㄷ. 제시된 자료는 전통문화 요소를 시대적 변화에 맞게 재창조하여 세계화 시대에 전통문화의 가치를 높이고 발전시킨 긍정적 사례에 해당한다.

09 전통문화의 계승과 발전

제시된 자료는 전통문화를 바탕으로 한 한류 드라마와 퓨전 국악 뮤지컬을 사례로 하여 문화 콘텐츠 수출 방안을 모색하고자 한다. 전통문화를 세계적 문화 콘텐츠로 발전시키기 위해서는 우선 전통문화에 대해 지속적인 관심을 갖고, 객관적인 입장에서 분석하여 우리 문화만의 고유성과 독창성을 찾아야 한다. 이러한 전통문화의 정체성을 바탕으로 다른 나라의 문화를 비판적으로 수용함으로써 전통문화를 창조적으로 계승하고 발전시켜 나갈 수 있다.

| 바로 알기 | ⑤ 전통문화의 세계화를 위해 우리 문화의 고유성을 경시하거나 포기할 경우 정체성 상실을 가져올 수 있다. 따라서 고유성을 무분별하게 포기하는 것은 적절하지 않다.

서술형 문제

194쪽

01 주제: 문화 변동의 요인과 양상

예시 답안 미국의 식민 지배라는 내용을 통해 직접 전파가 이루어졌음을 알 수 있으며, 영어와 필리핀어가 공용어로 사용된다는 내용에서 문화 병존 현상이 나타남을 알 수 있다.

채점 기준

상	제시문에서 해당 부분을 찾아 문화 변동 요인(직접 전파)과 양상(문화 병존)을 정확하게 서술한 경우
중	문화 변동 요인과 양상 중 한 가지만 정확하게 서술한 경우
하	제시문에서 해당 부분을 찾았으나, 문화 변동 요인과 양상을 정확하게 서술하지 못한 경우

02 주세: 문화 면농 양상

(1) 문화 융합

(2) **예시 답안** 문화 융합은 서로 다른 두 사회의 문화 요소가 결합하여 기존과 다른 새로운 문화 요소가 만들어지는 것을 말한다.

우리나라의 성공회 강화 성당, 멕시코의 과달루페 성모상 등이 문화 융합의 대표적 사례이다.

채점 기준

상	문화 융합의 의미를 정확하게 서술하고, 사례를 두 가지 제시한 경우
중	문화 융합의 의미를 정확하게 서술하였으나 해당 사례를 한 가지만 제시한 경우
하	문화 융합의 의미만 정확하게 서술한 경우

03 주제: 전통문화의 계승과 발전

예시 답안 전통문화에 다른 사회의 문화 요소를 결합하여 전통문화를 현대적 감각에 맞게 창조적으로 재구성함으로써 세계화 시대에 전통문화의 가치를 높이고 우리 문화의 다양성에 기여할 수 있다.

채점 기준

상	전통문화의 창조적 재구성과 문화의 다양성 내용을 포함하여 시사점을 정확하게 서술한 경우
중	전통문화의 창조적 재구성과 문화의 다양성 내용 중 한 가지만 정확하게 서술한 경우
하	전통문화를 재구성했다고만 서술한 경우

STEP 3 1등급 정복하기

195쪽

1 ④　　2 ②

1 문화 변동의 양상

(가)는 사례가 성공회 강화 성당임을 통해 '문화 융합'임을 알 수 있으며, (나)는 서로 다른 두 사회의 문화 요소가 한 사회 내에서 나란히 존재하는 현상이므로 '문화 병존'임을 알 수 있다. ④ 문화 융합과 문화 병존의 공통점은 자기 문화의 정체성을 유지하고 있다는 것이다.

| 바로 알기 | ① (나)는 문화 병존이다. 전통문화가 외래문화에 흡수되어 나타나는 것은 문화 동화이다. ② (가)와 (나)의 구분 기준은 '서로 다른 두 사회의 문화 요소가 결합하여 제3의 요소를 만들어 냈는가'이다. ③ '외래문화에 자극을 받아 새로운 문화 요소를 만드는 것은 자극 전파에 해당한다. ⑤ 백인들에 의해 사라진 인디언 문화는 문화 동화의 사례이다.

완자 정리 노트 문화 접변의 성격

구분	변동 양상	자기 문화의 성체성 상실	제3의 문화 요소 형성
문화 병존	A+B → A and B	×	×
문화 동화	A+B → A or B	○	×
문화 융합	A+B → C	×	○

2 문화 변동의 요인과 양상

자료 분석

⟨자료 1⟩ ───────────── 강제적 문화 접변에 의한 직접 전파

멕시코는 전통적으로 태양신을 숭배하였다. 1500년대 초반 ㉠ 에스파냐 군대가 멕시코에 들어오면서 가톨릭교가 전파되었으나, 주민들은 여전히 자신들의 토착신을 숭배하였다. 이에 가톨릭 교단에서는 가톨릭교와 현지 종교를 조화시키기 위해 노력하였는데, 검은 머리에 갈색 피부를 갖고 있으며 남미 전통 의상을 입은 ㉡ 과달루페 성모상은 그 대표적인 사례로 손꼽히고 있다.

⟨자료 2⟩ ── 문화 융합

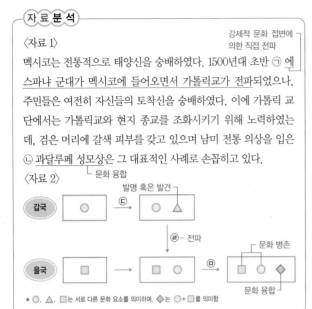

* ○, △, □는 서로 다른 문화 요소를 의미하며, ◇는 ○+□를 의미함

⟨자료1⟩에서 ㉠은 강제적 문화 접변에 따른 직접 전파를 의미하며, ㉡은 유럽의 가톨릭교와 멕시코의 토착 문화가 결합하여 만들어진 것으로 문화 융합을 의미한다. ⟨자료2⟩에서 ㉢은 내재적 요인에 의한 발명 혹은 발견으로, 이로 인해 △이라는 문화 요소가 출현하였다. ㉣은 외재적 요인에 의한 문화 변동(○ 문화 요소의 전파)을 의미하며, ㉤은 전파된 문화 요소가 문화 병존(□, ○), 문화 융합(◇)으로 나타나고 있음을 의미한다.

┃**바로 알기**┃ ① 갑국과 을국 모두 문화 요소의 추가가 나타났으나 소멸 과정을 겪지는 않는다. ③ ㉠ 이후 ㉡이 나타나는 것은 에스파냐의 식민 지배라는 강제적 문화 접변에 의한 문화 변동 현상이다. ④ ㉢과 ㉣ 모두 한 사회의 문화 다양성에 기여한다. ⑤ ㉤은 을국에서 문화 병존과 문화 융합이 나타났음을 보여준다.

문화 상대주의와 보편 윤리 ~ 다문화 사회와 문화 다양성 존중

03~04

STEP 1 핵심 개념 확인하기 200쪽

1 (1) × (2) × (3) ○ 2 (1) ㄷ (2) ㄹ (3) ㄱ (4) ㄴ 3 보편 윤리
4 ㄱ, ㄷ 5 ㉠ 용광로 정책 ㉡ 샐러드 볼 정책

STEP 2 내신 만점 공략하기 200~203쪽

01 ④ 02 ④ 03 ③ 04 ③ 05 ④ 06 ⑤ 07 ⑤
08 ⑤ 09 ④ 10 ① 11 ③ 12 ④ 13 ⑤

01 문화적 차이가 나타나는 이유

갑이 사는 지역에는 눈이 내리지 않기 때문에 눈을 표현하는 단어가 없는 반면, 을이 사는 지역에는 눈이 많이 내리기 때문에 눈의 상태에 관한 다양한 표현이 필요하다. 즉, 눈이라는 자연환경이 언어 형성에 영향을 끼친 것이다. 이처럼 ④ 문화적 차이는 각 사회가 서로 다른 자연환경에 적응하며 나름의 생활 방식을 형성하는 과정에서 나타난다.

┃**바로 알기**┃ ① 갑이 사는 지역에는 눈과 관련된 단어가 없고, 을이 사는 지역에는 눈과 관련된 단어가 많다. 이는 문화의 다양성과 관련 있다. ② 문화의 구체적인 모습은 사회마다 서로 다르게 나타난다. ③ 제시문을 통해 알 수 없다. ⑤ 제시문에서 인문 환경의 영향을 받아 형성된 문화를 찾아볼 수 없다. ── 정치, 종교, 관습 등에 의해 문화가 형성되는 거야. 독재 국가나 민주 국가의 정치 문화가 다르고 종교에 따라서도 문화가 달라지지.

02 자문화 중심주의

자료 분석

이슬람 극단주의 무장 세력이 유네스코 세계 문화유산으로 지정된 팔미라 고대 신전을 무참히 폭파하였다. 이 세력은 우상 숭배와 다신교를 금지하는 종교적 특성을 내세우며 점령지의 고대 유적과 유물을 파괴하고 있다. → 자문화 중심주의

문항	답안
(1) 문화의 다양성 확보에 용이하다.	×
(2) 문화를 이해하는 절대적 기준은 없다.	○ → ×
(3) 내부 사회의 결속력을 다지는 데 유리하다.	○
(4) 다른 사회의 문화 유입에 대해 긍정적이다.	×
(5) 문화는 그 사회의 맥락에서 이해해야 한다고 본다.	×

└ 한 문제를 틀렸으므로 학생이 받을 점수는 8점이야. (문항당 2점)

제시된 자료를 통해 이슬람 극단주의 무장 세력은 자기 문화만을 우월하다고 여기고 타문화를 경시하는 자문화 중심주의적 태도를 가지고 있음을 알 수 있다.

▎바로 알기 (1) 자문화 중심주의는 다른 사회의 문화를 부정하므로 문화의 다양성 확보에 불리하다. (2) 자문화 중심주의는 문화를 이해하는 절대적 기준, 즉 우열이 있으며 자기 문화가 우월하다고 본다. (4) 자문화 중심주의는 다른 사회에 자기 문화를 주입시키려 하기 때문에 갈등이 발생할 우려가 있다. 다른 사회 문화 유입에 긍정적인 것은 문화 사대주의이다. (5) 문화를 그 사회의 맥락에서 이해해야 한다고 보는 것은 문화 상대주의이다.

완자 정리 노트   **문화를 이해하는 태도**

자문화 중심주의	• 자신의 문화를 우월하게 인식하고 타문화를 열등하다고 봄 • 국수주의, 제국주의로 흐를 가능성이 있음 • 내부 사회 통합에 유리하나 외부 사회와 갈등 가능성이 있음
문화 사대주의	• 자신의 문화를 열등하게 인식하고 타문화를 우월하게 봄 • 자문화 정체성이 약화되어 전통문화가 소멸될 가능성이 큼 • 외래문화의 유입에 적극적임
문화 상대주의	• 각 사회의 문화는 그 사회의 맥락 속에서 이해해야 한다고 봄 • 다문화 사회에 문화를 이해하는 올바른 태도임 • 문화의 다양성, 다문화 사회의 문화 공존에 유리함

03 문화 이해 태도

㉠은 타국의 문화를 미개하고 열등하다고 여긴다. 이는 문화 간 우열을 인정하는 문화 이해 태도 중 자문화 중심주의에 해당한다. 반면 ㉡은 사회의 맥락과 환경을 고려하여 문화를 이해해야 한다고 보고 있으므로 문화 상대주의에 해당한다. ③ 문화 상대주의는 문화를 평가가 아닌 이해의 대상으로 본다.

▎바로 알기 ① ㉠과 같은 태도는 타문화 수용에 소극적이며 오히려 자국의 문화를 타국에 전하는 데 적극적이다. ② ㉠과 같은 태도는 자국의 문화를 타국에 강요할 우려가 있어 국가 간 갈등을 유발한다. ④ 자국 사회의 통합에 유리한 것은 자문화 중심주의의 특징 중 하나이다. ⑤ 문화를 우열의 평가 대상으로 보는 것은 ㉠이다.

04 문화 이해 태도

갑이 작성한 표에 쓰여진 장점을 보면, (가)는 자문화 중심주의, (나)는 문화 사대주의, (다)는 문화 상대주의에 대한 내용이다. 하지만 을의 답변에서 갑이 (가)와 (나)를 혼동하고 있다고 지적했으므로, 갑이 작성한 표에는 (가)에 문화 사대주의, (나)에 자문화 중심주의라고 쓰여 있을 것이다. ③ 문화 상대주의는 문화를 그 사회의 맥락 속에서 살펴보아야 올바르게 이해할 수 있다고 본다.

▎바로 알기 ① 국수주의로 흐를 위험이 있는 것은 자문화 중심주의이다. ② 조선 시대의 '중화사상'은 중국 문화를 우월하다고 여기는 것으로 문화 사대주의에 해당한다. ④ (가)와 (나) 모두 문화의 다양성 유지에 불리하다. ⑤ 갑은 문화 사대주의와 자문화 중심주의를 혼동하였다.

05 문화 상대주의의 한계

문화 상대주의는 어떤 문화 현상을 이해할 때 그 사회의 전통과 맥락에서 이해하려고 하는 입장이기 때문에 문화 교류가 활발해지고 있는 세계화 시대에 필요한 태도로 인정받고 있다. 그러나 자칫 이 관점을 극단적으로 적용할 경우 '식인 풍습' 등과 같이 인류

의 보편적 가치를 무시하는 현상까지도 수용할 수 있게 된다는 점에서 비판을 받기도 한다.

06 문화 이해 태도

자 료 분 석

타문화를 열등하다고 보는 것은 자문화 중심주의야.

(가) 미국 언론 매체인 ○○에서 운영하는 여행 정보 사이트는 '세계 7대 혐오 음식'을 선정하면서 서양 음식은 하나도 포함하지 않고 아시아 음식으로만 채워 놓았다. 이것이 발단이 되어 미국과 중국의 주요 매체가 상대방의 음식이 혐오 식품이라며 설전을 벌였다. ┌ 보편 윤리에 어긋난다는 뜻이야.

(나) 중국의 '전족' 풍습을 여성 인권 침해 사례로 이해하고 비판해서는 안 된다. 모든 문화는 그 나름의 가치와 형성 배경이 있기 때문에 사회적·역사적 맥락 속에서 이해하고 존중해야 한다. ┌ 모든 문화를 인정해야 한다는
극단적 문화 상대주의에 해당해.

(가)는 상대방의 문화를 혐오스러운 것으로 비하하고 있으므로 자문화 중심주의임을 알 수 있다. (나)는 전족이 여성 인권 침해로 비판받음을 알고 있지만 그 사회의 문화로 고유한 가치가 있으므로 존중해야 한다는 입장이다. 이는 인류의 보편적 가치를 훼손하는 것마저도 인정해야 한다는 극단적 문화 상대주의에 해당한다.

07 문화 이해 태도

갑은 애벌레를 먹는 원시 부족의 문화를 야만적인 것이라고 하며 문화의 우열을 가리고 있으므로 자문화 중심주의적 태도를 지니고 있다. 이러한 태도는 문화를 평가하는 절대적인 기준이 있다고 본다. 반면, 을은 그들만의 환경 속에서 형성된 문화를 함부로 평가해서는 안 된다는 입장으로 문화 상대주의, 병은 모든 문화를 있는 그대로 인정해야 한다는 입장이므로 극단적 문화 상대주의 태도를 지니고 있다고 할 수 있다.

▎바로 알기 ㄱ. 자문화 중심주의는 자기 문화를 기준으로 다른 문화를 바라보는 태도로, 다른 문화를 객관적으로 볼 수 없다. ㄴ. 문화 간 우열이 존재하며 평가가 가능하다고 보는 것은 갑의 태도이다.

08 문화 이해 태도

자 료 분 석

┌ 종교, 도덕, 철학에 나타나는 보편적 윤리 원칙

• 교사: '다른 사람이 너에게 해 주었으면 하는 행위를 다른 사람에게 하라.'라는 황금률에 대해 어떻게 생각하는지 발표해 볼까요?

• 갑: 윤리는 상대적인 것이므로 옳고 그름에 대한 보편적인 기준이 존재하지 않습니다. 따라서 황금률도 모든 사회에 적용되어서는 안 됩니다. – 윤리 상대주의

• 을: 황금률은 인간의 존엄성, 생명과 같은 기본권을 중시하는 윤리 원칙입니다. 이러한 가치는 인류가 지켜야 할 보편적인 가치이므로 이를 침해하는 문화까지 인정해서는 안 됩니다. ┐
극단적 문화 상대주의 경계 ┘

정답친해

황금률에 담긴 보편 윤리에 대한 교사의 질문에 갑은 윤리가 문화마다 다양하고 상대적이어서 옳고 그름에 관한 보편적 기준은 존재하지 않는다는 윤리 상대주의적 입장을 취하고 있다. 이와 달리 을은 인간 존엄성과 같은 보편적 가치를 침해하는 문화마저도 인정해서는 안 된다고 보았다. 즉, 문화라고 해서 무조건 인정할 것이 아니라 ⑤ 보편 윤리 관점에 근거하여 성찰해야 함을 강조한 것이다.

┃ **바로 알기** ┃ ① 보편적 윤리를 강조하는 것은 을이다. ② 갑은 문화를 이해할 때 상대적 기준이 있음을 강조한다. ③ 문화에 대한 비판적 이해를 중시하는 것은 을이다. ④ 윤리의 상대성을 보편성보다 우선시하는 것은 갑이다.

완자 정리 노트	다양한 종교에 담긴 황금률
크리스트교	"남이 너에게 해 주기를 바라는 대로 너도 다른 사람을 대하라."
유교	"네가 원하지 않는 바를 남에게 행하지 마라."
불교	"네가 고통받은 방식으로 남에게 상처를 주지 마라."
이슬람교	"나를 위하는 만큼 남을 위하지 않는 사람은 신앙인이 아니다."
힌두교	"너에게 고통스러운 일을 다른 사람에게 강요하지 마라."
유대교	"너에게 해로운 일을 이웃에게 행하지 마라."

09 다문화 사회의 등장 배경

제시된 그래프는 우리나라에 거주하는 외국인 주민 수와 비중이 지속적으로 증가하는 모습을 보여준다. 이처럼 한 사회 안에 다양한 인종이나 민족 등이 공존하는 사회를 다문화 사회라고 한다. 교통·통신의 발달과 세계화의 영향으로 인구 이동이 국제적으로 활발해지면서 서로 다른 문화권에 속한 사람들 간에 접촉이 빈번해지게 되었으며, 그 결과 우리나라도 인종, 종교, 언어 등 서로 다른 문화적 배경을 가진 사람들이 함께 살아가는 다문화 사회로 변화하게 되었다.

┃ **바로 알기** ┃ ㄱ, ㄷ. 국수주의 정책이나 자문화 중심주의가 강화될 경우 다문화 사회로 변화하기 어렵다.

10 다문화 사회의 영향

┌ 자료 분석 ┐

전체 인구 중 외국인 주민 수가 차지하는 비율이 높다는 것은 다문화 사회임을 의미해.

(국회 입법 조사처, 2015)
* 외국인 주민: 90일을 초과하여 거주하는 등록 외국인과 한국 국적을 취득한 자와 그 자녀로 한국어 등 한국 문화와 생활에 익숙하지 않은 자를 의미함

다문화 사회로 변화하면 서로 다른 문화권에 속한 사람들 간 교류가 확대되어 새로운 문화가 유입되면서 다양한 문화적 경험을 할 수 있는 기회가 증가한다. 또한 외국인 근로자가 증가하면서 저출산·고령화에 따른 노동력 부족 문제 해소에 도움을 줄 수도 있다. 하지만 다양한 인종, 민족, 종교, 문화가 공존하게 된 만큼 여러 형태의 갈등이 발생하기도 한다.

┃ **바로 알기** ┃ ① 다문화 사회로 변화하면 다양한 문화를 가진 사람과 집단이 유입되므로 문화의 획일화 현상은 약화될 가능성이 있다.

11 다문화 정책

제시문에서 설명하는 '샐러드 볼 정책'은 샐러드 볼에 담긴 채소가 각각의 모습을 유지하면서 섞여 맛있는 샐러드가 되듯이 여러 인종과 민족이 한 사회에서 각자의 특성을 유지하면서 다른 문화들과 조화를 이루어 새로운 문화를 형성해 가야 함을 강조한다. ③ 캐나다는 1971년 다문화주의를 선언하고 각각의 인종이나 민족이 자신의 특성을 유지하면서 모든 사람이 평등하게 캐나다 사회에 참여하는 모자이크 정책을 실시하였는데, 이는 샐러드 볼 정책의 대표적인 사례이다.

┃ **바로 알기** ┃ ①, ②, ④, ⑤는 이민자들의 문화를 자국 문화에 녹여 흡수시키려는 용광로 정책에 대한 설명이다.

12 다문화에 대한 인식

제시된 자료를 보면 대한민국이 다문화 사회임을 인식하며 이웃에 다문화 가정이 있어도 괜찮다고 생각한다. 그러나 내 자녀와 다문화 가정 자녀와의 결혼은 반대한다는 의견이 절반 가까이 되고 동남아시아 출신 결혼 이민자도 한국인이라고 인식하는 수준은 낮은 점 등을 통해 ⑤ 다문화에 대한 이중적 인식을 보이고 있음을 알 수 있다. 또한 다문화 가정 학생에 대한 대입 가산점 부여에 부정적인 인식을 보이는 점을 통해 ③ 역차별 논란이 야기될 수 있음을 알 수 있다. ① 이러한 현상이 악화될 경우 다문화 가정 혹은 집단과 갈등이 발생할 수 있으므로, ② 이주민에 대한 공존과 배려의 자세가 필요하다.

┃ **바로 알기** ┃ ④ 제시된 자료는 한국인의 다문화에 대한 주관적 인식 수준을 보여주는 것이다. 이주민들에 대한 다문화 교육 강화 등의 정책은 제시된 자료와는 관련이 없다.

13 우리나라 국민들의 다문화 수용성

제시된 자료는 우리나라 국민들의 다문화 수용성 지수를 나타낸 것이다. '근로자 고용 시 자국민을 우선적으로 고용하겠다', '외국인들을 이웃으로 삼고 싶지 않다'는 응답이 다른 국가에 비해 높다는 것을 통해 우리나라 사람들의 인식이 다문화 사회에서 갈등을 야기할 가능성이 높음을 알 수 있다. 따라서 이러한 문제를 개선하기 위해 ⑤ 다문화 교육을 강화하여 다른 민족, 집단 등에 대한 이해도를 높이고 공존과 배려의 자세를 지니도록 할 필요가 있다.

┃바로 알기┃ ① 우리나라는 외국인에 대한 배타성이 강한 편이므로 갈등이 야기되거나 확대될 것이다. ② 우리나라는 외국인과의 일자리 나눔에 대한 부정적 인식, 이웃이 되기를 꺼려하는 것 등을 통해 외국인들에 대한 문화적 수용성이 낮음을 알 수 있다. ③ 우리나라 사람들은 주요 선진국에 비해 폐쇄적인 태도를 지니고 있다. ④ 우리나라는 서로 다른 문화 간의 차이에 대한 이해와 배려 정도가 낮음을 알 수 있다.

서술형 문제
203쪽

01 주제: 문화를 이해하는 태도

(1) (가) – 자문화 중심주의, (나) – 문화 사대주의

(2) **예시 답안** (가)와 (나)의 공통점은 문화를 평가하여 우열을 구분할 수 있다고 본다는 점이며, 차이점은 그 기준이 (가)는 자문화, (나)는 타문화라는 데 있다.

채점 기준

상	(가)와 (나)의 공통점과 차이점을 모두 정확하게 서술한 경우
하	(가)와 (나)의 공통점과 차이점 중 하나만 정확하게 서술한 경우

02 주제: 바람직한 문화 이해 방법

예시 답안 문화의 상대성을 인정하는 관점을 지나치게 강조하여 모든 문화의 고유한 가치를 있는 그대로 인정하다 보면 인간 존엄성, 생명 존중 등과 같은 인류의 보편적 가치를 훼손하는 문화마저도 인정하게 되어 문화의 질적 발전을 저해할 수 있다. 따라서 보편 윤리적 관점에서 문화를 바르게 이해하고 비판적으로 성찰해야 한다.

채점 기준

상	인류의 보편적 가치, 비판적 성찰, 보편 윤리 등의 용어를 사용하여 문화의 질적 발전 방향에 대해 정확하게 서술한 경우
하	인류의 보편적 가치, 비판적 성찰, 보편 윤리 등의 용어를 사용하지 않고 단순하게 문화의 질적 발전을 저해한다고만 서술한 경우

03 주제: 다문화 사회

예시 답안 A는 샐러드 볼 정책, B는 용광로 정책이다. 우리나라는 이주민의 수가 적었던 과거에는 이방인의 적응을 중시하는 용광로 정책을 추진하였다. 하지만 다문화 사회가 진전되면서 다양한 문화의 공존을 통한 사회 통합의 필요성이 커지게 되면서 샐러드 볼 정책을 수용하여 문화 다양성을 강조하는 방향으로 변화하였다.

채점 기준

상	다문화 정책 변화 양상을 올바르게 제시하고 그 이유를 문화 간 공존, 사회 통합, 문화 다양성 등을 들어 정확하게 서술한 경우
중	다문화 정책 변화 양상을 올바르게 제시하였으나 그 이유에 대한 서술이 미흡한 경우
하	다문화 정책 변화 양상만 서술한 경우

1 문화 이해 태도

제시문에서 문화 다양성 신장을 위해서 필요한 태도인 C가 문화 상대주의, 타문화를 받아들이는 데 수용적인 A는 문화 사대주의이므로 B는 자문화 중심주의이다. ④ 문화 사대주의와 자문화 중심주의는 문화에 대해 우열을 비교하는 것이 가능하다고 보는 태도이다.

┃바로 알기┃ ① 나와 다른 종교에 대해 거부감은 있지만 그들의 입장에서 이해하는 것은 문화 상대주의 사례이다. ② 한글 대신 영어를 맹목적으로 사용하는 것은 문화 사대주의 사례이다. ③ 천하도에 중국을 중앙에 그린 조선 사람들의 인식은 문화 사대주의 사례이다. ⑤ 국수주의에 빠질 가능성이 높다는 비판을 받는 것은 자문화 중심주의이다.

2 문화 이해 태도

> 인간 생명, 인간의 존엄성, 자유, 평등, 아동 보호 등 인류가 지키고 존중해야 할 가치

교사는 A국을 비롯한 집약적 농업이 발달한 곳에서 발생하고 있는 '지참금 살인' 문화에 대한 이해 태도를 묻고 있다. 갑은 이러한 문화가 그 사회 고유한 문화이므로 무조건 인정해야 한다는 극단적 문화 상대주의, 을은 보편적 가치 훼손 여부를 검토해서 판단해야 한다는 문화 상대주의, 병은 해당 문화가 야만적이므로 선진국인 자기 나라의 문화를 본받아야 한다고 보는 자문화 중심주의 태도를 지니고 있다. ② 문화 상대주의는 문화를 평가가 아닌 그 사회 내부자의 관점에서 이해해야 할 대상이라고 본다.

┃바로 알기┃ ① 자국의 문화 정체성 약화를 초래하는 것은 문화 사대주의적 태도이다. ③ 타문화를 보다 객관적으로 파악하는 데 유용한 것은 문화 상대주의적 태도이다. ④ 문화 다양성 보존에 불리한 문화 이해 태도는 문화 사대주의와 자문화 중심주의이다. ⑤ 타문화와의 접촉 과정에서 문화적 마찰을 겪을 가능성이 큰 것은 자문화 중심주의적 태도이다.

3 다문화 사회

자료 분석

연도	1995	2000	2005	2010	2015	2016
혼인 총 건수	398,484	332,090	314,304	326,104	302,828	281,635
국제결혼 비율(%)	3.4	3.5	13.5	10.5	7.0	7.3
국제결혼 건수	13,493	11,605	42,356	34,235	21,274	20,591

> 혼인 총 건수는 2010년을 제외하고 지속적으로 감소하고 있어.

> '국제결혼 건수 = 혼인 총 건수 × 국제결혼 비율'로 계산하면 다음과 같아. 실제 시험에서는 정확한 수치보다는 대략적인 수치로도 비교할 수 있도록 하고 있어.

제시된 자료를 통해 우리나라의 국제결혼이 과거에 비해 증가하였음을 알 수 있다. 이는 우리나라에 외국인이 많이 들어와 살게 되었다는 뜻으로 다문화 사회로 진입했음을 파악할 수 있다. ㄱ. 서로 다른 인종, 종교, 언어 등을 가진 사람들이 함께 살게 되면서 문화적 다양성이 증가했을 것이다. ㄷ. 2016년 국내 혼인 총 건수

는 281,635건인데 이 중 외국인과의 혼인 비율이 7.3%이므로 2만 건이 넘는다는 것을 알 수 있다.

┃바로 알기┃ ㄴ. 다문화 가구의 수가 지속적으로 감소하고 있는지는 제시된 자료를 통해서는 알 수 없다. 제시된 자료를 통해서는 결혼 건수만을 알 수 있고 이혼 건수는 알 수 없기 때문이다. 실제로는 결혼 건수가 이혼 건수보다 많기 때문에 다문화 가구의 수가 감소하기보다는 증가했다고 할 수 있다. ㄹ. 이주민을 공존이 아닌 동화의 대상으로 인식할 경우 다른 문화를 가진 이주민들에게 자신의 문화를 버리도록 강요할 수 있어 불만을 야기하고 외교적 갈등을 불러올 수도 있다. 따라서 현대 사회에서는 동화보다는 공존을 위한 다양한 정책을 마련하고 있다.

4 다문화 정책

┃자료 분석┃
이주민의 문화적 다양성을 고려하지 않고 일방적으로 우리 사회에 흡수하려는 정책
국제결혼 이주민과 외국인 근로자, 유학생 등이 증가하면서 다문화 사회가 진행됨에 따라 우리나라에서도 다양한 다문화 정책이 시행되고 있다. 과거에는 이주민들이 우리 사회에 빠르게 적응할 수 있도록 ㉠ 한국어 교육과 법률 안내, 한국 예절 교육, 한국 전통문화 습득하기 프로그램 등을 위주로 진행하였다. 하지만 이와 같은 정책에 ㉡ 부작용이 드러나면서 현재는 ㉢ 과거와는 다른 시각의 다문화 정책이 부각되고 있다.
└ 양방향 정책, 문화 다양성을 고려한 정책

㉠은 이주민들을 우리 사회에 빠르게 적응시키기 위한 프로그램으로 사회 통합을 강조한 다문화 정책에 해당한다. 우리나라는 다문화 사회로 진입하던 초기에 이러한 일방향 정책을 시행한 결과 문제점이 드러나면서 통합보다는 공존을 추구하는 쪽으로 정책의 방향을 바꾸었다. ㄴ. 통합을 강조하는 정책은 이주민들이 빠르게 우리 사회에 적응하도록 함으로써 우리 사회의 문화 정체성 유지에 유리하다. 하지만 이렇게 될 경우 ㄷ. 이주민들을 시혜 혹은 배려의 대상, 우리와는 다른 이질적인 존재로 인식하여 이들이 사회적 소수자로 차별받게 되는 부작용이 나타날 수도 있다.

┃바로 알기┃ ㄱ. ㉠은 통합, ㉢은 공존 정책에 부합한다. ㄹ. ㉢ 공존을 추구하는 다문화 정책은 문화 다양성을 강조한다.

대단원 실력 굳히기 208~211쪽

01 ② 02 ⑤ 03 ② 04 ② 05 ③ 06 ⑤ 07 ①
08 ④ 09 ③ 10 ② 11 ② 12 ⑤ 13 ⑤ 14 ②
15 ⑤ 16 ③ 17 ④

01 문화권 형성에 영향을 주는 종교

(가)는 성당에서 예배를 드리는 모습으로 크리스트교 문화권(A)에서 볼 수 있다. (나)는 갠지스강에서 종교 의식으로 목욕을 하는 사람들의 모습으로 힌두교 문화권(D)에서 볼 수 있다. (다)는 이슬람교 경전인 쿠란을 읽고 있는 모습으로 이슬람교 문화권(B)에서 볼 수 있다.

┃바로 알기┃ C는 불교 문화권을 나타낸 것으로, 이 지역에서는 불교 사원과 불상. 탑 등의 문화 경관을 볼 수 있다.

완자 정리 노트 종교와 문화 경관

종교	문화 경관
불교	사찰, 불상, 탑, 승려 등을 볼 수 있음
이슬람교	모스크를 볼 수 있음. 돼지고기를 금기시하며 여성들은 천으로 얼굴을 가리고 생활함
크리스트교	십자가를 세운 성당과 교회를 흔히 볼 수 있으며 성당이나 교회에서 예배를 드리거나 결혼식을 올림
힌두교	갠지스강에서 종교 의식으로 목욕을 하고 소를 신성시하여 소고기를 먹지 않음

02 유목 문화

몽골어와 솔론족의 언어에 말, 순록과 관련된 단어가 많은 이유는 유목 문화의 발달이 언어에 영향을 주었기 때문이다. 유목민은 가축으로부터 얻은 고기와 유제품을 주식으로 삼아 생활하며, 가축의 가죽과 털은 옷이나 모자, 천막 등을 만드는 데 사용한다. 또한 이동 수단으로도 중요시되기 때문에 유목민에게 가축은 가장 소중한 재산이었다. 따라서 이 지역에서는 가축에 대한 다양하고 정교한 표현이 필요하게 되었으며, 이것이 언어 형성에도 영향을 미친 것이다.

03 세계 문화권의 구분과 특징

갑이 다녀온 곳은 아프리카 문화권(B)이다. 아프리카 문화권은 부족 중심의 생활이 이루어지면서 각 부족이 믿는 토속 종교의 영향이 남아 있으며, 유럽 식민 지배의 영향으로 플랜테이션 농업이 발달하였다. 을이 다녀온 곳은 라틴 아메리카 문화권(E)이다. 라틴 아메리카는 원주민과 이주민인 유럽인, 아프리카인이 함께 살아가면서 다양한 문화가 나타나는데, 삼바는 대표적인 문화 융합의 사례에 해당한다.

┃바로 알기┃ A는 건조 문화권, C는 동아시아 문화권, D는 오세아니아 문화권이다.

04 건조 문화권의 가옥

A 지역은 건조 문화권이다. 건조 문화권에서는 주변에서 쉽게 구할 수 있는 흙을 이용하여 흙집을 짓는데, 일교차를 조절하고 뜨거운 바람을 막기 위해 벽을 두껍게 만들고 창문을 작게 낸다.

바로 알기 ① 열대 기후 지역에서 볼 수 있는 고상 가옥이다. ③ 한대 기후 지역에서 볼 수 있는 고상 가옥이다. ④ 북극해 연안에서 볼 수 있는 이누이트의 얼음집(이글루)이다. ⑤ 우리나라의 한옥이다.

05 문화 변동 요인

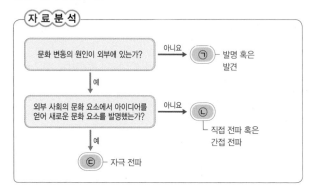

문화 변동의 요인은 크게 내재적 요인과 외재적 요인으로 구분할 수 있다. 내재적 요인으로는 새로운 문화 요소를 만들어 내는 발명과 알려지지 않았던 문화 요소를 찾아내는 발견이 있다. 외재적 요인으로는 문화 전파를 들 수 있는데, 문화 전파는 직접적인 접촉에 의한 직접 전파, 매개체를 통한 간접 전파, 전파된 문화 요소에 자극을 받아 새로운 발명이 일어나는 자극 전파로 구분할 수 있다.

바로 알기 ③ ⓒ에는 직접 전파나 간접 전파의 사례가 들어가야 한다. 세종대왕의 한글 발명은 ㉠에 적합하다.

06 문화 변동 요인

'다른 사회의 문화 요소에 영향을 받았나요?'에 '예'라고 응답한 (가)와 (다)는 외재적 요인, '아니요'라고 응답한 (나)는 내재적 요인에 해당한다. '기존에 없었던 새로운 문화 요소를 만들어 냈나요?'에 '예'라고 응답한 (가)는 자극 전파이므로 (다)는 직접 전파이다. 내재적 요인에 해당하며 새로운 문화 요소를 만들어 내는 (나)는 발명이다. ⑤ 첫 번째 질문에 의해 (가)와 (다)는 외재적 요인, (나)는 내재적 요인에 의한 문화 변동임을 알 수 있다.

바로 알기 ① 직접 전파는 새로운 문화 요소를 만들어 내는 것이 아니라 새로운 문화 요소가 전해진 것이다. 따라서 ㉠에는 '아니요'가 들어가는 것이 적절하다. ② (나)는 한 사회 내부에서 나타나는 내재적 요인에 해당한다. ③ (다)는 공간적 거리와 관련 없다. ④ (가), (나), (다) 모두 한 사회의 문화 다양성에 기여한다.

07 문화 변동 요인

교역이란 다른 말로 무역을 뜻한다. 무역은 상인들이 국경을 넘어 거래를 하는 것으로 역사적으로 인류가 문화를 교류하는 가장 기본적인 방식이었는데, 이러한 문화 전파를 직접 전파라고 한다. ㄱ. 직접 전파를 통해 전달된 문화 요소에 자극을 받아 발명이 이루어지는 것을 자극 전파라고 한다. ㄴ. 직접 전파는 무역이나 이민과 같이 자발적으로 이루어지는 경우도 있지만 식민 지배와 같이 침략에 의해 강제적으로 이루어지는 경우도 있다.

바로 알기 ㄷ. 직접 전파는 문화 변동의 외재적 요인 중 하나이다. ㄹ. 인터넷은 현대 사회에서 간접 전파에 이용되는 가장 대표적인 매개체이다.

08 문화 변동 양상

㉠은 문화 동화, ㉡은 문화 병존에 해당한다. ④ 문화 동화는 기존의 문화가 새로 유입된 문화로 대체되기 때문에 문화 정체성을 유지하기 어렵다. 반면, 문화 병존은 기존 문화와 새로 유입된 문화가 각각의 문화 정체성을 유지한 채 공존하는 것이므로 자기 문화의 정체성 유지에 유리하다.

바로 알기 ① 문화 동화는 강제적 문화 접변에 해당한다. ② 문화 동화는 기존 문화 요소가 사라지는 것이므로 문화의 고유성을 상실할 우려가 있다. ③ 문화 병존은 외재적 요인에 의해 나타난다. ⑤ 제3의 문화를 형성하는 것은 문화 융합 현상이다.

09 문화 변동 양상

자료 분석

이 문화 변동 양상의 <u>대표적인 사례는</u> 종교에서 잘 나타난다. 멕시코 과달루페 성모상은 검은 머리에 갈색 피부를 갖고 있으며, 중남미 전통 의상을 입은 원주민의 모습을 보인다. 또한 우리나라의 성공회 강화 성당은 겉모습은 <u>한옥 구조</u>지만 내부는 서양의 <u>성당 건축 양식</u>으로 지어졌다.
— 로마 가톨릭 문화 — 멕시코 문화 요소
— 우리나라 문화 요소
— 로마 가톨릭 문화

멕시코 과달루페 성모상과 우리나라의 성공회 강화 성당이 지니는 문화 변동 양상의 공통점을 찾아야 한다. 과달루페 성모상은 가톨릭교의 성모상과 현지인의 외모, 의상이 결합한 것이고, 성공회 강화 성당은 우리나라 전통 건축 양식과 서양의 성당 건축 양식이 결합한 것이다. 이처럼 두 사회의 문화 요소가 결합하여 새로운 문화 요소를 만들어 내는 것을 문화 융합이라고 한다.

10 문화 변동 양상

'라이스버거'와 '라면버거'는 서로 다른 두 사회의 문화 요소가 결합하여 새로운 문화 요소가 형성되는 문화 융합의 사례이다. ② 문화 융합은 기존에 없었던 새로운 문화 요소가 형성되었다는 측면에서 문화 다양성에 기여할 수 있다.

바로 알기 ① 간접 전파는 인터넷, 서적 등 간접적인 매개체를 통해 다른 사회의 문화 요소가 전파되는 것이다. ③ 한 문화가 다른 문화에 흡수된 사례라고 보기는 어렵다. ④ 외래문화의 수용 후 자국 문화가 소멸되는 현상은 문화 동화이다. ⑤ 한류는 한국 드라마와 노래가 인터넷과 대중매체를 통해 전 세계로 퍼져 나간 것으로 간접 전파의 사례로 볼 수 있다.

11 전통문화의 계승과 발전

개량 한옥은 우리의 전통 가옥인 한옥과 서양의 주거 문화가 결합하여 새롭게 만들어진 것이다. 이처럼 전통문화를 시대적 변화에 맞게 재구성하려는 노력을 통해 전통문화를 창조적으로 계승하고 발전시킬 수 있다.

바로 알기 ① 전통문화의 세계화와 상업화에 기여하지만 고유성과는 관련이 없다. ③, ④ 제시된 사례는 전통문화를 현대적 의미에 맞게 재해석하고 재창조한 사례로 전통문화의 보존을 강조한다고 보기 어렵다. ⑤ 외래문화를 무조건 수용하는 것이 아니라 전통문화와 조화를 이룰 수 있는 요소들을 비판적으로 수용해야 전통문화가 발전할 수 있다.

12 문화 이해 태도

다른 사회의 문화가 미개하므로 자신이 속한 사회의 문화를 전수해야 한다고 여기는 것은 자신의 문화를 우월하다고 여기는 자문화 중심주의이다. ⑤ 자문화 중심주의는 자신들의 문화에 대한 자긍심이 매우 높아 문화 정체성을 유지하는 데 유리하다는 장점이 있다.

바로 알기 ① 외래문화의 유입에 적극적인 것은 문화 사대주의이다. 자문화 중심주의는 외래문화의 유입에 적대적이다. ② 자문화 중심주의는 자기 문화는 우월하며 다른 사회의 문화는 열등하다고 평가한다. ③, ④ 다른 문화에 대해 관용적 태도를 가지고 그 사회의 맥락에서 문화를 이해하는 것은 문화 상대주의이다.

13 문화 이해 태도

제시된 대화에서 갑은 투우 경기를 문화라고 인정할 수 없다고 주장하는 반면 을은 문화를 평가할 권리가 어느 누구에게도 없기 때문에 인정해야 한다고 본다. 이러한 을의 주장은 극단적 문화 상대주의라 할 수 있다. ⑤ 갑은 생명 존중, 인간 존엄성, 자유와 평등 등 인류의 보편적 가치를 훼손하는 것을 인정할 수 없다는 입장에서 을의 주장을 비판하고 있다. 따라서 ㉠에는 '보편 윤리'라는 말이 들어가는 것이 적절하다.

바로 알기 ① 갑에 비해 극단적 문화 상대주의를 보이는 을이 문화의 상대성을 더 강조할 것이다. ② '명예 살인'을 문화로 인정할 가능성이 높은 쪽은 갑보다는 을이다. ③ 다른 사회의 문화를 비판적으로 이해해야 함을 강조하는 것은 갑이다. ④ 을은 모든 사회의 문화를 있는 그대로 인정해야 한다고 주장하므로 문화 동화 현상보다는 문화 공존을 강조할 것이다.

14 다문화 사회

제시된 인터넷 뉴스는 외국인 유입에 대한 유럽인들의 반감을 나타낸 것으로, 다문화 사회에 대한 부정적 인식이라고 할 수 있다. ② 을은 다문화 사회가 되면 다양한 언어를 접하게 되고, 다양한 언어를 사용하는 인구가 증가하여 국가 경쟁력을 강화하는 데 긍정적 요인이 될 것이라고 본다. 즉, 다문화 사회에 대해 긍정적 입장을 지니고 있다.

바로 알기 갑, 병, 정, 무는 모두 다문화 사회에 대해 부정적 입장을 지니고 있다.

15 세계 문화 다양성 선언

제시문은 '세계 문화 다양성 선언' 중 일부이다. 유네스코는 2001년 '세계 문화 다양성 선언'을 채택하여 문화 다양성을 보호하는 것은 윤리적 의무이자 인간의 존엄성을 보장하는 것임을 강조하였다. 이는 문화의 보편성보다는 다양성을 강조한 것이며, 이를 통해 다문화 사회에서 문화 다양성 증진을 위해 다른 사회의 문화를 그 사회의 맥락에서 이해하는 문화 상대주의가 필요하다는 것을 알 수 있다.

바로 알기 ㄱ. 문화의 다양성을 추구하는 관점에서는 문화를 평가가 아닌 이해의 대상으로 바라본다. ㄴ. ㉠에는 '문화 다양성'이 들어가는 것이 적절하다.

16 다문화 정책

자료 분석

(가) 프랑스 학교에서는 특별 학급을 개설하여 이민자 자녀들이 프랑스어를 최대한 빨리 습득한 후 일반 학급의 정규 과정에 편입될 수 있도록 지도하고 있다. → 문화 동화, 용광로 정책

(나) 캐나다는 1971년 다문화주의를 선언하고 각각의 인종과 민족이 자신의 특성을 유지하면서 평등하게 캐나다 사회에 참여하는 정책을 실시하였다. → 문화 공존, 샐러드 볼 정책

(가)는 이민자들이 빨리 프랑스인으로 동화되기를 바라며, (나)는 각각의 다양한 색깔을 유지하면서 캐나다 사회에 어울려 살기를 바란다. ㄴ. (가)와 같이 이민자들의 문화를 자국 문화에 녹여 흡수시키는 것을 용광로 정책이라 하며, (나)와 같이 각각의 문화적 정체성을 유지한 채 공존을 모색하는 것을 샐러드 볼 정책이라 한다. ㄷ. 주류 문화로의 동화를 강조하는 것은 용광로 정책이다.

바로 알기 ㄱ. (가)는 문화 정체성의 통일, (나)는 문화의 다원화를 추구한다. ㄹ. 타문화에 대한 공존과 배려를 강조하는 것은 (나)이다.

17 우리나라의 다문화 정책

다문화 사회에서 이주민을 위한 '정책적 배려'란 사회적 측면에서의 법적·제도적 지원 방안을 말하며, 이에 대한 '우려'란 정책적 배려로 인해 발생한 사회 문제를 의미한다. ㄱ. 법적·제도적 방안으로는 이주민 자녀들의 학업 기회 보장, 다문화 관련 법률 제정 등을 들 수 있다. ㄷ. 정책적 지원은 다문화 가정 혹은 이민자들에 대한 배려이므로 기존 사회의 구성원들에게는 제공되지 않는 기회이다. 이로 인해 발생하는 차별을 역차별이라 한다. 대표적인 사례로 '다문화 가정 자녀에 대한 대학 입시 배려 정책'은 일반 학생들에게는 차별로 인식될 수 있다. ㄹ. 이주민들에 대한 부정적 인식과 우려를 해소하기 위해서는 관용의 실천이 필요하다.

바로 알기 ㄴ. '이민자들에 대한 관용의 태도 갖기'는 개인적·의식적 측면에서의 노력에 해당한다.

VIII. 세계화와 평화

01 세계화의 양상과 문제의 해결

STEP 1 핵심 개념 확인하기 216쪽

1 (1) 생산자 (2) 높아지고 (3) 지역화 **2** (1) 세계화 (2) 개발 도상국
3 (1) × (2) × (3) ○ **4** (1) ㄴ (2) ㄷ (3) ㄱ

STEP 2 내신 만점 공략하기 216~218쪽

01 ② **02** ② **03** ⑤ **04** ⑤ **05** ① **06** ② **07** ⑤
08 ②

01 세계화와 지역화

세계화는 삶의 공간이 개별 국가의 국경을 넘어서서 전 지구로 확대되고, 전 세계가 하나로 통합되어 가는 현상이다. 세계화의 흐름에 따라 정치, 경제, 문화 등 모든 영역에서 민족과 국가 간의 경계가 허물어지고 있다. 한편 지역화는 특정 지역의 독특한 특성이 세계적인 차원에서 가치를 지니게 되는 현상이다. 지역화의 대표적인 전략으로는 지리적 표시제와 장소 마케팅이 있다.

┃ 바로 알기 ┃ ② 세계화에 따른 자유 무역의 확대로 다국적 기업이 성장하면서 국제적 분업과 협업이 확대되고 있다. 그러나 선진국과 개발 도상국이 세계적인 규모로 경쟁하게 되면서 선진국은 많은 부를 축적하는 반면 경쟁력을 갖추지 못한 개발 도상국은 경제 발전에 어려움을 겪으면서 국가 간 빈부 격차가 심화하고 있다.

02 세계 도시

제시된 지도에서 세 도시는 런던, 도쿄, 뉴욕으로 모두 정치·경제·정보 등 다양한 분야에서 세계의 중심지 역할을 하는 세계 도시이다.

┃ 바로 알기 ┃ ② 세계 도시에는 다국적 기업의 본사가 밀집해 있다. 다국적 기업의 생산 공장은 주로 임금 수준이 낮고 노동력이 풍부한 개발 도상국에 입지한다.

완자 정리 노트 세계 도시의 의미와 기능

의미	국가의 경계를 넘어 정치·경제·정보 등 다양한 측면에서 세계의 중심지 역할을 수행하는 도시
기능	• 생산자 서비스업 발달, 다국적 기업의 본사 및 대형 금융 기관 밀집 → 전 세계의 자본과 정보 집중되는 세계 경제의 중심지 • 다양한 국제기구의 본부 입지, 국제회의 및 행사 개최 → 인적·물적 교류가 활발한 국제 정치의 중심지

03 다국적 기업의 공간적 분업

자료 분석

─ 생산 공장은 상대적으로 인건비가 저렴한 아시아 지역에 많아.

★ 본사 △ 연구소
● 생산 공장 □ 판매 지사

─ 연구소는 기술 수준이 높은 영국, 프랑스 등 선진국에 많이 입지해 있어.

제시된 지도는 다국적 기업의 공간적 분업을 나타낸다. ㄷ. 제시된 지도를 통해 다국적 기업의 생산 공장은 유럽 지역보다는 상대적으로 인건비가 저렴한 아시아 지역에 많이 분포함을 알 수 있다. ㄹ. 다국적 기업은 기업의 기획 및 관리 기능, 연구 기능, 생산 기능, 판매 기능 등에 따라 세계적인 범위에서 공간적으로 분리되어 입지한다.

┃ 바로 알기 ┃ ㄱ. 판매 지사는 전 세계 여러 곳에 분산되어 있는 반면 본사는 서울에만 입지하고 있다. ㄴ. 연구소는 기술 수준이 높은 선진국에, 생산 공장은 저임금 노동력이 풍부한 개발 도상국에 주로 입지한다.

04 다국적 기업의 공간적 분업

B 지역은 다국적 기업의 투자 유치국에 해당한다. 다국적 기업의 공간적 분업은 산업 시설의 이전과 신설을 통해 세계 각 지역의 경제에 큰 영향을 끼친다. 다국적 기업의 산업 시설이 들어선 지역은 일자리가 늘어나면서 지역 경제가 활기를 띠지만, 경쟁력이 취약한 지역 내 소규모 기업이 피해를 보기도 한다. 또한 다국적 기업의 산업 시설이 빠져나간 지역은 실업자가 증가하여 지역 경제가 침체할 수 있다.

┃ 바로 알기 ┃ ⑤ 일반적으로 경영 및 관리를 담당하는 본사는 본국의 대도시에 위치한다.

완자 정리 노트 다국적 기업의 기능별 입지

본사	자본과 우수한 인력 확보가 용이한 본국의 대도시에 입지
연구소	대학 및 연구 시설이 밀집하고 전문 인력이 풍부한 선진국에 입지
생산 공장	임금 수준이 낮고 노동력이 풍부한 개발 도상국에 입지

05 국가 간 빈부 격차 심화

제시된 사례는 세계화에 따른 국가 간 빈부 격차 심화 문제에 대해 다루고 있다. 세계화에 따른 자유 무역의 확대로 높은 기술력과 자본을 가진 선진국과 상대적으로 그렇지 못한 개발 도상국이 세계적인 규모로 경쟁하고 있다. 그 결과 선진국으로 자본 집중이 심화되어 국가 간 빈부 격차는 더욱 커지고 있다. ② 빈부 격차 문

제는 국가 간은 물론 국가 내 지역 간, 도시와 촌락 간, 또는 한 도시 내에서도 나타나고 있다. ③ 세계화가 진행되면서 지구촌 전체의 부는 늘어나지만 그 부가 일부 선진국에 집중되면서 국가 간 빈부 격차가 심화되고 있다. ④ 국제기구와 선진국이 공적 개발 원조, 기술 이전 등을 통해 개발 도상국을 지원함으로써 국가 간 빈부 격차를 해소하는 데 기여할 수 있다. ⑤ 국가 간 빈부 격차는 자본력과 생산 능력이 다른 국가들이 자유 무역을 통해 세계적인 규모로 경쟁하면서 발생하는 문제이다.

┃ **바로 알기** ┃ ① 세계화에 따라 자본과 기술이 풍부한 선진국과 기업은 자신의 이윤을 극대화하지만, 미처 경쟁력을 키우지 못한 개발 도상국과 기업은 경쟁에서 밀리면서 이들 간의 격차가 심화된다.

06 공정 무역

㉠은 공정 무역에 해당한다. 공정 무역은 선진국과 개발 도상국 사이의 불공정한 거래를 막고, 생산자에게 더 많은 이익이 돌아가도록 하여 그들의 경제적 자립을 돕는 무역 형태이다. 공정 무역에 참여함으로써 생산자의 경제적 자립과 지속 가능한 발전에 기여할 수 있다.

┃ **바로 알기** ┃ ㄴ. 공정 무역은 기존의 무역 방식에 비해 유통 구조가 단순한 무역 형태이다. ㄷ. 공정 무역은 생산자에게 정당한 이윤이 돌아가도록 하는 무역 형태이다.

07 문화의 획일화

제시된 사례를 통해 세계화가 진행되면서 선진국의 문화가 보편화하여 문화가 획일화되고 있음을 알 수 있다. 문화의 획일화는 세계화로 인해 국가 간의 교류가 활발해지고 서로에게 미치는 영향력이 증가하면서 전 세계의 문화가 비슷해져 가는 현상이다. 특히 선진국에서 형성된 문화가 지닌 파급력으로 각 지역의 고유한 문화가 그 정체성을 잃고, 인류의 문화적 다양성이 훼손되고 있다. ⑤ 문화의 획일화에 대처하기 위해서는 자국 문화의 정체성을 유지하면서 외래문화를 능동적으로 수용하는 자세가 필요하다.

┃ **바로 알기** ┃ ① 문화는 그 사회의 맥락에서 이해하면서 서로의 문화를 존중하는 문화 상대주의적 태도에서 바라보아야 한다. ② 소수 민족의 문화도 존중하는 자세를 가져야 한다. ③ 선진국의 문화라 하더라도 무비판적으로 받아들이는 것은 옳지 않다. ④ 문화에 대한 가치 판단은 그 국가의 특수한 상황과 보편 윤리적 상황을 모두 고려하여 판단해야 한다.

08 보편 윤리와 특수 윤리 간 갈등

제시된 사례에서 싱가포르의 태형이 인간 존엄성을 훼손하는 처벌 방법이라고 항의하는 인권 단체는 보편 윤리의 중요성을 강조하고 있다. 반면 싱가포르는 자국의 특수 윤리를 바탕으로 태형을 집행하고 있어 보편 윤리를 중시하는 입장과 갈등을 겪고 있다.

┃ **바로 알기** ┃ ㄴ. 인권 단체에서 싱가포르의 태형이 인간 존엄성을 훼손한다고 주장하는 것은 인권 보장과 같은 보편 윤리를 중시한 행위이다. ㄹ. 각 사회가 가진 특수한 사회적·문화적 배경으로 인해 이와 같은 보편 윤리와 특수 윤리 간의 갈등은 점차 증가하고 있다.

서술형 문제

218쪽

01 주제: 다국적 기업의 공간적 분업

(1) 다국적 기업

(2) 예시 답안 다국적 기업의 활동이 촉진되면서 투자국인 우리나라에서 나타나는 긍정적 영향으로는 고급 인력에 대한 수요가 증가하는 점을 들 수 있다. 반면, 부정적 영향으로는 국내 생산 공장이 해외 이전할 경우 국내 실업률이 증가할 수 있다는 점을 들 수 있다.

채점 기준

상	긍정적 영향과 부정적 영향을 모두 정확하게 서술한 경우
하	긍정적 영향과 부정적 영향 중 한 가지만 정확하게 서술한 경우

02 주제: 세계화의 영향

예시 답안 세계화에 따라 국가 간 활발한 문화 교류가 전개되면서 다양한 문화를 손쉽게 접할 수 있게 되었다. 그러나 세계화로 인해 증대된 부가 일부 국가에 집중되면서 선진국과 개발 도상국 간의 빈부 격차 문제가 심화되고 있다.

채점 기준

상	문화적 측면에서의 세계화의 긍정적 영향과 경제적 측면에서의 세계화의 부정적 영향을 모두 정확하게 서술한 경우
중	위 내용 중 한 가지만 정확하게 서술한 경우
하	문화적·경제적인 교류가 확대되었다고만 서술한 경우

STEP 3 1등급 정복하기

219쪽

1 ③   2 ④

1 다양한 측면에서 전개되는 세계화

ㄴ. 오스트리아 빈에서 모차르트라는 문화적 자산을 바탕으로 지역 축제를 개최하는 것은 지역화 사례에 해당한다. ㄷ. 다국적 기업의 공간적 분업이 확대될수록 해외에서 생산 및 판매 활동이 활발해져 전체 노동자 중 해외 노동자의 비율이 증가한다.

┃ **바로 알기** ┃ ㄱ. 세계화에 따라 교통·통신이 발달하면서 물리적 거리의 중요성은 감소하고 있다. ㄹ. 다국적 기업의 본사는 자본과 정보가 집중되어 있기 때문에 본국의 대도시에 입지한다. 저임금 노동력이 풍부한 곳에 입지하는 것은 다국적 기업의 생산 공장이다.

2 세계 도시의 특징

<자료 분석>

㉠이 세계 도시임을 알 수 있어.

- 국제 금융의 중심지인 (㉠)은/는 정보 기술(IT) 산업의 허브이자 국제 자본의 네트워크를 이끌고 있다. 또한 이곳에는 세계 경제의 수도라고 불리는 월 가(街)가 있으며, 도시민들의 문화생활을 위한 박물관이 입지해 있다.
- 동아프리카의 관광지로 유명한 (㉡)은/는 도시 역사는 짧지만 인근 지역의 물류, 경제, 문화의 중심지이다. 도시 인구의 절반 이상이 다국적 기업 ○○ 사의 생산 공장에서 근무하고 있으며, 도시의 일부 지역에는 슬럼가가 형성되어 있다.

㉡은 경제 발달이 낮은 도시임을 알 수 있어.

제시된 글을 통해 ㉠은 세계 도시이자 ㉡보다 발달한 도시임을 알 수 있다.

┃바로 알기┃ ㄱ, ㄷ. 국제 금융의 중심지인 ㉠에는 국제기구의 본부와 다국적 기업의 본사가 다수 입지하고 있을 것이다.

---

02 국제 사회의 모습과 평화의 중요성

STEP 1   핵심 개념 확인하기   222쪽

1 자국의 이익   2 (1) × (2) × (3) ○   3 (1) - ㉠ (2) - ㉡
4 (1) ㄴ (2) ㄷ (3) ㄱ   5 (1) 소 (2) 적

STEP 2   내신 만점 공략하기   222~224쪽

01 ②   02 ④   03 ②   04 ②   05 ⑤   06 ③   07 ④
08 ③   09 ⑤

01 국제 사회의 특징

오늘날 국제 사회에서는 자원, 영토 등 개별 국가가 자국의 이익을 추구하는 과정에서 치열한 경쟁을 벌이며 갈등을 겪고 있다. 이러한 국제 갈등은 어느 한 국가의 노력만으로는 해결하기 어렵기 때문에 갈등 당사자 간의 대화와 양보를 통해 평화적으로 해결하려는 노력이 필요하다. 또한 필요에 따라 국제기구의 개입을 통한 해결 방안도 모색할 수 있다.

┃바로 알기┃ ② 국제 갈등은 갈등 당사자 간의 합의를 통해 평화적으로 해결되기도 한다.

완자 정리 노트   국제 사회의 갈등과 협력

국제 갈등	문화의 차이 또는 영토·자원 등을 두고 자국의 이익을 우선적으로 추구하는 과정에서 발생
국제 협력	국가 간 상호 의존도가 높아짐에 따라 협력이 필요한 문제 증가

02 국제 사회의 협력

남극 조약은 개별 국가들이 국제 협약을 통해 국제 갈등을 원만하게 해결한 사례에 해당한다. 국제 갈등은 어느 한 국가의 노력만으로는 해결하기 어렵기 때문에 갈등 당사자 간의 대화와 양보를 통해 평화적으로 해결하려는 노력이 필요하다.

03 국가

국가는 국제 사회를 구성하는 가장 기본적인 행위 주체로서 영토의 크기와 관계없이 독립적인 주권을 행사한다.

┃바로 알기┃ ① 국제 사회에는 정부 간 국제기구, 국제 비정부 기구, 다국적 기업 등 다양한 행위 주체가 활동한다. ③ 정부를 구성 단위로 하여 국제적인 연대 활동을 하는 것은 정부 간 국제기구이다. ④ 다국적 기업의 활동이 활발해지면서 국가보다 더 큰 영향력을 발휘하기도 한다. ⑤ 국가는 외교를 통한 자국의 이익 실현을 최우선으로 한다.

04 국제 사회의 행위 주체

ㄱ. 동티모르는 국가로서 국제 사회의 가장 기본적인 행위 주체이다. ㄷ. 국제 연합(UN)은 정부 간 국제기구로서 동티모르를 비롯한 개별 국가의 정부가 회원으로 가입하여 활동한다.

┃바로 알기┃ ㄴ. 국제 연합은 각국의 정부를 회원으로 하기 때문에 정부 간 국제기구로 분류된다. ㄹ. 정부 간 국제기구는 경제적 이익 추구보다는 국가 간 분쟁 및 이해관계를 조정하여 세계 평화의 유지를 위해 노력한다. 자국민 보호를 위한 외교 활동을 최우선으로 하는 것은 국가이다.

완자 정리 노트 ┃ 국제 사회의 행위 주체

국가	• 가장 기본적인 행위 주체 • 자국의 이익 실현을 최우선으로 추구함
정부 간 국제기구	• 각국의 정부를 회원으로 하는 행위 주체 • 국가 간 분쟁 및 이해관계를 조정함
국제 비정부 기구	• 개인, 민간단체를 회원으로 하는 행위 주체 • 개별 국가의 이해관계에서 벗어나 국제적 연대를 통해 환경 보호, 인권 보장 등 범세계적 문제를 제기하고 공동의 노력을 이끌어냄

05 국제 비정부 기구

㉠은 국제 비정부 기구인 국경 없는 의사회에 해당한다. 국경 없는 의사회는 전쟁, 기아, 질병, 자연재해 등으로 고통 받는 세계 각지의 주민들을 구호하기 위해 설립한 국제 민간 의료 구호 단체이다. ⑤ 국제 비정부 기구는 국제 사회의 보편적 가치를 추구한다.

┃바로 알기┃ ①, ② 정부 간 국제기구에 대한 설명이다. ③, ④ 국가에 대한 설명이다.

06 국제 사회의 행위 주체

(가)는 다국적 기업, (나)는 영향력 있는 개인에 대한 설명이다. ① 세계화에 따라 다국적 기업이 성장하면서 그 역할이 커지고 있다. ② 영향력 있는 개인은 한 국가에 속해 있지만 독자적인 영역에서 국제적으로 활동한다. ④, ⑤ 다국적 기업과 영향력 있는 개인은 모두 국가를 뛰어넘어 전 세계를 대상으로 활동하는 초국가적 행위 주체로서 개별 국가의 정책에 영향을 미치기도 한다.

┃바로 알기┃ ③ 국가에 대한 설명이다.

07 평화의 의미

갑은 소극적 평화, 을은 적극적 평화를 중시하고 있다. ㄴ. 소극적 평화는 전쟁, 범죄, 테러와 같은 직접적·물리적 폭력이 제거된 상태를 의미하는 것으로, 갑의 입장에 부합한다. ㄹ. 적극적 평화는 직접적 폭력뿐만 아니라 빈곤, 기아, 차별과 같은 구조적·문화적 폭력까지 제거된 상태로, 을의 입장에 부합한다.

┃바로 알기┃ ㄱ. 사회 제도로부터 비롯되는 폭력은 구조적 폭력에 해당한다. 구조적 폭력을 경계하는 것은 적극적 평화를 주장한 을의 입장에 부합한다. ㄷ. 국가 간 전쟁이 없는 상태는 물리적·직접적 폭력이 제거된 상태로서 소극적 평화를 주장한 갑의 입장에 부합한다.

08 소극적 평화와 적극적 평화

소극적 평화는 전쟁, 범죄, 테러와 같은 물리적이고 직접적인 폭력이 없는 상태이다. 적극적 평화는 전쟁과 같은 직접적 폭력은 물론 기아, 빈곤, 억압, 차별과 같이 한 사회의 구조와 문화에 의해 발생하는 간접적 폭력까지 모두 사라진 상태를 의미한다. ㄴ. 소극적 평화는 직접적 폭력의 근본적 원인이 되는 빈곤, 정치적 독재, 사회적 차별 등의 구조적 폭력을 간과할 수 있다. ㄷ. 적극적 평화는 직접적 폭력을 포함한 구조적·문화적 폭력이 제거된 상태로서 모든 사람이 인간의 존엄성을 보장받으며 안전하고 행복한 삶을 살아갈 수 있는 상태를 의미한다.

┃바로 알기┃ ㄱ. 인권 침해가 발생하지 않는 상태는 적극적 평화가 실현된 상태이다. ㄹ. 적극적 평화는 직접적·물리적 폭력뿐만 아니라 종교, 사상, 언어 등 문화적 요인에 의한 폭력까지 제거된 상태이다.

완자 정리 노트 ┃ 평화의 의미

소극적 평화	• 직접적·물리적 폭력이 없는 상태 • 직접적 폭력의 원인이 근본적으로 해결되지 않은 상태라는 한계가 있음
적극적 평화	• 직접적 폭력은 물론 구조적·문화적 폭력까지 모두 제거된 상태 • 모든 사람이 인간답게 살아갈 삶의 조건이 조성된 상태로서 진정한 의미에서의 평화

09 평화의 의미

제시된 글은 직접적 폭력은 물론 구조적 폭력과 문화적 폭력까지 제거된 적극적 평화의 실현을 강조하고 있다. 여기서 구조적 폭력은 빈곤, 정치적 독재, 경제적 착취, 사회적 차별과 소외, 지역·세대·노사 간 갈등을 포함한 사회 구조 자체가 가하는 모든 폭력을 말한다. 또한 문화적 폭력은 종교, 사상, 언어, 예술, 과학 등 문화적 영역이 가하는 폭력으로서 직접적 폭력 또는 구조적 폭력을 정당화하는 데 이용되는 것을 말한다.

┃바로 알기┃ ① 소극적 평화에 대한 설명이다. ② 종교와 사상 등의 문화적 폭력으로서 직접적 폭력이나 구조적 폭력을 정당화하는 데 이용된다. ④ 글쓴이는 폭력을 해소하는 수단도 평화적이어야 한다고 강조하고 있다.

 **서술형 문제** 224쪽

01 주제: 국제 사회의 갈등

(1) (가) – 정부 간 국제기구, (나) – 국제 비정부 기구

(2) **예시 답안** 정부 간 국제기구는 국가 간 분쟁을 중재하고 이해관계를 조정하는 역할을 한다. 또한 국제 규범을 정립함으로써 국제 관계에 영향을 미친다. 국제 비정부 기구는 국제적인 연대 활동을 통해 환경 보호·인권 보장 등 지구촌 공통의 문제를 제기하고, 이를 해결하기 위한 지구촌 공동의 노력을 이끌어낸다.

채점 기준	
상	정부 간 국제기구와 국제 비정부 기구의 역할을 각각 두 가지 이상 서술한 경우
하	정부 간 국제기구와 국제 비정부 기구의 역할을 각각 한 가지만 서술한 경우

02 주제: 평화의 의미

(1) 갑 – 소극적 평화, 을 – 적극적 평화

(2) **예시 답안** 갑이 주장하는 소극적 평화는 직접적 폭력의 원인이 되는 구조적·문화적 폭력이 근본적으로 제거되지 않았다는 한계가 있다. 소극적 평화 상태에서는 빈곤, 기아, 차별 및 불평등과 같은 구조적 폭력이 남아있으며 종교와 사상 등의 문화적 영역이 다른 폭력을 정당화하는 데 이용될 수 있기 때문에 진정한 의미의 평화라고 볼 수 없다.

채점 기준	
상	소극적 평화의 한계를 근거로 제시하여 적극적 평화의 입장을 명확히 서술한 경우
중	직접적 폭력의 제거만으로는 진정한 의미의 평화를 실현할 수 없다고만 서술한 경우
하	평화의 의미를 더 넓게 규정할 필요가 있다고만 서술한 경우

STEP 3 1등급 정복하기
225쪽

1 ④   2 ④

1 국제 사회의 특징

① 남수단은 독립 이전부터 수단과 다른 문화를 가지고 있었다. ② 수단과 남수단은 영국의 식민 지배 당시 분리 지배로 문화의 이질성이 커졌다. ③ 수단과 남수단은 여전히 원유 수입 배분과 국경선 획정 문제 등으로 갈등을 겪고 있다. ⑤ 영국으로부터 독립한 이후 수단의 북부 주민들이 정치 권력을 독차지하였으므로 남수단과의 경제적 격차가 확대되었을 것이다.

┃바로 알기┃ ④ 영토와 자원을 둘러싸고 내전이 발생하였다.

2 국제 사회의 행위 주체

ㄱ. 국제 연합(UN)은 각국의 정부를 회원으로 하는 국제 사회의 행위 주체로서 국가 간 분쟁 및 이해관계를 조정하고 국제 규범을 정립하는 역할을 한다. ㄴ. 국가 간에 이루어진 국제 협약은 국제 갈등을 해결하는 데 활용될 수 있다. ㄷ. 국가 간에 국제 협약을 체결하여 갈등을 해결하는 모습을 통해 국가 간 상호 의존도가 높아졌음을 알 수 있다.

┃바로 알기┃ ㄹ. 국제 협약은 협약을 체결한 당사국에만 적용된다.

---

03 동아시아의 갈등과 국제 평화

STEP 1 핵심 개념 확인하기
230쪽

1 (1) – ㉠, ㉢ (2) – ㉡, ㉣ **2** (1) ○ (2) ○ (3) × **3** (1) 통일 비용, (2) 분단 비용 **4** (1) ㄷ (2) ㄹ (3) ㄱ (4) ㄴ **5** (1) 독도 (2) 동북 공정

STEP 2 내신 만점 공략하기
230~233쪽

01 ⑤	02 ⑤	03 ③	04 ①	05 ③	06 ⑤	07 ②
08 ②	09 ⑤	10 ⑤	11 ①	12 ④	13 ④	14 ②

01 남북 분단의 배경

1945년 8월 15일, 우리 민족의 지속적인 독립 운동과 제2차 세계 대전에서 일본의 패전 선언으로 우리 민족은 광복을 맞이하였다. 그러나 광복 이후 신탁 통치에 대한 찬반 논쟁, 민족 내부의 이념적 갈등과 냉전 체제의 영향으로 남북 분단 되었고 6·25 전쟁으로 분단이 고착화되었다.

┃바로 알기┃ ⑤ 한반도는 유라시아 대륙과 태평양을 연결하는 지정학적 요충지에 위치하여 지리적으로 중요한 위치를 차지하고 있다.

완자 정리 노트	남북 분단의 국제적·국내적 배경
국제적 환경	• 냉전 체제의 심화 • 한반도의 지정학적 위치의 중요성
국내적 배경	• 민족 내부의 응집력 부족 • 6·25 전쟁의 발발

02 남북 분단의 과정

(가) 시기에는 미국과 소련의 남북 분할 점령, 남한만의 5·10 총선거 실시(1948), 대한민국 정부 수립(1948), 6·25 전쟁 발발(1950) 등의 사건이 있었다. ⑤ 6·25 전쟁은 북한의 남침으로 시작되어 1953년에 휴전 협정이 체결되면서 일단락되었다. 6·25 전쟁으로 많은 사람이 죽거나 다쳤고, 수많은 전쟁고아와 이산가족이 발생하였다.

┃바로 알기┃ ① 일본의 항복 선언은 (가) 시기 이전에 일어난 사건이다. ② 국제 연합(UN)의 주도 아래 남한만의 총선거가 실시되고 정부가 수립되었다. ③ 미국이 남한을, 소련이 북한을 각각 분할 점령하였다. ④ 정부 주도의 개발 정책으로 급속한 경제 성장을 이룬 것은 1960년대 이후이다.

03 남북 분단의 배경과 과정

1945년 광복 직후 우리나라에는 38도선을 경계로 남쪽과 북쪽에 미국과 소련의 군대가 각각 주둔하였다. 당시 신탁 통치에 대한 찬

반 논쟁과 민족 내부의 이념적 갈등, 제2차 세계 대전 이후 강화된 냉전 체제 등의 요인이 복합적으로 작용하며 남북이 분단되었다. 이후 1948년 5월 북측의 거부로 남한에서는 단독 총선거를 실시하여 정부를 수립하였고, 1950년 6·25 전쟁의 발발로 오늘까지 남북 분단이 이어지고 있다.

| 바로 알기 | ㉢ 제2차 세계 대전 이후 미국을 중심으로 한 자본주의 진영과 소련을 중심으로 한 사회주의 진영 간에 이념을 중심으로 대립하는 냉전 체제가 강화되었다.

04 통일의 필요성

남북한을 한민족으로 묶는 중요한 징표인 언어문화가 달라지면 통일 이후 민족의 동질성을 회복하는 것이 어려워질 수 있다. 통일을 통해 우리 민족의 역량을 극대화시키기 위해서는 남북 간의 지속적인 문화 교류가 필요하다.

05 통일의 필요성

경제적 차원에서 통일이 필요한 이유는 남북 단일 시장을 형성하여 국내 경제를 활성화시킬 수 있으며, 남한의 자본 및 기술과 북한의 노동력 및 자원을 결합하여 경제 성장을 이룰 수 있기 때문이다. 또한 남북의 대립과 갈등으로 발생하는 분단 비용을 절감하여 경제 발전과 주민들의 복지 향상을 위해 사용할 수 있다.

| 바로 알기 | ③ 통일을 통해 분단 비용의 지출을 줄이면 소모적인 군비 경쟁에 낭비되는 자원을 주민들의 삶을 개선하고 경제 개발을 위한 비용으로 사용할 수 있다.

완자 정리 노트   통일의 필요성

한반도의 평화 정착	• 한반도에서 전쟁의 위협 제거하여 군사적 긴장 해소 • 전 세계 유일한 분단국의 통일로 세계 평화에 기여
민족의 동질성 회복	• 분단으로 굴절된 우리 역사를 바로잡아 민족 공동체 역량 극대화 • 인적·물적 교류의 확대로 이념, 지역, 세대 간 갈등 해소 • 민족 문화의 전통을 계승하고 발전시켜 손상된 민족적 자부심 회복
민족의 경제적 발전과 번영	• 남한의 자본 및 기술력과 북한의 노동력 및 천연자원의 결합으로 국가 경쟁력 향상 • 남북 간 소모적인 군사비 절감 • 남북한 단일 시장 형성으로 국내 경제 활성화
생활 공간의 확장	• 국토의 일체성 회복으로 대륙 진출 가능 • 유라시아 대륙과 태평양을 연결하여 동아시아 지역의 번영 선도 • 사회 구성원이 거주, 직업 등 다양한 분야에서 선택의 기회 확대

06 통일을 위한 노력

통일은 평화적이고, 점진적으로 이루어져야 한다. 또한 평화 통일을 이루기 위해서는 남북한 간에 평화적 교류와 협력을 통해 상호 이해를 증진시키고 군사적 긴장 상태를 완화하여 서로 간에 신뢰를 회복해야 한다.

| 바로 알기 | ⑤ 통일은 민족 내부의 문제인 동시에 국제적인 문제이기도 하다. 그렇기 때문에 주변국과의 협력과 유대를 강화하여 통일에 대한 지지를 유도해야 한다.

07 통일의 필요성

제시된 사례는 독일 통일의 교훈을 보여 준다. 1990년 통일을 이룬 독일은 2000년대 초반까지 극심한 경제적 후유증을 겪었다. 그러나 지속해서 동독 지역을 개발한 결과 동독 지역의 경제가 활성화되었고, 인구 증가로 유럽 최대의 내수 시장을 보유하게 되었다. 또한 정치적 위험 요소가 줄어들면서 외국인의 직접 투자 규모도 엄청나게 커졌다.

| 바로 알기 | ② 통일은 단기적으로는 경제적 충격을 줄 수 있지만 장기적으로는 경제가 한 단계 더 도약할 수 있는 기회가 된다.

08 분단 비용, 통일 비용과 통일 편익

ㄱ. (가)에는 체제 경쟁을 위한 외교비, 방위비 등이 해당한다. ㄷ. (다)에는 분단 비용의 소멸, 이산가족 문제 해결 등이 들어갈 수 있다.

| 바로 알기 | ㄴ. 군사력 강화를 위한 방위비는 (가) 분단 비용에 해당한다. ㄹ. 통일 후 경제 개발을 위해 드는 비용은 (나) 통일 비용에 해당한다.

09 일본과의 역사 갈등

제시된 글의 '새로운 역사 교과서를 만드는 모임'은 일본의 식민지 지배와 침략 전쟁을 왜곡한 역사 교과서를 편찬한 단체이다. 이 단체가 편찬한 교과서는 징용과 징병의 강제성을 감추고, 일본군 '위안부'에 대한 기술을 축소·은폐하는 등 일본의 침략 행위를 정당화하거나 왜곡하고 있다.

| 바로 알기 | ⑤ 제2차 세계 대전의 전쟁 범죄자들이 합사된 야스쿠니 신사에 일본 정치인들이 참배하면서 국제 사회의 비판을 받고 있다.

10 일본과의 역사 갈등

제시된 자료와 관련된 지역은 독도이다. 일본은 시마네현 고시를 근거로 독도가 자국의 영토에 편입되었다며 독도에 대한 영유권을 주장하고 있다. 그러나 독도는 신라 때부터 한국이 영유하고 있는 영토로서, 1900년 대한 제국이 반포한 대한 제국 칙령 제41호에는 독도가 대한 제국의 영토임을 분명히 밝히고 있다.

| 바로 알기 | ㄱ. 독도는 현재 한국이 실효적으로 지배하고 있다. ㄴ. 일본이 독도에 대해 부당한 영유권을 주장하고 있다.

11 동아시아 국가들의 영토 및 역사 갈등

② 중국은 동북 공정 사업을 통해 고조선, 부여, 고구려, 발해 등의 독립된 우리 역사를 중국 지방 정권의 역사라고 주장하고 있다. ③ 동아시아의 역사 갈등 문제를 해결하기 위해서는 공동 역사 연구를 통해 역사 인식의 차이를 극복하는 노력이 필요하다. ④ 일본의 일부 우익 세력은 징용·징병의 강제성을 감추고 일본군 '위안부' 문제를 축소·은폐한 왜곡된 역사 교과서를 편찬하였다. ⑤ 중국과 일본은 센카쿠 열도를 두고 영유권 분쟁을 하고 있다.

| 바로 알기 | ① 일본은 1905년 러일 전쟁 중 시마네현 고시로 독도를 자국 영토에 강제로 편입시켰다.

완자 정리 노트　동아시아의 역사 갈등

일본과의 역사 갈등	• 일본의 역사 교과서 왜곡 • 일본의 독도 영유권 주장 • 일본군 '위안부' 문제 • 야스쿠니 신사 참배
중국과의 역사 갈등	동북 공정

12　동아시아 역사 갈등 해결 방안

ㄴ. 동아시아 역사 갈등을 해결하기 위해서는 국가 간 공동 역사 연구를 통해 역사 인식의 차이를 극복할 필요가 있다. ㄹ. 각국 학교, 시민 단체 등 민간 교류의 확대와 국제 연대를 통해 상호 간에 역사 이해의 폭을 확대할 수 있다.

| 바로 알기 | ㄱ. 자국의 이해관계를 강조하는 역사 교육은 역사 갈등을 오히려 심화시킬 수 있다. ㄷ. 민간 교류를 축소하면 각국의 상호 불신, 대립, 경쟁의 심화로 국가 간 갈등과 지역 내 불안정성 등이 증가할 수 있다.

13　일본의 역사 왜곡

제시된 글은 1996년 유엔 인권 위원회에서 발표한 문서로서, 일본군 '위안부' 문제에 대해 일본 정부의 공식적 사과와 배상을 요구한 문서이다. 일본은 국내외 비판이 거세지자 1993년 고노 담화를 통해 공식 사과를 하였으나 그 외에 일본군 '위안부' 문제 해결에 대한 의지를 보이지 않고 있다. 한편 동아시아 각국의 여성 단체들은 일본군 '위안부' 문제 해결을 위한 여성 국제 전범 법정을 개최하는 등 일본군 '위안부' 문제 해결을 위한 공동의 노력을 펼치고 있다.

| 바로 알기 | ④ 현재 일본 정부는 일본군 '위안부' 문제와 관련하여 강제성을 부인하는 등 책임감 있는 문제 해결의 태도를 보이지 않고 있다.

14　국제 평화를 위한 우리의 노력

제시된 글은 우리나라가 국제 사회의 평화를 위해 참여하고 있는 활동에 대한 내용이다. 우리나라는 국제 연합(UN)의 일원으로서 평화 유지 활동(PKO)을 지원하고 있다. 또한 한국 국제 협력단(KOICA)을 통해 우리나라의 개발 경험과 기술이 필요한 개발 도상국에 경제적·사회적 지원을 하고 있다.

서술형 문제
233쪽

01　주제: 통일의 필요성

예시 답안 통일이 실현되면 국토의 일체성이 회복되어 우리의 생활 공간이 한반도를 넘어 유라시아 대륙으로 확장될 수 있다. 또한 유

라시아 대륙과 태평양을 연결하는 지정학적 요충지로서 동아시아 지역의 번영을 이끌 수 있으며, 사회 구성원은 거주, 직업 등 다양한 분야에서 폭넓은 선택의 기회를 가질 수 있다.

채점 기준

상	국토의 일체성 회복, 지정학적 요충지로서의 역할, 사회 구성원들의 선택의 기회 확대 중 두 가지 이상을 옳게 서술한 경우
하	국토의 일체성 회복, 지정학적 요충지로서의 역할, 사회 구성원들의 선택의 기회 확대 중 한 가지만 옳게 서술한 경우

02　주제: 동아시아 역사 갈등 해결 방안

(1) 현재 중국 영토 내에 있는 소수 민족 통합, 한반도 통일 이후 발생할 수 있는 영토 분쟁 방지

(2) **예시 답안** 정부 차원에서는 주변국의 역사 왜곡에 대해 외교적으로 대처하고 관계 법령을 정비하고 있다. 또한 '동북아 역사 재단'을 설립하여 역사 왜곡에 대응하는 연구를 지원하고 있다. 민간 차원에서는 한·중·일의 학자들이 모여 공동으로 역사 연구를 진행하고 교재를 발행하는 등의 노력을 하고 있다. 또한 각국 학교, 시민 단체 등은 민간 교류 확대를 통해 상호 간의 역사를 더 깊이 이해하기 위해 노력하고 있다.

채점 기준

상	정부 차원과 민간 차원에서 이루어지고 있는 노력을 모두 서술한 경우
하	정부 차원과 민간 차원에서 이루어지고 있는 노력 중 한 가지만 서술한 경우

STEP 3 ◯ **1등급 정복하기**　　234~235쪽

1 ⑤　　2 ③　　3 ④　　4 ⑤

1　남북 분단의 배경

갑은 남북 분단의 국제적 배경, 을은 남북 분단의 국내적 배경에 대해 이야기하고 있다. 남북 분단의 국제적 배경으로는 국제 사회의 냉전 체제, 한반도의 지정학적 위치를 들 수 있다. 한편 국내적 배경으로는 신탁 통치에 대한 찬반 논쟁으로 인한 민족 내부의 분열과 응집력 부족, 6·25 전쟁 발발을 들 수 있다.

| 바로 알기 | ⑤ 강대국들의 한반도 문제 개입이 남북 분단에 영향을 주었을 것이라고 보는 것은 갑의 입장이다.

2　분단 비용, 통일 비용과 통일 편익

분단 비용은 남북이 분단되어 있는 동안 끊임없이 지불해야 하는 기회 비용이고, 통일 비용은 남북의 다른 체제와 제도 등을 통합하는 과정에서 드는 비용이다. 제시문에는 통일이 될 경우 분단 비용이 사라지며, 통일 비용을 뛰어넘는 통일 편익이 발생할 것이라고 나타나 있다.

3 동아시아의 영토 분쟁

자료 분석

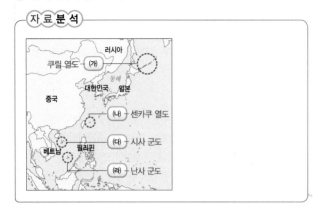

동아시아의 여러 지역에서는 청일 전쟁, 러일 전쟁 등 복잡하게 얽힌 역사적 배경과 해양 자원을 둘러싼 경쟁 등으로 영토 분쟁이 발생하고 있다. ㄴ. 센카쿠 열도(댜오위다오)는 일본과 중국 간에 영토 분쟁이 벌어지고 있는 지역이다. ㄹ. 난사 군도(스프래틀리 군도)는 상당량의 천연가스와 석유 등의 해양 자원이 매장되어 있다는 것이 알려지며 중국을 비롯한 베트남, 필리핀, 브루나이, 말레이시아 등 여러 국가가 영유권을 주장하고 있는 분쟁 지역이다.

▮바로 알기▮ ㄱ. 독도에 대한 설명이다. ㄷ. 쿠릴 열도에 대한 설명이다.

4 세계 속의 우리나라

제시된 글은 인도주의적 관점에서 경제적으로 여유 있는 사람들은 빈곤으로 고통받는 사람들을 위해 기부해야 한다고 주장한다. 재난을 입은 국가에 대한 긴급 구호 물품 원조, 개발 도상국에 대한 공적 개발 원조, 어린이들에게 교육을 지원하는 일 등이 이에 해당한다.

▮바로 알기▮ ㄱ. 국제 갈등을 해결하기 위한 군대 파견은 제시문이 주장하는 인도주의적 관점의 원조와 거리가 멀다.

대단원 실력 굳히기 238~241쪽

01 ③	02 ④	03 ①	04 ①	05 ①	06 ③	07 ③
08 ①	09 ④	10 ④	11 ②	12 ④	13 ⑤	14 ①
15 ①	16 ①	17 ①				

01 세계화

제시된 글은 세계화에 대한 설명이다. ㄴ. 세계화는 교통과 정보 통신의 발달, 세계 무역 기구(WTO)의 출범 및 자유 무역의 확대 등을 배경으로 나타난 현상이다. ㄷ. 세계화로 인해 경제적 측면에서 다국적 기업의 국제 분업이 확대되고 있다.

▮바로 알기▮ ㄱ. 세계화에 따라 물리적 거리의 중요성은 감소하고 있다. ㄹ. 문화의 세계화로 인해 전통문화가 소멸하는 문제, 문화의 획일화 및 선진국 문화의 보편화 문제 등이 나타나고 있다.

02 다국적 기업

자료 분석

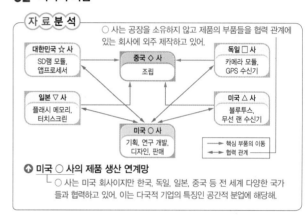

❶ 미국 ○ 사의 제품 생산 연계망
○ 사는 미국 회사이지만 한국, 독일, 일본, 중국 등 전 세계 다양한 국가들과 협력하고 있어. 이는 다국적 기업의 특징인 공간적 분업에 해당해.

ㄱ. 기업의 관리·연구·생산 기능이 전 세계 곳곳에 분산되어 있는 것으로 보아 ○ 사는 다국적 기업임을 알 수 있다. ㄷ. 미국 ○ 사는 기획 및 연구 기능을 담당하므로 생산 기능을 담당하는 중국 ◇ 사에 비해 임금 수준이 높을 것이다. 본사는 주로 자본과 우수한 인력 확보가 용이한 본국에, 연구소는 전문 인력이 풍부한 선진국에 입지하는 반면 생산 공장은 주로 임금 수준이 낮고 노동력이 풍부한 개발 도상국에 입지한다. ㄹ. 공간적 분업을 통해 다국적 기업은 특정 지역에 대한 의존도를 낮추고 기업 조직의 효율성을 높인다.

▮바로 알기▮ ㄴ. ㉠은 제품에 들어가는 모든 부품을 외주 제작하고 있다.

03 세계 도시

정보 통신 기술과 교통수단의 발달에 따른 세계화는 정치, 경제, 사회, 문화 등 다양한 측면에서 공간적 통합을 추구하고 있다. 특히 경제의 세계화는 국가 간 분업을 토대로 한 다국적 기업의 확대와 자본의 국제화를 촉진시켰다. 이에 따라 도시 간 연계와 경제적 통합이 강화되면서 세계적 영향력을 가진 세계 도시들이 등장하였다.

04 세계 도시의 계층 체계

제시된 지도에서 A는 최상위 세계 도시, B는 주요 세계 도시, C는 하위 세계 도시에 해당한다. ②~④ A는 최상위 계층 도시로서 주요 세계 도시나 하위 세계 도시에 비해 생산자 서비스업이 더 발달하였으며, 국제기구 본부의 수, 다국적 기업의 본사 수가 많을 것이다. ⑤ B는 주요 세계 도시로서 하위 세계 도시인 C보다 정보 통신망이 발달했을 것이다.

바로 알기 ① 개발 도상국에 대한 설명이다. A에는 전 세계의 자본과 정보가 집중될 것이다.

05 세계화에 따른 문제점

세계화에 따른 문제로는 선진국 문화의 보편화에 따른 문화의 획일화와 소멸, 국가 간 경제 불평등 확대, 보편 윤리와 특수 윤리 간의 갈등 증가 등의 문제가 대표적이다.

바로 알기 ① 세계화에 따라 다국적 기업은 더욱 성장하고 있다.

완자 정리 노트　세계화에 따른 문제점과 해결 방안

국가 간 빈부 격차 심화	• 문제점: 자유 무역이 확대되며 선진국에 부가 집중되며 상대적으로 경쟁력이 약한 개발 도상국이 도태됨 • 해결 방안: 분배 정의 실현, 공정 무역 및 공정 여행 실천
문화의 획일화	• 문제점: 지역 간의 문화 교류와 상호 의존성 증대로 선진국 문화가 보편화되며 문화의 다양성이 훼손됨 • 해결 방안: 능동적인 외래문화 수용 자세 함양
보편 윤리와 특수 윤리 간 갈등	• 문제점: 인류의 보편 가치와 집단 내 특수 가치의 충돌 • 해결 방안: 보편 윤리를 존중하며 각 사회의 특수 윤리 성찰하는 자세 함양

06 공정 무역

㉠은 공정 무역에 해당한다. 공정 무역이란 생산자에게 정당한 가격을 지급하는 제품을 소비자가 구매하도록 하는 윤리적 소비 운동이다. 공정 무역은 불공정한 거래를 멈추게 하고 무역의 이익이 개발 도상국의 가난한 생산자에게 돌아가 그들이 경제적으로 자립할 수 있도록 도와준다.

바로 알기 ③ 공정 무역 제품은 일반 제품에 비해 가격이 조금 비싼 편이다. 이유는 공정 무역 제품 생산자에게 더 많은 이익이 돌아갈 수 있도록 유통 구조를 단순화했기 때문이다.

07 국제 사회의 갈등과 협력

제시된 사례는 헤이샤쯔섬을 둘러싸고 일어났던 중국과 러시아 간의 영토 분쟁이 당사국들의 대화와 양보를 통해 평화적으로 해결된 모습을 보여 준다. 국가 간의 갈등은 국제기구의 중재로 해결할 수 있으며, 당사국 간이 협력으로 원만하게 해결하기도 한다.

08 정부 간 국제기구

국제 연합(UN)은 정부 간 국제기구에 해당한다. ㄱ. 정부 간 국제기구는 각국의 정부를 회원으로 하는 행위 주체이나. ㄴ. 정부 간 국제기구는 국가 간 분쟁 및 이해관계를 조정하고 국제 사회에서 규범을 정립하는 역할을 한다.

바로 알기 ㄷ, ㄹ. 국제 사회의 행위 주체로서 국가에 대한 설명이다.

09 국제 비정부 기구

제시문의 국제 사면 위원회는 국제 비정부 기구에 해당한다. 국제 비정부 기구는 개인이나 민간단체를 회원으로 하는 행위 주체로서 개별 국가의 이해관계에서 벗어나 국제적인 연대 활동을 통해 환경 보호, 인권 보장 등 지구촌 공통의 문제를 제기하고 공동의 노력을 이끌어낸다.

바로 알기 ①~③ 국가, ⑤ 정부 간 국제기구에 대한 설명이다.

10 국제 사회의 행위 주체

(1) 국제 연합(UN)은 대표적인 정부 간 국제기구이며, 각국의 정부를 회원으로 하는 행위 주체이다. (2) 오늘날 시민 사회의 영향력이 커지면서 민간 단체를 회원으로 하는 국제 비정부 기구의 역할이 확대되고 있다. (4) 각 국가는 외교를 통한 자국의 이익과 자국민 보호를 최우선으로 추구한다. 그러나 대화와 타협 등 외교적 협상을 통해 국제 갈등을 평화적으로 해결하기도 한다. (5) 국가 간 상호 의존이 심화하면서 한 국가의 노력만으로는 해결하기 어려운 문제가 증가하고 있다. 이에 국제 협력은 점차 증가하는 추세이다.

바로 알기 (3) 지방 정부 등의 국가 내부적 행위체는 한 국가에 속해 있지만 독자적인 영역에서 국제적인 활동을 하는 주체이다.

11 평화의 의미

소극적 평화는 테러, 전쟁과 같은 직접적·물리적인 폭력이 제거된 상태이고, 적극적 평화는 직접적 폭력의 근본 원인인 구조적·문화적 폭력까지 제거된 상태를 의미한다. ㄱ. 소극적 평화는 구조적·문화적 폭력 등이 남아 있는 상태로서 빈곤, 기아, 차별과 같은 차원의 고통을 소홀히 할 수 있다. ㄷ. 적극적 평화는 구조적 폭력의 문제를 해소하여 인류가 경제적 빈곤의 차이, 정치적·군사적 영향력의 차이가 없는 평등하고 자유로운 상태를 의미한다.

바로 알기 ㄴ. 전쟁과 테러 등의 원인이 근본적으로 해결된 상태는 적극적 평화이다. ㄹ. 적극적 평화는 빈곤, 사회적 차별과 소외, 종교나 사상의 억압과 같은 구조적·문화적 폭력까지 모두 사라진 상태이다.

12 구조적 폭력

제시된 사례에는 구조적 폭력에 해당하는 차별이 나타나 있다. ㄴ. 구조적 폭력은 사회 관습이나 제도로부터 나타나는 폭력으로서 기아, 빈곤, 차별 및 불평등이 이에 해당한다. ㄹ. 적극적 평화를 실현하기 위해서는 구조적·문화적 폭력이 제거되어야 한다.

바로 알기 ㄷ. 인권을 침해하는 행위는 특수 윤리라고 볼 수 없다.

13 통일의 필요성

갑, 을. 통일을 통해 이산가족의 슬픔을 해소하고, 전 세계 유일한 분단국의 통일로 세계 평화에 기여하는 등 적극적 평화를 실현할 수 있다. 병. 통일을 통해 남한의 기술력과 자본, 북한의 노동력과 천연자원을 결합하여 국가 경쟁력을 향상시킬 수 있다. 정. 남북한이 통일되면 유라시아 대륙과 태평양을 연결하는 지정학적 요충지로서의 이점을 활용하여 동아시아 지역의 번영을 이끌 수 있다.

바로 알기 무. 통일을 통해 남북한 언어의 동질성을 회복하여 민족 공동체 역량을 극대화할 수 있다.

14 남북 분단의 과정

밑줄 친 전쟁은 6·25 전쟁을 의미한다. ㄱ. 6·25 전쟁은 북한의 기습적이며 불법적인 남침으로 시작되었다. ㄴ. 6·25 전쟁으로 남북은 상호 간의 불신과 대립이 극에 달했고 이러한 적대감은 오늘날까지 남북 분단을 고착화시키는 결과를 가져왔다. 또한 전쟁을 통해서는 통일을 이룰 수 없다는 교훈을 얻었다.

바로 알기 ㄷ. 냉전 체제에 따른 남북 간의 이념적 대립이 6·25 전쟁을 거치면서 더욱 심화되었다. ㄹ. 전쟁으로 막대한 인명 피해와 각종 산업 시설 파괴를 겪었기 때문에 남북 간의 적대감은 심화되었다.

15 동아시아의 역사 갈등 해결을 위한 노력

동아시아의 역사 갈등 문제는 여러 나라와 민족의 이해관계가 얽혀 있기 때문에 다양한 문화 교류, 시민 단체 간의 교류, 공동 역사 교과서 편찬 등의 노력을 통해 상호 이해의 폭을 넓혀 나가야 한다.

바로 알기 ① 자국 역사의 우수성을 강조하는 역사 교육은 오히려 역사 갈등을 심화시킬 수 있다.

완자 정리 노트	동아시아 역사 갈등의 해결 방안
정부 차원	• 역사 왜곡에 대한 외교적인 대처 및 관계 법령 정비 • 연구 재단을 설립하여 역사 왜곡에 대응하는 연구 지원
민간 차원	• 공동 역사 연구를 통한 역사 인식의 차이 극복 • 민간 교류를 통한 상호 간의 이해 확대

16 역사 갈등의 해결 방안

제시된 사례는 역사 갈등 해결을 위한 독일과 폴란드의 민간 차원의 노력에 대한 내용이다. 양국의 학자들은 하나의 사건을 바라보는 데 두 가지 시각이 있다는 점을 인정하는 방식으로 공동 교과서를 집필하여 역사 인식의 차이를 극복하고 있다.

바로 알기 ㄷ. 제시된 사례는 민간 차원의 노력에 대해 다루고 있다. ㄹ. 자국의 이해관계를 강조하는 역사 교육은 동아시아의 역사 갈등을 심화시킬 수 있다.

17 국제 평화를 위한 우리나라의 노력

①, ③ 우리나라는 국가 차원에서 개발 도상국에 공적 개발 원조를 확대하고, 국제 연합(UN)의 일원으로서 국가 간 분쟁 지역에 평화 유지군을 파견하여 국제 사회의 평화에 기여하고 있다. ④, ⑤ 개인·민간 차원에서는 국제 비정부 기구의 반전 및 평화 운동에 적극적으로 동참하거나 세계 시민 의식을 갖추고 초국가적인 문제에 관심을 기울이는 방법으로 국제 평화에 기여할 수 있다.

바로 알기 ② 국제 평화에 기여하기 위해서는 북한과의 통일을 통해 분단 비용을 감소시켜야 한다.

IX. 미래와 지속 가능한 삶

01 세계의 인구와 인구 문제

STEP 1 핵심 개념 확인하기   248쪽

1 (1) 아시아 (2) 사망률   **2** ㉠ 경제적 ㉡ 정치적   **3** 중위 연령
4 (1) – ㉠ (2) – ㉡   **5** (1) ㄱ, ㄴ (2) ㄷ, ㄹ   **6** (1) × (2) ○

STEP 2 내신 만점 공략하기   248~251쪽

01 ⑤ **02** ② **03** ④ **04** ② **05** ④ **06** ① **07** ①
08 ⑤ **09** ⑤ **10** ③ **11** ③ **12** ④

01 세계의 인구 성장

산업화가 일찍 시작된 유럽에서는 18세기 말에서 20세기 초까지 인구가 빠르게 성장하였으나, 점차 출생률이 감소하면서 인구 증가율이 정체되거나 감소하고 있다. 반면 아시아, 아프리카 등의 개발 도상국에서는 20세기 중반 이후 산업화가 진행되면서 인구가 빠르게 증가하고 있다. 이들 국가에서는 사망률이 낮아졌지만 출생률은 여전히 높아 인구 증가율이 높은 편이다. 따라서 앞으로 세계의 인구 성장은 아시아, 아프리카의 개발 도상국이 주도할 것으로 예상된다.

▎바로 알기 ▎ ㄱ. 산업화가 진행되면서 세계의 총인구는 지속적으로 증가해 왔으며, 2050년에는 세계의 총인구가 약 97억 명에 이를 것으로 전망된다. ㄴ. 아프리카 인구가 빠르게 증가하고 있지만, 2050년에 아시아 인구보다 많아지는 것은 아니다.

완자 정리 노트   선진국과 개발 도상국의 인구 성장

선진국	개발 도상국
낮은 사망률과 낮은 출생률 → 인구 정체 및 감소	낮은 사망률과 높은 출생률 → 인구 증가

02 인구 밀집 지역과 인구 희박 지역

(가)는 인구가 거의 분포하지 않는 사하라 사막 일대이며, (나)는 많은 인구가 밀집한 중국 동부 해안 지역이다. ② 동부 아시아, 동남 및 남부 아시아 일대는 자연환경이 농업에 유리하여 일찍부터 인구가 밀집하고 있다.

▎바로 알기 ▎ ① (가)는 건조 기후가 나타나 인간 거주에 불리하다. ③ (가)는 (나)보다 인구 희박 지역에 해당한다. ④ (나)는 (가)보다 단위 면적당 인구가 많아 인구 밀도가 높게 나타난다. ⑤ (가)는 강수량이 매우 적어 자연환경이 농업에 불리한 지역에 해당한다.

03 세계의 인구 분포

세계의 인구는 계속해서 증가하고 있으며, 자연적·경제적 조건 등에 따라 인구 분포는 지역적으로 불균등하게 나타난다. 대체로 기후가 온화하고 넓은 평야가 분포하여 산업과 도시 발달에 유리한 지역에는 인구가 밀집해 있다. 반면 기후나 지형이 인간 생활에 적합하지 않거나 경제 활동에 불리하고 교통이 불편한 지역 등은 인구가 적게 분포한다. 특히, 아시아와 유럽에 많은 인구가 밀집해 있으며, 세계 인구의 대부분은 북반구에 거주하고 있다.

▎바로 알기 ▎ ㉢ 오늘날에는 과학 기술과 교통의 발달로 인간의 거주 지역이 점차 확대되고 있다.

04 인구 변천 모형

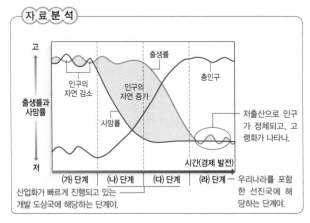

인구 변천 모형은 경제 발전 과정에서 특정 인구 집단의 변화를 보여주는 것으로, 출생률과 사망률 사이의 관계를 통해 인구 성장 과정을 파악하는 데 이용된다. (가) 단계는 출생률과 사망률이 모두 높아 인구가 정체하고 있다. (나) 단계는 출생률이 높고 사망률이 급격히 감소하여 인구 증가율이 가장 높게 나타난다. (다) 단계는 출생률이 급격히 감소하고 사망률이 완만하게 감소하지만 여전히 인구가 증가하는 상태이다. (라) 단계는 출생률과 사망률이 모두 낮아져 인구 증가가 정체한다.

▎바로 알기 ▎ ① (가) 단계에서 사망률이 가장 높으며, (라) 단계에서 사망률이 가장 낮다. ③ (다) 단계에서는 출생률이 빠르게 감소하며, (가) 단계에서 출생률이 가장 높다. ④ (라) 단계에서는 출생률과 사망률 모두 낮은 상태를 유지한다. ⑤ (가) 단계에서 (라) 단계로 갈수록 총인구는 증가한다.

05 정치적 요인에 의한 인구 이동

제시된 자료는 난민의 국제 인구 이동을 나타낸 것이다. 이러한 난민 형태의 인구 이동은 정치적 요인에 의한 것으로, 대부분 정치적 탄압이나 전쟁에 의한 경우가 많다. 시리아, 아프가니스탄 등 분쟁이 잦은 시남아시아와 아프리카에서 내전을 피해 이주하는 난민의 이동이 대표적인 사례이다.

▎바로 알기 ▎ ③ 경제적 요인에 의한 인구 이동은 대체로 개발 도상국에서 선진국으로 이동하는 경우가 많다. ⑤ 환경적 요인에 의한 인구 이동의 사례이다.

06 인구 이동에 따른 문제

오늘날 전 세계적으로 경제적 요인에 의한 인구 이동이 활발하다. 제시된 자료는 개발 도상국의 노동자들이 임금 수준이 높고 고용 기회가 많은 선진국으로 이동하는 경제적 이동의 사례이다. 이러한 인구 이동의 결과로 인구가 유입된 지역은 노동력 확보로 경제가 활성화되고 문화적 다양성이 증대되기도 하지만, 원주민과 이주민 간의 문화적 차이에 따른 갈등이 발생하기도 한다.

완자 정리 노트 인구 이동에 따른 문제

인구 유입 국가	원주민과 이주민 간의 경제적·문화적 갈등. 난민 수용을 둘러싼 갈등 발생
인구 유출 국가	청장년층 노동력 감소. 지역 경제 및 사회적 분위기 침체

07 개발 도상국과 선진국의 인구 구조

(가)는 개발 도상국인 인도의 인구 구조, (나)는 선진국인 독일의 인구 구조를 나타낸 것이다. 독일과 같은 선진국은 여성의 사회 진출 증가, 자녀에 대한 가치관 변화 등으로 합계 출산율이 낮아 유소년층 비중이 낮다. 또한 생활 수준이 높고 의료 기술이 발달하여 기대 수명이 길고 노년층 인구 비중이 높다.

완자 정리 노트 국가 간 경제 수준에 따른 인구 구조

선진국	유소년층 비중이 적고, 노년층 비중이 많음 → 종형 또는 방추형 인구 구조
개발 도상국	유소년층 비중이 많고, 노년층 비중이 적음 → 피라미드형 인구 구조

08 세계의 중위 연령

자료 분석

— 유럽과 앵글로아메리카에서 중위 연령이 높게 나타나.

(하크 세계 지도, 2015)

범례: 40세 이상 (가) / 35~40세 / 30~35세 / 25~30세 / 20~25세 / 20세 미만 (나)

— 아프리카의 개발 도상국들은 중위 연령이 가장 낮은 편이야.

중위 연령이란, 특정 지역이나 국가의 전체 인구를 연령 순서로 세웠을 때 그 중앙에 위치한 사람의 연령을 말한다. 대체로 선진국은 개발 도상국에 비해 중위 연령이 높게 나타나는 편이므로 (가)는 선진국, (나)는 개발 도상국에 해당한다. ㄷ. 선진국은 개발 도상국보다 합계 출산율이 낮아 유소년 인구 비중이 낮고 노년 인구

비중이 높은 편이다. ㄹ. 개발 도상국은 선진국에 비해 유소년 인구 비중이 높고 노년 인구 비중이 낮아 노년층 부양 부담이 상대적으로 작은 편이다.

바로 알기 ㄱ. 선진국에서는 종형 또는 방추형 인구 구조가 나타난다. ㄴ. 개발 도상국은 경제 수준이 낮은 국가가 많다.

09 대륙별 합계 출산율

ㄷ. 라틴 아메리카의 합계 출산율은 2.84명이 감소하여 전 대륙에서 가장 많이 감소하였다. ㄹ. 앵글로아메리카의 합계 출산율은 0.07명 감소하여 전 대륙에서 가장 적게 감소하였다.

바로 알기 ㄱ. 유럽의 합계 출산율은 1970~1975년과 2010~2015년 모두 아시아에 비해 낮게 나타난다. ㄴ. 아프리카의 합계 출산율은 1970~1975년과 2010~2015년 모두 전 대륙에서 가장 높게 나타난다.

10 인구 과잉 문제의 해결을 위한 정책

필리핀과 같은 개발 도상국에서는 예전에 비해 사망률이 많이 낮아졌지만, 출생률은 여전히 높아 인구 과잉 현상이 나타난다. 또한 경제 성장 속도에 비해 인구 증가 속도가 더 빨라 식량, 자원, 식수 등의 부족 문제가 나타나고 있다. 개발 도상국에서는 인구 과잉 문제를 해결하기 위해 경제 발전과 식량 증산 정책을 추진하면서 출산 억제 정책을 함께 실시하고 있다.

바로 알기 ①, ② 노년층 일자리 확대, 사회 복지 시설 확충은 고령화 문제를 해결하기 위한 정책이다. ④ 저출산·고령화에 따라 노동력 부족 문제가 심각한 국가에서는 이민자를 수용하여 노동력을 확보하기도 한다. ⑤ 육아 비용 지원과 같은 출산 장려 정책은 저출산 문제를 해결하기 위한 정책이다.

11 저출산·고령화 문제의 해결 방안

우리나라는 저출산·고령화 문제를 해결하기 위해 출산 및 육아 비용 지원, 공공 보육 시설 확충, 출산 휴가 및 육아 휴직 보장 등 각종 출산 장려 정책을 시행하고 있다. 또한 저출산·고령화 문제의 해결을 위해서는 사회적 인식과 개인의 가치관 변화도 요구된다. 가정에서는 결혼과 가족의 소중함, 정서적 지지자로서 자녀의 가치를 이해하는 것이 중요하다. 사회에서는 양성평등 문화를 확립하여 남녀가 가사와 양육을 분담하고, 일과 가족생활 간에 균형을 이룰 수 있도록 인식이 개선되어야 한다.

바로 알기 ③ 도시 인구와 기능의 지방 분산은 대도시 과밀 문제를 해결하기 위한 대책이다.

12 세대 간 갈등 문제

갑은 청년층의 일자리가 부족하여 취업하는 데 어려움이 있다는 점을 강조하면서 정년 연장을 반대하고 있다. 반면, 을은 정년퇴직을 한 사람도 자녀 부양과 가계 부채에 대한 부담이 크다는 점을 강조하면서 정년 연장을 찬성하고 있다. 따라서 갑보다 을의 입장에서는 노년층을 위한 일자리 확대와 정년 연장의 필요성에 대해 발언할 수 있다.

완자 정리 노트　청년 세대와 노년 세대의 어려움

청년 세대	일자리 부족, 미래의 불확실성, 결혼 및 출산과 양육에 대한 부담, 주택 마련의 어려움, 노년 부양비 증가 등
노년 세대	소득 불안정, 자녀의 경제적 지원 감소, 가계 부채 부담, 노부모에 대한 부양 부담, 건강 악화 등

서술형 문제

251쪽

01 주제: 세계의 인구 구조

(1) 유럽

(2) **예시 답안** 대체로 선진국은 합계 출산율이 낮아 유소년층 비중이 낮으며, 기대 수명이 길어 노년층 비중이 높기 때문에 종형 또는 방추형 인구 구조가 나타난다. 반면, 개발 도상국은 선진국에 비해 합계 출산율이 높아 유소년층이 비중이 높으며, 기대 수명이 짧아 노년층 비중이 낮기 때문에 피라미드형 인구 구조가 나타난다.

채점 기준

상	선진국과 개발 도상국의 인구 구조 특징을 비교하여 서술한 경우
중	선진국 또는 개발 도상국 중 한 국가의 인구 구조 특징만을 서술한 경우
하	선진국과 개발 도상국에서 주로 나타나는 인구 구조의 유형만을 언급한 경우

02 주제: 우리나라의 인구 문제

(1) 저출산·고령화

(2) **예시 답안** 저출산·고령화 문제의 해결을 위해서는 국가에서 적극적인 대응 정책을 마련해야 한다. 저출산 문제의 해결을 위해서는 출산 및 육아 비용 지원, 보육 시설 확충, 출산 휴가 및 육아 휴직 보장 등 각종 출산 장려 정책을 실시해야 한다. 고령화 문제의 해결을 위해서는 노인의 안정적인 생활을 위해 노인 연금 제도를 비롯한 사회 보장 제도를 강화하고, 일자리 확대와 정년 연장, 노인 복지 시설 확충 등의 노력이 필요하다. 저출산·고령화 문제를 해결하기 위해서는 사회적 인식과 개인의 가치관 변화도 요구된다. 개인은 가족을 이루고 자녀를 낳아 기르면서 삶의 행복과 부모 됨의 가치를 깨닫고 가족 친화적 가치관을 가질 필요가 있다. 이를 위해 양성평등 문화를 확립하여 남녀가 가사와 양육을 분담하고, 일과 가정생활 간에 균형을 이룰 수 있도록 사회의 인식이 개선되어야 한다. 또한 청년 세대들은 노인을 부양의 대상으로만 보지 않고 지혜와 경험을 나누는 사회의 구성원으로 대하며 어른으로서 공경하는 마음을 가져야 한다.

채점 기준

상	저출산·고령화 문제의 해결을 위한 국가의 정책적인 지원과 사회적 인식 및 개인의 가치관 변화에 대한 내용을 구체적으로 서술한 경우
중	저출산·고령화 문제의 해결을 위한 국가의 정책적인 지원 또는 사회적 인식 및 개인의 가치관 변화에 대한 내용 중 한 가지만 서술한 경우
하	저출산 문제 또는 고령화 문제 중 한 가지 측면에서의 해결 방안만 제시한 경우

STEP 3　1등급 정복하기

252~253쪽

1 ④　2 ④　3 ③　4 ②

1 대륙별 인구 분포와 인구 성장

자료 분석

자연적 인구 증가율과 사회적 인구 증가율을 더한 값이 전체 인구 증가율이야.

구분　　대륙	자연적 인구 증가율		전체 인구 증가율	
	1950~1955년	2010~2015년	1950~1955년	2010~2015년
(가)	1.93	1.07	1.93	1.05
(나)	2.15	2.64	2.10	2.59
(다)	1.49	0.42	1.67	0.75
(라)	1.03	−0.01	0.99	0.10
라틴 아메리카	2.71	1.19	2.69	1.13
오세아니아	1.57	1.05	2.28	1.53

*러시아는 유럽에 포함됨

(라)는 전체 인구 증가율이 가장 낮으므로 유럽에 해당돼.
(나)는 전체 인구 증가율이 가장 높으므로 아프리카에 해당돼.

ㄴ. 아프리카(나)는 인구 증가율이 가장 높은 대륙으로 인구가 빠르게 증가하고 있다. ㄹ. 산업화가 일찍 시작된 유럽(라)에서는 18세기 말부터 20세기 초까지 인구가 빠르게 성장하였으나, 점차 출생률이 감소하면서 최근에는 인구 증가율이 정체하거나 감소하고 있다.

| 바로 알기 | ㄱ. 아시아(가)는 인구의 자연적 인구 증가가 사회적 증가보다 많다. ㄷ. 앵글로아메리카(다)의 인구는 약 4억 명으로 세계 인구의 약 5%가 분포한다. 세계 인구의 절반 이상이 분포하는 대륙은 아시아(가)이다.

2 국제 인구 이동의 유형

(가)는 홍콩에 일자리를 찾아온 필리핀 출신의 가사 도우미에 관한 사례이며, 이는 경제적 요인에 의한 인구 이동에 해당한다. 경제적 이동은 개발 도상국에서 임금 수준이 높고 고용 기회가 많은 선진국

으로 이동하는 경우가 많다. (나)는 아프리카 또는 서남아시아에서 유럽으로 넘어가는 난민에 관한 사례이며, 이는 정치적 요인에 의한 인구 이동에 해당한다. 정치적 이동은 정치적 탄압, 불안한 정세, 내전 등에 의한 난민의 형태로 많이 나타난다. (가), (나)와 같은 국제 인구 이동에 따라 인구 유입 국가에서는 원주민과 이주민 간의 경제적·문화적 갈등이 나타나기도 한다.

‖ **바로 알기** ‖ ④ 오늘날 이루어지는 국제 인구 이동의 경우 경제적 요인에 의한 인구 이동이 대부분이다.

완자 정리 노트 　 인구 이동의 유형

경제적 이동	개발 도상국에서 임금 수준이 높고 고용 기회가 많은 선진국으로 이동
정치적 이동	정치적 탄압, 전쟁, 분쟁 등을 피해 이주하는 난민 형태의 이동
환경적 이동	사막화, 해수면 상승 등 기후 변화에 따른 환경 재앙을 피해 이동

3 인구 구조와 인구 문제

병. 일찍 산업화를 이룬 선진국은 여성의 사회 활동 증가와 결혼 및 출산에 대한 가치관의 변화 등으로 출생률이 낮아지면서 인구가 정체하거나 감소하고 있다. 또한 의학 기술의 발달로 사망률이 낮아지고 평균 수명이 늘어남에 따라 고령화 현상이 심화되고 있다. 저출산·고령화 현상에 따라 노동력 부족, 소비 감소, 경기 침체, 세대 간의 일자리 경쟁, 노년 부양비와 노인 복지 비용 증가 등의 문제가 나타나고 있다. 정. 산업화가 활발하게 진행 중인 개발 도상국은 사망률이 낮아진 데 비해 출생률은 여전히 높아 인구 과잉 현상이 나타난다. 또한 경제 성장 속도에 비해 인구 증가 속도가 더 빨라 식량, 자원, 식수 등의 부족 문제가 나타나고 있다.

‖ **바로 알기** ‖ 갑. 연령별 인구 구조를 통해 산업별 종사자 인구 비율을 파악하기는 어렵다. 을. 우리나라에서 농촌은 도시에 비해 상대적으로 노년층 비중이 높게 나타나며, 도시는 농촌에 비해 상대적으로 청장년층과 유소년층 비중이 높은 편이다.

4 인구 문제의 해결 방안

⟨ **자 료 분 석** ⟩

노인 돌봄 서비스에 대한 설명이야.
• 식사, 세면, 옷 갈아입기, 구강 관리, 화장실 이용, 외출, 목욕 등의 신변 활동과 취사, 생활 필수품 구매, 청소, 세탁 등의 일상생활을 혼자서 수행하기 어려운 노인을 지원하여 건강 증진 및 생활 안정을 도모한다. 재원은 가입자가 납부하는 보험료, 국가와 지방 자치 단체 부담금으로 조달한다.
• 생활이 어려운 사람에게 안정적인 소득 기반을 제공하여 생활 안정을 지원한다. 소득 인정액은 보건 복지부 장관이 매년 결정·고시하는 선정 기준액 이하인 65세 이상의 자에 한하여 차등 지급한다. – 노인 기초 연금 제도에 대한 내용이야.

사회 보장 제도는 질병, 장애, 노령, 실업, 사망 등의 사회적 위험으로부터 모든 국민을 보호하고 빈곤을 해소하며 국민 생활의 질을 향상시키기 위하여 제공되는 사회 보험, 공공 부조, 사회 복지 서비스 등을 말한다. ② 최근 기대 수명의 연장으로 노인 인구가 증가하고 있지만, 취약 계층으로 전락하는 노인들이 많아지고 있다. 노인은 실질적으로 경제활동에 참여하기 어려우므로 경제적 자립 지원과 사회 보장 제도 마련 등이 이루어지고 있다.

02~03 세계의 자원과 지속 가능한 발전 ~ 미래 지구촌의 모습과 내 삶의 방향

STEP 1 핵심 개념 확인하기   258쪽

1 (1) 유한성 (2) 가변성 (3) 편재성   2 ㉠ 석유 ㉡ 천연가스 ㉢ 석탄   3 자원 민족주의   4 지속 가능한 발전   5 (1) ○ (2) ○ (3) ×

STEP 2 내신 만점 공략하기   258~261쪽

| 01 ① | 02 ③ | 03 ③ | 04 ④ | 05 ④ | 06 ④ | 07 ⑤ |
| 08 ⑤ | 09 ② | 10 ② | 11 ① | 12 ④ | | |

01 자원의 특성

가채 연수는 자원의 확인 매장량을 연 생산량으로 나눈 것으로, 자원을 향후 몇 년간 생산할 수 있는가를 나타내는 지표이다. ㄱ. 석탄의 가채 연수가 천연가스보다 길게 나타나는 것은 석탄이 천연가스보다 더 오래 사용할 수 있음을 의미한다. ㄴ. 자원의 유한성은 자원의 매장량이 한정되어 있어 언젠가는 고갈되는 자원의 특성을 의미한다. 따라서 가채 연수를 통해 자원의 유한성을 파악할 수 있다.

┃바로 알기┃ ㄷ. 자원의 가치가 올라가면 그만큼 수요가 많아져 그 자원의 가채 연수는 줄어든다. ㄹ. 새로운 자원 매장지가 발견되면 그 자원의 가채 연수는 늘어난다.

02 세계의 에너지 소비 특성

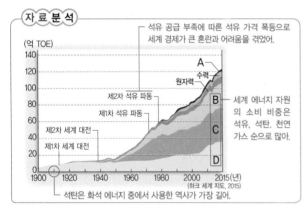

┃자료 분석┃

석유 공급 부족에 따른 석유 가격 폭등으로 세계 경제가 큰 혼란과 어려움을 겪었어.

세계 에너지 자원의 소비 비중은 석유, 석탄, 천연가스 순으로 많아.

석탄은 화석 에너지 중에서 사용한 역사가 가장 길어.

(하크 세계 지도, 2015)

A는 신·재생 에너지, B는 천연가스, C는 석유, D는 석탄이다. ③ 석유는 오늘날 세계에서 가장 소비량이 많은 에너지 자원으로, 20세기 이후 자동차 등 운송 수단이 발달하면서 수요가 급증하였다. 또한 석유는 각종 화학 공업 및 생활용품의 원료로 광범위하게 이용되고 있다.

┃바로 알기┃ ①, ② 산업 혁명기의 주요 동력원이 되었으며, 주로 고생대 지층에 많이 매장된 에너지 자원은 석탄(D)이다. ④ 냉동 액화 기술의 발달로 운반과 저장이 편리해진 에너지 자원은 천연가스(B)이다. ⑤ 신·재생 에너지(A)는 화석 에너지 자원에 해당하지 않는다.

03 주요 에너지 자원의 대륙별 분포

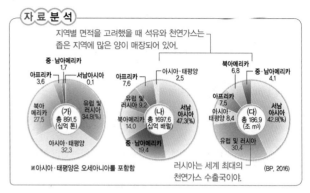

┃자료 분석┃

지역별 면적을 고려했을 때 석유와 천연가스는 좁은 지역에 많은 양이 매장되어 있어.

중·남아메리카 1.7 / 아프리카 3.6 / 서남아시아 0.1 / 북아메리카 27.5 / 유럽 및 러시아 34.8(%) / 아시아·태평양 32.3 / (가) 총 891.5 (십억 톤)

아프리카 7.6 / 아시아·태평양 2.5 / 유럽 및 러시아 9.2 / 북아메리카 14.0 / 중·남아메리카 19.4 / 서남아시아 47.3(%) / (나) 총 1697.6 (십억 배럴)

북아메리카 6.8 / 중·남아메리카 4.1 / 아프리카 7.5 / 아시아·태평양 8.4 / 유럽 및 러시아 30.4 / 서남아시아 42.8(%) / (다) 총 186.9 (조 m³)

※아시아·태평양은 오세아니아를 포함함

러시아는 세계 최대의 천연가스 수출국이야.

(BP, 2016)

에너지 자원은 전 세계에 골고루 분포하지 않고 특정 지역에 매장되어 있다. 특히, 석유(나)와 천연가스(다)는 세계 매장량의 40% 이상이 서남아시아에 분포하고 있어 자원의 편재성이 큰 편이다.

┃바로 알기┃ 석탄(가)은 석유와 천연가스보다 비교적 넓은 범위에 분포하고 있다.

04 석유의 분포와 이동

석유는 주로 신생대 제3기 지층의 배사 구조에 매장되어 있으며, 세계 매장량의 절반가량이 서남아시아에 분포하고 있다. 석유의 주요 수출국은 사우디아라비아, 러시아, 아랍 에미리트 등이며, 주요 수입국은 산업이 발달한 유럽, 미국, 아시아의 공업 국가들이다. ④ 석유는 자동차, 비행기 등 교통수단의 연료와 각종 화학 공업의 원료로 많이 사용되고 있다.

┃바로 알기┃ ① 가장 먼저 상용화된 에너지 자원은 석탄이다. ② 중국은 세계 석탄 생산량의 절반가량을 차지한다. ③ 석유는 일부 지역에 집중적으로 매장되어 있어 편재성이 큰 편이다. ⑤ 석유는 생산지와 소비지가 달라 국제 이동량이 많은 편이다.

05 자원 문제의 해결 방안

자원 소비가 증가하면 자원 고갈 문제가 나타난다. 오늘날 우리가 사용하고 있는 에너지 자원은 대부분 매장량이 한정되어 있다. 따라서 현재와 같은 속도로 자원을 소비한다면 세계는 에너지 부족 문제를 겪을 수 있다. 자원 소비량이 많아지면 환경 문제도 심각해진다. 특히 화석 연료의 사용 과정에서 배출되는 오염 물질과 온실가스는 대기 오염을 발생시키고 지구 온난화의 주요 원인으로 작용하여 기후 환경의 변화를 초래하기도 한다. ㄴ. 자원 재활용 기술을 개발할 경우 자원을 효율적으로 이용할 수 있으므로 자원 부족 문제를 해결할 수 있다. ㄹ. 태양광, 풍력, 수력, 지열 등의 신·재생 에너지 자원은 고갈되지 않아 계속해서 사용할 수 있을 뿐만 아니라, 환경 오염이 거의 발생하지 않아 자원 소비에 따른 환경 문제를 해결할 수 있다.

┃ 바로 알기 ┃ ㄱ. 자원 민족주의는 자원을 보유한 국가가 자원을 전략적 무기로 이용하는 것을 의미한다. ㄷ. 1인당 에너지 소비량을 늘리면 자원 고갈 문제와 환경 문제는 더욱 심각해진다.

06 에너지 자원을 둘러싼 분쟁 지역

북극해에 접해 있는 미국, 캐나다, 러시아, 덴마크, 노르웨이는 서로 북극해의 영유권을 주장하며 갈등을 빚고 있다. 이 국가들이 북극해의 영유권 확보에 열을 올리는 것은 이 지역에 석유와 천연가스가 매장되어 있기 때문이다. 최근 지구 온난화로 빙하가 녹으면서 많은 양의 자원 개발 가능성이 커지고 있다.

┃ 바로 알기 ┃ A는 카스피해, B는 남중국해, C는 동중국해, E는 포클랜드 제도이다.

07 지속 가능한 발전의 개념

산업화·도시화로 인해 대규모 환경 문제가 발생하기 시작하였고, 이에 따라 지속 가능성의 개념이 등장하면서 사람들은 자원의 한계와 환경의 중요성을 인식하게 되었다. 초기에 지속 가능한 발전의 개념은 환경 보전과 경제 발전의 조화만을 의미하였다. 그러나 점차 의미가 확대되면서 경제적·사회적·환경적 측면을 아우르는 포괄적인 개념이 되었다. 지속 가능한 발전은 현재 세대의 필요를 충족하기 위하여 미래 세대가 사용할 경제·사회·환경 등의 자원을 낭비하거나 여건을 저해하지 않으면서 경제 발전, 사회 안정과 통합, 환경 보전이 균형을 이루는 발전을 의미한다. 따라서 사회적 통합과 발전을 위해 빈곤 문제를 해결하며, 질적인 성장과 공정한 배분을 통해 평등한 사회를 지향해야 한다.

┃ 바로 알기 ┃ ⑤ 지속 가능한 발전을 위해서는 생태계 수용 능력의 한계 내에서 개발이 이루어져야 한다.

08 지속 가능한 발전을 위한 노력

'적정 기술'은 사회 공동체의 정치적·문화적·환경적 조건을 고려하여 해당 지역에서 지속적인 생산과 소비가 가능하도록 만들어진 기술을 말한다. ⑤ 개발 도상국이나 저소득층을 위해 개발되어 '착한 기술'이라고도 불리는데, '큐드럼'과 '라이프 스트로'는 대표적인 적정 기술 제품이다.

┃ 바로 알기 ┃ ③ 탄소 발자국은 개인이나 기업이 활동하거나 제품을 생산·소비할 때 직간접적으로 발생하는 온실가스의 총량을 의미한다.

09 온실가스 배출권 거래제

온실가스 배출권 거래제는 정부가 기업에게 배출할 수 있는 온실가스 양을 정해주고, 기업은 그 범위 내에서 온실가스를 감축하도록 하는 제도이다. 다만 기업이 감축을 많이 해서 남거나, 감축을 적게 해서 부족할 경우 기업 간에 온실가스 배출 허용량을 사고팔 수 있도록 한다. 이 제도는 지구 온난화 방지를 위한 기후 변화 협약에 따라 시행되고 있으며, 지속 가능한 발전을 위한 국제적·국가적 차원에서의 노력에 해당한다.

┃ 바로 알기 ┃ ㄴ. 온실가스 배출권 거래제는 국가 또는 기업의 온실가스 배출량을 감축하기 위한 목적으로 시행되고 있다. ㄹ. 사회 취약 계층 지원 제도에는 기초 생활 보장 제도, 주거 및 보건 의료 복지 서비스 등이 있다.

10 세계의 주요 국제 환경 협약

세계의 여러 국가들은 각종 국제 환경 협약을 체결하여 환경 보전 활동에 힘쓰고 있다. 이러한 협약들은 국가와 지역 단위의 환경 정책과 정치적·경제적 실천 전략에 기본 지침이 되고 있다.

┃ 바로 알기 ┃ ② 람사르 협약은 물새의 서식지로서 국제적으로 중요한 습지를 보호하기 위해 체결되었다.

11 미래 지구촌의 모습

미래 지구촌은 정치적·경제적으로 국가 간 협력이 강화되는 동시에 갈등도 커질 것으로 예측된다. 여러 국가들은 협력을 통해 세계 평화를 위한 핵 안보 문제를 해결하고, 분쟁으로 인해 발생하는 난민, 기아, 빈곤 등 지구촌 문제의 해결책을 모색할 수 있다. 그러나 자유 무역이 확대되면서 국가 간의 경쟁이 더욱 치열해지고, 소수의 국가가 세계 경제를 독점하게 되면 국가 간의 빈부 격차가 더 벌어질 가능성이 있다. 또한 자원 개발과 각종 이권을 둘러싼 갈등이 심화될 수 있고, 이로 인해 전쟁과 테러의 위협도 커질 수 있다.

┃ 바로 알기 ┃ ㄴ, ㄹ. 인공 지능의 발달로 인간의 노동 시간이 줄어드는 것, 유전자 조작이나 인간 복제로 윤리적 문제가 나타나는 것 등은 과학 기술의 발달에 따른 미래 지구촌의 모습이다.

완자 정리 노트	미래 지구촌의 모습
국가 간 협력과 갈등	• 정치적 협력과 경제적 교류가 활발해지면서 국가 간 상호 의존성 증가 • 자유 무역의 확대로 국가 간 경쟁 치열, 자국의 이익을 우선시함, 자원 개발을 둘러싼 갈등 심화
과학 기술의 발달에 따른 변화	• 교통의 발달로 인간의 활동 범위 확대 • 정보 통신 기술의 발달로 초연결 사회 구축 • 생명 공학의 발달로 식량 생산 증가, 인간 수명 연장
생태 환경의 변화	자원 고갈 및 환경 문제 해결을 위한 노력 필요 → 신·재생 에너지 개발, 멸종 위기 생물종 복원, 도시 수직 농장 활성화

12 미래 사회를 대비하는 자세

미래 사회에서 우리는 세계를 하나의 공동체로 인식하고 나 자신이 지구촌의 한 구성원임을 자각해야 한다. 그리고 세계 시민 의식을 가지고 지구촌 문제에 관심을 가져야 한다. 지구촌 문제와 인류 보편적 가치에 대한 이해를 바탕으로 세계 시민으로서 공감과 연대 의식을 가지며, 문화의 차이를 인정하고 다양성을 존중하는 자세가 필요하다. 또한 책임 의식을 가지고 지구촌 문제를 해결하기 위해 적극 동참하고 실천하는 노력이 필요하다.

┃ 바로 알기 ┃ ④ 지구촌의 미래에 대한 전망은 긍정적 측면과 부정적 측면이 모두 존재한다. 따라서 우리는 미래에 발생할 것으로 예상되는 위기 상황을 고려하여 이를 대처하기 위해 준비해야 한다.

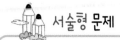

서술형 문제

261쪽

01 주제: 지속 가능한 발전을 위한 노력

(1) 신·재생 에너지

(2) **예시 답안** 경제적 측면에서는 신·재생 에너지의 보급 확대를 위해 신·재생 에너지 공급 의무화 제도, 신·재생 에너지의 설비 생산 및 설치를 위한 금융 지원 제도 등을 시행할 수 있다. 환경적 측면에서는 온실가스 증가로 인한 기후 변화에 대응하기 위해 국제 환경 협약을 체결하고, 온실가스 배출권 거래제를 시행할 수 있다. 사회적 측면에서는 사회 계층 간 통합을 위해 기초 생활 보장 제도, 주거 및 의료 복지 서비스 등의 사회 취약 계층 지원 제도를 시행할 수 있다.

채점 기준

상	지속 가능한 발전을 위한 국제적·국가적 노력 사례를 경제적 측면, 환경적 측면, 사회적 측면에서 모두 서술한 경우
중	지속 가능한 발전을 위한 국제적·국가적 노력 사례를 경제적 측면, 환경적 측면, 사회적 측면 중에서 두 가지 서술한 경우
하	지속 가능한 발전을 위한 국제적·국가적 노력 사례를 경제적 측면, 환경적 측면, 사회적 측면 중에서 한 가지만 서술한 경우

02 주제: 생명 및 유전 공학 발달

예시 답안 미래 사회는 생명 및 유전 공학이 발달하여 인간의 유전자 분석을 통해 난치병 치료와 회생 불가능한 환자의 생명을 연장할 수 있게 될 것이다. 또한 유전자 변형 농산물(GMO)을 만들어 농업과 바이오 연료 생산에 도움을 줄 것으로 보인다. 그러나 생명 및 유전 공학의 발달은 유전자 조작이나 인간 복제의 가능성을 높여 인간의 존엄성 훼손이라는 윤리적 문제를 가져올 수 있다.

채점 기준

상	생명 및 유전 공학 발달에 따른 변화의 긍정적 측면과 부정적 측면을 모두 서술한 경우
하	생명 및 유전 공학 발달에 따른 변화의 긍정적 측면과 부정적 측면 중 한 가지만 서술한 경우

STEP 3 1등급 정복하기

262~263쪽

1 ② 2 ④ 3 ⑤ 4 ①

1 석유의 주요 수출국

석유는 세계 매장량의 절반가량이 서남아시아에 집중적으로 분포하고 있어 편재성이 크다. 석유는 사우디아라비아, 러시아, 아랍 에미리트에서 많이 수출하며, 수요가 많은 유럽, 미국, 아시아의 공업 국가에서 수입하고 있다.

바로 알기 ①은 석탄의 국가별 수출 비중, ③은 천연가스의 국가별 수출 비중, ④는 석탄의 국가별 수입 비중, ⑤는 석유의 국가별 수입 비중을 나타낸 것이다.

완자 정리 노트 　주요 에너지 자원의 수출입

구분	주요 수출국	주요 수입국
석탄	오스트레일리아, 인도네시아, 러시아 등	인도, 중국, 일본, 우리나라 등
석유	사우디아라비아, 러시아, 아랍 에미리트 등	미국, 중국, 인도, 일본, 우리나라 등
천연가스	러시아, 카타르, 노르웨이 등	일본, 독일, 이탈리아 등

2 석탄과 석유의 소비 특성

(가)는 산업용으로 많이 이용되는 석탄, (나)는 수송용으로 많이 이용되는 석유이다. ㄴ. 세계의 주요 산유국들은 석유 수출국 기구(OPEC)를 결성하여 석유 생산과 공급을 통제함으로써 자국의 이익을 극대화하고 있다. ㄹ. 석유는 세계에서 가장 많이 사용되는 에너지 자원이므로 석탄에 비해 가격 변화가 세계 경제에 미치는 영향이 큰 편이다.

바로 알기 ㄱ. 대기 오염 물질의 배출량이 적어 청정에너지라고 불리는 에너지 자원은 천연가스이다. ㄷ. 서남아시아의 페르시아만 일대에 많이 매장되어 있는 에너지 자원은 석유이다.

3 지속 가능한 발전을 위한 노력

자료 분석

- 교사: 우리는 하나뿐인 지구를 보호하고, 미래 세대에게 건강한 환경을 물려주어야 합니다. 이를 위해 '의제 21'의 실천 방안에 대한 토론을 시작하겠습니다. └ 지속 가능한 발전에 해당돼.
- 갑: 최근 개발 도상국에서 산업 시설이 증가하면서 각종 오염 물질의 배출이 늘어나고 있습니다. 개발 도상국에서 배출되는 오염 물질 배출을 규제해야 합니다.
- 을: 현재 지구촌의 환경 문제는 선진국에서 과거에 배출한 온실가스 때문입니다. 개발 도상국의 발전을 위해서는 온실가스의 배출이 불가피합니다.
- 병: 빈곤 퇴치를 위해서는 개발 도상국의 주인 의식, 일관성 있는 정책 추진, 고용 문제의 해결 등이 필요합니다.
- 정: 빈곤 퇴치는 지속 가능한 발전을 위해 중요하므로 선진국과 개발 도상국 간의 공동 책임이 중요합니다.
  └ 갑은 환경 문제의 책임이 개발 도상국에 있다고 보고 있으며, 을은 환경 문제의 책임이 선진국에 있다는 입장이야.

의제 21에서는 세계 각국에서 환경 보전과 개발을 조화시킬 수 있는 지속 가능한 발전의 구체적인 방안을 제시하고 있다. 물, 대기, 토양, 해양, 삼림, 생물종 등 자연 자원의 보전과 관리를 위한 지침뿐만 아니라 빈곤 퇴치, 건강, 인간 정주, 소비 행태의 변화 등 사회적·경제적 쟁점까지 폭넓게 다루고 있다. ① 교사는 미래 세대를 고려하여 지구를 보호해야 한다는 점을 강조하였다. ② 갑은 환경 문제의 원인이 개발 도상국에 있다고, 을은 환경 문제의 책임이 선진국에 있다고 주장하고 있다. ③ 을은 지구촌의 환경 문제가 온실가스 때문이라고 보고 있다. 온실가스 배출권 거래제는 국가 또는 기업의 온실가스 배출량을 감축하기 위한 목적으로 시행되는 제도이다. ④ 병은 빈곤 퇴치를 위해 시행해야 할 개발 도상국의 노력을 말하고 있다.

▮ 바로 알기 ▮ ⑤ 공적 개발 원조(ODA)는 경제 협력 개발 기구(OECD)가 주체가 되어 개발 도상국의 빈곤 문제 해결과 경제·사회 발전, 복지 증진을 목적으로 시행하고 있다.

4 세계 시민 의식

세계 시민 의식은 나 자신이 지구촌 구성원임을 자각하고 책임 의식을 가지며, 지구촌 문제를 해결하기 위해 적극적으로 동참하고 실천하는 자세이다. 세계 시민은 지구촌 문제와 인류 보편적 가치에 대한 이해를 바탕으로 공감과 연대 의식을 가지며, 문화의 차이를 인정하고 다양성을 존중하는 사람이다.

▮ 바로 알기 ▮ 5. 지구촌은 서로가 하나의 유기체처럼 연결된 공동체로서의 성격이 점차 강해지고 있다. 따라서 세계 곳곳에서 발생하는 다양한 문제와 갈등을 해결하기 위해서는 다른 국가에서도 적극적으로 노력해야 한다. 이를 위해서는 자신과 국가를 넘어 민주 시민 의식, 도덕성, 폭넓은 시야와 포용력을 갖춘 세계 시민이 되기 위한 자질을 함양해야 한다.

대단원 실력 굳히기						266~269쪽
01 ⑤	02 ③	03 ⑤	04 ④	05 ⑤	06 ①	07 ④
08 ②	09 ④	10 ②	11 ②	12 ③	13 ④	14 ②
15 ⑤	16 ②					

01 세계의 인구 성장

산업화가 일찍 시작된 선진국에서는 18세기 말에서 20세기 초까지 인구가 빠르게 증가하였으나 점차 출생률이 감소하면서 인구 증가율이 정체되거나 감소하고 있다. 반면 개발 도상국에서는 제2차 세계 대전 이후 산업화가 진행되면서 인구가 빠르게 증가하고 있다. 이들 국가는 사망률이 낮아졌지만 출생률은 여전히 높아 인구 증가율이 높은 편이다. 따라서 앞으로 세계의 인구 증가는 아프리카, 아시아 등의 개발 도상국이 주도할 것으로 예상된다.

▮ 바로 알기 ▮ ① 인간의 기대 수명은 점차 길어지고 있다. ② 세계 인구는 계속해서 증가하고 있으므로 인구 밀도도 증가한다. ③ 과학 기술과 교통의 발달로 인간의 거주 지역은 점차 확대되고 있다. ④ 전 세계적으로 유소년층 비중이 감소하는 반면, 노년층 비중은 증가하고 있다.

02 대륙별 인구 분포

A는 인구 비중이 크게 높아진 대륙이므로 아프리카, B는 인구 비중이 낮아진 대륙이므로 유럽, C는 인구 비중이 약간 낮아졌으나 여전히 세계에서 인구 비중이 가장 높은 대륙이므로 아시아에 해당한다. ③ 세계의 인구는 동부 아시아, 동남 및 남부 아시아에 집중적으로 분포하고 있다. 이들 지역은 자연환경이 벼농사에 유리하여 일찍부터 많은 인구가 거주하고 있다.

▮ 바로 알기 ▮ ① 아프리카(A)는 다른 지역에 비해 합계 출산율이 높고 기대 수명이 짧아 저출산·고령화 문제가 심각하지 않다. ② 인구 증가율이 가장 높은 대륙은 아프리카(A)이다. ④ 유럽(B)과 아시아(C)의 인구 비중이 낮아졌지만, 인구수가 감소한 것은 아니다. ⑤ 유럽(B)은 아프리카(A)와 아시아(C)에 비해 경제 수준이 높은 선진국이 많다.

03 국제 인구 이동

(가)는 경제적 요인에 의한 노동자의 인구 이동이며, (나)는 정치적 요인에 의한 난민의 인구 이동이다. ㄷ. 경제적 이동(가)은 개발 도상국에서 경제 수준이 높고 일자리가 많은 선진국으로 이동하는 경우가 많다. ㄹ. 정치적 이동(나)은 정치적 탄압, 불안한 정세, 내전 등에 의한 난민 형태의 인구 이동이다.

▮ 바로 알기 ▮ ㄱ. (가)는 경제적 요인에 의한 인구 이동이다. ㄴ. (나)는 정치적 요인에 의해 살던 곳을 떠나 다른 나라로 이동한다.

04 개발 도상국과 선진국의 인구 구조

A는 유소년층 비중이 낮고 노년층 비중이 높은 인구 구조가 나타나므로 선진국으로 볼 수 있다. B는 유소년층 비중이 높고 노년층 비중이 낮은 인구 구조가 나타나므로 개발 도상국으로 볼 수 있다. 선진국은 개발 도상국에 비해 생활 수준이 높고, 의료 기술이

발달하여 사망률이 낮아 기대 수명이 길고 중위 연령과 노년 부양비가 높게 나타난다. 또한 여성의 사회 진출 증가, 자녀에 대한 가치관 변화 등으로 평균 결혼 연령이 높게 나타난다. ④ 합계 출산율은 선진국에 비해 개발 도상국에서 높게 나타난다.

05 저출산·고령화에 따른 인구 문제
우리나라는 여성의 사회 진출 증가와 결혼 및 자녀에 대한 가치관의 변화로 출생률이 낮아졌다. 또한 청장년층의 고용 불안, 주택 가격의 상승, 평균 결혼 연령의 상승, 출산과 육아 비용에 대한 부담 증가 등으로 인해 출생률이 감소하였다. 이와 함께 의학 기술의 발달로 사망률이 낮아지고, 경제 수준이 향상되어 위생 및 영양 상태가 개선되면서 고령화가 빠르게 진행되었다. 저출산 현상이 지속되면 생산 가능 인구가 감소하여 노동력이 부족해지고, 출생률이 사망률보다 낮아져 총인구가 감소하게 된다. 이는 소비 활동과 기업의 생산 활동을 위축시켜 경제 성장에 부정적인 영향을 줄 수 있다. 고령화 현상이 지속되면 국민연금과 건강 보험 등 사회 보장 비용이 증가하여 국가의 재정 부담이 커질 수 있다. 또한 노인 1인당 부양 인구가 감소하여 청장년층의 노인 부양 부담이 커진다.

06 우리나라의 인구 정책
제시된 자료는 『제3차 저출산·고령 사회 기본 계획』 '브리지 플랜 2020'의 주요 내용을 나타낸 것이다. 이 자료에는 최근 우리나라에서 심각하게 나타나는 저출산·고령화 문제를 해결하기 위한 인구 정책이 담겨 있다. ① 2010년대의 가족계획 표어로 저출산 문제를 극복하기 위한 내용을 반영하고 있다.

▮ 바로 알기 ▮ ②는 1960년대, ③은 1970년대, ④는 1980년대의 가족계획 표어로 산아 제한 정책을 반영하고 있다. ⑤는 1990년대의 가족계획 표어로 남아 선호 사상을 극복하기 위한 내용을 반영하고 있다.

07 우리나라의 인구 구조 변화

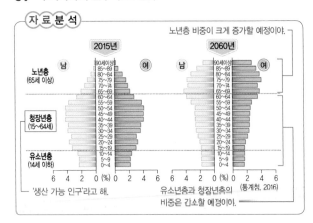

자 료 분 석

우리나라는 2060년이 되면 유소년층 비중이 더욱 감소하고, 노년층 비중이 대폭 증가할 것으로 전망된다. 이에 따라 생산 연령 인구가 감소하면서 노동력 부족, 소비 감소에 따른 경기 침체, 세대

간의 일자리 경쟁, 노년 부양비와 노인 복지 비용 증가 등의 문제가 심각해질 것이다.

▮ 바로 알기 ▮ ㄱ. 우리나라의 유소년층 비중이 더욱 낮아졌으므로 합계 출산율이 증가할 것으로 보기 어렵다. ㄷ. 우리나라는 저출산·고령화 문제가 지속될 경우 종형 또는 방추형 인구 구조가 나타날 것이다.

08 인구 문제 해결을 위한 가치관의 변화
제시된 내용은 현세대를 위한 복지 확대는 노동 인구가 감소하는 미래 세대에게 부담될 수밖에 없기 때문에, 미래 세대의 부담을 줄이기 위한 배려가 필요하다는 점을 강조하고 있다. 이를 위해서는 미래 세대에 대한 책임 있는 자세를 바탕으로 현세대와 미래 세대의 형평성을 고려해야 하므로, (가)에는 세대 간 정의 실현의 필요성이 들어가야 한다.

09 주요 에너지 자원의 특성
세계 에너지 자원의 소비 비중은 석유, 석탄, 천연가스 순으로 높으므로 A는 석유, B는 석탄, C는 천연가스에 해당한다. 이들 자원은 전체 에너지 소비에서 약 86%를 차지하고 있어 세계적으로 화석 에너지의 소비 비중이 매우 높은 편이다. ④ 석유는 석탄에 비해 편재성이 커서 자원의 개발과 확보를 둘러싼 갈등이 많은 편이다.

▮ 바로 알기 ▮ ① 석유는 주로 신생대 제3기 배사 구조의 지층에 매장되어 있다. 배사 구조는 지층이 횡압력에 밀려 형성된 습곡에서 볼록하게 솟은 부분을 말하며, 밀도의 차이로 인해 천연가스, 석유, 물의 순서로 층이 나뉘어 존재한다. ② 파이프라인 건설의 확대로 장거리 수송이 가능해진 에너지 자원은 천연가스이다. ③ 천연가스의 최대 수출국은 러시아이다. ⑤ 석탄은 천연가스에 비해 대기 오염 물질 배출량이 많은 편이다.

완자 정리 노트	석탄, 석유, 천연가스의 특징
석탄	• 가장 먼저 상용화된 에너지 자원, 산업 혁명기의 주요 동력원 • 주로 공업용 및 화력 발전의 연료로 사용
석유	• 19세기 자동차 등 운송 수단의 발달로 수요 급증 • 수송용 및 화학 공업의 원료로 이용
천연가스	• 석탄, 석유보다 연소 시 대기 오염 물질 배출량이 적음 • 가정용과 상업용으로 사용되는 비중이 높음

10 석탄의 분포와 이동
석탄은 주로 고생대 지층에 매장되어 있으며, 비교적 넓은 범위에 분포한다. 석탄은 화석 연료 중 가장 먼저 상용화된 자원으로, 산업 혁명기의 주요 동력원이 되었다. 주로 제철 공업이나 화력 발전 등 산업용으로 많이 이용되고 있다.

▮ 바로 알기 ▮ ㄴ. 석탄의 주요 수출국은 오스트레일리아, 인도네시아 등이며, 주요 수입국은 중국, 일본, 우리나라 등이다. 특히, 중국은 세계 석탄의 약 절반을 생산하는데 중국 내의 수요가 많아 석탄 수입량이 많다. 따라서 석탄은 석유에 비해 국제 이동량이 적은 편이다. ㄹ. 최근 북극해의 빙하가 녹으면서 석유와 천연가스의 개발 가능성이 커지고 있다.

11 자원 문제의 발생 요인

제시된 자료는 에너지 자원의 공급을 둘러싼 러시아와 우크라이나 간의 자원 갈등 사례를 나타낸 것이다. 이러한 갈등은 자원 분포의 편재성에 따라 자원의 생산지와 소비지가 일치하지 않기 때문에 나타난다. 특히, 우크라이나와 같이 에너지 자원의 해외 의존도가 높은 국가들은 이에 큰 영향을 받으며 어려움을 겪기도 한다.

12 지속 가능한 방식의 자원 개발 및 이용

(1), (2) 지속 가능한 자원 개발을 위해서는 석탄, 석유 등의 화석 에너지의 사용을 줄여나가면서, 이를 대체할 태양광, 풍력, 지열 등의 신·재생 에너지 개발과 보급을 확대해야 한다. (3) 우리는 현 세대뿐만 아니라, 미래 세대까지 고려하여 환경친화적인 방식으로 자원을 이용할 필요가 있다.

▌바로 알기▐ (4) 자원의 해외 의존도가 높은 국가들은 기존 에너지 자원의 효율적 이용과 신·재생 에너지의 보급을 위한 기술 개발이 이루어져야 한다. (5) 자원 민족주의는 자원을 보유한 특정 국가들이 자원의 생산과 공급을 통제하여 자국의 이익을 극대화하려는 움직임을 말한다. 자원 민족주의가 확산될 경우 자원 갈등의 원인이 된다.

13 지속 가능한 발전을 위한 노력

(가)는 지속 가능한 발전을 의미하며, 이를 일상생활에서 실천하기 위해서는 개개인 모두가 환경과 사회 구성원을 고려하는 행동을 해야 한다. 예를 들어 생활 속에서 음식을 남기지 않는 '빈 그릇 운동'에 참여하기, 노동 착취가 없고 환경친화적인 방식으로 생산된 공정 무역 제품 이용하기, 개발 도상국의 빈곤 주민이나 사회적으로 취약한 계층 후원하기, 자신의 재능을 나누는 봉사 활동에 참여하기 등을 실천할 수 있다.

▌바로 알기▐ ㄷ. 지속 가능한 발전을 위해서는 장거리 운송을 거치지 않은 우리 지역의 농산물을 이용하는 것이 좋다. 이러한 로컬 푸드를 이용하면 이동 과정에서 발생하는 온실가스의 배출량도 줄이고 지역의 소득 증대에도 이바지할 수 있다.

완자 정리 노트 **지속 가능한 발전을 위한 주체별 노력**

국제적 노력	국제 연합(UN)의 지속 가능 발전 목표 제시, 국제 환경 협약 체결, 온실가스 배출권 거래제 시행, 공적 개발 원조(ODA) 실시 등
국가적 노력	「지속가능발전법」, 「저탄소녹색성장기본법」 등의 법률 제정, 지속 가능 발전 기본 계획 수립, 사회 취약 계층 지원 제도 실시
개인적 노력	자원 및 에너지 절약, 환경 보호를 위한 노력, 윤리적 소비 실천, 사회 정의와 형평성을 위한 시민 의식 함양

14 지속 가능 발전 목표

제시된 자료는 2015년 국제 연합(UN) 정상 개발 회의에서 제시한 지속 가능 발전 목표를 나타낸 것이다. 빈곤 퇴치, 경제·사회의 양극화, 각종 사회적 불평등 문제, 정의, 기후 변화, 인권, 양성평등,

환경 지속성, 평화와 안보 등을 아우르는 목표를 제시하고 있다.

▌바로 알기▐ ② 자유 무역 협정(FTA)이 체결되어 무역 장벽이 낮아지면 국제 거래가 확대되지만, 국제 경쟁력을 갖추지 못한 산업이나 기업은 위축되거나 쇠퇴할 수 있다. 이로 인해 산업의 다양성이 줄어들고, 여기에 종사하는 노동자들이 일자리를 잃는 등의 문제가 나타날 수 있다.

15 미래 지구촌의 모습

미래 지구촌의 모습은 다양한 측면에서 많은 변화가 나타날 것으로 예측된다. ① 국가 간 교류가 증가하고 상호 의존도가 높아짐에 따라 다양한 분야에서 협력이 강화될 것이다. 세계 평화를 위한 핵 안보 문제를 해결하고, 분쟁으로 인해 발생하는 난민, 기아, 빈곤 등 지구촌 문제의 해결책을 모색할 수 있다. ② 자유 무역이 확대되어 국가 간의 경쟁이 더욱 치열해지고, 소수의 국가가 세계 경제를 독점하게 되면 국가 간의 빈부 격차가 더 벌어질 가능성이 있다. ③ 정보 통신 기술의 발달로 사람과 공간, 사물, 데이터 등이 인터넷으로 연결되어 정보를 주고받을 수 있게 될 것이다. 이러한 사물 인터넷 기술의 발달로 모든 것이 연결되는 초연결 사회가 되고, 도시 전체는 정보 통신 기술을 이용하여 연결되는 스마트 시티가 될 전망이다. ④ 생명 공학의 발달로 인간의 유전자 분석을 통해 개인 맞춤형 치료를 할 수 있게 됨에 따라 수명이 더 연장되고 급속한 고령화가 나타날 것이다. 또한 유전자 변형 동식물을 만들어 농업과 바이오 연료 생산에 도움을 줄 것으로 보인다.

▌바로 알기▐ ⑤ 자율 주행이 가능한 무인 전기 자동차의 운행은 과학 기술의 발전에 따른 변화 모습이다. 현재 발생하고 있는 환경 문제가 해결되지 않는다면 미래 지구촌의 생태 환경은 더욱 나빠질 가능성이 크다. 따라서 환경 문제의 해결을 위한 노력이 이루어져야 한다.

16 지구촌 구성원으로서의 태도

미래 사회에서 지구촌 구성원으로서의 역할은 세계를 하나의 공동체로 인식하고 지구촌 문제에 관심을 가지는 것이다. 지구촌 문제와 인류 보편적 가치에 대한 이해를 바탕으로 세계 시민으로서 공감과 연대 의식을 가지며, 문화의 차이를 인정하고 다양성을 존중하는 자세가 필요하다. 또한 책임 의식을 가지고 지구촌 문제를 해결하기 위해 적극 동참하고 실천하는 노력이 필요하다.

▌바로 알기▐ ② 최소한의 임금으로 노동자를 고용하는 방안은 기업의 이익에만 초점을 맞춘 것으로, 미래 사회에서 지구촌 구성원으로서의 역할을 수행한다고 보기 어렵다.

논술형 문제 풀이

주제 01 행복한 삶을 위한 조건

논술 SOLUTION

(가)는 우리나라 청소년의 주관적 행복도가 OECD 국가들에 비해 낮으며 그 이유가 주로 학습 부담, 성적에 대한 압박 때문이라는 내용이다.

(나)는 진정한 행복을 위한 올바른 가치의 설정과 이를 토대로 한 자아 성찰을 통해 행복을 이루어 갈 수 있다는 주장이다.

●POINT● 자신과 타인을 비교하는 것과 자신만의 목표와 가치관을 세우는 것, 단기적 목표와 장기적·본질적 목표를 설정하는 것 중 어느 것이 더 행복할 수 있는 방법인지 선택하여 논술한다.

1. 예시 답안 행복을 결정하는 요인은 친구 및 가족과의 인간관계이고, 불행을 결정하는 요인은 성적과 같은 객관적 평가에 대한 부담감이다.

2. 예시 답안 (가)는 학교 성적과 같이 객관적 평가를 통해 나타나는 부분에 대해 우리나라 학생들이 적지 않은 부담감을 느끼고 있음을 보여주며, (나)에서는 이에 대한 해법을 제시하고 있다. 자신의 내면에 대한 성찰과 이에 따른 판단이 아니라 단지 다른 사람과의 비교를 통한 평가에서는 행복을 찾기가 어렵다는 것이다. 따라서 우리나라 학생들이 행복하기 위해서는 먼저 자신에 대한 바른 성찰을 토대로 본인이 중시하는 가치를 스스로 정하여 자신만의 목표를 세워야 한다. 또한 목표를 세울 때는 감각적 만족을 주는 것이나 단기적인 성취를 이루는 단편적인 것이 아니라 보다 본질적인 목표를 정하고 이를 꾸준히 추구해야 행복에 다다를 수 있다.

주제 02 환경 문제 해결을 위한 노력

논술 SOLUTION

(가)는 미세 먼지의 발생 원인과 미세 먼지로 인해 나타날 수 있는 문제점에 대한 내용이며, 사진을 통해 미세 먼지 발생 전후의 대기 상태를 보여주고 있다.

(나)는 미세 먼지 문제를 해결하기 위한 정부 차원의 대책을 나타낸 자료이다.

●POINT● 미세 먼지의 의미와 발생 원인이 무엇이며 우리 삶에 어떤 영향을 미치는지 파악한다. 그리고 미세 먼지로 인한 피해를 줄이기 위해서 행위 주체별로 어떤 노력을 해야 하는지 논술한다.

1. 예시 답안 미세 먼지는 내체로 화력 발전소나 공장의 매연, 자동차의 배기가스 등에서 나오며, 일부는 중국에서 발생하여 편서풍을 타고 우리나라에 영향을 주기도 한다. 특히, 한반도 상공의 대기가 정체하는 경우 국내에서 발생한 미세 먼지와 중국에서 유입한 미세 먼지가 빠져나가지 못하면서 심각한 대기 오염이 나타나기도 한다. 미세 먼지로 인한 대기 오염이 심각해지면 각종 질병 환자와 조기 사망자 수가 증가한다. 또한 이에 따른 의료비 지출 증가, 노동 생산성 감소, 농업 생산량 감소 등 경제적 손실이 발생하게 된다.

2. 예시 답안 정부는 미세 먼지 문제 해결을 위해 다양한 제도 및 정책을 수립하여 시행할 수 있다. 예를 들어 대기질 개선, 에너지 소비 절감, 오염 물질 배출 규제 등의 법률을 마련하고, 기업과 개인을 대상으로 환경 정책과 구체적인 실천 방안에 관한 홍보 활동을 할 수 있다. 기업은 대기 오염 물질의 배출량을 줄이기 위해 미세 먼지 방지 시설을 운영하고, 노후화된 시설을 정비하고 교체해야 한다. 시민 단체는 미세 먼지 문제를 사회적으로 쟁점화하고, 시민의 참여와 관심을 촉구하기 위해 홍보 활동과 서명 운동 등을 전개해야 한다. 최근에는 여러 환경 단체가 연대와 협력을 통해 국내와 중국에서 발생한 미세 먼지에 공동으로 대응하는 방안을 모색하고 있다. 개인적 차원에서는 자원과 에너지를 절약하고, 자가용보다는 버스, 지하철과 같은 대중교통을 이용하는 노력이 필요하다.

주제 03 지역의 공간 변화

논술 SOLUTION

(가)는 1980년과 2016년에 촬영한 평택시의 항공 사진이다. 두 사진을 비교해 보면 평택시의 토지 이용 변화를 파악할 수 있다.

(나)는 1961년과 2014년의 평택시 산업별 종사자 비중 변화를 나타낸 그래프이다. 이를 통해 평택 시민들의 직업 구성이 어떻게 변화하였는지 파악할 수 있다.

●POINT● 지역의 공간 변화를 파악하기 위해서는 토지 이용, 산업, 인구, 생태 환경, 주민들이 직업, 인간관계, 가치관 등 다양한 측면에서 분석해야 한다. 또한 이러한 공간 변화에 따라 나타날 수 있는 문제점을 예측하고, 이를 어떻게 해결할 것인지에 대해 논술한다.

1. (예시 답안) 과거의 평택시는 평야와 산림 등 자연 상태의 토지가 대부분이었지만, 평택·당진항의 건설 이후 산업 단지가 조성되고 주변 지역과 연결되는 교통로가 만들어졌다. 이처럼 평택시에 산업이 발달하고 기반 시설이 조성됨에 따라 제조업과 서비스업을 중심으로 한 2·3차 산업이 큰 비중을 차지하고 있다.

2. (예시 답안) 평택시는 산업화로 인구와 각종 기능이 집중하면서 도시화가 빠르게 진행되었고, 이에 따라 여러 가지 문제점이 나타날 수 있다. 도시는 공간적으로 한정된 지역에 많은 인구가 밀집하고 있으므로 주택 수요가 증가하면서 주택 부족 및 집값 상승, 불량 주택 지역 형성 등의 문제가 발생한다. 또한 교통량이 늘어난 것에 비해 도로 및 교통 시설이 부족하여 교통 혼잡과 주차난 등의 문제가 발생한다. 도시에서 여러 산업이 발달하고 인구가 증가하면 환경 문제도 많이 발생하게 된다. 산업 시설이나 가정에서 배출하는 산업 폐수나 생활 하수로 수질이 오염되고, 산업 폐기물과 생활 쓰레기 등의 증가로 토양이 오염될 우려가 있다. 또한 공장 매연이나 자동차의 배기가스가 대기를 오염시켜 도시의 생태 환경을 악화시키기도 한다.

주제 04 시민 불복종의 정당화 조건

논술 SOLUTION

(가)는 시민 불복종의 의미와 정당화 조건에 대한 내용이다.

(나)는 1987년 우리나라에서 일어났던 6월 민주 항쟁이 일어난 배경과 당시 운동의 구체적인 행동 요강이다.

● POINT ● 주어진 제시문을 통해 시민 불복종의 의미와 정당화 조건을 파악하고, 그에 비추어 6월 항쟁이 시민 불복종 조건에 해당하는지 분석하여 논술한다.

1. (예시 답안) 법이나 정책이 국민의 정당한 권리를 침해하는 것은 정의에 어긋날 뿐 아니라, 사회적 갈등을 유발할 수 있다. 사회적 갈등은 소외받은 사람들의 저항을 불러일으키고, 결국 정의로운 체제의 안정적인 유지도 어렵게 만든다. 시민 불복종은 공정하지 못한 법이나 정책을 재검토하고 그것들이 부 정의함을 바로잡는 역할을 함으로써, 사회 정의의 실현에 기여하고 사회 안정을 가져올 수 있다.

2. (예시 답안) 시민 불복종이 정당화되려면 우선 사회 정의 실현이라는 목적의 정당성이 있어야 한다. 6월 민주 항쟁은 국민의 민주

화 요구를 국가가 무시하고 강압적인 통치를 계속했기 때문에 저항한 것이다. 즉 민주주의 수호라는 정당한 목적이 있었다. 둘째, 폭력적이거나 파괴적인 방법을 피하여야 한다. 6월 민주 항쟁의 행동 요강을 보면 소등, 기도, 묵상, 독경 등 비폭력적인 방법을 사용한 것을 알 수 있다. 셋째, 시민 불복종은 마지막 수단이어야 한다. 6월 민주 항쟁은 더 이상 합법적인 수단이 통하지 않은 상태에서 시민들이 나선 것이다. 넷째, 시민 불복종에 따른 처벌을 감수하여야 한다. 이 항쟁으로 많은 사람들이 투옥되었지만 이를 감수하였다. 6월 민주 항쟁은 이런 요건을 모두 갖추었으므로 시민 불복종에 해당한다.

주제 05 소비자의 바람직한 역할

논술 SOLUTION

갑은 자신이 소유한 자원의 범위 내에서 합리적 소비를 통해 최대 효용을 얻기 위해 노력하고 있다.

을은 인간이나 동물·환경에 해를 끼치는 상품은 피하고, 환경에 도움이 되거나 공정 무역을 통해 만들어진 제품을 구매하는 윤리적 소비를 추구하고 있다.

● POINT ● 합리적 소비와 윤리적 소비의 차이점을 '상품 구매 기준'을 중심으로 비판적으로 비교한다. 이를 토대로 합리적 소비와 윤리적 소비 중 바람직한 소비를 선택하고, 그 이유를 소비가 미치는 영향을 고려하여 논술한다.

1. (예시 답안) 갑은 소비를 통한 효용을 극대화하려는 합리적 소비를 추구하고 있으며, 을은 윤리적인 가치 판단에 따라 올바른 선택을 실천하려는 윤리적 소비를 추구하고 있다.

2. (예시 답안) 갑의 소비 행위보다 을의 소비 행위가 더 바람직하다고 생각한다. 상품을 구입할 때 낮은 가격만을 중시할 경우 기업은 그 가격에 맞추기 위해서 생산 과정에서 동물을 착취하고 노동자의 인권을 침해하거나 환경을 파괴할 수 있기 때문이다. 만약 많은 사람들이 공동체와 환경을 고려한 윤리적 소비를 실천한다면 기업도 동물을 보호하고 노동자의 인권을 보장하면서 환경을 오염시키지 않는 제품을 생산하기 위해 노력할 것이다. 이처럼 소비자들이 상품의 가격이 조금 비싸더라도 윤리적인 가치 판단에 따라 물건을 구입한다면 소비자의 구매력을 통해 동물과 인간, 공동체와 환경이 보호되어 시장 경제가 원활하게 작동되고 정의로운 경제 체제가 구축될 수 있다.

주제 06 **적극적 우대 조치**

논술 SOLUTION

> (가)는 부당한 차별은 인간 존엄성을 훼손한다는 주장이다. 개인의 능력이나 업적과 상관없이 단순히 선입견이나 편견에 의해 발생하는 차별은 구성원의 기본적 권리를 침해하므로 문제가 될 수 있다.

↓

> (나)는 우리나라에서 시행하는 적극적 우대 조치의 사례에 해당한다. 적극적 우대 조치는 사회적 약자에게 실질적인 기회의 평등을 보장하기 위해 일정한 혜택을 부여하는 제도를 의미한다.

> **●POINT●** 적극적 우대 조치의 혜택을 받는 사회적 약자와 그 반대편의 입장을 고려하여 적극적 우대 조치의 도입 여부에 관해 논술한다.

1. (예시 답안) 사람은 누구나 존엄한 존재이므로 차별받아서는 안 된다. 사회적 약자들이 경험하는 차별과 불이익 등의 불평등은 이들이 사회적 주류 집단과 다르다는 비합리적인 이유로 나타나는 것이기에 문제가 된다. 이러한 사회적 약자에 대한 차별은 오랜 기간 동안 누적되어 왔기 때문에 다른 사람들과 동등한 기회를 부여하는 것만으로는 해결하기 어려운 경우가 많다. 따라서 이들에게 실질적인 기회의 평등을 보장하기 위해 일정한 혜택을 부여하는 제도를 마련해야 한다.

2. (예시 답안) · 반대 입장인 경우: 사회적 약자에 대한 제도적 차별을 금지하여 그들 스스로 노력해서 성공할 수 있도록 해야 한다. 적극적 우대 조치를 도입하면, 사회적 약자를 우대하는 과정에서 사회적 약자가 아닌 사람들이 역차별을 받는데, 이것은 새로운 차별을 만들어 내는 것이다.

· 찬성 입장인 경우: 사회적 약자에 대한 차별을 금지한다고 불평등이 바로 해소되지 않는다. 여전히 남아 있는 불평등을 보상해 주고 성공 기회를 제공하는 것이 정의롭다. 이때 발생하는 역차별은 사회적으로 감수해야 한다.

주제 07 **다문화 사회와 다문화 정책**

논술 SOLUTION

> (가)는 국내 거주 외국인 수(비율)와 국내 거주 외국인의 국적별 현황 그래프를 통해 우리나라가 다문화 사회로 변화하고 있음을 보여준다.

↓

> (나)를 통해 갑국은 다양성을 인정하는 샐러드 볼 정책, 을국은 문화적 통일성을 강조하는 용광로 정책을 실시하고 있음을 파악할 수 있다.

> **●POINT●** 다문화 사회로 변화해 가는 과정에서 발생할 수 있는 문제점을 예측하고, 이를 어떻게 해결할 것인지 논술한다. 이를 기반으로 하여 다문화 사회에서는 공존의 측면에서 어떠한 정책이 바람직한지 논술한다.

1. (예시 답안) 우리나라는 다양한 민족, 종교, 언어 등이 공존하는 다문화 사회로 변화하고 있다. 이러한 다문화 사회에서 발생할 수 있는 문제점 중 하나가 일자리를 둘러싼 갈등이다. 이를 해결하기 위해 개인적 측면에서는 외국인 노동자에 대한 배타적 태도를 버리고 그들의 문화를 이해하려는 태도를 기르며, 사회적으로는 이들을 위한 직업 알선 프로그램, 노동자로서의 권리 보호를 위한 법률 등을 마련해야 한다.

2. (예시 답안) 다문화 사회로 변화해 가는 상황에서 기존 사회 구성원들과 다른 역사적 경험, 종교적 신념, 언어 등 이질적인 문화를 지니고 있는 사람들에게 을국과 같이 특정 문화를 강요할 경우 자칫 갈등이 야기될 가능성이 높다. 따라서 다양한 문화를 지니고 있는 사람들과 공존하기 위해서는 갑국과 같이 사회 구성원들의 문화적 정체성을 이해하고 존중하는 정책을 실시하는 것이 바람직하다.

 주제 08 **남북통일의 필요성**

논술 SOLUTION

> (가)는 남북한 언어 이질화의 현황에 대한 내용이다.

↓

> (나)는 독일이 통일에 이르기까지 상호 간의 교류와 협력이 지속적으로 이루어진 내용이다.

> **●POINT●** 남북한의 이질성이 심화되는 모습을 통해 통일의 필요성을 이해하고, 독일의 통일 사례를 참고하여 한반도 통일을 위한 대내적·대외적 차원에서 어떤 노력을 해야 하는지 논리적으로 판단하여 논술한다.

1. (예시 답안) 남과 북은 서로 다른 체제와 이념 속에 살면서 언어, 사고방식, 가치관, 행동 양식 등 공통의 문화를 점차 잃어가고 있다. 이렇듯 남북한 이질성이 심화되면 한민족으로서의 역량을 발휘하기 어려워진다.

2. (예시 답안) 독일은 동·서독 간 조약을 통해 상호 교류를 지속하는 한편, 대외적으로 주변 강대국을 설득하였다. 이렇듯 남북통일을 위해서는 대내적 노력과 대외적 노력이 함께 이루어질 필요가 있다. 우선 대내적으로는 남북한 간의 평화적 교류와 협력을 지속

해서 추진해야 한다. 남북한은 지금까지 남북 정상 회담과 이산가족 상봉, 스포츠 대회 단일팀 구성 등 다양한 형태의 교류와 협력을 해 왔다. 이러한 평화적 교류와 협력은 서로 간의 이해를 증진하여 군사적 긴장 상태를 완화하고 상호 신뢰를 회복하는 데 도움을 주기 때문에 지속적으로 추진해야 한다. 또한, 대외적으로는 통일에 우호적인 국제 환경을 조성하기 위해 노력해야 한다. 분단을 극복하기 위해서는 남북한의 주도적인 노력뿐만 아니라 주변 강대국의 지지와 협력이 필요하다. 따라서 남북통일은 동아시아 국가 간의 긴장 상태를 해소할 뿐만 아니라, 국제 사회의 평화와 번영을 가져올 수 있다는 점을 주변국에 설득해야 한다.

게 될지도 예측하기 어렵다. 또한 제초제와 농약에 내성이 생긴 변종 잡초 및 해충이 출현하여 방제가 더욱 어려워지는 악순환을 겪게 될 우려도 있다. 따라서 인위적인 조작을 통해 생태계를 교란시키는 위험을 택하는 대신, 현재 생산되고 있는 식량을 적절히 분배하고 곡물 가격을 안정시키면서 개발 도상국의 식량 자급력을 향상시키는 것에 투자하는 것이 더 안전한 대비책이 될 것이다.

주제 09 유전자 변형 농산물(GMO)과 지속 가능한 발전

논술 SOLUTION

(가)는 유전자 변형 농산물(GMO)의 긍정적 영향이 제시되어 있으며, 이는 GMO 생산 찬성 의견에 대한 근거로 활용할 수 있다.

⬇

(나)는 유전자 변형 농산물(GMO)의 부정적 영향이 제시되어 있으며, 이는 GMO 생산 반대 의견에 대한 근거로 활용할 수 있다.

●POINT● 인류의 지속 가능한 발전이라는 측면에서 유전자 변형 농산물(GMO)의 생산에 대한 찬반의 입장을 명확히 밝히고, 논리적 근거를 제시할 수 있도록 논술한다.

예시 답안 •GMO가 인류의 지속 가능한 발전에 기여할 수 있다는 입장: 유전자 변형 농산물은 전통적인 농업 방식보다 비료나 제초제를 덜 쓰고도 수확량을 늘릴 수 있으므로, 적은 노동력과 비용을 투입해 많은 양을 수확할 수 있다. 결과적으로 농산물을 재배하기 쉬울 뿐만 아니라 농산물의 재배 원가를 줄일 수 있으므로 경제적인 이익을 볼 수 있다. 또한 병충해에 대한 내성이 생겼으므로 농약 사용량을 줄여 환경 오염을 방지할 수 있다. 최근에는 무더위나 추위, 가뭄, 장마와 같은 환경적 요인에 잘 버틸 수 있도록 유전자를 변형하여 품종을 개발하고 있으며, 향후 세계의 식량난을 해소하는 데 크게 기여할 것으로 기대되기도 한다.
•GMO가 인류의 지속 가능한 발전을 저해할 수 있다는 입장: 유전자 변형 농산물은 인위적인 방법으로 새로운 식물 구조를 만들어 내기 때문에 인체 내에서 부작용을 일으킬 가능성을 완전히 배제할 수 없다. 안정성이 아직 검증되지 않은 작물을 식량으로 사용하는 것은 매우 위험하다. 인위적인 유전자가 생물종 다양성을 파괴하고 생태계를 교란할 위험이 있으며 어떠한 형태의 돌연변이가 발생하

Memo

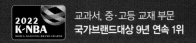

완자 시·리·즈   친절한 개념 설명으로 완벽한 자율학습이 가능하여 공부의 자신감을 갖게 합니다.

대표전화 1544-0554
주소 서울특별시 구로구 디지털로33길 48 대륭포스트타워 7차 20층
협의 없는 무단 복제는 법으로 금지되어 있습니다.